WALTER MÖNCH

DEUTSCHE KULTUR

von der Aufklärung bis zur Gegenwart

WALTER MÖNCH

DEUTSCHE KULTUR

von der Aufklärung bis zur Gegenwart

Ereignisse – Gestalten – Strömungen

1962

MAX HUEBER VERLAG MÜNCHEN

© 1962 by Max Hueber Verlag, München
Einbandgestaltung: Prof. Hans Schreiber, München
Gesamtherstellung: Friedrich Pustet, Regensburg
Printed in Germany

INHALTSVERZEICHNIS

TEIL II

Das XIX. JAHRHUNDERT · DIE DEUTSCHE KULTUR AUS DEM GEISTE DER PHILOSOPHIE UND MUSIK

sischer Pessimismus«. Die POLITIK: »Die Zeit für kleine Politik ist
vorbei«; der bevorstehende »Kampf um die Erd-Herrschaft«. Die RE-
LIGION: der gekreuzigte Dionysos oder der dionysische Kruzifixus? Die
Circe der Menschheit. »Zarathustra« contra »Parsifal«. Das Zwielicht.

TEIL III

DAS XX. JAHRHUNDERT · ZU NEUEN WERKEN UND TAGEN

Die drei Modernitäten. – Auf dem schmalen Grat von Traumwelt und Wirklichkeit. – 2. Der Expressionismus – ein deutscher Beitrag zur Revolution der Kunst und Dichtung. – Gefühl der Weltkrise. Das Geschlecht der Geopferten. Die Überlebenden. – Synthese von Naturalismus und Symbolismus. – Dionysos zu Füßen des delphischen Gottes. – 3. Der dritte Schub nach dem zweiten Weltkrieg. Sinn und Un-sinn des Gedichts. – Neun Gedanken zur Dichtung unserer Zeit.

1. Das Erbe der deutschen Musik von Bach bis Brahms: Strauß, Pfitzner, Mahler. Was ist Tonalität? Ihre mathematische, biologische und ästhetische Bestimmung. – 2. Schönberg und die Atonalität. Die Umkehr der drei Ordnungen zu einem musikalischen Gesetz. – 3. Die elektronische Musik: ein Phänomen der Phonotechnik. – Erweiterung des Tonmaterials. – Naturwissenschaftliches Experiment oder musikalische Kunst? – Probleme der Alternative. – 4. Musik und heutiges Publikum. Ein Schlußwort von Thomas Mann und Arnold Schönberg.

1. Das neue Ereignis der deutschen Malerei: der Expressionismus. Vermächtnis des französischen Impressionismus. – Drei Motive der neuen Bestrebungen und drei Zitate über die Freiheit des Genies, die Autonomie der Kunst, die Souveränität der Form. – Die sozialistische, psychoanalytische und futuristische Tinktur der modernen Kunst. – Im Bann des platonischen Denkens, der Mathematik und der Musik: Vom Vorbildlichen zum Urbildlichen; der spitze Winkel an der Peripherie des Kreises; Schöpfung aus dem Nichts. – Der Weg zur Abstraktion: »Schnell ist der impressionistisch anheimelnde Traum vorbei.« – 2. Der Kubismus. Das zweite Ereignis. Gestaltaufbau – Gestaltabbau – Gestaltneubau. Fünf Meister zu den Problemen des Kubismus. – 3. Der Surrealismus. Das dritte Ereignis. – Die Gebärde gegen den bon sens. – Von Dada zum Surrealismus. – Ästhetischer Distraktionsbetrieb oder Erforschung neuer Erfahrungsgebiete? Ein philosophischer Aspekt des Surrealismus: die Surrealität. – Wissenschaft und Kunst. – »Das Entbergen des Seienden.«

... ut unda impellitur unda
Urgueturque eadem veniens urguetque priorem:
Tempora sic fugiunt pariter pariterque sequuntur
Et nova sunt semper. Nam quod fuit ante, relictum est
Fitque, quod haud fuerat, momentaque cuncta novantur.

Ovid, Metamorphoses XV, 181 ff.

VORWORT

Von Ereignissen, Gestalten und Strömungen in der Vergangenheit
und Gegenwart unserer deutschen Kultur will das vorliegende Buch berichten. Es war meine Absicht, nicht subjektiv-kritisch, sondern objek-
tiv – unterrichtend den Gang der Kultur, gewissermaßen am Leitfaden
einschlägiger Zitate, darzustellen. Es galt, Akzente zu setzen, Höhepunkte zu zeigen und sie durch Linien zu verbinden, um das Gewebe
der Kultur und Geistesgeschichte der letzten drei Jahrhunderte sichtbar zu machen. Was in der Abfolge der Geschlechter seit eh und je
geschieht, hat uns Ovid in seinen »Metamorphosen« durch den Mund
des Pythagoras im Bilde der Wellenbewegung geschildert: »... wie
Welle auf Welle gejagt wird – und wie die eine, heraneilend, die vorige
drängt und selber gedrängt wird –: also die Zeiten, sie fliehen zugleich,
zugleich sich verfolgend – und sind immer neu; denn was einst war,
ist vorbei – und es wird, was nicht war; und neu gestaltet sich jeglicher Augenblick«.

In diesem Spiel der Verwandlungen verlagern sich auch die Interessen. Die Zeiten wandeln sich, und wir mit ihnen und in ihnen. So ist
das Publikum des 20. Jahrhunderts nicht mehr das höfische oder
bürgerliche, das einen Goethe als Minister, Theaterintendanten oder
Dichter in Weimar sah, oder das einen Beethoven in Wien dirigieren
oder einen Hegel in der Universität Berlin philosophieren hörte. Jugend, die von den Kräften der heutigen Gesellschaft geformt wird,
lenkt ihre Fähigkeiten und Interessen eher auf die Gebiete der Technik,
Naturwissenschaft und Wirtschaft, von deren umwälzender Bedeutung
frühere Epochen kaum etwas ahnen konnten. Die Atmosphäre der
Zeiten ändert sich; aber die geistige Kraft, die durch ihre Schöpfungen
jeweils eine neue Atmosphäre erzeugt, ist die gleiche: die Kraft des
»faustischen Menschen«, der nicht ruhen noch rasten mag, stets zu
neuen Ufern drängt und Neues schaffen will.

Die Konstruktion eines Erdsatelliten ist kein geringeres Werk menschlicher Schöpferkraft als das Steinkunstwerk einer gotischen Kathedrale, die Versstruktur von Dantes »Divina Comedia« oder die Tonschöpfung von Bachs »Kunst der Fuge«. Nur der Geist der Zeiten, in denen unter bestimmten Bedingungen solche Werke möglich waren, ist verschieden; aber die schöpferische Kraft des Menschen, die sich in den jeweiligen Zeiten nur verschieden auswirkt, ist nicht geringer geworden. Die schöpferischen Kräfte verlagern sich freilich im Gang der Geschichte von Volk zu Volk, von Kontinent zu Kontinent. »Die Geschichte der Wissenschaften«, sagt Goethe, »ist eine große Fuge, in der die Stimmen der Völker nach und nach zum Vorschein kommen.« So auch die Geschichte der Kultur. Wo allerdings Naturwissenschaft und Technik dem Zeitalter die Signatur verleihen, wo soziale, wirtschaftliche, politische Probleme, die heute andere Dimensionen haben als früher, unsere menschlichen Energien in einem außerordentlichen Maße beanspruchen, scheinen die Kulturdisziplinen in den Schatten zu treten. Aber wer sagt, daß die Kultur untergeht? Nur ihr Erscheinungsbild wandelt sich. Dichtung, Malerei und Musik sind auch heute wie eh und je da, gehören zum Wesen unseres Menschengeschlechts und sind, wie sie es in jeder historischen Epoche waren, Ausdruck unserer geistig-schöpferischen Humanitas. So hat auch unsere Zeit das Recht auf ihre Lebensstunde, das Recht auf den allein i h r gemäßen Ausdruck ihrer Not und ihres Strebens.

Wir möchten zunächst die Gegenwart verstehen; denn sie ist unsere Lebensluft und unser persönliches und kollektives Schicksal. Wir möchten ihren künstlerischen, religiösen, wissenschaftlichen, sozialen Aspekt begreifen und möchten uns selbst im Lichte der Gegenwart wie in einem Spiegel erkennen. Was uns aber alsbald in diesem Spiegel zu faszinieren beginnt, ist der Blick h i n t e r die bildhafte Erscheinung, wo uralte Züge unseres Menschenantlitzes plötzlich sichtbar werden. Da erscheint Hintergründiges im Vordergründigen, und Vordergründiges versteht sich auf Hintergründigem. Alte Denker und Meister werden auf einmal neu erlebt. Darum kehren die Philosophen so gern und immer wieder zu Platon und Aristoteles zurück, die Theologen zu Augustin und dem hl. Thomas oder Luther, die Musiker zu Bach und Beethoven, die Maler zu El Greco oder Goya, – und alle, denen das Tief-Humane in der Dichtung innerstes Anliegen ist, zu Homer und den griechischen Tragikern, zu Dante und Cervantes, zu Shakespeare und Dostojewskij, zu Molière und Goethe. Diese Meister leben, aber ihre Zeiten sind vorüber und ihre Werke unwiederholbar. Doch wird ihre erlebte Gegenwart zum stärksten Impuls, der eigenen Not durch eigene

Werke zu begegnen und in Neuschöpfungen, mit neuen Beschwörungen, den Geist der eigenen Zeit zu bannen.

Was in diesem Sinne hier von den Phänomenen der deutschen Kultur der letzten Zeiten niedergelegt ist, bedürfte der Ergänzung durch Darstellungen anderer Kulturen der Menschheit. Als Romanist bin ich mir dessen wohl bewußt, da ein großer Bereich meiner geistigen Heimat die mediterranen Kulturen sind: die Antike und ihre romanischen Erben. Die Fachkollegen beiderseits der romanisch-germanischen Grenze mögen mir diesen »Übergriff« nach Deutschland verzeihen. So möchte ich das Buch ebenso den ausländischen Lesern, die sich dem Studium der deutschen Kultur zugewandt haben, wie dem deutschen Publikum überreichen, das ja Träger dieser Kultur ist und zugleich ihr interessiertester Sachwalter.

Heidelberg, Frühjahr 1962   Walter Mönch

TEIL I

Das XVIII. Jahrhundert

Licht über Deutschland

KAPITEL I

DIE SIGNATUR DES 18. JAHRHUNDERTS

I.

Als im Jahre 1700 der König von Spanien, Karl II., kinderlos starb, mußte es sich entscheiden, ob die österreichischen Habsburger oder die französischen Bourbonen – beide Häuser hatten Erbansprüche – die ungeheure Ländermasse Spaniens und seiner Kolonien erben sollten. Im ersten Falle wäre möglicherweise die Universalmonarchie Karls V. wiederhergestellt worden, im andern Falle hätte das bereits zur Vormachtstellung in Europa gelangte Frankreich als See- und Handelsmacht das gesamte Mittelmeer und die Wirtschaftsmärkte Südamerikas beherrscht. Da setzte sich Wilhelm III. von Oranien im Interesse der aufstrebenden britischen Seemacht für eine Teilung des Erbes ein und sprach bei Kriegsbeginn vor dem englischen Parlament die berühmten Worte:
»Jetzt wird man erkennen, ob ihr ernstlich gewillt seid, daß dieses England die Waage der Welt in den Händen halte.«

Das Ergebnis des *Krieges um die spanische Erbfolge* (1701–1714) war der Sieg Englands. Der Grundsatz der Teilung wurde von den streitenden Parteien anerkannt und das politische Gleichgewicht in Europa hergestellt. Philipp von Anjou, ein Enkel Ludwigs XIV. und Urenkel Philipps IV., erhielt als Philipp V. den spanischen Thron und den gewaltigen Besitz der spanischen Kolonien; das Entscheidende aber war, daß Frankreich mit Spanien nicht vereinigt werden durfte. An den Habsburger Kaiser Karl VI. fielen die spanischen Nebenländer Europas: der niederländische Teil, Mailand, Neapel und Sardinien: ein nicht ungefährlicher Gewinn: denn dieser neue Besitz lag über Europa zerstreut und zersplitterte die Kräfte Habsburgs. Die Landgewinne Englands im europäischen Raum waren gering, aber vorteilhaft: Mit Gibraltar und Menorca besetzte es die Schlüsselpositionen zum westlichen Mittelmeer; von Frankreich erhielt es Neuschottland, Neufundland und die Hudsonbai-Länder, und damit den Zugang nach Kanada. Frankreich selbst blieb Großmacht, aber für England war der Weg zur Weltmacht frei. Die Heerführer dieses Weltkrieges um das spanische Erbe waren auf Seiten der Koalition gegen Frankreich der Prinz Eugen und der Engländer Marlborough, zwei der volkstümlich-

sten Männer der Zeit, der eine, Eugen von Savoyen, sogar eine Kultur-
erscheinung ersten Ranges. Ihm widmete Leibniz seine »Monadologie«;
für ihn bauten Fischer von Erlach und Lukas von Hildebrand das
Stadtpalais und das Sommerschloß Belvedere.

Ins fast romanhafte gesteigert steht aber die Gestalt des Schwedenkönigs Karls XII. vor uns, wie ihn Voltaire in seinem fesselnden
Geschichtsbild dargestellt hat. Er und Peter der Große waren die Gegenspieler in dem gleichzeitigen *Nordischen Krieg* (1700–1721). Die
Interessen der europäischen Dynastien, die schon im Spanischen Erbfolgekrieg gebunden waren, verzahnten sich in der neuen Situation,
die durch Rußlands westliche Orientierung und durch das Machtstreben
Schwedens bestimmt wurde, so ineinander, daß alles unentwirrbar erschien, und die Herstellung des Gleichgewichts erschwerte. Dänemark,
Polen, Rußland verbanden sich gegen Schweden, das noch immer seit
dem Dreißigjährigen Kriege die Großmacht des Ostseeraums war. Karl
XII. schlug seine Gegner einzeln, dann versuchte er, fernab der Ostsee,
in der Ukraine, Rußland anzugreifen. Aber die Russen siegten bei
Poltawa 1709; – es war der erste russische Sieg gegen eine europäische
Großmacht. Des Schwedenkönigs Verbindungen mit der Türkei konnten den Gang der Geschichte zu seinen Gunsten nicht mehr wenden.
England trat gegen Schweden in den Krieg, und als 1718 Karl XII.
vor dem norwegischen Friedrichshall von der Kugel getroffen wurde,
schied auch Schweden selbst als Großmacht aus. England vermittelte
die Friedenschlüsse, nachdem es durch den Frieden von Utrecht, der bei
der Beendigung des Spanischen Erbfolgekriegs 1713 zwischen England
und Frankreich geschlossen wurde, die Hand frei hatte: Preußen erhielt
die Odermündung, mit Stettin und Vorpommern bis zur Peene; Dänemark trug nur einen geringen, Polen überhaupt keinen territorialen
Gewinn davon, aber Rußland stieß das »Fenster nach Europa« auf, indem es über Estland, Livland, Ingermanland und Karelien zur Ostsee
vordrang. So war es Peter d. Gr. gelungen, die Riegel fortzuschieben,
die sein Land von den beiden Meeren, der Ostsee und dem Schwarzen
Meer, trennten: Unter ihm betrat Rußland auch den Weg nach Kon-
stantinopel. Fortan mußten sich vier Großmächte in Europa die Waage
halten: die alten Gegner Frankreich und Österreich und die neuen
Flügelmächte des Westens und Ostens: England und Rußland, deren
Gegensatz erst ein Jahrhundert später das Kräftespiel der europäischen Mächte im Spannungsfeld der Weltpolitik charakterisieren
wird.

Der spanische Erbfolgekrieg war kaum vorüber, der Nordische wog-
te noch hin und her, als die Türken durch ihren *Krieg gegen Venedig*

die Österreicher auf dem südöstlichen Schauplatz mobilisierten (1714 bis 1718). Die Eroberung Belgrads durch den Prinzen Eugen verstärkte Habsburgs beherrschende Stellung im Südosten Europas. Österreich erhielt das Banat, Nordserbien und Belgrad, die Walachei und einen Teil Bosniens. So wuchsen Preußen und Österreich an Macht und Gebieten über ihre alten Grenzen hinaus. Die Entwicklung trug die Keime künftiger Auseinandersetzungen in sich.

Drei Gegensätze beherrschten um die Jahrhundertmitte die Welt: der überseeische Interessenkampf zwischen England und Frankreich, der sich in Amerika auswirkte; der alte kontinentalpolitische Gegensatz Habsburg-Bourbon, und schließlich der jüngere innerdeutsche zwischen Preußen und Österreich, der sich in dem denkwürdigsten Kriege des 18. Jahrhunderts, dem *Siebenjährigen Krieg* zwischen Friedrich d. Gr. und Maria Theresia, den beiden bedeutendsten Köpfen und Charakteren der deutschen Geschichte des Jahrhunderts, entlud, der aber alle Großmächte in seinen Strudel riß. Mit den europäischen Ereignissen eröffneten sich weltpolitische Perspektiven. Die überseeischen Konflikte wirkten in die europäische Politik hinein. Der Siebenjährige Krieg wurde zum 2. Weltkrieg des 18. Jahrhunderts, rund 50 Jahre nach dem Spanischen Erbfolgekrieg. 1763 kam in Paris der Ausgleich zwischen England und Frankreich zustande, und auf dem Schloß Hubertusburg bei Dresden der Friede zwischen Preußen und Österreich. Wie sich die Kolonialinteressen mit den innereuropäischen verzahnten, erhellt aus dem Wort des englischen Staatsmanns Pitt des Älteren: »Wir haben Kanada auf deutschen Schlachtfeldern erobert.« England war nunmehr Herr von ganz Nordamerika bis zum Mississippi – und Beherrscher Indiens. Der Weg zum Weltreich war geöffnet. Frankreich aber verlor seinen ausgedehnten Kolonialbesitz, während Preußen und Österreich, in Bezug auf die Gebietsverteilung, eine Remispartie gespielt hatten. Dennoch verlagerte sich das politische Gewicht der deutschen Geschichte nach Norden; der kleine Hohenzollernstaat, Rebell gegen das Reich, hatte die Probe für die Gleichberechtigung mit den vier europäischen Großmächten bestanden. Der Dualismus Preußen-Österreich, der 1748 durch den Frieden von Aachen mit Beendigung des Österreichischen Erbfolgekriegs auf deutschem Boden Wurzeln gefaßt hatte, blieb fortan bestehen. Berlin und Wien sind bis heute die Pole auch im Raume der gemeinsamen deutschen Kultur.

Das für die Weltgeschichte entscheidende Ereignis aber war der an einer Steuerfrage entbrannte *Freiheitskrieg der altenglischen Gebiete Nordamerikas* gegen das Mutterland (1775–1783). Am 4. Juli 1776 erklärten die 13 Vereinigten Staaten ihre Unabhängigkeit. Das führte zu dem zweiten Siebenjährigen Krieg des 18. Jahrhunderts. Im Frieden von Versailles wurde England gezwungen, die Unabhängigkeit der Vereinigten Staaten anzuerkennen. Georges Washington wurde ihr erster Präsident. Nur wenige Menschen ahnten damals – unter diesen wenigen war Melchior Grimm –, wenn sie die Veränderungen der politischen Weltkarte betrachteten, welche neuen Kräfte aufgebrochen waren, um das Antlitz der Menschheit zu verändern.

In diesen politischen und kriegerischen Bewegungen waren nun auch wirtschaftliche und soziale Faktoren bestimmend; neue Züge in der Physiognomie Europas wurden sichtbar, neue Tendenzen zeichneten sich ab: Das 18. Jahrhundert sah den Ausbau des modernen Welthandels, die Erschütterung des Absolutismus als des traditionellen Regierungssystems und die beginnende Industrialisierung der Länder. Neue Welthandelswege wurden erschlossen und führten auf den Weg einer Weltwirtschaft. 1685 wurden die chinesischen Häfen den Fremden geöffnet; 1711 wurde die englische Südseekompagnie, bald darauf die Compagnie des Indes, die holländisch-ostindische Kompagnie und die Mississippi-Gesellschaft gegründet; schon um die Mitte des Jahrhunderts führte der russisch-indische Handel durch die Bucharei. England ging den Weg zur »industriellen Revolution« um 1760, und Frankreich den politisch-sozialen Weg, der wenige Jahre nach dem Befreiungskampf der Nordamerikaner zum Sturz des Ancien Régime und zur Erklärung der Menschenrechte führte. Mit dieser Cäsur in der Geschichte endete das 18. Jahrhundert.

2.

Drei bedeutsame Kräfte von kulturgeschichtlicher Wirkung charakterisieren das Zeitalter: das mathematisch-naturwissenschaftliche Denken; der kritische Intellektualismus; die Leidenschaft für die Probleme der Humanität und Menschheitserziehung. Sie sind drei Grundzüge in der Physiognomie des 18. Jahrhunderts.

Es ist die Epoche des alten Newton (1642–1722), des Begründers des mechanistischen Weltbildes; seine »Philosophiae naturalis principia mathematica« (1687) waren das erste Datum der modernen mathematischen Naturwissenschaft; die Werke Eulers (1707–1783), eines der größten Mathematiker aller Zeiten, wurden zu Wegmalen jenes mathematischen Denkens, das die damalige Kunst-, Kultur- und Geistesgeschichte charakterisiert: die »Introductio in analysim infinitorum«

(Lausanne 1748); die »Institutiones calculi differentialis« (Berlin 1755); die »Institutiones calculi integralis« (St. Petersburg 1768-70); das klassische Zeitalter der »mathesis universalis«, das die Epoche von Descartes bis Leibniz bezeichnet, geht in die klassische Epoche der »mathesis mechanica« über, deren höchster Ausdruck wiederum Euler ist mit seinen drei Werken über die »Mechanica sive motus scientia« (1736), die »Scientia navalis« (1749) – eine mathematische Theorie der Navigation, und die »Vollständige Theorie der Maschinen ...« (1754) eine grundlegende mathematische Turbinentheorie. Den ins Philosophische gewendeten Geist der mathesis mechanica erfassen wir in seinen charakteristischen Merkmalen in der »Encyclopédie« von Diderot und D'Alembert, »dessen Inhalt«, wie Max Bense in seinen »Konturen einer Geistesgeschichte der Mathematik« (1949) sagt, »zum erstenmal wieder nach den großen Tagen des Christentums, des Humanismus und der Renaissance Europas einheitliche geistige Strukturen zu erkennen gibt«.

Eben in dieser »Encyclopédie« aber äußerte sich auch am kampfesfreudigsten der Geist der Kritik: Politische Kritik, Religionskritik, Gesellschaftskritik. Die Encyclopédie war die säkularisierte »Summa« der modernen Wissenschaften und Künste, die umfassende Gemeinschaftsleistung verschiedenartiger, aber durch die Aufklärungstendenzen miteinander verbundener Philosophen, Dichter, Musiker, Wissenschaftler, Künstler, Ökonomen, Politiker, Gelehrter und Literaten, ein geistig wie wirtschaftlich kühnes Unternehmen, insgesamt ein Monumentalwerk, in dem sich, um die Jahrhundertmitte, a l l e aufklärerischen Tendenzen der Zeit wie in einem Brennpunkt vereinigten. »Kritik« war auch das Werk ihres Zeitgenossen Lessing; Immanuel Kants Philosophie gipfelt in den drei »Kritiken« der reinen Vernunft, der praktischen Vernunft, der Urteilskraft, und J.-J. Rousseaus Kulturkritik entstand bezeichnenderweise gerade auch in diesem Jahrhundert hochgestimmter Kulturfreudigkeit.

Die philanthropische Gesinnung ist schließlich der Wesenszug der Zeit, der sich in das Denken und die Bestrebungen der Pädagogen eingegraben hat. Das 18. Jahrhundert ist das Jahrhundert Rousseaus und Pestalozzis. Auch sie stehen an der Schwelle zur Neuzeit im Grunde unüberholt und unüberholbar; ihre Beobachtungen und Einsichten haben Wesentliches vom Kinde erfaßt und bewegen daher bis heute die Erzieher aller Länder, Rassen, Kontinente, so sehr auch Einzelnes in Theorie und Praxis veraltet ist. Das Wort »Erziehung« – »éducation« war damals ein Zauberwort, mit dem die Gesellschaft die anthropologischen Probleme in sozialer, ethischer und ökonomischer

Sicht zu lösen hoffte. Das Individuum aller Gesellschaftsschichten, wie das Volk im ganzen, sollte in und durch die »Philanthropinen« liebevoll erzogen werden. Das Jahrhundert war die große Zeit von Lehrern und Pfarrern; es träumte von Fortschritt in der Erziehung und glaubte an die Erreichbarkeit humaner Perfektibilität und sozialer Glückseligkeit.

Es scheint, daß die zwei Funktionen des Menschen, Denken und Fühlen, zu den großen kontrastierenden Themen des 18. Jahrhunderts wurden und als Rationalismus und Sensibilität zu den Spannungen des damaligen Kulturlebens führten. Das Achtzehnte war ebenso ein Jahrhundert Voltaires wie Watteaus, Kants wie Mozarts, Lessings wie Herders. Mit dem Rationalismus war die Aufklärung verbunden, mit der Sensibilität ein großer Teil der Literatur, der Künste und der Musik und die innerliche Erneuerung religiösen Lebens im Pietismus. Der Gegensatz zog sich durch die Kultur Europas hindurch. Deutschland war nur ein Ausschnitt aus dem Panorama. Die großen Schöpfungen dieser Zeit entstanden im Spannungsfeld von Verstand und Gefühl, Kritik und Enthusiasmus, tagheller Vernunft und nächtigdunkler Seelengründe. Schließlich war das Jahrhundert in seinem sozialen und politischen Leben eine Zeit unheilbarer Brüche. Eine alte Zeit ging zu Ende, das Ancien Régime; eine neue Zeit drängte in den Geburtswehen der Französischen Revolution hervor: wir spüren sie in Schillers ersten Dramen, wir hören sie in Beaumarchais' und Mozarts »Figaro«, wir sehen sie in Goyas zeitgenössischen Bildern.

Zum Bild der Zeit gehört auch die Ausbreitung der zahlreichen Orden und Geheimgesellschaften. Da wirken die Rosenkreuzer und Illuminaten, da sind die Utopisten, Mystagogen aller Art, Alchimisten, Abenteurer und Glücksritter vom Stil Cagliostros und Casanovas. Und die scheinbar aufgeklärte Gesellschaft aller Stände ganz Europas gerät so sehr in den Bann von Verführern, Gauklern und Gaunern, daß sie sich willig foppen und betrügen läßt. Endlich war das 18. Jahrhundert auch die gute Zeit für die Freimaurerlogen, die böse Zeit für den Jesuitenorden. Gläubige Katholiken und Protestanten, Freisinnige und Indifferente, so verschiedene Genien wie Mozart, Lessing, Goethe, Friedrich d. Gr. bildeten eine unsichtbare Gemeinde, lose durch die humanitären Aufklärungsideen verbunden; die Societas Jesu aber durchlebte ihre ärgste und schwerste Zeit. Überall Gegensätze, Antagonismen, Widersprüche; Gläubigkeit und Aberglaube, Geheimwissenschaft und Vernunftaufklärung, realer Sinn und Phantastik vermischten sich und tauchten das aufgeklärte Jahrhundert in ein seltsames Zwielicht. So war es auch mit seiner populärsten Idee, der Toleranz.

Sie war einer der leuchtenden Gedanken des Jahrhunderts, aber verkehrte sich in der Praxis häufig genug in eine Diktatur des Fortschritts und erfüllte sich mit dem Missionsgedanken, die Menschen zu ihrem Glück zu zwingen. In solchen Zusammenhängen sieht Friedell Gestalten wie Peter d. Gr. und Karl XII., Josef II. und Robespierre.

3.

Um die spezifisch deutsche Leistung richtig sehen und gerecht beurteilen zu können, ist es gut, sie im Umkreis der anderen nationalen Kulturtaten von Weltbedeutung zu erkennen. Was sind die kulturellen Großtaten der benachbarten Völker in jener Zeit? Wir deuteten die Leistungen auf den Gebieten der Mathematik, Mechanik, Naturwissenschaften an; die Linie geht von Descartes über Pascal, Newton, Leibniz zu Euler und Laplace; vergessen wir nicht, daß im 18. Jahrhundert auch Fahrenheit und Réaumur lebten, daß Linné sein »Systema naturae« entwarf, daß, wie die Botanik, so auch die Physiologie, Anatomie, Zoologie ihre großen Forscher hatten, daß Benjamin Franklin den Blitzableiter erfand und Maupertuis die Abplattung der Erde entdeckte. In diesem Umkreis der englischen und französischen Forscher hatte auch Deutschland seinen Platz; wir denken an den großen Physiologen des Zeitalters Albrecht von Haller und den Beitrag, den Deutschland für die Medizin geleistet hat. Englands große Leistung in der Literatur lag in der Romankunst: Richardson, Defoe, Fielding, Smollet, Sterne. Defoes »Robinson Crusoe« hat wie Swifts »Gulliver's Travels« alle Aussicht, die Jahrhunderte zu überdauern, beide haben den Ruhm, Standardwerke englischer Literatur zu sein. Von Richardsons »Pamela« und »Clarissa Harlowe« ging eine Entwicklung aus, die über Rousseaus »Nouvelle Héloise« und Diderots enthusiastische Verkündigung seiner Werke zu Goethes »Leiden des jungen Werthers« führte. Einen noch immer steigenden Wert gewann die Malerei Frankreichs und Spaniens: am Anfang, dem 17. Jahrhundert entwachsend, steht Watteau, am Ende des Jahrhunderts, ins 19. hineinragend, Francisco Goya; zeitlich dazwischen Boucher, Greuze, Fragonard. Auf anderer Ebene aber ist es Frankreichs Literatur, die mit den Namen Montesquieu, Voltaire, Rousseau, Diderot die umwälzende politische und soziale Kraft des französischen Schrifttums charakterisiert. Und in Deutschland? Sehen wir von seinen Beiträgen zu der europäischen Gemeinschaftsleistung in der Mathematik und den Naturwissenschaften ab, so liegen wohl die kulturellen Phänomene, in denen sich Deutschlands schöpferische Kraft, sein Geschmack und seine eigentümliche Geistigkeit darstellen, auf den Gebieten der *Philosophie,* die von Leibniz zu Kant führt, der *Literatur,* die sich in der Dichtung und dem Leben Goethes zu einer Synthese von Aufklärung und Romantik gestaltet; alsdann ist es die *Baukunst* des süd- und ostdeutschen Barocks, eine weltliche wie kirchliche Prachtentfaltung, ein steingewordener Traum himmlischer Herrlichkeiten auf Erden, zu dem der Zugang für den heutigen Menschen vielleicht schwer zu finden ist; aber ein Neumann, die Asams, Pöppelmann, Schlüter oder Fischer von Erlach und ihre Schöpfungen sind in ihrer Weise so großartig wie die Entfaltung der *Musik* im 18. Jahrhundert, mit der Deutschland die Welt bereichert hat und noch heute beglückt. Bevor Goethe den Weg zur Weltliteratur ging und die deutsche Dichtung und Sprache weltgültig machte, haben die Komponisten des nord- und mitteldeutschen Barocks mit Bach und Händel und ihren Vorfahren, alsdann die Mannheimer Schule und Gluck in der Mitte des Jahrhunderts und schließlich die Wiener Klassiker Haydn und Mozart der Musik den Weg zu ihrer überragenden Höhe geführt; und wie in Goethes Dichtung, so vollzog sich in Beethovens Musik um die Jahrhundertwende die Synthese von Klassik und Romantik. Während also Klassik und Romantik, etwa in Frankreich, zwei nacheinander ablaufende Phasen der Literatur- und Geistesgeschichte darstellen, fallen beide Bewegungen in Deutschlands Kultur der Jahrhundertwende zusammen. Auch die konfessionellen Gegensätze, die, mehr als in andern Ländern, zur Eigenart des deutschen kulturellen Lebens gehören, überbrückten sich.

Mit Luthers Reform begann das Widerspiel. Auf der folgenden protestantischen Linie lag die Musik des Barocks mit Händel und Bach, auf derselben Linie die Barock- und klassische Dichtung eines Gerhard Gryphius, Lessing, Klopstock, Herder, Hamann, Schiller, Goethe und ebenfalls die klassische Philosophie mit Kant. Auf der katholischen Linie des Süd- und Südostraums finden wir die Meister der Barockarchitektur und der Musik des 18. Jahrhunderts. Die Baukunst des Barocks ist in den katholischen Landesteilen entsprungen und wurde von katholischen Künstlern getragen; in der Zeiten- und Stilwende nach Bachs Tode gehören die großen Komponisten wie Gluck und die Wiener Klassiker der katholischen Tradition an. Aber gleich wie die Musik eines Haydn, Mozart, Beethoven oder Schubert so wenig nur »katholisch« war wie die eines Bach nur »protestantisch«, so wurde auch im protestantischen Norddeutschland echt »Barockes« von Protestanten geschaffen wie von Schlüter und Knobelsdorff in Berlin und Potsdam, und von Bahr und Pöppelmann in Dresden. An den großen Schöpfungen deutscher Kultur jener konfessionell gebrochenen Jahrhunderte erweist es sich, daß religiöse Gegensätze und Widersprüche im Kunstschaffen der Großen – heißen sie Bach oder Beethoven – zu höherer Wirklichkeit und Wahrheit aufgehoben sind, und daß Zufall der Geburt, daß Umwelt und Überlieferung, wohl ihre eigentümliche Rolle, nicht aber die entscheidende spielen.

Was das kulturelle Leben in deutschen Landen schon damals wie noch heute bunt und mannigfaltig machte und ihm den eigentümlichen Stempel gab, war, parallel zur italienischen, aber konträr zur französischen, die *Dezentralisation* des geistig-künstlerischen Schaffens; sie war ein Ergebnis wirtschaftlicher und politischer Verhältnisse. Mag man diese Zersplitterung in Hinblick auf eine einheitliche Machtpolitik nachteilig beurteilen, so gereichte sie, kulturell gesehen, eher zum Vorteil. Das deutsche Reich hatte zwar kein Paris, kein Madrid, kein London, aber es hatte dafür mehrere kulturelle Zentren und die erstaunliche Diagonale, welche von der Hansestadt Hamburg mit ihrem angelsächsischen und teilweise französischen Einschlag zum österreichischen Wien verlief, wo die romanischen Elemente der italienischen und spanischen Kultur sich mit den deutschen mischten; und wie Hamburg nach Übersee, so schaute Wien nach Osten. Beide Pforten der deutschen Kultur waren ins Weltweite geöffnet. Sogar im Musikleben, und gerade dort, hatte das Reich mehrere Zentren: den norddeutschen Raum von Hamburg, Lüneburg, Lübeck; es hatte die musikalische Mitte, sein Thüringen, es hatte die Mannheimer im Westen, die Leipziger Thomaskantorei im Osten und seine »klassischen« Schwerpunkte in Salzburg, Prag und Wien. Von überraschender Vielfalt war auch seine Topologie in der Literatur. Hamburg hatte seine Oper und bekam sein Nationaltheater; es zog Händel und Lessing für kurze Zeit an sich. In Weimar kamen, durch Goethes faszinierende Kraft angezogen, die Besten des Jahrhunderts zusammen und machten die unbedeutende Kleinstadt zu einem kulturellen Kontrapunkt von Paris; die anderen, die Romantiker, wirkten ihrerseits wiederum in bestimmten Landschaftszentren des Rhein-Neckargebietes, der Saale und der Donau. Und auch die Architektur jener Epoche zeigt eine ähnlich weite Streuung ihrer höfischen und kirchlichen Kunst: Nehmen wir Würzburg als einen Mittelpunkt mit Balthasar Neumann, so läuft es wie Radien eines südöstlichen Halbkreises nach dem oberen Donaugebiet zu den Gebrüdern Asam, nach München zu Ignatz Günther, nach Wien zu Fischer von Erlach, nach Prag zu Kilian Dientzenhofer, nach Dresden zu Pöppelmann und nach Berlin zu Schlüter.

Es ist kein geringer Beitrag, den der deutsche Kulturraum dem

Fonds der abendländischen Menschheit während des 18. Jahrhunderts beigesteuert hat. Es bedarf wohl keines Wortes, daß wir auch in diesem fesselnden, bedeutenden Zeitraum der deutschen Kultur auf strenge Auswahl achten müssen, wenn wir nunmehr einige Ereignisse dieser Zeit betrachten, die Umrisse einiger ihrer größten Gestalten skizzieren und den geistigen und künstlerischen Strömungen nachgehen.

KAPITEL II

DAS JAHRHUNDERT DER AUFKLÄRUNG

I.

Die berühmteste Definition der Aufklärung stammt von Immanuel Kant aus dem Jahre 1784:

»Aufklärung ist der Ausgang des Menschen aus seiner selbstverschuldeten Unmündigkeit. Unmündigkeit ist das Unvermögen, sich seines Verstandes ohne Leitung eines anderen zu bedienen. Selbstverschuldet ist diese Unmündigkeit, wenn die Ursache derselben nicht am Mangel des Verstandes, sondern der Entschließung und des Mutes liegt, sich seiner ohne Leitung eines anderen zu bedienen. Sapere aude! Habe Mut, dich deines eigenen Verstandes zu bedienen ist also der Wahlspruch der Aufklärung.«

In dieser Definition ist knapp und treffend das Wesentliche über die Aufklärung gesagt: Ermutigung des Einzelnen und der Gesellschaft zum selbstständigen Gebrauch ihrer Vernunft. Die Vorbedingungen zu solcher Leistung sind Reife des Verstandes und Entschlußkraft. Die beabsichtigten Folgen sind Lösung von Vormundschaften aller Art, die aus vielerlei Gründen eine Evolution des Menschen zur Unabhängigkeit nicht für wünschenswert halten.

Diese Evolution zieht sich durch das ganze gesellschaftliche Leben des 18. Jahrhunderts hindurch und kennzeichnet auch einen wesentlichen Zug der philosophischen und literarischen Entwicklung in Deutschland. Sie hat vier Etappen durchlaufen. Der Aufbruch vollzog sich mit Thomasius; eine zweite Welle hob sie mit dem Elan des jugendlichen Kronprinzen Friedrich empor; sie stieg auf den Höhepunkt in den 50er und 60er Jahren mit Lessing, dem König Friedrich und Kant, ihnen zur Seite in Ablehnung oder Zustimmung Moser, Möser, Mendelssohn. Mit dem Sieg begann der Niedergang: Die 80er Jahre zeitigten den Herbst der Aufklärung und eine Spätblüte, die den Verfall der Bewegung in sich trug. Das Ziel wurde erreicht, die Ernte eingebracht. Die politischen und sozialen Auswirkungen führten über Frankreich und Nordamerika eine neue Ära der Geschichte herauf, während die Bewegung in Deutschland vorerst theoretisch blieb. Die Aufklärung hatte ihre historische Mission erfüllt. Sie ist aus der Geschichte der abendländischen Menschheit nicht mehr fortzudenken. Aber als Kant ihr die umfassende Definition und den kraftvollen philosophischen Ausdruck ihrer höchsten Tendenzen gab, da verflachte bereits die sogenannte

Aufklärungsliteratur in Deutschland. Sie verwelkte im Schatten der aufkommenden deutschen Klassik. Was aber ihre Großen gedacht hatten, lebte unterirdisch weiter, brach im nächsten Jahrhundert wieder auf, als auch in Deutschland die gesellschaftlichen Bedingungen anders wurden, und ist bis in unsere Zeit hinein als Haupt- oder Nebenströmung unserer Gesellschafts- und Geistesgeschichte wirksam.

Als im Zeitalter der paneuropäischen Intoleranz eine kaum vorstellbare Verwirrung der religiösen Anschauungen, Lehren und Formeln die menschliche Vernunft an sich selbst irre werden ließ; als jeder gegen jeden und einer gegen alle auf Recht und Richtigkeit der eigenen Lehre pochte; als Lutheraner, Calvinisten, Philippisten in Deutschland, Frankreich und der Schweiz; als Konkordienformel und Heidelberger Katechismus, als Arminianer gegen Gomarianer, als Remonstranten gegen Kontraremonstranten in Holland sich bekämpften, als der Gallikanismus die Sonderstellung der französischen Kirche regulierte, und als der Anglikanismus in England eine Hochkirche schuf: einen Katholizismus ohne Papst oder eine evangelische Kirche mit katholischen Zeremonien; als Puritaner, Presbyterianer, Dissenters oder Nonkonformisten, als Covenanters und Independenten, als Quäker, Methodisten, Baptisten, Mormonen, Unitarier und Sozinianer in Ungarn und Polen, als Jesuiten und Jansenisten, Deisten und Pantheisten, Pietisten und Quietisten in den Perioden der Reformation, Kontrareformation, der Religionskriege und der Aufklärung die Menschen in ein religiöses Chaos zu stürzen drohten, – da erstand im Strudel der Dinge, wo die Not am höchsten war, auch die rettende Kraft: die Vernunft. Wir sehen sie in Leibniz wirksam; aber es ist beachtenswert, daß neben ihm und den Mathematikern und Naturwissenschaftlern seiner Zeit vor allem die Juristen in den europäischen Universitätszentren hervortraten und mit der verstandeshellen Nüchternheit ihrer Denkweise die Wege zur »Aufklärung« ebneten.

2.

Unter den jüngeren Zeitgenossen Leibnizens spielte *Christian Thomasius* (1655–1728) als »Vater der Aufklärung« – das war er jedenfalls für Deutschland – eine entscheidende Rolle. Seine dynamische, revolutionäre Persönlichkeit, von innerer Unruhe erfüllt, aufnahmebereit, wandlungsfähig, oft mit sich selbst in Widerspruch geratend, erregte Anstoß. Er mußte die Leipziger Universität, wo die Neuscholastik in der Philosophie und biblische Orthodoxie in der protestantischen Theologie herrschten, bald verlassen, aber hatte das Glück,

vom brandenburgischen Kurfürsten Friedrich III. an die Ritteraka-
demie nach Halle berufen zu werden. Dort konnte er einen großen Teil
seiner fortschrittlichen Ideen verwirklichen, nämlich

»... einen jungen Menschen, der sich fürgesetzt hat, Gott und der Welt
in vita civile rechtschaffen zu dienen und als ein honnête und galant homme
zu leben, binnen drei Jahren in der Philosophie und singularis juris pruden-
tiae partibus zu informieren.«

Der Unterricht bestand aus Logik (= »die Anleitung zu raisonnieren
und die Säuberung des Kopfes von Vorurteilen«) und Ethik (= »die
Lehre vom Verhalten des Menschen zum Staate und zu den andern Menschen«); besonderer Gegenstand des Unterrichts war die »Klugheits-
lehre«, auch die Wissenschaft, »anderer Menschen Gemüt zu erkennen«.
Die Rangordnung, die Thomasius den Wissenschaften anwies, ließ in
der Umkehr der alten Ordnung, wo die Theologie den Vorrang hatte,
bereits die weltliche Tendenz des 18. Jahrhunderts hervortreten:
Mathematik und Naturwissenschaften: die »Physica, Chymica und
Algebraica«, sollten die Basis eines wohlfundierten Studiums sein. Auf
dieser Grundlage bauten sich, einander zugeordnet, die Gebiete der Ge-
sellschaftslehre und Jurisprudenz, der politischen Wissenschaften, der
Psychologie und Lebensweisheit auf. Der Gipfel war noch immer die
Gottesgelehrsamkeit, »die wahre und innerliche Erkenntnis Gottes«,
aber, wie Thomasius sagt, »eine übernatürliche und göttliche Wissenschaft«, in welcher – wie er mit feiner, distanzierender Ironie fort-
fährt, »ich mich billig noch einen der geringsten Schüler zu sein erkenne.« (Brief an den Kurfürsten vom 31. Dez. 1691)

Schon der Große Kurfürst, Friedrichs III. Vater, hatte den Plan
gefaßt, eine Heimstätte für alle zu gründen, die um ihres Glaubens
willen in ihrem Vaterlande beengt und verfolgt würden, »die«, wie
Thomasius an den Kurfürsten Friedrich III. schreibt, »das lastbare
Joch einer von einer menschlichen Autorität dependierenden Philosophie nicht vertragen können« – und zwar eine sichere Zuflucht »ohne
Ansehung des Unterscheid von Religion«. In Thomasius lebte nun jener
Optimismus, der sich aus den Beobachtungen aller Fortschritte und
dem Bewußtsein der Errungenschaften geistiger Leistungen speiste. In
seinem »Diskurs von der Freiheit der itzigen Zeiten gegen die vorigen«
(1697) verzeichnete er seinen Fortschrittsglauben:

»Wenn ich die Veränderungen des Zustandes derer Teutschen Hohen Schulen
der Protestierenden ein wenig mit Aufmerksamkeit betrachte, die mich Gott
seit dem 1. Januarii Anno 55 dieses Jahrhunderts, da ich zum ersten Mal
diese Welt erblicket, erleben lassen, kann ich mich nicht genugsam eines
vorigen Zeiten, anders Teils aber über die seit kurzer Zeit durch Gottes
Teiles über den elenden Zustand und die zu bejammernde Knechtschaft der

Gnade täglich sich mehr und mehr zunehmende Befreiung verwundern ...
Unser gegenwärtiger Zustand (ist) umb ein sehr merkliches besser, als da wir
noch unter dem harten Joch menschlicher Autorität schmachteten und mit
Händen und Füßen in dem Kerker einer unwissenden und betrügerischen
Weisheit angefesselt lagen, dergestalt, daß wir uns nicht regen kunnten.«

Überall verzeichnete Thomasius Fortschritt und neuen Geist: in der
Philosophie, welche »die Last der scholastischen und aristotelischen
Bürde von Hals und Schultern geschüttelt«; in der Medizin, die »durch
Hülfe der Anatomie und Chymie sehr hoch gestiegen«; in der Rechts-
gelahrtheit, die »den Jammer der unter denen langwierigen Prozessen ächzenden Armen« zu mildern begann; dann in dem »wahren
und tätigen Christentum« und vor allem in der Sittenlehre, der »Richt-
schnur des tugendhaften Lebens«; sie konnte erst blühen, »nachdem sie
sich von dem Gezänk über die Auslegung der eilf aristotelischen Tugenden« befreit hatte. Sein empirischer Realismus spricht aus den Worten: »Ich rede nicht auf rethorische Weise, sondern ich beziehe mich
auf die Erfahrung.« Dabei sah er sich selbst auf der Linie der Rechts-
gelehrten, die, von Grotius (1583–1645) ausgehend, über Pufendorf
(1632–1694) zu ihm selbst führte. Thomasius Anliegen war es, unter
Berufung auf die »Vernunft« und auf dem Wege des Rechtsdenkens die
Leistung eines Grotius: Trennung des jus humanum vom jus divinum,
mit derjenigen eines Pufendorf: Befreiung des Naturrechts von der
theologisch gebundenen Scholastik und seine Begründung in der Vernunft des Individuums, zu verbinden, und damit zum Kampf gegen
die Vorurteile und unbegründeten Autoritäten aufzurufen.

Der Vorurteile aber gab es vornehmlich zwei: die »praejudicia autoritatis« und die »praejudicia praecipitantiae« (»Vorurteile des Ansehens«
und »Vorurteile der Übereilung«). In ihnen sei die Welt befangen; darum
gelte es, die Vorurteile »auszumisten«. Thomasius wurde zum Kampf-
gefährten seines großen französischen Zeitgenossen Pierre Bayle. Er verhielt sich gegenüber der aristotelischen Rechtgläubigkeit in Dingen der
Philosophie skeptisch; er führte im akademischen Unterricht anstelle
der lateinischen Sprache die deutsche ein – ein revolutionäres Unter-
fangen im Jahre 1687 –; und schließlich war sein Ziel die Ausbildung
der Studenten zu nützlichen, tüchtigen, weltaufgeschlossenen Persönlichkeiten, die später im juristischen Staatsdienst ihren Mann stehen
könnten. Mit dieser dreifachen Leistung eröffnete Thomasius die Aufklärungszeit auf dem ihm zugewiesenen Felde des deutschen Universi-
tätslebens der nördlichen protestantischen Reichsteile. Die historische
Bedeutung dieses großen juristischen Lehrers und Erziehers bestand also
darin, daß er in einem ersten Ansatz aufklärerischen Denkens eine

klare Scheidung zwischen praktischem Wissen und weltfremder Gelehrsamkeit, zwischen tätigem Leben und Überschätzung theoretischer Kenntnisse, zwischen Nutzen und Brauchbarkeit einer Wissenschaft fürs Leben und Mißbrauch und Zwecklosigkeit metaphysischer Spekulationen vollzog. Thomasius war der Überzeugung, daß die Sinne »der Anfang aller menschlichen Erkäntniß« seien, und daß die Ideen erst »auf jene folgen«; also betonte er den Primat des Sensualismus über die Metaphysik.

Es wurde für ihn wichtig, daß er auch zehn Jahre lang eine pietistische Lebenskurve durchlief. Im Strom der Gegenbewegung zur Orthodoxie des protestantischen Kirchentums geriet er in den Bann von Gottfried Arnold, dem Verfasser der »Unparteiischen Kirchen- und Ketzerhistorie« (1698) und von Francke; er neigte in jener Periode, da er die Schrift »Vom Wesen des Geistes« (1699) verfaßte, zu einer christlichen Frömmigkeit neuplatonisch-mystischer Provenienz. Im gleichen Jahr 1699 aber erschien auch John Lockes »Essay concerning human understanding« in der 4. Auflage mit dem neuen Kapitel »Über den Enthusiasmus«. Thomasius las das Buch in einer französischen Übersetzung. Es sprach seinen naturgegebenen Sinn für das »Reale« wieder mächtig an, und die Lektüre befreite ihn – nach eigenem Geständnis – von seiner mystischen Haltung und gab ihn der »Aufklärung« zurück. Er billigte, was Locke von den »Enthusiasten« oder den »Erleuchteten« sagte:

»Denn ohnedem (Kritik, Vernunft, Urteil) ist alles ihr Vertrauen eine bloße Einbildung, und dieses Licht, wenn sie so geblendet werden, ist nur ein Irrlicht, das sie beständig in diesem Zirkel herumführt: es ist eine Offenbarung, weil ich es fest glaube; und ich glaube es, weil es eine Offenbarung ist.«

Er unterstrich den Satz:

»Die Vernunft muß in jeder Sache unser höchster Richter und Führer sein.«

Und er hielt nunmehr zu Lockes grundsätzlicher These:

»Die Vernunft ist eine natürliche Offenbarung, vermittels deren der ewige Vater des Lichts und der Brunnquell aller Erkenntnis dem menschlichen Geschlechte denjenigen Teil der Wahrheit mitteilt, welchen zu erlangen er ihre natürlichen Kräfte fähig gemacht hat.«

So brachte Locke Thomasius wieder auf den Weg, den dieser für eine Weile verlassen hatte. Die empirische Vernunft, die Nützlichkeitsidee und die Sozialethik gewannen von neuem die Oberhand: »Ein Mensch«, schrieb Thomasius in der Einleitung zur Sittenlehre, »wäre kein vernünftiger Mensch ohne andere menschliche Gesellschaft.« Ein neuer Gedanke, der doch uralt ist; ein uralter Gedanke, der neu im 18. Jahrhundert gezündet hat.

Neben Thomasius stand am Eingang des 18. Jahrhunderts – und größer als er – *Gottfried Wilhelm Leibniz* (1646–1716), Zeitgenosse von Locke, Spinoza, Newton, Bayle, Fénelon und Vico, ein guter Deutscher unter ihnen und zugleich Europäer und Kosmopolit, dem es gelang, sein Nationalgefühl mit überzeugendem Weltbürgersinn zu verbinden. Er leitete das Geistesleben des Hochbarocks in die Bahnen der Aufklärung des 18. Jahrhunderts. Aus jeder Quelle antiker Philosophie und mittelalterlicher Theologie speiste er sein Denken. Es gibt kaum einen Zweig des universalen Geisteslebens unserer Zeit, der nicht aus Leibniz sich herausentwickelt hätte. Er blickte rückwärts und schritt voran in die kommenden Jahrhunderte, und war doch seiner Persönlichkeit nach vollendeter Ausdruck der eigenen Zeit, des Hochbarocks: Theologe und Philosoph, Mathematiker und Physiker, gelegentlich Dichter und Philologe, Jurist und Historiker, Erfinder und Wirtschaftsorganisator, Politiker und Ratgeber der mächtigsten Fürsten und geistlichen Herrn – so steht sein Bild vor uns: bizarr und schrullenhaft, genial und universal, der letzte Repräsentant eines allumfassenden Geistes vor Goethes und Hegels Auftreten. Schon seine Neigung zu den Naturwissenschaften machte Leibniz mit Goethe verwandt: Er studierte die Urgeschichte der Erde, Bergbau und Geognosie, machte eine Fülle von Entdeckungen und hatte den Kopf voller Erfindungen, edierte mittelalterliche Geschichtsquellen, durchstöberte juristische Urkunden, arbeitete politische, organisatorische und wirtschaftliche Pläne aus und träumte von der Gründung einer europäischen Gelehrtenrepublik, als Voltaire, der später eben das Gleiche zu realisieren suchte, noch ein Knabe war. Leibniz wurde einer der Mittelpunkte im Geistesleben seiner Zeit, korrespondierte mit der Welt, mit Paris und St. Petersburg, mit London und Rom: 15000 erhaltene Briefe bezeugen diese großartige Leistung menschlicher Kontakte.

Anders aber als bei Goethe war der feste Grund, von dem Leibnizens religiöse und philosophische Gedanken nach allen Seiten hinausschweifen und zu dem sie wieder zurückkehrten, die Mathematik. »Indem Gott rechnet und denkt, entsteht die Welt.« Dieses sein Wort, im Einklang mit alten griechischen und orientalischen Vorstellungen, ist ein Schlüssel zum Verständnis der Leibnizschen Philosophie. Je verwirrender der damalige Konfessionsstreit um die Wahrheit wurde, desto tiefer geriet der Mensch in die Krise einer Unsicherheit und Glaubensohnmacht. Das Nachdenken über die relative Gültigkeit in Glaubenssachen ließ dem suchenden Menschen jene Sicherheit wünschenswert erscheinen, die in den mathematischen Gesetzen verbürgt liegt. Wie, wenn das Universum die Offenbarung der mathesis divina wäre – und wir Menschen, die wir Mitgestalter der Wirklichkeit und Weltgeschichte sind, mit unserer mathesis humana jene göttliche Mathematik begreifen könnten? Ein verführerischer Gedanke, der schon die Alten beglückt hatte und nun wieder die oben bezeichnete Generation von Leibniz in seinem Bann hielt. Man wird wenig vom Barock, seiner Kunst, seinem Schrifttum, seinem Denken begreifen, wenn man dieses Gedankens der mathesis universalis nicht inne wird.

Leibniz selbst ist über die Mechanik zur Mathematik gekommen. »Schließlich«, schreibt er an Rémond am 10. Januar 1714, »trug der Mechanismus den Sieg davon und veranlaßte mich, daß ich mich der Mathematik widmete ... Als ich aber den letzten Gründen des Mechanismus und der Bewegungsgesetze selbst nachforschte, war ich ganz überrascht zu sehen, daß es unmöglich war, sie in der Mathematik zu finden, und daß ich zu diesem Zwecke zur Metaphysik zurückkehren mußte.« Über die Mathematik geht also der Weg weiter zur Metaphysik. In beiden Reichen, der konkreten Wirklichkeit und dem abstrakten Denken, blieb Leibniz fortan zu Hause.

Das 18. Jahrhundert hatte als Erbe des Hochbarocks einen kuriosen Hang zur Maschine. Eine Uhr, ein Automat war ein Fascinosum. Schon Leibniz arbeitete an der Verbesserung der Taschenuhren. Uhrwerke aber sind Kunstwerke und umgekehrt, und mit dem Gleichnis zweier absolut gleichlaufender Uhren verdeutlichte Leibniz die allgemein verbreitete Idee der zeitgenössischen Philosophie, daß nämlich Leib und Seele vollendet miteinander korrespondierten. Das mechanistische Denken war aber bei ihm metaphysischer Natur: Alle Werke Gottes, also auch der Mensch, sind ihm »Maschinen«. Der »geometrisierende Gott« hat als Weltenbaumeister den Mikrokosmos, die kleine Welt des Menschen, wie den Makrokosmos, das Universum, durchmechanisiert. Gott ist die Zahl, und das All ist seine Schöpfung, es ist ein Gefüge, in dem sich die »harmonia universalis« verbirgt. Damit verbunden ist die Vorstellung von Gott als Logos. Es war eines der tiefsten Anliegen unseres Philosophen, eine der mathematischen Zeichensprache ebenbürtige Universalsprache zu schaffen, die eine Verständigung aller vernunftbegabten Menschen ermöglichte. Diese »ideale« Sprache, die nichts mit Esperanto zu tun hat, wäre die Selbstaussage des Seins im Wort, also für den Menschen unaussprechbar. Wie nun Leibniz mit seiner mathematischen Mystik oder mystischen Mathematik uraltes Gedankengut der Pythagoräer, Platoniker und Neuplatoniker – sein Glaubensbekenntnis heißt Origenes – über den mittelalterlichen Platonismus, über Nicolaus von Kues und die italienischen Renaissanceplatoniker vom Schlage eines Ficino und Pico della Mirandola einholt, wie er ihre Vorstellungen mit neuem Sinn erfüllt und sie der Zukunft – etwa zu Hegel – zum philosophischen Gespräch weiterreicht, so ist sein Bemühen um Gültigkeit und Aussagewert der Sprache einerseits bis in die Dichtkunst unseres Jahrhunderts hinein aufspürbar – wir denken an die künstlerischen und metaphysischen Konsequenzen, denen zufolge wie bei Mallarmé, das Wort schon in die Zone des Schweigens geriet, oder denken an T. S. Eliots Auffassung der Dichtung –, und wir erkennen andererseits, wie in der Philosophie etwa eines Ludwig Wittgenstein die mathematisierende Idee Leibnizens bis in die Satzspitzen seines »Tractatus Logico-Philosophicus« (1922), die jeweils eine Dezimalzahl vorstellt, sichtbar wird. Es sei bemerkt, daß T. S. Eliot, als er in Deutschland studierte, vor allem sich mit Leibniz, dem Inaugurator der mathematischen Logik, beschäftigt hat. Was er aus diesem Studium gewann, wurde zur Idee seiner Poetologie, einer Art Poesis universalis, die, ähnlich wie die Leibnizsche mathesis universalis auch nichtmathematische Gegenstände involviert, ihrerseits auch die nichtpoetischen Gegenstände einschließt: nicht auf die Dichtung, ihre Themen, ihren Gehalt, komme es an, sondern auf die Abstraktion und die Transparenz. Auf dem Felde moderner und modernster poetischer Bemühungen werden wir immer wieder auf Leibniz zurückgewiesen.

Auch auf ganz anderm Gebiet ist Leibniz von unzerstörbarer Aktualität und Gültigkeit. In dem ewigen Wechselspiel optimistischer und pessimistischer Grundhaltungen gegenüber dem Leben, der Weltgeschichte und Weltenschöpfung behauptet er seinen Platz als Gegenpol zu dem ihm ebenbürtigen, aber gegensätzlichen Schopenhauer. Generationen und Jahrhunderte pendeln zwischen den Extremen hin und her, je nach ihren Erfahrungen, ihrer Optik der Dinge, ihren Hoffnungen und Verzweiflungen, ihrem Vermögen oder Unvermögen, diesen oder jenen Urgrund des Seins, des Geschicks und der Geschichte zu erhellen. Auch das 18. Jahrhundert war in dieser Frage nicht so eindeutig wie man gewöhnlich annimmt. Sein Optimismus war streckenweise von den Schatten pessimistischer Haltungen getrübt. Leibniz aber gab dem neuen Säkulum den unüberhörbaren optimistischen Grundklang, so wie Schopenhauer in den Optimismus des folgenden Jahrhunderts die pessimistische Todesstimmung einsenkte. Nie wird jemand sagen können: der oder jener hätte »recht«, beide Philosophen mögen recht oder unrecht haben; beide haben mit gleicher denkerischer Kraft und Welterfahrung die Probleme des Seins und des Menschen überzeugend angegriffen und beantwortet. Wer sich mit beiden beschäftigt und sie zu verstehen versucht, wird das nachdenklich stimmende Wort Leibnizens selbst sich zu eigen machen dürfen:

»Es klingt wunderbar, aber ich billige alles, was ich lese, denn ich weiß wohl, wie verschieden die Dinge gefaßt werden können.«

Wie faßte sie Leibniz? Sein »Optimismus« ist die urtümliche Haltung des Vertrauens, eine Überzeugung, daß es eine Ordnung in der Welt gebe, sogar eine praestabilierte, aus welcher nichts den Menschen herauszureißen vermag. Er steht auf der Linie, die von Platon und Plotin über Thomas von Aquino und Nikolaus von Kues zu Goethe und Hegel führte. Sein viel und billig verspotteter und belächelter Gedanke von der »meilleur des mondes possibles« rückt erst in die richtige Beleuchtung, wenn wir begreifen, daß Leibniz unter der »besten aller Welten« (in der es dem armen *Candide* Voltaires so schlecht erging) gar nicht allein die »beste Erde«, unsern Planeten, verstand, sondern in andern Dimensionen die »Welt«, das All, selbst. Das All aber ist ein in unendlichem Wachstum sich entfaltendes Gebilde, »ein Ozean ohne Grenzen«. Die Entfaltung der Welt aber ist unbegrenzter Fortschritt, ist Wandlung und Wachstum, das über alle Zusammenbrüche und Katastrophen hinweg unendliches Leben auswirkt.

»So bilden notwendig alle Ordnungen der natürlichen Wesen eine einzige Kette, in der die verschiedenen Klassen, wie ebensoviele Ringe, so eng ineinander haften, daß es für die Sinne und die Einbildung unmöglich ist, genau den Punkt anzugeben, wo die eine anfängt und die andere endigt.«

Das lesen wir in einem Brief an den französischen Mathematiker Varignon und spüren in solchen Sätzen das Interesse des Philosophen an der Paläontologie und Biologie und sehen, wie Leibnizens Gedanken sich mit den Forschungen von Swammerdamm, Leeuwenhoek und Malpighi verknüpfen und damit bereits auf die spätere Forschergeneration der Romantik weisen. Wir folgern andererseits aus dem kontinuierlichen Lebenszusammenhang aller Geschöpfe, daß noch immer neue Entwicklungen bevorstehen:

»Ich bin selbst ganz und gar davon überzeugt«, schreibt er an Bernoulli, »daß es Geschöpfe in der Welt gibt, die um so viel größer als die uns bekannten sind, wie diese größer sind als die mikroskopisch kleinen Tierchen. Denn die Natur hat keine äußere Grenze. So ist es denn möglich, ja notwendig daß in den kleinsten Stäubchen, ja, in Atomen, Welten vorhanden sind, die der unseren an Schönheit und Mannigfaltigkeit nichts nachgeben.«

Die moderne Technik der Photographie hat sichtbar gemacht, was Leibniz hier ausgesprochen hatte. Ein unbegrenztes Fortschreiten unserer Erkenntnisse als Parallele zu dem unendlichen Wachstum des Kosmos – diese Vorstellung hat den Philosophen Leibniz erregt.

In der mathematischen Struktur, der Welt der physischen Perception und der bewußtseinsartigen Apperception des verstehenden Menschen spielen nun die berühmten »Monaden« Leibnizens eine große Rolle. Eine »Monade«, d. i. »un petit monde«, auch ein »miroir vivant de l'univers« und, wie der Begriff sagt, ein letztes Zentrum der Wirklichkeit, eine einfache, unteilbare Einheit, eine dynamische Substanz, die, eine jede für sich und ohne Fenster, auf verschiedene Weise die Welt spiegelt. Dabei könnte durch die zahllosen Monaden der Schein entstehen, als gäbe es ebenso viele verschiedene Welten; sie aber sind nur Perspektiven einer einzigen Welt, »nach den verschiedenen Gesichtspunkten der Monaden«. Ähnlich verhält es sich mit den Atomen unseres Seelenlebens; sie bauen unsern Charakter, unsere unverwechselbare Persönlichkeit auf.

Kehren wir mit Leibniz auf die Erde zurück. Dieser Schauplatz, auf dem der Mensch agiert, war auch zu Leibnizens Zeit, wie je und eh, wüst und beängstigend. Da setzte Leibniz seine Philosophie, seine Tatkraft, seine politische Weitsicht ein, mit einem Wort: das ganze Gewicht seiner Persönlichkeit, um die Menschen aus ihrer Enge – und mit »Enge« hängt etymologisch »Angst« zusammen – zu befreien und ihnen den Weg in die Weite und Herrlichkeit der Welt zu zeigen. Es lag und liegt immer nur an uns, den Weg zu beschreiten. Leibniz begann die Arbeit an sich selbst. Da galt es zunächst, die Mauern zu durchbrechen, die durch den Konfessionsstreit und die mit ihm verbundenen Kriege und wechselseitigen Verfolgungen der Katholiken und Protestanten aufgerichtet waren. Er bekämpfte die menschliche Unvernunft in beiden Lagern und alles Übel, das sich aus ihr ergab. Aber die Elemente, die ihm wohlbegründet und richtig erschienen – gleich, von welcher Seite und Sekte sie stammten –, benutzte er zum großen Werk seines Brückenbaus. Er wollte die in religiöse, politische, weltanschauliche Machtblöcke zerbrochene Christenheit wieder zusammenfügen. Einen Besseren konnte die Zeit nicht finden. Was dabei im Grunde am stärksten im Denken dieses Philosophen, Politikers und Juristen wirkte, war der urtümlich platonische, wohl immer gültige Gedanke, dem jedwede Gesellschaftsordnung verpflichtet bleibt, daß

»die Gerechtigkeit auf das Gute geht, und Weisheit und Güte, die vereint die Gerechtigkeit bilden, sich auf das Gute beziehen.«

Ins Christliche gewendet, bedeutet die Rechtsordnung im Universum einen Liebesakt Gottes: Gott, der die Liebe ist, hat auch in Liebe die Welt geschaffen und hält sie liebevoll umfangen. Würde Gott indessen nach dem Grundsatz »stat pro ratione voluntas« (mein bloßer Wille dient als Grund) verfahren, »ließe er sich kaum mehr vom Teufel unterscheiden«.

Als Mittler zwischen den Parteien mußte Leibniz alles kennen und sich wenigstens einmal zeitweilig in den verschiedenen Distrikten des philosophischen und religiösen Denkens eingenistet haben. So kannte er tatsächlich alles und überschaute mit souveränem Blick das Positive und Negative, das Richtige und Falsche, das Fruchtbare und Unfruchtbare aller Sekten, Bekenntnisse, Systeme. Er war bei den Lutheranern, Calvinisten, Katholiken aller Richtungen und Orden zu Hause; außer den schon bei Thomasius erwähnten Sekten kannte er die chiliastischen Schwärmer und Mystiker jedweder Provenienz. Bei allen hat er sich einmal beheimatet, alle konnten und können sich auf ihn berufen; in allen entdeckte er auch etwas Berechtigtes und Gutes. In solch weitherziger und humaner Billigung alles scheinbar Gegensätzlichen wurzelte eben seine Philosophie, die nichts anderes als seine Universalität war. Einem solchen Menschen mußte die Toleranz oberstes Gesetz des Anschauens und Handelns sein. Von 1671–1707 war er denn auch im Dienste der Reunionsverhandlungen tätig: Nicht leicht, da Wien und Rom die Reunion als Rückkehr des Protestantismus in den Schoß der katholischen Kirche verstanden, während die Protestanten die Zusammenführung der Konfessionen im Sinne einer reformierten, erneuerten Kirche der Zukunft wünschten und das Tridentinum für sie unannehmbar war. Was sich da zwischen Leibniz, Bossuet, Arnauld, Spinoza entwickelte, war ein Religionsgespräch auf höchster Ebene – aber eines, das scheiterte: denn dahinein flossen und verflochten sich weltliche, politische, wirtschaftliche Interessen der Großmächte Habsburg und Frankreich. Welche Aussichten, wenn der Gedanke einer »indisch-germanisch-spanischen Gesellschaft« realisiert würde, und eine neu entstehende Hanse als Konkurrent der Colbertschen »Compagnie des Indes« dem Habsburger Wirtschaftsblock einverleibt werden könnte! Da zerschlugen sich die kirchenpolitischen Verhandlungen am Widerstand Frankreichs. Leibniz aber kämpfte weiter als »Mann und Mittler der Dritten Kraft«: Einen letzten, unpolitischen Kampf.

Denn da gähnte noch ein anderer Abgrund, nämlich der zwischen Wissenschaft und Glauben. Ihn galt es zu überbrücken. So wurde Leibniz noch einmal zum »pontifex«, als er dem Ziele der »concordantia scientiae cum fide« nachstrebte. Damit aber leitete er einen Strom des typisch englischen Deismus seiner Zeitgenossen Toland und Tindal in das deutsche Geistesleben der Aufklärung ein. In dem Bestreben, der irregewordenen Menschheit aufzuzeigen, daß ein vernunfterhelltes Christentum – »Christianity not mysterious« heißt der Titel des Tolandschen Hauptwerks – durchaus mit den Fakten der Wissenschaft vereinbar sei, wenn nicht durch konfessionellen Dogmenstreit die Christen selber den Weg zu tieferen Einsichten versperrten, weist Leibniz über Lessing hinaus in religiöse Problemstellungen des 20. Jahrhunderts.

Damit betrat Leibniz eine letzte und dritte Stufe. Erst spätere Jahrhunderte werden die Kühnheit seiner Denkweise und Anschauungen verstehen. Was nämlich im religiösen Verhalten die Toleranz und Anerkennung des Andersdenkenden, was andererseits im philosophischen Bekenntnis das große »Ja« zu Gott und seiner vielschichtig sich entfaltenden Welt war, das bedeutete im Politischen und Sozialen die vorurteilsfreie Einstellung zum Weltbürgertum. Die Sorge um das Gemeinwohl, in der Leibniz des Menschen »wahre Liebe zu Gott« erkannte, also seine echte Weltfrömmigkeit – die drängte den Philosophen, alles zu tun, was einer Verbindung der Kontinente, der Kulturen und Religionen dienen konnte. So setzte er die Bemühungen der Humanisten des 16. Jahrhunderts fort und leitete sie zum 18. Jahrhundert weiter, wo eine Generation nach seinem Tode, als Erbe des Barocks und der Aufklärung, der andere universale Geist, Goethe, die Linie weiterführte und den besten Deutschen der Gegenwart ein kosmopolitisches Gedankengut vermittelte. »Ich gehe auf den Nutzen des gantzen menschlichen Geschlechts«, schrieb Leibniz an den russischen Zaren Peter d. Gr. (16. Januar 1712). Rußland und China galt am Ende seines Lebens das Interesse. Leibniz sah wohl als erster Westeuropäer das Zusammenwachsen der Kontinente zu einer Menschheitskultur voraus. Rußland begriff er als Brücke zu China.

4.

Einst hoch geehrt, dann viel verspottet, heute neu gewürdigt – so begegnen wir Christian Wolff auf unserm Wege ins 18. Jahrhundert. Sein Leben und seine Leistung sind gleich interessant: das eine gibt uns einen Einblick in die Zustände des damaligen akademischen Lebens in seiner barocken Extravaganz, seiner Narrheit und bürgerlichen Enge; die andere verknüpft sich mit den Leistungen eines Thomasius und Leibniz und führt auf dem Wege der Entwicklung unserer »Aufklärung« zu jener Gabelung, wo diese Bewegung einerseits ins Triviale verläuft, andererseits zur Großform der Kantischen Aufklärungsphilosophie führt. So wollen wir oculo fugitivo beides beleuchten, das Leben und die Leistung.

»Ich bin geboren worden den 24. Januar (welcher auch der Geburtstag unseres Königs ist) A. 1679 des Abends halb 8 Uhr, welchen Umstand ich deswegen erinnere, als ich in Jena die Mathematik studirte, stellte ich mir die Nativität . . .«

So beginnt Wolff seine autobiographischen Aufzeichnungen, deren Inhalt eine der belustigendsten Quellen zum Studium der barocken, deutschen Bürgergesinnung seiner Epoche ist: die Muffigkeit der religiösen Atmosphäre; die Devotion vor dem Potentaten; das Ersterben in Demut; aber auch das Aufbegehren gegen alles Hinterhältige und Verlogene, gegen Pedanterie, Intoleranz und Charlatanerie. Schon in diesen ersten Sätzen zeichnen sich charakteristische Züge unseres Philosophen ab: Er glaubt zwar nicht sonderlich an die Astrologie, stellt sich aber doch das Horoskop; erfährt dabei, daß er in Halle in königliche Ungnade fallen, dann aber wieder rehabilitiert werden wird – was auch eingetroffen ist: das erste unter Friedrich Wilhelm I., das zweite unter dessen Sohn Friedrich d. Gr. Nicht unerwähnt läßt er den Umstand, daß der ihm wohlgesonnene große Preußenkönig am gleichen Tage wie er Geburtstag habe. Weiter erfahren wir, daß er Mathematik studierte und seine besondere Freude am abstrakten Denken hatte. Zur Theologie bestimmt, hat dieser Lutheraner sich beflissen, auch die katholische Theologie recht zu erlernen,

»wie ich denn auch der Katholiken Predigten fleißig besuchte und ihren Kirchenfesten beywohnte, auch ihre Processiones und besonderen Gottesdienst mit anzusehen nicht unterließ, weil ich ihre Religion recht wollte kennen lernen, nicht aus dem, was ihre Gegner sagen.«

Weil er nun immer wahrnahm, »daß ein jeder Recht zu haben vermeinete«, wuchs sein Verlangen, »die Wahrheit in der Theologie so deutlich zu zeigen, daß sie keinen Widerspruch leide«. Die mathematische Methode wurde damals gerade auch in der Theologie und Morallehre viel gepriesen, und auch Wolff las später Mathematik an der Universität als »notwendiges Nebenwerck«. Sein Haupt*anliegen* blieb jedoch die Theologie, seine Haupt*leistung* war indessen die Philosophie, die er vorurteilslos und so sachlich wie möglich zu betreiben sich bemühte. Was ihm gut und richtig erschien, übernahm er aus der Antike, der mittelalterlichen Scholastik, aus Descartes und Leibniz; im ganzen wahrte er Selbständigkeit:

»Ich bin immer von der Art gewesen, daß ich mich zwar das praejudicium autoritatis nicht blenden lassen und deswegen etwas zu behaupten angenommen, weil es berühmte Männer gesagt, jedoch niemahlen gleich als einen Irrtum, was mir entweder seltsam oder meinen Meinungen zuwieder vorgekommen, sondern vielmehr jederzeit geglaubt, ich verstehe anderer Meinung noch nicht recht, bis ich alles genau untersuchet, wobey ich auch sehr wohl gefahren.«

Leibniz hätte ihn zwar gern bei der Mathematik gehalten,

»daß ich nach dem Exempel des Herrn Bernoulli mich allein auf die höhere Geometrie legen und seinen calculum differentialem excoliren sollte, allein hatte mehr Lust die Philosophie zum Behufe der oberen Fakultäten in beßern Stand zu bringen.«

Allerdings hatte Wolff, nach eigenem Geständnis, nur »oculo fugitivo« Leibnizens »Théodicée« durchgeblättert; dennoch bekannte er, daß der große Lehrer und Vorgänger ihm »unverhofft ein großes Licht gegeben« habe, so daß er in der »Ontologie und Cosmologie und in der Psychologia rationali« einige Begriffe von Leibniz angenommen und mit seinem System vereinigt habe, wodurch der Begriff einer »Philosophia Leibnitio-Wolfiana« in Umlauf gekommen sei.

Bald wurde Wolff nicht weniger berühmt als Leibniz. Die Royal Society, die Preußische Akademie, die Académie des sciences zu Paris nahmen ihn als Mitglied auf. Er korrespondierte mit Peter d. Gr., dem Kardinal Fleury, mit Voltaire, der Marquise du Chatelet, mit Zaluski, Réaumur und Friedrich d. Gr. Er strahlte im Glanz einer europäischen Berühmtheit; die Höfe, Universitäten, gelehrten Gesellschaften von Hessen, Preußen, Sachsen, Polen, Ungarn, Italien und Rußland bemühten sich um ihn. Seine Eitelkeit wuchs. Den streitbaren Kollegen D. Joachim Lange und dem milden, von Herzen aufrichtigen, aber im religiösen Eifer befangenen August Hermann Francke schien Wolffs Lehrtätigkeit gefährlich, weil er Leibnizens Hypothesen von der praestabilierten Harmonie vortrug. Die Theologie witterte Zugänge zum Atheismus: im System der praestabilierten Harmonie konnte sich die Idee des Fatums entfalten und der Beweis vom Dasein Gottes entkräftet werden. Anlaß genug, daß Lange, der Dekan der theologischen Fakultät, zusammen mit Francke, die Studenten vor dem Besuch der Wolffschen Vorlesungen warnten, um die zukünftigen Prediger vor Irrlehren zu schützen. In tiefer Bekümmernis, doch wie aus Not errettet, schrieb später der treffliche Francke, eine Autorität, die jeder anerkannte, und den noch unsere Zeit als Gründer des Pädagogiums, der Bürgerschule, des Seminarium praeceptorum und vor allem des Hallischen Waisenhauses rühmen muß:

»Ich habe auch in meinem Gemüte von den entsetzlichen Verführungen, so in die hiesigen Anstalten mit Gewalt durch seine (Wolffs) Collegia eingedrungen, solchen Jammer und Herzeleid gehabt, daß ich nachher, als wir über alles Vermuten davon erlöst worden, oft nicht ohne große Bewegung zum Lobe Gottes die Stelle angesehen, da ich auf den Knieen Gott um die Erlösung von dieser großen Macht der Finsterniß, die in wirkliche professionem atheismi ausgeschlagen, angerufen hatte, und es zum Exempel lebenslang behalten werde, daß Gott Gebete erhöre, wo vor Menschen Augen keine Hülfe zu hoffen ist.«

So stand dieses Haupt der pietistischen Pädagogik, einst in Erfurt auf

Grund einer Anzeige des orthodox-lutherischen Ministeriums selbst verfolgt, mit Wolffs Verfolger D. Lange im Bunde. Es muß zugegeben werden, daß Wolff mit seinem Spott über die Lehrweise beider Kollegen und die aus Unwissenheit fließende Scheinheiligkeit anderer Herren nicht immer zurückhielt; und sein Unglück wollte, daß sich seine Hörsäle immer mehr füllten, die des Kollegen Lange aber entleerten.

In dieser schwelenden Atmosphäre von Verleumdungen, Anklagen, fanatischem Eifer und Eitelkeiten kam es zur Explosion, als Wolff bei der Übergabe des Prorektorats an Lange am 12. Juli 1721 in seiner »Oratio de Sinarum philosophia practica« den Heiden Konfuzius und dessen Philosophie in Übereinstimmung mit seiner eigenen Sittenlehre kennzeichnete. Das war für die Rechtgläubigen zuviel. Der Dekan Francke verlangte das Konzept des Vortrags, Wolff wies solches Ansinnen zurück. Am gleichen Abend folgten Studentenunruhen: »Vivat der alte Prorektor, pereat der neue Lange« . . . »der alte Arspaucker« – so lesen wir's bei Wolff. Nun ging die Sache an den Hof des Potsdamer Soldatenkönigs. Dem war das Professorengezänk seit langem auf die Nerven gegangen. An einem handgreiflichen Beispiel machten ihm nun aber Wolffs Gegner klar, wie gefährlich das Spiel mit dem »Fatum« sei: Jedermann weiß, wie der König die »langen Kerls« liebte; da fing er an, sich für das Argument zu interessieren:

»Wenn einige große Grenadiere in Potsdam durchgingen, so wollte das Fatum haben, daß Sie durchgehen mußten und könnten sie nicht wiederstehen und der König thäte Unrecht, wenn er sie bestraffen wollte. Da nun der König fragte, ob ich dieses lehrete und er (= der Hofnarr Paul Gundling, der den König instruierte) mit Ja antwortete . . . und zu derselben Zeit eben viele (Grenadiere) zugleich durchgegangen waren, so ergrimmte der König auf einmal und ertheilte die fatale Cabinets-Order.« (Autobiographie)

Wolff mußte binnen 48 Stunden nach Empfang dieser Order »die kgl. Lande bey Strafe des Stranges räumen.« (Berlin 8. Nov. 1723) D. Lange aber verging über dieser unerwartet schnellen und heftigen Reaktion des Königs nach eigenem Geständnis auf drei Tage der Schlaf und Appetit. Das Odium der Ausweisung fiel auf ihn. Das Blatt wendete sich. Eine kgl. Kommission untersuchte 13 Jahre später den Fall Wolff von neuem und entschied zu seinen Gunsten. Ein bedeutungsvoller Schritt zur Freiheit philosophischer Lehre war getan. Im gleichen Jahr bildete sich die »Societas Alethophilorum« (Gesellschaft der Freunde der Wahrheit). Die Rückseite der Medaille zeigte ein Brustbild der Minerva, auf deren Helm ein Janus bifrons die Gesichter von Leibniz und Wolff trug; die Umschrift lautete: sapere aude! Das war der Wahlspruch der Aufklärung, den später, wie wir eingangs sahen, Immanuel Kant zum Leitsatz seiner berühmten Abhandlung über die Aufklärung machen sollte.

In raschen Schritten eilte die Zeit. Der König starb. Sein Sohn, der Freund der Philosophen, bestieg den Thron. Am folgenden Tage schon ließ der Roi de Prusse an Wolff schreiben, er solle zurückkehren und in Berlin in seine Dienste treten – er dachte wohl an die Sozietät der Wissenschaften – und bat ihn inständig, »die offerte zu acceptiren«:

»Ich bitte ihm« – so schrieb der junge König unter dem Brief an Reinbeck – »sich umb des Wolfen mühe zu geben. ein Mensch, der die Wahrheit sucht und sie liebet, mus unter aller menschlichen Geselschaft werth gehalten werden und glaube ich, das er eine Conquête im Lande der Wahrheit gemacht hat, (wenn) er den Wolf hier her persuadiret.«

Wolff antwortete, er wäre »zur Universität geboren«, worauf der König ihm die »professionem Juris naturae et gentium« wie auch die »professionem matheseos« in Halle anbot. So ging Wolff nach Halle zurück. Aber der Lehrerfolg blieb nunmehr mager; seine Erwartungen erfüllten sich nicht; neue Fehden entbrannten am Horizont der Berliner Akademie um Leibniz, Euler und die Wolffianer. Er wird mißmutig und schreibt:

»Ich muß mit Confucio klagen: Doctrina mea contemnitur, kan aber nicht das *abeamus hinc* hinzusetzen, außer wenn mich Gott aus dieser in eine andere abfordert, wo die Wahrheit herrschet.«

Diese endgültige Abberufung geschah am Karfreitag, den 9. April 1754. Seltsamer Mann: ein Gemisch aus echtem Wahrheitssucher und Popularphilosophen. Seltsame Philosophie: ein Gemisch aus Trivialität und genialen Einsprengseln. Seltsames Schicksal: Ruhm – Verbannung – enttäuschende Rückkehr. Eine zeitlang war er der Modekönig der deutschen Philosophie. Alle akademischen Stände: Ärzte, Juristen, Geistliche, sogar Prinzen und Könige huldigten ihm und wolffisierten, auch den Damen und hommes du monde war zugänglich, was er dem breiten Publikum mundgerecht machte; so hielten sie zu seiner Partei.

Die wesentliche Leistung Wolffs läßt sich in folgenden Punkten zusammenfassen:

a) Inhaltlich ist seine »Metaphysick« mit dem Titel »Vernünfftige Gedanken von Gott, der Welt und der Seele des Menschen« eine Systematisierung von Leibnizens weitverstreuten Gedanken. Das allein war schon keine geringe Leistung, wenn auch keine originelle. Er bleibt der Scholastik verhaftet und baut in ihrer »realistischen« Richtung weiter. Er analysiert, definiert, systematisiert und katalogisiert.

»Ganz natürlich«, bekennt er in der ›Vorrede‹, »ward ich auf die vorher bestimmte Harmonie des Herrn von Leibnitz geführt; so habe ich dieselbe beybehalten und in mir solches Licht gesetzet, dergleichen diese sinnreiche Erfindung noch nie gehabt.«

Die Methode, die auch er allein in philosophischen Dingen verläßlich findet, ist die mathematisch-demonstrative. Jedes Wort sei streng zu definieren und in seiner gegebenen Bestimmung zu belassen; alle Lehrsätze seien in stete Verbindung untereinander zu bringen und auseinander abzuleiten; jede Behauptung müsse unumstößlich aus unwidersprechlichen Gründen dargelegt werden. Philosophische Sätze auf »geometrische Art erweisen« – das ist sein Anliegen. Dabei sieht er selbst, daß »es zur Zeit noch keinem gelungen ist, die mathematischen Demonstrationen in andere Disziplinen als der Mathematick vorzubringen«. Auch nicht Descartes und Spinoza. Was da schließlich auch bei ihm nur herauskommt, ist eine an vielen Beispielen erläuterte Anweisung zu einem sauberen, gründlichen Arbeiten, ist eine gewisse begriffliche Festigkeit im Philosophieren, so wie es bereits Eigenart der von ihm hochgeschätzten Scholastiker war, »daß man Ursache hat, den Schul-Weisen für ihre Bemühungen dankbar zu seyn«. Er machte keinen Hehl daraus, daß seine Ontologie auf Thomas v. Aquino zurückgehe, und wollte es sich zum vornehmsten Verdienst anrechnen, daß er die undeutlichen Begriffe der Scholastik durch deutliche ersetzt und mit Hilfe Leibnizischer Prinzipien berichtigt habe. Kein Geringerer als Kant hat (in der Vorrede zur Kritik der reinen Vernunft) geurteilt, daß wir im künftigen System der Metaphysik dereinst »der strengen Methode des berühmten Wolff folgen« müssen. Kant rühmt an ihm die formalen Fähigkeiten, »durch gesetzmäßige Feststellung der Prinzipien, deutliche Bestimmung der Begriffe, versuchte Strenge der Beweise, Verhütung kühner Sprünge« den Gang einer Wissenschaft sicher zu nehmen. Wolff hätte das letzte erreicht, »wenn es ihm beigefallen wäre, durch Kritik des Organs, nämlich der reinen Vernunft selbst, sich das Feld vorher zu bereiten.« Eine Aufgabe, der eben Kant selbst sich unterziehen sollte.

b) Wolff hat sich, zusammen mit Thomasius, in seinen Arbeiten und Vorlesungen der deutschen Sprache bedient. Unter den damaligen Gelehrten herrschte die Meinung, daß das deutsche Idiom wohl im Umgang ausreiche, nicht aber zum Vortrag und zur Abhandlung in gelehrten Sachen geeignet sei. Das kehrte Wolff nun um:

»Ich habe gefunden, daß unsere Sprache zu Wissenschaften sich viel besser schickt, als die lateinische, und daß man in der reinen deutschen Sprache vortragen kann, was im Lateinischen sehr barbarisch klingt.«

Diese Revolution brachte es mit sich, daß er die lateinischen Termini verdeutschen mußte. Er wagte es und tat es, nicht indem er einfach, wie oftmals Thomasius, die lateinischen Kunstausdrücke durch Endungen germanisierte, auch nicht indem er sie buchstabengetreu übersetzte, sondern dadurch, daß er sie der deutschen Sprache gemäß bildete, »wie ich würde verfahren haben, wenn auch gar kein lateinisches Kunstwort mir bekannt gewesen wäre.« So schuf er eine neue Philosophensprache, von der sich viele Ausdrücke unverändert erhalten haben. Wir finden beim Durchblättern seines Registers: Anschauende Erkäntniß = cognitio intuitiva; Bewegungsgrund = motivum; Diesheit = haecceitas (principium individuationis); Einbildungskraft = imaginatio; Figürliche Erkäntniß = cognitio symbolica; Gründlichkeit = soliditas; Vorstellung = idea; Schlechterdings nothwendig = absolute necessarium, geometrice necessarium, metaphysice necessarium und viele andere Termini, die jedem Jüngling, der heute zu philosophieren beginnt, vertraut sind. – Das war eine Leistung sui generis – zumal wenn man bedenkt, daß die Sprache ein Organ des Denkens ist, und daß die Auffassung eines Begriffs durch eine sprachliche Aura bedingt, in bestimmter Weise wenigstens getönt oder gefärbt, wenn nicht gar gewandelt wird. In d i e s e m Sinne schuf Wolff durch die neue deutsche Philosophiesprache so etwas wie ein deutsches philosophisches Denken, das nun neben der andern großen deutschsprachigen Linie, die von den mittelalterlichen Mystikern über Jakob Böhme zu Schelling führt, seine eigene Bedeutung bekam.

c) Alle diese Leistungen wären nicht möglich gewesen, wenn sich nicht eine soziale Umschichtung in der Nation während dieser Zeit vollzogen hätte – oder sagen wir umgekehrt: Wolff arbeitete an dieser Umlagerung mit. Wir haben sie bereits bei Thomasius beobachtet. Nun schrieb Wolff seine »Weltweisheit«, nicht damit man sie der Schule zu Gefallen studiere, sondern »daß man sie im künftigen Leben gebrauchen und in den sog. höheren Fakultäten nutze«. Erwerb, Arbeit, Berufsidee, die vierfache Richtung der Pflichten (gegen den Verstand, den Willen, den Leib, die äußeren Umstände), all das zusammengefaßt als Postulat zum sozialen Nutzen, wie ihn nach seiner Meinung auch die spekulative Philosophie besitzen solle, begründet ein bürgerliches Bildungsideal, durch welches eine breitere Schicht der Bevölkerung an den bisher einer kleinen Oberschicht vorbehaltenen Geistesgütern teilhaben kann. Dafür hat Wolff das seinige getan. Er war ein Mann der Mitte, ein Mann des deutschen Bürgertums, dessen Bedürfnis es war, sich ebensosehr vor dem Übel eines orthodoxen Zelotismus wie vor den Gefahren der Freigeisterei geschützt zu sehen. Die »deutsche« Philosophie eines Wolff, die gegen Deismus, Materialismus, Skeptizismus gleichermaßen gerichtet war, traf den »Ton« dieses Bürgertums, das zugleich wissen und glauben und in der Aufklärung kirchlich, und in der Kirche aufgeklärt sein wollte. Da wurde Wolff sein Mann. Darum seine Volkstümlichkeit, die sich allein aus seinem »System« nicht erklären läßt.

Der weiten Verbreitung seiner Lehre kam das Zusammenspiel dreier Faktoren zugute: Die Glorie des Verfolgten, der mutig für seine Sache eintrat; die Preisgabe des Lateinischen, durch die er zwar einerseits den internationalen Wirkungskreis seiner Philosophie verengte (um das zu vermeiden, hat er selbst manches ins Lateinische übersetzt), andererseits aber in die Breite des eigenen deutschen Bürgerstandes wirken konnte; schließlich die Nivellierung der Gedanken, zu deren Verständnis der bon sens des Bürgers genügte. So lag in Wolff die doppelte Entwicklung vorbereitet, welche die Aufklärung nach ihm nehmen sollte: Den einen Weg der Niederungen beschritten die Popularphilosophen, in deren Schriften sich die Aufklärung trivialisierte; den andern ging Kant und führte aus der Begrenztheit des Wolffschen Räsonnements und von ihrem toten Punkte aus die Philosophie auf die einsamen Höhen seiner drei »Kritiken«.

5.

Die Popularaufklärung hatte ihren Entstehungsgrund in dem pädagogischen Eros des 18. Jahrhunderts. Es war das Jahrhundert, das noch ein John Locke erreichte; es wurde das Jahrhundert von J.-J. Rousseau (1712–1778) und Pestalozzi (1746–1827). In der pädagogischen Atmosphäre dieser Zeit wuchs der Typ des philosophischen Popularisators empor; er systematisierte – wie es Wolff schon mit Leibniz getan hatte – das verstreute Ideengut der großen Denker, machte es faßbar und verständlich. Auf diesem Felde begegnen wir einem Nicolai, Mendelssohn und Iselin und vielen anderen geringeren Geistern unter den Journalisten und Pädagogen. Sie lebten und wirkten in einer philanthropischen Stimmung, die sie von der Idee zur Tat hin drängte. Aus einer reinen Erzieherfreude gründeten sie patriotische Gesellschaften und Wohltätigkeitsvereine zur Förderung des Guten, zur Verbreitung der nützlichen Wissenschaften und zu wechselseitiger Hilfeleistung. Ihre unbestreitbare soziale Wirksamkeit lag in der Simplizität ihres vom Optimismus getragenen Glaubens, daß der Mensch von Natur aus gut, erziehbar und fortschrittsfähig sei. Auf der Flächenhaftigkeit ihres Denkens ebnete sich alles ein, was bei den großen Aufklärungsphilosophen Höhe und Tiefendimension hatte. Sie ebneten sogar die Wogen der sturm- und dranghaften Unrast der »Kraftgenies«, die ihre Zeitgenossen waren. So bildeten sie ein Geschlecht wohlmeinender Magister, welche alle Schichten der Nation beglücken wollten: Die Könige sollten gütige Väter, die Untertanen brave Bürger sein; auch gedachten sie der Niedrigsten, welche die schwerste Arbeit, und doch die wichtigste zu leisten hatten: der Bauern; ihnen galt ihre besondere Fürsorge und Aufmerksamkeit.

Sehen wir von ihren Sozialisierungstendenzen ab und betrachten wir sie in ihrer bürgerlich-philosophischen Atmosphäre, gewahren wir die eigentümliche Verflachung, in der die deutsche Aufklärung philosophisch versandete. Zunächst bemerken wir, daß nach der Ära Wolff der große Leibniz wieder in Kurs kam. Seine optimistische Wertung des Menschen kam ihrem Ideal des »vir bonus« entgegen. Wie einst der »cortegiano« ein Ideal der Renaissance, der »gentleman« dasjenige des alten Engländers war und der »honnête homme« französischer Vorstellung entsprang, so sollte der »vir bonus« der neuen Zeit der Mann der inneren Vollkommenheit sein. Die Tugend bedinge das Glück, und ihre Übereinstimmung klingt uns aus Tausenden von Seiten der damaligen europäischen Romanliteratur entgegen. Leibnizens Metaphysik wurde in praktische Lebensweisheit und -führung umgeprägt: Der Philosoph erreiche das Glück nicht, wenn er nur aus Lust am Wahren philosophiere, sondern wenn er das philosophisch als Wahr und Gut Erkannte aus Menschenliebe in erzieherische Taten umsetze. Sinn der Philosophie sei Dienst am Nächsten. Über aller Standesenge, aller Nationalität stand der Begriff der »Menschheit«; über den trennenden Merkmalen der Weltreligionen und dem konfessionellen Zwiespalt der Kirchen wölbte sich die Konstruktion einer Vernunftreligion. Die Popularphilosophen aber durchbrachen vor allem die Schranken, durch die das absolutistische System der Monarchie die Regierenden von den Regierten trennte und gaben dem alten Begriff der Demokratie neuen Sinn. Das alles aber blieb in deutschen Landen Theorie und Literatur. Im Gegenteil: die eingeborene und anerzogene Devotion des Deutschen trieb gerade in jenen Jahren des sterbenden Barocks ihre seltsamsten Blüten. Die Große Revolution wurde nicht in Deutschland gemacht, sondern im Lande Voltaires, der genau das Gegenteil eines Demokraten war und dennoch als überzeugter Monarchist die alte Ordnung zum Stürzen gebracht hatte.

Tatsächlich kam die deutsche Aufklärung sowohl mit Voltaire wie mit Rousseau in Konflikt. Voltaire hatte im »Candide«, vielleicht dem geistvollsten seiner Romane, den Optimismus Leibnizens von der »Besten aller Welten« demonstrativ durchlöchert. Er war zwar auf das eigentliche metaphysische Problem des deutschen Philosophen nicht eingegangen, aber hatte plausibel gezeigt, wie das Schicksal, unabhängig von Verdienst und Laster, den Menschen Glück und Unglück zuerteilt. Da versuchte Mendelssohn in seinen »Philosophischen Gesprächen« eine Widerlegung Voltaires und eine Rechtfertigung der Leibnizschen Ideen. Damit war nicht viel gewonnen. – Tiefgreifender als Voltaires witziger Roman über Leibnizens Weltbild wirkte Rousseaus Werk. Schon in seinen beiden »Discours« war Dynamit genug enthalten, um den Aufklärungsoptimismus zu sprengen. Er hatte die Frage aufgeworfen: Haben Kultur und intellektueller Fortschritt die ursprünglich asozialen Wilden, die sich im Laufe der Entwicklung zu Gesellschaften zusammenschlossen, auf die gesunde Bahn der Sittlichkeit gebracht? Wir erkennen das nirgends, meinte Rousseau; – und ist also der Naturmensch nicht doch dem Kulturmenschen in gewissem Sinne überlegen? Auch das war für Mendelssohn und Iselin nicht leicht zu widerlegen. Wie dem auch immer war: Ideal blieb Ideal, und Wirklichkeit blieb Wirklichkeit. In die Kluft, die zwischen beiden gähnte, sprang nun die Erziehung ein, die sich aus dem Glauben an die Güte, die Perfektibilität und die Vernunft speiste; aber das war nur ein Glaube, war nur Überzeugung über die zuweilen die leichten Schatten und Schauer des Zweifels und der Illusion zogen . . .: »Es ist vielleicht nur ein schmeichelnder Traum . . .« mit diesen Worten Iselins ging in der Spätzeit der Popularaufklärung ein Tor zu andern, neuen Welten auf.

KAPITEL III

DAS WAGNIS DES GEISTES

I.

Mit *Lessing* (1729–1781) wird der Schriftsteller deutscher Sprache zu einer europäischen Figur, die im gleichen Rang wie Voltaire oder Diderot, Dryden oder Shaftesbury in die Literatur- und Kulturgeschichte unserer abendländischen Menschheit eingegangen ist. Er führte die deutsche Literatur aus ihrer provinziellen Niederung über das deutsche Plateau auf ein europäisches Niveau. Mit seinem Auftreten beginnt die deutsche Literatur auch für das Ausland interessant zu werden. Klopstock und Lessing wurden sogleich zwei Begriffe deutschen Schrifttums. Innerhalb der Geschichte der deutschen Aufklärung war Lessing wenigstens zwei Jahrzehntelang die anerkannteste Geistesmacht. Wenn Klassizismus heißt, daß in Wort und Werk des Schriftstellers oder Künstlers ein durchdringender kritischer Verstand, eine intellektuelle Redlichkeit und ein Bekenntnis zum Gesetz des Maßes wirksam sind, dann war Lessing unser Klassiker par excellence. Denn in den drei weiten Gebieten, die sein Geist und Kunstverstand durchforschten und auf denen er Eigenes schuf, erkennen wir diese »klassischen« Eigenschaften als wirksame Kräfte: auf der Suche des *Dichters* und Theoretikers nach dem Gesetz des Dramas und der Kunstgattungen; auf dem Wege des *Denkers*, der das Phänomen der zeitgenössischen Aufklärungsphilosophie mit distanzierender Klarheit und Selbständigkeit durchleuchtet; schließlich in der historisch-kritischen *Religionsforschung* – und das heißt für ihn der christlichen Theologie – in der er der redlichste und gebildetste Vertreter gewesen ist.

Die Eigenschaften seiner Persönlichkeit kommen seiner historischen Mission entgegen: Mut, Wille, Verstand charakterisieren den Mann und sein Werk. Kampf ist sein Lebenselement; er ist ihm ernstes Spiel mit der blitzenden Waffe des Geistes. Das Leben mit der Feder ist für ihn das gefährliche Leben der Tat und der Verantwortung vor Gott und Menschen. Literatur begreift er nicht anders denn als »littérature engagée«, nicht als Selbstzweck oder »l'art pour l'art«. Sein Wille aber ist Wille zur Wahrheit; diese sucht er auf allen nur gangbaren Wegen in der Kunst, der Philosophie, der Theologie. Sein Wille ist auch Streben eines Erziehers, das Menschengeschlecht zu fördern. Da ist ihm jedes gute Mittel recht. Das Theater, eine hohe Schule der Erziehung, wird ihm zur Tribüne, zum Auditorium. Er modernisiert das Veraltete (das Virginia-Schicksal der »Emilia Galotti« oder die Medea-Tragödie der »Miss Sarah Sampson«), aktualisiert historische Ereignisse der Vergangenheit (die aufklärerische Toleranzidee des »Nathan«) oder greift überhaupt ins volle Menschleben der Gegenwart (in dem Lustspiel der »Minna«). Immer und überall gegenwartsbezogener Wille zur Wirksamkeit. Aber erst der wache und helle Verstand verleiht seinem Werk Gültigkeit, die harte Kontur, das Erfrischende. Weltkenntnis, Menschenkenntnis, Selbsterkenntnis sind Stufen, auf denen sein Verstand nach außen und innen dringt. Er liebt die großen Städte, wo er den Geist der Zeit am Puls fühlt, etwa das Berlin des großen Friedrich, des halbfranzösischen Hofs und der Aufklärer. Er braucht das Gespräch und die Diskussion, um selbst zur Klarheit zu kommen und den Verstand der andern zu wecken. So erwirbt sich dieser eifrigste aller Buchmenschen im Umgang mit der Welt auch jene feine Menschenkenntnis, die ihm als Künstler und Menschengestalter zugute kommt. Eine seltene Synthese von Buchgelehrtem und Weltmann. Der Leuchte seines Verstandes verdankt er schließlich die Erhellung des eigenen Inneren und die Erkenntnis der eigenen Grenzen seines Ingeniums. Niemand hat bescheidener – und intelligenter – als Lessing von sich selbst gesprochen. Dieses »Ein Wort von mir selbst« aus der »Hamburgischen Dramaturgie« vom 19. April 1768 gehört zu den schönsten Dokumenten eines großen Geistes; es ist ein geradezu klassisches Beispiel dafür, daß wahre Größe vorzüglich in Bescheidenheit sich offenbart. Von den drei literarischen Feldern, die Lessing bearbeitet hat: der Bühnendichtung, der Kunstkritik, dem philosophisch-theologischen Werk, ist gegenwärtig das erste am bekanntesten, das zweite von den Künstlern vergessen, das dritte wird vielleicht erst in einer späteren Zukunft wieder entdeckt werden; – mit andern Worten: »Minna von Barnhelm« und »Nathan der Weise« sind feste Bestandteile des Repertoirs der deutschen Bühnen; am »Laokoon« bildet sich kein schaffender Künstler mehr; »Die Erziehung des Menschengeschlechts« wird man erst von der Höhe eines dritten Reiches der Menschheitsreligion als Verkündigung begreifen lernen.

Das Kapitel Lessing und das deutsche Drama ist in jedem seiner Teile fesselnd. Was lag vor ihm, als er sich an die aufreibende Arbeit machte, der Aristoteles, d. h. der dramatische Gesetzgeber der Neuzeit, ein wenig auch der Corneille-Racine-Molière und der Shakespeare Deutschlands zu werden? Da waren die Modelle der griechischen und römischen

Tragödie und Komödie; da war das Drama des Mittelalters, dann kam die Zeit Shakespeares und Lopes, danach das klassische Dreigestirn der Franzosen und schließlich die eigene Epoche der großen Zeitgenossen Voltaire und Diderot. Nicht alle diese Höhenzüge waren ihm bekannt. Vom großen Welttheater des Mittelalters wußte er kaum etwas, und Lope de Vega, Tirso de Molina und Calderón, der Geist des spanischen Theaters, blieben ihm fremd. Mit den Franzosen aber, gegen die er zwar Shakespeare ausspielte, blieb sein eigener Entwicklungsgang als Dramatiker und Kritiker verbunden: Mit Diderot ging er die mittlere Straße in der Theorie des bürgerlichen Dramas, das in Stil, Vortrag und Inhalt zwischen der Tragödie und Komödie lag. Auf diesem Wege nahm er auch mit, was ihm der Engländer Lillo bieten konnte. Mit den Klassikern Corneille und Racine ging er den Weg zu den Alten zurück. Aber er sah und erlebte sie neu und ursprünglich und entdeckte dabei als Ergebnis langjährigen Nachspürens die Bedeutung des Sophokles als eines gültigen Vorbildes der dramatischen Technik und des künstlerischen Maßes. Mit Voltaire endlich ging er eine lange Wegstrecke, die zur Entdeckung Shakespeares führte. Der Weg aber gabelte sich: Voltaire, der in seinem Londoner Exil in Jugendjahren den Schock der Shakespearestücke unmittelbar als Zuschauer erlebte, so daß er schon in den »Lettres sur les Anglais« der Verkünder seiner großen Entdeckung wurde, bereitete zwar durch Übersetzungen und Adaptationen den Boden zum Verständnis Shakespeares in Frankreich vor, lockerte selbst die französische Tragödie im Geiste des Engländers auf, aber endete im Alter damit, dieses wilde, natürliche, »barbarische« Genie, Shakespeare, als unvereinbar mit dem klassizistisch gedämpften Sprach- und Versgefühl der Franzosen abzulehnen. So ging Voltaire den Weg nur halb und kehrte um; Lessing ging ihn weiter geradeaus und zu Ende: Shakespeare wurde in seinem berühmt gewordenen Urteil des »17. Literaturbriefs« schlechterdings das Vorbild großer Dramaturgie, »erreicht den Zweck der Tragödie fast immer« und stehe uns Deutschen näher als Corneille und Racine, so wie Shakespeare selbst »in dem Wesentlichen« näher bei den Griechen sei als die Franzosen. Über Lessings Urteil läßt sich streiten. Wir sehen heute etwa die »Phèdre« eines Racine in keinem größeren Abstand zum »Hippolytos« des Euripides als etwa »Othello«, »Lear«, »Hamlet« – die von Lessing zitierten Tragödien – vom »Ödipus« des Sophokles. Aber Lessing sagt nichts ohne Begründung und ohne vorgängige Bemühung um die Gesetze der Dramaturgie. Er hat wie kaum einer über Theater und Theaterdichtung nachgedacht. Als er nach Hamburg zum Dramaturgen und Theaterkritiker berufen wurde, war er bereits gerüstet. Seine theoretische und praktische

Leistung erscheint erst im rechten Licht, wenn man die Lage, die er an den deutschen Bühnen vorfand, sich vergegenwärtigt.

Die günstigen sozialen und politischen Voraussetzungen für die Entfaltung einer bedeutenden nationalen Theaterkultur, wie sie in Spanien, England und Frankreich vorhanden waren, fehlten in Deutschland. Zwar war im Mittelalter, wie überall in Europa, die universale Kirche Träger der Schauspiele, der Weihnachts-, Ostern- und Pfingstspiele, der Passions- und Legendenspiele; und mannigfaltige Formen des Mimus lebten auch in deutschen Fastnachtsspielen. Dann aber kam die Herrschaft von Plautus, Terenz und Seneca; die Wellen schlugen von Italien nach Deutschland im Zeitalter des Humanismus und der Reformation. Die Pflege der griechischen Tragiker und Komödiendichter, Sophokles, Euripides, Aristophanes, hatten daneben allerdings nur geringe Wirkung; aber das lateinische Schuldrama blühte: Terenz und Plautus gehörten zur Lektüre in den Schulen, und die protestantischen Tendenzdramen standen neben der comedia sacra des Katholiken Georgius Macropedius; der »Judas Iscariotes« (1552) neben dem »Jesus scholasticus« (1556). Aber weder diese Tendenzdramen noch das universale Jedermann-Drama, weder das bürgerliche Drama oder die Meistersingerdramen standen im Blickfeld Lessings und seiner Zeit. Dann brachte das 17. Jahrhundert das Jesuitendrama auf die Höhe. Darsteller waren Geistliche und Schüler. Freilichtaufführungen, Simultan- und Saal- und Sukzessionsbühne mit Musik und Tanz und überraschenden Dekorationseffekten, alles das wurde im Zeitalter der Gegenreformation und des Barocks geschaffen. Madrid, London, Paris hatten ihre großen, z. T. prunkhaften ständigen Theater. Das Zeitalter von Shakespeare und Lope de Vega, von Tirso de Molina, dem Don Juan-Schöpfer, und Calderón, dem Dichter der Autos sacramentales, von Corneille und Racine und Molière war schlechterdings ein Höhepunkt europäischer Theaterkultur, aber ohne Deutschland. Gryphius, ein deutscher Zeitgenosse der genannten Barockmeister, war ein Mann der Theaterliteratur, aber kein Mann des praktischen Theaters – und Theater will gespielt, nicht gelesen werden. So konnte diese Produktion unsern Lessing, der durch und durch ein praktischer Theatermann, -dichter, -kritiker war, ernstlich nicht interessieren. Was sollte ihm der Meistersinger Hans Sachs, was später das schlesische Kunstdrama des genannten Gryphius, was schließlich die Schäferspiele von Opitz oder – in seiner Zeit – die Bühnenstücke von Gottsched?

Der Mangel an stehenden Theatern in dem zerrissenen Deutschland konnte durch die Wandertruppen nicht ausgeglichen werden. Dazu kam der Mangel an dramatischen Talenten, vom Genie gar nicht zu sprechen.

Und was spielten die Truppen? Erstens, als mehr oder weniger ernste Stücke ohne Plan und Aufbau: Räuberpistolen mit Mord und Totschlag, ein wahrhaftes »théâtre d'horreur« voller Grausamkeiten und Gruseleien. Zweitens, als heitere Unterhaltung die Possen, ein ganzes Repertoire der italienischen commedia dell'arte, ins Derb-deutsche übersetzt; aber nicht der Genialität dieses improvisatorischen Theaters zollte man Beifall, sondern den Zoten und dem Zirkus alles Vulgären, das es enthielt. Drittens, als Übersetzung gab es schon Stücke von Molière und den beiden Corneilles; aber es gab eben keinen deutschen Molière. Die Trostlosigkeit des Zustandes, der sich über unser damaliges deutsches Theaterleben legte, klingt in dem Worte Lessings nach: »Wir haben kein Theater. Wir haben keine Schauspieler. Wir haben keine Zuhörer.« Und Dichter?

»Die Schranken sind noch kaum geöffnet, und man wollte die Wettläufer lieber schon am Ziele sehen.«

Vom Professor Gottsched, der eine Generation vor ihm der Diktator des literarischen Geschmacks auch im Theaterleben war, hat Lessing wenig gehalten: Seine Verbesserungen beträfen entbehrliche Kleinigkeiten oder seien sogar Verschlimmerungen. Gottsched war ihm einfach zu langweilig und akademisch; außerdem führte er durch einseitige Bindung des schaffenden Künstlers an den französischen Geschmack die Entwicklung des deutschen Theaterlebens auf Wege, die nicht vorwärts, sondern rückwärts leiteten und dem andersartigen deutschen Genius nicht recht fördern und begeistern konnten. Gottsched saß in Leipzig – eine Art magister Germaniae – Vulgarisator der vulgarisierenden Wolffschen Philosophie, *arbiter elegantiarum* des an Frankreich orientierten literarischen Geschmacks, dreimaliger Rector magnificus und ein unermüdlicher Organisator, dessen schönster Traum es war, ein deutscher Boileau zu werden und zum Nutzen der deutschen Sprache und Kultur eine deutsche »Académie Française« zu gründen.

Ein deutsches Theater? Es gab Wien – aber da wurde große Oper gespielt. Es half nichts, daß Karl VI. ein großer Theaterliebhaber war, daß er die prunkvollsten Ausstattungsstücke aufführen ließ, daß dort die großen Textdichter Joh. Jos. Fux und der große Pietro Metastasio lebten und ganzen Generationen von Komponisten Texte lieferten. Am Hofe herrschte das spanische Zeremoniell und die italienische Sprache – und die Oper; es herrschten Kastraten, Primadonnen, Konzertmeister und Geigenbauer; neben dem bel canto in der *opera seria* und *opera buffa* konnte das deutsche Wort in deutscher Theaterdichtung nicht gedeihen. Aber es gab am andern Pole des Reiches die Freie Stadt

Hamburg. Die holte sich unsern Lessing 1767 als Dramaturgen an das neu gegründete »Nationaltheater«:

»Über den gutherzigen Einfall, den Deutschen ein Nationaltheater zu verschaffen, da wir Deutsche noch keine Nation sind!« ruft Lessing aus.

Der »Einfall« wurde geschäftlich ein »Reinfall«; aber er führte auch zur »Hamburgischen Dramaturgie« – zwei Heften wöchentlich – und zur »Minna von Barnhelm«: noch heute dem besten Stück des deutschen Lustspieltheaters. Leipzig – Wien – Hamburg: eine merkwürdige Linie des Theaterlebens auf deutschem Kulturraum. Lessing hatte erkannt, daß die Gottschedschen Reformen schon bei ihrem Erscheinen veraltet waren: Gegen die Haupt- und Staatsaktionen wollte Gottsched das reguläre französische Trauerspiel einsetzen; gegen die Wiener Prunkoper der Barockzeit, das Schäferspiel; gegen die commedia dell'arte mit dem deutschen Hanswurst und Skaramuz, die Komödie im Stile des Terenz und Molière. Niemand wird die gute Absicht Gottscheds verkennen, aber jeder wird mit Lessing auch erkennen, daß zur Zeit, als diese Pläne zur Tat werden sollten, sie bereits überholt waren; denn erstens: als Gottsched sich um Racine bemühte und ihn eindeutschen wollte, entdeckte Voltaire bereits Shakespeare und kündete seinen Landsleuten von der Erschütterung, die er dem Erlebnis dieses barbarischen Genies in den Londoner Theatern verdankte; Voltaire macht sich unter diesem Eindruck an die Aufgabe, das alte französische Theater zu reformieren, während Gottsched eben die alternden Elemente des französischen Theaters zu seiner Reform benutzen will. Und vielleicht hatte er so unrecht nicht: denn im Grunde »altern« die Prinzipien der französischen Klassik nicht – so wenig wie die Prinzipien der Griechen oder jedweder vollendeten Kunst; heute jedenfalls steht uns ein Racine als Theaterdichter näher als Voltaire. Aber man fing damals an, sich für Shakespeare zu begeistern; so der junge Dramatiker Elias Schlegel aus der Schule Gottscheds selbst; er schrieb seinen begeisterten Shakespeare-Aufsatz 1741, als Gottscheds Reformen sich durchsetzen: 18 Jahre vor Lessings 17. Literaturbrief. – Als dann Gottsched auch gegen die Oper sprach, traf Gluck mit Händel in London zusammen. Und mit Gluck trat zu Wien und Paris und Prag eben die Oper in eine epochale Stunde ihrer Entwicklung. Dafür hatte Gottsched offenbar keinen Flair; denn sonst hätte er die Rolle der Musik in der Tragödie anders verstanden. Aber seien wir auch hier gerecht: Was sein Gegner Lessing über die Musik im Theater sagt, oder über die Musik, etwa einer »Symphonie«, schlechthin, ist ebenso belanglos – es sei denn, daß wir in Lessings Wort aus der Hamburgischen Dramaturgie: »Die Musik (im Schauspiel) soll dem Dichter nichts verderben«, eine Grundeinstellung erkennen und anerkennen wollen, eine Einstellung, die wir auf der Trennungslinie der Gattungen dann aber gleichermaßen bei Lessing *und* Gottsched finden. – Endlich aber ist der Mimus selbst, gegen den Gottsched einen Terenz und Molière ins Feld führte, unsterblich, zeitlos, und immer da, wo Volkstheater lebendig ist. Gegen Volksgeschmack und Volksbelustigung war aber der Kampf vom Katheder aus von vornherein zum Scheitern verurteilt.

Da kam Lessing und schuf aus der aktuellen deutschen Geschichte, ohne Terenz und Molière, rein aus eigener Menschenkenntnis, aus dem Humor seines Herzens, aus dem »temporären Gehalt« der Geschichte seine »Minna von Barnhelm« (1767). Er schuf am Ende des Lebens den »Nathan« (1779), indem er die Bühne als Kanzel und pädagogische Provinz benützte. Er schuf zwischen beiden die »Emilia Galotti« (1772), ein Gebilde von höchster klassischer Kompositionskunst: Er vollbrachte die wunderbare Leistung, die technische Perfektion und den künstlerischen Kalkül der französischen Klassik mit der Lebensfülle individueller Menschenschicksale zu verschmelzen. Wissen um die Psyche und die Gunst der Tyche kamen zusammen, um derartige dramatischen Reüssiten hervorzubringen. Auf solche Schöpfungsgeheimnisse hat schon Goethe anläßlich der »Minna von Barnhelm« hingewiesen. Und zwischen »Minna« und »Nathan« lag noch die Zeit der großen Bemühungen um die gültigen Grundsätze der Dramenkunst. Wollte Gottsched »nur« ein Boileau werden, dann griff Lessings Ehrgeiz tiefer: Er hatte den Mut, ein deutscher Aristoteles werden zu wollen. Sein dramaturgisches Glaubensbekenntnis lautet:

»Daß ich das Wesen der dramatischen Dichtkunst nicht verkenne, ist dieses, daß ich es selbst vollkommen so erkenne, wie es Aristoteles aus den unzähligen Meisterstücken der griechischen Bühne abstrahiert hat ... Indeß steh' ich nicht an zu bekennen (und sollte ich in diesen erleuchteten Zeiten auch darüber ausgelacht werden!), daß ich sie (= die Dichtkunst des Aristoteles) für ein ebenso unfehlbares Werk halte, als die Elemente des Euklides nur immer sind. Ihre Grundsätze sind ebenso wahr und gewiß, nur freilich nicht so faßlich, und daher mehr der Chikane ausgesetzt als alles, was diese enthalten.«

Trotzdem: Die innere Verbindung, die Lessing zwischen der antiken Tragödie und Shakespeare herstellt, bleibt nicht weniger gewaltsam als die Verbindung zwischen Euripides und Racine. Lassen wir einen jeden in seiner Art; sie alle waren Realisten, Ontologen, wenn man will, Philosophen und Künstler; sie haben etwas vom Sein ergriffen, vom Menschen gewußt, und stehen in ihrer Zeit, jeweils an sie gebunden, jeweils auch über sie hinausgreifend. In unserm Zusammenhang mag interessieren, wie aus den nicht immer widerspruchsfreien Tendenzen der Lessingschen Dramaturgie das deutsche Schauspiel sich nunmehr nach drei Seiten entfalten konnte: Die Überbetonung des Natur- und Geniebegriffs, mit dem Shakespeare erfaßt wurde, führte zum »Sturm und Drang«. Goethes »Götz« und Schillers »Räuber« liegen auf dieser Linie. Zum andern konnte sich aus Lessings Aristotelesverehrung und dem künstlerischen Gewinn, den er aus Racine zog, die deutsche Klassik entfalten, etwa die »Iphigenien« unserer beiden Klassiker. In die Opposition aber zu Lessings energischer Abgrenzung der Kunst- und Literaturgattungen traten schließlich die Vertreter der heraufziehenden romantischen Generation, die, vielmehr als auf Lessing auf Herder zurückgreifend, von einem Gesamtkunstwerk und der Verschmelzung der Gattungen träumte.

Was hat es mit der »Grenzziehung« für eine Bewandnis? Es widerstrebte Lessings Naturell, die autonomen Gebiete der Künste in Theorie und Praxis verwischt zu sehen. So machte er sich, noch vor der »Hamburgischen Dramaturgie«, an die Arbeit des »Laokoon oder Über die Grenzen der Malerei und Poesie«. Das Werk wurde nie abgeschlossen. Der erste Teil erschien 1766 in Berlin. Scheinbar war es ein rückwärts gerichtetes Buch, in dem er sich Klarheit über das oben zitierte Grenzproblem verschaffen wollte. In Wirklichkeit griff er mit dem Buch weiter und tiefer; denn es war eine Auseinandersetzung mit den zeitgenössischen Fragen der Kunst schlechthin, wie sie vom Abbé Dubos, von Joseph Spence und dem Grafen Caylus aufgeworfen waren. Schon 1755 hatte auch Winckelmann seine »Gedanken über die Nachahmung der griechischen Werke in der Malerei und Bildhauerkunst« erscheinen lassen. Mendelssohn schrieb darüber an Lessing. Lessing wird sie studiert haben, auch wenn er sie erst später erwähnte. Bis dahin war eine Wissenschaft der Ästhetik noch nicht geboren; über Quellen und Zwecke der Kunst war alles noch im unklaren; es gab weder eine Psychologie noch eine Metaphysik der Kunst. Da wollte Lessing erst einmal die Positionen klären. Die alte Anschauung lehrte: »ut pictura poesis«: die Poesie sei redende Malerei, die Malerei stumme Poesie. Zwar gehörten beide zu den nachahmenden Künsten (eine aristotelische Anschauung), seien aber dennoch durch ihre Mittel und die daraus entspringenden Regeln voneinander getrennt.

»Poesie und Malerei, beide sind nachahmende Künste, beider Endzweck ist, von ihren Vorwürfen die lebhaftesten, sinnlichen Vorstellungen in uns zu erwecken. Sie haben folglich alle die Regeln gemein, die aus dem Begriff der Nachahmung, aus diesem Endzwecke entspringen.«

(Laokoon, Ursprüngl. Entwurf II)

Das klingt noch aristotelisch. Allein das folgende, wenn es auch naiv anmuten mag, birgt neue Möglichkeiten ästhetischer Anschauungen in sich:

»Allein sie bedienen sich ganz verschiedener Mittel zu ihrer Nachahmung; und aus der Verschiedenheit dieser Mittel müssen die besonderen Regeln für eine jede hergeleitet werden. Die *Malerei* braucht Figuren und Farben in dem *Raume*. Die *Dichtkunst* artikulierte Töne in der *Zeit*.«

Da trat Winckelmann mit einem neuen Buch in Erscheinung. Intuitiv und kongenial erfaßte dieser große Platoniker auf seine Art und in den Grenzen seiner Zeit das Wesen der antiken Kunst, das Wesen der Kunst überhaupt auf. Als Philosoph sagte er, was das Schöne sei: Erscheinung göttlicher Vollkommenheit in dieser Welt. Als Ästhetiker und Historiker zeigte er auf, w i e das Ideal des Schönen Wirklichkeit in der Entwicklung der Kunst geworden sei. Lessing horchte auf.

»Des Herrn Winckelmanns Geschichte der Kunst des Alterthums ist erschienen. Ich wage keinen Schritt weiter, ohne dieses Werk gelesen zu haben.« Die Vorrede ist datiert: »Rom, im Junius 1763«. Lessing bricht jetzt die zusammenhängenden Betrachtungen ab und ergeht sich mehr in zerstreuten Anmerkungen zu dem ihn bedeutend anregenden Werk des andern. Wir wollen jetzt nicht die Frage erörtern, wieweit Lessing der Winckelmannschen Metaphysik des Schönen zustimmt oder seine Erklärung der ästhetischen Phänomene ablehnt – was Otto Mann in einem Kapitel seines tiefbohrenden Lessingbuches getan hat –, wir fragen, was bei dieser Auseinandersetzung Lessings mit Winckelmann an Gedanken und Formulierungen herauskam. Da erscheint es uns zuweilen, als habe der immer tiefer bohrende Verstand Lessings in seiner Zwiesprache mit dem enthusiastisch erregten Kunstsinn Winckelmanns Grundpositionen freigelegt, welche weit voraus in heutige Kunstgesinnung weisen.

1. Die deutliche Unterscheidung zwischen Poesie und Prosa in Dichtung und Malerei. Nicht jeder Vers, nicht jedes Bild ist Poesie, nur weil in dem einen die hörbaren Zeichen in der Zeit, in dem andern die sichtbaren Zeichen im Raum gesetzmäßig nebeneinander stehen:

»So gut die Sprache ihre Poesie hat, so gut muß auch die Malerei dergleichen haben. Es gibt also poetische und prosaische Maler. Prosaische Maler sind diejenigen, welche die Dinge, die sie nachahmen wollen, nicht dem Wesen ihrer Zeichen anmessen.«

2. Bereits im Sinne des zeitgenössischen »Purismus« der Künste, demzufolge die Künste auf ihrer Autonomie bestehen und sich »rein« erhalten wollen, sagt Lessing:

»Ich behaupte, daß nur das die Bestimmung einer Kunst sein kann, wozu sie einzig und allein geschickt ist, und nicht das, was andere Künste eben so gut, wo nicht besser können als sie.«

3. Lessing hat über das Problem der Größenordnungen und Proportionen nachgedacht. Das sind ebenso biologische wie ästhetische Fragen. Überschreitet eine Form die natürliche Wachstumsgrenze nach oben oder nach unten, so verzerrt sie sich und mißhagt unserm ästhetischen Empfinden:

»Ein schönes Bild in Mignatur kann unmöglich eben dasselbe Wohlgefallen erwecken, welches dieses Bild in seiner wahren Größe erwecken würde.« Als »klassisch« aber erweist sich Lessing nicht nur in den Anschauungsfeldern des »Genießens«, »Wohlgefallens«, der »Schönheit« usw., mit denen er den Begriff »Kunst« verbindet, sondern in der Bedeutung, die er dem Menschen als »Maß aller Dinge« zulegt. Damit setzt er der Landschaftsmalerei fast schon im Sinne Valérys ihre Grenzen und plädiert für die Sache einer intellektuellen Kunstübung, der jede sich vom Humanen entfernende reine Landschaftsmalerei verdächtig ist: »Sonach glaube ich, daß die menschlichen Figuren dem Landschaftsmaler, auch außer dem höheren Leben, das sie in sein Stück bringen, noch den wichtigsten Dienst leisten, daß sie das Maß aller übrigen Gegenstände und ihrer Entfernungen untereinander darin werden.« (Aus: Einzelne Gedanken zur Fortsetzung meines Laokoon, 5)

Seit frühen Jahren hat sich Lessing mit theologischen Fragen beschäftigt. Er hatte, wie so viele Pastorensöhne, den Boden orthodoxer Buchstabengläubigkeit verlassen und war in das Extrem, den freigeistigen Zweifel, geglitten. Breslau, Hamburg, Wolfenbüttel waren die Etappen, in denen er durch heißes Bemühen um die offenen Fragen der christlichen Religion und Theologie sich stückweise den Glauben zurückeroberte. Da lernte er in Hamburg das Manuskript der »Schutzschrift für die vernünftigen Verehrer Gottes« von Hermann Samuel Reimarus kennen. Es war ein Werk, das im Anschluß an die Bibelkritik vornehmlich Englands und Frankreichs aufzuzeigen suchte, daß »eine einzige Unwahrheit, die wider die klare Erfahrung, wider die Geschichte, wider die gesunde Vernunft, wider die unleugbaren Grundsätze, wider die Regeln guter Sitten verstößt, genug ist, um ein Buch als eine göttliche Offenbarung zu verwerfen.«

Das gemeinte Buch ist das Alte und das Neue Testament. In dem einen kann Reimarus weder bei den Menschen noch den geschilderten Ereignissen einen moralischen Wert finden; in dem andern deutet er die letzte Tat Jesu als politisches Wagnis, bei dem »seine zukünftigen Minister«, die Apostel, das Wunder der Auferstehung erfanden. Das Manuskript hat Lessing beeindruckt. Er sah in dieser Art sensationeller Aufklärung, welche im Namen rein empirischer, rationaler und moralischer Prinzipien jeden echten religiösen Sinn vermissen ließ, eine neue Gefahr, die es im Interesse der Menschheit zu bekämpfen gälte. So stand in der Mitte zwischen intoleranter Orthodoxie (das war Hauptpastor Goeze) und irreligiöser Indifferenz (das war sein sonst geschätzter König Friedrich) der dritte Gegner, der mit den verdächtigen Waffen von Halbwahrheiten und Sensationen arbeitete (das war Reimarus).

Lessing teilte 1777 einzelne Fragmente aus der Handschrift mit – ein kühnes Verfahren, durch das er den Widerspruch aller Vertreter der Orthodoxie, des Pietismus und der »Philosophen« zu erregen hoffte, um alsdann auf einer höheren Ebene der Diskussion, für die er sich gerüstet fühlte, die Anschauungen zu klären. Das Unternehmen endete damit, daß die braunschweigische Regierung die Fortsetzung des Streites untersagte. So blieb im Grunde alles, wie es war: Die orthodoxe Kirche lehrte weiterhin die für die Menschen gültige Gesamtoffenbarung; die Atheisten oder irreligiösen Spötter bekämpften weiter die »Infâme«, und die Pietisten hielten an der persönlichen Offenbarung, der individuellen Erlebniserfahrung, fest. Und Lessing blieb einsam zwischen ihnen allen. Aus Bruchstücken religiöser und philosophischer Schriften ersehen wir letzte, ferne Ziele, zu denen er als Denker und Erzieher strebte. Dahin gehört »Das Testament Johannes« (1777); dahin die Gespräche zwischen »Ernst und Falk« (1778): ein Freimaurergespräch – seit 1771 gehörte Lessing der Hamburger Loge an, kannte den Freimaurergeist und versuchte in dieser Schrift, den Logengeist, das Partikulare, zugunsten einer höheren Vereinigung aller Menschen aufzulösen; Lessing will nicht die Konfessionen, den Staat, die Stände überwinden – denn er will nicht utopisch sein und weiß, daß der Mensch in diesen Bedingtheiten lebt und wirkt – sondern es kommt ihm nur darauf an, daß der Mensch eben dieses Bedingte seines Lebens »als die jeweilige konkrete Form des allgemein Menschlichen erfaßt«, wie Otto Mann richtig deutet, und gleichsam über den konfessionellen Logen hinaus die unsichtbare Kirche des Rein-Humanen erstrebt. Dahin gehört schließlich die berühmte kleine Schrift über »Die Erziehung des Menschengeschlechts«. (1780)

Lessing verdankte den englischen Aufklärern John Locke (Reasonableness of christianity 1695), John Toland (Christianity not mysterious 1696) und Adam Ferguson (Institutes of moral philosophy 1770) die entscheidenden Ansätze zu diesem seinem letzten religionsphilosophischen Werk. Er ist der Auffassung, daß die Offenbarung Gottes ein Unterrichtsmittel sei, der Vernunft »durch einen neuen Stoß eine bessere Richtung zu geben« (§ 7). Die Offenbarung stehe nicht im Gegensatz zur Vernunft, sondern sei ihrer formalen Bedeutung nach nur ein schneller und sicherer arbeitendes Werkzeug eben dieser Vernunft. Zum andern betrachtet Lessing die Geschichte dieses Vorgangs als fortschreitende göttliche Offenbarung. Von Ferguson übernimmt er den Entwicklungsgedanken, daß nämlich die Menschheitsgeschichte vom Zustand tierischer Roheit ihre Wanderung zu immer reinerer Bildung unter der Führung der Vernunft angetreten habe. Auf die religiöse Entwicklung übertragen, bedeutet die Vorstellung einer solchen aufsteigenden Kulturentwicklung den stufenartigen Werdegang der Menschheit zur Klarheit der Vernunft und – damit verbunden – zur sittlichen Vervollkommnung. Die Offenbarungsstufen sind das Judentum, d. h. das Kindheitsalter, da die Elementarerziehung durch unmittelbare Strafen und Belohnungen stattfindet; auf der folgenden Stufe das Christentum, das Belohnung und Strafe in ein jenseitiges Reich verlegt und ein bereits reifer gewordenes Geschlecht mittels des zweiten Elementarbuchs, des Neuen Testaments, erzieht; diese Stufe kann aber nicht die letzte und höchste sein; ein drittes Zeitalter steht bevor: das Mannesalter der »völligen Aufklärung« und derjenigen »Reinigkeit des Herzens, die uns die Tugend um ihrer selbst willen zu lieben fähig macht.« (§ 80) Die Zeit wird kommen:

»Geh deinen unmerklichen Schritt, ewige Vorsehung! Nur laß mich dieser Unmerklichkeit wegen an dir nicht verzweifeln, ... wenn selbst deine Schritte mir scheinen sollten zurückzugehen! – Es ist nicht wahr, daß die kürzeste Linie immer die gerade ist.« (§ 91)

Am Ende der Schrift tritt der Gedanke einer Wiederkehr des Einzelnen im Leben auf:

»Eben die Bahn, auf welcher das Geschlecht zu seiner Vollkommenheit gelangt, muß jeder einzelne Mensch (der früher, der später) erst durchlaufen haben.« – »Warum sollte ich nicht so oft wiederkommen, als ich neue Kenntnisse, neue Fertigkeiten zu erlangen geschickt bin?« (§§ 93 u. 98)

Dieser Sprung in die Metempsychose und Mystik – »Ist diese Hypothese so lächerlich, weil sie die älteste ist?« – fragt Lessing – ist nicht nur ein Sprung nach rückwärts, sondern eine Wendung nach vorwärts, in die Nähe des Goetheschen Faust: nämlich der Gedanke, daß die edlen, göttlichen Kräfte des Menschen aufgerufen sind, im Ringen mit den bösen sich im unendlichen Aufwärtsschreiten der göttlichen Vernunft zu nähern. Ist das Motiv der »Vernunft« noch aufklärerisch, so das andere des ewigen Strebens schon goethisch. Lessings Geschichtsbetrachtung im ganzen, in welcher die Gegenwart nicht Gipfel, sondern nur einer der vielen Stufen im göttlichen Erziehungsplan ist, überwindet die Aufklärung und kündet schon etwas von Hegel.

Noch einmal, ein letztes Mal, kehrte Lessing zur Kunst zurück. Es war in der Zeit seiner Fehde mit dem Hauptpastor Goeze. Der hatte ihn in hämischer Anspielung auf seine Bühnenschriftstellerei bescheinigt: »In der Theaterlogik ist Herr Lessing ein großer Meister.« Er war es auch in der theologischen Logik. Am 6. September 1778 kündigte er seinen Hamburger Freunden an:

»Wenn Sie im Decameron des Boccaz (I, 3) die Geschichte vom Juden Melchisedech, welche in meinem Schauspiel zum Grunde liegen wird, aufschlagen wollen, so werden Sie den Schlüssel dazu leicht finden. Ich muß versuchen, ob man mich auf meiner alten Kanzel, auf dem Theater wenigstens, noch ungestört will predigen lassen.«

Das Drama heißt »Nathan der Weise«. Es ist Lessings Vermächtnis an die Menschheit der Zukunft. Die Intrige des Stücks selbst, ein Spiel um Erkennungen, liegt auf der Linie der bürgerlichen Schauspiele Diderotscher Prägung: Nathan, ein reicher Jude, ist auf einer Geschäftsreise. Unterdessen kommt seine Tochter Recha – die Handlung spielt in Palästina etwa zur Zeit des dritten Kreuzzugs – bei einem Brande in Gefahr und wird von einem Tempelherrn gerettet. Nathan will sich dankbar erweisen, forscht nach dem verschwundenen Tempelherrn, so wie dieser nach Recha, die er liebt. Dabei kommt heraus, daß die beiden jungen Menschen die Kinder vom Bruder des Sultans sind.

Was hat Lessing aus dieser Fabel gemacht? Zunächst und zuletzt: ein bewundernswertes Kunstwerk. Lessing nennt es ein »dramatisches Gedicht«; es ist gleich weit entfernt von einer Tragödie und einer Komödie; es ist ein gelungenes Amalgam aus dramatischen und epischen Elementen. Das ist die eine Schicht. Schon der Vorgang fesselt: die Geschichte der Erkennungen; es fesselt die orientalische Atmosphäre; es ist wie ein Märchen aus Tausendundeiner Nacht; man spürt des Dichters Lust am Fabulieren und zugleich seine hohe dramatische Technik, wie er alles verzahnt, verknotet und wieder auflöst. Unmittelbar packt die Welt und Stimmung schaffende neue Verssprache; es packt uns noch einmal seine lang geübte Meisterschaft im Charakterisieren der Bühnengestalten: der jugendlich stürmende Tempelherr, die morgenländische Souveränität des Sultans Saladin, die Tartüfferie des Patriarchen, die schlaue Einfalt des Klosterbruders, die verschiedenen Frauengestalten (ein wenig schwächer als die Männer) und über allen: Nathan der Weise – eine der großartigsten Gestalten deutscher Dramenwelt, als Rolle noch immer von Schauspielern höchsten Ranges begehrt und gespielt: von Ernst Deutsch, Novack, Werner Kraus ... unvergeßliche

Verkörperungen dieses Weisen aus dem Morgenland: Eine Figur anders als die stoischen Weisen der Antike, anders als die vom Schicksal gebeugten oder zerschlagenen Helden des Sophokles oder Euripides, anders als die Racineschen héros oder die dämonischen Menschen Shakespeares. Nathan ist das Bild eines Menschen, der durch alle Tiefen und Schrecknisse des Leides, durch Prüfungen hindurch und auf Umwegen das Gesetz der Humanität erfüllt und den Weg zu Gott, von dem er als Gläubiger kommt, wieder zurückfindet in Ergebenheit, in Vernunft, in der Wahrheit des Herzens.

Und da stoßen wir auf die zweite Schicht, die philosophisch-religiöse, wo der zeitlose Sinn des dramatischen Gedichtes zu finden ist. Einfach, aber eindringlich sind die Worte und Lehren des Dichters: Nicht Rechthaberei, sondern Tat und Gesinnung entscheiden über den Wert des Menschen und den der Religionen. Das versteht ein jeder, aber nur wenige üben sich darin. Weiter gibt er zu bedenken, daß nicht das Bekennertum zu dieser oder jener Religion das Entscheidende ist, sondern die Liebe zum Nächsten, und durch die Liebe hindurch die Haltung des Menschen und die Betätigung der Toleranz. Das predigt fast jede Religion, aber ihre Gläubigen betätigen es selten. Schließlich aber ist die innige Ergebenheit in Gott jene von Nathan erreichte Haltung, in welcher der Widerspruch zwischen psychologisch bedingter, persönlicher Willensfreiheit und einer metaphysischen Willensgebundenheit im Sinne der Ergebenheit in Gottes Ratschluß gelöst ist. Das eben ist das schwere, ernste, aber entscheidende Problem. Hier wurzelt die Toleranz. Tolerieren kann, wer gleichgültig ist und es mit der Religion nicht ernst meint; das ist nicht schwer. Tolerieren kann aber auch, wer der Überzeugung ist, daß in der Universalität der göttlichen Offenbarung keine bestimmte positive Religion den höheren Anspruch hat; dahin zu gelangen ist dem Gläubigen schwerer. Am schwersten aber, vielleicht auch am beglückendsten und befreiendsten, die Einsicht Lessings, daß jede Religion ihre Gläubigen auf einen unendlichen Weg zu Gott schickt: Jede positive Religion, die jüdische, die christliche, die mohammedanische (um diese allein handelt es sich im »Nathan«) enthält mannigfache Möglichkeiten religiöser Progression des Menschen zu Gott. Toleranz ist da, wo jeder sich selbst und seine Mitmenschen achtet, wenn er sie auf diesem Wege sieht. Ein Weg auch der hohen Vernunft, ein Weg, der zu der Haltung der Ergebenheit in Gott führt: Als der Klosterbruder mit dem Christenmädchen zu Nathan kam und ihn bat, es an Kindes Statt anzunehmen, hatte der Jude bei der Verfolgung durch die Christen seine Frau und sieben Söhne verloren:

　　　　　　　　　　　　　　　　　　　»Als
Ihr kamt, hatt' ich drei Tag' und Nächt' in Asch
Und Staub vor Gott gelegen, und geweint. –
Geweint? Beiher mit Gott auch wohl gerechtet,
Gezürnt, getobt, mich um die Welt verwünscht;
Der Christenheit den unversöhnlichsten
Haß zugeschworen –«

Aber dann kam die Vernunft:

»Sie sprach mit sanfter Stimm': und doch ist Gott!
Doch war auch Gottes Ratschluß das! Wohlan!
Komm! Übe, was du längst begriffen hast;
Was sicherlich zu üben schwerer nicht,
Als zu begreifen ist, wenn du nur willst.
Steh auf! – Ich stand und rief zu Gott: Ich will!
Willst du nur, daß ich will! –«

Das ist Handeln aus Ergebenheit in Gott: große, überzeitliche Lehre,
die jeden einzelnen angeht. Und die andere Lehre des »Nathan«, ein
Humanitätsideal, ein großer, schöner Traum, in dem Lessing ein Men-
schengeschlecht der Zukunft erschaut, das vorurteilslos, aufgeklärt, in
inniger Gottergebenheit und Duldsamkeit die endlose Straße seiner
Geschichte zu immer höherer, sittlicher Vollkommenheit dahinzieht.
Der Richter gebietet in der Parabel von den drei Ringen den streitenden
Söhnen, von denen jeder glaubt, den rechten Stein, die rechte Religion,
zu besitzen, wo doch nicht einmal der uralte Meister des eigentlichen
Ringes bekannt ist:
　　　　　　　　　　　　　　　　　　　»Wohlan!
Es eifre jeder seiner unbestochnen,
Von Vorurteilen freien Liebe nach!
Es strebe jeder von euch um die Wette,
Die Kraft des Steins in seinem Ring an Tag
Zu legen! Komme dieser Kraft mit Sanftmut
Mit herzlicher Verträglichkeit, mit Wohltun,
Mit innigster Ergebenheit in Gott
Zu Hülf'!«

Der unbeirrbare Glaube und Imperativ seiner eigenen, edlen Natur –
ein Traum, vielleicht geboren aus Erinnerungen eines zertrümmerten
Lebensglücks, aber auch aus dem Optimismus seines Aufklärungsglau-
bens – und aus der Willenskraft, mit welcher der Mensch sich selbst
besiegen kann. Nach diesem Vermächtnis Lessings wurde es einsam um
den Gealterten. Sein Friedenswerk war getan. Lessing konnte das Zeitliche segnen. Ein wunderbarer Mensch: Wird er noch einmal kommen,

wie er es für möglich hielt – nichts wissend von seiner früheren Existenz – und von neuem wirken für die Befreiung der Menschen – oder bleibt alles Traum eines Dichters, eines Philosophen, eines Gottsuchers, Traum eines Traums eines Großen und Einsamen?

2.

Einer der wenigen, die bei der Nachricht vom Tode Lessings indifferent und teilnahmslos blieben, war der Preußenkönig *Friedrich II.* Alle andern, voran Lavater, Herder, Goethe, hatten ein Bewußtsein von der Schwere des Verlustes. Von Friedrich kein Wort darüber. Und dennoch war er mit allen Fasern seines Denkens an die Aufklärungsphilosophie seiner englischen, französischen, deutschen Zeitgenossen gebunden. Er stand dem englischen Deismus nahe, zog Voltaire an seinen Hof, und Bayle war sein Prophet, an dessen Worte er glaubte. Er rief zu Beginn seiner Regierungstätigkeit Christian Wolff nach Preußen zurück, und sein Minister Zedlitz hatte eine unbegrenzte Verehrung für Kant. Alle wesentlichen Argumente in seinem Kampf gegen die »Infâme«, d. h. gegen Aberglauben und Fanatismus, schöpfte der unermüdliche, streitbare, vielbelesene König aus dem Arsenal des über Europa verbreiteten religiösen Skeptizismus. Im Gegensatz zu den drei großen deutschen Aufklärungsphilosophen Leibniz-Wolff-Kant war der Roi de Prusse, dieser vom Leben geschundene Empiriker und Ungläubige, von einer souveränen Verachtung aller Offenbarungsreligionen und von einem unverhohlenen Zynismus gegenüber dem Gros der Menschen, deren »canaillen«haften Charakter er in der »Dreifaltigkeit von Furcht, Bosheit und Unwissenheit« begründet sah. Während alle Philosophen von amtlicher Bestallung, aus Vorsicht oder Überzeugung, ihren Pakt mit Gott und dem Himmel geschlossen hatten, blieb er, der Philosoph vom königlichen Amt, in der denkbar weitesten Gottesferne stehen. Sein Leben und Handeln glich einer Wette, Geschichte ohne Gott, Christus und die Kirche zu machen; – und das Paradox seines Ruhmes bestand darin, daß die Welt, die er verachtete und mit der er nach eigenen Worten »in Ehescheidung lebte«, und die so unaufgeklärt blieb wie sie es eh und je war, gerade i h n den »Großen« nannte. Sie alle, Zeitgenossen und Spätere, Voltaire und Goethe, Carlyle und Joseph II., Fürsten, Philosophen, das Volk und die Soldaten, die Welt, die ihn verehrte oder haßte in Freundes- oder Feindesland – sie alle erfuhren das Faszinosum seiner Persönlichkeit, die Goethe als »genial« und »dämonisch« bezeichnete.

In drei Perioden vollzog sich der Ablauf dieses Lebens. Von drei

Krisen wurde es erschüttert. Aus jedem der Zeitabschnitte ging Friedrich unnachgiebiger dem Schicksal gegenüber und einsamer in seinem Zerwürfnis mit der Welt hervor. In der ersten Periode, wo er als Kronprinz, vor dem Vater verborgen, seinen musischen und philosophischen Neigungen leben konnte, brachte ihn die Hinrichtung seines Freundes Katte – ein Befehl des Vaters – an den Rand des Wahnsinns. Er mußte der Exekution beiwohnen. Ein unversöhnlicher Haß, Verachtung, mochte da in seiner Seele aufgestiegen sein. Aus dieser Krise ging er gebrochen hervor. Wollte er leben, sich selbst und seinem späteren königlichen Amt, so standen ihm zwei Wege offen: Den einen beschritt er mit einer Maske vor dem Gesicht, früh sich in der Kunst der Verstellung übend, worin er auch, nach langen Jahren der Erfahrung mit Menschen, unübertroffener Meister wurde. Das war der Weg, auf den ihn die Staatsraison als stärkste Notwendigkeit seines Handelns drängte. Den andern ging er als Privatmann, als Philosoph, mit einer bewundernswerten Ehrlichkeit vor sich selbst, vor den Dingen und vor dem Unbegreiflichen, das er als Schicksal über sich fühlte. Früh hat der König die feine Grenze zwischen dem Wirkungskreis des Staatsmanns und dem des Privatmanns, zwischen der politischen und der privaten Moral gezogen. Hätte er seinen Neigungen leben dürfen, wäre er nach eigenem Geständnis glücklich gewesen, dieses Leben den Musen und der Philosophie zu widmen, weil er die Werke der Kunst, Literatur und Philosophie über alle Taten praktischer Ordnung stellte. Aber als König gehörte sein Wirken der andern Welt.

Da tauchte er abermals, in der zweiten Periode seines Lebens, welche die drei Kriege umspannt, in ein unheimliches Schweigen, als er die Schlacht bei Kolin zu Beginn des Siebenjährigen Krieges verlor. Kolin sollte seine »Pharsalusschlacht« werden. Wie einst Cäsar mit seinem Sieg über Pompeius den inneren Kämpfen der Römer gegen Römer ein Ende bereitete, so wollte er, der Rebell gegen das Reich, die Kämpfe zwischen Österreich und Preußen beenden. Aber der Ausgang des Kampfes brachte ihm das Verhängnis. Der Pharsalusgedanke brach zusammen. Friedrich erkannte die Notwendigkeit, seine hochfahrenden Pläne zu begrenzen und das Gesetz des Möglichen rigoroser und realistischer zu beachten. In den ihm nunmehr gesetzten Grenzen wollte er standhaft und beharrlich seinem staatlichen Werke dienen, und koste es das Leben, das ihm als Rebell des Reichs auf dem Spiele stand. Der Weg zur stoischen Philosophie war gebahnt:

Je suis homme, il suffit, et né pour la souffrance,
Aux rigueurs du destin j'oppose ma constance.

(An Voltaire am 9. Okt. 1757)

An seinem stoischen Gleichmut, an den Wunden, die ihm noch in allen folgenden Jahren geschlagen wurden, schien das Schicksal selbst müde zu werden. Er überstand wie durch ein Wunder, durch Zufall oder Fügung – man nenne es, wie man wolle – die tödlichen Gefahren dieses Krieges.

Und noch einmal, in der dritten Periode, die von der Beendigung des Krieges bis zu seinem Tode, 1786, verlief, brach das Verhängnis über ihn und sein Werk herein. Er wollte das Schicksal seines Staates in die Hände des begabten Prinzen August-Wilhelm, des zweiten Sohnes seines ältesten Bruders, legen; den aber raffte der Tod hinweg. Als der König die Nachricht erfuhr, verstummte er – mochte vielleicht ahnen, was in der Zukunft aus seinem Werk in den Händen unzulänglicher Nachfolger werden sollte. Nun war er ganz vereinsamt. Mehr als zuvor erfüllte er unter Aufbietung seiner physischen, geistigen, moralischen Kräfte die Rolle des ersten Dieners seines Staates. Er tat es in dem Bewußtsein, daß sein Werk, d. h. sein Staat, einzig und allein an s e i n e Person gebunden war, und Geist und Seele nur von ihm empfing. Von Gicht und Schmerzen gebeugt, vergilbt, zerknittert, undurchdringlich und rätselhaft mit all seinen Widersprüchen, besessen von dem Verantwortungsgefühl gegenüber dem eigenen »magischen Schicksal«, genial und dämonisch in der Kraft seiner geistigen Fähigkeiten, steht er da, umwittert von einer unheimlichen Abendstimmung, kalt, freudlos, fast ohne Schlaf, versunken in ferne Nachdenklichkeit.

> »Der den seinen und sich zu nutzen versteht und dem Zufall gebietet,
> Klug sich beugt und groß dem Zufall wieder gebietet,
> Der den Augenblick kennt, dem unverschleiert die Zukunft
> In der Stille des hohen Denkens erscheint,
> Der, wo alle wanken, noch steht,
> Der beherrscht sein Volk und gebietet der Menge der Menschen.«
>
> (Goethe)

a) Das *literarische Werk* des »Philosophe de Sans-souci« ist einerseits voller Widersprüche und zeigt eine Entwicklung, die entscheidend von seiner Lebenserfahrung bestimmt wurde; andererseits weist es eine weltanschauliche Geschlossenheit auf, die sich in beständiger Wiederkehr bestimmter Motive bekundet. Widerspruch und Entwicklung finden wir in seiner Beurteilung der Aufklärungsphilosophen, vor allem Wolffs, der politischen Theorien Machiavellis und der Gottesvorstellungen des Deismus.

Die eigentliche philosophische Diskussion, die er als Kronprinz mit Voltaire begann, entzündete sich an einem Kernproblem der Wolffschen Metaphysik, dem der Freiheit und Notwendigkeit. Friedrich beharrt Voltaire gegenüber mit Zähigkeit auf der Überzeugung, daß der Mensch nicht frei sei, sondern determiniert. Die briefliche Aussprache wird z. T. auf verschiedenen Ebenen der Voraussetzung geführt, gelangt daher auch zu keiner Lösung und wird von Friedrich vorerst zurückgestellt, indem er, des Lesens und Nachdenkens darüber müde, einen summarischen Abschiedsgruß an die Metaphysik richtet:

»Könnte es nicht sein, daß sich alle Philosophen täuschen? Ich begreife ebensoviele Systeme, wie es Philosophen gibt. Alle diese Systeme haben einen Grad Wahrscheinlichkeit für sich, jedoch widersprechen sie sich alle ... So neigt sich der Geist des Menschen zum Skeptizismus: Viel erkennen wollen, heißt zweifeln lernen.« (17. Juni 1738)

Seitdem – Friedrich ist erst 26 Jahre alt – bleibt der »Pyrrhonismus« seine philosophische Grundhaltung bis zum Ende seines Lebens. Doch noch einmal, im Siebenjährigen Kriege, greift der König zur »Logik« Wolffs, führt mit Catt ein langes Gespräch darüber und bekennt: »Ich habe mich seither gewandelt.« (Catt, Tagebuch v. 23. Mai 1758) In den Begriff »Philosophie« schiebt sich in den kommenden Jahrzehnten neben der Bedeutung »Aufklärung« immer spürbarer eine stoische Sinngebung ein. Das begann nach der Niederlage von Kolin, als Friedrich an seine Schwester Wilhelmine schrieb:

»Glücklich preise ich den Augenblick, da ich mich mit der Philosophie vertraut gemacht habe! Die Philosophie allein vermag die Seele in einer Lage wie der meinigen aufrechtzuerhalten.«

Und acht Tage nach der Schlacht bei Torgau:

»Inmitten all der Widerwärtigkeiten habe ich nur eine Stütze: die Philosophie.«

Schließlich im letzten Kriegsjahr, am Rande des Untergangs und der Erschöpfung:

»Was sollten wir werden ohne die Philosophie, ohne Reflexion, ohne Abstand von der Welt und den Dingen und ohne jene vernunftbegründete Verachtung aller frivolen, flüchtigen und vergänglichen Dinge der Welt, die nur die Geizigen und Ehrsüchtigen so stark begehren?«

Philosophie heißt in diesen drei Beispielen offenbar nicht mehr nur »Aufklärung«, sondern Lebenslehre und Lebensweisheit. Marc Aurel wurde dem König zum philosophischen Erlebnis. Die stoische Morallehre, aus der er bewußt die Metaphysik ausklammerte, förderte Friedrichs innewohnende Neigung zur stoischen Lebenshaltung. Die Ideale der »Aufklärung«, an die er nicht mehr recht zu glauben vermag, verdämmern hinter dem Ideal des stoischen Weisen und seiner Ataraxie. In dem Gedicht »Der Stoiker« (1761) ruft der König die schwankenden und verzagten Menschen an, die den falschen Schein für das Licht der

Wahrheit nehmen. Der stoische Imperativ heiße: In sich selbst hinabsteigen, um Sicherheit zu erlangen, und sich in »männlich-heiterem« Entschluß zur Entsagung durchringen. Die Tradition von Seneca führt ihn wieder zu seinen Franzosen, die auf der Linie Montchrestien-Corneille die stoische Heldentragödie mit christlichen Motiven verwoben haben. Am Ende hat sich das philosophische Bild verschoben: Der alte König kehrt zum anfänglichen Determinismus zurück:

»Denn alles, was geschehen muß, geschieht;
Kein Wesen kann des Schicksals Kreise meiden.«

Er sucht den Trost dafür in der stoischen Haltung, die solches Schicksal des Unvermeidlichen ertragen hilft:

»Standhaftigkeit und tapfrer Sinn erträgt
Das harte Schicksal, wie's ihn immer schlägt.«

Endlich sieht er die Linie, die von der stoischen Ethik zur christlichen Moral und Entsagung verläuft und versöhnt sich wenigstens mit dieser Seite des Christentums:
»Ich nehme mit der christlichen Moral nur die aller Philosophie in Schutz.«

b) Einen ähnlichen Wandel vollzog Friedrich auch auf der Ebene des *politischen Denkens,* aber im umgekehrten Sinne. Als *Kronprinz,* der den »Antimachiavell« verfaßte, glaubte er an die Ideale des Guten, der Liebe, des Wahren, und war der Überzeugung, daß diese Werte sich durch Tugend und Vernunft (die er in eins zusammenschloß) müßten verwirklichen lassen. Als aber der *König* nach wenigen Jahren des Regierens die politische Wirklichkeit als einzigen Lehrmeister anzuerkennen genötigt war, wandelte sich seine Meinung. Er sah jetzt, daß Machiavellis Erkenntnisse von der Technik politischen Handelns und daß seine Ratschläge zur Befolgung der allgemein gültigen Spielregeln politischen Verhaltens nicht von der Hand zu weisen wären, wenn sich ein Fürst behaupten wolle. Er erkannte, daß die Realität der Dinge sich weder von der humanitären Moral eines Individuums noch von der politischen Ethik einer Rechtsgemeinschaft erweichen lasse. Als er dann nach zwölfjähriger Regierungszeit sein »Politisches Testament« von 1752 schrieb, tauchte auch die Gestalt Machiavellis wieder auf – wie ein Schatten, den er nicht liebte, und der ihn dennoch nie verließ: »Ich muß leider zugeben, daß Machiavelli recht hat«, schrieb er nieder. Er ist immer ein Gegner des Florentiner Denkers geblieben. Weder als Kronprinz noch als König kann man Friedrich als dessen Jünger bezeichnen. Auch konnte er von seiner Zeit und seiner preußischen Souveränitätsidee her und unter den Voraussetzungen seines aufgeklärten Welt- und

Menschenbildes die tieferen Schichten des machiavellischen – ich sage nicht: machiavellistischen – Denkens nicht erkennen, sondern er sah in dem »Principe« nur die vordergründigen Spielregeln, die sich für ein politisches Verhalten aus der Natur des Menschen ergeben. Wenn er sich später Machiavelli näherte, dann nicht aus philosophischer Einsicht in die Tiefenschichten des Renaissancedenkers, der ihm fern blieb, sondern einzig, weil seine Erfahrungen die Richtigkeit und das gute Funktionieren politischer Gesetze, wie sie bei dem Florentiner erlernbar waren, bestätigt hatten.

c) Ein Schwanken und Wandeln erkennen wir schließlich auch im *religiösen Denkbereich* dieses seltsamen Mannes. Es ist keine Frage, daß ihn das Religiöse das ganze Leben über als Denker und Grübler beunruhigt hat. Seine Kenntnis der Religions-, Dogmen- und Kirchengeschichte umgreift alles, was damals wißbar war. Er geht den Weg vom Deismus, der unter den Aufklärern verbreitetsten zeitgenössischen religiösen Denkform, bis an die Grenze des Atheismus und in ihn hinein. Immer ist dieser Weg vom Glauben zum Unglauben über alle Stufen vernunftbegründeter Gottesvorstellungen von schonungslosen Kritiken gegen die Vertreter des kirchlichen Amtes begleitet. Den Philosophen Friedrich als Christen retten zu wollen, ist eine Unmöglichkeit, auch wenn er in seinem »Generallandschulreglement« von 1763 den christlichen Glauben in Religions- und Bibelstunden für das Volk gehalten wissen wollte. Auch seine Aussprüche vom »Höchsten Wesen«, vom »l'Être des Êtres«, von der »bonté de Dieu«, seine Vorstellungen von Gott als »Sensorium der Welt« oder einer »Intelligenz der ewigen Organisation der Welten«, dieses und anderes sind Begriffe, die ihn noch nicht zum Gläubigen machen, sondern die er dem Deismus vornehmlich englischer und französischer Prägung entlehnt. Er bemühte sich um das Verständnis der verschiedenen deistischen Vorstellungen einer aufgeklärten, natürlichen Vernunftreligion, durchdachte für sich noch einmal die damals allbekannten drei Gottesbeweise der spekulativen Vernunft, den physikotheologischen, kosmologischen und ontologischen – man lese den Brief vom 18. Dezember 1770 an d'Alembert –, aber er endet immer wieder mit einem kategorischen Verzicht auf jedwede Metaphysik, jedwedes Dogma, jedwede Offenbarung mit und ohne Vernunfterklärung. Er ist im Grunde ebenso weit von Leibniz wie von Lessing entfernt. Er ist der Pyrrhonist par excellence: Skeptizismus-Epoché (die aus philosophischen Gründen entspringende Urteilsenthaltung) – Ataraxie sind die drei Ausdrucksformen seiner philosophischen Anschauungen. So wandelbar er erscheinen mochte, unverrückbar fest standen drei Prinzipien, von denen er sich in jeder seiner Lebensabschnitte leiten ließ: einem weltanschaulichen, einem literarischen und einem politischen; es ist das Postulat der Toleranz, es ist sein literarisches Credo und es ist die Idee vom Ersten Diener seines Staates.

Die Forderung der *Toleranz* ist Ausfluß seiner Überzeugung, daß wir in Anschauung der rechten Religion

»blind sind und auf verschiedenen Wegen irren. Wer unter uns wollte so kühn sein, den rechten zu bestimmen!« (An den Herzog Karl Eugen von Württemberg, 6. Februar 1744)

Es ist immer wieder die Parabel der drei Ringe, aus deren Geist auch des Königs Toleranzidee kommt; freilich nicht, wie bei Lessing, letztlich aus tiefem religiösen Ringen, sondern vielmehr aus vordergründigen oder untergründigen Motiven politischer Natur. Berühmt ist Friedrichs Randbemerkung zum Bericht des Staatsministers von Brand und des Konsistorialpräsidenten von Reichenbach:

»Die Religionen Müsen alle Tolleriret werden, und Mus der (General) Fiscal nuhr das Auge darauf haben, das keine der andern abrug Tuhe, den hier mus ein jeder nach seiner Fasson Selich werden.« (22. Juni 1740)

Wohlbemerkt gilt das unter der Voraussetzung, daß der einzelne ein guter Staatsbürger bleibt und die Gesetze beobachtet:

»Hinsichtlich der Moral unterscheidet sich keine Religion erheblich von der andern. So können sie alle der Regierung gleich recht sein, die folglich jedem die Freiheit läßt, den Weg zum Himmel einzuschlagen, der ihm gefällt. Nichts weiter verlangt sie vom einzelnen, als daß er ein guter Staatsbürger sei.« (L'Histoire de la Maison de Brandebourg, 1746/47)

Was der junge König hier aussprach, hat er auch in der Mitte und bis zum Ende des Lebens gehalten. Er nahm die Verfolgten ins Land, schützte die Jesuiten, die allenthalben aus Süd- und Westeuropa vertrieben wurden, ließ den Mohammedanern ihren Allah und den Juden ihren Jehovah und allen Sektierern ihre Überzeugung; er war in diesem Punkt von einer souveränen Indifferenz; denn er blieb der Meinung, daß die »wahre Religion« und damit auch die menschheitsverbindende Moral allein in der Menschlichkeit, d. h. den Wohltaten der Nächstenliebe, liege, und daß jeder dogmatische, parteiliche Eifer nur zu Fanatismus, Verfolgungssucht und Gewissenszwang führen würde. Darin verstand er sich mit Voltaire und unterstützte ihn praktisch wie moralisch in dessen Prozessen um Calas, Sirven und Etallonde. Im übrigen war es seine unwandelbare Überzeugung, daß die Menschen der Religion bedürften – allerdings mit der Begründung, der menschliche Geist sei zu schwach, das Licht der Aufklärung zu ertragen, und »mehr als drei Viertel der Menschheit seien dafür geschaffen, als Sklaven des dümmsten Fanatismus zu leben.« (An Voltaire 31. Oktober 1760)

Das blieb seine pessimistische Meinung bis ans Ende. In seiner Toleranzidee verschmolzen also mit abwechselnder Akzentuierung staatspolitische Erwägungen, weltanschauliche Überzeugungen und eine Indifferenz in religiösen und theologischen Spekulationen.

Unwandelbar blieben des Königs Überzeugungen in Dingen der *Kunst*, des *Geschmacks*, der *Literatur*. Hier sprach er sein »Credo« und war weniger tolerant. Sein Erziehungsprogramm von 1780 »Über die deutsche Literatur« zeigt, wie Friedrich noch im Alter an den Idealen der klassischen Erziehung und dem Glauben an die Überlegenheit der italienischen und französischen Kultur festgehalten hat. Er blieb bei dem, was er schon 1762 gesagt hatte:

»Auf meine alten Tage liebe ich die Poesie ebenso leidenschaftlich wie in meiner Jugend. Und ich bitte Apollo, er möge mich gnädig in dem wahren und orthodoxen poetischen Glauben erhalten, den Homer uns gelehrt, Virgil ausgebaut, Horaz erklärt und erläutert hat, dessen Apostel Tasso, Petrarca, Ariost, Milton, Boileau, Racine, Corneille, Voltaire und Pope waren und der durch ununterbrochene Überlieferung bis auf uns gekommen ist. In dessen Glauben will ich leben und sterben, auf daß meine Seele nach meinem Tode zur Schar der erwählten Seligen Geister eingehen möge, die im Elysium wohnen.« (Aus: Betrachtungen über die Betrachtungen der Mathematiker über die Dichtkunst. April 1762)

In diesem Glauben beharrte er, erklärte noch 1780 Shakespeares Stücke als »lächerliche Farcen, die eines kanadischen Wilden würdig sind«. und den »Götz von Berlichingen« als »scheußliche Nachahmung der schlechten englischen Stücke«. Sonst kein Wort von Goethe, geschweige denn von Klopstock und Lessing – statt dessen zwei Worte über Gellert, Canitz und Geßner, dazu die mißgünstigsten Urteile über das deutsche Schul- und Universitätswesen, die deutsche Pedanterie und Geschmacklosigkeit, und die deutsche Sprache und Schwerfälligkeit. Er sah nicht, (oder wollte es nicht sehen, wollte sein Urteil nicht mehr umstoßen, konnte es vielleicht auch nicht), wie sich das deutsche Kulturbild seiner eigenen Epoche gewandelt hatte; aber er ahnte den Wandel, hatte ein Vorgefühl des Kommenden:

»Deutschland«, schrieb er am 24. Juli 1775 an Voltaire, »steht heute auf der gleichen Stufe wie Frankreich unter Franz I. Der Geschmack an Kunst, Bildung, Literatur beginnt sich zu verbreiten. Man muß abwarten, bis die Natur echte Genies hervorbringt, wie unter den Ministerien Richelieus und Mazarins. Der Boden, der einen Leibniz hervorgebracht hat, kann auch andere erzeugen. Ich selbst werde diese schönen Tage meines Vaterlandes nicht mehr erleben, aber daß sie kommen können, sehe ich voraus.«

Wo immer der König von Kultur sprach, sah er ihre Wachstumsbedingungen in enger Verknüpfung mit der sozialen, wirtschaftlichen und kommerziellen Entwicklung der Nationen, aber er sah einseitig in den Leistungen der *Literatur* den Gradmesser ihrer Bedeutung. In der Literatur aber waren ihm Frankreich, wie in der *Musik* Italien das unerreichte Vorbild. Und doch kannte er den alten Bach, unvergessen mit ihm durch das »Musikalische Opfer« verbunden, und Carl Philipp Emanuel Bach war sein Kammercembalist; er kannte Gluck und die Mannheimer, aber schrieb kein Wort über sie; dabei war er mehr als ein »Kenner« auf dem Gebiet: Komponist von Flötensonaten, -konzerten, Sinfonien, Arien und Märschen und Gründer der Berliner Oper, die einst Weltruf erlangen sollte. Nur fünf Jahre nach ihm starb Mozart. Wie er in der Literatur nach Frankreich blickte, so in der Musik nach Italien. Er erteilte in seiner Schrift über die deutsche Literatur den Höheren Schulen und Universitäten Ratschläge für die akademische Lehrweise; er propagierte die humanistischen Bildungsfächer, hatte die modernsten Ansichten über den Geschichtsunterricht. Alles, was er sagte, war methodisch durchdacht, zwar oft wunderlich, selbstgefällig, ein wenig imperativisch und imperatorisch, indessen immer weltoffen und geistbetont. Auch Deutschlands Epoche werde einmal kommen, wie die antike Bildungsstufe, die italienische Renaissance und der französische Klassizismus ihre Zeiten hatten. Daß diese Zeit schon in die Geschichte getreten sei, sagte ihm Voltaire mit schmeichelnder, ironischer witziger Wendung:

»Die Deutschen stehen im Morgenrot; sie stünden im Mittag, wenn Eure Majestät geruht hätten, deutsche Verse zu machen.« (13. Aug. 1775)

Friedrich geruhte zwar nur, französische zu schreiben; aber er griff den Gedanken von den »Germanen im Morgenrot der Bildung« auf, träumte ihn weiter . . . »wer zuletzt kommt, übertrifft zuweilen die Vorgänger« . . . phantasiert über die zukünftige Ausbreitung der deutschen Sprache . . . und prophezeit:

»Diese schönen Tage unserer Literatur sind noch nicht gekommen, aber sie nahen. Ich kündige sie an, sie stehen bevor. Ich selbst werde sie nicht mehr erleben; das zu hoffen, verbietet mir mein Alter. Mir geht es wie Moses: Von fern sehe ich das Gelobte Land, aber ich werde es nicht mehr betreten. Lassen Sie mir diesen Vergleich hingehen. Moses bleibt darum doch, was er ist, und ich will mich keineswegs mit ihm in eine Linie stellen.« (Über die deutsche Literatur)

Die geahnte Mittagshöhe der deutschen Kultur kam schneller als der König es vorausgesagt hatte: Es war die große Geistesbewegung, in welcher die Klassik und Romantik in Literatur, Musik und Philosophie zusammengeschlossen wurden. Ihre Vorboten, den Sturm und Drang, hat der alternde König, doch immer eher rückwärts als vorwärts gewandt, nicht mehr erkannt. Als er 1786 starb, hatte sich das Drama des Sturms und Drangs bereits ausgetobt; Schiller stand beim »Don Carlos«, Goethe bei der endgültigen Fassung der »Iphigenie« und des »Tasso«, und Mozart komponierte seinen »Figaro«.

Unwandelbar und widerspruchsfrei waren schließlich die Gedanken des Königs über seine *Herrscherpflichten*. Als Sohn des 18. Jahrhunderts hatte er keinen Zweifel darüber, daß der Absolutismus die rechtsgültige Form des Herrschertums sei. Entscheidend war nur, w i e er dieses Herrscheramt begriff. Bereits in der »Histoire de la Maison de Brandebourg« steht der Satz:

»Ein Fürst ist der erste Diener und Beamte des Staates.«

Zehn Jahre später lesen wir in der »Rechtfertigung meines politischen Verhaltens« (Ende Juli 1757) den gleichen Satz mit der anschließenden Betrachtung:

»Was mich betrifft, der ich Gott sei Dank weder den Hochmut des Gebieters noch den unerträglichen Dünkel der Königswürde besitze, so trage ich keinerlei Bedenken, dem Volke, zu dessen Herrscher mich der Zufall der Geburt gemacht hat, Rechenschaft über mein Verhalten abzulegen.«

Ein weiter Schritt von den Jahrhunderten Philipps II. und Ludwigs XIV.! In den Worten Friedrichs liegt eine für jene Zeit fast unbegreifliche Modernität des Denkens: Ablehnung des Hochmuts, des Dünkels, des Gottesgnadentums; demgegenüber Sorge um das Volk, persönliche Verantwortung vor den Untertanen in jeder Form politischer, wirtschaftlicher, moralischer Rechnungslegung. So verhielt sich der König bis in die letzten Jahre. Mit der andern tragenden Idee, der Toleranz, verknüpft, erhält der Gedanke seine klassische Prägung in den »Regierungsformen und Herrscherpflichten« von 1777:

»Der Herrscher hat keinerlei Recht über die Denkungsart der Bürger ... Dies sind im allgemeinen die Pflichten, die ein Fürst erfüllen muß. Damit er niemals von ihnen abirre, muß er sich oft ins Gedächtnis zurückrufen, daß er ein Mensch ist wie der Geringste seiner Untertanen. Wenn er der erste Richter, der erste Feldherr, der erste Finanzbeamte, der erste Minister der Gemeinschaft ist, so soll er das nicht sein, um zu repräsentieren, sondern um seine Pflichten zu erfüllen. Er ist nur der erste Diener des Staates, ist verpflichtet, mit Redlichkeit, überlegener Einsicht und vollkommener Uneigennützigkeit zu handeln, als sollte er jeden Augenblick seinen Mitbürgern Rechenschaft über seine Verwaltung ablegen.«

Der Tenor dieses Passus hat etwas von Kant. Friedrich bekundet darin weiter, daß er alles selbst zu machen gewillt war, und auch gemacht hat. Es gehörte sein Genie dazu, um solcher Aufgabenbreite auch nur annähernd gerecht zu werden. Das Wort Voltaires über ihn bleibt wahr:

»Der ist aus anderm Stoff als alle Welt! Die drei Parzen müßten für ihn einen Lebensfaden spinnen, der fünf- bis sechsmal länger wäre, als der der übrigen Menschen. Es ist lächerlich, daß er nur *einen* Körper hat, wo er mehrere Seelen besitzt.«

Was die Mitwelt und Nachwelt in ihm spürte, war die geisterfüllte und pflichtbewußte Haltung eines Menschen, der die platonische Forderung, daß die Könige Philosophen und die Philosophen Könige sein sollten, ernst genommen hat. Im Gewand des 18. Jahrhunderts erschien die »Philosophie« als Aufklärung; und ihr politischer Ausdruck war der »aufgeklärte Absolutismus«. Wenn nun Absolutismus unumschränkte Herrschaft bedeutet, Aufklärung aber Ausbreitung des Lichts, dann beinhaltet diese Formel also, »daß das Licht herrschen, der stärkste Geist gebieten, der hellste Kopf anordnen soll.« (Friedell) Soll nun das Schlagwort vom aufgeklärten Absolutismus eine Realität werden, ist es Pflicht des Souveräns, allen ihm erreichbaren Bezirken des staatlichen Lebens: Landwirtschaft, Industrie, Handel, Verwaltung, Heer, Finanzwesen, Erziehung, Religion und Kultur seine Aufmerksamkeit und Sorge zuzuwenden; die Gesetze, Notwendigkeiten, Mechanismen eines jeden zu studieren und sie zum größtmöglichen Nutzen des Staates und Gemeinwohls mit Intelligenz und einem wachen Sinn für kommende Entwicklungen zu verknüpfen. Eine schier übermenschliche Aufgabe. Da nun der König, an sich schon mit durchdringendem Verstand begabt, im hellen Bewußtsein dieses seines Berufs alle diese Aufgaben pflichterfüllter, intelligenter und zielbewußter angriff als die meisten andern Souveräne seiner Zeit, erreichte er in seiner Epoche entsprechend mehr. Er baute als Rebell des Reiches gegen eine Welt von Feinden sein kleines, zusammenhangloses Ländergebilde zu einer europäischen Großmacht aus. Geheimnis solchen Erfolges war seine Persönlichkeit selbst – und: das unberechenbare Glück, der Zufall – sa sacrée majesté le hasard –, oder nenne man es das Schicksal. »Auch die Politik hat ihre Metaphysik« – ein nachdenklich stimmendes Wort aus seinem Politischen Testament.

3.

Wie jeder große Geist im Reich der Philosophie, Kunst oder Wissenschaft hat auch *Immanuel Kant* (1724–1804) ein zeitgeprägtes und ein zeitloses Gesicht. In seinen Ansichten der Welt-, Erd- und Menschengeschichte und in allem, was Fragen der Erziehung, Lebensführung und Weltkenntnis betrifft, ist er mit hundert Fäden an die Philosophen, Pädagogen, Naturwissenschaftler seiner eigenen Epoche gebunden: an

Newton, Rousseau, Hume, Leibniz. Als »Philosoph« aber – und d. h. bei ihm nicht nur »Aufklärer«, sondern Erforscher der menschlichen Erkenntnis und des menschlichen Erkenntnisorgans, nämlich der Vernunft, ist er ein absolut singuläres Wesen, eine zeitlos-isolierte Erscheinung: kein Träumer, kein Mystiker, kein Romancier der Metaphysik; vielmehr besaß er drei gewöhnliche Begabungen, aber in solcher Vollendung, daß er durch ihren ausgewogenen Gebrauch, aber ganzen Einsatz, eine kopernikanische Wendung des Philosophierens und der Philosophie zustande brachte. Es war sein heller Wirklichkeitssinn, mit dem er die Realität des Menschen und seiner conditio humana erfaßte; es war eine weltweite Phantasie, die ihn zu tiefen Erkenntnissen in den Naturwissenschaften, der Metaphysik und der Menschheitsgeschichte trieb; und es war als Gegengewicht dazu das Vermögen, die Grenzen der Erkenntnis zu sehen, zu ziehen und konsequent in ihnen zu bleiben. Die Geschlossenheit seines philosophischen Bauwerks verdeckte lange gewisse Widersprüche, Einseitigkeiten, Zweideutigkeiten und Versäumnisse, welche in den einzelnen Trakten der Kantischen Gesamtarchitektur nicht fehlen; dennoch steht das Ganze da wie der ewig gültige Aufriß der euklidischen Mathematik, der Newtonschen Himmelsmechanik oder der Fugenkunst Joh. Seb. Bachs.

In einem Brief an Stäudlin vom 4. Mai 1793 hat Kant drei Aufgaben der Philosophie umrissen: Was kann ich wissen? (Metaphysik), Was soll ich tun? (Moral), Was darf ich hoffen? (Religion); – es sollte eine vierte folgen: Was ist der Mensch? (Anthropologie). An diesem Leitfaden wollen wir betrachten, 1. was Kant für die Beantwortung einiger Grundfragen der Erkenntnis geleistet hat, 2. welches verbindliche Sittengesetz er aufstellte (und mit der Grundlegung zur Metaphysik der Sitten wird auch von der Religion gehandelt), 3. wie er anläßlich der Frage »Was ist der Mensch?« die Menschheit selbst in ihrer geschichtlichen Dimension und ihrem geschichtlichen Schicksal sieht.

1. »Bisher nahm man an, alle unsere Erkenntnis müsse sich nach den Gegenständen richten; aber alle Versuche, über sie a priori etwas durch Begriffe auszumachen, wodurch unsere Erkenntnis erweitert würde, gingen unter dieser Voraussetzung zunichte. Man versuche es daher einmal, ob wir nicht in den Aufgaben der Metaphysik damit besser fortkommen, daß wir annehmen, die Gegenstände müssen sich nach unserer Erkenntnis richten, welches so schon besser mit der verlangten Möglichkeit einer Erkenntnis derselben a priori zusammenstimmt, die über Gegenstände, ehe sie uns gegeben werden, etwas festsetzen soll. Es ist hiermit ebenso als mit den ersten Gedanken des Kopernikus bewandt, der, nachdem es mit der Erklärung der Himmelsbewegungen nicht gut fort wollte, wenn er annahm, das ganze Sternenheer drehe sich um den Zuschauer, versuchte, ob es nicht besser gelingen

möchte, wenn er den Zuschauer sich drehen und dagegen die Sterne in Ruhe ließ.«

Diese von Kant also formulierte Wendung des Denkens, welche die Wahrheit nicht außerhalb unseres Bewußtseins und das Sein nicht wie Platon – hinter den Dingen, sondern ihrer Form nach i n uns suchen soll, war für die Zeitgenossen eine ebenso große Zumutung wie für die Menschen um 1500 annehmen zu sollen, daß nicht die Sonne um die Erde, sondern die Erde um die Sonne kreise. Also: Anschauung allein führt nicht zu gültigen Erkenntnissen; Denken allein aber auch nicht: »Ohne Sinnlichkeit würde uns kein Gegenstand gegeben, und ohne Verstand keiner gedacht werden. Begriffe ohne Anschauungen sind leer. Anschauungen ohne Begriffe sind blind.«

Also erst durch Zusammenwirken zweier verschiedener Prinzipien wird Erkenntnis möglich. Die Dinge der Welt erscheinen uns im räumlichen Nebeneinander und zeitlichen Nacheinander. Wir erfahren sie sinnlich in verwirrender Mannigfaltigkeit. Aber wir verknüpfen sie durch die Begriffe unseres Verstandes. Diese klärende Verbindung liegt nicht in den Gegenständen, sondern ist eine Verrichtung des Verstandes, und zwar vermöge unserer produktiven Einbildungskraft und des logischen Denkens.

»Denn wir kennen Natur nicht anders als den Inbegriff der Erscheinungen, d. i. der Vorstellungen in uns, und können daher das Gesetz ihrer Verknüpfung nirgend anders als von den Grundsätzen der Verknüpfung derselben in uns ... hernehmen ... So klingt es zwar anfangs befremdlich, ist aber nichtsdestoweniger gewiß, wenn ich ... sage: der Verstand schöpft seine Gesetze (A PRIORI) nicht aus der Natur, sondern schreibt sie dieser vor.« (Prolegomena II. Teil § 36)

Heben wir unser Subjekt auf, so verschwinden unsere Anschauungen; es verschwinden Raum und Zeit. Denn diese existieren nur in uns:

»Wir kennen nichts als unsre Art, die Dinge wahrzunehmen, die nicht notwendig jedem Wesen, obzwar jedem Menschen zukommen muß.«

Kant zeigt die Grenze unserer Erkenntnis und ihre Relativität. *Grenze der Erkenntnis:* Was wir erkennen, sind die »Erscheinungen der Dinge« in Raum und Zeit, nicht aber die »Dinge an sich«. Und so zieht Kant überhaupt die Grenzlinien um jene vier Gebiete, in denen wir vorerst keine gültige Erkenntnis haben können:

»Die Fragen: ob die Welt einen Anfang und irgend eine Grenze ihrer Ausdehnung im Raume habe; ob es irgendwo und vielleicht in meinem denkenden Selbst eine unteilbare und unzerstörbare Einheit oder nichts als das Teilbare und Vergängliche gebe; ob ich in meinen Handlungen frei oder, wie andere Wesen, an dem Faden der Natur und des Schicksals geleitet sei; ob es endlich eine oberste Welturache gebe, oder die Naturdinge und deren Ordnung den letzten Gegenstand ausmachen, bei dem wir in allen unseren Betrachtungen stehen bleiben müssen: das sind Fragen, um deren Auflösung der Mathematiker gerne seine ganze Wissenschaft dahin gäbe, denn diese kann ihm doch in Ansehung der höchsten und angelegensten Zwecke der Menschheit keine Befriedigung verschaffen.« (Krit. d. reinen Vernunft)

Die *Relativität:* Kants Anschauung vom Raum ist der euklidische. Dieser Raum ist schlechterdings unsere menschliche Vorstellung, und zwar n u r die unsrige, allerdings für uns einzig mögliche und daher notwendige. Wir wissen aber seit Gauß (1777–1855), daß in einer nicht-euklidischen Mathematik andere Räume denkbar, wenn auch nicht vorstellbar sind. Die Gültigkeit der Kantischen Apriorität des Raumes besteht nur in unserer menschlichen Welt und für unser menschliches Bewußtsein – also relativ zu unserer menschlichen Kondition. Analog steht es mit der Kategorie der Zeit. Wir wissen durch Einstein, daß mehrere Zeiten möglich sind, daß die Vorstellung einer absoluten Zeit, die für alle Orte des Raumes gilt, eine menschliche Fiktion ist. Damit ist Kant nicht widerlegt, sondern »Sein ganzes System ist vorweggenommene Relativitätstheorie«. (Friedell)

Es folgen die Absagen an die überlieferten Systeme der Metaphysik, der Psychologie, der Morallehre: redliche Absagen an menschliche Träume, Vorstellungen, Wunschbilder. Im § 51 des Teils III der »Prolegomena«: »Wie ist Metaphysik überhaupt möglich?«, führt Kant den Leser in die erregenden Fragen der »Antinomien« und zeigt, wie die Vernunft in genau 4 Sätzen mit sich selbst in Widerstreit gerät, einen Widerstreit, »den keine metaphysische Kunst der subtilsten Distinktion verhüten kann« . . ., der niemals auf dem gewöhnlichen dogmatischen Wege beigelegt werden kann, weil sowohl Satz als Gegensatz durch gleich einleuchtende klare und unwiderstehliche Beweise dargetan werden können – und die Vernunft sich also mit sich selbst entzweit sieht. (§ 52) Zwei Beispiele solcher Antinomien lauten:

»1. Satz. Die Welt hat der Zeit und dem Raume nach einen Anfang (Grenze). Gegensatz. Die Welt ist der Zeit und dem Raume nach unendlich.«
Oder die 4. Antinomie:
»4. Satz. In der Reihe der Weltursachen ist irgendein notwendiges Wesen. Gegensatz. Es ist in ihr nichts notwendig, sondern in dieser Reihe ist alles zufällig.«

Kant macht sich anheischig, die Richtigkeit jeder These und Antithese zu beweisen. »Für die Richtigkeit all dieser Beweise verbürge ich mich«, sagt er – und wir, insofern wir Skeptiker sind, »frohlocken«, aber der »kritische Philosoph« wird darüber »in Nachdenken und Unruhe versetzt«. Und nun erklärt Kant, wie es zugehe, daß Thesis sowohl wie Antithesis bei beiden falsch sind; zeigt, wie es ganz unmöglich ist,

»aus diesem Widerstreit der Vernunft mit sich selbst herauszukommen, solange man die Gegenstände der Sinnenwelt für Sachen an sich selbst nimmt und nicht für das, was sie in der Tat sind, nämlich bloße Erscheinungen.« (§ 54)

Und das Resultat der ganzen Kritik?

»daß uns Vernunft durch alle ihre Prinzipien A PRIORI niemals etwas mehr als lediglich Gegenstände möglicher Erfahrung und auch von dieser nichts mehr, als was in der Erfahrung erkannt werden kann, lehre.« (§ 59)

So bedient sich Kant des Sinnbildes einer *Grenze*, »um die Schranken der Vernunft in Ansehung ihres ihr angemessenen Gebrauches festzusetzen.« Was sie begrenzen soll, muß außer der sinnlichen Erfahrungswelt liegen, nämlich »auf dem Felde der reinen Verstandeswesen«. Dieses Feld aber ist ein leerer Raum ... »und sofern können wir ... nicht über das Feld möglicher Erfahrung hinauskommen.« *Grenze* bedeutet aber auch etwas Positives; sie gehört zu dem, was innerhalb und zu dem, was außerhalb ihrer liegt. So ist doch die Unmöglichkeit gewisser Erkenntnisse »eine wirklich positive Erkenntnis«. Die Vernunft kann sich bis zu dieser Grenze erweitern ...

»so doch, daß sie nicht über diese Grenze hinauszugehen versucht, weil sie daselbst einen leeren Raum vor sich findet, in welchem sie zwar Formen zu Dingen, aber kein Dinge selbst denken kann.«

In diesem Sinne ist die natürliche Theologie ein solcher Begriff auf der Grenze der menschlichen Vernunft. Die Theologie setzt die Idee eines höchsten Wesens außerhalb der Sinnenwelt, nicht um es zu bestimmen – was sie gar nicht kann –, sondern nur, »um ihren eigenen Gebrauch ... nach Prinzipien der größtmöglichen (theoretischen sowohl als praktischen) Einheit zu leiten.« Mit andern Worten: die Theologie »erdichtet« nicht etwa nur ein höchstes Wesen, sondern bedarf seiner als eines schlechthin notwendigen Wesens, das zur Welt gehört entweder als ihr Teil oder ihre Ursache. Auf dem Wege rein begrifflicher Konstruktion ist für Kant aber kein Gottesbeweis zu führen. Sowohl das Dasein Gottes als auch dessen Nichtexistenz bleibt mit den Mitteln der Vernunft unerweislich.

»Es zeigt sich klar, daß die Idee desselben nichts weiter sagen wolle, als daß die Vernunft gebiete, alle Verknüpfungen der Welt zu betrachten, a l s o b sie insgesamt aus einem allbefassenden Wesen als oberster und allgenugsamer Ursache entsprungen wäre.« (Krit. d. rein. Vern. p. 725)

Also auch Gott ist eine »regulative Idee«. Er kann nicht bewiesen und nicht widerlegt werden. Ihn zu erkennen, ist dem Menschen nicht gegeben; denn er ist jenseits der »Grenze«, die, wie wir sahen, die Vernunft zwischen dem Erkennbar-Zugänglichen und dem Unerkennbar-Unzugänglichen gezogen hat.

2. Ist nun Kant – modern gesprochen – ein »dämonischer Nihilist«, weil er das bisher gültige Weltbild und die alte Psychologie, Metaphysik, ja sogar die Gottesbeweise so gründlich zerstört hat, daß – wie Heinrich Heine sagte – »der Oberherr der Welt unbewiesen in seinem Blute schwamm«? Mitnichten; denn – so lesen wir bei Kant:

»Ich mußte das Wissen aufheben, um zum Glauben Platz zu bekommen, und der Dogmatismus der Metaphysik … ist die wahre Quelle alles die Moralität widerstreitenden Unglaubens, der jederzeit gar sehr dogmatisch ist.«

Damit weist Kant den Weg zu seines Denkwerks zweitem Teil, der »Kritik der praktischen Vernunft«. Von ihr sagte derselbe Heine weiter, daß der Philosoph dort »wie mit einem Zauberstäbchen den Leichnam des Deismus, den die theoretische Vernunft getötet hatte, wieder belebte.« (In: Gesch. d. Religion u. Philos. in Deutschland) Gott bleibt ein Postulat. In der Kurve seines Denkens, die von seinem »Zerstörungswerk« zu seinem »Aufbauwerk« verlief, sicherte Kant den Glauben gegen alle philosophischen und wissenschaftlichen Einwürfe, indem er ihn der theoretischen Vernunft entzog. Wie geschah das?

Kant war ausgezogen, um »das Land der Wahrheit« zu erforschen. Er fand es aber

»umgeben von einem weiten und stürmischen Ozeane, dem eigentlichen Sitz des Scheins, wo manche Nebelbank und manches bald wegschmelzende Eis neue Länder birgt, und indem es den auf Entdeckungen herumschwärmenden Seefahrer unaufhörlich mit leeren Hoffnungen täuscht, ihn in Abenteuer verflechtet, von denen er niemals ablassen und sie doch auch niemals zu Ende bringen kann.« (Kr. d. r. Vern. 332)

Die Vernunft hatte ihn im Kreise herumgeführt: Zuerst durch »das Feld der Erfahrungen«; von dort, unbefriedigt, zu »spekulativen Ideen, die uns am Ende wiederum auf Erfahrung zurückführten.« Nun blieb ihm noch ein Versuch übrig:

»ob reine Vernunft im praktischen Gebrauche zu den Ideen führe, welche die höchsten Zwecke der reinen Vernunft erreichen, und diese nicht dasjenige gewähren könne, was sie uns in Anschauung der spekulativen ganz und gar abschlägt.« (ib. 818)

Die Frage lautete, ob die Naturnotwendigkeit, die im Bereich der Erscheinungen herrscht, ausschließt, daß in einer andern intelligiblen Ordnung Freiheit möglich ist; sie lautete weiter: Ist eine Formel zu finden, die ein für alle Menschen annehmbares und verbindliches Sittengesetz sein kann? Sie lautete drittens: Kann sich von dem Phänomen der Freiheit her ein Weg eröffnen, der zu Wahrheiten führt, welche, der kausalen Naturwelt enthoben, gewissermaßen sittliche Urphänomene sind?

Die Antwort auf die erste Frage lautet: Nein; die Lösung der zweiten ist Kants bekannteste Leistung; die Antwort auf die dritte lautet: Ja.

a) Freiheit des Menschen ist möglich. Auf ihr beruht unser menschliches Selbstbewußtsein. Wir erfahren sie in dem unabweisbaren Gefühl der Verantwortung als ein sittliches »Urphänomen«. Ganz leise spricht ein Gott in unsrer Brust ... Da hilft es nichts, daß Wissenschaft und Psychologie unser Gemüt selbst als determiniert in Motivationszusammenhängen erkennen lassen. »In der konkreten Realität unseres Gewissens führt solches Wissen zu keinerlei Entlastung«, sagt Gadamer in der Einleitung zu seiner Kant-Auswahl 1960. Wir bleiben für unsere Entscheidungen verantwortlich. Niemand nimmt sie uns ab, und jene Stimme der Rousseauschen »conscience« oder des Goetheschen Verses, die uns zuraunt, was zu ergreifen ist und was zu fliehn, läßt sich nicht übertönen, so leise sie auch spricht, so gern wir auch immer aus sozialen, politischen, psychologischen Nützlichkeitserwägungen dieses ihr Postulat des »Sollens« überhören oder umbiegen oder einschränken möchten.

b) Hier beginnt Kant zu bohren. Er sucht und findet schließlich die Formel des Sittengesetzes: Sie soll so sein, daß jeder Mensch bei jedem Konflikt in der Lage ist, die sittlich richtige Entscheidung zu treffen – eine fast mathematische exakte Formel, »die das, was zu tun sei, ganz genau bestimmt«. Er hat sie in mehrere Fassungen gebracht; sie lautet zusammengefaßt: »Handle so, daß die Maxime deines Willens jederzeit zugleich als Prinzip einer allgemeinen Gesetzgebung gelten könne.«

In dieser Formel ist alles ideal Wünschenswerte enthalten: der altruistische Wille des Menschen; die Präponderanz der Vernunft bei der sittlichen Entscheidung; die Blickrichtung auf die soziale Nützlichkeit. Die Maxime ist ein letzter, höchster Ausdruck allen ethischen Spekulierens und aller pädagogisch-philosophischen Bestrebungen der Aufklärung mit ihrem absoluten Vernunftglauben. Kant weiß dabei sehr wohl, wie es in Wirklichkeit um den Menschen steht:

»Den natürlichen Menschen erfüllen Gefühle des Wohlgefallens an sich selbst, Eigenliebe und Eigendünkel. Das reine Wollen steht in unausbleiblichem Gegensatz zu unserem sinnlichen Selbst. Wer das bestreitet, ist ein andächtiger Schwärmer.«

Aber für Kant steht über den vermeintlichen Glücksgütern der Lust und Freude, nach denen der natürliche Mensch, d. h. der sinnlich gebundene, strebt,

»die unbedingt gebietende Stimme der Vernunft, der kategorische Imperativ, den wir nur in seiner Unbegreiflichkeit begreifen.«

Der kategorische Imperativ, seinem Wesen nach unbegreiflich und unbeweisbar, ist einfach da und wirksam; er ist eben die Stimme in uns, die sagt: du sollst; und aus diesem Sollen folgt das Können; sonst wäre die Forderung widersinnig.

c) Bin ich als ein sinnliches Wesen den Naturnotwendigkeiten unterworfen, so gehöre ich als moralisches Wesen der intelligiblen Zone an und bin frei, d. h. letzter Urheber meiner Handlungen. So also wird in dem Sittengesetz die Vernunft ihrer selbst gewiß.

»Wäre dieses Gesetz nicht in uns gegeben, wir würden es als solches durch keine Vernunft herausklügeln oder der Willkür anschwatzen; und doch ist dieses Gesetz das einzige, was uns der Unabhängigkeit unserer Willkür von der Bestimmung durch alle andern Triebfedern (unserer Freiheit) und hiermit zugleich der Zurechnungsfähigkeit aller Handlungen bewußt macht.« (»Die Religion innerhalb der Grenzen der bloßen Vernunft.« Erstes Stück, I)

Mit dem kategorischen Imperativ der moralischen Vernunft oder der vernunftbestimmten Moral steigen wir auf den eisigen Gipfel der Kantischen Ethik. Da gibt es keine Furcht mehr vor dem strafenden Jehovah für schlechte Lebensführung; da gibt es auch keine Aussicht mehr auf Belohnung im Paradies für eine gute Tat. Kant trennt sich von jeder überlieferten religiösen und philosophischen Morallehre. Auch werden wir durch Befolgung des Sittengesetzes nicht einmal glücklich, sondern nur würdig, es zu sein: Eine souveräne Forderung an den sittlichen Willen, die wie ein Leitstern aus einer übersinnlichen intelligiblen Welt in unsere menschliche Sinnenwelt hineinleuchtet.

Die beiden Standardwerke der Kantischen Philosophie, die Kritiken der reinen und praktischen Vernunft, gehören zusammen wie die Teile eines Diptychons, nicht anders als wie der Tragödie Erster und Zweiter Teil des »Faust« oder Dantes Inferno und Paradiso. Da aber ist noch eine dritte Welt, in die Kant mit kritischem Vermögen eingetreten ist, ohne das eigentliche Organ für sie zu haben. Es ist das Gebiet der Ästhetik, für das die Idee der Schönheit höchstes Anliegen ist. Dieses dritte Werk, »Die Kritik der Urteilskraft« (1790) (mit den beiden Teilen der teleologischen und ästhetischen Urteilskraft) begründet zwar keine Kunsttheorie, wohl aber die Ästhetik als Wissenschaft. Wenn Wahrheit ein Produkt unseres Verstandes, wenn Sittlichkeit ein Produkt unseres »guten Willens«, dann ist Schönheit ein Produkt unseres Geschmacks. Es wäre nicht ohne Reiz, den Spuren, welche dieses Werk als der Versuch einer Rechtfertigung der ästhetischen Urteilskraft auf die produzierenden Künstler hatte, nachzugehen; man würde natürlich auf Schiller stoßen, der jedoch die Kantische »Bude der Philosophie« zu gegebener Zeit wieder schloß; deutlicher würden wir auf diesem Wege Fichte, Schelling und Hegel sehen, also wieder Philosophen, von denen vor allem die beiden letzten die Metaphysik der Ästhetik weiter gefördert haben. Den Kunstschaffenden selbst vermochte schon zu ihrer Zeit – es war die späte Goethezeit, das Zeitalter der Romantik – d i e s e r Kant kaum etwas zu bedeuten. Hier haben Winckelmann und Lessing in ihrer Zeit tiefer angesprochen und gewirkt – und Schopenhauer, in dessen Philosophie die Ästhetik praktisch noch einmal zur Wirksamkeit gelangen sollte, ist von Kant schon weit entfernt. Aber in unserem 20. Jahrhundert ist seine Unterscheidung zwischen einer »ästhetischen Idee« und einer »Vernunftidee« wieder aktuell geworden.

3. Verweilen wir noch mit einer Schlußbetrachtung bei dem Kant der »Aufklärung«. Wir leiteten die Darstellung des 18. Jahrhunderts mit seiner Definition der »Aufklärung« ein. Was sagt er uns als Denker und unbestechlicher Beobachter der Geschichte über den Gang der Menschheit in die Zukunft? Ein echter Sohn der Aufklärung stand er den konkreten historischen Fragen genau so nahe wie der rein spekulativen Philosophie. Eben die Mischung beider Elemente ergab das Interessante an dem Gesellschaftsbild, das er zugleich als ideale Forderung und als Resultat seiner Beobachtungen ausmalte.

Aus seiner Definition der »Aufklärung« ergab sich, daß es im Sinne des Philosophen eine ebenso vernünftige wie sittliche Forderung sei, sich und die Mitmenschen aufzuklären. Ob dieser Versuch dem einzelnen, einem Volke oder gar der Menschheit gelinge, stünde dahin. Aber aus der Idee der Aufklärung ergeben sich verschiedene politische, historische und soziale Fragengruppen, die philosophisch zu betrachten und womöglich zu beantworten, eine reizvolle, ja nützliche Aufgabe ist. Als größtes Problem der Menschengattung erscheint ihm »die Erreichung einer allgemein das Recht verwaltenden bürgerlichen Gesellschaft« – der 5. Satz seiner »Idee zu einer allgemeinen Geschichte in weltbürgerlicher Absicht«, 1784. Eine ideale Gesellschaft ist für Kant diejenige, in der die größte Freiheit und zugleich die genaueste Sicherung der Grenzen dieser Freiheit erreicht ist, *damit* einerseits eine solche Freiheit des einen mit der Freiheit der andern bestehen könne, und *weil* andererseits allein in einer solchen freien, sich selbst aufklärenden Gesellschaft »die höchste Absicht der Natur, nämlich die Entwicklung aller ihrer Anlagen, in der Menschheit erreicht werden kann.« Wo aber nimmt ein Volk oder gar die Menschheit ihren Souverän – im monarchischen oder demokratischen Sinne – her, da es einen solchen Herrn einmal geben muß? Eins der schwersten Probleme, sagt Kant; denn:

»Der Mensch ist ein Tier, das, wenn es unter anderen seiner Gattung lebt, einen Herrn nötig hat. Denn er mißbraucht gewiß seine Freiheit in Ansehung anderer seinesgleichen; und ob er gleich als vernünftiges Geschöpf ein Gesetz wünscht, welches der Freiheit aller Schranken setze, so verleitet ihn doch seine selbstsüchtige tierische Neigung, wo er darf, sich selbst auszunehmen. Er bedarf wohl eines Herrn, der ihm den eigenen Willen breche und ihn nötige, einem allgemeingültigen Willen, dabei jeder frei sein kann, zu gehorchen.«

Der Souverän aber ist immer selbst ein Exemplar der so gearteten Menschengattung, und deswegen bleibt die Aufgabe immer nur eine ideale, – sind doch außerdem für ein Gelingen der rechten Verfassung drei Faktoren nötig, die, wenn es überhaupt geschieht, »nur sehr spät nach viel vergeblichen Versuchen« einmal zusammenkommen müssen: »*richtige Begriffe* von der Natur einer möglichen Verfassung« – »durch viel Weltläufe geübte *Erfahrenheit*« – »ein zur Annehmung derselben vorbereiteter *guter Wille*«.

»Ja, ihre vollkommene Auflösung ist unmöglich: aus so krummem Holze als woraus der Mensch gemacht ist, kann nichts ganz Gerades gezimmert werden. Nur die Annäherung zu dieser Idee ist uns von der Natur auferlegt.« (6. Satz)

In all den Betrachtungen ist ein Schuß Realismus und Rousseauismus enthalten, und aus manchen von ihnen leuchtet eine Weisheit, die fast an die Naturspekulation Goethes und an eine romantische Geschichtsmetaphysik gemahnt. Im 4. Satz seiner Abhandlung nennt Kant das Mittel, dessen sich die Natur bedient, um die Menschheit im Sinne einer spiralen Aufwärtsbewegung zu fördern: es ist der Antagonismus der Natur, »die ungesellige Geselligkeit der Menschen«. Dem Menschen eignen zwei Neigungen: sich zu »vergesellschaften« und sich zu »vereinzeln«. Aus dem Antagonismus erwächst der Widerstand des einen gegen den andern, und der andern gegen den einen, und der Widerstand erweckt wiederum alle Kräfte des einzelnen und läßt auch andererseits den Vorteil der Vergesellschaftung erkennen. So sagt Kant in weise wägender Erkenntnis:

»Ohne jene an sich zwar nicht liebenswürdigen Eigenschaften der Ungeselligkeit ... würden in einem arkadischen Schäferleben bei vollkommener Eintracht, Genügsamkeit und Wechselliebe alle Talente auf ewig in ihren Keimen verborgen bleiben. Dank sei also der Natur für die Unvertragsamkeit, für die mißgünstig wetteifernde Eitelkeit, für die nicht zu befriedigende Begierde zum Haben, oder auch zum Herrschen! Ohne sie würden alle vortrefflichen Naturanlagen in der Menschheit ewig unentwickelt schlummern.«

Da aber geschehen »die ersten Schritte aus der Rohigkeit zur Kultur«, die Talente werden entwickelt,

»der Geschmack gebildet und selbst durch fortgesetzte Aufklärung der Anfang zur Gründung einer Denkungsart gemacht, welche die grobe Naturanlage zur sittlichen Unterscheidung mit der Zeit in bestimmte praktische

2 Ernst Deutsch
in der Titelrolle von Lessings »Nathan der Weise«

Prinzipien, und so eine pathologisch- abgedrungene Zusammenstimmung zu einer Gesellschaft endlich in ein moralisches Ganze verwandeln kann.«

Auch die praktischen Probleme zieht Kant in Rechnung: Wirtschaft, Außenpolitik, Aufrüstung, Krieg und Frieden. Über alles spricht er mit verblüffender Treffsicherheit und eindrucksvollem Weitblick, wie wir es seit Leibniz in der deutschen Philosophie nicht mehr gewohnt waren – der empirische Philosoph von Sans-souci ausgenommen. Ob Kant die entscheidende Frage beantwortet, in welcher Weise bei dem unabdingbaren Antagonismus der Natur- und Vernunftkräfte und angesichts der bisher offensichtlich unvollkommenen Versuche einer freiheitlichen Staats- und Gesellschaftsgründung »nach vielen Verwüstungen, Umkippungen und selbst durchgängiger innerer Erschöpfung der Kräfte« die Menschheit schließlich doch »aus dem gesetzlosen Zustand der Wilden hinauszugehen und in einen Völkerbund zu treten« vermag, »wo jeder, auch der kleinste Staat, seine Sicherheit und Rechte, nicht von eigener Macht oder eigener rechtlicher Beurteilung, sondern allein von diesem großen Völkerbunde, von einer vereinigten Macht und von der Entscheidung nach Gesetzen des vereinigten Willens erwarten könnte« – ich sage: ob Kant die vielverschlungenen Probleme praktisch oder theoretisch-philosophisch beantwortet, immer sieht er alles Irdische real und alles Metaphysische zudem von der hohen Warte einer alles regulierenden Vernunft und ist sich somit bis in die letzten Konsequenzen auch des politischen Denkens treu. Vorsichtig abwägend, berechnet er jedes Für und Wider und zieht, wenn es erforderlich ist, auch hier den Trennungsstrich zwischen Möglichem und Unmöglichem, zwischen Bestimmbarem und Unbestimmbarem, zwischen Erkennbarem und Unerkennbarem.

Die letzten Fragen, ob die angedeutete soziale Höherentwicklung sich von Stufe zu Stufe – wenn auch in unendlich langen Perioden – vollziehe, oder ob alles – wenn auch jeweils unter veränderten Formen und bei Verbesserungen im Einzelnen – so bleiben werde, wie es von jeher gewesen ist, daß also »aus allen diesen Wirkungen und Gegenwirkungen der Menschen überall nichts, wenigstens nichts Kluges herauskomme«, das alles läuft ungefähr auf die Frage hinaus, »ob es wohl vernünftig sei, Zweckmäßigkeit der Naturanstalt in Teilen und doch Zweckmäßigkeit im ganzen anzunehmen«. Wie dem auch sei: unter Berufung auf Rousseau, dem Kant nicht unrecht geben kann, erklärt er resigniert:
»Wir sind in hohem Grade durch Kunst und Wissenschaft kultiviert. Wir sind zivilisiert bis zum Überlästigen, zu allerlei gesellschaftlicher Artigkeit und Anständigkeit. Aber uns schon für moralisiert zu halten, daran fehlt uns noch sehr viel.« (7. Satz)

Aber zugleich bricht sein auf der Vernunftidee begründeter Optimismus durch. Er ist geneigt, »die Geschichte der Menschengattung im Großen als die Vollziehung eines verborgenen Plans der Natur« anzusehen. (8. Satz) Das kann bei einem so unbestechlichen Wahrheitssucher und Wahrheitskünder wie Kant nur darauf beruhen, daß er in dem bisherigen Gange der Menschheit »Naturabsichten« im Sinne sozialen Fortschritts entdeckt hat: Die »bürgerliche Freiheit« scheint ihm verbürgt, die berufliche Freiheit könne nicht mehr rückgängig gemacht werden, die »Freiheit der Religion« sei gesichert, die Aufklärung erreiche die Throne und habe auf die Regierungsgrundsätze einen Einfluß, der Krieg werde von allen Parteien als ein so bedenkliches Unternehmen betrachtet, daß jeder Staat, der um seine Wirtschaft und Ruhe besorgt ist, ihn zu vermeiden trachte. Also: Geduld. Es gäbe Hoffnung, daß der allgemeine weltbürgerliche Zustand, dessen Erreichung die höchste Absicht der vernünftigen Natur ist, kommen werde:
»Es kommt nur darauf an, ob die Erfahrung etwas von einem solchen Gange der Naturabsicht entdecke. Ich sage: etwas Weniges, denn dieser Kreislauf scheint so lange Zeit zu erfordern, bis er sich schließt, daß man aus dem kleinen Teil, den die Menschheit in dieser Absicht zurückgelegt hat, nur ebenso unsicher die Gestalt ihrer Bahn und das Verhältnis der Teile zum Ganzen bestimmen kann, als aus allen bisherigen Himmelsbeobachtungen den Lauf, den unsere Sonne samt dem ganzen Heere ihrer Trabanten im großen Fixsternsystem nimmt; obgleich doch aus dem allgemeinen Grunde der systematischen Verfassung des Weltbaues und aus dem Wenigen, was man beobachtet hat, zuverlässig genug, um auf die Wirklichkeit eines solchen Kreislaufs zu schließen.« (ib.)
Kant ist Vollender der Aufklärung, ihr höchster philosophischer Ausdruck, und zugleich ihr Überwinder; denn er hat dem Philosophieren neue Bahnen eröffnet: sie führten zu Fichte und weiter zu Hegel und Schopenhauer; mit dem letzten war wieder eine neue Etappe deutscher Philosophie erreicht. Von da aus ging aber der Weg weiter zu Kierkegaard, Nietzsche, Heidegger. Keiner von ihnen kam um Kant herum. Um sich zu finden, mußten sie ihn erst kennen. Heidegger etwa verhält sich auf der philosophischen Ebene zu Kant, wie Hindemith auf der Ebene der Musik zu Bach. Das ist das seltsame Zurück zum 18. Jahrhundert. Und dennoch hatte auch Kant notwendig seine Einseitigkeiten: Im letzten Kapitel der »Kritik der reinen Vernunft« teilte Kant die Philosophen (soweit sie ihm bekannt waren) in zwei Lager auf der »Bühne des Streits« um die Prinzipien der Metaphysik: Epikur – Aristoteles – Locke – Hume auf der einen Seite; Platon – Leibniz – Wolff auf der andern Seite. Die gegensätzlichen Weltanschauungen, deren Streit Kant schlichten wollte, waren ihm aber nicht

etwa die rationale Vernunftphilosophie einerseits und die irrationale Mystik (mystische Denkart und Erfahrung haben ihn gar nicht berührt) andererseits, sondern lediglich der Dogmatismus und der Empirismus, d. h. die christlich-scholastische Philosophie und die Weltauffassung der Aufklärung. So war Kant etwa gegenüber einem Leibniz, dem universalen, in allen Denkformen und Weltanschauungen beheimateten Denker, einseitig, aber innerhalb dieser Grenze der redlichste und scharfsinnigste Kopf unter den jüngeren abendländischen Philosophen. Seit Hamann, Jacobi und Salomon Maimon, den ersten, noch zeitgenössischen Gegnern Kants, bis über Schelling und Schopenhauer hin zu Franz Exner und Hans Leisegang, ist Kants Philosophie in ihren Fundamenten erschüttert, durch Analysen partiell aufgelöst und in ihrer Einseitigkeit enthüllt worden. Das war das Ergebnis von 150 Jahren naturwissenschaftlicher Fortschritte, einer scharfsinnigen Kantphilologie und theologischer Angriffe. Dennoch steht das Gebäude da, in seiner Position so unüberholbar wie Platons Ideenlehre, Dantes Dreistufenreich, Bachs Fugenspiel oder Newtons Himmelsmechanik. Es wird darum immer wieder die aus diesem Sachverhalt sich entwickelnde Doppelbewegung geben, die wir seit Otto Liebmann und F. A. Lange in der Mitte des 19. Jahrhunderts beobachten: ein »Zurück zu Kant« und ein gleichzeitiges »Über-Kant-hinaus«.

KAPITEL IV

DAS JAHRHUNDERT DER SENSIBILITÄT

I.

Das Leben verläuft im Wechsel von Aktionen und Reaktionen und fließt in Strömungen und Gegenströmungen vorüber. Ist eine Kultur, wie die der Aufklärung, dem Verstande und der Vernunft angebannt, so kann man sicher sein, daß da auch eine Gegenströmung ist, die unter besonderen Umständen und auf einem besonderen Terrain zur Hauptströmung werden kann. In eine solche Gegenströmung floß während des 18. Jahrhunderts alles zusammen, was sich in der Geschichte des menschlichen Herzens und der menschlichen Seele als Widerstand gegen die Vernunft- und Verstandeskräfte zusammenfand.

Da war zunächst der *Pietismus,* der sich aus dem 17. Jahrhundert ins 18. hineinzog. Wir erwähnten August Hermann Francke (1663 bis 1727); eine Generation vor ihm aber hatte schon Jacob Spener (1635–1705) gewirkt; dann kam um 1700 die Generation des Grafen Zinzendorf (1700–1760) und Gerhard Tersteegens (1697–1769) zur Welt. Der Pietismus wurde im neuen Jahrhundert zu einer protestantischen Laienbewegung. Er war eine ebenso psychologisch wie historisch-sozial erklärbare Erscheinung. Das religiöse »Gefühl« einer breiten Schicht der protestantischen Bevölkerung Deutschlands darbte. Äußere Kirchlichkeit und dogmatische Verhärtung, die der Seele des einzelnen keinen Trost spenden konnten, ließen eine Sehnsucht nach Verinnerlichung und religiöser Hilfe mächtig werden. Da kam Spener im letzten Drittel des 17. Jahrhunderts und schuf Besserung. Allen, die mühselig und beladen waren, spendete er Mut und Trost. Die »Collegia pietatis«, wo in Hausversammlungen die hl. Schrift erklärt und Gebete gehalten wurden, machten Schule, wie etwa Franckes »Collegia philobiblica« zu Leipzig. Unter dem Namen Pietismus wurde bald alles begriffen, was als Reaktion gegen den starren Formalismus protestantischer Orthodoxie inneres, religiöses Leben erweckte: gefühlvolles, persönliches Christentum, undogmatische Frömmigkeit, hochgesteigerte Sehnsucht nach Erlösung aus dieser Welt. Alle Kreise wurden von dieser Bewegung erfaßt. Gemäß der sozialen Struktur der Gesellschaft und ihrer religiösen Schichtung wirkte der lutherisch-protestantische Zweig des Pietismus mehr in den Adels- und höheren Bürgerkreisen, der reformierte Zweig mehr in den breiten Volksschichten. Der Anstoß zu der ganzen Bewegung aber kam aus der reformierten Kirche Hollands, wanderte vom Niederrhein südwärts und trug auf seinem Wege auch französische Elemente mit sich.

Es geschah aber, daß alle Werte, die in dieser breiten Erneuerungsbewegung wirksam wurden, sich auch in ihr Gegenteil verwandelten: das persönliche Gottesgefühl in Gefühlsüberreizung, Extase und Selbstgerechtigkeit; die undogmatische Frömmigkeit zu einem neuen Dogmatismus ohne neue Theologie; die Erlösungssehnsucht zur Negierung aller Erdenlust, die in ihren verschiedenen Äußerungen wie Spiel, Tanz, Leibeskultur und sogar Geistesbildung im Urteil der strengen Pietisten nichts als Teufelswerk war.

So hatte der Pietismus ein Doppelgesicht. Kein Zweifel, daß er die damaligen Menschen in den protestantischen wie katholischen Teilen Deutschlands aus ihrer Gefühlsstarre erlöste, daß die Bewegung neue Wärme durch die Adern der Gesellschaft goß und daß sie den Menschen Trost, Hoffnung, ja sogar Selbstbewußtsein schenkte; auch gab es keinen Zweifel, daß diese Bewegung sich in d i e Teile der deutschen Kultur verästelte, die auf dem Gegenpol der Aufklärungskultur zu finden waren. Sie schuf eine Menge religiöser Literatur, Lebensbeichten, Selbstzeugnisse, Briefe, Seelenbekenntnisse und erbauliche »correspondances«; sie schuf auf deutschem Boden die Sekte der Herrnhuter, die noch heute besteht und ihre Schulen hat; sie hatte ihr englisches Gegenbild im Methodismus und wanderte von dort nach Amerika. Unter dem kühnen Brückenbogen, den sie aber in Deutschland über das 18. Jahrhundert schlug, finden wir Kaspar Lavaters Schriften, finden wir die Kirchenlieder von Zinzendorf, Arnold und Tersteegen, finden wir als große dichterische Erfüllung das lyrische Werk Klopstocks, und so hatte der Pietismus die beiden größten Träger deutscher Kultur des 18. Jahrhunderts verbunden: Joh. Seb. Bach, den Schöpfer der Kantaten und Wolfgang Goethe, der in einer frühen Periode seines Lebens vom Pietismus beeindruckt war. Es ging auch ein Weg von der gottsucherischen Einkehr der Pietisten über die weltliche praeromantische Lyrik der empfindsamen Dichter zu den Extremen der Stürmer und Dränger, für die »Gefühl« alles war. Es ist aber auch kein Zweifel, daß der Pietismus als Feind aller sensualistischen Strömungen und mit seinen trübseligen Vorurteilen über Kunst und Wissenschaft einer Entwicklung der weltlichen Kultur mehr als hinderlich im Wege stand. Er erzeugte, wie wir es schon in Wolffs Hallenser Lehrtätigkeit sahen, eine Atmosphäre peinlicher Enge und Muffigkeit, darin die Triebkräfte der eigentlich schöpferisch-freien und künstlerischen Geister verdorren mußten.

Die *Sensibilität* – ein Wort, das der Kunst des europäischen 18. Jahrhunderts seinen eigenartigen Stempel aufgedrückt hat – ist ein Seelenzustand. Ihre verschiedenartigen Aspekte lassen das Gesamtbild der Aufklärungszeit widerspruchsvoll erscheinen. Sie ist der Anspruch des Herzens gegen die Vormacht der Verstandesbildung. Das 18. Jahrhundert wurde durch diese Gegenströmung sogar das Jahrhundert der großen Meister der Sensibilität in England, Frankreich und Deutschland: Richardson, der Abbé Prévost, Rousseau und Klopstock begegnen sich hier als verwandte Naturen. In Deutschland nannte man das Phänomen der Sensibilität »Empfindsamkeit«. Eine ihrer Formen ist die in jener Zeit weitverbreitete Sentimentalität. Sie war schon im Pietismus spürbar; sie sublimierte sich im Patriotismus und im Freundschaftskult, wie sie Klopstock und der Hainbund verstanden; sie trivialisierte sich im dramatischen Rührstück und im Unterhaltungsroman. Sie war eine Psychose der Zeit. Jede Zeit hat ihre Krankheiten, an denen sie leidet, aber denen sie es auch verdankt, daß sie sich gewisse Tore zur Erkenntnis der Seele und des Lebens aufschließt. Das deutsche 18. Jahrhundert kannte an seinem Beginn die französische und englische Form der Sensibilität, wie wir sie in Richardson und Prévost studieren können; am Ausgang kannte es das Werther-Fieber und die Bedrohung durch das Opium der Gefühlsseligkeit. Für lange Zeit wurde das Phänomen der »Sehnsucht« die eigentümlich deutsche Form der Sensibilität; so deutsch wurde das Wort, daß es sich kaum in eine andere Sprache übersetzen läßt. Damit stehen wir am Eingang der Romantik, die uns später beschäftigen wird. Der Sentimentale ist nicht am Dasein und in der Gegenwart befriedigt, sondern trägt das Ziel seiner Liebe in die Sphäre der Unerreichbarkeit. Fernweh und Wanderlust bemächtigen sich seiner. Aber der Wollustschmerz der Trennung stachelt die schweifende Sehnsucht an, zurückzukehren und sich mit dem Besitz der Liebe zu erfüllen. Das literarische Vehikel wurde der Brief. Dem Papier konnte sich das kranke Herz anvertrauen und brauchte so die Berührung mit der Wirklichkeit nicht zu fürchten. Aus schwärmender Liebe und Freundschaft sogar zu unbekannten Menschen entstanden wirkliche oder imaginäre Brieffreundschaften; es war die Zeit der Freundschaftsbünde, der Briefromane, der Freundschaftstempel in den Parks und des geschwisterlichen »Du« unter den sich verstehenden Seelen. Den musikalischen Stimmungsgrund dieser Zeit und Menschen nennt Friedell »ein schmelzendes Adagio«.

Eine solche Zeit brachte Klopstock und den Hainbund hervor: Bürger und Schubart, Boie und Hölty, Stolberg und Claudius; sie bereitete den Boden, auf dem neben den dramatischen Figuren des bürgerlichen Schauspiels auch die Romanfiguren bei Michael Loen, Gellert, K. Fr. Troeltsch, Chr. Gottl. Richter, Benjamin Pfeil entstanden nebst ihrer romantischen Nachkommenschaft, die wir auf der Linie des jungen Goethe, Friedrich Schlegels, Brentanos, Tiecks und Eichendorffs erkennen. Nicht allen gelang es, die Krankheit zu überwinden. Neben den Auserwählten, denen das Schicksal gnädig war – seien es nun Schriftsteller und Künstler selbst oder auch nur die unbekannt gebliebenen Kinder ihrer Zeit –, zieht die Schar der Verführten dahin, die Schwachen unter den Jünglingen und Mädchen: Opfer ihrer Wunschträume, neurasthenisch-ästhetische Naturen, die sich in schuldloser Schuldhaftigkeit dem Dilettantismus ihres Künstlertums hingaben, die sich treiben ließen und schließlich in die Irrungen und Wirrungen des Herzens, der Seele, der Triebe verstrickt, elend zugrunde gingen.

Kein Roman der Zeit offenbart so eindrucksvoll den Durchbruch der bürgerlichen Sensibilität durch die Kruste einer rationalistischen Moral wie Christian Fürchtegott Gellerts »Das Leben der schwedischen Gräfin von G . . .« (1747/48) Gellert war einer der großen Erzähler des Jahrhunderts, und sein Roman fesselt noch heute den, der Sinn für epische Kunst hat.

Die Gräfin von G . . . erzählt ihre Geschichte selbst: wie sie, in Livland aufgewachsen, jungverheiratet mit dem Grafen von G . . . eine glückliche Ehe führte, wie sie dann in ihrer neuen Heimat von einem schwedischen Prinzen verfolgt wurde, der, um in ihren Besitz zu gelangen, den Grafen auf verlorenen Posten stellte und durch ein Kriegsgericht zum Tode verurteilen ließ. Aber einen Tag zuvor geriet der Graf auf wunderbare Weise in russische Kriegsgefangenschaft. Er verschwand und wurde totgeglaubt. Die Gräfin aber, von dem Prinzen verfolgt, floh mit Katharina, der ehemaligen Geliebten ihres Gatten, außer Landes. Diese hatte von ihm zwei Kinder, einen Jungen und ein Mädchen, die aber voneinander nichts wußten. Das Schicksal führte die beiden Geschwister zusammen; sie liebten sich und heirateten. Selbst als sie ihre Blutsverwandtschaft entdeckten, mochte die Liebenden nichts zu trennen. Marianne aber, die schwesterliche Gattin Karlsons, wurde auch leidenschaftlich von ihres Bruders Freund geliebt. Er tötete Karlson, und Marianne heiratet ihn, ohne zu wissen, daß er der Mörder ihres Gatten und Bruders war. Nach einem Jahr reute ihn die furchtbare Tat. Er ging fort in die Welt, wo ihn niemand kannte, und Marianne starb.

Nun folgt das Unglaublichste: Der Graf, der so lange totgeglaubt, erscheint wieder. Inzwischen hatte die Gräfin den besten und treuesten Freund ihres Gatten, geheiratet. So sehr aber die Gräfin ihren zweiten Gatten R . . . liebte und verehrte, sie kehrte zu ihrem ersten Mann zurück, während R. in allen Ehren als Freund bei dem gräflichen Paare in Amsterdam bleibt: Zwei

Frauen zwischen zwei Männern, zwei Männer zwischen zwei Frauen, die sich wechselseitig immer als Gatten geliebt, als Freunde verehrt hatten, stets im Rahmen der Konvention und ohne Verstoß gegen die bürgerliche Moral; denn daß der Graf auch eine Maitresse hatte, gehörte zur Konvention seines Standes. Nun erfahren wir die Geschichte des Grafen und seines englischen Leidensgefährten, wie er nach Moskau kam, dann wegen eines theologischen Streites, den der Engländer mit einem Popen hatte, strafversetzt nach Sibirien transportiert wurde, wie beide Freunde, die füreinander einstanden, die furchtbarsten Qualen erdulden mußten, aber schließlich mit Hilfe der Frau des russischen Gouverneurs frei kamen. Von Überraschung zu Überraschung drängt nun der Roman. Schließlich finden sich alle zusammen, sind überglücklich in der wiedergefundenen Liebe, Treue, aber glücklich auch im Verzicht und der schließlichen Entsagung. Auf dem Höhepunkt ihres neuen Glücks nimmt sie der Tod hinweg: den Vater des Engländers, den Grafen, seinen Diener, den armen treuen R... Im letzten Akt des Romans tritt der schwedische Graf noch einmal auf die Bühne, versöhnt sich mit dem Grafen an dessen Sterbebett und hält wieder, diesmal in allen Ehren, um die Hand der Witwe an. Die Gräfin aber weist ihn zurück. Damit endet die Geschichte. Unverkennbar trägt der Roman die Züge der englisch-französischen Sensibilität. Er ist ein deutscher Beitrag zu dem Problem der Liebe, Moral und Empfindsamkeit. In seinem künstlerisch interessanten Aufbau enthüllen sich nach und nach die Schichten einer verwickelten moralisch-psychologischen Problematik und lassen die Gefühls- und Denkweise der Gesellschaft sichtbar werden.

Das Ideal schien die Gelassenheit zu sein. Gelassen fügt sich die Gräfin in ihr Schicksal; gelassen entsagt Karoline ihrer Liebe zum Grafen. Alles persönliche Glück wird der sachlichen Forderung bürgerlicher Moral mit Selbstverständlichkeit geopfert. Glück besteht nur in der freiwilligen Unterwerfung unter das harte Gesetz des Verzichtes. Über allem waltet der Verstand, und die soziale Vernunft wirkt in der Handlungsweise der Charaktere mitbestimmend. Entscheidend ist die Einstellung des Menschen zum Fatum; darin allein bekundet sich seine Freiheit. Alles aber läuft auf die Verwirklichung eines bürgerlich-quietistischen Lebensideals hinaus. Die Menschen wollen glücklich sein. »Wir haben alle eine Pflicht«, sagt Herr R. zur Gräfin, »uns das Leben so vergnügt und anmutig zu machen, als es möglich ist.« Eine Diesseitsfreudigkeit beseelt alle Gestalten des Romans und unabweisbar ist die Erfahrung, welche die Gräfin niederschreibt:

»Der Körper gehört so gut als die Seele zu unserer Natur. Und wer uns beredet, daß er nichts als die Vollkommenheit des Geistes an einer Person liebt, der redet entweder wider sein Gewissen, oder er weiß gar nicht, was er redet. Die sinnliche Liebe, die bloß auf den Körper geht, ist eine Beschäftigung kleiner und unfruchtbarer Seelen. Und die geistige Liebe, die sich nur mit den

Eigenschaften der Seele gattet, ist ein Hirngespinst hochmütiger Schulweisen, die sich schämen, daß ihnen der Himmel einen Körper gegeben hat, den sie doch, wenn es von den Reden zur Tat käme, um zehn Seelen nicht würden fahren lassen.«

Der Weg zum Glück geht über die Philosophie der weisen Mäßigung. Die Gräfin, der Graf, der Freund R., sie alle verharren in der Anschauung, daß Vernunft und Tugend identisch seien und daß in der Betätigung beider Kräfte die trennenden Standesvorteile und -vorurteile überwunden würden. Es ist der große soziale Schritt des 18. Jahrhunderts in die Zukunft.

Mit besonderer Anteilnahme hat Gellert die Marianneepisode ausgestaltet. Waren wir bei der Gräfin und ihren Abenteuern in der Welt der englischen Wochenzeitschriften und Richardsons, so treten wir mit der Tragödie des Geschwisterpaares über die Schwelle der bürgerlichen Moral und ihrer Gesetze in das düstere Reich des Fatums, wo Liebe als unentrinnbares Schicksal sich geschwisterlich mit dem Tode verbindet. Wir stehen in der tragischen Welt der großen Romanfiguren eines Prévost. Das Schicksal der leidenden, zur tragischen Liebe praedestinierten Menschen erschüttert uns. Ohne daß er die antike oder Racinesche Gestaltungskraft dieses Abbé Prévost besitzt, läßt Gellert doch in diesem Mittelstück seines Romans ahnen, daß jetzt in der deutschen Romankunst, ein Weg gebahnt ist, auf dem wir bald dem Vollender dieser ganzen Strömung der europäischen Sensibilität begegnen werden: Goethe, dem Gestalter des »Wilhelm Meister« und seiner großen Figuren. Die Gellertsche Mariannenepisode ist die Antithesis zu der Geschichte der Gräfin von G ... In einer Welt, wo der Verstand und Mechanismus einer bürgerlich-gesellschaftlichen Moral vorwaltet, kann die Liebe, wie sie Marianne und Karlson bindet, nicht höchstes Gesetz sein. Ist sie es aber, und ist die Liebe autonom, dann verspielt der Verstand sein Recht, und die Liebenden werden Opfer ihres Herzens und ihrer Sinnlichkeit. So gehen sie zugrunde. In der Schilderung dieser Szenen reicht Gellert zuweilen an Prévost heran.

Erst nach dieser Episode vollendet der Autor den Roman mit der unerhörten Geschichte der Wiederkehr des Grafen und der Wiedervereinigung der inzwischen noch einmal glücklich verheirateten Gräfin mit diesem ihrem ersten Gatten. Auf dem düsteren Hintergrund der Mariannentragödie leuchtet die Moral einer vollständigen Entpersönlichung der Gefühle; sie ist die letzte Stufe einer tragisch-beglückenden Selbstüberwindung. Künstlerisch ist diese Kurvenführung von großem Reiz; psychologisch dagegen bleibt sie unwirklich und konstruiert. Als Ausdruck aber der Gesellschaftskultur der vierziger Jahre ist der Roman beispielhaft: Bei stärkster Empfindungskraft ist der Glaube an die Macht der Raison noch intakt – und doch wetterleuchtet es; ein Vierteljahrhundert später entlädt sich das Gewitter im Sturm und Drang.

3.

In Goethes Roman »Die Leiden des jungen Werther« erinnert sich der Leser vielleicht jener Stelle, wo die Liebenden nach einem Tanze ein ausklingendes Gewitter vom Fenster aus beobachteten:
»Sie stand, auf ihren Ellenbogen gestützt, ihr Blick durchdrang die Gegend, sie sah gen Himmel und auf mich, ich sah ihr Auge tränenvoll, sie legte ihre Hand auf die meinige und sagte: Klopstock! Ich erinnerte mich sogleich der herrlichen Ode, die ihr in Gedanken lag, und versank in dem Strome von Empfindungen, den sie in dieser Losung auf mich ergoß ...«
Friedrich Gottlieb Klopstock (1724–1803). Was hat dieser Dichter für die junge heraufziehende Generation Goethes bedeutet? Die Jugend des »Göttinger Hains«, die sich am Abend des 12. September 1722 – das war 2 Jahre vor dem »Werther« – in dem kleinen Eichengrund bei dem nahen Dorf Weende zusammenfand, um »unter den heiligen Bäumen den Bund der Freundschaft zu schwören« (wie wir's beim alten Voß lesen können), erhob den alternden Klopstock zum Symbol höchster Verehrung. Sein Geburtstag wurde wie ein Heiligenfest begangen. An der blumengeschmückten Tafel stand für ihn ein Stuhl, darauf seine Werke thronten; darunter lagen, zerrissen, Wielands Oeuvres. Die Gesellschaft huldigte so dem patriotischen Tugendsänger und Idealisten, während sie den kosmopolitischen Sensualisten und Freigeist Wieland verachtete. Es wurde viel geraucht, getrunken, man erhitzte sich für die Idee der Freiheit, trank auf Luther, auf Hermann den Cherusker, auf Klopstock und die Jungen: Herder und Goethe.
Klopstock, der mit 24 Jahren ein berühmter Mann war, hatte durch die Magie seines dichterischen Wortes den Kult der Freundschaft, Liebe und Empfindsamkeit unter den Jünglingen wachgerufen, und war nun auch in den Augen der Kommenden der repräsentative Meister jener neuen lyrischen Dichtung geworden, die bisher in deutscher Sprache unerhört war und sogar die Kraft in sich hatte, weit über Goethe und Hölderlin hinaus bis zu George an der Schwelle unserer Zeit zu wirken. Er war ein seltsamer Mann: ein Enthusiast, aber voller Schrullen; ein Despot voller Eitelkeiten; eine religiöse Seele, deren Gefühlsinnigkeit und überströmende Empfindung die intellektuellen Kräfte selten emporkommen ließen; ein deutsch-patriotisch fühlender Dichter, der zu-

gleich das lebhafteste Interesse an der weltweiten Gesellschaftspolitik nahm. Er begrüßte die Unabhängigkeitserklärung der Nordamerikaner und die Große Französische Revolution. Er wurde Bürger der französischen Republik, und dann mißgestimmt; ein Dichter von pathetischem Höhenflug, und in seiner Lebensweise ein Musterbeispiel behaglicher Bürgerlichkeit. Als Schüler von Schulpforta war ihm die Größe antiker Dichtung aufgegangen; kaum zum Jüngling gereift, wurde ihm die »Stunde der Weihe« zuteil, eine nächtliche Offenbarung, da er seiner poetischen Berufung inne wurde. In der Abschiedsrede bei der Schulentlassung leuchtete über dem Thema zur epischen Dichtung die Vision des zukünftigen Sängers auf.

a) Die urtümliche Begabung Klopstocks war sein lyrisches Ingenium. Freundschaft und Liebe, Gott und Natur, Vorzeit und Vaterland waren Themenkreise seiner »Oden«. All seinen Gedichten, von denen »Der Zürcher See«, die »Cidli-Oden«, »Die Frühlingsfeier«, »Die frühen Gräber« zu dem unveräußerlichen Besitz deutscher Lyrik gehören, lagen Erfahrungen und Erlebnisse zugrunde. Der Weg zu einer persönlichen lyrischen Aussprache war beschritten und wurde seitdem von deutschen Lyrikern weiter begangen, auch da noch, wo in unsern Tagen ein neuer Weg andersartiger, entpersönlichter Lyrik sich geöffnet hat. Lyrik als Lebensbeichte war in den vierziger Jahren seines Jahrhunderts wieder neu. Als Klopstock starb, waren die Frühromantiker bereits dreißig Jahre alt, und die lyrische Selbstenthüllung war seit den siebziger Jahren in Deutschland ein allen vertrautes Phänomen geworden. Vieles freilich, was die Zeitgenossen an Klopstock begeisterte, ist heute verschüttet. Zu helltönend klingt uns Heutigen die patriotische Lyrik, zu ruhmredig der Vergleich des Vaterlands mit dem Ausland, zu vollendet erscheint das Idealbild der alten Deutschen in ihrer Wehr- und Mannhaftigkeit, ihrer Sittenstrenge und Freiheitsliebe. Seine Gesänge und Gestalten von deutscher Art erwecken literarische Reminiszenzen aus Tacitus, Cäsar und Strabo; andererseits gelangen wir mit Klopstock an die Quellen der nordischen Studien seiner Zeit; mit der nordischen Vorzeit wurde das Keltentum interessant – alles verschmolz in einem Rausch urzeitlicher Gefühle: Barden und Skalden, Germanen und Kelten, Heldentraum und Christendemut. All das ging erst mit dem Durchbruch zum 20. Jahrhundert am Ende des deutschen Kaisertums verloren. Doch wäre es billig, von heute aus über Klopstocks blonde Jünglinge, Mädchen und Frauen zu spotten. Man muß den Dichter in seiner, nicht von unserer Zeit aus sehen. Dann erweist sich als seine bleibende Großtat die Schöpfung einer neuen lyrischen Sprache. Das Gefäß der festen lyrischen Formen wurde von Klopstock verschmäht und gar zerbrochen. Es gibt kein Sonett von ihm und keine Stanze; auch klappern seine Verse nicht, wie so viele Zeilen seiner Zeitgenossen, in abgezählten Hebungen und Senkungen. Der Antike entlehnt er zwar die Formen der Ode und des Hymnus; Horaz und Pindar sind Vorbilder, aber seine sprachmächtige Phantasie und seine Musikalität reißen ihn darüber hinaus zu freien Rhythmen, welche die strophischen Gliederungen sprengten. Das Tor zu »Prometheus« und den »Grenzen der Menschheit« war aufgetan. Goethe vermochte hier weiterzuschreiten. Und dann half einem Klopstock der Sinn für das Urtümliche und Vorzeitliche dazu, versunkenen Ursinn mancher Wörter und Wendungen aus der Zone des Vergessens zu beschwören und neue Wortwerte zu ertasten. Verschwenderisch verstreute er neugebildete Worte (»Segensfülle«) durch seine Verse; mit eigenartigen Wortverbindungen (»Mutter Natur«) schuf er Atmosphäre und spannte und dehnte die Syntax durch Schachtelungen und Wortverstellungen bis zum Zerreißen und zur Unverständlichkeit. Manche seiner Verse sind wie in Musik getaucht und vibrieren in jenen feinen melodischen Schwingungen, für die es keine prosodische Regeln gibt. Hören wir die Strophen aus der »Frühlingsfeier«, an die Lotte in der Szene des »Werthers« dachte:

> Ach, schon rauscht, schon rauscht
> Himmel und Erde vom gnädigen Regen.
> Nun ist – wie dürstete sie! – die Erd' erquickt,
> Und der Himmel der Segensfüll' entlastet.
> Siehe nun kommt Jehova nicht mehr im Wetter;
> In stillem, sanftem Säuseln
> Kommt Jehova,
> Und unter ihm neigt sich der Bogen des Friedens.

Oft taucht er auch seine Bilder in nebelhafte Regionen, wo das Unwirkliche und Unartikulierte die Umrisse zerflattern läßt. Das Bild wird musikalische Stimmung, vage Meditation oder kosmische Vision von bisher ungeahnter Kraft, wie etwa das Bild vom Erwachen des Mais in der 2. Strophe der »Frühen Gräber«:

> Des Maies Erwachen ist nur
> Schöner noch wie die Sommernacht,
> Wenn ihm Tau, hell wie Licht, aus der Locke träuft
> Und zu den Hügeln herauf rötlich er kömmt.

Da ist bildnerische und musikalische Kraft vereint. Klang, Rhythmus Strophenstruktur tragen den Sinn aus sich heraus. Da sind schon wesentliche Elemente romantischer Sprachkunst und weiter noch Elemente des

Symbolismus und Expressionismus. Auf Altes zurückgreifend, auf die Sprache und Metren Homers oder Luthers, Neues aus Vorhandenem formend und auf zukünftige Entwicklungen der Lyrik weisend, steht Klopstock da: der erste Sprachkünstler der neueren Zeit deutscher Dichtung.

b) Nicht aber die Lyrik, sondern, den poetischen Anschauungen seiner Zeit gemäß, schwebte ihm als höchsterreichbare poetische Tat das Versepos vor. Aber die Tragik seiner großen dichterischen Unternehmung, des »Messias«, war es, daß diese monumentale Dichtung, die einen Vergleich mit Dante und Milton herausfordert, schon veraltet war, bevor sie noch geschrieben wurde. Es war wie eine Wette gegen den Geist der Aufklärungszeit, die religiös-heroische Thematik des Miltonschen »Paradise lost« noch einmal zu evozieren, den Hymnus auf die Allmacht Gottes und die Herrlichkeit der himmlischen Heerscharen, den vermessenen Kampf Satans, des gefallenen Engels, gegen Gottvater, und die Tragödie der gefallenen Menschheit, das verlorene Paradies und die verheißene Erlösung in der Entsühnung des Menschengeschlechts noch einmal in deutscher Sprache zu besingen, nachdem zwei weit mächtigere Dichter als er Ähnliches auf italienisch und englisch getan hatten. Klopstock blieb hinter Dante und Milton zurück; selbst wo er nicht gerade Milton folgte, sondern unmittelbar auf die Bibel und das Neue Testament zurückging, erlahmten schließlich die Flügel der Inspiration. Er hat 25 Jahre an dem Gesamtwerk, das er 1773 mit dem 20. Gesang abschloß – das ist das Jahr von Goethes »Götz von Berlichingen« – gearbeitet. Dennoch war das Epos eine künstlerische Tat. Leipzig, Zürich, Hamburg, die Zentren deutschsprachiger Dichtung, gerieten schon über die ersten Gesänge des »Messias« in Streit. Aber weder die Freie Stadt, noch Preußen, noch die Schweiz oder Sachsen konnten hier mehr siegen, sondern Klopstock wurde mit einem Schlage eine schlechthin deutsche Gestalt, so wie Dante eine italienische, Milton eine englische geworden waren. Doch nicht Klopstocks »Messias«, sondern Händels nur sieben Jahre älteres Oratorium gleichen Namens trug den Sieg auf dieser Ebene religiös-künstlerischer Schöpfung davon: eine Barockmusik über eine Barockdichtung. Man könnte dieses Mißverhältnis zwischen der immer noch lebendigen Musik und dem Dichtertext – wenige Passagen ausgenommen – mit einer Paraphrase des bekannten Lessingschen Sinngedichts formulieren:

> Wer wird nicht einen Klopstock loben?
> Doch wird ihn jeder lesen? Nein,
> Wir wollen von Musik erhoben
> Und nicht durchs Wort gelangweilt sein.

c) Noch geringschätziger spricht die Nachwelt von Klopstocks Dramen. Zugegeben, daß er vom Theater und der Dramaturgie wenig verstand und schon sein »Tod Adams« mehr eine dialogische Idylle als ein Drama war, und auch seine biblischen Sprechdramen als Schauspiele mißrieten; so müssen wir billigerweise wenigstens seine dramatischen Absichten von ihren mißglückten Verwirklichungen trennen. Und da erkennen wir, daß Klopstock auch in dieser Gattung der Literatur Ansätze hatte, die sich erst hundert Jahre nach ihm entwickelten. Unter seinen »Bardieten«, das sind germanische Heldenstücke, deren wunderlichen Titel er nach Tacitus' »barditus« = Schlachtgetöse, bildete, interessiert seine »Hermanns Schlacht« (1767). Das war ein halblyrischkantatenartiges Chordrama, in welchem oratorienhaft musikalische Elemente mit liturgisch-chorischen Reminiszenzen aus der Antike zu einem eigenartigen opernhaften Gebilde barocken Stils verschmolzen. Jedes Bühnengerüst war da zu eng. Eine solche Bardiete verlangte mit ihren Massenszenen, ihren Botschafter- und Heldenaufzügen, ihren Feiern und Jubelchören die Weite einer Freilichtbühne, etwa die natürliche Szenerie der Roßtrappe am Bodetal. Musik sollte nach dem Willen des Dichters die Stimmung des Textes begleiten. Christoph Willibald Gluck war vielleicht der einzige unter den Musikdramatikern, der die Intentionen Klopstocks verstand. Die Begegnung beider Männer war von fast schicksalhafter Natur. Es scheint, daß Gluck von Klopstock tief beeindruckt war. Es sind einige Melodien zu Klopstocks Versen von Gluck erhalten. Wir tasten uns hier an die Ursprünge einer Idee heran, die sich aus dem Traum eines oratorienhaft-mimischen Gesamtkunstwerks, wie es Klopstock vorschwebte, zu dem mythologischen Musikdrama Wagnerscher Prägung entwickelte. Neben Lessings Dramaturgie und parallel zur jungen Opernkunst keimte hier in der Verbindung von Wort und Musik eine neue dramatische Gattung auf, ein szenisch ausgeweitetes, vaterländisch gestimmtes Oratorium, das weder mit den Kategorien eines Aristoteles noch mit der Klassik der Franzosen oder der Dramaturgie Lessings zu fassen war. Die Begeisterung der Jugend für das Werk zeigte, daß auch hier die Sensibilität der Epoche neue wunderliche Formen des Gefühlslebens hervortrieb. Klopstock erscheint da als Wendepunkt. Vielleicht ist nicht das jeweilige Werk dieses Dichters – die wenigen Reüssiten ausgenommen – das Entscheidende, sondern Klopstock mag daran gewogen werden, was er in jener Zeit der geistigen und ästhetischen Wandlungen für die zukünftige Entwicklung bedeutet hat.

4.

In die religiösen Kräfte des Pietismus und die verschiedenartigen Gefühlswerte der Sensibilität strömte seit etwa 1765 eine dritte Bewegung ein, die kurz vor dem Durchbruch der Romantik unter der Bezeichnung »Sturm und Drang« der stärkste jugendliche Angriff gegen die alternde Aufklärung war. Literarische Geniebewegung, von der Albert Köster lieber sprechen wollte, ist die andere Signatur. Beide Bezeichnungen sind nicht recht befriedigend; denn die Dichter jener Zeit sind nicht alle »Genies« – wenn sie es häufig auch zu sein glaubten –, und das Phänomen des »Sturm und Drang« ist sowohl in der Individualpsychologie wie auch in der Kunst und Geistesgeschichte der Nationen so allgemein bekannt, daß die Bezeichnung überall da angebracht wäre, wo es sich um tumultarische Reaktionen temperamentvoller Söhne gegen ihre Väter, wo es sich um den Kampf des Jugendgeistes gegen den Altersgeist handelt. Sturm und Drang hat es ebenso in Frankreich, in England, in Spanien und wohin man auch blickt, v o r und n a c h dieser sog. Periode gegeben. Die französischen Romantiker, die der »Hernani«-Aufführung von 1830 beiwohnten, die deutschen Expressionisten der Vorkriegszeit und die Surrealisten der Nachkriegszeit, sie alle waren echte Stürmer und Dränger. Es ist dabei gleich, ob sie für Naturalismus, Symbolismus oder Dada kämpften. Dennoch besteht einmal der Ausdruck, seit die Bezeichnung von »Sturm und Gedränge« durch die Schweizer Kreise seit 1773 in Umlauf gebracht worden war. Ihren Anfang nahm die Bewegung (um die es sich im 18. Jahrhundert handelt) mit den Ereignissen der englischen und französischen Literatur, wo uns Edward Young und Denis Diderot begegnen; der erste *literarische* Gipfel wurde in Deutschland Mitte der siebziger Jahre erreicht – in diese Zeit fällt der »Götz« (1773), der »Werther« (1774), der frühe »Egmont« (1775); Schillers »Räuber« sind erst von 1781; der *musikalische* Gipfel heißt Beethoven. Es genügt, sich der Besprechung der vier Leonorenouvertüren zu erinnern, die Robert Schumann gegeben hat. Da sind alle Elemente vereinigt, die d i e s e n Beethoven und zugleich die vorangehende literarische Geniezeit charakterisieren:

»... dank euch, Wiener von 1805, daß euch die erste (Leonorenouvertüre) nicht ansprach, bis Beethoven in göttlichem Ingrimme eine nach der andern hervorwühlte. Ist er mir je gewaltig erschienen, so an jenem Abend, wo wir ihn besser als je in seiner Werkstatt, – bildend, verwerfend, abändernd, – immer heiß und glühend, bei seiner Arbeit belauschen konnten ... und setzte sich von neuem an die Arbeit ... sie ist dämonisch diese zweite ... beruhigter schon und künstlerischer, jene dritte ...«

Ein bezeichnender Text, der in seinen Begriffen des Glühenden, Heißen, Dämonischen den ganzen Sturm und Drang charakterisiert. Bezeichnend auch das Ende: die Beruhigung, Überhöhung, Reife. So war es mit Goethe, mit Schiller, mit Beethoven. So auch mit dem Sturm und Drang selbst, der um 1785 in die Klassik und Romantik einmündete.

Innerhalb Deutschlands war die Bewegung durch Herder und seinen Lehrer Hamann wachgerufen. Sie hatte auch ihren politischen Hintergrund und ihre sozialen Motive. Seit dem Dreißigjährigen Krieg waren die Verhältnisse in Deutschland trostlos. In der Gegenwart war kein Glück zu finden. Die Gebildeten, die Wissenschaft und Kunst besaßen, träumten sich in die Vergangenheit hinein und machten Hellas und Rom zu ihrer anderen Heimat. Die Frommen richteten ihre Blicke auf die Zukunft, auf das Paradies, wo dem gläubigen Christen ewige Freude verheißen ward; darin waren die Pietisten stark. Aber zwischen beiden Fronten standen die Menschen, die den Mut zum Kampf um die Gegenwart selbst, ihre soziale und religiöse Ordnung hatten. Wir lernten einige kennen wie Thomasius, Leibniz, Wolff; und andere waren da, die dem irdischen Jammertal Stück um Stück neuen Kulturboden eines irdischen Glücks entreißen wollten. Und neben ihnen die Barockbaumeister, die in ihren Kirchenbauten den Himmel schon auf die Erde holten, die Pöppelmanns und Neumanns; dann die Dramatiker: Gluck und Mozart voran – und der befreiende Lessing; und weiter die Aufklärer selbst, deren optimistische Haltung in einem sieghaften Selbstvertrauen wurzelte … – und auf weite Strecken mit eben diesen Künstlern, Philosophen, Sozialreformatoren, Staatslehrern und Nationalökonomen wie Thomans oder J. A. Hoffmann, in dem kaufmännischer Unternehmungsgeist sich selbst verherrlichte, ging nun die junge Generation, und war doch ganz anders, ganz eigen. Wenn sie dieselben Worte wie Religion, Toleranz, Freiheit, Fortschritt, Wirtschaft, Politik gebrauchte, so klangen sie anders als in dem Munde der Aufklärer; und gebrauchte sie wiederum die Worte Herz, Gefühl, Seele, so lag ein anderer Ton und Sinn in ihnen wie bei den Meistern der Sensibilität. Das Wort »Genie« aber war ihr Losungswort.

Das Problem des Genies bewegte sie. Sie spürten dem Phänomen in der Antike nach, welche das Daimonion, den Genius kannte; sie fanden Beispiele in der italienischen Renaissancekultur, dann in Shakespeare. Sie entdeckten »Genie« aber auch in der urtümlichen Kraft der eigenen völkischen Vergangenheit, in der alten Sprache, der alten Volksdichtung. Schließlich gab der allumfassende Diderot eine Definition. In dem Artikel »Génie« der Encyclopédie lesen wir alles, was unter diesen Begriff fallen konnte … eine Art sechster Sinn: »une espèce de sens que les autres n'ont pas« ... »une qualité d'âme particulière, secrète, indéfinissable sans laquelle on n'exécute rien de très grand et de beau.« Was ist »Genie«?, so fragte auch Herder? Die Alten sagten: »Die höhere Macht, die einen Menschen zur Hervorbringung seines Werks belebet, das wir als unnachahmlich, als unerreichbar erkennen, aber mächtig oder sanft auf uns wirkend fühlen, diese auszeichnende Himmelsgabe nannten sie Geist, Genius. Ein mit uns geborener Geist, δαιμων, vis animi divinior, von dem sie Kultur, Kunst, Fleiß so wenig ausschlossen, daß sie vielmehr ihn als Vater, Stifter, Beleber und Schutzgott aller Kultur und Menschenbelebung anerkannten, priesen, verehrten.«

Herder erklärt in fünf Definitionen die Bedeutung des Wortes:

1. »Genie ist angeboren (genius est, quod una genitur nobiscum, in cuius tutela vivimus nati; ingenium ingenitum est). Weder erkauft noch erbettelt, weder erstritten noch erstudiert kann es werden. Es ist Naturart (nativum quid), es wirkt also aus sich, aus angebornen Kräften, mit angeborner Lust, leicht, genialisch ...«

2. »Der Genius schaffet, erzeuget, stellt sich selbst dar (Genius gignit, sui simile procreat, condit genus)«.

3. Der Genius ist da »im Augenblick des Erschaffens, als der göttliche Funke in ihm schlug ... Da (heißt es) belebete sein Genius ihn; das war die genialische Stunde.« Verläßt ihn aber der Genius beim Schaffen, »so bedauern wir den Verlassenen, ehren aber noch die Idee des Ganzen, die sein ist und bleibet.«

4. »Vollführte er, was er begann, so steht sein Werk genuin und genialisch da, ein Abbild seiner in Vollkommenheit, oft auch in Fehlern.«

5. »Fühlen wir das Genialische mit, macht uns dies ›genialische‹ Freude. Wir werden mitgenialisch (congenial) mit ihm, fühlen uns seiner Art, er bildet in uns seine Empfindungen, seine Gedanken.«

Und eben in der »Kalligone« stellt Herder den Menschengenius dem Naturgeist entgegen. Während dieser »aus dem großen Schauplatz der Schöpfung« wirke und webe, offenbare sich jener in allen »Erfindungen, Tätigkeiten und Produktionen« des Menschen:

»Jeder Tag, jeder Augenblick schafft und fördert das vielfache Werk des Menschengenius weiter ... Was irgend durch menschliche Natur genialisch hervorgebracht oder bewirkt werden kann, Wissenschaft und Kunst, Einrichtung oder Handlung, ist Werk des Genius ... Die Zeit ist vorüber, da man den Namen des Genius bloß an müßige Kunstprodukte verschwendete oder gar zum Fröner alberner Ergötzlichkeiten machte. Höhere Genien, kommet uns zu Hilfe. Euch ruft die Zeit.«

Die Stürmer und Dränger machten die Genie-Idee zur ihrigen. Sie eröffneten auch Wege in neue Bezirke des Lebens und der Gesellschaft. Sie wurden zu Verteidigern der Entrechteten und Outlaws. Sie leuchteten zuweilen in die dämonischen Untergründe der Sexualkonflikte hinein, wußten von den unschuldig-schuldigen Verstrickungen der Menschen, von Fluch und Verführung, von Leidenschaft, Ehebruch und Doppelehe, von Gatten- und Kindesmord. Sie rüttelten an den Grundfesten der Rechtsprechung und der Moral. Von hier läuft eine Linie zu Wedekind und Hauptmann. Hamann und Herder sprachen in ihrer, großen, bedeutenden Weise vom Genie, und am Ende lehrten die Fragmente Friedrich Schlegels, wie das romantische Genie die Selbstherrlichkeit postuliert, »daß die Willkür des Dichters kein Gesetz über sich leide«: eine Forderung der »progressiven Universalpoesie«. Dahin hatte das Wort Edward Youngs geführt, »daß die Regeln Krücken für die Lahmen seien«, ». . . daß alles Vortreffliche und Außerordentliche außer dem betretenen Wege liege« – dahin auch das Wort Hamanns: »Wer keine Ausnahme macht, kann kein Meisterstück liefern.« Und: »Ein Genie muß sich herablassen, Regeln zu erschüttern«.

5.

Johann Georg Hamanns Leben (1730–1788) war von einer genialen Unordnung. Hypochondrisch, gehemmt wegen eines Sprachfehlers, zu einem bürgerlichen Amt wenig geschaffen, begann er es als armer Teufel; verdiente in Livland und Kurland mit Hauslehrerstellen sein täglich Brot, schwankte zwischen seinen Interessen an der Philosophie, Theologie, Schriftstellerei und Ökonomie, versagte in seinen Londoner Handelsgeschäften; geriet in den Verkehr mit einem verkommen, perversen Subjekt, das obendrein noch eine Straßendirne aushielt, und lebte in dessen Haus; er lernte die Niederungen menschlichen Daseins kennen. Da plötzlich widerfährt ihm, in den Wochen zwischen dem 31. März und 21. April 1758, eine Erleuchtung: Er beendet die bisherige Höllenfahrt seines Lebens im Hochgefühl, daß er des Geschenks der göttlichen Gnade teilhaftig geworden sei. Nun legt er das »Geständnis seines Herzens und seiner Vernunft« ab, »daß es ohne Glauben an Jesum Christum unmöglich ist, Gott zu erkennen«. Aber das Leben hörte nicht auf, ihn zu demütigen. Er wurde auch kein Heiliger, indem er sich von der unchristlichen Aufklärung abwandte, und sein »ganzer Vorrat an Philosophie« – so schreibt er in neuen Anfällen von Verzweiflung – ging immer wieder einmal zu Ende. Er lebte in freier Ehe mit einem einfältigen, treuen, »eichenstarken« Landmädchen, das ihm vier Kinder schenkte, erhielt die bescheidene Stelle eines Schreibers und Übersetzers bei der Königsberger Zolldirektion und stieg zum Packhofverwalter auf. Aber dank der Intervention eines Wohltäters konnte er von seinen Ämtern Abschied nehmen, lebte von da an abwechselnd in Düsseldorf und Münster im Umgang mit Jacobi und der Fürstin Galizyn, bis der Tod ihn 1788 den Lebenden entriß.

a) Er war so etwas wie ein christlicher Sokrates: wollte das Verborgene aus der Seele hervorlocken, den Menschen zur Wahrheit erwecken. Am Aufbau eines philosophischen Systems war ihm nichts gelegen. Ihm ging es nicht um Wissen als Gelehrsamkeit, nicht um Ethik oder Ästhetik als Schulweisheiten, sondern um das, was wir heute »Existenzerhellung« nennen. Er war kein Philosoph im Sinne Kants: Schöpfer großer, zusammenhängender Werke; sondern er war philosophischer Essayist, d. h. ein »Mann, der sich versucht«, aber als solcher war er ein Schriftsteller von höchstem geistigen Rang. Als Essayist ließ er alles »offen« – bis auf die Unbedingtheit seines christlichen Glaubens, der eben s e i n e Erfahrung wurde, den er aber niemandem aufzwang. Er wollte auf seine Weise mit dem religiösen Grundproblem der Zeit fertig werden, dem Verhältnis der Vernunft zu der christlichen Offenbarungsreligion. Erkenntniskritik, Naturwissenschaft und ihre Dogmatisierungen, die Heraufkunft der Empirie hatten das Problem einseitig auf Kosten des eigentlich Religiösen zu lösen versucht. Hamann faßt nun das Problem in seiner Konkretheit an, nämlich bei der Frage nach der Seinsweise des christlichen Menschen. Nach seinen Ansichten hatte die Aufklärung alles verdorben:

»Durch die geschminkte Weltweisheit einer verpesteten Menschenfreundin ist die unserer Natur eingeprägte Liebe des Wunderbaren und die Spannader aller poetischen und historischen Kräfte in einem skeptischen und kritischen Unglauben aller Wunder und Geheimnisse erschlafft.«

Im Namen der übernatürlichen Erfahrung erklärt er den rationalistischen *Aufklärern* und ihrer Vernunft, den *Orthodoxen* und ihrem Buchstabenglauben, den *deistischen Theologen* und ihrem Vermittlungsversuch, die Einheit von Christentum und Vernunft zu erweisen, den Krieg. Er hält den ersten die unabweisbare innere Erfahrung des persönlichen Gottes, den zweiten das welt- und lebenschaffende Wort Gottes, den dritten den tieferen Sinn echter christlicher Seinsweise entgegen. Das alles heißt: Hamann geht auf das Sein zurück. Nur die Schulweisheit teile sich in Idealismus und Realismus, eine echte Philosophie wisse nichts »von diesem erdichteten Unterschied«: »Nicht cogito, ergo sum, sondern umgekehrt ... Est, ergo cogito.« Vom Sein ist auszugehen, und was uns als Gegensätzlich erscheint, ist im Grunde eine Einheit. Hamann bekennt sich zu der uralten mystischen Welt- und Gottesschau der *Coincidentia oppositorum*, als deren Vertreter er vornehmlich Giordano Bruno und dessen Schrift »De Uno« zitiert:

»Diese Koinzidenz scheint mir immer der einzig zureichende Grund aller Widersprüche und der wahre Prozeß ihrer Auflösung und Schlichtung aller Fehde der gesunden Vernunft und reinen Unvernunft ein Ende zu machen ... Jordani Bruno *principium coincidentiae oppositorum* ist in meinen Augen mehr wert als alle Kantische Kritik.«

Es sei nichts damit gewonnen, die Vernunft durch die Vernunft zu kritisieren, wie es Kant getan habe; auch damit nichts, daß die Vernunft zu rationaler Sicherung von Welt und Mensch eingesetzt werde, wie es alle Aufklärer täten, wenn sie alleinigen Halt in der vernünftigen Erkenntnis suchten. Das alles bestehe nicht vor der Wirklichkeit des Menschen und der Geschichte. Die Tiefen des Lebens werden nur flach, die Fülle des Lebens entleert sich, die Widersprüche bleiben unverstanden. Aber das Leben des echten Christen ist Erfahrung Gottes in der mit Vernunftgründen nicht erschließbaren gotterfüllten Seinswirklichkeit, Erfahrung der Geschichte als eines Geschicks. Die Geschichte ist das Feld, in dem sich der Glaube ermöglicht; sie ist der Raum, welcher der Ratio unzugänglich ist. Was für ein Unsinn ist es in Hamanns Augen, die Vernunft, d. i. das menschliche Denkvermögen, als höchstes Konstitutionsmerkmal des Menschen anzusetzen! Da gibt es ganz anderes: die Gefühlskräfte, die sinnlichen Erfahrungskräfte, die Geniekräfte. Durch alle diese Kräfte definiert sich zwar der Mensch auch nicht vollkommen, wohl aber hält er sich den Weg zur Wirklichkeitserfassung und damit zur religiösen Existenz (wie es eben die religiöse Erfahrung Hamanns meint) offen, – sofern dem Menschen die Begegnung mit Gott durch einen Gnadenakt gewährt wird. Jedenfalls kommen wir nicht durch Vernunft und Logik zu Gott, sondern allein aus der Erfahrung. Gott offenbare sich in einem historisch fest umrissenen Augenblick der Geschichte; denn Christus erschien in der Zeit; und so kann auch nur der jeweilig in der Geschichte lebende Mensch durch den Akt der Beziehung auf diese historische Heilstat die christliche Religion erfahren und sich wandeln.

b) Das Medium zwischen Gott und Menschen aber ist die Sprache. Sprache erhält für den Menschen höchste Bedeutung. In ihr und durch sie erhebt er sich zu einem sinnlich-geistigen Wesen. Sprache ist darum mehr als nur Mittel der Aussage oder Mitteilung von Dingen, Gedanken oder Gefühlen. Sie ist ein unergründliches Wunder. Gott selbst offenbart sich in der Sprache dem Menschen, und die Welt wird dem Menschen durch Sprache bewußt und gegenwärtig. Die Sprache erhält bei einem solchen religiösen Interpreten ihres Wesens auch ihre psychologische, philosophische und ästhetische Bedeutung:

»Die älteste Sprache war Musik«, sagt Hamann in der ›Metakritik‹ und weiter: »Wörter haben ein ästhetisches und logisches Vermögen. Als sichtliche und lautbare Gegenstände gehören sie mit ihren Elementen zur Sinnlichkeit und Anschauung, aber nach dem Geist ihrer Einsetzung und Bedeutung zum Verstand und Begriffen.«

Dreifach ist der Sinn der Sprache. Er läßt eine theologische Deutung des Wortes zu; er ermöglicht eine philosophische Erfassung des Sprachphänomens; er offenbart die Bedeutung der Poesie als der ästhetischen Erscheinung des Wortes. In unserem Zusammenhang interessiert das letzte, weil dieser Weg über Herder zu Goethe und der Romantik und damit zu der hohen Idee der Dichtung selbst verläuft. In den »Aesthetica in nuce«, dem Hauptstück der »Kreuzzüge des Philologen«, lesen wir: »Poesie ist die Muttersprache des menschlichen Geschlechts.« Sie spricht in Bildern. »In Bildern besteht der ganze Schatz menschlicher Erkenntnis und Glückseligkeit.« Poesie ist höchste Weisheit: Erkenntnis in Bildern. »Reden aber ist Übersetzen aus einer Engelsprache in eine Menschensprache, d. h. Gedanken in Worte,- Sachen in Namen,- Bilder in Zeichen.« Von diesen Gedanken ging eine der fruchtbarsten Bewegungen der Dichtungsgeschichte der Moderne aus. Die Rede ist nur wie »die verkehrte Seite von Tapeten: And shews the stuff, but not the workman's skill«. Die Poesie aber hat magische Kraft. Mit ihrem Zauberstab berührt sie die Welt; es entstehen Bilder, die unserm Geist erkennbar werden. Hamann knüpft an uralte Vorstellungen an, mit denen der Rationalismus der Aufklärung wenig anfangen konnte; aber von Hamann geht eine Linie zu Novalis und damit weiter zu Rimbaud – Mallarmé – Valéry, zu Rilke – George – Hofmannsthal.

c) Seine eigene Sprache war etwas Wunderbares, Originelles: »Brokken, Fragmente, Grillen« nannte er sie selbst. Kein Wunder, daß er auch auf diejenigen Geister am stärksten einwirkte, welche den Sinn für das Originelle, also das Ursprüngliche, selbst in hohem Maße besaßen und dadurch die Geschichte vorantrieben. Hamann blieb immer aktuell; er wird es bleiben wie Sokrates: er stachelt auf, verlockt zum Nachdenken, reizt zur Ehrlichkeit. Unter den ersten, die seinen Hauch verspürten, waren Herder, Goethe, Jacobi, Lavater; dann Hegel und nach ihm Kierkegaard, und heute die Generation der christlichen Existenzialisten. Hören wir drei seiner größten Bewunderer; ihr Urteil ist Résumé des Wesentlichen:

Goethe: »Seine ›Sokratischen Denkwürdigkeiten‹ erregten Aufsehen und waren solchen Personen besonders lieb, die sich mit dem blendenden Zeitgeiste nicht vertragen konnten. Man ahnte hier einen tiefdenkenden gründlichen Mann, der, mit der offenbaren Welt und Literatur genau bekannt, doch noch etwas Geheimes, Unerforschliches gelten ließ und sich darüber auf eine ganz eigene Weise aussprach.«

Goethe hat die Elemente, welche »die wunderbare Gesamtheit seines Stils« bildeten, treffend charakterisiert: die erleuchtenden Verstandesblitze, die sich in der verborgenen »Begegnung von Natur und Geist« entzünden, »die bedeutenden Bilder, die in diesen Regionen schweben«, die sibyllinische Spruchhaftigkeit seiner Rede. Goethe gefiel das »zweideutige Doppellicht« der Hamannschen Sprache, und er gab die Hoffnung nicht auf, selbst eine Herausgabe der Hamannschen Werke zu besorgen oder wenigstens zu fördern.

Hegel: »Hamanns Schriften haben nicht sowohl einen eigentümlichen Stil, als daß sie durch und durch Stil sind.«

Auch er bewertet Hamann als Original, dessen individuelle, christliche Erfahrung sich gegen die Aufklärung behauptet und

»ein Halt und Stützpunkt in einer Zeit gewesen (ist), in der sie einen solchen gegen die Verzweiflung an ihr nötig hatte.«

Kierkegaard: Er hat wohl am eindrucksvollsten Hamanns Doppelbedeutung als eines originellen Denkers und Stilisten zusammengefaßt:

»Aber geniale Ursprünglichkeit ist in seinem kurzen Worte, und die Prägnanz der Form entspricht ganz dem desultorischen (= sprunghaften) Herausschleudern eines Gedankens. Er ist mit Leib und Seele bis zu dem letzten Blutstropfen in einem einzigen Worte konzentriert, in dem leidenschaftlichen Protest eines hochbegabten Genies gegen ein System des Daseins.« (Die Zitate bei Otto Mann)

Der andere ist *Joh. Gottfried Herder* (1744–1803), der Schüler Hamanns, der Erwecker Goethes, Theologe, Philosoph, Ästhetiker, Dichter und genialer Schriftsteller, in allem Vergangenen und Gegenwärtigen beheimatet, das Kommende sehend, ein Kritiker der eigenen Zeit, der »glühende Kohlen auf die Schädel unseres Jahrhunderts« sammelte, ein universaler Kopf, dem eine Geschichtsmetaphysik und Kulturphilosophie entsprang, die uns Heutige noch in ihren Bann schlägt, eine weite Seele und ein großes Herz, das um Würde und Adel des Menschen wußte und sich in den »Briefen zur Förderung der Humanität« verströmte. Wie Hamann war er ein Mann von unerhörter Sprachgewalt. Er war Prediger, Prophet, Enthusiast. So seine Sprache: sie ist gelöst, enthemmt, pathetisch und bilderreich, immer dynamisch, oft verschwebend, dann wieder schießt sie wie ein Lichtstrahl ins Dunkel, mit jener Kraft begabt, den Kern des Problems aufzubrechen. Seine Syntax ist vom Gespräch – jener ihm eigenen Kunstform – bestimmt: lebendig, bewegt, gestoßen; seine Sprache das Gegenteil der durchkomponierten Schreibweise, die sich klar, faßbar, gradlinig gibt; sie ist oft deren Gegenteil: umwölkt, nicht auf den ersten Griff faßlich und mit gebrochenen Linien, Abschweifungen, Ausbrüchen, Umkehrungen, aber vorwärtsschreitend. So war auch der Mensch: genial, unbequem, originell, einer der größten Anreger des geistigen und künstlerischen Lebens unserer Nation. Als solchen wollen wir ihn kennenlernen und ihn, da er so fesselnd schreibt, selbst so viel wie möglich sprechen lassen. Seine Themen sind vielfältig und bunt wie die Kuriosität seines Geistes: Religion-Natur-Geschichte; Sprache-Ästhetik-Kritik; Erziehung-Musik-Volkskunde; Schule-Staat-Nation. Da gilt es, sich in der Auswahl zu begrenzen. Umschreiten wir zwei der Themenkreise, in denen uns Herder am lebendigsten entgegentritt: Das Geschichtsbild des Menschen und seine Ideen zu den Künsten und der Dichtung.

I. Herders Einsichten in den Gang der Geschichte hängen an einer fundamentalen Überzeugung, nämlich der wesentlichen Einheit von Natur- und Geschichtswelt:

»In der Naturwelt gehört alles zusammen, was zusammen und ineinander wirkt, pflanzend, erhaltend oder zerstörend; in der Naturwelt der Geschichte nicht minder.«

»Naturwelt der Geschichte« – ein bedeutungsvolles Wort, mit dem er schon vor Schelling das einende Band um die beiden Reiche der Schöpfung schlingt. Welches sind ihre Gesetze?

1. Es wird, was werden kann:

»Was ist das Hauptgesetz, das wir bei allen großen Erscheinungen der Geschichte bemerken? mich dünkt dieses: daß allenthalben auf unserer Erde werde, was auf ihr werden kann, teils nach Lage und Bedürfnis des Ortes, teils nach Umständen und Gelegenheiten der Zeit, teils nach dem angeborenen oder sich erzeugenden Charakter der Völker.«

2. Es gibt in der Evolution keine Willkür und keinen Zufall; oder alles oder nichts ist Willkür oder Zufall.

»Bei dieser Betrachtungsweise schwindet alle sinnlose Willkür aus der Geschichte. In ihr sowohl als in jeder Erzeugung der Naturreiche ist alles oder Nichts Zufall. Alles oder Nichts Willkür...« – »Die einzige philosophische Art, eine Geschichte anzuschauen, ist diese: ... die Zeiten rollen fort, und mit ihnen das Kind der Zeiten, die vielgestaltige Menschheit. Alles hat auf der Erde geblüht, was blühen konnte; jedes zu seiner Zeit und in seinem Kreise: es ist abgeblüht und wird wieder blühen, wenn seine Zeit kommt.«

3. Die Geschichte ist unwiederbringlich, jedes Geschehen eine jeweilige Einmaligkeit:

»Jede Wiederkehr also in alte Zeiten, selbst das berühmte Platonische Jahr ist Dichtung; es ist dem Begriff der Welt und Zeit nach unmöglich. Wir schwimmen weiter; nie aber kehrt der Strom zu seiner Quelle zurück, als ob er nie entronnen wäre.«

Von diesen Praemissen aus bestimmt sich Herders Geschichtsbild im einzelnen und seine Forschungsrichtung. Alles ist in der Geschichte naturgebundene Entfaltung:

»Wie die Erdlagen in unserm Boden, so folgen in unserm Weltteil Völkerlagen aufeinander, zwar oft durcheinander geworfen, in ihrer Urlage indessen noch kenntlich. Die Forscher ihrer Sitten und Sprachen haben die Zeit zu benutzen, in der sie sich noch unterscheiden: Denn alles neigt sich in Europa zur allmählichen Auslöschung der Nationalcharaktere.«

Der Historiker hat sachlich, unvoreingenommen zu verfahren, wie es dem Naturforscher selbstverständlich ist:

»Der Naturforscher setzt keine Rangordnung unter den Geschöpfen voraus, die er betrachtet; alle sind ihm gleich lieb und wert. So auch der Naturforscher der Menschheit. Der Neger hat so viel Recht, den Weißen für eine Abart, einen geborenen Kackerlacker zu halten, als wenn der Weiße ihn für eine Bestie, für ein schwarzes Tier hält.«

Aus all diesen Zitaten, die Herders »Ideen zur Philosophie der Geschichte der Menschheit« (1784–1791) entnommen sind, ergeben sich drei Konsequenzen als fundamentale Forderungen politischer Natur:

Er bekämpft erstens die Vorurteile, die sich im »Nationalwahn« zu einer zerstörenden politischen Kraft zusammenballen:

»Treten nun zu diesem engen Gefühl noch aufblühender Nationalstolz, alte Vorurteile von mancherlei Art, Verachtung anderer Völker und Zeiten, von außen anmaßende Unternehmungen, Eroberungen, Siege, vor allem endlich jene behagliche oder vornehme Selbstgefälligkeit hinzu, die sich selbst als den Mittelpunkt der Welt auf dem Gipfel der Vollkommenheit wähnet und nach dieser Voraussetzung alles beäuget: so kommt in dies ganz chinesische Gemälde eine Verzogenheit der Begebenheiten und Figuren, die bei angewandtem Talent zwar unterhalten, vielleicht auch bezaubern kann, am Ende aber noch ermüdet.« (Adrastea XXIII, 214)

»Nationalwahn ist ein furchtbarer Name ... Sprache, Gesetze, Erziehung, tägliche Lebensweise, alle befestigen es ...; wer nicht mitwähnet, ist ein Idiot, ein Feind, ein Ketzer, ein Fremdling ... Der Wahn wird ein Nationalschild, ein Standeswappen, eine Gewerksfahne.« (Briefe zur Beförderung der Humanität XVII, 230)

Er bekämpft zweitens die besondere Überheblichkeit der Europäer über andere Völker und Rassen der Welt. Er bekämpft, was damals noch im Werden war und sich erst in der europäischen Physiognomie während des 19. Jahrhunderts als wesentlicher Zug ausprägen sollte: Imperialismus und Kolonialpolitik:

»Je mehr wir Europäer Mittel und Werkzeuge erfinden, euch andern Weltteile zu unterjochen, zu betrügen und zu plündern – vielleicht ists einst eben an euch zu triumphieren! Wir schlagen Ketten an, womit ihr uns ziehen werdet.« (Auch eine Philosophie der Geschichte zur Bildung der Menschheit, 1774)

Es ist, als habe Herder zweihundert Jahre weit in die Zukunft geschaut. So kämpft er drittens für eine gerechte, humane, weltoffene
Haltung, für Entfaltung der wahrhaft menschlichen Eigenschaften,
welche dem Endzweck diente, alle Nationen zu einer Gesellschaft
des ganzen Menschengeschlechts zusammenzuschließen. Da sind die
Träume, die sich in Schillers Freuden-Ode und Beethovens »Neunter«
zu großer Thematik verdichten sollten – Wunschträume, Utopien der
ewigen Idealisten, die aber auf der unbekannten Waagschale der Geschichte so viel unveräußerliches Recht auf ihrer Seite haben wie die
Realpolitiker, für die das leere Worte sind, auf der ihrigen:
»Sollte in Europa auf Wegen, die wir zu bestimmen nicht vermögen, die
Vernunft einmal soviel Wert gewinnen, daß sie sich mit Menschengüte vereinigte: welch eine schöne Jahreszeit für die Glieder der Gesellschaft unseres
ganzen Geschlechts! Alle Nationen würden daran teilnehmen und sich dieses
Herbstes der Besonnheit freuen. Sobald im Handel und Wandel das Gesetz
der Billigkeit allenthalben auf Erden herrscht, sind alle Nationen Brüder ...«
(Briefe ... XVIII, 289)
Von hier gehen zwei Linien aus, die das Geschichts- und Menschenbild Herders näher charakterisieren: Der Begriff »Herbst« weist darauf,
daß Herder den Gang der Menschheitsgeschichte – wie nach ihm Oswald Spengler – in naturhaften Wachstumsstufen zu erkennen glaubt;
zum andern spüren wir in diesen Worten die Aufforderung, mit dem
Erziehungsideal zur Humanität Ernst zu machen.

Kindheit-Knabenalter-Jünglingszeit und Mannesalter sind die vier
Stufen, denen Herder die Kultur der Patriarchen, den Ackerbaustaat
Ägypten und die seefahrenden Phönizier, – die griechische Antike
und schließlich das römische Imperium zuordnet. Diese vier Stämme,
Völker, Kulturen wuchsen, blühten, verwelkten. Keine zwei Augenblicke der Weltgeschichte waren sie gleich. Eine jede Stufe hatte wieder
in sich selbst ihre Entwicklung, die unwiederholbaren Augenblicke ihrer
Größe und ihres Glücks. Und wenn es wahr ist, was Herder sagte:
»Jede Nation hat ihren Mittelpunkt der Glückseligkeit in sich wie jede Kultur
ihren Schwerpunkt«,
so ist es auch wahr, daß offenbar »in der Abwechslung, im Weiterleiten
durch Weckung neuer Kräfte und Absterbenlassen anderer« der Zweck
der Menschheitsgeschichte erreicht werden soll.
»... bei jedem dieser Völker hat das Licht nur eine kurze Zeit gedauert –
Wachstum, Blüte und Abfall sind aufeinander gefolgt: sodann ist der Genius
der Kultur weggeflohen und hat sich ein nahgelegenes Land voll frischer
Kräfte ausersehen, dieselbe Szene durchzuspielen. Auch ist kein Beispiel in
der Geschichte, daß durch menschliche Mittel er je gezwungen wäre, in erster
Jugend wieder zurückzukehren.« (XXX, 398)

Herder denkt dabei an Deutschland. Sicher:

»Wahr ists, wir kamen spät; desto jünger aber sind wir. Wir haben noch viel zu tun, indes andere ruhen, weil sie das ihrige geleistet haben.« XVIII, 112)

Es mag auch sein, daß, als mit dem Zusammenbruch des römischen Reiches die germanischen Völker auf den Plan traten, die neuere Welt ihr Werk wurde. Waren aber die Germanen das Greisenzeitalter? Hier paßt das Bild der Lebensstufen nicht mehr. Herder gibt es auf und vergleicht die Menschheit nun mit einem Baume, der Äste und Zweige austreibt und in der »Gärung der nord-südlichen Säfte« die moderne Welt schafft. Wenn auch nichts wiederkehrt, so geht auch nichts Wesentliches im Gange der Geschichte verloren. So überwölbt ein letzter Gedanke die Vorstellung, daß die Kulturen sich nur verlagern, daß andere Völker »die Szene jeweils durchspielen« – der Gedanke nämlich, daß die europäische Kultur zur »Gesamt-Kultur der Menschheit« sich erweitern könne (XXIV, 74). Die Menschheitsgeschichte wäre nicht nur Szenenwechsel, sondern Weiterentwicklung zur Weltlage durch Synthese zu jeweils höheren Formen des geschichtlichen Seins. Herders eigenes Bekenntnis zur Gegenwart – mag er sie auch kritisieren, wie immer er will – ist zugleich Aufforderung an die jeweils jung in die Geschichte tretenden Generationen:

»Wir leben in der Zeit; folglich müssen wir auch mit ihr und für sie leben und leben lernen.« (XXX, 239)

»Nicht nachgeahmt, oder ihr bleibt ewig hinten!« (V, 207)

»Wer sich an Eine Zeit, gehöre sie Frankreich oder Griechenland zu, sklavisch anschließt, das Zeitgemäße ihrer Form für ewig hält und sich aus seiner lebendigen Natur in jene Scherbengestalt hineinwähnet, dem bleibt jene unerreichbare lebendige Idee fern und fremd das Ideal, das über a l l e Völker und Zeiten reichet.« (XXIII, 76)

Aus all diesen Widersprüchen, in die sich Herder verwickelt, werden nach ihm, ein jeder auf seine Weise, Hegel und Spengler ihr Geschichts- und Menschenbild formen.

Das andere war die Aufforderung, mit dem Erziehungsideal der Menschen zur Humanität Ernst zu machen; denn Bildung zur Humanität ist Sinn und Ziel der Geschichte. Es ist Herders große, ideale, immer neu gefährdete Idee, eine sehr einfache, klare, schöne Idee, die, auch wenn unsere Zeit über sie lächelt, trotzdem weiter leuchtet. Was heißt »Humanität« bei Herder? Begriff und Wort kann auf seinem weiten Bedeutungsfeld durch kein angrenzendes richtig ersetzt werden. Es bedeutet weder Menschheit noch Menschlichkeit, weder Menschenliebe noch Menschenwürde, weder Menschenrechte noch Menschenpflichten – oder aber das Wort bedeutet das alles zusammen:

»Alle die genannten andern Worte enthalten Teilbegriffe unseres Zweckes, den wir gerne mit einem Ausdruck bezeichnen möchten.«

Nirgends hat Herder selbst einen präziseren und umfassenderen Satz über die »Humanität« gesagt als in seinen »Briefen zur Förderung der Humanität« XVII, 138):

»Humanität ist der Charakter unseres Geschlechts; er ist uns aber nur in Anlagen angeboren, und muß uns eigentlich angebildet werden. Wir bringen ihn nicht fertig auf die Welt mit; auf der Welt aber soll er das Ziel unsres Bestrebens, die Summe unserer Übungen, unser Wert sein: denn eine Angelität (Engelhaftigkeit) im Menschen kennen wir nicht, und wenn der Dämon, der uns regiert, kein humaner Dämon ist, werden wir Plagegeister der Menschen. Das Göttliche in unserm Geschlecht ist also Bildung zur Humanität; alle großen und guten Menschen, Gesetzgeber, Erfinder, Philosophen, Dichter, Künstler, jeder edle Mensch in seinem Stande, bei der Erziehung seiner Kinder, bei der Beobachtung seiner Pflichten, durch Beispiel, Werk, Institut und Lehre hat dazu mitgeholfen. Humanität ist der Schatz und die Ausbeute aller menschlichen Bemühungen, gleichsam die Kunst unseres Geschlechts. Die Bildung zu ihr ist ein Werk, das unabläßig fortgesetzt werden muß; oder wir sinken, höhere und niedere Stände, zur rohen Tierheit, zur Brutalität zurück.«

Humanität also ist der Raum für unsere Entwicklungsgeschichte; sie ist zugleich das Endziel; sie ist die ewig gültige soziale Forderung:

»Keiner für sich allein, jeder für alle; so seid ihr euch alle einander wert und glücklich. Eine unendliche Verschiedenheit, zu einer Einheit strebend, die in allen liegt, die alle fördert.«

Die Herdersche Idee der Humanität enthält so viele religiöse, philosophische, soziale und pädagogische Elemente und Forderungen in sich, daß die Extreme individueller oder kollektiver politischer Einstellungen ihren Platz darin finden.

II. Es scheint, daß Herder unter den Künsten vor allem der Musik, der Plastik und der Dichtung seine Liebe geschenkt hat. Wo bei ihm von Musik die Rede ist, erscheint sie unter dreifachem Aspekt: Er sieht sie zeitlos, mythisch, übergeschichtlich; dann pythagoreisiert er. Er sieht sie geschichtlich, zeit- und modegebunden; dann spricht er seine Urteile über den Stand der Musik aus und erweist sich dabei oftmals weder kompetent noch genügend informiert. Er sieht sie als Teilgebiet eines umfassenden Kunstganzen; dann verknüpft er sie mit der Dichtung, den bildenden Künsten und dem Tanz und wird zum Propheten Richard Wagners.

Er pythagoreisiert: Er nennt Musik »das höchste Muster einer zustimmenden Ordnung«, und die Harmonie: »die mathematische Vernunft in der Welt«, und die Töne offenbaren »eine Weltordnung«. Das alles ist pythagoreisch. Herder greift über Leibniz auf Kepler und Boethius zurück und damit auf Platon und schließlich auf Pythagoras. Hören der harmonischen Proportionen – das hat Walter Wiora in »Herders Ideen zur Geschichte der Musik« ausgezeichnet ausgeführt – ist überindividuelles Auffassen von Zahlenverhältnissen:

»Nicht w i r zählen und messen, sondern die Natur; das Clavichord in uns spielt und zählt . . . Harmonisch mit dem geschwungenen klingenden Körper klingt in uns ein geistiges Clavichord und tönet ihm nach . . .« (XXII, 70)

Wir erfinden nicht, wir finden nur. Auch in der Musik: ». . . die musikalische Skala war da, ehe Pythagoras sie maß.« So erfand auch der Künstler keinen Ton, sondern f a n d ihn in der Natur und »zwang ihn mit süßer Macht hervor. Der Compositeur fand Gänge der Töne«. V o r aller Harmonie aber lag der »ursprüngliche Ton« – »das Wesentliche der Musik« (IV, 100). Herder will seine Musikästhetik auf eine »musikalische Monadologie« (ib. 114) begründen – Monadologie des »hörbaren Punktes«. Wie Leibnizens »Monaden«, so ist dieser Punkt »die elementare Toneinfalt . . . das Erste, Innere, Einfache«. Gleichsam ein Urlaut, der uns, hörten wir ihn, tiefer erschüttern könnte als eine vollendete Harmonie. Herder weiß von den Ursprungsmythen der Musik, von Theut und Pan, dem »großen Weltgott, der auf den sieben ungleichen Röhren seiner Flöte die Harmonie der Welt spielet«. »Sieben der Töne! der Saiten!« Und durch die Musik, »Gottes Saitenspiel«, ordnete sich der Lauf der Sonnen und Monde.

Herders pythagoreisierende Spekulationen über die Musik reichten weit in seine Geschichtsphilosophie hinein und verbanden sich durch dieses Medium wieder mit seiner Humanitätsidee. Die Muse der Geschichtsschreibung sagt über Urania und Polyhymnia: »Sie lehrten mich die höhere Harmonie der Weltbegebenheiten.« (XXIII, 218) Geschichte ist aber auch voll der Unmenschlichkeiten. Herder sieht und wertet sie im Bilde der »vieltönigen dissonanten Geschichte«. Ohne Dissonanz aber auch keine Consonanz, wie ohne Naturkatastrophen und Gewaltsamkeiten kein Aufstieg in der Entfaltung der Weltgeschichte. Ist nun aber Raum und Ziel der Weltgeschichte die Entwicklung des Menschen zur Humanität, dann erhält folgerichtig die Musik als die höchste Idee der Harmonie eine zentrale Bedeutung:

»Durch Musik ist unser Geschlecht humanisiert worden; durch Musik wird es noch humanisiert.« (XVII, 172)

Herder ist nur ein Glied in der Kette jener Philosophen und Menschenkenner, welche die Bedeutung der Musik auf Denkart und Sitten, auf das leibseelische Wesen des Menschen, auf »die Geschichte der Seele«, gewürdigt haben. Und doch ist alle Musik in Herders Urteil nur ein

Ausschnitt, ein unvollständiges Bild der kosmischen, himmlischen Musik:

»Nur wenige Töne eines unendlichen Saitenspiels wurden uns in wenigen Gattungen, nach sehr leichten Modulationen zugemessen, zugezählt, zugetröpfelt.« (XV, 227)

Was nun Herder im besonderen als weltliche Musik solchermaßen interessierte, waren Lieder, Kantaten, Oratorien und Musikdramen – also er wußte von Bach und Händel, und wußte von Gluck, – aber von allen zu wenig, als daß es kulturgeschichtlich interessant genug wäre, an dieser Stelle darauf einzugehen. Interessant ist vielmehr wie Herder die Musik in der Verbindung der Künste untereinander sieht.

»Dies Naturband zwischen Ton, Gebärde, Tanz und Wort erkannten oder empfanden alle Völker ... Was die Natur gebunden hatte, ja was im Ausdruck der verschiedenen Sinne eins war, wollten sie gewaltsam nicht scheiden.« (»Kalligone«)

Darum liebte und bewunderte Herder die Griechen, weil sie das vollendete Gesamtkunstwerk geschaffen haben:

»Daher blieb die griechische Musik solange und so gern dem Tanz, der Gebärdung, den Chören, der dramatischen Vorstellung und diese ihr treu; als eines Stammes Geschwister liebten sie sich und vervollkommneten einander wie Aus- und Abdruck.« (ib.)

Indessen soll keine Gattung der Kunst der andern aufgeopfert werden:

»Mißverstanden wäre dies alles, wenn man folgern wollte, daß der Ton nie sich vom Wort oder von der Gebärde trennen dürfe, so daß diese ihn bei jedem kleinsten Schritt begleiten und dolmetschen müßten ... Auch die Musik muß Freiheit haben, allein zu sprechen ... Ohne Worte, bloß durch und an sich, hat sich die Musik zur Kunst ihrer Art gebildet.« (ib.)

Die Frage bleibt offen, ob die Künste, jede für sich, durch Trennung von den andern, gewonnen oder verloren haben. Die Antwort läßt Herder von der Perspektive des Problems abhängen:

»Unleugbar ists also, daß jede dieser Künste, als Kunst (obiective) durch die Trennung gewonnen; ob sie wohl eben so unzweifelhaft, (subiective) als Organ der Natur verloren.« (XII, 178)

Der Gedanke, daß sich die Künste eines Tages wieder vereinigen könnten, läßt ihn nicht los. Er hat als ein großer Verehrer Glucks in dessen Musikdramen bereits eine Vorstufe der Vereinigung von Dichtung und Musik erkannt. Auf ihn beziehen sich die Worte, die er anläßlich seiner Kritik der »reinmusikalischen« Oper (welche den Inhalt zu Gunsten der Musik vernachlässigt habe) niederschrieb, Worte, die Wagner und seine »Zukunftsmusik« anzukündigen scheinen:

»Der Fortgang des Jahrhunderts wird uns auf einen Mann führen, der diesen Trödelkram wortloser Töne verachtend, die Notwendigkeit einer inneren Verknüpfung reinmenschlicher Empfindungen und der Fabel selbst mit seinen

Tönen einsah . . . Er hat Nacheiferer; und vielleicht eifert ihm bald jemand vor. Daß er nämlich die ganze Bude des zerschnittenen und zerfetzten Opernklingklangs umwerfe, und ein Odeum aufrichte, ein zusammenhängend lyrisches Gebäude, in welchem Poesie, Musik, Action, Decoration eins sind.« (XXIII, 336)

Andererseits weiß Herder sehr gut, daß einer jeden Kunst i h r Organ zukommt und daß die Natur selbst den Künsten ihre Grenzen angewiesen hat. Die Malerei erfasse ich mit dem Gesicht, die Musik mit dem Gehör, die Plastik mit dem Tastsinn:

»Fläche, Ton, Körper, wie Gesicht, Gehör, Gefühl. Dies sind sodann Grenzen . . . Eine Tonkunst, die malen, und eine Malerei, die tönen, und eine Bildnerei, die färben, und eine Schilderei, die in Stein hauen will, sind lauter Abarten, ohne oder mit falscher Wirkung.« (»Plastik«)

Dieses frühe Werk von Herder, »Die Plastik«, zwar erst 1778 erschienen, aber schon größtenteils mit 24 Jahren geschrieben, enthält vieles, was uns an Lessing und Winckelmann erinnert, die beide gewissermaßen Klassiker der sauberen Grenzziehung waren. Mit größerem poetischen Schwung als beide zieht nun Herder die Grenzen zwischen Plastik und Malerei, dabei wie ungewollt zukunftsträchtige Gedanken von klassischer Einfachheit und Gültigkeit ausstreuend:

»Die Bildnerei ist Wahrheit, die Malerei Traum: jene ganz Darstellung, dieser erzählender Zauber; welch ein Unterschied, und wie wenig stehen sie auf einem Grund! Eine Bildsäule kann mich umfassen, daß ich vor ihr kniee, ihr Freund und Gespiele werde; sie ist gegenwärtig; sie ist da. Die schönste Malerei ist Roman, Traum eines Traumes. Sie kann mich mit sich verschweben, Augenblicke gegenwärtig werden lassen und wie ein Engel, in Licht gekleidet, mich mit sich fortziehen! aber der Eindruck ist anders als er dort war. Der Lichtstrahl weicht hin, es ist Glanz, Bild, Gedanke, Farbe . . .«

Es ist, als setze Herder damit die Malerei hinter die von ihm so geliebte Plastik. Aber mit welcher Eloquenz, mit welchem Bilderreichtum selbst weiß er von der Malerei zu sprechen, so wie man das Zauberland des Traumes lieben kann:

Malerei: »Nichts als Kleid . . . schöne Hülle« – »Zauberei mit Licht und Farben« – »Sie wirkt auf Fläche und kann nichts als Oberfläche geben« – »das Zauberland des schönsten Trugs« – »Werkstätte der Allmacht mit Licht und Farben« – »Die ganze Zauberwelt Gottes auf der Lichttafel.«

Dieser jugendliche impressionistische Essay zur »Plastik« ist hinreißend geschrieben und vielleicht die schönste Ergänzung, die wir zu Lessings sprunghaft federndem »Laokoon« und Winckelmanns attisch-klassischer »Geschichte der Kunst des Altertums« besitzen.

Herders eigentümlichste Leistung ist aber wohl die Einbringung des Volksliedschatzes der ihm zugänglichen Menschheit. Das »Volkslied« mußte ihn schon um jener Motive willen reizen, die bei Herder eine

seltsame Trias bilden: die ästhetische, politische, humane Denkweise.
So eröffnen sich demgemäß drei Perspektiven in die Welt des Volksliedes.

a) Herder sah in dem Volkslied Ton, Wort, Tanz in eins verbunden.
Es blühte in Ur- und Frühzeiten, bei Naturvölkern, und im Landvolk
noch zu seiner Zeit; es keimte in den Grundschichten der Hochkulturen;
denn die Kunstdichtungen derselben setzten immer schon das Volkslied
im weitesten Sinne voraus. So sieht es Herder als Gewächs aus natur-
starken Grundschichten des Menschen und zugleich als Samen der hoch-
kultivierten Kunstdichtung. In jener tiefen alten Schicht war eben noch
Musik-Sprache-Bewegung eins, also jene Verschmolzenheit der Künste, die ihm ideal erschien.

b) Volkslied ist aber auch »Stimme der Menschheit«, und zwar in dem
ganz Herderschen politischen Sinne eines Mahnmales gegen jede Art
Unterdrückung der Menschheit. Mit gutem Grund macht Wiora darauf
aufmerksam, daß die Volksliedsammlung, die Herder als Erweiterung
der früheren von 1774 vorbereitete, keinem Landesherren, sondern
den beiden Adrasteen: Wahrheit und Gerechtigkeit, geweiht sind:

»Euch weih' ich die Stimme des Volks, der zerstreueten Menschheit,
Ihren verhohlenen Schmerz, ihren verspotteten Gram,
Und die Klagen, die niemand hört, das ermattende Ächzen
Des Verstoßenen, des Niemand im Schmuck sich erbarmet,
Laßt in die Herzen sie dringen, wie wahr das Herz sie hervordrang.«

(XXV, 645)

Da schwingt unüberhörbar ein sozial-politischer Unterton mit – gegen
Machthaber in allen Erdteilen, die dem Volke Verachtung und Gewalt
antun. Stimme der Menschlichkeit, aber auch Stimmen der Menschheit,
so viele er hören und verstehen und übersetzen konnte. Allein das
letzte, das Übersetzen, Eindeutschen, war eine ganz erstaunliche Leistung. In dieser praktischen Arbeit erfuhr er am eindrucksvollsten, wie
die Stimme der Menschheit kein »Unisono«, sondern ein höchst diffe-
renzierter Chor von Stimmen ist; hier erfuhr er, wie sich das »eine
Menschenvolk« in viele Landarten »nationalisiert«; hier erkannte er die
Verschiedenheit des menschlichen Gehörorgans und seiner Nerven; hier
erhärtete sich, was er aus Montaigne und Montesquieu gelernt hatte:
die Bedeutung von Klima und Temperament – und Hippolyte Taine
vorwegnehmend – die Wichtigkeit der drei Faktoren race, moment,
milieu.

»Die Lieder jeder Nation sind über die ihr eigenen Gefühle, Triebe und
Seharten die besten Zeugen.« – Und an anderer Stelle: »An Sprache, Ton

und Inhalt sind sie die Denkart des Stammes oder gleichsam selbst Stamm und Mark der Nation.« (XIII, 329; XXV 8)

Aber über das Trennende hinweg weisen die Volkslieder wiederum auf die Solidarität der Völker und Nationen:

> ». . . Alle Welt
> ist des Gesanges meines Gottes voll,
> des Zweckes seiner Schöpfung. Der Barbar
> und Weise. Griech' und Neuseeländer stimmt
> obwohl verschiednen Tons, verschiedner Höh'
> in einen Lobgesang: Wir waren Mensch!« (XXIX, 563)

c) Damit ist das Motiv der »Humanität« im Volkston angeschlagen. Volkslied ist Geist aus dem Geiste eines volkshaften Humanismus, den Herder selbst in einen Gegensatz zum klassizistischen Bildungshumanismus stellt. Im Grund aber gibt es für Herder da keine Grenzscheide. Humanismus oder Humanität ist höchste Entfaltung des Menschen in der Zeit und im Raum der Geschichte; es kommt auf eins heraus, ob ich den Keim sehe: das Humane im Volkslied, oder die herrlichste Entfaltung einer differenzierten Dichtung und Musik, wie die Ode an die Freude von Schiller und Beethovens IX. Symphonie. Es ist alles der »Eine Lobgesang«: »Wir waren Mensch!«

III. Hätte Herder als Prediger, der er eine zeitlang von Berufs wegen war, nur diesen einen Gedanken weiter in die Welt getragen, man möchte ihm, unter den großen Utopisten, einen Ehrenplatz bei den wahren Menschenfreunden anweisen. Und vielleicht ist und bleibt dieser in die Weite und Tiefe greifende Humanitätsgedanke Herders eigentümliche Signatur. Auf ihn konnten und können sich noch gegenwärtig alle kleineren Stämme, Völker, Sprachgemeinschaften berufen, wenn sie zu ihrer nationalen Selbständigkeit gelangten oder gelangen wollen. Herder hatte im besonderen die noch schlummernde Kraft des europäischen Ostens zum Bewußtsein gebracht, während er gleichzeitig das »Ergrauen Europas« im Westen beobachtete. Er war ein Prognostiker der Zukunft. Dies ist das zweite erstaunliche Merkmal seiner Persönlichkeit. Prognostiker kann nur sein, wer, wie er, die Vergangenheit kennt, ganz in der Gegenwart lebt, die Zukunft erlauscht:

> »Wir hoffen auf die Kommenden; und ich
> (Dies ist mein Amt!) blick' in die Gegenwart,
> Und horch' aus dem Vergangenen die Zukunft.« (XXIII, 219)

Wie er aber »die Zukunft horcht«, wird ihm die Krise Europas bewußt: »Ein Conflict aller Völker unsrer Erde ist gar wohl zu gedenken; der Grund dazu ist sogar schon geleget.«

Hundertundfünfzig Jahre vor Spengler dämmerte bei Herder der Gedanke, daß das Abendland seinem Untergang entgegengehe. Vermutlich werde es von der russischen Nation abgelöst. Was tut es? Wenn Europa verfällt, dann ist das noch nicht »der Verfall unseres ganzen Geschlechts ...«

»Was schadet es diesem, wenn ein ausgearteter Teil von ihm unterginge? wenn einige verdorrte Zweige und Blätter des saftreichen Baumes abfielen? Andere treten in der verdorreten Stelle und blühen frischer empor. Warum sollte der westliche Winkel unsres Nord-Hemisphärs die Cultur allein besitzen?« (XVIII, 290)

Solche Worte kann nur sprechen, wer den Atem der großen Freiheit hat, und das heißt, wer dem Ganzen der Weltgeschichte ohne nationalen Egoismus und beengende Vorurteile nachspüren kann und weiß, daß naturhafte und metaphysische Zwangsläufigkeiten die Geschichte bestimmen: ein immer kreisendes Werden, Wachsen, Vergehen.

Das Letzte und Klügste hat Nietzsche in seiner hochintelligenten, unbestechlichen Ausdrucksweise über Herder gesagt. Er zeichnet in wenigen Strichen den Charakter seines Geistes, zieht die Grenzlinien auf den weiten Gefilden seiner mannigfachen Wirksamkeit – und wittert die verborgene Tragik dieser einzigartigen Persönlichkeit. Wir lesen in »Menschlich-Allzumenschliches« Nr. 118:

»Sein Geist war zwischen Hellem und Dunklem, Altem und Jungem und überall dort wie ein Jäger auf der Lauer, wo es Übergänge, Senkungen, Erschütterungen, die Anzeichen inneren Quellens und Werdens gab: Die Unruhe des Frühlings trieb ihn umher, aber er selber war der Frühling nicht! Das ahnte er wohl zu Zeiten und wollte es doch sich selbst nicht glauben, er, der ehrgeizige Priester, der so gern der Geisterpapst seiner Zeit gewesen wäre! Dies ist sein Leiden: Er scheint lange als Prätendent mehrerer Königtümer der Geister, ja eines Universalreiches gelebt zu haben und hatte seinen Anhang, welcher an ihn glaubte: Der junge Goethe war unter ihm. Aber überall, wo zuletzt Kronen wirklich vergeben wurden, ging er leer aus: Kant, Goethe, sodann die wirklichen ersten deutschen Historiker und Philologen nahmen ihm weg, was er sich vorbehalten wähnte ... Er hatte wirklich Begeisterung und Feuer, aber sein Ehrgeiz war viel größer! Dieser blies ungeduldig in das Feuer, daß es flackerte, knisterte und rauchte – sein S t i l flackert, knistert, raucht –, aber er wünschte die g r o ß e Flamme, und diese brach nie hervor! Er saß nicht an der Tafel der eigentlich Schaffenden: Und sein Ehrgeiz ließ nicht zu, daß er sich bescheiden unter die eigentlich Genießenden setzte. So war er ein unruhiger Gast, der Vorkoster aller geistigen Gerichte, die sich die Deutschen in einem halben Jahrhundert aus allen Welt- und Zeitreichen zusammenholten.«

KAPITEL V

DAS JAHRHUNDERT DER DEUTSCHEN MUSIK

1.

Das 18. Jahrhundert erhob die abendländische Musik in Deutschland auf den Rang der Weltgültigkeit. Dieses Ereignis hat die weitverbreitete Vorstellung von der Prädominanz deutscher Musik tief ins Gedächtnis der Völker eingeprägt. Seit dem Ende jenes Zeitalters der polyphonen Vokalkompositionen, da Niederländer und Engländer, Spanier und Portugiesen, Italiener und Franzosen im Wettkampf um den Vorrang ihrer Leistungen lagen, schien die Musik den deutschen Boden zu begünstigen, ja verschwenderisch ihre Gunst in gleicher Weise dem Norden, der Mitte und dem Süden des Landes zu erweisen; in allen Landesteilen, bei Katholiken und Protestanten, entfaltete sich die weltliche wie geistliche Musik zu herrlicher Blüte: in Hamburg, in Lübeck, in den kleinsten, ärmlichsten Landstädtchen Thüringens, in Berlin, in Mannheim und Leipzig, in Salzburg, Prag und Wien. Das Jahr 1685 sah die Geburt Bachs und Händels, mit deren Schöpfungen das Oratorium, die Kirchenmusik und die hochbarocken Fugenkompositionen den Gipfel dieser Gattungen erreichten. In der Mitte des Jahrhunderts wirkte, eine Generation nach Bach und Händel, Christoph Willibald Gluck, der Opernreformator, errang in Paris den Sieg gegen die Italiener und bereitete schließlich dort und in Wien die Wege, die das deutsche Musikdrama zu einer großen Zukunft führen sollten. Im letzten Drittel kamen die Wiener Klassiker: Haydn-Mozart-Beethoven, und vollendeten den neuen Stil der Instrumentalmusik. Bach-Gluck-Beethoven: Drei Gipfel im Raum der deutsch geprägten abendländischen Musik des 18. Jahrhunderts.

Das Charakteristische des musikalischen Gesamtbildes dieses Jahrhunderts ist das Neben-, Gegen- und Ineinander der Stile. Zwei Hauptströmungen durchziehen das weite Feld: die kontrapunktische Musik und die empfindsame Musik. Sie entsprechen ungefähr den philosophischen und literarischen Grundzügen des Zeitalters, dem Rationalismus der Aufklärung und der Sensibilität der Genieepoche. Die kontrapunktische Musik befriedigt mehr das intellektuelle Bedürfnis, die empfindsame mehr das Gemüt des Musikers und Hörers. Das Todesjahr Joh. Seb. Bachs 1750 scheint das Jahrhundert zu teilen, so daß der ersten Hälfte mehr der kontrapunktische, der zweiten mehr der sensible Stil der Musik zugehören. Aus der Nähe betrachtet erweist es sich aber, daß die zweite Hälfte mit den Mannheimern und Wienern in der ersten vorgebildet ist. Was wir also aus der Philosophie-, Kunst- und Literaturgeschichte kennen, nämlich das Überschneiden der Denk-, Stil- und Ausdrucksformen, wiederholt sich in der Entwicklung der Musik. In der Epoche von Joh. Seb. Bach wurde mit gleichem künstlerischen Sinn und Können neben dem streng kirchlich-kontrapunktischen Stil auch der gelockerte weltlich-galante gepflegt. Ihrer beider Meister war Bach selbst. Aber erst in der Generation seiner Söhne kommt der galante Stil zur Vorherrschaft – etwa in Sammartini und der norddeutschen Schule um die Brüder Graun. Von Sammartini geht eine Linie zu Gluck; und Joh. Gottlieb und Karl Heinrich Graun wirkten in Berlin und bildeten den Geschmack des Königs, der Berlin zu einem musikalischen Zentrum hohen Ranges erhob, als Phil. Emanuel Bach, Quantz, Benda und Fasch dort arbeiteten. Noch gingen der kontrapunktische und galante Stil nebeneinander her: Auf der einen Seite K. H. Grauns Oper »Montezuma« mit dem Text von Friedrich d. Gr., auf der andern Seite Bachs »Musikalisches Opfer« – der Gipfel kontrapunktischer, intellektueller Komposition, deren Thema der König selbst gegeben hatte. Aber in beiden Stilen, dem kontrapunktischen wie dem galanten, herrscht noch ein unverkennbar rationaler Grundzug. Je weiter indessen das Jahrhundert fortschreitet, tritt ein expressives Formenprinzip hervor und führt die Entwicklung der Musik auf dem einen Weg zum musikalischen Sturm und Drang, auf dem andern aber zur Klassik.

Dieser große Entwicklungsbogen der deutschen Musikkultur überwölbt einen religiösen und sozialen Untergrund. Die *sakrale* Musik hatte ihren Höhepunkt mit Bach; sie sank ab, als auch die Fundamente der Kirche von der Aufklärung mehr und mehr erschüttert wurden. Immer mächtiger drängte die *weltliche* Musik hervor; sie begann in ihrer Sphäre mit einem Wettlauf zwischen der höfischen und bürgerlichen Musikkultur, bis im Zuge der Demokratisierung der Zeit die bürgerliche Musikübung noch v o r der großen Französischen Revolution den ersten Platz behauptete. Der Zusammenhang der musikalischen Entwicklung mit der gesellschaftlichen Umschichtung ist nicht zu verkennen. Der höfische Musikkreis umschloß Oper, Hofkonzerte, Ballet einschließlich der Tafelmusik, Tänze und Schäfereien. Das Lieblingskind der höfischen Gesellschaft war die Oper. In Italien geboren und mit dem Volke verbunden, entwuchs es dem italienischen Mutterboden und entwickelte sich in Frankreich durch Lullis Erziehung zu einem höfischen, französischen Geschöpf, während seine Geschwister in London und Wien dem italienischen Geschmack weiter verpflichtet blieben. Noch Gluck und Mozart huldigten dem italienischen Operngenius.

Während die höfischen Kreise selbst die Grundlagen der weltlichen Musikkultur festigten, entfaltete sich bereits die Blüte des bürgerlichen Musiklebens. Als der jugendliche Bach, noch ein Werdender, nach Lüneburg, Lübeck, Celle und Hamburg kam, lernte er die weltliche Musik in ihren verschiedenartigen sozialen und ästhetischen Formen kennen. Die deutsche, italienische, französische Tonkunst war eine universale Sprache, die jeder Bürger auch der elenden, aber musikalisch so reichen Städte Nord- und Mitteldeutschlands verstand. Von den Theatern der Könige, Fürsten und Grafen drang die weltliche Musik bis in die Finanzaristokratie, in das reiche Bürgertum bis hinein in das bürgerliche Familienleben und das armselige Schulzimmer. Die Collegia musica blühten. Mit der Gründung der öffentlichen Konzerte durch Philidor (1725) entwickelten sich nicht nur in Frankreich, sondern bald auch in Deutschland öffentliche Konzertunternehmen. Noch war der Stadt- und Hofmusikus eine charakteristische Erscheinung des Musiklebens. Das Turm- und Feuerblasen, die feierliche Tafelmusik und das Aufspielen zu allerlei Festlichkeiten blieb Aufgabe des einen; sein Gegenspieler, der Hofmusikus, diente weiter, bald als Herold oder Hoftrompeter, bald als Orchestermitglied oder Hofkapellmeister, seinem fürstlichen Herrn. Schüler und Studenten musizierten hingegen als Musikliebhaber in den Collegia musica, die oft von Kantoren, Organisten, Ratsmusikanten betreut wurden. Zunftmusiker und Liebhaber fanden sich zusammen; seit den Leipziger »Großen- und Kaufmannskonzerten«, 1743, verbanden sich Stadtmusiker und Dilettantenorchester. Und neben der seßhaften Hofmusikkultur und der zünftigen oder dilettantischen Schulmusikerwelt gab es die wandernden Operntruppen. Sie vermittelten in ihren bescheidenen Grenzen den Ständen und Bürgern der kleineren und größeren Städte, was gewöhnlich der Aristokratie auf den Provinzbühnen vorbehalten war: die Opernkunst. Bei solchen fahrenden Truppen verbrachte kein Geringerer als Gluck einen Teil seiner Lehr- und Wanderjahre. Von Hamburg über Berlin nach Wien verläuft eine Diagonale des deutschen Musikkreises und schneidet das große Dreieck Mannheim-Dresden-Prag. Und wie das Leben Händels und Glucks, des Londoner und Mailänder Bachs, Söhne von Johann Sebastian, zeigt, weitet sich – anders als im Wirkungskreis von Philosophie und Literatur –, viel ähnlicher dem internationalen Bauhüttenwesen, das musikalische Leben über Generationen hinaus in europäische Dimensionen aus. Gluck hat gemeinsam mit dem um eine

Generation älteren Händel 1746 in London konzertiert; die Italiener saßen in Dresden, Wien und Prag; die Franzosen in den Orchestern deutscher Fürsten.

2.

Da ereignete sich in dem thüringischen Herzstück Deutschlands das musikalische Wunder: *Johann Sebastian Bach*. Indessen war Bach (1685–1750) gar kein Wunderkind, nicht einmal ein Wunderjüngling, aber, wie Wagner ihn nannte, ein »Wundermann«. Fleißig auf der Schule, eignete er sich das Lateinische, die Rhetorik und Logik an. Die »ars oratoria« hatte für den damaligen Musiker eine tiefere Bedeutung als für den heutigen. In dem aus der Anschauungswelt Monteverdis abgeleiteten Grundsatz: »Oratio harmoniae domina absolutissima« lag für den jungen Bach bereits eine Aufgabe: Wie läßt sich das Gesetz des italienischen Theaterstils auf die Kirchenmusik, Kantaten, Passionen, Oratorien, übertragen? Auf der Schule erarbeitete er sich in der »musikalischen Redelehre« jene Grundlagen, auf denen er später die Kunst der biblischen Textphrasierung entwickelte. Die Berührung mit den humanistischen Fächern mochte seinen Horizont erweitert haben; aber sein eigentümlicher Geist bohrte sich tiefer in die lutherische Orthodoxie hinein; erst auf ihrem Boden läßt sich die theologische Schicht seines kirchenmusikalischen Werkes ganz erfassen. Nach der Schulausbildung stand ihm der Weg zur Universität offen. Er betrat ihn nicht. Er mußte *seinen* Weg gehen. Im »Betrachten« und »Nachsinnen« fand er ihn, wie uns Mizler in seinem Nekrolog mitteilt: *Betrachten*, d. i. Anhören und Lesen »der Werke der damaligen berühmten Komponisten«; und »angewandtes, eigenes *Nachsinnen*«, d. i. das Hineinhorchen ins eigene Innere. So bildete sich sein Genius aus Fleiß, Aufmerksamkeit und den Einflüsterungen seines Daimonions – ein verborgener Vorgang.

a) Die Zeitlosigkeit Bachs scheint in solchem überpersönlichen Einsamkeitsbereich ihre Wurzeln zu haben. Aber historisch gesehen hängt sein Leben und Schaffen mit hundert Fäden in der Geschichte der Zeit. Es ist in das politische, soziale, religiöse, künstlerische Gefüge seiner Epoche eingebaut. Der Rahmen dieses Lebens ist der Absolutismus der deutschen Fürstenhöfe, an denen er diente. Sein eigenes patriarchalisch-hierarchisches Denken spiegelt diesen Zeitgeist. Er kommt aus dem halb angesehenen, halb geringgeschätzten Musikerstand, der, wie wir sahen, überall im sozialen Leben der Gesellschaft gesucht wurde, an Kirchen,

Höfen, Schulen, Universitäten. Das musikalische Erbe, das er übernimmt, ist die norddeutsche Barockmusik des ausgehenden 17. Jahrhunderts mit Buxtehude und die Kantorenmusik in der Nachfolge von Heinrich Schütz. Im weltlichen Bereich sind es die Franzosen und Italiener: die einen in der »Ouverture« und der Clavecinkunst, die andern in der Oper und Instrumentalmusik. Aber viel weiter in die Vergangenheit hinein reichen seine Quellen: Die lange Überlieferung seit dem Gregorianismus über die Ars nova und die europäische Polyphonie der Madrigalepoche – alles das schwingt in dem Klangkörper dieses musikalischen Universalgenies, der sich in der Abfolge von sechs Musikergenerationen herausgebildet hatte, nach.

Wie ist es möglich, daß Bach Endpunkt einer jahrhundertealten Entwicklung und einer sich überlebenden Musikauffassung und zugleich Ausgang neuzeitlicher Musikübung unseres Jahrhunderts ist? Wie konnten ihn einerseits seine eigenen Kinder als »alte Perrücke« empfinden, während nach ihnen die klassische, romantische und vor allem die moderne Musik, also ein Mozart, ein Schumann und ein Hindemith, ihn als Fundament ihrer eigenen, so verschiedenartigen musikalischen Stile betrachten konnten; und wie ist es möglich, daß seine Musik heute Gemeingut sowohl der Protestanten wie Katholiken ist? Sicherlich ist es nicht die geradezu märchenhafte technisch-virtuose Begabung Bachs auf dem Klavier, der Orgel und der Geige, eine dreifach virtuose Begabung, die kein ausübender Musiker nach ihm bis heute auf den drei Instrumenten gleichzeitig erreicht hat. Es ist nicht das Musizieren selbst, sondern die in der Musik sich vollziehende Synthese der linearen und vertikalen Kompositionskunst. Die kontrapunktisch-melodische Stimmführung, d. h. die gleichzeitige Verwendung mehrerer selbständiger melodischer Linienzüge, verbindet sich mit der Homophonie, d. h. mit der vertikal-harmonischen Akkordwirkung zu einem Klanggebilde, das gleichsam in der Dimension der Zeit und zugleich der des Raumes akustisch vernommen wird. Das horizontale Notenbild eignet der polyphonen Setzweise der älteren Musik und hat seinen Höhepunkt und seinen Abschluß in dem Wunderwerk der Bachschen Fugenkunst; das vertikale Notenbild eignet der Homophonie, die eine Anzahl Höhepunkte von der Klassik bis Richard Strauß aufweist. Heute streben manche Musiker zur Auflösung der bis an die Grenze gelangten differenzierten Harmonik, indem sie im freien Spiel der freien melodischen Linie, d. h. im Prozeß einer paralinearen Polymelodie, die Elemente der Atonalität legten. Bach aber konnte beides. Er ging ebenso sicher auf dem polyphonen Höhenzug der Renaissance wie auf dem monodischen des Barocks; er verspannte die horizontal sich erstreckenden Energieströme des zeichnerisch Linearen mit dem vertikal harmonischen Kräftespiel des farbig akkordischen Gefüges. Er war – wenn man will – Impressionist und Expressionist, Maler und Zeichner in einem.

b) Das Fundament seines Lebens und seiner Musik ist die Religiosität. Auf drei Stufen, so scheint es mir, können wir in ihre Tiefen dringen. Die erste ist eine poetisch-religiöse: über sie kommen wir in das Reich der Kantaten und Passionen; die zweite ist die christlich-dogmatische: sie führt in den weiten theologischen Bereich seiner Kunst; die dritte geleitet gleichsam zum Allerheiligsten jenseits der Gefühle und des Verstandes, der Poesie und der Dogmatik: die Musik wird in diesem Bereich mystische Erfahrung des göttlichen Weltprozesses.

1. Das Kantatenwerk ist, wenn man will, die erste Stufe der Initiation. Es ist auch dem Laien eingänglich; denn die seit 1704 erscheinenden Kantatendichtungen Erdmann Neumeisters waren jede für sich eine Art Opernszene, die jedermann verständlich war.

»Soll ich's kürzlich aussprechen«, lesen wir bei Neumeister, »so sieht eine Kantate nicht anders aus als ein Stück aus einer Oper, zusammengesetzt aus stilo recitativo und Arien.«

Trotz des Widerstandes vornehmlich seitens der Pietisten verbreitete sich die neue Form durch das protestantische Deutschland, und Bach begann sie seit 1714 zu vertonen. Auf den Spuren Neumeisters dichtete dann Salomo Franck mit größerem poetischen Geschick fünf Jahrgänge von Kantatentexten, von denen Bach ein Dutzend komponierte. Textlich wie musikalisch finden wir darunter Perlen wie etwa »Gleich wie der Regen und Schnee vom Himmel fällt« oder »Komm, du süße Todesstunde« oder die Frühlingskantate »Der Himmel lacht, die Erde jubilieret« – alle drei vom Jahre 1715. Durch das Medium des Textes spürt auch der Laie den religiös-poetischen Atem, der nun auch die Musik aus der Starre und Steife der Harmonik zu erlösen scheint, und der gleichermaßen die Melodik und Rhythmik in den Dienst des durch die Poesie vermittelten religiösen Erlebnisses stellt.

In weitere Räume seines christlichen Weltbildes führen die Passionen. Dem Komponisten der eben zitierten Kantate der »Süßen Todesstunde« war das platonisch-christliche Todesmotiv, das Jenseitsverlangen, nichts Fremdes, sondern war seine eigene Seelensehnsucht. In ihrer vielgelesenen »Chronik der Anna Magdalena Bach« hat Esther Meynell dieser sokratisch-platonischen Haltung und Lebensstimmung Bachs Erwähnung getan:

Doch seltsamer als alles war ein glühendes Verlangen, das ihn sein ganzes arbeitsvolles Leben hindurch begleitete, ein Verlangen nach dem Tode.«

Und Cherbuliez schreibt in seiner gehaltvollen Bach-Monographie:

»Es ist, als ob die künstlerische Inspiration in solchen Augenblicken noch reicher und intensiver sei, wo es gilt, das Jüngste Gericht, die Verklärung des Sterbens in Gott, den Sieg des Heilands über den Tod, Idee und Gestalt des düsteren und grimmigen Bezwingers alles irdischen Lebens zu schildern.«

Davon zeugen die »Passionen« und die großen oratorischen Formen, in denen es immer deutlicher wird, daß für Bach der Urgrund der Musik im Göttlichen ruht. 1729 schenkte der Komponist seinen Zeitgenossen und der Nachwelt eine Passion nach Matthäus mit dem Text von Picander nach Brockes. Die Aufführung am 15. April war ein unbeachtetes Ereignis der abendländischen Musikgeschichte. Die Elemente der »Passion« sind die Kantaten. Von unbeschreiblicher Schönheit sind die Arien, ein lyrischer Ausdruck innerster Anteilnahme der »Tochter Zion«, der gläubigen Seele; ihnen zur Seite die Choräle als Besinnung und Mitgefühl der gläubigen Gemeinde am Passionsgeschehen; da sind die Turba-chöre, das ganze dramatische Geschehen mit den Jüngern, dem Hohenpriester, den Schriftgelehrten, Pharisäern und römischen Kriegsknechten, alles das ist in die Chöre eingefangen; aber der Chor spielt auch eine überpersönliche, objektive Rolle. Er repräsentiert die christliche Menschheit, wie der Chor der antiken Tragödie die Menschheitsstimme antik-heidnischen Klanges ist. Naturgefühl und kosmische Schauer verbinden sich mit heiliger Symbolik: die Abendstimmung des Schlußchores; das nächtliche Gemälde der Gefangennahme Christi im Garten Gethsemane; die Teilnahme von Mond und Sternen am Schmerz und der Empörung – dann die »Abendstunde«, wo der »Friedensschluß mit Gott« gemacht ist – Finsternis und Erdbeben in der »neunten Stunde« – der Ausklang. Eine Poesie von episch-dramatischer Wucht, einzig vergleichbar den antiken Schöpfungen der alten Griechen. So sagt Richard Benz:

»Christus statt Dionysos der Herr; aber sein Leiden und Untergang in derselben Frühlingszeit erwachenden Lebens natur- und geistsymbolisch besungen wie in Athen.«

Was den Musikkenner immer wieder von neuem bei Bach überwältigt, ist das Wachstum der Elemente – wie etwa der Kantate – in die Komposition musikalischer Großformen. Wie er die 24 Szenen der Matthäuspassion zu einer zweiteiligen zyklischen Großform aufbaut, wie er das Passionsdrama in seinen Spannungen und Entspannungen, seinen Schmerzen und Tröstungen musikalisch motiviert, verknüpft, verspannt, ist eine Meisterleistung weiser Dispositionskunst. Darüberhinaus aber war für den gläubigen Christen noch eine ganz andere Aufgabe gestellt: die musikalische Darstellung des leidenden Christus, welcher die Achse der Weltgeschichte ist. Darum rang Bach auf den beiden Wegen der Passionsmusik und der Messe. An beiden Aufgaben, nämlich der Darstellung des irdischen Weges der Christuspassion im Rahmen der Evangelientexte und der Ausweitung des Gottmenschendramas in die kosmische Perspektive durch den Messetext, ist Bachs Klangphantasie und zugleich seine architektonische Formensprache zu einer musikalischen Dichtung gewachsen, die auf religiöser Ebene einmalig bleiben wird.

2. Da stehen wir auf der zweiten Stufe. Hat Bach daran gelitten, daß die protestantische Dogmatik mit der Beseitigung der Messe, in deren Worten das »Descendit-Ascendit«-Problem der göttlichen Welt- und Menschheitsgeschichte beschlossen ist, gerade zu seiner Zeit erstarrte? Man möchte es glauben – aber dann eben löste dieser große Gläubige und Wissende die dogmatische Erstarrung auf und machte dem Vernehmenden das W e s e n des christlichen Dogmas hörbar. An einem Beispiel zeigt Erich Schwebsch, wie greifbar nahe die Möglichkeit liegt, gewisse zyklische Werke des Meisters wie etwa den 3. Teil seines Sammelwerks der »Klavierübung« (1739) als lebendige Glaubenslehre aufzubauen. Bach hat darin acht Kirchenlieder des lutherischen Katechismus mit den Hauptstücken des christlichen Glaubens kunstvoll wie eine Messe gruppiert und zu jedem Choral ein doppeltes Orgelvorspiel geschrieben. Das eine ist von tiefer Tonsymbolik erfüllt und groß angelegt, das andere ist technisch einfacher und in der Ausübung auf die beiden Manuale beschränkt. Unverkennbar liegt hier eine Parallele zu Luthers großem und kleinem Katechismus vor. Das Ganze wird von dem Orgelpräludium in Es-Dur eingeleitet und von der dazugehörigen Tripelfuge abgeschlossen. Was im Präludium an göttlichem Schöpferwillen noch verschlossen enthalten ist, entfaltet sich in der Tripelfuge als göttliche Trinität: Gott-Vater, Gott-Sohn, Gott-Heiliger Geist haben ihre eigenen musikalischen Themen. Erinnern wir uns, daß in der westlichen Kirche im Gegensatz zur Ostkirche die Glaubensregelung so fixiert war, daß der Sohn vom Vater ausging, der hl. Geist aber vom Vater u n d vom Sohn. Bereits in der h-moll Messe hat Bach durch eine kanonische Bindung diese Zusammenhänge dargestellt. In der Tripelfuge läuft nun die erste Fuge als Entfaltung Gott-Vaters ab; im zweiten Teil löst sich daraus das Thema des Sohnes ab, verbindet sich aber so eng im Laufe der Fuge mit dem Thema des Vaters, daß jenes entscheidende Dogma »Ich und der Vater sind eins« musikalische Form geworden ist. Aus dieser Verbindung gestaltet sich durch neue Verwandlung des Vater- u n d Sohnmotivs ein Drittes, das alle Stimmen durchdringt und mit dem Vater- und Sohnthema eine Dreieinheit bildet. Die Tripelfuge wird zur Trinitätsfuge. Die Bewegungen des göttlichen Geistes

sind in die Bewegungsformen reinster Musik eingegangen und machen aus der Klavierübung III. Teil eine »dogmatische« Musik.

Bach erscheint in dieser Schicht seines Werkes als der rechte Ausdeuter und Vollender Luthers; denn Luther hatte die Musik nach langen Jahrhunderten wieder zum kultischen Rang erhöht und darüber hinaus der Musica einen theologischen Sinn gegeben. Er selbst war Liederdichter und Komponist in einem gewesen. Ein Bewunderer von Josquin des Prés war Luther ein Kenner der kontrapunktischen Polyphonie des hohen Mittelalters und sah in dieser Kunst den »himmlischen Tanzreigen«. Für ihn gehörten Theologie und Musik zusammen:

»Und ich bin der Meinung« – so lesen wir in einem Schreiben Luthers an den Hofmusikus Ludwig Senfl in München – »und scheue mich auch nicht, es offen zu bekennen, daß es nach der Theologie keine Kunst gibt, die der Musik an die Seite gestellt werden kann; – da sie allein nächst der Theologie das kann, was sonst die Theologie allein vermag, nämlich die Seele ruhig und fröhlich zu machen, zum offenbaren Zeugnis, daß der Teufel, der Urheber der traurigen Sorgen und unruhigen Gedanken, vor der Stimme der Musik fast ebenso flieht wie vor dem Wort der Theologie.«

3. Noch ist diese Welt Bachs dogmatisch-konfessionell gebunden. Eine letzte Stufe seiner Musik aber führt in das Innerste und Weiteste religiösen Erlebens jenseits christlicher Dogmenbildungen. Das ist das Alterswerk der »Kunst der Fuge«. In einer eindringlichen Werkanalyse hat Schwebsch auf Grund der Graeserschen Partitur das mathematische Gefüge dieses abstrakten Fugenwerks als Ausdruck religiöser Mystik interpretiert. Aus einem Keim, dem Grundthema, entwickelt sich die Descendit-Bewegung, der Abstieg, in einer immer stärker sich differenzierenden Verdichtung bis zu dem Umschwungpunkt, von wo die Ascendit-Bewegung, der Aufstieg, beginnt und die Musik in Kontraposition zur Descendit-Kurve zum Urthema als Ausgangsschwelle zurückführt. Im Symbol einer Parabel begreifen wir den Evolutionsprozeß, der, von dem d-moll-Thema der 1. Fuge ausgehend, in organischer Gesetzmäßigkeit das Thema zur Entfaltung treibt. Am weitesten Punkt – in der größten Ursprungsferne –, da wo das Thema sich gleichsam ganz in die irdische Welt verstrickt hat, erklingt qualvoll das Thema B-A-C-H, eine Inkarnation des Komponisten selbst, das sublimste musikalische Spiel von religiös-metaphysischem Ernst. Nun beginnt die rückläufige kontrapunktische Aufwärtsbewegung der Fugengruppen in immer fortschreitender Vergeistigung, bis die 19. Fuge, eine Quadrupelfuge, mit dem wieder auftauchenden Urthema den Horchenden an die Schwelle des Ausgangs zurückführt.

Was steht hinter einer solchen musikalisch-mathematischen Kurve?

Mir scheint es sehr deutlich zu sein, daß es sich um jene Denkform handelt, die sich mit dem Begriff der Mystik einigermaßen formal bestimmen läßt. Wir lesen etwa in Tauler, den wir in Bachs Bibliothek finden, ein Wort, das ihn beeindruckt haben mag:
»Darum geschehen alle Ausgänge um der Wiedervereinigung willen, darum ist des Himmels Lauf der alleredelste und vollkommenste, weil er recht eigentlich wieder in seinen Ursprung und in seinen Beginn zurückgeht, von dem er ausging.«
Stellen wir dazu das Wort des Meisters Eckehart:
»Gott ist Mensch geworden, damit ich Gott werde.«
– und wir begreifen die Evolution der »Kunst der Fuge« als ein solches Gott-Welt-Menschenschicksal. Hinter dem christlich-mystischen Weltbild, das hier zum tönenden Kosmos wurde, steht jedoch uralte Mysterienweisheit des vorchristlichen Pythagoras. Bei ihm waren, wie wir uns aus Herder erinnern, Musik und Mathematik, Religion und Philosophie noch nicht in einzelne Wissenschaftsdisziplinen zerfallen, sondern waren als miteinander verbunden gedacht und wurden so auch erfahren. Nun sind auch wie bei Pythagoras so bei Joh. Seb. Bach Mathematik und Musik untrennbar als »Matheseomusica« gegeben. Wir lesen bei Albert Schweitzer, dem Bachkenner:
»Bach arbeitete wie ein Mathematiker, der eine ganze Operation im Geiste vor sich sieht...« Und: »Zuletzt war auch das orthodoxe Luthertum nicht die eigentliche Religion des Meisters, sondern die Mystik. Seinem innersten Wesen nach ist Bach eine Erscheinung in der Geschichte der deutschen Mystik.«
Die Werkanalyse Erich Schwebschs ist der streng geführte Nachweis dieser Intuition des Religionsphilosophen Schweitzer u n d des Mathematikers Wolfgang Graeser. Ich möchte sagen, daß Bach auf dieser dritten Stufe, die wir mit der »Kunst der Fuge« betreten, über die christliche Form der Mystik in die antike Metaphysik und den vorchristlichen Mythus einer Kosmologie zurückgreift. Bach ist ein Glied in der *catena aurea* der religiösen Weltweisen und großen mystischen Denker, deren Tradition von Zoroaster über Pythagoras und Platon zu Plotin und weiter über die christlichen Mystiker zu Nicolaus von Kues und Leibniz reicht. Nicht zu unrecht ist Bachs Musik in diesem Sinne eine »musikgewordene Metaphysik Leibnizens« genannt worden.
c) Bachs Genie wurde in seiner Zeit verkannt. Man bewunderte seine technischen Leistungen, seine »Faustfertigkeit« auf Orgel und Klavier, aber erfaßte seinen eigentlichen Genius nicht. Die zeitgenössischen Beanstandungen der Schwülstigkeit, Unnatur und Dunkelheit seines Stils sind begreiflich, wenn man den Wandel der Musikästhetik, wie er etwa um 1735 einsetzt, in Rechnung bringt. Da stoßen wir auf einen drei-

fachen Grund: 1) Wenn die Bachsche Musik wegen ihrer »Naturwidrig-keit« getadelt wurde, so geschah es im Namen der »Vernunft«, die das Schlagwort der heraufziehenden Aufklärung wurde. Das in der Tiefe wurzelnde Mathematisch-Rationale seiner Musik, die mathematische Abstraktion, wurde offenbar übersehen, überhört, von den Jüngeren gar nicht mehr begriffen:

»Wie kann«, schreibt Scheibe 1738, »derjenige ganz ohne Tadel in seinen musikalischen Arbeiten sein, welcher sich durch die Weltweisheit nicht fähig gemacht hat, die Kräfte der Natur und Vernunft zu untersuchen und zu kennen?«

»Weltweisheit« war ein Schlagwort der Zeit, von Gottsched viel be-nutzt – und daß »Natur und Vernunft« im Sinne dieser Aufklärer nichts mit der mystischen Weltweisheit Bachs zu tun hatte, ist offenbar. 2) Die allgemeine Kunstgeschichte ging den Weg von der hohen Barock-kultur zur »Verniedlichung« des Rokoko; so wandelte sich auch der Geschmack des bürgerlichen Publikums, der Kennerschicht und der Künstler selbst. Wir haben diesen Wandel eingangs angedeutet. Die religiöse Kraft hochbarocker Kunst wich dem geschmeidigen, galanten und empfindsamen Stil. Bach aber blieb rückwärtsgewandt. 3) Die neu aufbrechende Generation wurde von zwei anderen musikalischen Idea-len getragen: von einem neuen Opernideal einerseits, und das ist Gluck, und von der Tendenz einer neuen Stilentwicklung andererseits, wie sie sich etwa innerhalb der Bachschen Familie in seinem jüngsten Sohn Jo-hann Christoph zeigt. Wir kennen ihn als Komponisten von Herders Oratorientext »Die Kindheit Jesu«; von ihm soll auch das Wort von der »alten Perrücke« stammen, das auf den Vater gemünzt war. Im gleichen Jahre wie dieser letzte Sproß von Joh. Seb. Bach wurde Franz Joseph Haydn geboren, 1732. Diese Generation war also schon 18 Jahre alt, als der alte Bach starb, und 6 Jahre später wurde Mozart geboren.

Erst viel später wurde Bach wieder entdeckt. Die von Mendelssohn seit der Aufführung der Matthäuspassion 1829 eingeleitete Bachre-naissance ist oft gewürdigt worden. Fast zur gleichen Zeit, 1827, sprach der greise Goethe die aufschlußreichen Worte über Bach:

»Ich sprach mir's aus: als wenn die ewige Harmonie sich mit sich selbst unterhielte, wie sich's etwa in Gottes Busen, kurz vor der Weltschöpfung, möchte zugetragen haben. So bewegte sich auch in meinem Innern, und es war mir, als wenn ich weder Ohren, am wenigsten Augen, und wieder keine übrigen Sinne besäße noch brauchte.«

Und am Ende des Jahrhunderts schrieb Nietzsche, ein versierter Mu-sikkenner, unter Bezugnahme auf dieses Goethewort:

»Sofern man Bachs Musik nicht als vollkommener und gewitzter Kenner des Kontrapunktes und aller Arten des fugierten Stils hört, und demgemäß des eigentlichen artistischen Genusses entraten muß«, wird es uns als Hörern seiner Musik zumute sein (um uns grandios mit Goethe auszudrücken), als ob wir dabei wären, wie Gott die Welt schuf, das heißt, wir fühlen, daß hier etwas Großes im Werden ist, aber noch nicht ist: unsere große moderne Musik ... Bach steht an der Schwelle der europäischen modernen Musik; aber er schaut sich von hier nach dem Mittelalter um.«

Zwischen Goethe und Nietzsche liegen die nicht minder interessanten Zeugnisse des Frühromantikers Weber, des Hochromantikers Schumann, des Spätromantikers Wagner. Alle drei kommen in ihren literarischen Arbeiten immer wieder auf Bach zu sprechen. Und ist nun diese europäische moderne Musik, von der Nietzsche sprach, Wirklichkeit geworden? Ist die Schwelle überschritten? Hier wäre vieles zu sagen. Schließen wir vorerst mit einem Bekenntnis eines Zeitgenossen, der selbst maßgebend an der Entwicklung der modernen Musik beteiligt war. Dieses Zeugnis stehe für viele andere, welche sich über die Hoffnungslosigkeit, die Bachsche Höhe je zu erreichen, mit dem Gedanken trösten, daß in Bach die Zukunft der Musik, der sie selbst dienen wollen, in potentia verheißen ist. Dieser Bewunderer Bachs ist Hindemith. Er schreibt:

»Dieser Gipfel ist, wie wir wissen, uns unerreichbar, aber da wir ihn erschaut haben, dürfen wir ihn nicht mehr aus den Augen verlieren, er wird uns immer als Richtungsweiser dienen müssen ... Im begrenzten Gebiet unseres Musikgenießens ... bedeutet das Erkennen des Gipfels, daß wir keine klingende Form mehr in uns aufnehmen können, ohne sie an den Werten zu messen, die uns Bach gezeigt hat.« (Joh. Seb. Bach. Ein verpflichtendes Erbe. 1953)

3.

Bachs berühmtester Altersgenosse war *Georg Friedrich Händel* (1685 bis 1759). Beide waren durch eine musikalische Stilverwandtschaft, die Formensprache ihrer Epoche, verbunden, beide dem norddeutschen Hochbarock verpflichtet, beide von Buxtehude fasziniert. Was sie trennte, lag tiefer in ihrer Natur und ihrer eigentümlichen Geistigkeit begründet, lag auch an ihrer Umwelt und ihren Lebensumständen. Bach war immer nur ein in bedrückenden Verhältnissen lebender Geiger, Kantor, Organist im Kampf gegen Armut und häufige Verständnislosigkeit seiner Vorgesetzten; sein Wirken verlief in den engen Grenzen eines Kleineleutelebens. Händel war Weltmann, lebte in den hohen Kreisen des englischen Königshauses, des reichen Bürgertums und einer gefeierten Künstlerschaft. Bach war eine geniale Natur, introspektiv und rückwärts gewandt, mehr ein Zeitgenosse von Thomas von Aquino und Eckehart im Zeitalter der Mystik und Scholastik, der Gotik und der Ars nova. Händel war gleichfalls genial, aber nach außen gewandt, ein echter Zeitgenosse der Barockfürsten, großartig und repräsentativ. Weltliche und geistliche Fürsten wendeten die Seiten seiner Partituren: die Queen Anne und Sophie Charlotte, der König Georg I. und der Bischof Gibson. Damit sei angedeutet, daß Händel ein Produkt vieldeutiger Faktoren war, von denen wenigstens drei die Umrisse seiner Persönlichkeit und seines Werkes charakterisieren: Die Genialität seiner musikalischen Schöpferkraft, die sich, wie bei allen »Genies«, als freie Gabe des Schicksals ins Unerklärliche hüllt; die Flächenhaftigkeit seiner musikalischen Sprache, die zum eingängigen Ausdruck hochbarokker Sinnenfreude wurde; das beglückte Leben in der englischen Umwelt, die ihm zur zweiten Heimat ward und zum günstigsten Boden für seine ihm eigene musikalische und literarische Kultur.

Händel wurde als Sohn eines Arztes in Halle geboren. Als Schüler von Zachow kam er in die strenge Zucht der norddeutschen Tonsetzer und lernte, ähnlich wie Bach gleichzeitig bei Georg Böhm in Lüneburg, die Technik des Spielens und des Satzes vollendet beherrschen. Fußwanderungen mit Zachow nach Leipzig, wo er die Thomanermusik hörte, waren seiner Entwicklung so dienlich wie einem Bach die frühen Aufenthalte in Hamburg und Celle. Der Vater jedoch bestimmte ihn zum juristischen Studium. Sicher war es nicht ohne Bedeutung für ihn, daß er den frischen Morgenwind der deutschen Aufklärung als Studiosus juris in Halle gespürt hat. Dort lehrte, wie wir uns erinnern, Thomasius und Francke; von beiden Männern hat Händel einen nachhaltigen Eindruck empfangen. Die gesellschaftlich-philosophische Wirksamkeit des einen und die pietistische Werkfrömmigkeit des andern, des Wohltäters der Waisen und Armen, haben den jungen Studenten frühzeitig auf England »gestimmt«, von wo um jene Zeit das Ideengut der Aufklärung aufs Festland einzuwirken begann. Aus dem juristischen Studium wurde nichts. Händel ging mit 18 Jahren nach Hamburg, trat als Geiger ins Orchester der Oper ein und komponierte seine erste Oper »Almire«, die mit ungeteiltem Beifall aufgenommen wurde. Es folgte eine zweite mit gleichem Erfolg. Aber es hielt ihn nicht länger in Hamburg, trotz Reinhard Keiser und der Nähe von Buxtehude. Als seine dritte und vierte Oper in Hamburg zur Aufführung kam, war er bereits (1708) in Italien. Er ging nach Florenz mit seiner Oper »Rodrigo«, dann nach Venedig mit der Agrippina«, die 27 mal hintereinander gespielt wurde, und schließlich nach Rom, wo er zwei Oratorien aufführen ließ. In Hamburg sprach man bald mit Stolz von dem »anitzo in Italien so hochbeliebten und berühmten Monsieur Händel«.

Italien bedeutet eine neue Horizonterweiterung – einen zweiten Schub in seiner Entwicklung. Er zeigt sich für die hohe bildende Kunst des Landes empfänglich, aber sein Herz gehört der Oper; sie mußte ihn von allen musikalischen Kulturphänomenen der zeitgenössischen Italiener am tiefsten beeindrucken. Dennoch verläßt er den Süden, folgt Agostino Steffani, dem berühmten Abbé, Komponisten und Diplomaten, nach Deutschland, als dieser ihm vorschlägt, sein Nachfolger im Hofkapellmeisteramt zu Hannover zu werden. Aber noch im gleichen Jahr zieht es ihn nach England. Das ist das dritte Stadium seiner Entwicklung. England wird ihm zur letzten Heimat – und streng genommen gehört die nunmehr folgende Schaffensperiode seines Lebens in die Musikgeschichte des Inselreichs.

Es ist unruhig in der Welt. Der spanische Erbfolgekrieg und der nordische Krieg ziehen Ost- und West-, Nord- und Südeuropa in ihren Strudel. England hat seine »glorious revolution« hinter sich. Unter Wilhelm III. von Oranien wird die Grundlage des Parlamentarismus in England gelegt, 1701 die Thronfolge im protestantischen Sinne geordnet, das Haus Hannover erbberechtigt. 1702–14 regiert Anna, die Gönnerin Händels, und nach ihrem Tod wird Großbritannien mit Hannover in Personalunion vereinigt. Es ist in Krieg und Politik vom Glück begünstigt. Handel und Wissenschaften blühen, mit ihnen Kunst und Literatur; die fortschrittlich-aufgeklärte Gesinnung seiner Philosophen und Staatsmänner, Tatendrang und nüchterne Klugheit, gepaart mit unleugbaren religiösen Impulsen, Fortschritte und Erfolge auf allen Gebieten ziehen die Aufmerksamkeit der andern Großmächte auf England. Man muß Voltaires »Lettres sur les Anglais« lesen, um die Bewunderung Europas für die werdende eigentümliche Größe und den Geist des Inselreichs zu verstehen. Das ist das England des nunmehr 27jährigen Händel. Sein »Rinaldo« besiegelt seinen Ruhm in London, wie zuvor die »Almire« in Hamburg und die »Agrippina« in Venedig. Seine Bekanntschaft mit Englands Volksmusik, Madrigalkunst und den kirchlichen Chorwerken führt ihn auf die dritte Entwicklungsstufe seiner Kunst. Henry Purcell wurde das große Erlebnis. Es war »englische« Musik, anders als der strenge norddeutsche Barock, anders als der italienische bel canto. Volkstümlich in ihrer Melodik, großräumig in ihren stark besetzten Sängerchören, war sie stofflich den Davidschen Lob- und Dankespsalmen verbunden. Im Utrechter »Te Deum« 1713 erprobte Händel den englischen Stil: es wurde eine Synthese der Zachowschen Kontrapunktik, Palestrinensischer Harmonik und Purcellscher Monumentalität. Und alles zusammen war Händelscher Stil aus einem Guß.

Man weiß, wie dieser bewegliche, ganz ins Leben der Zeit verstrickte Komponist nun, Oper auf Oper schreibend, den Kampf gegen die italienische Konkurrenz im Haymarket-Theatre und im Coventgarden aufnahm; wie die Unternehmungen scheiterten und wie er noch ein drittes Mal in die Arena trat, um einen letzten Fehlschlag auf diesem Felde zu erleiden. Nach seiner 31. Oper verließ er das Theater. Aber dieses England des bibelfesten und tätigen Protestantismus, der moralphilosophischen Spekulationen und der ungekünstelten Volkshaftigkeit war der geeignete Boden, auf dem Händels ursprüngliches Genie mit den Schöpfungen seiner Oratorien einen säkularen Sieg erringen konnte. In dieser Gattung – einer Oper ohne Bühne und Szene – wurde er zum souveränen Herrscher, der auf Jahrhunderte hinaus den religiös- musikalischen Stil Englands prägte. Sein »Messias« wurde 1742 in Dublin uraufgeführt; er wurde für England das, was die Matthäuspassion, 13 Jahre früher gespielt, für Deutschland geworden ist.

Was Händel im Oratorium gelang, war nichts Geringeres als die Verschmelzung griechisch-antiker Größe mit dem heiligen Ernst der jüdischen Religion. Auch dieser biblische Humanismus hatte seine spezifisch englischen Züge. Alexander Pope, Händels Freund, von Voltaire als größter Dichter der Zeit bewundert, übersetzte damals die »Odyssee« (1720). Fünfzehn Jahre danach erschien Blackwells Buch über Homer, auf das sich Winckelmann bezog. Das bibelfeste, humanistisch durchgebildete und literarisch begabte England konnte auf Händel, von dessen Belesenheit und literarischen Kenntnissen man weiß, nicht ohne Einfluß bleiben. Das biblische Element aber überwog. Die tragische Welt des auserwählten Volkes und seiner Propheten war dem Protestanten seit seiner Hallenser Jugendzeit vertraut. In der Geschichte Israels sah er zum zweitenmal Geschichte als Geschick verwirklicht. Wie verstand er seinen Milton! Und wie lebendig wurden in seinen Partituren die Gestalten, die männlichen und weiblichen des Alten Testaments! Neben Samson, Jonathan, Belsaza, die Frauenschicksale der Asenath, Dejanira, Athalia, Dalila, Iphis, Esther. Man muß auf Racine zurückgehen, den Dichter der »Athalie« und »Esther« – es lag nur etwa 50 Jahre zurück –, um einen Deuter und Gestalter der weiblichen Psyche im Umkreis der israelitischen Frauenwelt, vom Range eines Händel, zu finden.

Wir sind von Bach weit entfernt; alles scheint Händel nunmehr von seinem Altersgenossen zu trennen: die Opernmusik, die opernhaften Elemente seiner Oratorien, die Charakterisierungskunst, mit der er die Frauenwelt zu gestalten weiß, auch der Drang nach Anerkennung und

3 Josef Haydn
   Gemälde von Christian Ludwig Seehas

weltlichem Ruhm, die monumentale Barockgeste seines Auftretens, seiner Haltung, seiner Musik, die volkstümlichen Konturen seiner achttaktigen Perioden und die Einprägsamkeit seiner schlichten Motive, die italienische Kantabilität, und über allem jene Weltoffenheit und Weltfrömmigkeit, die sich in den rauschenden, diesseitsfreudigen D-Dur-Klängen seiner Partituren bekunden und einen so markanten Kontrast zu der metaphysischen Todessehnsucht und Weltabgewandtheit eines Bach und seinem musikalischen Urgestein, dem d-moll, bilden. Händel: ein volkstümlicher Prediger, den eine ganze Nation verstand und noch versteht; Bach: ein Mystiker, dessen transzendente Sprache in dem Letzten und Tiefsten, was sie sagen will, doch immer nur wenigen verständlich sein wird. Da erhob sich alsbald die Frage: Bach oder Händel? Aber sie ist so irrelevant und irreführend wie die Alternativen: Lulli oder Purcell, Gluck oder Piccini, Wagner oder Brahms, Pfitzner oder Strauß. Die Antwort kann nur lauten: Bach u n d Händel, und so bei den anderen. In dem »und« liegt die Weite der musikalischen Kultur dieser Generation des deutschen und europäischen Hochbarocks.

4.

Michael Kelly, ein berühmter englischer Sänger und Bühnenkomponist in der zweiten Hälfte des 18. Jahrhunderts, schrieb in seinen Lebenserinnerungen:
»Eines Morgens, als ich mit ihm gesungen hatte, sagte er (es handelt sich um Gluck): ›Folgen Sie mir nach oben, und ich werde Ihnen jemand zeigen, dem nachzueifern ich mich mein ganzes Leben hindurch ernstlich bemüht habe.‹ Ich folgte ihm in sein Schlafzimmer, und gegenüber dem Kopfende des Bettes sah ich ein lebensgroßes Porträt Händels in reichem Rahmen: ›Dies‹, sagte er, ›ist das Bildnis des göttlichen Meisters unserer Kunst. Wenn ich morgens die Augen öffne, dann blicke ich mit ehrfürchtiger Scheu auf ihn und huldige ihm, und Ihr Land verdient höchstes Lob, weil es sein gigantisches Genie so geachtet und geliebt hat.‹«
Wirklich war Gluck, als er, einer Einladung des Direktors vom Haymarket-Theatre folgend, nach London gegangen war, dem alten Händel dort begegnet. Gluck (1714–1787) war damals 31 Jahre alt und durch seine Opernerfolge in Italien ein berühmter Mann geworden. Die Begegnung mit Händel wurde für den um eine Generation jüngeren Kollegen von folgenschwerer Bedeutung. Zwar unterließ der alte Meister Händel nicht zu bemerken, daß sein alter Koch Waltz mehr vom Kontrapunkt verstehe als dieser junge Landsmann; umgekehrt

konnte auch niemand erwarten, daß Gluck, der Altersgenosse von Bachs ältestem Sohne Friedemann, trotz aller Verehrung für des Vaters großen Zeitgenossen, an dem veraltenden Stil des Hochbarocks Geschmack gefunden hätte. Trotzdem waren Händels Ratschläge nicht vergebens. Gluck bewahrte eine unvergeßliche Erinnerung an sie.

Es war ein musikalisches Ereignis, als am 25. März 1746 Gluck und Händel zusammen in London mit eigenen Werken konzertierten. Gluck war mit der Ouvertüre und Gesangspartien aus »La Caduta de' Giganti«, einem Pasticcio aus eigenen Werken, vertreten, Händel mit Nummern aus dem »Alexander's Feast«, aus »Samson« und einer Orgelmusik. Wie nun Gluck am Anfang seiner Karriere mit dem um 29 Jahre älteren, bewunderten Händel zusammentraf, so begegnete er am Ende seines Lebens dem bewundernden Besucher seiner Opern, dem um 42 Jahre jüngeren Wolfgang Amadeus Mozart. Der damals 25 jährige Kapellmeister von Salzburg war ein aufmerksamer Zuhörer bei den Wiener Proben zur »Iphigénie en Tauride«. Als Mozarts eigene »Entführung aus dem Serail« 1782 herauskam, war der alte Gluck seinerseits unter den Zuhörern: Aufs tiefste beeindruckt, konnte er das Werk »nicht genug loben« und lud, ein jovialer Mäzen, der er war, das junge, wenig begüterte Ehepaar Wolfgang und Constanze zum Essen ein. So wirkte Gluck in der Mitte des Jahrhunderts, genau zwischen Händel und Mozart an der Zeitenwende, welche die Wiener Klassik von dem norddeutschen Barock trennt. Er steht als Opernkomponist zwischen der italienisch-französischen Vergangenheit und der deutschen Zukunft – in einem ähnlichen Licht wie genau hundert Jahre nach ihm Richard Wagner, der, wie der Schöpfer der beiden Iphigenienopern, von der Idee des Musikdramas besessen war und ein zweiter Gluck, ein Gluck des 19. Jahrhunderts, werden sollte. Es ist kein Wunder, daß in Wagners literarischem Werk »Oper und Drama« die Reformideen Glucks zu den lebendigsten Seiten dieses sonst schwerverdaulichen Opus gehören. Glucks Werk und Name steht und fällt wie der Wagners mit der Einrichtung und Idee der Oper.

Fünf Etappen markieren seinen Weg: Das Vorspiel der Lehr- und Wanderjahre in Italien, die drei Hauptetappen London–Wien–Paris, und das Nachspiel des in europäischem Ruhmesglanz endenden Lebens: noch einmal in Wien. Die kulturgeschichtlich interessanten Züge dieses reichen Lebens wollen wir in Kürze skizzieren.

Gluck, in Erasbach in der Oberpfalz geboren, gehörte nicht zu den Seßhaften unter den Musikern. Er war wie die meisten seiner Zeit »auf Wanderschaft«. Auf Wanderschaft – das war sein Leben schlechthin. Erst bei Bauern auf dem Lande aufspielend, in Dorfkirchen oder beim

Tanz; – später auf dem Thespiskarren wie einst Shakespeare oder Molière; – das Theater lockte ihn, es war seine Welt; – schließlich auf Wanderschaft über die großen Bühnen der Musikwelt: Prag, Wien, Dresden, Mailand, London, Kopenhagen, Paris. Mit 22 Jahren studierte er bei Sammartini, dessen Namen wir schon begegneten, in Mailand, wo er erfolgreich mit der Oper »Artaserse« (Artaxerxes) debütierte. Dann kam er nach London; dort beeindruckte ihn Händels große Kunst, Wort und Musik zu einem Gesamteindruck zu verschmelzen. Aber während Händel nach seiner 31. Oper den Kampf um das Musikdrama aufgab, nahm Gluck den Kampf auf und führte ihn siegreich durch. Zwischen dem »Artaserse« und seinem letzten Opernidyll »Echo et Narcisse« stehen über hundert musikdramatische Versuche, darunter drei oder vier vollendet schöne Werke.

Erst als 49-Jähriger erkämpfte er sich mit dem »Orfeo ed Euridice«, einer »Azione teatrale«, die übrigens im Laufe der Zeit mehr als fünfzigmal bearbeitet wurde, die erste Stufe seiner Opernreformen. Dabei stand ihm der Italiener Calzabigi zur Seite, der als sein Textdichter entscheidenden Anteil an der Entwicklung der musikdramatischen Gattung haben sollte. Noch war Glucks Schaffen an die Überlieferung des italienischen Opernbetriebes gebunden: Den Orpheus sang ein berühmter Altkastrat; den tänzerischen Apparat bediente der ausgezeichnete Ballettmeister Angiolini; ohne den »deux ex machina«, die Erscheinung Amors, ging auch dieser Orpheus nicht über die Bühne; aber ein neuer Atem durchwehte das Ganze, angefangen von der Probenarbeit bis zur Uraufführung im alten Burgtheater am 5. Oktober 1762. Historisch betrachtet ließe sich nachweisen, daß der »Orfeo« nichts anderes als eine Fortsetzung des Händelschen Oratorienwerkes auf der Oper ist, so daß Gluck gleichsam den Kreislauf schlösse, den Händel als Opernkomponist unterbrochen hat. Aber es ist kein ringförmiges Zurückkehren, sondern ein spiralartiges Höherwinden. Um einen Begriff von dem verspielten Geschmack der Opernaufführungen jener Zeit zu haben, müssen wir bei Ditter von Dittersdorf eine Beschreibung der kleinen komischen Oper »Le Cinesi« von Metastasio lesen, wozu Gluck – zehn Jahre vor dem »Orpheus« – die Musik geschrieben hatte. Die Dekoration war von Angelo Pompeati »völlig im chinesischen Geschmack«. Lackierer, Bildhauer, Vergolder hatten die Szene reichlich ausgestattet. Den meisten Effekt machten prismatische gläserne Stäbe, die in böhmischen Glashütten geschliffen waren. Diese von unzähligen Lichtern erleuchteten Prismen bewirkten einen überraschenden Anblick. Die »azurfarb lackierten Felder«, der »Schimmer des vergoldeten Laubwerks«, das Spiel der »regenbogenartigen Farben der hundert Prismata«

tauchten die Szene in einen Farbenzauber ... »Und nun die göttliche Musik von einem Gluck!« Sie muß den »Chinoiserien« kongenial gewesen sein, also den Zeitgeschmack vollendet getroffen haben: »Es war nicht das liebliche Spiel der brillanten Symphonie allein, die stellenweise von kleinen Glöckchen, Triangeln, kleinen Handpauken und Schellen und dergleichen ..., welches die Zuhörer gleich anfangs, ehe noch der Vorhang aufgezogen war, in Entzücken versetzte. Die ganze Musik war durch und durch Zauberwerk.«

Der Kaiser, dem das Stück in Wien vorgespielt wurde, war entzückt, nahm sein »Fernglas«, ließ sich nach der Vorstellung aufs Theater führen und alles von Pompeati erklären, erbat sich ein Stück von den Prismata, worauf ihm Pompeati einen ganzen Hut voll brachte.

Gluck blieb Hausfreund des Prinzen und ein gern gesehener Mann am Hofe, »der außer seinem Fache Welt und Lektüre besaß«, aber zu diesen Chinoiserien gab es kein Zurück mehr. Mit Eifer warf er sich nach dem italienisch-klassischen Stück des »Orpheus« auf das Studium der französisch-klassischen Musik der Nationaloper von Lulli und Rameau. Nun verfaßte Calzabigi den Text zur »Alceste«, und Gluck, seines Weges immer sicherer, gestaltete den Stoff zu jenem Meisterwerk, in dem er seine neuen Ideen folgerichtig entwickelte. Er stellte der Partitur ein italienisch verfaßtes Widmungsschreiben an den Großherzog von Toscana voraus. Diesem wertvollen Dokument von 1769 wollen wir folgende fünf entscheidende Gedanken entnehmen:

1. »Ich trachtete danach, die Musik auf ihre wahre Aufgabe zu beschränken, d. h. der Dichtung zu dienen.«

2. »Ich habe versucht, alle jene Mißstände zu beseitigen, welche teils durch die Eitelkeit der Sänger, teils durch die allzu große Gefälligkeit der Tonsetzer in die italienische Oper eingeführt worden waren.«

3. »Ich habe mir vorgestellt, daß die Ouvertüre (im Text: »Sinfonia« d. i. nach damaligem italienischem Gebrauch Ouvertüre) die Zuschauer auf die Handlung vorbereiten und sozusagen deren Inhalt andeuten soll; daß die Instrumente immer nur im Verhältnis mit dem Grade des Interesses und der Leidenschaft angewendet werden müssen, und daß in der Behandlung des Dialogs jene auffällige Verschiedenheit zwischen Arie und Rezitativ zu vermeiden sei, um nicht dem Sinn entgegen den Gedankengang zu unterbrechen und die Lebhaftigkeit und Wärme der Szene zu unrechter Zeit zu stören.«

4. »Ich habe ferner geglaubt, den größten Teil meiner Bemühungen auf die Erzielung einer edlen Einfachheit verwenden zu müssen ... und habe niemals auf die Erfindung einer neuen Wendung Wert gelegt, wenn sie nicht von der Situation selbst herbeigeführt und dem Ausdruck angemessen war. Endlich stand mir keine Regel so hoch, daß ich sie nicht guten Mutes der Wirkung zu lieb aufopfern zu dürfen glaubte.«

5. »Der Erfolg hat meine Ansichten gerechtfertigt, und der allgemeine Bei-

fall in einer so aufgeklärten Stadt (Wien) hat deutlich gezeigt, daß die Einfachheit, die Wahrheit und die Natürlichkeit die tragenden Grundlagen des Schönen in allen Werken der Kunst sind.«

Wir erkennen in den Gluckschen Grundbegriffen der Einfachheit-Wahrheit-Natürlichkeit das musikalische Spiegelbild jener klassizistischen Ideen, die sein Altersgenosse Winckelmann zur gleichen Zeit in die Diskussion um das griechische Schönheitsideal warf. Wir ahnen ferner, welche intime Berührung Gluck, der 7 Jahre lang in Paris arbeitete, mit Racines dramatischem Werke gehabt hat, und das heißt mit der französischen Klassik. Wir sehen schließlich deutlich, wie von Glucks Reformen aus die in die Zukunft weisende Vorstellung eines Gesamtkunstwerks – ähnlich den Ideen Herders und Klopstocks – einen Wagner interessieren mußte. Die letzten Worte an den Großherzog enthalten Andeutungen dieses großen Traumes eines zukünftigen Gesamtkunstwerks:

»... Er kann allein (der Großherzog als Kunstverständiger) der Reform dieses erhabenen Schauspiels, an dem alle schönen Künste wesentlichen Anteil haben, zum Durchbruch verhelfen. Wenn dies gelingen sollte, so wird auch mir der Ruhm zuteil werden, den ersten großen Stein zum Bau gelegt zu haben.«

Mit der Theorie hielt die Praxis Schritt. Entgegen der Tradition verzichtete Gluck auf die Verwendung eines Kastraten. Die Rolle Admets, des Gatten der Alkestis, übergab er einem Tenor; er selbst übernahm die Einstudierung des Stückes und gestaltete es mit der Eigenwilligkeit eines fast modern anmutenden, von seiner dramaturgischen Idee besessenen Regisseurs zu einem plastischen Kunstwerk. Man lese, was er später über die Wichtigkeit der Regie an den Herzog Don Giovanni de Braganza in der Partitur zu »Paride ed Elena« (1770) schrieb: »Deshalb ist die Anwesenheit des Komponisten bei der Ausführung dieser Art von Musik ebenso notwendig wie die Gegenwart der Sonne bei den Schöpfungen der Natur. Er ist da durchaus die Seele und das Leben und ohne ihn bleibt alles in Verwirrung und Dunkel.«

Dann wird man verstehen, was seine Sänger und Sängerinnen sich von diesem konzessionslosen und selbstbewußten Mann mußten gefallen lassen. Darüber gibt es Geschichten genug; man blättere in Goncourts »Sophie Arnould«, und der Anekdotenliebhaber kommt auf seine Kosten. Aber auch die Orchestermusiker wurden von Gluck »erzogen« und spürten die Genialität des Dirigenten, aber auch die Unerbittlichkeit des »Tyrannen, der durch den geringsten Fehler in Harnisch gebracht wird«. Zwanzig bis dreißigmal mußten sie, unter denen gewiß Virtuosen waren, die Passagen wiederholen, bis sie »die von ihm intendierte Wirkung des Ensembles« herausbrachten. Sie wurden, wenn

Gluck dirigierte, dafür auch doppelt bezahlt. Gluck selbst erschöpfte sich in seiner Arbeit:

»Er lebt und stirbt mit seinen Helden, wütet mit Achill, weint mit der Iphigenie, und in der Sterbearie der Alkestis bey der Stelle ›manco – moro – e in tanto affanno non hò pianto‹ (ich vergehe – sterbe – und in solchem Kummer finde ich keine Tränen) sinkt er ordentlich zurück und wird mit ihr beynah zur Leiche.«

Das alles lesen wir in Schilderungen des Wiener Zeitgenossen Joseph Kämpfer in C. F. Cramers »Magazin der Musik«.

Aber das Entscheidende war der Vorstoß Glucks in neue Bereiche der dramatischen Musik selbst. Hatte er aus Händels oratorischen Dramen vieles für die psychologische Charakterschilderung und Szenenführung lernen können; war er selbst mit seiner Dirigenten- und Regietätigkeit ein echter Nachfahre des großen Lulli an der Pariser Oper, so wies er in die Zukunft, indem er dem Orchester durch besondere Verwendung der Blasinstrumente (wie Oboe und Schalmei) einen schon romantischen Klangzauber entlockte. Aber erst nach der 3. italienisch-textlichen Reformoper »Paride ed Elena« beginnt die Zeit der französisch-sprachigen Opern, der drei Meisterwerke: »Iphigénie en Aulide« 1774, »Armide« 1777, »Iphigénie en Tauride« 1779, der dann die Opern-Idylle »Echo et Narcisse« 1779 folgte.

Wagner sprach in »Oper und Drama« den Gedanken aus:

»Auch die französische Tragédie ging mit Notwendigkeit in die Oper über: Gluck sprach den wirklichen Inhalt dieses Tragödienwesens aus.«

Der französische Gesandtschaftsattaché du Roullet, mit dem Gluck die Prinzipien seiner Dramaturgie erörterte, verfaßte das Libretto zur ersten dieser Reformopern nach Racines »Iphigénie en Aulide«. In seinen Erörterungen über die Kunstprinzipien gedachte Gluck auch des verehrten Jean-Jacques Rousseau, dem es als Komponisten selbst angelegen war,

»eine für alle Nationen geeignete Musik zu erschaffen und die lächerliche Unterscheidung der nationalen Musik verschwinden zu machen.«

Mit Hilfe der Dauphine Marie-Antoinette gelangte die Aulidische Iphigenie am 19. April 1774 zur Aufführung. Aber die Gegner ruhten nicht; unter ihnen waren die Du Barry und Ludwig XV.; sie beriefen Piccini nach Paris, und alsbald begann der Kampf der Piccinisten und Gluckisten, der ganz Paris mehr in Aufregung versetzte als verlorene oder gewonnene Schlachten, und der uns so geistvoll in Melchior Grimms »Correspondance littéraire« beschrieben wird. Eigentlich lagen drei Parteien im Streit: die Partei der alten opéra français, die noch immer auf Lulli und Rameau schwor; die Partei der italienischen Musik, die an Jumelli und Piccini glaubte, und schließlich die reformatorische

Partei Glucks, zu der sich Rousseau und Sacchini bekehrten. Auch Grimm selbst kann sich dem »ascendant d'un génie supérieur«, wie es Gluck sei, nicht entziehen (April 1774). Als der »Orpheus« kurz danach in der französischen Version erschien, schrieb Grimm in der »Correspondance« August 1774:

»... nous lui devons le plaisir d'entendre la musique la plus sublime que l'on ait peut-être jamais exécutée en France.« (Wir verdanken ihm den Genuß, die erhabenste Musik zu hören, die vielleicht jemals in Frankreich ausgeführt wurde.)

Es bleibe nicht unerwähnt, daß Mozart und Wagner diesem Werke große Anteilnahme schenkten. Mozart schrieb einen Schluß der Ouvertüre, die bei Gluck mit ihren letzten Takten in die 1. Szene der Handlung übergeht. Wagner nahm sich die Mozartsche Bearbeitung vor und komponierte auf Grund eines eingehenden Studiums der musikdramatischen Intention Glucks einen eigenen Schluß zur Konzertaufführung und gab der Tragödie, deren unmotivierter Ausgang schon damals vor hundert Jahren nicht gefiel, eine eigene Wendung, indem er Iphigenie durch Artemis retten und sie als Priesterin der Göttin nach Tauris bringen läßt. Mit der Tauridischen Iphigenie stehen wir schon bei Glucks letzter Tragödie, der »Iphigénie en Tauride«, die der Meister erst in Wien herausbrachte, und welcher Mozart so aufmerksam lauschte. Dazwischen aber lag die »Armide«; in ihr greift Gluck ein Drama von Quinault auf. Da brach die lang zurückgehaltene Kritik des einflußreichen La Harpe über das ganze Glucksche System aus. Das rief die Gegenpartei auf den Plan, und Gluck fand in dem Anonymus von Vaugirard – M. Suard – seinen geistvollsten Verteidiger. Indessen wurde das 3. Reformwerk, die »Iphigénie en Tauride«, bei ihrer Pariser Première am 18. Mai 1779 als größtes Werk des deutschen Musikers bezeichnet, und Grimm schrieb:

»Je ne sais si c'est là du chant, mais peut-être est-ce beaucoup mieux.« (Ich weiß nicht, ob das noch Gesang ist, aber vielleicht ist es etwas viel Besseres.) (Mai 1779)

Grimm hat den Eindruck, einer griechischen Tragödie beigewohnt zu haben, zu welcher Le Kain und Fräulein Clairon (die berühmtesten Schauspieler ihrer Zeit) die Musik geschrieben hätten. Mehr war nicht zu sagen. Gluck war so überzeugend, daß Piccini, sein Gegner selbst, sein bewundernder Anhänger wurde: Er regte an, daß nach Glucks Tode ein alljährliches Denkkonzert mit Werken des deutschen Meisters gespielt würde. (Brief vom 13. Dez. 1787 im Journal de Paris). Goethe, der Dichter der »Iphigenie auf Tauris«, schrieb der Sängerin Anna Milder eine Widmung in ein ihr übersandtes Exemplar des Stückes:

Dies unschuldvolle, fromme Spiel,
Das edlen Beifall sich errungen,
Erreichte doch ein höh'res Ziel
Von Gluck vertont, von Dir gesungen.

Und endlich: Wie Wagner einst der aulidischen, so läßt Richard Strauß der tauridischen Iphigenie eine Bearbeitung zuteil werden.

Der Deutsche kehrte zu den Deutschen zurück. Wohl hatte Gluck Paris erobert – aber er war im Grunde ein Fremder in der Seinestadt geblieben; wohl entwickelte sich aus seinem Werk die Linie der französischen und italienischen Opernkunst, die über Salieri, Sacchini, Méhul, Le Sueur zu Spontini und Meyerbeer verläuft – und vergessen wir auch nicht, daß Hector Berlioz Gluck immer wieder in seiner Instrumentationslehre zitiert. Die stärkere Linie jedoch ist die andere deutsche: über Mozart zu Webers romantischer Oper und den Musikdramen von Wagner und Strauß. Es wird immer ein Problem bleiben, wie Gluck mit der französischen Sprache fertig wurde. Beim Italienischen lag es anders; da war Melodie immer Trumpf; das Wort spielte nicht die große Rolle wie in der französischen Prosodie. Es sei nur am Rande vermerkt, daß Ansatz und Gewicht der französischen Kritik an Gluck stets bei diesem sprachlichen Problem zu finden sind. Melchior Grimm zitiert in seiner »Correspondance littéraire« vom April 1776 die Stimmen der Gluckisten wie der Antigluckisten:

»Die Anhänger des Herrn Gluck behaupten, daß es an der Stumpfheit unserer Ohren läge (nämlich die Unterschätzung der ›Alceste‹); die Anhänger der alten Oper hingegen klagen – vielleicht nicht ohne Grund –, daß man unter dem Vorwand, unsere Musik zu perfektionieren, sich die Freiheit nähme, unsere Sprache zu korrumpieren, deren Charakter und Prosodie vollständig verkannt zu werden scheinen.«

Und im Mai desselben Jahres, wieder anläßlich der »Alceste«, bemerkt Grimm: die erste Pflicht eines großen Komponisten sei es, die Sprache, in der er musiziere, selbst rein zu sprechen (wie es der Deutsche Grimm gewiß selbst konnte), ihr all die Eleganz und den Adel zu bewahren, deren sie fähig sei, und daß es nicht genüge, »die Intelligenz des Theaters und der großen szenischen Bewegungen« zu haben. Und 150 Jahre später schreibt Claude Débussy eine »Lettre ouverte à M. le Chevalier Gluck«, wo er ihm, mit viel Geist und Ironie, unter anderen Vorwürfen auch diesen nicht erspart:

»... vous faites de la langue française une langue d'accentuation quand elle est au contraire une langue nuancée. (Je sais ... vous êtes Allemand).«

Débussy stellt ihm Rameau gegenüber, dem deutschen Genius den französischen. So weisen ihn die Franzosen selbst in den deutschen

Sprach- und Kulturkreis zurück. Vielleicht nicht zu Unrecht. Wir sehen eine seltsame, kulturgeschichtlich interessante Parallele zwischen Händel und Gluck: Beide von der Opernherrlichkeit Italiens fasziniert, und beide in fremdem Lande zum Ruhm gelangt, in Ländern, deren Sprache jeweils nicht die ihre war: England und Frankreich. Eigentümliches Schicksal: Um sie nach Deutschland zurückzuholen, mußten sie beide rückübersetzt werden. Dabei ging noch mehr sprachliche Substanz verloren, was bei Oper und Oratorium kein geringer Verlust war. Immerhin war Händel mehr »englisch« als Gluck »französisch« geworden. Aber dem Schöpfer der beiden französischen »Iphigenien« begegnete der junge deutsche Odendichter Klopstock. In der Atmosphäre seiner Gedichte fühlte sich Gluck eigentlich beheimatet. Wir besitzen einen Bericht von Friedrichs d. Gr. Kapellmeister Joh. Friedrich Reichardt über Glucks Verhältnis zu Klopstock. Während seines Besuchs bei Gluck in Wien 1785 sang und spielte ihm der Meister aus seinen Odenkompositionen und aus der »Hermanns-Schlacht« vor. Die offenbar ganz originelle, stark deklamatorische Musik zur »Hermanns-Schlacht« ist nie aufgezeichnet worden; aber Gluck trug sie im Kopf; sie regte ihn selbst so auf, daß seine Gattin, die nur um die Gesundheit ihres Mannes in seinen letzten Lebensjahren besorgt war, es stets zu verhindern wußte, daß er das Werk aus sich herausbrachte.

»Es ist gewiß ein unersetzlicher Verlust«, schreibt Reichardt, »daß der Künstler sie nie aufzeichnete; man hätte daran das eigentliche Genie des großen Meisters am sichersten erkennen können, da er sich dabei durchaus an kein konventionelles Bedürfnis der modernen Bühne und Sänger band, sondern ganz frei seinem hohen Genius folgte, innigst durchdrungen von dem gleichen Geiste des Dichters.«

Dieser Dichter ist Klopstock. Die Begegnung zwischen ihm und Gluck erfolgte in den hohen Zeiten ihres Künstler- und Musikertums. Sie verstanden sich. Steckte in Gluck, dem Dramatiker, auch ein verborgener Lyriker? Man möchte es meinen, wenn man die wenigen Lieder wie etwa die »Sommernacht« oder »Die frühen Gräber« Klopstocks in der musikalischen Stimmung der Gluckschen Vertonung evoziert.

Die Schilderung von Reichardts Besuch bei Gluck stammt aus der Allgemeinen Musikalischen Zeitung vom Jahre 1813. Es ist dasselbe Jahr als der 1. Band von E. T. A. Hoffmanns »Phantasiestücken in Callots Manier« erschien. Darin lesen wir die musikalische Phantasie vom »Ritter Gluck«: eine phantastische Beschwörung des Komponisten in dem bürgerlichen Berlin jener Jahre, durch das der Abgeschiedene, Verkannte, wie ein Fremder geistert, bis er sich dem enthusiastisch lauschenden Poeten, der ihn immer spielen hörte, eines Nachts im

Klavierspiel als »Ritter Gluck« offenbarte. Der 37jährige Hoffmann, der, aus Liebe zu Mozart, seinen Vornamen Wilhelm in Amadeus verwandelt hatte, ein Kenner der Wiener Klassik wie kaum einer, verbindet seinen »Ritter Gluck« mit dem »Don Juan«, der in eben diesem Bande der »Phantasiestücke« steht. Von Gluck zu Mozart: das ist der Weg der Oper, und zugleich der Weg zur Wiener Klassik.

5.

Die »Wiener Klassik« – das musikalische Pendant zur »Weimarer Klassik«. In beiden Fällen ist das Wort »Klassik« unbefriedigend, sogar verwirrend: alles- und nichtssagend. Denn was heißt »Klassik«? Der Inbegriff alles dessen, was etwa so viel bedeutet wie: Stil – Geisteshaltung – Formvollendung; oder: Maß – Ausgewogenheit – Wille zur Konstruktion; oder: Bescheidenheit – Dämpfung der Gefühle – Zurückhaltung; oder: Steigerung des Individuellen zum Typischen, des Besonderen zum Allgemeinen, der Erscheinung zum Symbol. All das ist richtig oder halb richtig oder falsch, und »stimmt« jeweils nur unter besonderen Perspektiven und Voraussetzungen. Die Wiener Klassiker heißen Haydn-Mozart-Beethoven. Aber: Wenn Haydn klassisch genannt werden könnte, darf es Beethoven noch sein? Und warum wäre Joh. Seb. Bach nach all den Begriffsbestimmungen nicht unser größter Klassiker? Nur deswegen nicht, weil er zum »Barock« gehört? Und ist Goethe und sein Werk im Begriff »Klassik« zu fassen? Lassen wir das Wort – »what's in the name?« – und begnügen wir uns hier zu sagen, daß die »Wiener Klassik« für uns eine konventionelle Bezeichnung ist, mit welcher wir schlicht und einfach einen bestimmten Zeitabschnitt im Entwicklungsstrom der deutschen Musik umgrenzen wollen. Der Zeitraum umspannt die Dezennien der Schaffensjahre von Haydn bis Beethoven, also umschließt den Lebensraum Mozarts. In diesem Zeitabschnitt wurde die Musik des deutschen Kulturraums von Nord und Süd zum europäischen Ereignis – so wie vordem einmal im Gange der Kulturgeschichte die italienische Literatur der drei Großen: Dante-Petrarca-Boccaccio, die spanische Malerei: Greco-Velazquez-Murillo, die französische Theaterdichtung: Corneille-Molière-Racine europäische Gültigkeit erlangt hatten. In diesem Sinne und in dieser Größenordnung ist das Phänomen der »Wiener Klassik« zu sehen. Das Erstaunliche ist dabei, daß sie mit der literarischen Klassik von Weimar zeitlich zusammenfällt. Goethe und Mozart, Schiller und Beethoven sind in kulturgeschichtlicher Perspektive voneinander nicht zu trennen. Darüber werden wir im folgenden Kapitel etwas hören. Hier sei nur in wenigen Strichen die Bedeutung der Wiener in der Musik umrissen, gewissermaßen der Schlußpunkt unter das Musikkapitel des 18. Jahrhunderts gesetzt!

Die Wiener Klassik ist das Ergebnis einer Entwicklung, die sich auf drei Quellgebieten der Musik vollzog; in ihr vereinigten sich drei Strömungen: die Mannheimer Musik, die Musik der norddeutschen Schule Philipp Emanuel Bachs, die italienische Kultur vornehmlich der Opernmusik.

Die Mannheimer, das ist die Kapelle Karl Theodors von der Pfalz, ein Kreis von Komponisten und Dirigenten am Hofe des Kurfürsten um 1750. Zu ihm gehörten die beiden Stamitz, Vater und Sohn, Franz Xaver Richter, Ignaz Jacob Holzbauer, Franz Beck, Christian Cannabich u. a. eine neue, zumeist aus Böhmen stammende Musikergeneration, deren bislang unbekannte instrumentale Vortragsweise, die sog. Mannheimer »Dynamik«, einen neuen Stil schuf. Vor allem führte das Streichercrescendo, ein Schwellen des Tones vom Pianissimo zum Fortissimo, in Verbindung mit der Farbtönung, welche die Mannheimer durch ihre Bläser dem Klangkörper gaben, zu jener neuartigen Orchesterpraxis, die seitdem zum allgemeinen Spiel- und Vortragscharakter aller Orchester der Welt gehört. Über die instrumentalen und spieltechnischen Neuerungen hinaus aber haben die Mannheimer auch kompositionstechnische Probleme des Neuen Stils gelöst. Sie haben die Grundsätze einer neuen Bauform der Symphonie, wie sie in Italien vorgebildet lag, gefestigt. Schon die neapolitanische Opernsinfonie kannte die Satzfolge schnell-langsam-schnell; die Mannheimer schalteten nach dem langsamen Satz ein Menuett ein und gliederten somit Sonate wie Symphonie zu einer viergestaltigen Architektur. Mozart hat es sich nicht entgehen lassen, die Mannheimer mehreremals zu hören; Haydn hat von ihnen schon gelernt, und in Beethovens Sonaten und Symphonien ist die höchste Stufe der Entwicklung erreicht.

Das andere Quellgebiet der Wiener Klassik ist die norddeutsche Schule. Es ist der Kreis der Komponisten am Hofe Friedrichs d. Gr., deren Namen uns schon im Zusammenhang der Kulturleistungen des Roi de Prusse begegnet sind: Quantz, Graun, die beiden Benda – und der bedeutendste unter ihnen Carl Philipp Emanuel Bach.

>> Der tiefsinnigste Harmonist,
Vereinte die Neuheit mit der Schönheit,
War groß
In der vom Worte geleiteten,
Noch größer
In der kühnen sprachlosen Musik . . .«

So rief es ihm sein Freund Klopstock übers Grab hinaus, und der Nachwelt, zu. Sein Wirken in Berlin und Hamburg war ein Ereignis von
säkularer Bedeutung. Seine Selbstbiographie ist von großem Reiz und
von musik- wie kulturgeschichtlichem Interesse. »In der Komposition
und im Klavierspielen habe ich nie einen andern Lehrmeister gehabt
als meinen Vater«, lesen wir darin und erfahren bald danach, wie er
alle Welt kannte, ohne je viel gereist zu sein, weil alle Welt durch
Deutschland selbst kam:

»Genug, ich mußte mich begnügen und begnügte mich auch sehr gerne, außer
den großen Meistern unsres Vaterlands das Vortreffliche von aller Art zu
hören, was die fremden Gegenden uns nach Deutschland herausschickten,
und ich glaube nicht, daß ein Artikel in der Musik übrig sei, wovon ich
nicht einige der größten Meister gehört habe.«

Wie sein Bruder Christoph Friedrich mit Herder befreundet war, so
er selbst mit Klopstock – und mit und durch Klopstock lernte er auf
andere Weise, auf anderm Gebiet, das Neue. Er gestand in einem Brief
an den Dichter Heinrich Wilhelm von Gerstenberg, »daß man auf unserm Instrumente (dem Klavier) in der Tat bei einer guten Ausführung
viel sagen könne. Ich sondere hiervon das bloße Ohrenkitzeln ab und
fordere, daß das Herz in Bewegung müsse gebracht werden.« (21. Okt.
73) Er bleibt dem Erbe des Vaters, den er über alle Zeitgenossen zu
stellen scheint, verpflichtet, aber stellt zugleich seinen Willen und sein
künstlerisches Vermögen in den Dienst neuer musikalischer Gestaltungen. So Vergangenheit und Zukunft in sich verbindend, weist er den
Weg vom musikalischen Rationalismus des Barocks zur Sensibilität und
darüber hinaus zur »Klassik«. Traditionsgebunden und zukunftwei-
send: das ist das Große etwa seines Klavierkonzerts in c-moll oder
in seiner h-moll Symphonie für Streicher und Cembalo. Wir wissen
heute, wie anregend dieser große Komponist und vielleicht noch größere Musikpädagoge, dessen Werk: »Versuch über die wahre Art, das
Klavier zu spielen« (1753) viel gelesen wurde, auf Haydn, Mozart,
Beethoven gewirkt hat, und wie eben gerade durch ihn das Erbe der
Bachschen Musik ins Europäische gewachsen ist. Wo dieser geniale Cem-
balist selbst aber die Musik weiterführte, stehen wir auf seinem ureigenen Boden: der Klaviermusik. Er steht wie sein Altersgenosse Gluck –
beide 1714 geboren – an der Stilwende der Zeit. In seinem Klavierwerk
bahnt sich das Kommende an: einerseits der galante, zärtliche Ausdruck,
wie er der Sensibilität des späteren Jahrhunderts eignet, und andererseits die Zweithematigkeit der Sonate, wie sie dem wachwerdenden
Bewußtsein der menschlichen Zwiespältigkeit entspricht. Der Wille, diese
erlebten Höhen und Tiefen von Lust und Leid in das musikalische

Kunstwerk einzuprägen, wird hier praefiguriert. Die Spannung zwischen erstem und zweitem Thema, die Artikulierung der kontrastierenden Sätze wird jetzt das neue kompositorische Prinzip in der Arbeit an der Sonate und Symphonie. Die Linie führt über Haydn und Mozart zu Beethoven.

Das dritte Quellgebiet der Wiener Klassiker ist Italien. Legt man innerhalb des Mozartschen Universalwerkes den Akzent auf die Opernschöpfungen, dann betreten wir italienischen Boden, die Heimat dieser Gattung. Die Florentiner Camerata war der Beginn der Opernkultur Europas aus dem Geiste des italienischen Renaissance-Humanismus – Mozart war zwar nicht das Ende, wohl aber waren seine Opern die farbenfrohesten Blüten dieser Gattung und entfalteten ihre ganze sinnliche und geistige Schönheit in der Atmosphäre der humanistischen Aufklärung und Sensibilität des sterbenden 18. Jahrhunderts. Fast zweihundert Jahre trennen die Camerata von Mozart. Dazwischen liegen Etappen der Entwicklung in Spanien, Frankreich, England, Deutschland: die lange vergessene Bühnenmusik der Spanier in ihrem »Goldenen Jahrhundert«; die Schöpfung der nationalen französischen Theatermusik durch Lulli, den Zeitgenossen Molières; die Hamburger Oper, an der Händel debütierte, die Londoner, an der er den Kampf gegen die Italiener verlor; und dann kam Gluck: der letzte Höhenzug vor Mozart. In Mozart wurden nun alle Elemente vereinigt, welche die Oper und das Singspiel auf ihrem europäischen Wege in sich aufgenommen hatten. Und so differenziert wie die musikalische Gestaltung seiner Singspiele und Opern waren die Themen und literarischen Sujets: »Die Entführung aus dem Serail« (1782) mit ihrer orientalischen Atmosphäre und ihrer beglückenden inneren Heiterkeit, die den Glauben an das Gute nicht preisgibt; wer wollte die Familienähnlichkeit zwischen Selim Bassa und Nathan dem Weisen verkennen? Alsdann die »Nozze di Figaro« (1786) mit ihrem französischen, vorrevolutionären Sturm und Drang, der uns im Worte Beaumarchais' wie in der Musik Mozarts an die Schwelle der Neuzeit führt. Dann ein Jahr später sein größtes Werk, »die Oper der Opern«, wie E. T. A. Hoffmann sie nannte, der »Don Giovanni«; die dritte Inkarnation des Don Juan-Mythus nach dem »Burlador de Sevilla« von Tirso de Molina und dem »Don Juan« von Molière: vielleicht neben dem »Faust« Goethes das größte Bühnenwerk der abendländischen Menschheit – unausschöpflich in ihrer existentiellen und symbolischen Bedeutung. Schließlich die auf einen deutschen Text komponierte »Zauberflöte«, wo eine orientalische Märchenwelt und Shakespearesche Phantasie in die heiter-ernste Philosophie des aufgeklärten freimaurerischen Humanismus eingelassen sind. Mit diesen vier Stationen – sehen wir von »Cosi fan tutte« ab – ist der Kreis vollendet.

Auf Mozart folgte noch Beethoven. Aber nicht als Komponist des »Fidelio«, sondern als Vollender der Klaviersonaten, Symphonien und Streichquartette – der reinen Instrumentalmusik – erklomm er den höchsten Gipfel, zu dem die »Wiener Klassik« auf dem Wege der Evolution gelangen konnte. Haydn-Mozart-Beethoven stehen im Verhältnis der Geschlechterfolge von Vater-Sohn-Enkel. Sie selbst waren sich dessen bewußt und trugen die väterliche Liebe und kindliche Verehrung zueinander im Herzen. Bekannt ist das Wort des alten Haydn über den »großen Mozart«, »seine unnachahmlichen Arbeiten«, »seinen musikalischen Verstand«, Worte, die er nach der Prager Uraufführung des »Don Giovanni« in einem Brief vom Dezember 1787 niederschrieb: »Prag soll den teuren Mann festhalten – aber auch belohnen ... Verzeihen Sie, wenn ich aus dem Geleise komme: ich habe den Mann zu lieb ...«

Und nach Mozarts Tode will er unentgeltlich den kleinen Sohn in der Komposition unterrichten, »um die Stelle des Vaters einigermaßen zu ersetzen.« Mozart selbst hatte Haydn als seinen Lehrmeister betrachtet, als »Vater, Führer und Freund«: so nannte er ihn in einem Sendschreiben, mit dem er dem berühmten Komponisten der »Russischen Quartette« huldigte, indem der Jüngere dem alten Meister ein eigenes Quartettwerk widmete: »... von diesem Augenblicke an übertrage ich Dir meine Rechte über sie ...« – Und Beethoven?

Als junger Mann war er Haydns Schüler – und noch ein Jahr vor seinem Tode bekannte er sich mit Nachdruck zu Mozart. Der alte Haydn aber schrieb in seiner Eingabe an den Kurfürsten Max Franz über seinen gnädigst anvertrauten Schüler Beethoven«: »Kenner und Nichtkenner müssen aus gegenwärtigen Stücken (es handelte sich um ein Quintett, eine achtstimmige Partie, ein Oboe-Konzert, Variationen für Fortepiano und eine Fuge) unparteiisch eingestehen, daß Beethoven mit der Zeit die Stelle eines der größten Tondichter in Europa vertreten werde, und ich werde stolz sein, mich seinen Meister nennen zu können.« (23. Nov. 1793)

So war Beethoven Schüler Haydns, Bewunderer Mozarts und wurde, was der alte Lehrer prophezeit hatte. Aber auch seine musikalischen Wurzeln reichten tiefer – und vornehmlich in die Tradition der großen deutschen Musik. In einer Notiz lesen wir den Wunschtraum des vom Schicksal so schwer Geschlagenen, der sich nicht ergeben will: »Dieses bist du dir, den Menschen und ihm, dem Allmächtigen, schuldig; nur so kannst du noch einmal alles entwickeln, was in dir alles verschlossen bleiben muß. – Und ein kleiner Hof – eine kleine Kapelle – aufgeführt zur

Ehre des Allmächtigen, des Ewigen, Unendlichen! Händels, Bachs, Glucks, Mozarts, Haydns Porträte in meinem Zimmer . . .«

Da sind sie denn alle genannt, in deren Werken er lebte. Aber in seine musikalische Welt war auch die Welt der Dichtung einbeschlossen und die der Philosophen. Dadurch wurde Beethoven m e h r als ein »nur« musikalisches Phänomen: er wurde eine der großartigsten Gestalten der deutschen »Kultur«, und mehr: der Menschheitskultur; denn in ihm lebte noch einmal, gleichzeitig mit Goethe, den er über alles verehrte und liebte, die Welt der griechischen Antike auf und schmolz in seinem weiten Humanismus mit den tiefgreifenden Erlebnissen der europäischen Dichtung von Shakespeare bis Goethe und Schiller zusammen. So werden wir diesen kulturgeschichtlich interessanten Zusammenhängen an gegebener Stelle einige Betrachtungen widmen.

Mit dem Tode Beethovens ist die Epoche der »Wiener Klassik« vorüber. Die weitere Entwicklung mußte neue Bahnen gehen und, da ihr das Schicksal gnädig war, fand sie neue Ufer.

TEIL II

DAS XIX. JAHRHUNDERT

DIE DEUTSCHE KULTUR AUS DEM GEISTE
DER PHILOSOPHIE UND MUSIK

KAPITEL I

IM ZENIT · DIE GOETHEZEIT

1.

Goethe bedeutet Entwicklung, Höhepunkt und Ende der deutschen Klassik. Was heißt »Klassik«? Sehr viel Verschiedenes und Divergierendes. Hundertmal ist der Begriff in den Weltliteraturen definiert, hundertmal entzieht er sich, wie wir es schon bei den Wiener Klassikern sahen, der Definition. Für Deutschland heißt »Klassik« die Bewegung, die von Winckelmann ausgeht und streng genommen in die Sphäre der bildenden Künste gehört. Für Frankreich heißt Klassik vornehmlich die literarische Bewegung, die sich, streng genommen, auf die Generation von 1660 bezieht und vornehmlich in das Gebiet der Dichtung gehört: Racine, Molière, Boileau und Lafontaine. Wie steht es in andern Kulturländern? Da verschwimmt der Begriff oder wird weitherzig angewendet, bedeutet schließlich und schlechthin Höhepunkt künstlerischer, also auch literarischer Schöpfungen, die den Tresor menschlicher Erfahrungen, menschlichen Wissens, menschlicher Kunst bereichert haben. Dante-Petrarca-Boccaccio für Italien; das siglo de oro mit Lope de Vega, Cervantes und Calderón für Spanien; Shakespeare, die Elisabethaner und Milton für England. »Klassik« bedeutet dann glückhaftes Zusammentreffen bester geistiger und künstlerischer Anlagen einer Nation in der günstigen Konstellation politischer und sozialer Umstände. Klassik ist ein Sonderfall im geschichtlichen Leben der Völker. Sie heißt weiterhin, auf dieser Linie gesehen, Wesensfindung einer Nation: Der »Don Quijote« ist nur in Spanien denkbar, die »Divina Commedia« nur in Italien; Descartes und Racine sind Franzosen, und Dostojewskij ist aus der russischen Seele begreifbar – und alles dieses wieder nur zu einer bestimmten Zeit, in einem einmaligen Kairos der geschichtlichen Entwicklung. In diesem weitgefaßten Sinne ist unser deutscher Klassiker: Johann Wolfgang Goethe.

Mit ihm sind wir im Zentrum deutschen Geisteslebens. In seinem Denken, seiner Anschauung, seiner Sprache fühlten und fühlen sich Deutschlands beste und größte Geister zu Hause: Unter seinen Zeitgenossen selbst waren es die Romantiker, einschließlich Beethoven, Schubert und Philipp Otto Runge, ganz abgesehen von den Philosophen so entgegengesetzter Richtung wie Schopenhauer und Hegel; eine Welt kreiste damals um Goethe »in Lob und Tadel«; unter den Spätgeborenen sind es ungezählte Namen, welche aus dem Geiste Goethes die Evolution deutscher Weltbetrachtung weiter gefördert haben und noch immer fördern. Wie aber die genannten Klassiker des Auslands Ausprägungen ihrer nationalen Wesensmitte u n d zugleich Gestalten der Menschheitsgeschichte selbst waren, so wuchs auch Goethe über sein Deutschtum hinaus zu universaler Geltung in der humanen Welt – darin drei Zeitgenossen ähnlich, die, ein jeder auf seine Art, zu Menschheitsfiguren von welthistorischen Dimensionen geworden sind: Napoleon, Hegel, Beethoven. Diese drei Männer, denen Goethe in einer großen Sternenstunde der Menschheit auch persönlich begegnete, haben wie Goethe selbst aus dem Erbe, das ein jeder vorfand, unser Europa an einem bedeutsamen Entwicklungspunkt seiner Geschichte umgestaltet. Mit ihnen endet das alte Europa, und das neue beginnt unter ihrer Wirkung und Gegenwirkung.

Der auffälligste Zug in Goethes Persönlichkeit ist die Universalität. »Die Unerschöpflichkeit«, sagte Valéry, »gehört zu seiner Natur ... Ein Überwesen an Einsicht und schöpferischer Kraft, ein Überwesen an Lebenskraft, an Beweglichkeit, an heiterer Ruhe« – eine Natur, die alles umgriffen, verschlungen und umgeformt hat, was überhaupt menschliche Erfahrung im Laufe eines Lebens – eines langen Lebens – aufnehmen und verwandeln kann.

Schon seine vita activa war von einer Vielseitigkeit sondergleichen: Er war Hofmann, Vertrauter seines Fürsten, Minister und Berater in Finanz-, Kultus- und Staatsangelegenheiten aller Art, ein fachlich ausgebildeter Jurist und Verwaltungsbeamter. Er war Sammler, Naturforscher, Dichter – alles in einem und mit gleichem Interesse für jeden dieser Zweige gerüstet und für alles gleichermaßen begabt. Er war Theaterintendant und sein eigener Schauspieler – und ihm wurde schließlich das Höchste zuteil, was einem Künstler und bewußt lebenden Menschen in einer langen Laufbahn gelingen kann: Er entdeckte das Leben selbst als höchsten menschlichen Wert und gestaltete es aus glückhaftem Zusammenwirken seiner Sensibilität, seiner Dämonie und seiner immer herrscherlichen und königlichen Vernunft zu einem Kunstwerk von vollendeter Komposition. Was er je verlor, fand er bereichert wieder; er war oft und schwer krank und wurde jeweils gesünder; er irrte im Leben, verlor sich im Labyrinth der dunklen seelischen Tiefenschichten, und tauchte immer wieder in die Klarheit empor, wenn er sich in den Konfessionen seiner Kunstwerke und wissenschaftlichen Arbeiten und in seinen täglichen Verrichtungen äußerte und darstellte.

Was je in ihm zerstört wurde, baute er auf um so festeren Fundamenten wieder auf. Alles wußte er zu nutzen, alles diente seiner großen Entwicklung, aus jedem Widerspruch ging er größer hervor: der genialste Regisseur seines eigenen Lebens, eines Lebens, das sich Ring um Ring erweiterte, das sich Stufe um Stufe erhöhte und vertiefte, bis es mit jedwedem menschlichen Gehalte erfüllt war und enden konnte.

Unter den geistigen Bereichen standen die Naturwissenschaften im Vordergrund seines Interesses. Er richtete seine forschende Aufmerksamkeit auf die Anatomie und Osteologie; jede Naturform fesselte zugleich seinen Künstlersinn, der aufs Gestalthafte gerichtet war. Er beobachtete alle Erscheinungen der Natur, wie sie sich in den Wissensbereichen der Geologie, Mineralogie, Meteorologie und Botanik niederschlugen. Sein liebstes Forschungsfeld war die Optik; denn Goethe war ein Augenmensch par excellence. Die Fülle der Erscheinungswelt drang durch das wunderbare Organ des Auges in ihn ein, so wie sein großer Antipode, Beethoven, den Reichtum der geschaffenen Welt durch das Ohr, jenes andere wunderbare Organ, mit dem der Mensch den mundus sensibilis erfahren kann, vernahm. Auf dem Felde der Optik, der Farbenlehre, trug Goethe seinen Kampf mit Newton aus.

Aber was Goethe als Staatsmann und juristischer Verwaltungsbeamter leistete, hat mehr biographisches Interesse; was er andererseits auf den Gebieten der Naturwissenschaften entdeckte, und wie er sie betrachtete und in den Griff bekam, ist gewiß interessant, und ist zum Teil auch von bleibendem Wert; dennoch ist im Lichte der heutigen Naturwissenschaften das meiste davon vergangen. In dem großen Buch der Geschichte der Naturwissenschaften hat Newton heute den »klassischen« Rang. Die Welt hat sich inzwischen wieder so viel gedreht, daß man zu Beginn unseres Jahrhunderts wieder die Fruchtbarkeit der Newtonschen Methode und Doktrin einzusehen lernte; denn s i e und nicht Goethes Anschauungsweise nahm auf die Entwicklung etwa der Relativitätstheorie und Quantenmechanik den entscheidenden Einfluß.

Aber der unvergängliche Teil von Goethes Schöpfungen ist das literarische Werk. Ein dreifach-konzentrischer Bogenschlag zeigt die Spannweite seiner dichterischen Schöpfungen. Goethe sagt in seinen »Noten und Abhandlungen zum Diwan«: »Es gibt nur drei echte Naturformen der Poesie: die klar erzählende, die enthusiastisch aufgeregte und die persönlich handelnde: Epos, Lyrik, Drama«. In jeder dieser fundamentalen Gattungen der Literatur hat Goethe Meisterwerke geschaffen. In der Epik reicht der Bogen vom »Werther« (1774) über die »Wahlverwandtschaften« (1809) zum »Wilhelm Meister« (1794–96;

1821; 1829) – dazwischen liegen »Reineke Fuchs« (1794) und »Hermann und Dorothea« (1797). Der Bogen der dramatischen Dichtung wölbt sich darüber: er reicht vom »Götz« (1772/73) und »Egmont« (1774/75; 1787) über die »Iphigenie« (1786) und den »Tasso« (1790) zum »Faust« (1770/71 bis 1832) – dazwischen Schäferspiele, Farcen, Singspiele, ein Concerto dramatico, »Clavigo«, »Stella« und »Claudine von Villabella«. Über sein episches und dramatisches Schaffen wölbt sich schließlich, kühn und frei von höchster Eigenart und hundertfach wechselnder Schönheit, der Bogen der Lyrik: Seine leuchtende Bahn geht von den Friederike-Liedern und Lili-Liedern der Jünglingszeit über die Schaffensperiode der ersten zehn Jahre in Weimar und der Zusammenarbeit mit Schiller, der Epoche der Läuterung und klassischen Vollendung, zu dem sublimen lyrischen Alterswerk, dem »West-östlichen Diwan« und dem letzten Akt des »Faust«, der ganz in Lyrik verklingt. In alle nur denkbaren und je geübten Formen strömt der Fluß der Goetheschen Lyrik ein: ins Sonett wie in die freien Rhythmen und Formen, in die Ballade, die Elegie, das philosophische Gedicht, das Epigramm und das reine Lied. Betrachtet man den dreigliedrigen Bogenbau, wird man eines eigentümlichen rhythmischen Wachstums seiner Architektur inne: Bei allen dreien beginnt die Kurve mit einem romantischen Aufschwung – sei es der »Werther«, der »Urfaust«, das »Mailied«; die Linienführung verdichtet sich in der Mitte zu klassischem Maß, zu Verhaltenheit und strengem Formgesetz – seien es die »Wahlverwandtschaften«, der »Tasso«, »Grenzen der Menschheit«; am Ende aber schwingt der dreigliedrige Bogen in die Tiefe der Symbolik aus – sei es im »Wilhelm Meister«, im »Faust«, im »Diwan«. So steht Goethes dichterisches Werk, aus vielfältiger Erlebnisfülle organisch zusammengewachsen, in einer überwältigenden Geschlossenheit da. Es ist vielleicht der glücklichste Einschlag im Teppich der Weltdichtung, an dem zu weben die Menschheit seit Jahrtausenden nicht müde wird.

Und dennoch lassen sich die Risse in dem Bau nicht übersehen. Würden wir in allem dem Geschmack Goethes huldigen und uns seine Urteile zu eigen machen, dann beraubten wir uns mancher Werte, die Goethe verkannt oder aus seiner subjektiven Sicht in Mißkredit gebracht hat. So blieb ihm ein Jean Paul fremd; er warnte vor E. T. A. Hoffmann, dem »krankhaften Werke jenes leidenden Mannes«, und beklagte, daß »solche Verirrungen als bedeutend fördernde Neuigkeiten gesunden Gemütern eingeimpft wurden«. Im Namen also der Gesundheit und Vernunft wird hier gesprochen; die Angst vor dem eigenen Dämon, den Goethe selbst immer wieder fesseln mußte, mochte ihm die Worte gegen Kleist, der ihm »immer Schauder und Abscheu« erregt habe »wie ein von der Natur schön intentionierter Körper, der von einer unheilbaren Krankheit ergriffen wäre«, diktiert haben. So verwahrte sich Goethe gegen drei der originellsten und genialsten Naturen und Dichter, die ungeachtet seiner Antipathie schon damals und mehr noch in der Folgezeit wirkten, aber eigentlich erst in unserm Jahrhundert zur Anerkennung ihrer eigentümlichen Größe und Weltgeltung gelangten.

An drei andern, außerliterarischen Stellen sehen wir noch deutlicher die Grenzen seiner Größe. Sie liegen in den Bereichen der Politik, Musik und Mathematik. Viel ist von Goethes Mißbehagen an der Geschichte gesprochen worden. Vor allem schloß er sich im Alter vom Politischen ab, also von jener Tätigkeit des Menschen, aus der erst Geschichte gestaltet wird. Er bezweifelte ihren Wert für die wesentliche Bildung des Menschen, an der ihm allein gelegen war. Dem Enthusiasmus der Deutschen für die Befreiungskriege stand der Mann, der Napoleon gesehen und gesprochen hatte, lau gegenüber. Den politisch orientierten »Jung-Deutschen« verschloß er sich verständnislos. Nicht e r, sondern Schiller erschien den Zeitgenossen und den Späteren als der große Volksfreund – obwohl Goethe auf einer tieferen Schicht als Schiller die Nation »befreit« hatte. Vor allem hat Börne aus der jungdeutschen Generation den Finger auf die schwachen Stellen in Goethes politischem Verhalten gelegt. Die Anklagen gegen ihn lagen auf derselben Ebene wie die gegen Hegel und später gegen Schopenhauer. Doch davon zu anderer Zeit. Weite und Grenzen seiner musikalischen Empfänglichkeit und seines musikalischen Geschmacks werden uns aus seinem Verhältnis zu Mozart, Beethoven und Schubert besonders sichtbar. Auch hiervon später. Sein Mangel aber an dem mathematischen Weltverständnis hat ihn die einmalige Größe der durch die Mathematik, als mathesis universalis, bestimmten Kultur- und Kunstleistungen des Barocks nicht in ihrer besonderen Bedeutung erkennen, sie vielleicht nur ahnen lassen. Zu Descartes, Leibniz, Newton, Spinoza und Bach geht der Weg aber vornehmlich über die Mathematik. Auch Goethe war bei aller Universalität nur ein Kind seiner Zeit, das der mathematischen Kultur des Barocks zu entwachsen begann.

Goethes allseitiges Bedürfnis nach Harmonie mochte an der Bildung seiner Weltansicht entscheidenden Anteil haben. Sein Weltbild wurzelt in der säkularen Tradition des Platonismus. Wer sich je mit forschenden Augen in die verzweigten Tiefenströmungen der platonischen Philosophie versenkte, weiß von ihrer ungeheuren Wirkung nicht nur auf die Geschichte menschlicher Denksysteme, sondern auch auf die Psyche der Künstler und die Metaphysik der Künste. Von Platon ging die Linie zu Plotin, dessen »Neuplatonismus« sich weit in die Philosophie, Kunst- und Geistesgeschichte der abendländischen Menschheit ergoß, sich in die Mystik des Mittelalters und die Platonrenaissance der Italiener, Franzosen, Spanier und Engländer des Quattro- und Cinquecento erstreckte; von dort lief die Tradition über mancherlei Zwischenstufen und Umformungen in den philosophischen Schulen und geheimen Sekten des 18. Jahrhunderts zu dem Schöpfer des »Faust« und zu der Ideenwelt der Romantik; die Überlieferung blieb lebendig, gewann moderne Gestalt in manchen Grundanschauungen und Werken des Expressionismus und wird wohl wirksam bleiben, wo der Mensch, der Künstler zumal, jenen dreifachen Stachel fühlt: das quälende Bewußtsein der irdischen Gefangenschaft seiner Seele, den Durst nach Schönheit und Harmonie, den unwiderstehlichen Drang zur Heimkehr, zur Transzendenz, zur Erlösung. Goethe ist ein Glied in der catena aurea, der »goldenen Kette« des Platonismus. Begreifen wir ihn und den metaphysischen Gehalt seines Werkes von dieser Tradition aus, dann erkennen wir hinter der Struktur seines Weltbildes die eigentliche Kraft, die sein Denken, seine Kunst, seine Lebensweisheit geprägt hat. Jede Besorgnis – oder jedes Frohlocken: Goethe habe uns doch wohl nichts mehr zu sagen, verschwindet hinter der Erfahrung, daß er durch seine Dichtung etwas Dauerhaftes aus dem Strom, welcher Geschlecht um Geschlecht verschlingt, gerissen hat. Wir müssen ihn nur lesen, an ihm und seiner welthaltigen Erfahrung reifen, um zu erkennen, daß er auch da aktuell ist, wo er durch die Ungunst eines veränderten Klimas scheinbar an Wirkung verloren hat. Versuchen wir, Spranger folgend, und uns am Gerüst der neuplatonischen Weltanschauung orientierend, die unverlorenen und unverlierbaren Werte seines Welt-, Menschen- und Gottesbildes wenigstens zu skizzieren.

Mit neunzehn Jahren hat Goethe, als er krank an Leib und Seele aus Leipzig heimgekehrt war, einen Mythus entworfen, als dessen Urgrund er den »neuen Platonismus« bezeichnet. Das Weltbild Plotins – das ist der »Neuplatonismus« – hatte schon einmal die Philosophen, vor allem die Italiener des Quattrocento, Ficino und Pico della Mirandola, fasziniert. In ihren Kommentaren zu Platon und Plotin, die weit und tief das Denken und die Kunst ihrer Zeitgenossen und Nachfolger bestimmten, gliedert sich der Kosmos, der sich in den mundus sensibilis und den mundus intelligibilis, d. h. die Welt der Erscheinungen und die Welt der Ideen, aufspaltet, in ein fünffaches Stufenreich auf. Die unterste tragende Schicht ist die Materie, die tote Gesteinswelt. Darüber legte sich das Reich der Pflanzen, auf höherer Stufe das der Tiere. Höchste Aufgipfelung des gesamten Naturreichs ist der Mensch.

Aber mit dem Menschen, der körperlich zu dem dreigegliederten Reich der Materie, Pflanzen und Tiere gehört, beginnt zugleich der Aufstieg in die oberen Regionen; denn er hat auch Geist und Seele, die ihn an den mundus intelligibilis binden. Über dem Menschen selbst wölbt sich die Zone der Intelligenzien, der Dämonen oder Engel – wie auch immer in den verschiedenen Zonen und Zeiten der Menschheit jene übersinnlichen Wesen benannt sein mögen. Über den Seraphim, die im Feuer der himmlischen Liebe glühen, über den Cherubim, die im Glanz der Intelligenz erstrahlen und über den Throni, die festgegründet stehen im Gericht, ruht Gott, »der Schöpfer Himmels und der Erden.«

Schon der harmonisch gegliederte Stufenbau dieses Weltbildes spricht durch seine klare Disposition den Künstlersinn an. Es ist dabei nicht die Frage, ob diese neuplatonische Weltanschauung wissenschaftlich oder philosophisch haltbar war oder ist; das war sie natürlich schon zu Goethes Zeiten so wenig, wie sie es, von der Existentialontologie betrachtet, heute ist. Andererseits verhindert das Weltbild nicht die Möglichkeiten des künstlerisch-metaphysisch gerichteten Menschen, die Welt der Wirklichkeiten realistisch wie surrealistisch zu erfahren. Nun aber wirkt in diesem zunächst statisch erscheinenden Bild eine dynamische Kraft, die in einer Descendit-Bewegung von oben nach unten ausstrahlt, in einer Ascendit-Bewegung aber den Kreislauf von unten nach oben in den Anfang zurückführt. Dadurch offenbart sich der Sinn der Weltschöpfung und zugleich des Menschen Aufgabe in ihr. Gott, das EINE, ergießt sich in die Welt, setzt alle Stufen der Schöpfung aus sich heraus bis in die untersten hinein, und nimmt dann in einem unendlichen Prozeß alles Geschaffene in sich zurück. Der Kreislauf vollendet sich wie bei einem Samen, der Keim und Blüten aus sich heraustreibt und schließlich mit der Frucht zu sich selbst, zum Samen, zurückkehrt. Auf dem Hintergrund dieses neuplatonisch-mystischen Weltbildes wird uns Goethes weite, menschliche Erfahrungswelt und seine ins Dichterwort geprägte Lebensweisheit verständlich und jederzeit für uns selbst vollziehbar. Fragen wir, das Problem auf seine drei wesentlichen Schichten reduzierend, was Goethe von der Welt, dem Menschen, dem Göttlichen erfahren und ausgesagt hat.

Die Welt. Mit einer sachgebundenen Beobachtungsgabe, die zugleich das Erschaute in symbolische Bezüge zum Weltensinn zu bringen weiß, hat Goethe die unseren Sinnen erfahrbaren Erscheinungen aller Regionen des mundus sensibilis durchforscht: die Erde und das Gestein, die Tier- und Pflanzenwelt, und die Himmelserscheinungen mit Wolken, Winden und Sternen. Immer fühlte er sich »dem Boden angebannt«. Beobachtend, forschend, nachdenkend suchte er das Aufbauprinzip und den Wachstumsprozeß der Pflanzen zu entschleiern, entdeckte dabei die innere Identität der nacheinander entwickelten Pflanzenteile, die Entwicklung zu Blumenblatt, Staubfaden und Stempel, die Wesensgleichheit zwischen Samenkorn und Knospe, erkannte und beschrieb mit der größten Genauigkeit das Wachstum und die Anpassungsphänomene und erhob die Betrachtung zur Idee »der sichtbaren Form einer Urpflanze, dem idealen Typus aller anderen«. Die »pantheistische Pflanze«, das Bryophyllum calycinum kam der geschauten Idee am nächsten. Sein wissenschaftlicher Grundsatz, »die Bestimmung jedes Teils für sich und sein Verhältnis zum Ganzen zu erforschen, das eigene Recht jedes einzelnen anerkennen und die Einwirkung aufs übrige zugleich im Auge behalten« – diese Forschungsmaxime führte in der anatomischen Betrachtung der Wirbeltiere zu der Entdeckung des Intermaxillarknochens: »Das Oberhaupt des Säugetieres ist aus sechs Wirbelknochen abzuleiten ...« Er zeigte, daß bei verschiedenen Tieren der Zwischenknochen der oberen Kinnlade wiederkehrt. Ob in der Pflanzen- oder Tierwelt und darüber hinaus, immer ergriff Goethe die Idee der Metamorphose, suchte hinter dem Wandel der Formen die Kräfte, welche ihm in der scheinbaren Zusammenhanglosigkeit der Wirkungen den Zusammenhang der Ursachen erkennbar machten. Freilich, das letzte und tiefste Problem, w i e Leben entstanden ist, hat Goethe damals so wenig wie die heutigen Biologen lösen können. Er war, neben andern Forschern seiner Zeit, einer der Begründer der Abstammungslehre, insofern ihn der Gedanke, daß die Vielfalt der Formen sich zeitlich aus einfachen entwickelt hat, seit früher Zeit beschäftigte. Er suchte nach der lebenhaltigen Urmaterie. Ist es die sog. »Wassererde«? Im »Faust« hingegen ist es das Wasser. Uralte Weise und Naturgottheiten erteilen dem Homunkulus in der Flasche den Rat, wie er zum Leben gelangen könne: Die Retorte zerschellt; da leuchtet das Meer von unzähligen Infusorien auf ... Die Kette des Lebens und der Lebewesen beginnt ... Andererseits ist im neuplatonischen Weltbild die von unten ansetzende zeitliche Evolution nicht notwendig gefordert, vielmehr bestehen alle Stufen und Arten gleichzeitig nebeneinander oder entfalten sich durch Deszendenz von oben her. Jedoch wird angenommen, daß das Seelenprinzip älter als die Materie ist. Der Homunkulus in der Flasche wäre dann die schon entstandene Seele, die sich einen Körper sucht, um ihre Irrfahrt durch die Welt anzutreten. Lassen wir die Widersprüche und die Frage, die Goethe selbst nicht eindeutig beantwortet hat, ruhig offen. Niemand weiß sie bis heute zu beantworten ... Wir halten dieses fest: Goethe war ein Beobachter von unerschöpflicher Geduld. Von allen Organen, mit denen wir die materielle Welt erfassen können, war es das Auge, durch das Goethe am meisten Welt erfuhr. Goethe war das Genie des Schauens, ein Lynkeus »zum Schauen geboren«. Er verschwendete die Meisterschaft des Sehens und damit auch der Einbildungskraft an die Erforschung der sichtbaren Welt. Nie ermattete die Lust des Schauens – und Schauen heißt Erkenntnis im Licht. Wäre das All nicht vom Lichte durchstrahlt, dann lebten wir wie die Höhlenbewohner Platons, die immerhin noch die Schattenbilder an den Wänden sahen. Kein Wunder, daß Goethe den optischen Phänomenen eine umfassende Forscherarbeit gewidmet hat. Wie er in der Tradition der neuplatonischen Lichtmetaphysik stand, wurden ihm Licht und Geist »die höchsten denkbaren unteilbaren Energien«. Goethe schaute also nicht nur nach außen, sondern gleichzeitig nach innen. Es herrscht Identität beider Vorgänge: Wenn der Geist ein inneres Licht oder Leuchten ist, dann ist das Licht ein Geistiges, das sich an die Natur entäußert, um sie im Lichte zu halten. Goethes einzigartige Zustimmung zur Erscheinungswelt, also seine Wendung zum Objekt, ist zugleich – das Wort stammt von Valéry – »Mystik der Objektivität«. Wehe dem, der den »Schein« vernachlässigt: »Am farb'gen Abglanz haben wir das Leben«. Anschauen – Denken: Beides durchdringt und bedingt sich in Goethes Weltbetrachtung, und wir verstehen, was Goethe, nach einem Wort Dr. Heinroths, über sich berichtet, »daß mein Anschauen selbst ein Denken, mein Denken ein Anschauen sei«. Man wünschte wohl, dieses sein »Vermächtnis« festhalten zu können; aber innerhalb von knapp hundert Jahren hat sich in der Welt- und Naturbetrachtung und -forschung ein radikaler Wandel vollzogen: In der modernen Physik ist keine Anschaulichkeit mehr möglich – oder sie ist trügerisch; das Rechnen ist Trumpf: die Unanschaulichkeit.

Der Mensch. In dem Weltsystem des Neuplatonismus hat der Mensch die zentrale Stellung. »Medium te mundi posui«, heißt es in dem Traktat »De hominis dignitate« von Pico della Mirandola:
»... esse hominem creaturarum internuntium, superis familiarem, regem inferiorum, sensuum perspicacia, rationis indagine, intelligentiae lumine naturae interpretem. Stabilis aevi et fluxi temporis interstitium, et (quod Persae dicunt) mundi copulam, immo hymenaeum ...«
So also steht der Mensch zwischen der intelligiblen und sensiblen Welt, genau an ihrem Schnittpunkt zwischen der Ewigkeit des Aeon und der Vergänglichkeit der Zeiten; er ist die Kopula der Welten: er hat durch seinen Geist und seine Seele an der »oberen«, durch seinen Körper und seine Sinne an der »unteren« seinen ihm gemäßen Anteil. Durch seine scharfen Sinne, seinen durchdringenden Verstand und seine lichtvolle Intelligenz ist er der Interpret der Natur. Diese seine Position er-

möglicht ihm eine fünffache Entfaltung auf dem Grundriß des Welt-
gebäudes. Alle diese Vorstellungen, die von den italienischen Platonikern der Renaissance aus dem Erbgut Plotins bis ins letzte entwickelt
waren, wurden nun in symbolischem Verständnis bei Goethe und der
Romantik mit Ungestüm von neuem wachgerufen.

Was hat Goethe von dem Menschen angesichts dieser seiner Zentral-
position gesagt: von seiner Bildsamkeit, seinen Aufgaben, seinem
Schicksal? Einen ersten Anblick bieten uns Gedichte wie »Prometheus«,
»Grenzen der Menschheit«, »Das Göttliche«. Alle drei, verschiedenen
Stufen der Goetheschen Entwicklung angehörend, sind aus der Entfer-
nung betrachtet, zu einem Triptychon zusammengewachsen. »Pro-
metheus«, jenes ins Symbol verdichtete Programm der europäischen
Humanitätskultur, atmet den Trotz des einsam Schaffenden gegen die
Gottheit, wird Sinnbild menschlichen Schöpfertums, das um seine Kraft
und Genialität weiß:

> Hast du nicht alles selbst vollendet,
> heilig glühend Herz? ...
> Ich dich ehren? Wofür?
> Hast du die Schmerzen gelindert
> je des Beladenen?
> Hast du die Tränen gestillet
> je des Geängsteten?
> Hat nicht mich zum Manne geschmiedet
> die allmächtige Zeit
> und das ewige Schicksal,
> meine Herren und deine? ...
> Hier sitz ich, forme Menschen
> nach meinem Bilde,
> ein Geschlecht, das mir gleich sei ...

Dann der Gegenwurf in »Grenzen der Menschheit«: Das Gefühl des
Nichts, der Abhängigkeit des Menschen von den Göttern, dieser tief-
erfahrene Gedanke von den Grenzen gestaltet sich nach dem noch pro-
metheisch klingenden Eingangsbild in drei sich aneinanderreihenden
Gedankenbildern, deren philosophischer Gehalt eben die neuplatonische
Zwischenstellung des Menschen im Kosmos sichtbar werden läßt: Reckt
der Mensch sich ins Metaphysische hinein

> »Und berührt
> Mit dem Scheitel die Sterne,«

wird er ein Spielball der Wolken und Winde

>Steht er mit festen,
Markigen Knochen
Auf der wohlgegründeten,
Dauernden Erde,«

entbehrt er der weltenüberspannenden Größe. Metaphysiker und Empiriker, beide scheitern. Unser aller Schicksal ist die zeitliche Begrenzung – und was uns von den Göttern unterscheidet:

>Uns hebt die Welle,
Verschlingt die Welle,
Und wir versinken.«

Thesis und Antithesis des »Prometheus« und der »Grenzen der Menschheit« aber verbinden sich zur Synthesis in dem großen Lehrgedicht »Das Göttliche«: »Edel sei der Mensch, hilfreich und gut«. Was Götter und Menschen trennte, hier ist es vereint. Wohl ist der Mensch dem Schicksal alles Kreatürlichen unterworfen, und »unfühlend« ist die Natur:

>Es leuchtet die Sonne
Über Bös' und Gute,
Und dem Verbrecher
Glänzen wie dem Besten
Der Mond und die Sterne.«

Wohl greift das Schicksal tappend unter die Menge

>Faßt bald des Knaben
Lockige Unschuld,
Bald auch den kahlen
Schuldigen Scheitel.«

Es scheint, wir stünden noch immer da, wohin uns die Erkenntnis und Erfahrung der »Grenzen« geführt hatte:

>Nach ewigen, ehrnen,
Großen Gesetzen
Müssen wir alle
Unseres Daseins
Kreise vollenden.«

»Wir alle«! Keiner ist ausgenommen, sofern wir alle der Natur, dem Gesetz der Physis, unterworfen sind: Der Mensch im ewigen circulus vitiosus des mundus sensibilis. Aber dem Menschen sind als einem Geistwesen auch drei Kräfte zuteil geworden, die ihn über die »Grenzen« hinausheben: die Urteilskraft, die unsterblich machende Schöpferkraft, die Sittlichkeit:

»Er unterscheidet,
Wählet und richtet;
Er kann dem Augenblick
Dauer verleihen;
Er allein darf
Den Guten lohnen,
Den Bösen strafen,
Heilen und retten.«

Nützt der Mensch diese Kräfte im Urteilen, in Kunst und Wissenschaft, im tätigen Helfen, dann wird er selbst Vorbild »jener geahneten Wesen« und Beweis ihrer Existenz.

Was wir am Beispiel lyrischer Gedichte zeigten, läßt sich in der Epik und Dramatik parallelisieren. Die Stellung des Menschen im Kosmos entscheidet über die Richtung seiner Aufgaben. Wir denken an »Wilhelm Meister« und an den »Faust«. Nur in Umrissen kann das alles hier angedeutet werden. Eines der großen Goetheschen Themen, die Ehrfurcht, ist in das platonische Menschenbild eingebettet. In dreifacher Richtung soll sich die Ehrfurcht bekunden: In der Ehrfurcht vor dem, was *unter* uns ist: das ist die Erde, das Reich der kreatürlichen Wesen, in denen Freude und Leid seltsam gemischt sind, und die unserer Hilfe bedürfen; – in der Ehrfurcht vor dem, was uns *gleich* ist: das sind die Mitstrebenden, die Freunde, die Gefährten der Arbeit und auch die Andersdenkenden, Andershandelnden; sie sind auch unsere Brüder, und die Ehrfurcht vor ihnen ist die Ehrfurcht, die wir vor uns selbst haben sollten; – in der Ehrfurcht vor dem, was *über* uns ist: das sind die »himmlischen Mächte«, denen nun einmal der Mensch unterworfen ist, jene Mächte, die über dem Einzelnen, den Völkern, der Menschheit walten, in einem Wort: Ehrfurcht vor Gott, dem Unbekannten, den wir nicht nennen können.

Immer wieder fühlen wir uns auf das Schema der platonischen Denkform zurückgewiesen. Aber immer wieder sind es nur Teilresultate, zu denen Goethe jeweils auf den verschiedenen Stufen seiner Entwicklung gelangt. Und immer wieder wird alles in Frage gestellt, um neu errungen und auf höherer Stufe bekräftigt zu werden. An die Komposition des »Wilhelm Meister« mußten viele Jahresringe mit stets neuen Erfahrungen gesetzt werden, fast ein Leben lang; an den »Faust« wirklich ein ganzes, langes Leben. Der »Faust« ist Goethes unsterbliches Vermächtnis. Hier wird noch einmal ganz deutlich der Mensch als »copula mundi« sichtbar. Das Descendit-Ascendit-Motiv wird uns durch die dramatische Handlung sinnbildlich vorgestellt; sein tiefstes Streben, das Streben nach Erlösung, wird zur Kardinalfrage seines

Schicksals. Wie aber geschieht das? Jedermann kennt das Schlüsselwort:

> »Wer immer strebend sich bemüht,
> Den können wir erlösen.«

Dieses sein Streben aber ist nur die e i n e Kraftrichtung seiner Seele, die von ihm selbst gewollte und gewählte. Die Erfahrung zeigt indessen, daß sie nicht ausreicht – wieviel Strebende gibt es, die der Erlösung nicht teilhaftig werden! –; sondern es bedarf einer entgegenkommenden Kraftlinie, um das Werk zu vollenden. Diese Kraft ist die göttliche Gnade und Liebe:

> »Und hat an ihm die Liebe gar
> Von oben teilgenommen,
> Begegnet ihm die selge Schar
> Mit herzlichem Willkommen.«

In der copula mundi begegnet sich die zweifach wirkende Bewegung: die nach oben zum Lichte strebende Natur und die nach unten fließende Liebe des Göttlichen: das Emporstrebende und das Aufhebende. So löst sich auch in der copula mundi – dem Menschen – der Gegensatz von Schicksal und Freiheit. Die tiefste Idee Platons und Plotins, der Eros, feiert hier in religiöser Symbolik ihre Auferstehung. Äußere und innere Welt werden im Menschen eins. Das Stufenreich des Kosmos wird zum Stufenreich der Liebe, des Eros, der uns seltsam nach oben zieht.

Das Göttliche. Was aber steht oben? Die Sprache der Völker nennt es Gott. Aber: Goethe läßt die Gretchen-Frage unüberhörbar in unserm Ohr klingen: »Nun sag', wie hast Du's mit der Religion? Und Faust:

> »Mein Liebchen, wer darf sagen:
> Ich glaub' an Gott?
> Magst Priester oder Weise fragen.
> Und ihre Antwort scheint nur Spott
> Über den Frager zu sein.«

Faust will nicht »mißhört« werden. Wir erinnern uns der Worte, mit denen er Margarete das Unsagbare zu sagen versucht:

> »Wer darf ihn nennen?
> Und wer bekennen:
> Ich glaub' ihn?
> Wer empfinden
> Und sich unterwinden
> Zu sagen: ich glaub' ihn nicht?
> Der Allumfasser,
> Der Allerhalter,

Faßt und erhält er nicht
Dich, mich, sich selbst?
Wölbt sich der Himmel nicht dadroben?
Liegt die Erde nicht hierunten fest?
Und steigen freundlich blickend
Ewige Sterne nicht herauf? . . .
Erfüllt' davon dein Herz, so groß es ist,
Und wenn du ganz in dem Gefühle selig bist,
Nenn' es dann wie du willst,
Nenns Glück! Herz! Liebe! Gott!
Ich habe keinen Namen
Dafür! Gefühl ist alles;
Name ist Schall und Rauch,
Umnebelnd Himmelsglut.«

So war Gott für Goethe der Ungekannte, der Ungenannte. In keiner Gestalt war er ihm faßbar; auf tausend Wegen suchte er ihn bis in die letzten »Fußstapfen« der Schöpfung, »in herbis et lapidibus«, über den Wolken, hinter den Sternen, in der eigenen Brust; er suchte ihn als Weltseele in der Natur; er suchte ihn als »Sonne seines Sittentags« im Gewissen; er suchte ihn in Kunst und Dichtung. Das alles – er wußte es – klang den Theologenohren schlecht; aber das hinderte ihn nicht, an Jacobi 1813 zu schreiben:

»Ich für mich kann bei den mannigfaltigen Richtungen meines Wesens nicht an einer Denkweise genug haben; als Dichter und Künstler bin ich Polytheist; Pantheist hingegen als Naturforscher, und eines so entschieden wie das andere. Bedarf ich eines Gottes für meine Persönlichkeit, so ist dafür auch schon gesorgt. Die himmlischen und irdischen Dinge sind ein so weites Reich, daß die Organe aller Wesen zusammen es nur erfassen mögen.«

Dieses Bekenntnis zeigt die Weite der Goetheschen Gottesvorstellung; sie will sich weder in einer »Konfession« noch nicht einmal in einer der Weltreligionen begrenzen. Diese sind ihm, wie Spranger aus den »Geheimnissen« zu lesen meint, »nur symbolische Formen, in denen die Menschen und Völker das an sich Unerschöpfliche sich angeeignet und verständlich gemacht haben.« Dem *Dichter und Künstler* Goethe, – der in der Antike lebte und sich selbst den Alten gegenüber als ein »Nichts« vorkam – sei der Polytheist zugebilligt: Wie konnte Goethe, dem die »Gestalt« über allem stand, von der Herrlichkeit und Menschlichkeit der griechischen Götterwelt nicht bis ins Innerste erschüttert sein? Sein »Allumfasser« – »Allerhalter« sind griechischen Ursprungs – es ist Zeus. Der Betrachtungsweise aber, die er als *Naturforscher* betätigt, eignet der Pantheismus. Nichts war seinem Denken und Betrachten ungemäßer als eine rein mechanistische Naturerklärung, in der Gott als großer Uhrmacher das Federwerk des Kosmos einmal in Betrieb gesetzt hat und dann gleichsam als »Ehrenvorsitzender des Universums« in die Beschaulichkeit zurückgetreten ist:

> »Was wär' ein Gott, der nur von außen stieße,
> Im Kreis das All am Finger laufen ließe?
> Ihm ziemt's, die Welt im Innern zu bewegen,
> Natur in sich, sich in Natur zu hegen,
> So daß, was in ihm lebt und webt und ist,
> Nie seine Kraft, nie seinen Geist vermißt.«

Gott lebt und wirkt als beseelendes Prinzip in der ganzen Natur. Sie ist in ihm, er ist in ihr.

> »Was kann der Mensch im Leben mehr gewinnen,
> Als daß sich Gott – Natur ihm offenbare?«

Das ist »meine reine, tiefe, angeborene und geübte Anschauungsweise, die mich Gott in der Natur, die Natur in Gott zu sehen unverbrüchlich gelehrt hatte, so daß diese Vorstellungsart den Grund meiner ganzen Existenz machte.« (Annalen 1811)

So ist er Pantheist. Der Gott aber, dessen er für seine *Persönlichkeit* bedarf, ist in der sittlichen Welt zu finden, also im Innern des Menschen selbst. Das Göttliche ist dann im Gewissen:

> »Ganz leise spricht ein Gott in unsrer Brust,
> Ganz leise, ganz vernehmlich, zeigt uns an,
> Was zu ergreifen ist und was zu fliehn.«

Was das Gravitationsgesetz in der »Großen Welt«, dem Makrokosmos, ist, das ist das sittliche Gesetz in der »Kleinen Welt«, dem Mikrokosmos:

> »Das selbständige Gewissen
> Sei Sonne deinem Sittentag.«

Führen wir auch diese Sprache Gottes im Gewissen auf ihre alten Elemente zurück, begegnen wir dem bei Goethe öfter erwähnten sokratischen Daimonion, d. i., wie Th. Gomperz von Heraklit sagt, »eine innere Stimme, eine aus den unbewußten Unterströmungen des Seelenlebens auftauchende dunkle, aber richtige Einsicht in das, was seiner Natur gemäß war.« Über Kants Sittengesetz, über Rousseaus Conscience-Begriff weist auch diese persönliche Erfahrung einer göttlichen Stimme in uns auf die Antike:

»In diesem Sinne einer notwendig aufgestellten Individualität«, sagt Goethe in der Einleitung zu den Urworten, »hat man einem jeden Menschen seinen Dämon zugeschrieben, der ihm gelegentlich ins Ohr raunt, was denn eigentlich zu tun sei ...«

So finden wir Goethe bald in der Nähe von Heraklit und Platon, von Rousseau und Kant, von Schelling und dem Pantheismus, wir finden ihn bei Philosophen, Naturforschern, Dichtern, Künstlern, Mystikern – nie eigentlich bei Theologen. Dennoch weisen seine Sprache und Bilderwelt, zumal in den Alterswerken dieses großen Heiden auf ein latentes Christentum. Der Pater ecstaticus, der Pater profundus, der Pater seraphicus, die Schar der Engel und seligen Knaben, der Doctor Marianus und die Mater gloriosa sind gewiß Symbole in der letzten Szene des »Faust«. Im allerletzten christlichen Sinne wird Gott die Liebe. Aus göttlicher Liebe wurde Leben geboren, und alles geteilte Leben wird wieder in die Einheit der göttlichen Liebe zurückgenommen.

Mit der Liebe aber ist der Tod verbunden. Was ist er? Ende? Fortdauer? Goethes Erfahrung von der Unvollendbarkeit alles irdischen Strebens hat sein Korrelat in dem Glauben, der sich in der Überzeugung von der Fortdauer offenbart:

»Ich zweifle nicht an unserer Fortdauer«, sagte er zu Eckermann, »denn die Natur kann die Entelechie nicht entbehren.«

Und fügt an anderer Stelle hinzu:

»... Aber wir sind nicht auf gleiche Weise unsterblich, und um sich künftig als große Entelechie zu manifestieren, muß man auch eine sein.«

Die Fortdauer des Menschen ist also an das ewige Leben der Natur gebunden, hat dieses zur Voraussetzung. Der Tod des Menschen ist für die Natur nur ein Kunstgriff, viel Leben zu haben. So klingt es aus Novalis, später aus Schopenhauer wider:

>»Geburt und Grab, ein ewiges Meer,
> Ein wechselnd Weben, ein glühend Leben.«

Aber Goethe spricht wenig und selten vom Tod – sein Thema ist das Leben. Nicht, daß er vor dem Tod, diesem Letzten, Unerhörten, unbekümmert gewesen sei, er hat mit ihm gerungen auf jeder Stufe seiner Lebensentwicklung, um schließlich, beruhigt, als ein Achtzigjähriger sein »Vermächtnis« mit den Versen beginnen zu lassen:

>»Kein Wesen kann zu nichts zerfallen!
> Das Ewge regt sich fort in allen,
> Am Sein erhalte dich beglückt!
> Das Sein ist ewig ...«

Der Mensch kann aus dem Kosmos nicht herausfallen; er wird von ihm getragen. Ist des Menschen »Entelechie« groß – und das ist in Goethes Sinn »geprägte Form, die lebend sich entwickelt« –, dann ist auch die Natur gleichsam »verpflichtet, mir eine andere Form anzuweisen, wenn die jetzige meinen Geist nicht mehr auszuhalten vermag«, sagte er zu Eckermann. Schon 1783 schrieb er an Knebel: »Ein Artikel meines Glaubens ist, daß wir durch Standhaftigkeit und Treue in dem gegenwärtigen Zustande ganz allein der höheren Stufe eines folgenden würdig und sie zu betreten fähig werden, es sei nun hier zeitlich oder dort ewiglich.« Durch eine unendliche Kette der Entwickelungen vollzieht sich der Aufstieg über ein ewiges »Stirb und werde!« Der Tod ist ewige Wandlung.

2.

Es läßt sich unter den deutschen Klassikern kaum ein schrofferer Gegensatz der Geister und Temperamente beobachten als der zwischen Goethe und Schiller. In ihrer Begegnung vollzog sich etwas Wunderbares. Goethe und Schiller waren Antipoden, stießen sich anfangs als »widerlich« empfunden ab und verbanden sich später so eng, daß ihre geistig-künstlerische Zusammenarbeit zu einer Freundschaft führte, die beiden unentbehrlich wurde. Aber weder ist Goethe mit Schillerschen noch Schiller mit Goetheschen Maßstäben zu messen. Sie bleiben inkongruent. Herkunft, Konstitution, Lebensform, Kunst- und Weltanschauung, ihr ganzes Wesen, ihr In-genium werden sie für immer trennen, aber das Schicksal ihrer Begegnung zum eigentlichen Wunder ihres geistigen Zeitraums werden lassen. Das haben beide gefühlt und ausgesprochen. Sie hatten beide den »Takt« der Zeit und Umstände; sie wußten von der Bedeutung des Kairos. – Goethe war bürgerlich-wohlhabend geboren und geborgen und blieb es das ganze Leben über, mit 25 Jahren war er weltberühmt, mit 26 Freund eines Herzogs, mit 30 Exzellenz, bald das Orakel der Welt und zum Olymp erhoben – nun, ganz so war es nicht: vielmehr fühlte er sich als »geschundener Mensch«, oftmals krank bis zum Tode, von den Ärzten aufgegeben, von Dämonen besessen, war sein Leben »das ewige Wälzen eines Steines« – so sagte er selbst und erklärte mit 75 Jahren, daß er »keine vier Wochen eigentliches Behagen gehabt habe«. Dennoch vollzog sich seine Entwicklung, wenn auch durch immer neue Stadien dämonischer Gefährdung hindurch, in naturhaft-sicherer Gemessenheit. Bei Schiller aber ist alles gewaltsam, getrieben, gehetzt. Dem einen gab das Leben über achtzig, dem andern nur fünfundvierzig und einhalb Jahre. Goethe sah 10 Jahre mehr ins 18. Jahrhundert zurück, und fast 30 Jahre über den Tod Schillers hinaus in die neue Zeit hinein. Er hatte mehr Zeit, seinen Ruhm zu gründen, seine Wirkung zu befestigen und zwei Zeitalter, durch die Französische Revolution getrennt, in sich zu verbinden als der andere, und dennoch liegt für uns Heutige ein gleiches Gewicht auf den Waagschalen ihrer Persönlichkeit, und das Äquilibrium ihrer Wirkung ist hergestellt. Von den drei für die Kulturgeschichte interessanten Männerfreundschaften: Friedrich d. Gr. und Voltaire – Goethe und Schiller – Nietzsche und Wagner, blieb die mittlere zwar nur ein deutsches Ereignis, aber in diesem Rahmen war sie mehr als ein Kuriosum.

Vielleicht findet man den Zugang zum Geheimnis ihrer spannungsreichen Freundschaft in der offensichtlichen Verschiedenheit ihrer menschlichen Interessensphären. Goethe war vor allem der Betrachtung, dem Studium und der Erscheinungsfülle der NATUR hingegeben, Schiller ganz der Betrachtung, dem Studium und der Erscheinungsfülle der GESCHICHTE. Goethe kehrte immer wieder zur Naturforschung zurück, Schiller zur Historie. Beiden gemeinsam war dabei eine philosophische Haltung und ein spezifischer Kunstsinn, ohne deren Wirksamkeit es ihnen nicht in dem Maße gelungen wäre, ihre Natur- und Welterfahrung ins Allgemein-Verständliche und ins Ästhetisch-Gültige zu erheben. Schiller und Goethe sind die Brennpunkte einer Ellipse, auf deren Bahn wir den zeitgenössischen Philosophen, Historikern, Gelehrten und Künstlern aller Art begegnen: Fichte, Hegel, Schelling, den Humboldts und Grimms, Beethoven und Runge und ungezählten anderen Europäern. In dieser Ellipse entfaltet sich sogar noch die weltweite Romantik, die, sich bald dem einen bald dem andern Brennpunkt nähernd oder sich von ihm entfernend, immer im Bannkreis beider bleibt. Verwebt man in die kulturgeschichtlichen Vorgänge dieser dynamischen Zeit gar noch die Schicksale der deutschen Musik, wie sie von den Zeitgenossen Mozart und Beethoven und den jüngeren Romantikern getragen wurden; erkennt man dabei, daß ein Mozart einem Goethe zugehört wie Beethoven einem Schiller, und daß doch die verführerische Gleichung nicht aufgeht, daß der Ruf der unendlichen Liebe und Verehrung Beethovens für Goethe zwar nicht ungehört blieb, doch den Geliebten und Verehrten nie ganz tief ergreifen konnte, bedenkt man, daß Goethe andererseits dem langverstorbenen Mozart allein eine musikalische Komposition seines »Faust« anvertraut hätte, und daß Schiller die »Neunte« – s e i n Lied an die Freude – nicht mehr hören konnte; erahnt man aus den wenigen skizzenhaften Andeutungen dieser Art die unendliche Fülle dieser und vieler anderer Möglichkeiten der Begegnungen und erkennt dabei schließlich, wie vieles nicht zur Entfaltung kam, verdorrte oder Fragment blieb ... dann, sage ich, muß auch dem gelangweiltesten Snob, den die »Klassik« oder »Romantik« oder die Vergangenheit überhaupt unberührt läßt, deren Bild interessant erscheinen.

Wie kam es zu der Freundschaft zwischen Goethe und Schiller? Nach einem Vorspiel, wo der schon berühmte Goethe 1787 nach Stuttgart kam und den zwanzigjährigen Eleven an der Militärakademie, Friedrich Schiller, das erste Mal sah, setzt der 1. Akt ihrer Freundschaft im September 1788 ein, als Schiller einige Stunden mit Goethe in Rudolstadt zubrachte. Die hohe Meinung, die Schiller von Goethe hatte, wurde bedenklich tief heruntergestimmt.

»Ich zweifle«, schreibt Schiller, »ob wir einander sehr nahe rücken werden ... unsere Vorstellungsarten scheinen wesentlich verschieden ... Die Zeit wird das Weitere lehren ...«

Schiller ist jedenfalls nicht gewillt, an den »Verwöhnten« so viel Zeit und Mühe zu verschwenden: »Man hat wahrlich zu wenig bares Leben« – ein Wort, das im Munde des Dreißigjährigen aufhorchen läßt.

Schillers »Gotheschmerzen« sind ein Liebeshaß; denn er beneidete und bewunderte den, dem er sich zugleich unterlegen und überlegen fühlte, dessen Schicksal zudem so viel leichter als das seinige war: Wie versteht es Goethe, die Menschen an sich zu fesseln und sich selbst dabei von ihnen frei zu halten!

»Ein solches Wesen sollten die Menschen nicht um sich herum aufkommen lassen. Mir ist er dadurch verhaßt, ob ich gleich seinen Geist von ganzem Herzen liebe und groß von ihm denke ...«

»Seine Philosophie mag ich auch nicht: sie holt zu viel aus der Sinnenwelt, wo ich aus der Seele hole.«

»... doch dieser Mensch, dieser Goethe, ist mir einmal im Wege ... Wie leicht ward sein Genie von seinem Schicksal getragen, und wie muß ich bis auf diese Minute noch kämpfen!«

Aber beider Schicksalsfäden sollten sich, als die Stunde gekommen war, zur Freundschaft verknüpfen. Mit der Stunde, wo beide sich zur gemeinsamen Tätigkeit zusammenfanden, begann der 2. Akt des Dramas, der zugleich ihr letzter war; die Geburtsstunde der deutschen Klassik hatte geschlagen.

Mit Schillers berühmtem Brief vom 23. August 1794, in dem der Jüngere die Summe der Gotheschen Existenz mit sicherem Blick für das Wesentliche zog, setzte der Briefwechsel beider Männer ein. Goethe, der seine Herausgabe knapp 20 Jahre nach Schillers Tode vorbereitete, nannte diese Korrespondenz »eine große Gabe, die den Deutschen, ich darf wohl sagen, den Menschen geboten wird«. Noch heute ergreift sie den Leser wie »eine schöne und traurige, erregende und hinreißende, wunderbare und spannende Lektüre« – so nennt sie Zuckmayer. Groß und schön: denn ihr hoher Inhalt zeigt die menschliche

Größe ihrer Korrespondenten und zugleich die hohe, sachliche Aufgabe, der diese Freundschaft diente, nämlich die klassische Kultur der Deutschen, die noch keine hatten, zu begründen und also einem sternbegünstigten Augenblick der deutschen Geschichte Dauer zu verleihen. Schiller begleitete den »Wilhelm Meister«, trieb zur Fortsetzung des »Faust«, und im Gespräch mit Goethe gestaltete sich sein eigener »Wallenstein« zu dem größten historischen Drama der Deutschen. In diesen glückhaften Jahren der Freundschaft entstand auch die gemeinsame Arbeit an der sozialpädagogischen Idee der »Horen«, einer Monatsschrift, durch welche die Freunde den Blick des Lesers über die Vergänglichkeit des jeweils Aktuellen in tiefere Schichten und weitere Horizonte der Geschichte öffnen wollten; es entstand die gemeinsame Arbeit an den »Xenien«, den »Gastgeschenken«, die wie »Füchse mit brennenden Schwänzen« »ins Land der Philister« gejagt wurden – viele hundert Epigramme, Geschenke an Kritiker, Frömmler aller Art und literarische Götzen, »eine poetische Teufelei«; gemeinsame Arbeit schließlich an der Balladendichtung. Wer kennt sie nicht, den »Erlkönig«, den »Sänger«, die »Braut von Korinth«, den »Schatzgräber«, den »Gott und die Bajadere« – und so viele andere frühere und spätere und ihre Begleitmusik von Mozart, Schubert, Löwe, Wolf, Ravel. Und die des andern im gleichen »Balladenjahr« 1797: »Der Ring des Polykrates«, »Der Handschuh«, »Der Taucher«, »Die Kraniche des Ibykus« und die weiteren – noch heute die obligatorische Schullektüre, aber welch ein Fest der Dichtung für den, der zu hören und zu lesen versteht! Die Goethesche Ballade, ein großer schöner Zweig am Baume des Herderschen Volkslieds, dem Mythus und Märchen noch nahe, und, wie Schuberts Tonkunst im »Erlkönig«, vibrierend im Kontakt mit den übermenschlichen Mächten. Und die Schillersche Ballade: so ganz anders, prall gefüllt die Verse mit dem sinnlichen Vorgang des Geschehens, wo alles zur Szene, zum Schauspiel, zum Drama wird.

Dann kam der Ausgang der Freundschaft. Thomas Mann meint, es wird immer ein Geheimnis bleiben, wie Goethe in tiefster Seele über Schiller als Dichter dachte. Wir wollen dem nicht nachgehen. Mag sein, daß das, was Goethe unter einem »Dichter« verstand, von Schiller nicht verkörpert wurde. Grob umrissen ließe sich sagen: Goethes Dichtertum hat seine Wurzeln in der Lyrik, Schillers »Naturform« der Dichtung (der Ausdruck stammt von Goethe selbst) aber ist das Drama. Das Resultat ihrer Begegnung war jedenfalls, daß beide wechselseitig zu ihrer besonderen dichterischen Begabung zurückgeführt wurden. Als Schiller starb, war Goethe 56 Jahre alt. Es scheint, daß nun erst, da er ihn nicht mehr um sich haben konnte, die Zeit gekommen war, des

Freundes ganze Größe zu erfühlen. Im freien, dem Alltag irdischer Berührung enthobenen Raum, empfing das Gedächtnisbild Schillers seine mythischen, aller täglichen Störungen enthobenen Züge. In der Chiron-Szene des »Faust« verknüpft sich die Erinnerung an den verewigten Freund – verhüllt und symbolisch – an die Gestalt des Herkules. Goethe mochte sich dabei erinnern, wie Schiller von einer olympischen Idylle als einer letzten höchsten Dichtung und Dichtform geträumt hatte: der Hochzeit des Herkules mit Hebe, der Göttin ewiger Jugend. »Eine Szene im Olymp«, da alles Sterbliche aufgelöst ist, »lauter Licht, lauter Freiheit, lauter Vermögen – keinen Schatten, keine Schranke« ... so sprach Schiller in einem Brief an W. v. Humboldt – daran könne er sich erst machen, wenn sein »Gemüt nur erst ganz frei und von allem Unrat der Wirklichkeit recht rein gewaschen« sei. Dann wolle er »den ganzen ätherischen Teil« seiner Natur noch einmal zusammennehmen, »wenn er auch bei dieser Gelegenheit rein sollte aufgebraucht werden«. Große, emporverlangende Seele! ruft Thomas Mann vor dieser Briefstelle aus. Aber für Goethe schiebt sich noch bei der Erinnerung an diesen zu den Göttern erhobenen Mann der zwölf Taten, wie ihm Schiller erscheinen mochte, ein anderes göttliches Bild, worin er den Verklärten faßt. Er schreibt an Zelter im November 1830: »Jedes Auftreten von Christus, jede seiner Äußerungen gehen dahin, das Höhere anschaulich zu machen. Immer von dem Gemeinen steigt er hinauf, hebt er hinauf. Schiller war eben diese Christustendenz eingeboren; er berührte nichts Gemeines, ohne es zu veredeln.«

> »Denn hinter ihm in wesenlosem Scheine
> Lag, was uns alle bändigt, das Gemeine.«

»Das Gemeine« – es ist das Niedrige, Gewöhnliche, es ist die Abhängigkeit von unserer Physis, in deren Bannkreis wir alle stehen, aus deren Bannkreis aber das herakleisch-christushafte Wesen Schillers ausgebrochen ist in den Traum von lauter Licht, Freiheit und Vermögen.

Niemand kommt um Schiller herum, so wenig wie um Goethe. Es ist nicht die Frage, ob beide uns noch »etwas bedeuten«, sondern die Frage ist, was können wir tun, um ihrem hohen Menschentum gerecht zu werden. Schiller ist eine ewige Forderung an uns, ein ewiger Stachel. Zwar lassen wir uns seinen »Idealismus« nicht gern und leicht von jemandem predigen, der nur in ästhetischer Lebensform posiert und poetisiert. Schillers Leben und Werk gewinnt dadurch seine Wirkungskraft, daß er die Ideale in seine Existenz umprägte und vorlebte. Das geben Goethes Verse aus dem »Epilog zur Glocke« zu bedenken:

Nun glühte seine Wange rot und röter
Von jener Jugend, die uns nie entfliegt,
Von jenem Mut, der früher oder später
Den Widerstand der stumpfen Welt besiegt,
Von jenem Glauben, der sich, stets erhöhter,
Bald kühn hervordrängt, bald geduldig schmiegt,
Damit das Gute wirke, wachse, fromme,
Damit der Tag dem Edlen endlich komme.

3.

Wer also war dieser Schiller? Er gehörte nicht zu den Gesegneten unter den genialen Kindern der Natur, die wie im Spiel das Leben meistern. Er gehörte zu den Leidenden, den Kranken, den Gehetzten, denen kaum hie und da einmal eine Erholungspause vergönnt war, und die auch in den Zeiten, da der Beifall an ihrem Werk emporrauschte, sich der Vergänglichkeit um so schmerzlicher bewußt wurden. Erst als er die »Maria Stuart« vollendet hatte, schrieb er:
»Ich fange endlich an, mich des dramatischen Organs zu bemächtigen und mein Handwerk zu verstehen ... Ich hoffe so, das Versäumte hereinzubringen, und wenn ich das 50. Jahr erreichen kann, noch unter den fruchtbaren Theaterschriftstellern einen Platz zu verdienen.«
Die letzten 10 Jahre waren ein Wettlauf mit dem Tode. Er jagte dem Schicksal Jahr um Jahr ein Stück ab – und daneben arbeitete er an Übersetzungen wie der »Phèdre« von Racine, an der Neufassung des »Turandot« von Gozzi, an einer Bearbeitung des »Macbeth« und Inszenierungen weit wertloserer Werke! Und das alles unter immer rascher aufeinanderfolgenden Anfällen, unter körperlichen Schmerzen, die zuweilen so wahnsinnig waren, daß er sich die Erlösung vom Leben wünschte; – Fieberschauer, Schlaflosigkeit, Erstickungsanfälle – all das spannt den Bogen seiner Energien bis aufs äußerste ... »das 50. Jahr erreichen!« – das wurde zum Fiebertraum, zum Notruf einer gequälten, todesbangen Seele, die noch nicht alles gesagt zu haben glaubte und noch alles sagen wollte. Wie nah steht er Beethoven, dem andern großen Kranken und Leidenden, der, wie Schiller, auf dem messerscharfen Grad zwischen Tod und Leben wandelte und sagte:
»Nur sie, die Kunst, hielt mich zurück. Ach, es dünkte mir unmöglich, die Welt eher zu verlassen, bis ich das alles hervorgebracht, wozu ich mich aufgelegt fühlte.«
Aber das Schicksal kümmerte sich um die flehende Bitte ihrer großen Kinder nicht. Noch lange vor dem 50. Jahr durchschnitt die Parze Schillers Lebensfaden.

Ein solcher Mensch hat nichts von der robusten Gesundheit, nichts von einem kernig-kräftigen Mannestum. Und dennoch steht sein Werk kraftvoll da. Aber die Kräfte, die es noch heute ausstrahlt, sind vielmehr dem Boden eines unsäglichen Leidens abgerungen, eines stets gefährdeten Lebens, das im Angesicht des Goetheschen von beklemmenden Zweifeln am eigenen Schicksal und am eigenen Können zernagt war. All das mußte tapfer überwunden werden. Nichts wurde ihm geschenkt, wie es den Lieblingen der Götter geschieht. Ihm flogen weder Herzen noch Ämter zu, weder Freundschaften der Männer noch die Liebe der Frauen. Alles, auch dieses, mußte errungen werden. Aber aus der Erfahrung und tiefen Erkenntnis, daß das Glück dem Menschen frei von den Göttern geschenkt wird, niemals von den Sterblichen erzwungen werden kann, der Erfahrung, daß auch das höchste Glück der Liebe nur ein freies Geschenk der lächelnden Göttin ist und so auch alle Macht des Geistes und des Herzens allein und ohne Verdienst der Strebenden uns vom Vater der Götter und Menschen gegeben wird – aus dieser Erfahrung, in der Gegenwart Goethes gereift, hat Schiller jenes große Gedicht gestaltet, das einen Beethoven so tief bewegte und einen Thomas Mann zu dem Urteil leitete: »Schöneres, Edleres, Heiligeres findet sich nicht im ganzen Bereich des Gefühls und der Sprache. Ich gebe Anthologien erotischer Lyrik daran für dies Liebesgedicht des Geistes, des Willens, der ›Mühe‹, der Tugend ans verdienstlos Göttliche, des Schauenden an das Seiende.«
Hier einige Verse daraus:

> Selig, welchen die Götter, die gnädigen, vor der Geburt schon
> Liebten, welchen als Kind Venus im Arme gewiegt,
> Welchem Phöbus die Augen, die Lippen Hermes gelöset,
> Und das Siegel der Macht Zeus auf die Stirne gedrückt . . .
> Ihm ist, eh' er gelebt, das volle Leben gerechnet,
> Eh' er die Mühe bestand, hat er die Charis erlangt . . .
> Groß zwar nenn' ich den Mann, der, sein eigner Bildner und Schöpfer
> Durch der Tugend Gewalt selber die Parze bezwingt;
> Aber nicht erzwingt er das Glück, und was ihm die Charis
> Neidisch geweigert, erringt nimmer der strebende Mut . . .
> Zürne der Schönheit nicht, daß sie schön ist, daß sie verdienstlos,
> Wie der Lilie Kelch, prangt durch der Venus Geschenk!
> Alles Menschliche muß erst werden und wachsen und reifen,
> Und von Gestalt zu Gestalt führt es die bildende Zeit;
> Aber das Glückliche siehest du nicht, das Schöne nicht werden,
> Fertig, von Ewigkeit her, steht es vollendet vor dir . . .

Goethe und alles, was er durch die Gunst des Schicksals und der Liebe war und wurde, mußte in solchen Augenblicken einem Schiller wie ein griechischer Göttertraum erscheinen. Er selbst schuftete und mühte sich ab, und als Goethe ihm schon lange Freund geworden war und mit Besorgnis die unerhörte Vergeudung an Arbeitskraft bemerkte, mit der Schiller an die Grenzen des Menschenmöglichen stieß, mochte es ihn schaudern, aber er konnte nicht helfen. Hier wird die seltsame Verzahnung von Krankheit, Besessenheit, Fleiß und Produktivität grell beleuchtet. Während Schiller an einem Drama arbeitete, dachte er schon an das nächste, und Skizzen zu noch weiteren wurden niedergeschrieben. Gab es einmal Zwischenpausen, fühlte er sich »im luftleeren Raum schweben«. Dabei inspirierten ihn seltsame Reize, wie der Geruch fauler Äpfel in seiner Schublade. Aber wer spürt dem dichterischen Werk Schillers den Haut-goût des Morbiden an? Wer sieht den Stich ins Krankhafte, Überreizte? Was wissen wir von den Irrungen und Wirrungen seines Gefühls- und Liebeslebens? Nur wenig sickerte da durch:

»Es ist sonderbar, ich liebe die herzliche, empfindende Natur, doch jede Kokette kann mich fesseln. Jede hat eine unfehlbare Macht auf mich durch meine Eitelkeit und Sinnlichkeit . . .«

Die psychophysischen Urgründe, aus denen Schillers hochkünstlerische Werke entstanden, sind keine andern als die der meisten genialen Menschen. Worauf es ankommt, ist der W e g des Werdens und der Gestaltung. Ein solcher Weg ist immer ein Kampf um die Klarheit und die Befreiung der gefesselten Gestalt des Werkes. Das gilt für Goethe wie für Schiller. Versuchen wir in Schillers Wesenskern zu dringen, und wir werden ihn in einer Schicht poetischen Schöpfertums finden, wo er stolz und freudig die Überlegenheit über Goethe empfinden mußte.

Schiller war ein urdramatisches Talent; er war gewissermaßen selbst ein dramatischer Organismus. Darauf haben gerade diejenigen immer wieder verwiesen, die selbst als Dramaturgen, Schauspieler oder Intendanten unsern Dichter von der lebendigen Welt der Bühne begriffen haben, etwa Friedell, Storz, Zuckmayer, Gründgens. Bereits die Jahre auf der Karlsschule sind wie ein Meisterstück einer straff gespannten Exposition; die weiteren Lebensakte führen gewaltsam, unausweichlich zu dem tragischen Höhepunkt, von wo die Linie kerzengerade abfällt; sein Leben versinkt und hinterläßt die Leuchtspur seines genialsten Dramenfragments: es ist der Torso des »Demetrius.«

Schillers Welt ist die Welt des Theaters. Hier fühlt er, weiß er, daß er souverän ist und den ewigen, ihm »überall im Wege« stehenden Goethe hinter sich lassen kann. Er errichtet diese Welt ü b e r der Welt der Wirklichkeit. Die Theaterwelt ist immer ein Reich für sich, getrennt vom Alltag, vom Publikum, vom »Gemeinen« aller irdischen

Kondition. Sie ist eine Welt, wo eine eigene Psychologie, Logik und Ethik herrschen. Eine Welt, die jeden Abend und mit jedem Stück neu geschaffen wird. Die Gestalten, die auf der Bühne stehen und agieren, schaffen diese Welt durch die Magie des Dichterworts, und die Zuschauer befreien sich für diese Stunden aus dem Gefängnis ihres Ichs. »Die Welt, in der wir sind«, sagt Louis Jouvet, »wird wesenlos, leicht«. Was da geschieht, ist das Geheimnis einer Verwandlung über die Rampe hinweg. Was geht da den großen Dichter die »historische Wirklichkeit« eines Don Carlos, einer Maria Stuart an? Was interessiert es, ob er sie »richtig« erfaßt hat? Erst seit Schiller wissen wir Deutsche wieder – was längst zuvor die Griechen, Spanier, Engländer und Franzosen wußten –, daß sich da, auf der Bühne und über das Stück hinaus etwas Unsagbares und Unbegreifliches mitgeteilt hat, ein Geheimnis, das voller Wahrheit ist – eine tiefere Wahrheit als die »Realität«, eine höhere, eine Sur-Realität.

In dieser gleichsam surrealen Welt des Theaters ist Schiller nicht nur der einfallsreiche, phantasiebegabte Techniker, Maschinenmeister und Regisseur, sondern die Seele des Ganzen, ist ihr Geist, ihr souveräner Imperativ. Da steigt er wie ein Feldherr auf den Hügel, sieht und überblickt alles, ordnet, dirigiert, verteilt mit genialer Ökonomie die Szenen wie die Massen, wägt, setzt Akzente, strafft die Handlung, die innere wie die äußere, auf den Höhepunkt zu, und die erhabene Gesamtidee des Stückes tritt dann hervor wie die Umrisse einer großartigen Architektur, in die alles verwickelte Geschehen und alle widersprüchliche Problematik eingeordnet ist. In Schillers Theaterwelt waltet ein Wille, dem sich die Dinge bequemen müssen. Das ist ganz und gar ungoethisch, aber theatergerecht.

Man muß aber, um den Dramaturgen Schiller zu kennen, nicht nur die vollendeten Stücke lesen, sondern einen Blick in die Skizzen, Regieanweisungen, Entwürfe zu den unausgeführten Plänen werfen. Etwa auf das »Seestück«, das auf einem Schiff auf hoher See spielen soll, auf »Narbonne oder die Kinder des Hauses«, auf die Einfälle seiner Kriminalstories, die Schillers Neigung zur großen Kolportage beleuchten. Carl Zuckmayer empfahl in seiner Schillerrede professionellen Filmautoren und -produzenten, sich ein Schillersches »treatment« anzusehen – und sie würden gewiß die Kleinigkeit von ein paar Dutzend Stories darin entdecken! Aber welche Gewissenhaftigkeit der Dokumentierung spricht zugleich aus den seitenlangen Notizen etwa zum »Demetrius«-Entwurf! Phantasie u n d Fleiß machten hier das Genie. Er hat auch schon, noch bevor der unfruchtbare Streit unserer Tage über Guckkasten- und Amphitheater die Gemüter erregte, dieses Problem des

Theaters und Theaterspielens wesenlos gemacht. Man lese die Regieanweisungen zum »Demetrius«, wo er das Publikum im Parterre selbst ins Spiel einbezieht, als säße es im Reichstag selbst.

Schiller war, ob in Mannheim oder Weimar, auf seine Schauspieler angewiesen. Wie hätte er, trotz seines zweispältigen Gefühls den Schauspielern gegenüber, die Leistungen seines »Theatervolks«, die er ja mit Goethe zu erwecken und zu steigern berufen war, nicht würdigen sollen! Er setzte ihnen ein Denkmal, wie kein deutscher Bühnendichter, vielleicht mit Ausnahme Wagners, es früher oder später je vermocht hat. Ein Louis Jouvet, ein Max Reinhardt, ein Siegfried Melchinger haben nichts Schöneres, Würdigeres, Treffenderes über das Phänomen des Schauspielers sagen können. Er erspürte die tiefe Tragik des Vergänglichen jener hohen, dem Augenblick geweihten Darstellungskunst und sah doch den Punkt, wo der große Schauspieler, so wunderbar der reinen Gegenwart verpflichtet, durch die Wirkung seines Spiels sich im Herzen der Besten ein lebendiges Denkmal setzt, sie durch seine hohe Kunst erobert und die Ewigkeit vorweggenießt. Jeder Vers, den wir da mitten im Prolog zum »Wallenstein« hören, ist von tiefem Wissen um das Schauspielertum, von seiner Größe und Tragik durchleuchtet. Nur noch Goethes »Vorspiel auf dem Theater«, das sich in die dreifache Dimension des Direktors, des Theaterdichters und der Lustigen Person erstreckt, vermittelt uns in anderer, aber ebenso eindrucksvoller Weise den Tiefblick in das Phänomen der Bühne. Schiller:

> Denn schnell und spurlos geht des Mimen Kunst,
> Die wunderbare, an dem Sinn vorüber,
> Wenn das Gebild des Meißels, der Gesang
> Des Dichters nach Jahrtausenden noch leben.
> Hier stirbt der Zauber mit dem Künstler ab,
> Und wie der Klang verhallet in dem Ohr,
> Verrauscht des Augenblicks geschwinde Schöpfung,
> Und ihren Ruhm bewahrt kein dauernd Werk.
> Schwer ist die Kunst, vergänglich ist ihr Preis,
> Dem Mimen flicht die Nachwelt keine Kränze;
> Drum muß er geizen mit der Gegenwart,
> Den Augenblick, der sein ist, ganz erfüllen,
> Muß seiner Mitwelt mächtig sich versichern
> Und im Gefühl der Würdigsten und Besten
> Ein lebend Denkmal sich erbauen. – So nimmt er
> Sich seines Namens Ewigkeit voraus,
> Denn wer den Besten seiner Zeit genug
> Getan, der hat gelebt für alle Zeiten.

Drei Elemente waren wirksam, das dramatische Werk Schillers zu seiner eigentümlichen Größe und Bedeutung aufzurichten.

1. Es war zunächst die Kraft einer Begeisterung, welche die Flamme einer immensen Schaffensfreude und das Bewußtsein einer hohen Berufung emporsteigen ließ.

»Es war nicht Schwärmerei«, berichtet er dem Freunde Körner, »philosophisch feste Gewißheit war es, was ich in der herrlichen Perspektive der Zeit vor mir liegen sah ... Ich fühlte die kühne Anlage meiner Kräfte ...« Arm in Arm will der trunkene Dichter, der den Wein auf das neuaufgelegte Damasttuch der armen Frau Körner schüttet und die Gläser über die Gartenmauer schleudert, mit Körner, Huber und den Genossen »bis vor die Falltüre der Sterblichkeit dringen, wo die Linien zwischen Menschen und Geistern gezogen sind. Enthusiasmus bleibe stets unsere erste treibende Kraft; unsere Kugel soll wenigstens so kräftig von der Hand emporfliegen, daß der Bogen in den Wolken verschwinden und ihr Rückfall kaum mehr geglaubt werden soll.«

Das »Mark der Jahrhunderte« in seinen Gebeinen reicht aus, den Jubel der Freude in den Millionen Herzen der Menschheit als Dankopfer und Gebet an den »Vater überm Sternenzelt« aufrauschen zu lassen und ihn immer wieder zu verjüngen. Schillers eigentlicher Weg-, Glaubens- und Leidensgenosse wurde Beethoven.

2. Aber der feuertrunkene Geist war der nüchternsten Besonnenheit fähig. Ein sicherer Instinkt leitete ihn zu der Erkenntnis, daß nur auf solidem Fundament ein Lebenswerk als Dichter zu errichten sei. Die Schichten dieses Fundaments suchte und gründete er in der Hingabe an die Geschichtswissenschaft, in der spekulativen Philosophie und im fleißigen Studium der großen Modelle der bis zu seiner Zeit bekannten Dramendichtung der Weltliteratur.

a) Dem historischen Studium verdankte Schiller einen guten Teil seiner Welt- und Menschenkenntnis. Er packte das Studium universalgeschichtlich an: als Entwicklung des Menschengeschlechts zum Ziel seiner höchsten Würde auf dem »gefährlichen Weg zur moralischen Freiheit«. Wir verdanken diesem Studium eine Reihe historischer Abhandlungen über die Völkerwanderung, den Zustand Europas zur Zeit der ersten Kreuzzüge, vor allem aber die zwei Bücher »Geschichte des Abfalls der vereinigten Niederlande von der spanischen Regierung« und die »Geschichte des dreißigjährigen Krieges«. Die Lektüre dieser Werke bereitet nicht nur wegen ihrer sprachlichen Vollendung und ihrer meisterlichen Kunst der Charakterisierung von Menschen und Situationen einen hohen Genuß, sondern sie führt den nachdenklichen Leser mit fester Hand und unumwunden in den Bezirk jener menschlichen Leidenschaften, die Geschichte machen, und stößt den Betrachter jener wunderbaren historischen Gemälde, die Schillers Sprachkunst malt, mit sanfter Gewalt in das Gewirr der Probleme, welche den Menschen seit Jahrtausenden beunruhigen und quälen. Auch Schiller will entdecken, w a s eigentlich hinter den Dingen und den Menschen waltet; er fragt, ob es Zufall ist oder Sinnzusammenhang, was die Ereignisse zusammenbindet; ihn beunruhigt die Frage, ob dieser Zusammenhang durch eine gütige Führung göttlicher Vorsehung entstehe, oder ob ein Fatum, unbekümmert um menschliche Wünsche, die Geschicke der Völker bestimme. Die Antworten sind widerspruchsvoll, die Denkrichtungen divergierend, die Probleme bleiben ungelöst. Waren oder sind sie überhaupt zu lösen? Der Bezirk der Menschheitsgeschichte bleibt im Dunkel ihres rätselhaften Grundes. Schiller war ein Realist; er sah die Wirklichkeit mit klaren Augen; er durchschaute sie; und trotzdem, vielmehr gerade deswegen wurde er zum Anwalt der Menschheitsideale und wo er von Geschichte handelte, in Prosa oder Dichtung, als Philosoph oder als Dichter, als Historiker oder freier Schriftsteller, er sah und wertete Geschichte unter der unverbrüchlichen Idee der Menschenfreiheit, der Menschenwürde und der Menschenrechte. Dahin wies die Nadel seines Kompasses.

b) In Monaten schwerer Krankheit suchte Schiller den Weg zu Kant. In Jena, wo er damals lehrte, war Kant große Mode.

»Hier hört man«, so schreibt er Anfang 1793, »auf allen Straßen *Form und Stoff* erschallen; man kann fast nichts Neues auf dem Katheder sagen, als wenn man sich vornimmt, nicht kantisch zu sein.«

Schiller wurde kantisch. Etwas in ihm praedestinierte ihn zur Rezeption Kants. »Er ist für mich kein so unübersteigbarer Berg«, sagte er, und so machte er sich daran, ihn zu erklimmen. Gleichzeitig aber studierte er Locke, Hume, Leibniz; er vermied es von Anfng an, einseitiger Kantianer zu werden. Vielmehr bestrebte er sich, eine allgemeine, haltbare philosophische Grundlage für das Gebäude seiner Dramenwelt zu gewinnen. Er wollte gefestigt, bestätigt, aus dem freiwilligen Intermezzo seiner philosophischen Arbeit hervorgehen. Er blieb, was er war. Was also erfolgte, war die Abgrenzung gegen Kants Philosophie in den Bereichen der Sittenlehre und der Ästhetik. So entstanden die Schriften »Über Anmut und Würde« (1793) »Über die ästhetische Erziehung des Menschen« (1793/94), »Über naive und sentimentalische Dichtung« (1795). Verhängnisvoll – großartig: so divergierend lautet das Urteil über Schillers Traktate. Sagen wir mit Benno von Wiese, einem unserer besten Schillerkenner, daß die eigentliche Tat Schillers gerade die Überwindung des Dualismus von sinnlich-empirischem Ich und transzendental-absolutem Selbst gewesen ist – nachdem eben dieser Dualismus die Schillersche Tragödie in Gefahr geführt hatte. Freilich der Spalt, welcher die sittliche Freiheit des Menschen im Sinne Kants und Schillers von seiner leidenden Natur, die gnadenlos des Schicksals Mächten preisgegeben ist, trennt, konnte nicht geschlossen werden. Dieser Zwiespalt i s t eben der Mensch und seine Tragödie. Er wird durch das Schicksal zermalmt oder er befreit sich – sterbend – zur Transzendenz. Von derlei Gedanken sind die theoretischen Schriften zur Tragödie zwischen 1791 und 1795 getragen.

Wir spüren allenthalben noch Kant dahinter, und sind doch schon von ihm entfernt. Leise, doch immer vernehmlicher, drängt ein Goethesches Motiv an und durchzieht allmählich seine lange Besinnungsarbeit: die Natur. Es wird Schillers philosophische Überzeugung, daß sich der Geist auch der Natur noch anvertrauen darf. Schiller näherte sich Goethe. Wunderbar entfaltete sich nun seine Idee von der Freiheit des Schönen, die, wie Benno von Wiese glücklich formulierte, »im Bereich des schönen Scheins vorwegnehmend durchspielen darf, was ihr auf der Erde sonst nur mit unwiderruflichem Ernst begegnet«. Bald wird nun wieder, auf höherer Ebene, das dichterische Schauen, das intuitive Erkennen, das künstlerische Gestalten über die rein philosophische Spekulation den Sieg davontragen. »Die höchste Philosophie endigt in einer poetischen Idee«, schrieb Schiller an die Gräfin Schimmelmann. Und nun ging es in raschem Tempo zu seiner Urbestimmung zurück, zum schöpferischen Dichten. Am 17. November 1795 schrieb er nach Vollendung seines letzten Horenaufsatzes »Über naive und sentimentalische Dichtung« an Goethe: »Es ist höchste Zeit, daß ich die philosophische Bude schließe.« Und dazu an Humboldt: »Es ist ja überhaupt noch die Frage, ob die Kunstphilosophie dem Künstler etwas zu sagen habe.« (1798) Er bekennt sich Humboldt gegenüber als unphilosophisch genug, die »Elementarästhetik« für einen einzigen empirischen Vorteil, für einen Kunstgriff des Handwerks hinzugeben. »Kunstgriff des Handwerks« – so eben spricht ein echter K ü n s t l e r. Aber er ist den Jahren seiner philosophisch-theoretischen Studien nicht undankbar geworden. Noch kurz vor seinem Tode zieht er in einem Brief an Humboldt vom 2. April 1805 das Fazit seiner philosophischen Periode. Es ist ein ehrliches Bekenntnis zu der eigentümlichen Größe und dem Geist der idealistischen Philosophie: ihren »tiefen Grundideen«, aber auch ein Bekenntnis, warum er sich von ihr löste: ihren »hohlen Formeln«:

»Die spekulative Philosophie, wenn sie mich je gehabt hat, hat mich durch ihre hohlen Formeln verscheucht; ich habe auf diesem kahlen Gefild keine lebendige Quelle und keine Nahrung für mich gefunden; aber die tiefen Grundideen der Idealphilosophie bleiben ein ewiger Schatz, und schon allein um ihretwillen muß man sich glücklich preisen, in dieser Zeit gelebt zu haben.«

c) Dem Studium der großen Modelle aller hohen Dramatik innerhalb der antiken und modernen europäischen Welt (denn vom östlichen Theater konnte Schiller noch nichts wissen) – also dem Studium der Griechen, der Engländer, der Franzosen – die Spanier bekam er nicht in den Griff – verdankte Schiller seine Eigenart und Größe als Dramendichter, und w i r verdanken ihm das ruhmreichste Kapitel deutscher Dramenkunst. Erst durch ihn ist sie zur Weltgültigkeit erhoben worden. Die theoretischen Bemühungen um das Drama klärten, ordneten, begründeten seine Anschauungen, vertieften seine Ideen über das Theater und seine Aufgaben – und hatten schließlich das entscheidende und beglückende Resultat, daß sie ihn in die Lust des Schöpferischen zurücktrieben: Nach der zehnjährigen Enthaltsamkeit brach sich sein urwüchsiges Künstlertum wieder Bahn. Die Ähnlichkeit dieser Vorgänge mit denen der Wagnerschen Schöpfungskurven ist nicht zu verkennen.

Summarisch betrachtet orientiert Schiller seine dramatische Ortsbestimmung an dem klassischen Dreieck der griechischen Tragödie – Shakespeare – der französischen Klassik. In dieser Begrenzung werden alle erdenkbaren, aufs Drama bezogenen Elemente des Theaters durchdiskutiert: Philosophie, Moral, Aufgabe der Bühne und Bühnendichtung; die Begriffe des Mitleids, der Furcht, des Pathos; die Mittel, Wege und Besonderheiten der Griechen, Engländer, Franzosen; der Dichter, der Schauspieler, das Publikum. Es führte zu weit, diese Linien zu verfolgen, so reizvoll es wäre, die Fäden an Lessing anzuknüpfen und sie auf Wagner vorauszuspinnen und dabei die engen Verbindungen mit den Theorien und Praktiken der ausländischen Theater seiner Zeit herzustellen.

Bescheiden wir uns mit der Frage nach den unmittelbaren Ergebnissen für Schillers eigenes Drama. »Nicht eher werde ich wieder mit einer Tragödie anfangen, als bis ich den Geist der griechischen Tragödie erfaßt habe«, sagte er zur Zeit seiner Jenaer Vorlesungen. Wie hoch ihm die Griechen standen, erhellt aus den Seiten »Über das Pathetische«, auf denen er das ihm als spezifisch »griechisch« Erscheinende mit der Kunst und Eigentümlichkeit der französischen Tragédie kontrastiert. Sogleich aber gedenken wir seiner Schrift »Über die tragische Kunst«, wo bereits gehörige Abstriche an der Vortrefflichkeit der griechischen Tragödie vorgenommen wurden.

v. Heideloff

».. . so ist eine blinde Unterwürfigkeit unter das Schicksal immer demütigend und kränkend für freie, sich selbst bestimmende Wesen. Dies ist es, was uns auch in den vortrefflichsten Stücken der griechischen Bühne etwas zu wünschen übrig läßt, weil in allen diesen Stücken zuletzt an die Notwendigkeit appelliert wird und für unsere Vernunft fordernde Vernunft immer ein ungelöster Knoten zurückbleibt.«

Für Schiller hat sich die griechische Kunst nie »zu dieser reinen Höhe tragischer Rührung« erhoben, welche sich erst »aus dem deutlichen Bewußtsein einer teleologischen Verknüpfung der Dinge, einer erhabenen Ordnung, eines gütigen Willens« ergibt. Im Grunde waren die Griechen für ihn überwunden, in dem Maße, wie ihre »Volksreligion« und »Philosophie« überwunden war. Schiller zeigt sich hier als der fortschrittsgläubige Sohn des 18. Jahrhunderts, für den eben letzten Endes Kant über Platon und Corneille über Sophokles stand. Kein moderner Denker oder Künstler des 20. Jahrhunderts würde Schillers Ansichten hierin nachfolgen.

»Der neuern Kunst, welche den Vorteil genießt, von einer geläuterten Philosophie einen reinern Stoff zu empfangen, ist es aufbehalten, auch diese höchste Form zu erfüllen und so die ganze moralische Würde der Kunst zu entfalten.«

Schwerlich würde ein Heutiger im »deutschen Idealismus« (auf den Schiller hier anspielt) gegenüber etwa einem Heraklit oder Platon oder Aristoteles eine »Läuterung« erkennen und mit Schiller die angedeuteten Konsequenzen für die moralische und künstlerische Höherentwicklung des Dramas ziehen. Wir vermögen in dieser Weise nicht mehr an den Fortschritt zu glauben, können aber, historisch gesehen, wohl begreifen, daß – wie Schiller sagte – »der philosophische Genius des Zeitalters und die moderne Kultur« der Entfaltung der Tragödie, die »auf dem Sittlichen« ruht, »nicht ungünstig« war. Schillers Drama ist der adäquate Ausdruck jener geistig-künstlerisch hochgespannten Zeit des »deutschen Idealismus«; es ist das einmalige Phänomen dieses Zeitalters, aber beherbergt zugleich so viel ü b e r zeitliche Kräfte, daß Schillers Drama so wenig verloren ist wie das antike; nur sehen wir beide nicht mehr in aszendenter Linie, sondern künstlerisch wie geistig auf gleicher Höhenlage.

Wie sah er Shakespeare und Racine unter den Modernen? Er bedient sich zur Klärung eines bildhaften Vergleichs:

»Die Gartenkunst und die dramatische Dichtung haben in neueren Zeiten ziemlich dasselbe Schicksal, und zwar bei denselben Nationen gehabt. Dieselbe Tyrannei der Regel in den französischen Gärten und den französischen Tragödien; dieselbe bunte und wilde Regellosigkeit in den Parks der Engländer und in ihrem Shakespeare; und so wie der deutsche Geschmack von jeher das Gesetz von den Ausländern empfangen, so mußte er auch in diesem Stück zwischen jenen beiden Extremen hin- und herschwanken.« Schillers natürliche Hinneigung zu Shakespeare und seine instinktive Abneigung gegen die französische Klassik sind aber im Laufe seiner dramaturgischen Erfahrungen und des Nachdenkens schwankenden Gewichtsverlagerungen unterworfen worden. Je nach der Perspektive verschiebt sich das Urteil: Steht ihm Corneilles hochmoralische, politisch-erzieherische Bühne näher als Racines realistisch-psychologisches Theater, so kann er sich natürlich als Künstler der Faszination des Racineschen Verses und der klaren Architektur seiner Tragödien nicht entziehen, und Motive über Motive fließen nun auch aus Racines Theater in das seinige. Schillers letztes vollendetes Übersetzungswerk ist Racines »Phèdre«, die er noch auf dem Totenbett fertigstellte. Also aus allen Elementen der griechischen Tragödie, der Doppelkraft des Corneille-Racineschen Theaters und aus Shakespeare, zu dem er immer wieder und wieder zurückkehrt, formt sich Gehalt und Gestalt seiner eigenen Bühnendichtung.

In diesem Sinne dreifach gerüstet – als Historiker, als Philosoph, als Ästhetiker – trat Schiller an die herkulische Aufgabe heran, als ein später Erbe der Weltdramatik sowohl aus den widersprechenden Elementen der naiven wie sentimentalischen Dichtung als auch aus den Erbstücken der lebendigen ausländischen Bühnendichtung ein e i g e n e s Drama zu schaffen. Er schuf es aus seinem urtümlichen dramatischen Genie, in welchem sich das »Naive« mit dem »Sentimentalischen«, das Künstlerische mit dem Philosophischen, das im Umgang mit den Meistern erarbeitete Wissen mit dem Enthusiasmus, der Flamme seines Genius, verband. Das Höchste war ihm dann ganz zum Schluß gelungen: Im »Wilhelm Tell« wurde das Kunsttheater zum Volkstheater, wie das Volkstheater zum Kunsttheater gesteigert.

3. Die Frage, warum immer noch eine so eigentümliche tiefe Wirkung von Schiller ausgeht, läßt sich mit dem Hinweis auf die Dreifalt seiner geistig-künstlerischen Tätigkeit als Historiker, Philosoph und Dramatiker nicht beantworten. Im Umgang mit Goethes Werken beruhigt sich der Mensch, aber aufgewühlt und gestachelt fühlt er sich durch Schillers Person und Werk. Diese Beunruhigung mag ihren Grund darin haben, daß Schiller uns Menschen, die wir uns eh und je und immer von neuem »in das wilde Spiel des Lebens« als politische Menschen verstricken, genau an den Nerv unseres Menschseins führt, d. h. an das ungelöste Problem der Spannung von Idee und Wirklichkeit, konkret gesagt von Religion und Politik, philosophisch gesprochen von Freiheit und Notwendigkeit, sozial gesehen von Individuum und Gesellschaft.

Das mag uralt sein; aber Schiller erfährt das Problem nicht als uralt-literarisches, sondern er »erlebt« es in dem aufwühlendsten sozial-politischen Ereignis seiner Zeit, der Großen Französischen Revolution. Es m u ß t e ihn erregen. So stieß es ihn zur Frage: Was ist Geschichte? In seinem Aufsatz über »Schiller als politischer Schriftsteller« deutet Benno von Wiese auf die entscheidenden Gedanken hin: Geschichte als »beständige Gefährdung des Menschen durch das Anarchische bloßer Naturkräfte«, aber Geschichte ist ebenso unheimlich durch die Abstraktion entleerter Vernunftnormen, wie Schiller es an dem Terrorregime der französischen Revolutionäre erlebte. Uns Menschen des 20. Jahrhunderts wurde noch einmal der Blick für diese Seiten der Geschichte grausam geöffnet.

Schiller war – auch hierin wieder Richard Wagner so verwandt – zunächst ein politisch denkender und sich verhaltender Charakter. Es gab für beide keinen Weg, sich um das Politische zu drücken. Schiller: »Vielleicht rätst Du mir zu schweigen«, schreibt er 1792 an Körner, »aber ich glaube, daß man bei solchen Anlässen (französische Revolution) nicht indolent und untätig bleiben darf. Hätte jeder freigesinnte Kopf geschwiegen, so wäre nie ein Schritt zu unsrer Verbesserung geschehen. Es gibt Zeiten, wo man öffentlich sprechen muß.«

Und dennoch, und eben darum, enthüllt sich der Mensch nur auf dem Wege der Geschichte, welcher der »gefährliche Weg zur moralischen Freiheit« ist. Gewiß: Der Grundtrieb seines Schaffens als Philosoph, Historiker, Dramatiker war, sich über die Umrisse seiner philosophischen und politischen Haltung klar zu werden, um alsdann über den ihm gemäßen Weg der Dichtung, des Dramas, auf die Menschen selbst einzuwirken. Da der Mensch nun offenbar seinem unveräußerlichen Wesen nach ein Geschöpf ist, das am Widerstreit seiner geistigen und sinnlichen Natur leidet und demgemäß sein geschichtliches, konkretes Leben als einzelner wie in der Gemeinschaft im Spannungsfeld von Religion und Politik zu leben hat, so bewegt den Dichter nichts so tief wie die Frage, ob und in welcher Weise die Spannung zu lösen sei. Aber weder die Theologie noch die Politik vermochten sie herbeizuführen. Allein durch die K u n s t ist nach des Dichters Einsicht der Mensch fähig, die Versöhnung der Gegensätze zu vollziehen. Was dahinter steht, ist der Glaube, daß dem Menschen doch mehr zukomme, als nur bloßes Zoon politikon, ein gesellschaftsbildendes Tier zu sein. Ihm wohne eine göttliche Stimme und Bestimmung inne. Das ist ein schlichter Glaube, den man hat oder nicht hat. Für Schiller, dem nach allen Irrfahrten seines Geistes die Kunst zum Polarstern wurde, war diese die reinste Essenz menschlicher Tätigkeit.

Es ist möglich, Schiller als Volkstribun, als patriotischen Humanisten, als nationalen Sänger oder als Weltbürger für bestimmte Ideologien oder Parteiinteressen anzusprechen. So konnte er schon in der Generation des Turnvaters Jahn von den kommenden Freiheitskämpfern gegen Napoleon begrüßt werden, wie vordem sein »in tyrannos« auf dem Titelblatt der »Räuber« und seine revolutionäre Berufung als »publiciste allemand« ihm die Ehre eintrug, im Oktober 1792 zum Ehrenbürger der französischen Republik ernannt worden zu sein; dann erklang sein Name auf den demokratischen Festreden der Jahrhundertmitte, und am Jahrhundertende in der deutsch-nationalen Ära Wilhelms II.; er stand auf den schwarz-rot-goldenen Fahnen der Weimarer Republik, den Hakenkreuzbannern des Dritten Reiches und wird im gespaltenen Deutschland beider Demokratien noch heute jeweils als Vorkämpfer der Freiheit aufgerufen. Der »Don Carlos« spielt dabei ungefähr die Rolle wie Beethovens »Fidelio«. Aber an diesen Einseitigkeiten der Deutungen und Manifestationen hängt ein Ärgerliches; Schillers Drama und Beethovens Oper werden zur Tragikomödie. Das Eigentliche und Eigentümliche ihres Genius wird überschattet. Bleiben wir bei Schiller. Die Züge seines Genies erblicken wir nicht in den wissenschaftlich-historischen, nicht in den sozial-politischen oder in den ästhetisch-kunsttheoretischen Aperçus und Bemühungen, sondern in dem Antlitz, das er uns als Künstler, als Dichter zeigt. Er schloß die »philosophische Bude«, er rückte von der »Revolution« ab, er blieb nicht auf dem Lehrstuhl für Geschichte sitzen. Er kämpfte nicht für Modeströmungen oder politische Regime, die vergänglich sind, sondern für ein geistiges Reich der Nation, das er fester gegründet glaubte als die politischen Reiche. Wir lesen in seinen Notizen zu einem Hymnus der Jahrhundertwende von 1800:

»Abgesondert von dem Politischen hat der Deutsche sich einen eigenen Wert gegründet, und wenn auch das Imperium unterginge, so bliebe die deutsche Würde unangefochten. Sie ist eine sittliche Größe, sie wohnt in der Kultur und im Charakter der Nation, die von ihren politischen Schicksalen unabhängig ist – und indem das politische Reich wankt, hat sich das geistige immer fester und vollkommener gebildet.«

Das ist Schiller. Eine andere Frage ist, ob dieser sein Glaube zu Recht besteht. Jedenfalls wurde er Rückhalt einer ganzen Generation, die nach ihm kam und das politische Schicksal von 1813 bis 1848 durchzuleiden hatte. Hundert Jahre später sollte freilich auch das »geistige Reich« zerklüftet und zerschlagen werden. Im Angesicht unseres eigentümlichen deutschen Schicksals bleibt Schiller ein Stachel.

4.

Der Dritte im Bunde der Großen jener Zeit war Beethoven. Schon die Zeitgenossen wußten, wie tief er beiden verpflichtet war. Das ist uns nicht nur durch Bettina Brentano bekannt, sondern wir hören es auch von Griepenkerl, Schindler, indirekt von Schubert u. a.; vor allem aber sind seine Briefe und Aufzeichnungen aufschlußreich. So erfahren wir seine Verehrung zu Goethe, können den Plan zur »Schiller-Ouvertüre« nachzeichnen, und hin und wieder läßt er uns hinter den Vorhang seiner Kompositionen einen flüchtigen Blick tun, genug, damit wir ihn für Augenblicke an den Quellen seiner poetischen Inspiration sehen.

Beethoven war ein unermüdlicher Leser und reagierte auf die feinsten Reize der Dichtung. In seiner geistigen Welt leuchteten ihm die poetischen Sterne erster Größe. Ihm waren Homer und die antiken Tragiker so vertraut wie Shakespeare und Cervantes, wie Goethe und Schiller. Er lebte im Wien der Schlegels und Grillparzers, wo etwas vom Atem der Weltliteratur wehte, von der Poesie der Griechen und Römer, von der indischen Weisheit, der mittelalterlichen Literatur, von der Poesie der Völker, der alten und jungen. Er lebte zur Zeit, da sich der literarisch-geistige Horizont durch das Wirken der Romantiker ins Immense erweiterte. Beethoven vertiefte sich nicht nur in die altindische Weisheit, er las die Schrift von Leonhard Reinhold: »Die hebräischen Mysterien oder die älteste religiöse Freimaurerei«, notiert einiges aus Kalidasas »Sakuntala«, Bedeutsames wie dieses: »Aus Gott floß alles rein und lauter aus. Ward ich nachmals durch Leidenschaft zum Bösen verdunkelt, kehrte ich nach vielfacher Büßung und Reinigung zum ersten, erhabenen, reinen Quell, zur Gottheit zurück – und zu deiner Kunst ...«

An anderer Stelle notiert er:
»Ich bin was da ist. Ich bin alles was ist, was war und was sein wird. Kein Sterblicher hat meinen Schleier aufgehoben.«

Pantheismus und Panentheismus hatten ihren Einfluß auf sein religiöses Denken, das so undogmatisch wie dasjenige Goethes war, das sogar in manchem – lebte er doch noch in der Atmosphäre der Wiener Aufklärung – den Freimaureridealen seines geliebten Goethe und Mozart, ja sogar Friedrichs d. Gr., dessen leiblicher Sohn – wie hartnäckig behauptet wurde – er sogar gewesen sein soll, nahekam. Seine Welt war weit: Homer, den Epiker, liebte er; die Schicksalsidee der alten Tragiker und der Stoizismus Senecas nahmen von ihm Besitz. Wir erinnern uns der Worte, die der vom Schicksal Geschlagene im »Heiligenstädter Testament« niederschrieb:

»Solche Ereignisse (die Erfahrung zunehmender Taubheit) brachten mich nahe an Verzweiflung: es fehlte wenig und ich endigte selbst mein Leben . . . Geduld . . . sie muß ich nun zur Führerin wählen . . . Dauernd, hoffe ich, soll mein Entschluß sein auszuharren, bis es den unerbittlichen Parzen gefällt, den Faden zu brechen . . . Ich bin gefaßt. Schon in meinem 28. Jahre war ich gezwungen, Philosoph zu werden . . .«

Sein eigenes Leiden in der Welt und an der Welt öffnete in ihm das Verständnis des Shakespeareschen Kosmos, in dem, ähnlich wie in Beethovens Werk, die *conditio humana* in ihrer ganzen Breite und Tiefe vor uns sichtbar wurde, wo der Humor durch den Ernst des Lebens hindurchschimmerte, aber auch die Tragik auf dem Grunde des Komischen spürbar war. Schindler sagte, Shakespeare sei Beethovens »poète de prédilection« gewesen; er mußte es aus seinem Umgang mit ihm wissen, und Griepenkerl nannte Beethoven sogar »Shakespeares Bruder«: »Romeo und Julia«, »Othello«, die Märchenstücke, der »Midsummer Night's Dream«, »A Winter's Tale«, »The Tempest« – das alles waren tiefste dichterische und geistige Erlebnisse des Komponisten. Als Schindler den Meister fragte, was er sich bei der Schöpfung der d-moll Sonate (op. 31 Nr. 2) mit ihren sonderbaren Instrumentalrezitationen und Tongestalten eigentlich »gedacht« habe, antwortete Beethoven: »Lesen Sie nur Shakespeares ›Sturm‹!« Selten aber hat er so unmittelbar den Schlüssel zum Geheimnis seiner Komposition gegeben.

Und dann Goethe. »Mit einem unaussprechlichen tiefen Gefühl für Ihre herrlichen Schöpfungen« – so nahte er sich dem Dichter, den er über alles liebte und verehrte. Was zog ihn in Goethes Bann? Die Gedichte, der »Egmont«, der »Wilhelm Meister« – Goethes Lyrik, seine Theaterdichtung, sein großer Roman mit der geheimnisvoll-zauberhaften Gestalt der Mignon. Was sich da, bei der Berührung mit Goethes Dichtung, in dem Geiste des poesie-empfänglichen Komponisten vollzog, war eine Wiedergeburt des dichterischen Erlebnisses in der Musik. Es handelt sich dabei natürlich nicht um »Programmusik« im Sinne einer klanglichen Untermalung poetischer Bilder und Stimmungen, sondern, wie Schering ausführte, um authentische »Transfigurationen höchster poetischer Inhalte und Formen in die Syntax und Grammatik *seiner* Musik«. Wenn wir das Zauberwort der Dichtungen kennen, entschlüsselt sich manches in der Musik Beethovens; aber sie bleibt natürlich auch ohne das Zauberwort das, was sie ist. Denn die Autonomie des Musikalischen ist unangetastet, und das Erlebnis der Goetheschen Verse und Prosaseiten und seine musikalische Transfiguration vernichtet nicht den Kosmos der rein musikalischen Gesetze. Wer aber seine »absolut« bleibende Musik als poesiegezeugte Tondichtung vernimmt –

wir haben in der Sprache noch kein Symbol für das Übergeordnete von Dichtung und Musik –, dem verdoppelt sich der Genuß. Man kann Beethovens Musik als Exoteriker und Esoteriker lieben und genießen.

Sein größtes Verlangen, Goethe von Angesicht zu Angesicht zu sehen, wurde ihm erfüllt. Wie kam es dazu, wie gestaltete sich die Begegnung, wie endete sie? Bettina Brentano, dieses unruhige Mädchen, das die beiden Großen, Goethe und Beethoven, mit derselben Exaltiertheit liebte, schreibt von Wien aus am 28. Mai 1810 einen langen Brief an Goethe und bekennt ihm gleich: »Es ist Beethoven, von dem ich Dir jetzt sprechen will und bei dem ich der Welt und Deiner vergessen habe.« So begeistert ist das Mädchen vom Geist und der Persönlichkeit Beethovens. Er hat Bettina, wenn wir ihr glauben wollen, wunderbare Dinge über sich, seine Musik, über Gott, Welt und Menschen gesagt, wovon wir hier drei Äußerungen wiedergeben wollen:

»... was ich sehe, ist gegen meine Religion, und die Welt muß ich verachten, die nicht ahnt, daß Musik höhere Offenbarung ist als alle Weisheit und Philosophie.«

»(Musik) ... ist der Wein, der zu neuen Erzeugungen begeistert, und ich bin der Bacchus, der für die Menschen diesen herrlichen Wein keltert und sie geistestrunken macht.«

»Ich gehe ohne Furcht mit ihm (Gott) um, ich habe ihn jedesmal erkannt und verstanden; mir ist auch nicht bange um meine Musik, die kann kein bös Schicksal haben: wem sie sich verständlich macht, der muß frei werden von all dem Elend, womit sich die andern schleppen.«

Dies alles habe ihr Beethoven gesagt. Wir kennen nicht die Zusammenhänge, in denen er es gesagt haben soll, noch wissen wir, wieviel eigene Phantasie bei diesem begeisterungsfähigen Mädchen in diesen Formulierungen mitschwingt, – aber gewiß hat Bettina auf drei Grundzüge in der Physiognomie der Beethovenschen Musik aufmerksam gemacht, die einen Goethe zwar berühren, aber auch zurückhaltend stimmen mußten: Musik als höhere Offenbarung? Musik als dionysischer Rausch? Musik als Befreiung? Bettina erzählt weiter, wie Beethoven ihr einige von ihm vertonte Lieder Goethes vorgesungen habe: ›Nicht wahr, es ist schön‹, sagte er begeistert, ›wunderschön...‹ – und dann habe er gesagt:

»Goethes Gedichte behaupten nicht allein durch den Inhalt, auch durch Rhythmus eine große Gewalt über mich. Ich werde gestimmt und aufgeregt zum Komponieren durch diese Sprache –, die wie durch Geister zu höherer Ordnung sich aufbaut und das Geheimnis der Harmonien schon in sich trägt.«

Goethe hat den Brief erhalten und beantwortete ihn am 6. Juni. Sein Inhalt ist nicht eindeutig. Es habe ihm großes Vergnügen gemacht, »das Bild eines wahrhaft genialen Geistes« in sich aufzunehmen. Allein, ob zwischen ihnen ein tieferes Verständnis möglich sei, bezweifelt er.

»Ohne ihn klassifizieren zu wollen, gehört doch ein psychologisches Rechenkunststück dazu, um das wahre Fazit der Übereinstimmung da herauszuziehen.« Doch will er Bettina wohl nicht kränken und fährt fort: ». . . möchte Dir für einen inneren Zusammenhang meiner Natur mit dem, was sich aus diesen mannigfachen Äußerungen erkennen läßt, einstweilen einstehen.« Goethe weiß: solche Verhältnisse kann »der gewöhnliche Menschenverstand« nicht so leicht durchforschen; er würde Widersprüche finden, – aber da spricht Goethe eins seiner großen Worte:

»Was aber ein solcher vom Dämon Besessener ausspricht, davor muß der Laie Ehrfurcht haben, und es muß gleichviel gelten, ob er aus Gefühl oder aus Erkenntnis spricht; denn hier walten die Götter und streuen Samen zu künftiger Einsicht.«

Um diese Einsicht haben anderthalb Jahrhunderte gerungen, und das große, rätselhafte Verhältnis Goethe-Beethoven, das zugleich das Verhältnis von Dichtung und Musik ist, hat sich an einigen Stellen gelichtet. Goethe schließt den Brief mit freundlich-konventionellen Wünschen: Bettina solle Beethoven das Herzlichste von ihm sagen; er würde gern Opfer bringen, um seine persönliche Bekanntschaft zu machen; ob sich Beethoven wohl zu einer Reise nach Karlsbad bestimmen lasse? Dort hätte Goethe die »beste Muße, von ihm zu hören und zu lernen« – zu lernen; denn:

»Ihn belehren zu wollen, wäre wohl selbst von Einsichtigeren als ich Frevel, da ihm sein Genie vorleuchtet und ihm oft wie durch einen Blitz Hellung gibt, wo wir im Dunkel sitzen und kaum ahnen, von welcher Seite der Tag anbrechen werde.«

Bettina hat Beethoven den Brief, »soweit es ihn anging«, mitgeteilt.

»Beethoven war voll Freude und rief: ›Wenn ihm jemand Verstand über Musik beibringen kann, so bin ich's‹.«

Das alles war 1810. Ein Jahr später ließ Beethoven durch Breitkopf und Härtel Goethe die Musik zu »Egmont« zusenden. Erst ein Jahr darauf kam die Begegnung zustande. Der Moment war in der Goethe-Geschichte Beethovens bedeutungsvoll; denn Beethoven hatte gerade die 7. Symphonie vollendet, in deren vier Sätzen nach den Analysen Scherings ganze Szenen aus dem »Wilhelm Meister« zu einem spannungsreichen Zyklus zusammengeschlossen sind. Wir wissen aus Beethovens eigenen Zeugnissen, daß er sich bereits um 1806 mit den »Lehrjahren« beschäftigt hat, also zur Zeit der Rasumowski-Quartette. Um diese Zeit schreibt er an Therese von Malfatti: ». . . haben Sie Goethes ›Wilhelm Meister‹ gelesen . . .?« Beethoven sandte ihr ein Exemplar aufs Land und empfahl ihr angelegentlich die Lektüre. Wohl kaum eine Gestalt aus Goethes dichterischer Welt hat Beethoven –

außer dem männlichen Egmont – so in ihren Bann geschlagen wie die rätselhafte Mignon. Von dem 1. Rasumowski-Quartett (op. 59 Nr. 1, F-Dur), in dessen 2. Satz (Allegro vivace e sempre scherzando) wir das bezaubernde Bild des Eiertanzes der kleinen Mignon wiedererkennen, bis zu der 6 Jahre später komponierten A-Dur-Symphonie spannt sich ein Bogen. Wieder bedrängen die Mignon-Szenen Bild um Bild die Phantasie Beethovens: die Anmut in der trockenen Rhythmik des Fandango, das Mänadenhafte ihres Tanzes auf dem Fest nach der Hamlet-Aufführung, wo sich die Schauspieler auf Einladung Meisters in ihren Kostümen versammeln, die übermütig-tolle Punschgesellschaft der Zecher, die ergreifenden Exequien des Mädchens mit dem Wechselgesang von Chor und Knaben ... All diese Bilder haben Beethoven nicht mehr losgelassen. Im Mai 1812 war die 7. Symphonie abgeschlossen. Mit welchen Gefühlen mochte er Goethe nun begegnen, da er der Mignon, dieser rätselhaftesten Gestalt der Goetheschen Phantasie, ein zweites Leben gegeben hatte! Zwei Monate später fand die Begegnung in Teplitz statt.

Goethe notierte ins Tagebuch: 20. Juli: »Abends mit Beethoven nach Bilin gefahren.« – 21. Juli: »Abends bei Beethoven. Er spielte köstlich.« Was mochte er gespielt haben? Worüber mochten sie sich unterhalten haben? Wir wissen's nicht. Im Bericht Bettinas an Hermann von Pückler-Muskau lesen wir nur, was Beethoven gesagt haben soll: »Wenn mir Eure Dichtungen durchs Gehirn gingen, so hat es Musik abgesetzt, und ich war stolz genug, mich auf gleiche Höhe schwingen zu wollen wie Ihr.«
Aber Beethoven hat es offenbar mißfallen, wie der weltmännische Minister Goethe der anwesenden Kaiserin seine Devotion bezeigte, wie er sich überhaupt in den konventionellen Verkehrston des Hofes einfügte. Beethoven wollte seinen Goethe anders haben: »Ei was, Ihr müßt ihnen tüchtig an den Kopf werfen, was sie an Euch haben, sonst werden sie's gar nicht gewahr: da ist keine Prinzeß, die den Tasso länger anerkennt, als der Schuh der Eitelkeit sie drückt.« In der Nachbarschaft dieser Charakterisierung steht der berühmte Bericht über den Spaziergang der beiden und ihre Begegnung mit dem Hofstaat:
»Indem kam auf dem Spaziergang ihnen entgegen mit dem ganzen Hofstaat die Kaiserin und Herzoge. Nun sagte Beethoven: ›Bleibt nur in meinem Arm hängen, sie müssen uns Platz machen, wir nicht!‹ Goethe war nicht der Meinung, und ihm wurde die Sache unangenehm; er machte sich aus Beethovens Arm los und stellte sich mit abgezogenem Hut an die Seite, während Beethoven mit untergeschlagenen Armen mitten zwischen den Herzogen durchging und nur den Hut ein wenig rückte, während diese sich von beiden Seiten teilten, um ihm Platz zu machen, und ihn alle freundlich grüßten.

Jenseits blieb er stehen und wartete auf Goethe, der mit tiefen Verbeugungen sie hatte an sich vorbeigelassen.«

Das alles habe Beethoven selbst berichtet, mehreren Personen erzählt und sich ganz kindisch darüber gefreut, »daß er Goethen so geneckt habe«. Fürst Pückler setzt hinzu: »Die Reden sind alle wörtlich wahr.« So lesen wir's in »Briefwechsel und Tagebücher des Fürsten Hermann von Pückler-Muskau«.

Die Begegnung hatte keinen Nachklang. Zelter blieb Goethes musikalischer Berater. Goethe schreibt an ihn unter dem 2. September 1812: »Beethoven habe ich in Teplitz kennengelernt. Sein Talent hat mich in Erstaunen gesetzt, allein er ist leider eine ganz ungebändigte Persönlichkeit, die zwar gar nicht unrecht hat, wenn sie die Welt detestabel findet, aber sie freilich dadurch weder für mich noch für andere genußreicher macht.«

Beethovens Verehrung für Goethes große Schöpfungen hörte nicht auf, und Goethe hatte einen Hauch von der Größe Beethovens gespürt. Was Goethe schon lange bezweifelt hatte, das Fazit einer Übereinstimmung zwischen ihm, dem so Andersartigen, und »der ganz ungebändigten Persönlichkeit« Beethovens da herauszuziehen, hatte er nun erfahren. Aber auch ihm blieb die Ehrfurcht vor dem »Künstler«, wie er noch keinen »zusammengefaßter, energischer, inniger« – so schrieb Goethe an seine Frau – gesehen hatte.

War bei aller Liebe und Verehrung, die Beethoven für Goethe hatte, nicht sein eigentlicher Geistesverwandter Friedrich Schiller? Wenn nicht nur Temperament und Charakter, die Arten der Lebensauffassungen und Weltbetrachtungen, wenn nicht nur Erfahrungen und Philosophie, sondern auch, und vor allem, das Urphänomen des Rhythmus die Verwandtschaft der Geister bestimmt, dann ist Beethoven weniger mit Goethe als mit Schiller verwandt. Die Erfahrungen von Rutz-Sievers-Becking haben erwiesen, daß sich die Musik der abendländischen Völker im großen und ganzen in drei Stilgruppen gliedern läßt; die Gruppen entsprechen drei psychophysischen Grundstrukturen, die Rutz als die Personalkonstanten bezeichnet. Das Überwiegen der einen oder andern bestimme Stil und Haltung des schöpferischen, aber auch darstellenden Künstlers, etwa des Schauspielers, Sängers oder Dirigenten. Die Verschiedenheiten beruhen, so will es mir scheinen, in dem Gesetz des Rhythmus, das primär in uns und natürlich in allem »Musikalischen« wirksam ist, mithin vornehmlich in der Sprach- und Tonkunst, und deren Klangcharakter, offenbar wird. Die Verssprache Schillers ist von der Goethes so verschieden wie die Tonsprache Beethovens von der Mozarts: Das in Terzenintervallen dahingleitende Klangbild Goethescher Verse ist anders als die in lebhafter ausschlagenden Quinten sich darbietende tonale Spannung eines Verses von Schiller. Wenn wir uns von der Rhythmik und Melodik der Mozartschen und Goetheschen Sprache wie von dem ruhig fließenden Atem der göttlichen Natur selbst umfangen fühlen, so scheint uns die heftige, leidenschaftliche Erregung des zumeist dramatischen Schillerverses oder der eigentlichen Beethovensprache wie eine Künderin menschlichen Ringens, wie Trotz der Titanen. Selbst wo Mozart und Goethe, wie etwa im »Don Juan« und »Figaro« oder im »Egmont« und »Faust« dramatisch sind, bricht das eigentümlich Lyrische immer wieder durch – wie umgekehrt das wesentlich Dramatisch-Rhetorische in Schillers Gedichten, zumal in seinen Balladen, und in Beethovens Symphonien, die Hans von Bülow eine »oratio directa« genannt hat, empordringt. Es ist mir immer bedeutungsvoll erschienen, daß Goethe, der Fortsetzer der »Zauberflöte«, sich die Musik zu seinem »Faust« von Mozart gewünscht hatte, ohne auch nur Beethovens Namen bei solchen Gesprächen zu nennen, – wie aber umgekehrt gerade Beethoven selbst an den Plan einer Komposition des »Faust« gedacht hat, ohne ihn auszuführen.

Im 4. Satz der IX. Symphonie mit dem Chor aus Schillers »Ode an die Freude« mag jedermann sich der geistigen Begegnung Beethovens mit Schiller bewußt werden. Aber nicht nur der 4. Satz, sondern die ganze Symphonie ist ein geschlossenes Monument aus Schillerschem Geiste. Folgen wir der musikalischen Analyse, die Scherings eindringender Kunstverstand von den einzelnen Sätzen gegeben hat, so erkennen wir, daß auch die ersten drei Sätze aus dem Geist Schillers komponiert sind, und daß sich ein Bogen von dem rätselhaft-furchtbaren Schrecken der Tartarus-musik des 1. Satzes zu der dionysisch-freudetrunkenen Musik des letzten schlägt. Diese Eckpfeiler der Symphonie sind Schillers »Gruppe aus dem Tartarus« und der Hymnus »An die Freude«. Dazwischen liegen die Sätze des »Molto vivace« und des »Adagio molto e cantabile«: musikgewordene Dichtung des »Tanzes« und des »Glücks«, die in den Schillerschen Gedichtausgaben aufeinander folgen. Den Plan einer »Schillersymphonie« hatte Beethoven schon 1806, ein Jahr nach Schillers Tode, gehabt. Sechs Jahre später tauchte der Plan einer »Schillerouvertüre« auf. Aber sie kam über Skizzen nicht hinaus und löste sich zur »Namensfeierouvertüre« auf (op. 115). Im Skizzenbuch von 1812 lesen wir von neuem die Notiz: »Ouvertüre Schiller« – »Freude schöner Götterfunken Tochter« – – – »Ouvertüre ausarbeiten« und 2 Seiten später folgen die Notenskizzen und die Bemerkung »abgerissene Sätze wie Fürsten sind Bettler usw. nicht das ganze« ... »abgerissene Sätze aus Schillers Freude zu einem ganzen gebracht«. Der Plan einer Schillerouvertüre wurde aufgegeben. Was schließlich als Ganzes herauskam, war die größere Form einer Schiller-symphonie.

Der Erste Satz Allegro, ma non troppo, un poco maestoso, 2/4, hat seit je die Phantasie der Tonkünstler selbst wie auch die der Interpreten und Hörer aufgeregt. Richard Wagner sprach von dem »Kampf der nach Freude ringenden Seele gegen den Druck jener feindlichen Gewalt, die sich zwischen uns und das Glück der Erde stellt«; er hörte aus der Tondichtung dieses Satzes die Übersetzung des Goetheschen »Entbehren sollst du, sollst entbehren« heraus; er spürte nach den kurzen Lichtblicken, wo wir das »wehmütig süße Lächeln des Glücks« erkennen, ein Zurücksinken in »finsteres Brüten«, um wieder und wieder den trotzigen Widerstand gegen den Dämon zu wagen:

»So bilden Gewalt, Widerstand, Aufringen, Sehnen, Hoffen, Fast-Erreichen, neues Verschwinden, neues Suchen, neues Kämpfen die Elemente der rastlosen Bewegung dieses wunderbaren Tonstückes.«

Wer wußte damals um die Jahrhundertmitte mehr vom Geist der Beethovenschen Tondichtung als dieser 36jährige Dirigent, der die »Neunte« in der denkwürdigen Palmsonntag-Aufführung des Revolutionsjahres 1849 in Dresden selbst dirigierte? Noch schwingt die Erregung über dieses Ereignis nach, wenn Wagner erzählt, wie Michael Bakunin der Generalprobe beiwohnte und nach Beendigung zum Dirigentenpult lief und rief: »daß, wenn alle Musik bei dem erwarteten Weltenbrande verloren gehen sollte, wir für die Erhaltung dieser Symphonie mit Gefahr unseres Lebens einzustehen uns verbinden sollten«. So berichtet Wagner in seiner Autobiographie die Szene. Hätten Wagner und sein russischer Freund Bakunin ihren Schiller im Kopf gehabt, sie würden den visionären Charakter des 1. Satzes mit seinem zu antiker Größe aufragenden Leidensbild der geknechteten Menschheit in der »Gruppe des Tartarus« wiedererkannt haben:

> Horch – wie Murmeln des empörten Meeres,
>   Wie durch hohler Felsen Becken weint ein Bach,
> Stöhnt dort dumpfig tief ein schweres, leeres,
>   Qualerpreßtes Ach!
>   Schmerz verzerret
> Ihr Gesicht, Verzweiflung sperret
>   Ihren Rachen fluchend auf.
> Hohl sind ihre Augen – ihre Blicke
>   Spähen bang nach des Cocytus Brücke,
>   Folgen tränend seinem Trauerlauf,
> Fragen sich einander ängstlich leise,
>   Ob noch nicht Vollendung sei? –

Ewigkeit schwingt über ihnen Kreise,
Bricht die Sense des Saturns entzwei.

Das Hauptthema des Satzes ist nicht, wie immer wieder die »philosophischen« Deuter Beethovens interpretieren, das »Schicksal«, das auf
die Unglücklichen herabsaust, – »Ideen« lassen sich in Tönen nicht
komponieren; Abstrakta sind nicht komponierbar; was geschehen kann,
ist Transfiguration anschaulicher Bilder, und diese hat Beethoven in
Fülle bei den Dichtern ergriffen, und so schuf er auch hier die musikalische Symbolsprache in einer dem Text kongenial durchgeführten
Tonstruktur: das großartige Bild der Verdammten, die sich, ver-
zweifelnd und fluchend, gegen das Tartaruselend aufbäumen. Kein Gedanke Schillers, der nicht wieder im musikalischen Bilde des »qual-
erpreßten Achs«, der Schmerzverzerrung, des »Trauerlaufs« und ängstlich leisen Fragens seine ergreifende Deutlichkeit und Gegenständlichkeit ausdrückte. Der Unterschied zu Schuberts Vertonung desselben
Gedichts ist, daß Beethoven nicht liedmäßig sich an den Text zu halten
hatte, sondern aus dem Gesamteindruck der Verse und aus der Gegenwart jedes poetischen Bilddetails als freischaffender Tonkünstler schal-
ten konnte. Am Ende steht das Fresko, das Beethovens gestaltende
musikalische Phantasie am Leitfaden des Schillerschen Gedichts zu einer
geschlossenen Neuschöpfung erhebt. Man analysiere Takt um Takt das
musikalische Geschehen und man wird die erregendsten Kongruenzen
mit der Vision Schillers bis zum furchtbaren Ende aufspüren. Schon
Wagner hatte das Unerhört-Unselige dieses Schlusses begriffen:
»Am Schluße des Satzes scheint diese düstere, freudlose Stimmung, zu riesen-
hafter Größe anwachsend, das All zu umspannen, um in furchtbar erhabener
Majestät Besitz von dieser Welt nehmen zu wollen.«
Mit Takt 505 ff., wo die Koda eingeleitet wird, hebt die Vision kosmischen Geschehens an: eine tief summende Kreisbewegung der Ewigkeit – Wahnsinnsausbruch – krampfhaftes Schütteln der Geächteten,
und feierlich-düster schreitet Saturn, der Gott der Zeit, im Fortissimo
der Blech- und Holzbläser, darüber hin. Das Hauptthema erklingt:
Der Ring der Ewigkeit hat sich geschlossen. Der Begriff der Zeit ist
ausgelöscht, das Schicksal der Verdammten in Ewigkeit besiegelt.

Zweiter Satz. In dithyrambischem Schwung feiern sich Schillers
Distichen »Der Tanz« als Symbol rhythmischer Urkraft. Die Verse sind
wie ein poetisches Scherzo, das nur auf den Tonkünstler zu warten
hatte, bis aus dem Preisgesang von Tanz, Harmonie und Rhythmus die
Musik emporschoß: Das molto vivace, 3/4, des 2. Satzes erklingt.
Welch eine verlockende Aufforderung an den Tondichter:

> ... Es ist des Wohllauts mächtige Gottheit,
> Die zum geselligen Tanz ordnet den tobenden Sprung,
> Die, der Nemesis gleich, an des Rhythmus goldenem Zügel
> Lenkt die brausende Lust und die verwilderte zähmt.
> Und dir rauschen umsonst die Harmonie des Weltalls?
> Dich ergreift nicht der Strom dieses erhabnen Gesangs?
> Nicht der begeisternde Takt, den alle Wesen dir schlagen?
> Nicht der wirbelnde Tanz, der durch den ewigen Raum
> Leuchtende Sonnen schwingt in kühn gewundenen Bahnen?

Der Gedanke des Wohllauts, dessen Gesetz Welt und Menschen bändigte, mußte in Beethoven zünden. Was da entsteht, ist aber nicht eine in Musik gesetzte »Idee des Tanzes«, sondern eine Verherrlichung des Tanzes, den Schiller Bild um Bild in den Versen 1–16, die obigem Zitat vorausgehen, zu einem bewegten Ganzen verdichtet hat, und den nun Beethoven in einem tönenden Spiegelbild widerstrahlte. Wieder ist das Greifbare, Konkrete, das »Phänomen«, d. h. die »Erscheinung« des Tanzes, Musik geworden; da erklingt das Schweben, Hüpfen, Drehen der Körper in allem bei Schiller beschriebenen Figuren der Tanzenden, und darüber hinaus führt die Musik in den dionysischen Ursprung des Tanzes, wo er rauschhaft war, bis schließlich die Eurhythmie das Gesetz herstellte:

> Ewig zerstört, es erzeugt sich ewig die drehende Schöpfung,
> Und ein stilles Gesetz lenkt der Verwandlungen Spiel.
> Sprich, wie geschieht's, daß rastlos erneut die Bildungen schwanken
> Und die Ruhe besteht in der bewegten Gestalt?

Die technische Analyse der Musik macht deutlich, wie Beethoven jede Nuance der Schillerschen Tanzbilder eingefangen hat, von den luftighinschwebenden Rhythmen bis zum »tobenden Sprung«, von der Verwirrung (ritmo di tre battute) bis zur Wiederherstellung der Ordnung (ritmo di quattro battute); sogar der »veränderte Reiz« ist durch die Taktverschiebungen der Themeneinsätze bezeichnet. Alles ist an »des Rhythmus goldenem Zügel« gebändigt. Wer die musikalische Symbolsprache versteht, wird im Trio das »stille Gesetz in der Verwandlungen Spiel« vernehmen: die »kyklosis sive circulatio«, die stetig sich drehende Bewegung, deren Kurve in sich selbst zurückfällt, wobei sich eine variierende Bewegung über ihr vernehmen läßt. Über dem Orgelpunkt auf D ziehen sich die Akkorde in halben Noten hin:

> »Und die Ruhe besteht in der bewegten Gestalt.«

Wie bei Schiller das Gedicht »Das Glück« unmittelbar dem »Tanz folgt, so bei Beethoven dem »Molto vivace« des 2. Satzes das »Adagio molto e cantabile«, c. des dritten Satzes. Nach langem, zähem Ringen steht die melodische Linie in ihrer vollkommenen Schönheit da, wie die einleitenden Verse des Gedichts, die dem Ganzen den idyllischen Charakter einprägen, jene Verse, die Thomas Manns höchstes künstlerisches Entzücken waren, und die wir in diesem Zusammenhang noch einmal wiederholen:

> Selig, welchen die Götter, die gnädigen, vor der Geburt schon
> Liebten, welchen als Kind Venus im Arme gewiegt,
> Welchem Phöbus die Augen, die Lippen Hermes gelöset
> Und das Siegel der Macht Zeus auf die Stirne gedrückt.

Welch ein Schicksal hatte dieses Gedicht – »Liebesgedicht des Geistes, des Willens, der Mühe, der Tugend ans verdienstlos Göttliche, des Schauenden an das Seiende«; Goethe mußte sich darin wiedererkennen, für Schiller selbst war es »letzte Vergeistigung aller Bitterkeit und leidenden Ranküne«, war ein Geschenk an den Götterliebling, war die erregende Erfahrung, und zugleich die beruhigende, daß alles Höchste nur Geschenk und Gnade der Götter ist; – und Beethoven, der Goethe u n d Schiller im tiefsten begriffen hat, konnte nicht achtlos an diesem Gedicht vorübergehen: wie Schiller dem bewunderten und begnadeten Goethe, so zollt hier Beethoven dem Genie Schillers, das dieses Gedicht konzipierte, den musikalischen Tribut. Ist man des Gedichts ganz inne, dann hört man wohl, wie im Satz, dem Seitensatz, der ersten Variation, dem Zwischensatz und der zweiten Variation die einleitenden Verse auch musikalisch in die Kontemplation übergehen, bis die lebendigen Bilder vom Poseidon, der des Meeres Wogen besänftigt, von des Schiffes Kiel, das Cäsar trägt und sein Glück, und von Amor, dem »lächelnden Gott«, »und der die Herzen bezwingt«, die Entwicklung der Themen bestimmen. Der Schluß ist lang ausgesponnen. Er löst sich von den letzten Bildern und Gedanken des Gedichts, um in der Eigenbewegung der Musik über den beseligenden Schein des Glücks einen melancholischen Schimmer zu gießen. Schrieb doch Beethoven selbst: »Wir Endliche mit dem unendlichen Geist sind nur zu Leiden und Freuden geboren, und beinahe könnte man sagen, die Ausgezeichnetsten erhalten durch Leiden Freuden.«

Es ist, als leite dieses Wort und Schillers »Glück« selbst zu der Freudenode des 4. Beethovenschen Satzes über:

> Freue dich, daß die Gabe des Liedes vom Himmel herabkommt,
> Daß der Sänger dir singt, was ihn die Muse gelehrt! . . .
> Aber die Freude ruft nur ein Gott auf sterbliche Wangen,
> Wo kein Wunder geschieht, ist kein Beglückter zu sehn.

Von hier aus geht ein Bogen bis zum Chorfinale »Freude, schöner Götterfunken«. Und doch ist es ein ganz selbständiger Satz – tausendmal von Jahrzehnt zu Jahrzehnt bei allen festlichsten der Akte isoliert gespielt und gesungen. Wer aber weiß, wenn er den vierten Satz hört, daß die Schiller-Ode auf die klassisch-griechische Welt der Dichtung zurückweist? Und doch hat Beethoven selbst Andeutungen darüber gemacht. Er hat sich lange mit dem Plan getragen, eine Dionysos-Feier zu gestalten – genau seit 1818, wo er die Notiz niederschrieb: »... im Adagio Text griechischer Mithos Cantique Ecclésiastique – im Allegro Feier des Bachus«. Er las Euripides und seine »Bacchantinnen« (in der Übersetzung Bothes). In seinen Gedanken mochte die Idee keimen, den Humanitätsgedanken der Schillerschen Freuden-Ode mit den Bildern des antiken Dionysos-Festes zu verbinden. War in Beethoven die Götterwelt Griechenlands weniger lebendig als in seinem Altersgenossen Hölderlin? Nietzsches »Geburt der Tragödie aus dem Geiste der Musik« deutet den Zauber des Dionysischen, wie Beethoven ihn im Finale begriffen hat:

»Unter dem Zauber des Dionysischen schließt sich nicht nur der Bund zwischen Mensch und Mensch wieder zusammen: auch die entfremdete, feindliche und unterjochte Natur feiert wieder ihr Versöhnungsfest mit ihrem verlornen Sohne, dem Menschen.«

Dionysos, Beglücker der Menschen, Spender der Freude, Freund des Gesangs und Tanzes – er entstammt wie Schillers »Freude«, Tochter aus Elysium, den Gefilden der seligen Götter. Dionysos wie die Freude schlingt um die Millionen Brüder das einende Band der Gemeinschaft der Menschen. In Rudolph vom Berges Operntext »Bacchus«, der auf Beethoven Eindruck machte, verschmolz das Dionysisch-Rauschhafte mit dem besonnenen Humanitätsideal des endenden 18. Jahrhunderts. Immer intensiver beschäftigte Beethoven, den der griechische Geist wunderbar anzog, neben Platon, Aristoteles, Homer und Plutarch, die Tragödien- und Komödiendramaturgie, über deren Wesen er sich auf alle erdenkliche Weise Aufklärung verschaffte. Mit den Bauformen des altgriechischen Theaters: dem Parados, dem Koryphäus, dem Stasimon und dem Exodos führte er die Architektur des vierten Satzes auf. Unter welch furchtbaren Mühen, immer wieder eintretender Ratlosigkeit sich der Werkvorgang der Komposition abspielte, können wir an Hand der Skizzen nur ahnen und in der deutenden Interpretation Scherings nacherleben.

Wäre es Beethoven nur auf das Absingen der Schillerschen Ode angekommen, würde man die umständliche Instrumentalexposition des Satzes gar nicht recht begreifen können. Erst in dem weiten theatrali-

schen Rahmen der Dionysien wird der Aufbau des ganzen Satzes bis in die einzelnen Takte hinein sinnvoll: die Szenen außerhalb des Theaters, jenes Auf- und Ab der heranflutenden, gestauten, zurückgewiesenen Massen, der Wechsel von Vorschlägen, Ablehnungen, schließlicher Annahme: »Ja, dies ist es: Freude!«, der Einzug ins Theater und das Chorfinale mit seinen drei Stufen: dem achtszenigen Dionysosfest – der dionysischen Kulthandlung, über die sich der Bogen vom »Seid umschlungen Millionen« bis zum extatischen Ausbruch des »Brüder überm Sternenzelt« spannt – schließlich das Ende der Kulthandlung. Der Zauber hat alle Menschen und »was die Mode streng geteilt«, wieder im Rausch der Begeisterung und im bacchantischen Taumel gebunden. Das Finale konnte nicht anders als in der Form eines mächtigen Reigens angelegt werden, der seine Dynamik aus der immer neu variierten Melodie der Freuden-Ode schöpfte. Es ist ein Wunder, wie die Melodie gleicherweise im Piano und Forte wirkt. In ihrer geringen Weite und diatonischen Tonfolge stellt sie sowohl das Symbol ruhigen Schreitens wie tänzerischen Kreisens dar. Jeder Takt, jede Stimmung und Verstimmung, alles Umnebelnd-Trunkene und Heilig-Nüchterne, alles Schalkhaft-Groteske des Beethovenschen Humors verbindet sich mit dem erhabenen Ernst zu einer souveränen Schöpfung von wahrhaft antiker Größe.

Es ist dem Beethovenforscher Schering zu verdanken, daß wir nunmehr auf Grund seiner exakten Analysen Takt um Takt und jede musikalische Einzelheit und Feinheit des unerhörten Werkes neu erleben können, und begreifen dabei wiederum, wie schon Nietzsche die Verbindung des Antik-Dionysischen mit dem Schillertext der humanitären Freuden-Ode durch das Medium der Beethovenschen Musik erfaßt hat, ja wie gerade dieser musikalische Akt einen Wagner und Bakunin begeistern konnte.

Nietzsche: »Man verwandle das Beethovensche Jubellied der ›Freude‹ in ein Gemälde und bleibe mit seiner Einbildungskraft nicht zurück, wenn die Millionen schauervoll in den Staub sinken: so kann man sich dem Dionysischen nähern. Jetzt ist der Sklave freier Mann, jetzt zerbrechen alle die starren, feindseligen Abgrenzungen, die Not, die Willkür oder ›freche Mode‹ zwischen den Menschen festgesetzt haben ... Singend und tanzend äußert sich der Mensch als Mitglied einer höheren Gemeinsamkeit ... Der edelste Ton, der kostbarste Marmor wird hier geknetet und behauen: der Mensch, und zu den Meißelschlägen des dionysischen Weltenkünstlers tönt der eleusinische Mysterienruf: ›Ihr stürzt nieder Millionen? Ahnest du den Schöpfer, Welt?‹«

Was am Ende der Beethovenschen Schiller-Symphonie vor uns steht, ist ein viergegliederter Bau. Seine Außentrakte sind der gequältdunkle Tartarus-Satz und die trunken-jubelnde Dionysos-Feier; in dem zweigegliederten Mittelstück steht der Mensch, den die Götter in der Charis und der Harmonie des Weltalls halten. Welch ein Werk! Auf die Höhe solcher Kunstschöpfung trug den Komponisten das dichterische Wort Schillers und die Größe griechischen Geistes. Nur in jener Zeit, als Hölderlin die Götter Griechenlands verehrte und der Bund zwischen Goethe und Schiller dem Zeitalter das Siegel aufdrückte, war ein solches Werk möglich. Die deutsche Kunst feierte in der IX. Symphonie ihr freudetrunkenstes Götterfest.

5.

Seit die Philosophie nicht mehr als Ancilla im Dienstverhältnis der Theologie stand, schwang sie sich selbst zur Königin der Wissenschaften auf. So etwas war sie mit Descartes, mit Kant, mit *Hegel*. Die Philosophie vermochte noch in jener Zeit das uns bekannte Weltgebäude zusammenzuhalten, ja sie vermochte sogar noch alle politischen, wirtschaftlichen, künstlerischen, alle vergangenen und gegenwärtigen Kulturschöpfungen des Menschen, ja Gott selbst und den Logos in den Griff zu bekommen; sie wußte alles über den Lauf der Zeiten, die Fülle der Welt, das Rätsel des Menschen und seine Leistungen im Reich der Kultur und Zivilisation. Ein so außergewöhnlicher Philosoph, in dessen Kopf sich das Universum zu spiegeln und zu klären schien, war Friedrich Hegel. Er war so umfassend, daß sich – schon politisch gesehen – aus seiner Lehre eine Rechte und eine Linke entwickeln konnte. Die Bewegung der einen verlief über F. J. Stahl, den Begründer der konservativen Partei, zu Bismarck und Mussolini; die der andern über Marx und Engels zu Lenin und Stalin. Vergeblich geschah es, daß im Laufe des 19. Jahrhunderts die verschiedensten Denkrichtungen und theologischen Schulen den immer abwegigen Hegel über Bord warfen; sie entlarvten, verhöhnten, belächelten ihn milde oder sarkastisch; sie erfaßten bestenfalls diesen oder jenen Zipfel seines Systems und erkannten das Ganze nicht. Aber er tauchte immer wieder auf, wo man ihn am wenigsten vermutete; und heute wird kaum jemand bestreiten, daß er seinem geistigen Format nach nicht nur ein ebenbürtiger Bruder eines Goethe und Beethoven ist, sondern daß aus seiner Gedankenfülle Zukunft erwuchs: die modernen Geistesdisziplinen, die Rechtsphilosophie, die sozialen und politischen Wissenschaften stehen in unmittelbarem Zusammenhang mit seiner Philosophie. Nach ihm gab es keinen – nicht einmal Schopenhauer –, der mit solcher universalen

Begabung für die Erkenntnis aller vordergründigen und konkreten Dinge und hintergründigen geistigen Vorgänge so königlich und unbeirrbar das Amt des forschenden und deutenden Philosophen verwaltete.

Hegel hat mit Beethoven nicht nur das Geburtsjahr 1770 gemein, sondern auch, daß er, wie jener, mehr noch als ein bloß deutsches Ereignis, ein europäisches, ja Weltereignis wurde. Die beiden andern Philosophen seiner Zeit waren Fichte und Schelling – ein jeder in seiner Art eine außerordentliche Figur: der eine, dessen »Wissenschaftslehre« Friedrich Schlegel zu den drei großen Tendenzen der Gegenwart rechnete, und der einer unserer ersten sozialistischen und nationalökonomischen Denker gewesen ist und ebenso in der Nachbarschaft der spekulativen Idealisten, der politischen Freiheitskämpfer und der modernen sozialistischen Ideologen auftaucht; der andere: der Philosoph der Romantik par excellence, der dem Sehnsuchtstraum der Dichter entgegenkam, indem er durch die Identitätslehre das einende Band um Natur- und Geisteswelt schlingen wollte und vor allem die Kunst auf ihren angestammten königlichen Platz erhob. Mehr als man gemeinhin ahnt oder zugeben möchte, sind beide, Fichte und Schelling, in der deutschen Kultur der Gegenwart wieder aktuell geworden, aber bislang nur deutsche Ereignisse geblieben. Hegels ursprünglich deutsches Ereignis wurde indessen bald ein europäisches und in unserm Jahrhundert ein Weltereignis. Die Parallele zu Goethe und Beethoven ist sichtbar.

In der ganzen östlichen und westlichen Welt hat eine Hegelrezeption begonnen. Dilthey, Leisegang, Lasson, Glockner, Nohl weckten im 1. Drittel unseres Jahrhunderts auf philosophischen und philologischen Wegen das Interesse an Hegel; im 2. Drittel ging es weiter: Nicolaus Hartmann, Erwin Metzke, Karl Barth, Karl Löwith, Max Bense, Friedrich Heer – ein jeder von ihnen entdeckte neue interessante Perspektiven, so daß uns Hegel heute durch allen Schutt hindurch, in den vieles vor ihm versunken ist, so aktuell wie sein größter Gegner und Verächter Arthur Schopenhauer erscheint. Auch in Frankreich bereitete sich der Boden für eine Rezeption: Hegel wurde übersetzt, figuriert heute in den Programmen der agrégation de philosophie, die existentialistische Linke um Sartre und Merleau-Ponty ergriff ihn und schlug damit die Brücke zur östlichen Rezeption Hegels, für welche der Boden auf eigene Weise seit Marx und Lenin fruchtbar gemacht worden war. Über Europa hinaus ist aber heute Hegel eine Weltmacht geworden: seine Wirkung erstreckt sich auf Südamerika, Japan, ja sogar – was den spezifisch deutschen Denkern selten geschah – auf die angelsächsischen Räume. Diese plötzliche Erkenntnis rüttelte die Deutschen selbst um die

Jahrhundertmitte wieder auf; denn Hegels Schüler Karl Marx hatte inzwischen die Hälfte der Menschheit zu seinen Adepten gemacht; und nun fragten sich beide Hälften: Was war das für ein Mann, dieser Hegel, aus dessen Denkformen und -prozessen so viel Heterogenes hervorgehen konnte und eine so weltumspannende Wirkung?

Daß zunächst wir Deutsche selbst uns in ihm erkennen, hat Nietzsche gesagt und gedeutet:

»Wir Deutsche sind Hegelianer, auch wenn es nie einen Hegel gegeben hätte, insofern wir (im Gegensatz zu allen Lateinern) dem WERDEN, der Entwicklung instinktiv einen tieferen Sinn und reicheren Wert beimessen als dem, was ist.«

Wir Deutsche seien Hegelianer; gut, dann ist auch Hegel – deutsch. Als »deutsch« – im Sinne der klassischen, vielleicht vergangenen Wesensmitte – erscheint in Hegel alles, was ihn eindeutig an die *Romantik* bindet: die metaphysisch-religiöse Grundhaltung seiner Zeit, die viel von Platon und Plotin in sich trägt; die konservativ-staatsbürgerliche Gesinnung des »rechten« Hegel, schließlich der im Historismus wirkende Entwicklungsgedanke – das waren spezifisch in Deutschland auftretende romantische Eigentümlichkeiten, die Hegel als Kind seiner Zeit natürlich in sich hatte. Weiter rückwärts in die Geschichte gehend begegnen wir Leibniz, dessen Theodizee in Hegels Religionsphilosophie wieder lebendig wurde; und noch weiter zurück dem germanischen Mittelalter mit seiner mystischen Weltbetrachtung, welche uralte Gott-Welt-Mensch-Spekulationen in christlichem Gewande erneuerte, – und ganz am Ende stand Heraklit, dessen Denken sich in das gesamte deutsche Geistesleben bis Goethe, also bis in Hegels eigene Zeit, eingegraben hat. Vergessen wir nicht das Bekenntnis Hegels in seinen Vorlesungen zur Geschichte der Philosophie: »Hier sehen wir Land; es ist kein Satz des Heraklit, den ich nicht in meine Logik aufgenommen.« Da stehen wir in der echten griechisch-deutsch-goetheschen Geistestradition.

Deutsch – ja tragisch-deutsch – ist aber auch die theoretische Beurteilung und das praktische Verhalten des politischen Denkers Hegel gegenüber der aktuellen Geschichte. Das läßt sich an drei kleinen Beispielen aufzeigen: an seiner Einschätzung Napoleons, an seiner Kritik der Landstände des Königreichs Württemberg und an seiner Haltung gegenüber den Burschenschaftsidealen des Wartburgfestes und den Karlsbader Beschlüssen. Hegel war ein eminent politischer Denker, für den die Geschichte ein sehr konkretes Anliegen war. Wir sahen, welche Bedeutung für einen Goethe die Begegnung mit Napoleon hatte. Sollte es bei Hegel anders sein? Hegel hat Napoleon nicht gesprochen, wohl aber gesehen. »Um Mitternacht vor der Schlacht bei Jena« schloß Hegel seine genialste Arbeit ab: Die »Phänomenologie des Geistes«. Was ihn damals offenbar gleichgültig ließ, war das Schicksal Preußens, das diese Schlacht besiegelte. Was ihn besorgte, war, daß sein Manuskript auf der Post nicht verloren ging. Es ging nicht verloren, und Napoleon kam, sah und siegte im »munteren Spiel der Weltgeschichte«:

»Ich habe«, schreibt Hegel »den Kaiser gesehen, diese Weltseele. Es ist in Wirklichkeit eine wunderbare Empfindung, ein solches Individuum zu sehen, welches hier, auf einen Punkt konzentriert, auf einem Pferde sitzend, über die Welt hinweggreift und sie beherrscht. Den Preußen war freilich kein besseres Prognostikum zu stellen – aber von Donnerstag bis Montag sind solche Fortschritte nur diesem außerordentlichen Manne möglich, den nicht zu bewundern unmöglich ist.«

Solch Überschwang ist, bedenkt man die Einmaligkeit der Situation und die Begeisterungsfähigkeit Hegels für große Geschichte – verständlich, und dennoch haftet etwas Phantastisches und Komisches an solchen Ausbrüchen. Hegel wurde nun auch so etwas wie ein Kaiser, ein wenig später, als Napoleon gestürzt war und Hegel als nunmehr preußischer Beamter an die Universität Berlin berufen wurde – was sein großer Bewunderer, Heinrich Heine, mit dem treffenden Worte kommentiert: »Hegel aber ließ sich krönen zu Berlin und leider auch ein bißchen salben«.

Daß aber Napoleon unterging, hat die Deutschen im Urteil Hegels nicht politischer gemacht. Auch darin ähnelt er wieder Goethe, daß er einen Blick in die politische Unfähigkeit und Inferiorität des damaligen Deutschen getan und sie sogar in seiner »Beurteilung der . . . Verhandlungen in der Versammlung der Landstände des Königreichs Württemberg im Jahre 1815 und 1816«, angeprangert hat.

»Man konnte von den württembergischen Landständen sagen, was von den französischen Emigranten gesagt worden ist, sie haben nichts vergessen und nichts gelernt; sie scheinen diese letzten 25 Jahre, die reichsten wohl, welche die Weltgeschichte gehabt hat, und die für uns lehrreichsten, weil ihnen unsere Welt und unsere Vorstellung angehören, verschlafen zu haben.« Die »deutschen Männer« der ersten konstituierenden Versammlung: »stumm, einmütig wie Schafe«, immer eingeschüchtert, devot, ohne lebendige Opposition – eine »Nullität und Unwirklichkeit des öffentlichen Lebens«, »politische Erstorbenheit«, ein »moralischer und hypochondrischer Privat-Dünkel gegen das Öffentliche« – ein völliger Mangel an »politischer Erziehung, deren, gleich seinen Häuptern, ein Volk bedarf, das bisher in politischer Nullität gelebt hatte.« Das sind beachtenswerte Zitate, die in ihrer Zusammenstellung bei Friedrich Heer einen eindrucksvollen Einblick in das erregte politische Denken Hegels und sein Leiden an der Inferiorität des politischen Lebens in Deutschland gewähren. Hegel hatte, worauf Heer richtig hinweist, den tieferen Grund dieses Mangels in der romantischen Verzweiflung an der Vernunft, am Sinn der politischen Gesellschaft und an der Möglichkeit einer echten Ordnung auf Erden erkannt. Er sah die Gefahr, die im Bekenntnis zum Irrationalismus, zur Gefühlsseligkeit und Schwärmerei, zur Skepsis gegenüber dem Staat und der Gesellschaft lag.

Hegel selbst muß den »Romantiker« in sich überwinden, d. h. jede Art Schwärmerei, Gefühlsverwirrung, Anarchie. Im politischen Denken hat Hegel oder will Hegel die Nüchternheit und Klarheit der Aufklärung; sein gigantischer Kampf geht um den Glauben an die Vernunft als das höchste geschichtliche Prinzip. Das ist zugleich vorweggenommene Kritik an Schopenhauer, der nie, am wenigsten in der Geschichte, an den Primat der Vernunft glaubte und seinerseits, ganz logisch, einen Hegel gerade wegen dessen politischen Denkens ablehnte. Es ging Hegel um die Kommunion mit den Mitmenschen; es ging ihm nicht um einen so oder so konstituierten Macht- oder Räuberstaat (das Wort stammt von ihm), sondern, worauf Heer richtig hinweist, um die societas diis hominibusque communis, d. h. letzten Endes um den Staat als den Ausdruck und den Ordo einer religiösen und politischen Gemeinschaft: Der einzelne befreit sich als Staatsbürger im und durch den Staat; er solle der Gesellschaft und dem Staat nicht fremd gegenüberstehen, sondern sie als den Boden seiner eigenen Existenz begreifen. im Staat rühren wir, nach Hegels Lehre, an die Wahrheit des Übersubjektiven; der Staat imponiere durch die »Architektur seiner Vernünftigkeit«. Im archaisch-christlich-metaphysischen Sinne erhebt sich Hegels Staatsdenken wie die tektonische Staatsidee des Mittelalters. Mit Recht weist Heer auf Augustin und Alkuin, auf Hildegard von Bingen und Otto von Freising, auf Rupert von Deutz und Hugo von St. Victor, auf Dantes »Monarchia« und den Sachsen- und Schwabenspiegel hin. Auch den Novalisschen Gedanken der »Christenheit oder Europa« steht Hegel nicht fern. Seine Rechtsphilosophie ist ein einziges großes Ringen um die Wiederherstellung solcher bergenden Rechtsordnungen. Fassen wir in 3 Zitaten zusammen, was Hegel vom Staat dachte und sagte:

1. »Der Staat an und für sich ist das sittlich Ganze.«

2. »Es ist der Gang Gottes in der Welt, daß der Staat ist: sein Grund ist die Gewalt der sich als Wille verwirklichenden Vernunft.«

3. »Der Staat muß als ein großes architektonisches Gebäude, als eine Hieroglyphe der Vernunft, die sich in der Wirklichkeit darstellt, betrachtet werden.«

Wir verstehen: Das Denken Hegels mußte einem Schopenhauer à fond unzugänglich, ja widersinnig erscheinen, während Karl Marx hier nur die Pyramide auf den Kopf zu stellen brauchte, um seine Geschichtsmetaphysik aus Hegels Staatsdenken herauswachsen zu lassen.

Tragisch-deutsch, so sagten wir, war aber das Versagen, besser das »Sich-Versagen« Hegels, in der aktuellen Krise der freiheitlich gesinnten Burschenschaftsbewegung und seine Haltung vor den Karlsbader Beschlüssen. Aber eben aus den Voraussetzungen seines staatspolitischen Denkens wird auch das verständlich. Die »Karlsbader Beschlüsse« zur Unterdrückung der freiheitlichen Bewegungen waren gefaßt. Warum hat auch Hegel, so wenig wie Goethe, protestiert? Goethe war eine Weltmacht, und sein Wort hätte Gewicht gehabt; Hegel war eine im Werden; denn er begann mit dem 22. Oktober 1818 seine Vorlesungen an der Universität Berlin und sollte alsbald von dort aus die gesamte Wissenschaft und Philosophie beherrschen. Zu seinen Füßen saßen oder setzten sich später Hotho und Gaus, Strauß und Vischer, Marx und Lassalle, Heiberg aus Dänemark, Vera aus Neapel, Michelet und Cousin aus Frankreich: die Gegenwart und Zukunft Europas. Es mußte einen tieferen Grund haben, warum er, der in seiner Antrittsvorlesung gerade die Jugend ansprach, nicht die Partei der politischen Jugend des »jungen Deutschland« ergriff. Er sah in der Bewegung zu viel Gefühl, zu wenig Vernunft – und ähnlich wie Goethe war ihm Gefühlspolitik und Gefühlsphilosophie verhaßt. Die Zusammenkunft auf der Wartburg: das war in seinen Augen eine Zusammenkunft von Schwärmern, eine romantische Narretei, und gar Sands Dolchstoß ins Herz Kotzebues: eine Widerlichkeit: »... diese Männer besitzen keinen Glauben an die Vernunft ... keinen Glauben an die Macht des Geistes ...« Das Wartburgfest war in seinen Augen eine Manifestation religiöspietistischer und völkisch-politischer Schwärmerei ... »ein Brei der bloßen Gefühle«. Die Sachlage ist nicht so leicht zu beurteilen. Wer hat hier recht, wer unrecht? Seit den Jung-Deutschen, seit Börne und Heine bis zu Heinrich Mann – wir denken an dessen beide Essays »Geist und Tat« und »Voltaire – Goethe« – wurde die Meinung wachgehalten, die Abkapselung vor der realen, der Tagesgeschichte und -politik sei ein typisches Verhängnis des deutschen Lebens und Charakters. Wo waren in Deutschland intellektuelle Köpfe vom Range eines Voltaire, die ihr Gewicht in die Waagschale der Geschichte warfen? Statt dessen vergrößerte sich im deutschen Volksleben die Distanz zwischen den geistigen Potenzen und dem Volke. Ein Goethe, ein Hegel hätten sich narzistisch ihren eigenen Erlebnissen und Interessen hingegeben, bestenfalls, mit einem melancholischen Blick auf die Rückständigkeit, das Elend des

Volkes bedauert. Aber in Frankreich waren ein Voltaire und Rousseau die Architekten der Französischen Revolution; Voltaire verbesserte die Rechtsordnung, focht die Prozesse um Calas, Sirven und d'Etallonde durch; Zola bewirkte, daß Dreyfus rehabilitiert wurde, und Victor Hugo kämpfte gegen den dritten Napoleon. Wer so sagt, vergißt zu leicht, wie eben Goethe im »Goetz«, im »Werther«, im »Faust«, in »Wilhelm Meisters Wanderjahren«, im »Prometheus« und so vielen andern Werken, Gedichten, Schriften eine handfeste sozialkritische Einstellung bekundete, und wie eben gerade ein Hegel, natürlich auf seine Weise, von der Geschichte gepackt, in ihr lebte und in ihr wirken wollte. Vielleicht sieht man erst heute wieder, wie unberechtigt die drei großen Vorwürfe sind, die man immer wieder gegen ihn erhoben hat: er sei in willkürliches Spekulieren verloren, er errichte dogmatische Systemkonstruktionen, er vernachlässige die Tatsachen. Was indessen gerade Hegel auszeichnet, ist sein Bemühen um die konkreten Gehalte der Weltwirklichkeit. Daß ein Denker von so universalem Umfang und sacherfülltem Wissen auch das tägliche Geschehen am Maßstab eines Prinzips, das er logisch und ontologisch für das richtige erfunden hat, beurteilen möchte, kann nicht zu einem grundsätzlichen Vorwurf erhoben werden. Vielleicht war seine Beurteilung des Wartburgfestes durchaus »modern«.

Hegel ist nur auf anderen Wegen – vielleicht Umwegen – als Voltaire zu einer politischen Weltmacht geworden. Im Grunde beruht sein System auf der Annahme, daß Sein und Denken identisch seien, daß die Menschheitsgeschichte die Geschichte Gottes in der Welt und die Vernunft das Wirkliche sei. Wer diesen Glauben glaubhaft machen kann, läßt die darin gründende Philosophie zum Weltereignis werden. Diesen Schritt ging Hegel in seinem Glauben an die Allwirksamkeit der Vernunft – der Vernunft im Sinne des Logos, nicht der Ratio. Dieser sein Glaube wurzelte logisch in einem unüberwindbaren Urvertrauen, das gleichzeitig ein Gottvertrauen, Weltvertrauen und Selbstvertrauen war. Es ist letztlich das Goethesche Vertrauen zur Natur, aus welcher der Mensch nicht herausfallen könne. »Die Menschen sind all in ihr und sie in allen«, heißt es im »Hymnus an die Natur« – ein Vertrauen, das sich bei Hegel zu einem Vertrauen zum geistigsten Weltprinzip, nämlich der Vernunft, gesteigert hat. Das Denken ist Logos, Logos aber ist Gott. Nun zeigt sich, wie Hegels Denken nur aus dem Zusammenhang der christlichen Überzeugung von der Inkarnation des Logos begriffen werden kann. Hegel macht – darauf hat Metzke nachdrücklich verwiesen – mit dem Gedanken Ernst, daß Gott in der Welt erschienen ist. Man mag sein Denken drehen und wenden wie man will, um diesen einfachen, schlichten Gedanken kommt man nicht herum, oder man stellt ihn, wie Marx es tat, auf den Kopf, und entwickelt die Geschichte in entgegengesetzter Richtung.

Der am meisten verhöhnte oder belächelte Satz, der aber der Schlüssel zu seinem Weltverständnis ist, steht mit gesperrter Schrift in der Vorrede zur Rechtsphilosophie:

»Was vernünftig ist, das ist wirklich, und was wirklich ist, das ist vernünftig.«

Schon politisch gesehen, konnten die Konservativen diesen Gedanken zum Beweis der Richtigkeit ihrer reaktionären Staatsidee exploitieren; die jungen, revolutionären Schüler aber setzten gerade hier ihre Kritik an: unmöglich könne alles heute Bestehende für heilig erklärt werden. Es gilt, den Satz richtig zu verstehen. Hegel will natürlich nicht sagen, daß jede Erscheinung schlechthin durch ihr Dasein bereits vernünftig sei; dann wäre alles negativ empfundene wie Un-sinn, Un-wahrheit, Un-gerechtigkeit vernünftig (vernünftig ist nicht dasselbe wie notwendig), sondern der Satz meint, daß eben nur das Vernünftige wirklich sei, also das Un-vernünftige – etwa im platonischen Sinne des Nicht-Seins – bloßer Schein. Würde der Satz wörtlich genommen, beinhaltete er, daß alles Unvernünftige vernünftig wäre – was offenbar Nonsens ist.

Hegel hat, sagt Metzke, das »Zeug zum Historiker großen Stils.« Er weiß um das gewaltige Drama der Menschheitsgeschichte. Er sieht ihre zerreißenden Spannungen, ihre zerstörenden Konflikte, die unaufhaltsamen Veränderungen und Umwälzungen; er hat den tiefen Blick in die Geschichte, die sich im Grunde den Plänen der Menschen entzieht, durch die aber der Logos, Gott selbst, sich verwirklicht. »Es muß endlich an der Zeit sein«, sagt Hegel in seinen Vorlesungen über die Philosophie der Weltgeschichte, »auch diese reiche Produktion der Vernunft zu begreifen, welche die Weltgeschichte ist.« Er stellte dem Hörer die »Ansicht der Geschichte« in 3 Kategorien dar. Was wir zunächst beobachten, ist »ein ungeheures Gemälde von Begebenheiten und Taten, von unendlich mannigfaltigen Gestaltungen der Völker, Staaten, Individuen, in rastloser Aufeinanderfolge ... überall das bunteste Gedränge ...« – Die 2. Kategorie ist Läuterung, Aufstieg, immer neues Leben, das aus dem Tode aufersteht: »An diese Kategorie der Veränderung knüpft sich aber sogleich die andere Seite, daß aus dem Tode neues Leben aufersteht ... Die Verjüngung des Geistes ist nicht ein bloßer Rückgang zu derselben Gestalt; sie ist Läuterung, Verarbeitung seiner selbst...« 3. Der Geschichte muß ein Endzweck zugrunde liegen: Weltgeschichte ist Verwirklichung der Weltvernunft. »... hinter dem

Lärmen dieser lauten Oberfläche ... ein inneres, stilles, geheimes Werk, worin die Kraft aller Erscheinungen aufbewahrt werde ... Die Kategorie der Vernunft. Sie ist im Bewußtsein als der Glaube an die in der Welt herrschende Vernunft vorhanden. Ihr Beweis ist die Abhandlung der Weltgeschichte selbst; diese ist das Bild und die Tat der Vernunft.« Der Schluß der Vorlesung zeigt deutlich, daß für Hegel Weltgeschichte ähnlich wie für Leibniz, die Theodizee, die Rechtfertigung Gottes, ist. »Gott regiert die Welt; der Inhalt seiner Regierung, die Vollführung seines Planes ist die Weltgeschichte.«

Gott aber ist der Logos, der Logos die Vernunft, und so ist die Entfaltung Gottes in der Weltgeschichte durch alle Stufen der Gestaltungen hindurch ein Prozeß der Vernunft:

»Der einzige Gedanke, den die Philosophie mitbringt, ist der einfache Gedanke der Vernunft, daß die Vernunft die Welt beherrsche, daß es also auch in der Weltgeschichte vernünftig zugegangen sei.«

Hätte ein Voltaire Hegel lesen können, dann wäre ein neuer »Candide« entstanden; statt des geistvollen »Candide« – nach Voltaire gab es keinen Schriftsteller von seiner spirituellen Heiterkeit mehr – wurde mit Recht in unserm Jahrhundert mit dem Ernst der Existentialisten die Frage laut: Und gereichen auch die Greueltaten, Sinnlosigkeiten und alle Fanatismen der Menschheit, mit denen die Weltgeschichte beladen ist, zur Ehre Gottes, wenn es einen gibt? Hegel hätte die verblüffende, aber tiefsinnige Antwort gegeben: Ja, warum nicht? Die Ehre Gottes leidet nicht: denn Gott selbst, der sich in die Welt entfaltet, nimmt Schmerz und Leiden dieser Welt auf sich. Das Unglück der Welt ist eben auch das Unglück Gottes.

Hegel hatte den Mut, das Wissen und die Kraft, in der »Phänomenologie des Geistes« den kühnen und eigensinnigen Entwurf einer Geistesphilosophie zu wagen. »Phänomene«, das sind Erscheinungsformen des Geistes, wie sie sich uns in der Zeit, d. h. in der Geschichte, darstellen und uns bewußt werden. Die »Phänomenologie« ist Hegels Lehre vom subjektiven, objektiven und absoluten Geist. Sie behandelt also die objektiven Erscheinungen des Geistes, führt uns auf die Entwicklungsstufen des subjektiven Bewußtseins bis zu dem Punkt, wo das Absolute, der Geist, Gott – wie immer man es nennen mag –, in der kreisförmig durch die Gegensätze hindurchgetriebenen Selbstentfaltung sich selbst erkennt. Die Stockwerke dieses grandiosen Gebäudes, dessen kühne Architektur einem den Atem nimmt, sind die Logik, die Naturphilosophie, die Rechtsphilosophie, die Philosophie der Geschichte, der Kunst, der Religion und der Philosophie selbst: die Philosophie der Philosophie – damit ist das Letztmögliche erreicht. Seine *Logik* stammt aus Heraklit; seine *Naturphilosophie* begründet sich in der Auseinandersetzung mit Schelling; liest man den Beginn des § 4 der Einleitung in seine *Rechtsphilosophie*, so weiß man wenigstens von den Umrissen dieser seiner philosophischen Leistung aus den Berliner Jahren: daß nämlich »das Rechtssystem das Reich der verwirklichten Freiheit, die Welt des Geistes aus ihm selbst hervorgebracht, als eine zweite Natur, ist.« Es wird die Gesamtheit der Formen, in denen sich der freie Wille manifestiert, abgehandelt: Familie, Volk, Staat, Wirtschaft – Gemeinschaftsleben.

Es ist selten, daß Philosophen auch Künstler sind, weniger selten, daß sie über *Kunst* philosophieren. So Kant, so Hegel, so Schopenhauer. Aus seinen »Vorlesungen über die Ästhetik« erfahren wir, was Hegel über die Künste und das Schöne im Licht seiner Philosophie sagte. »Das Schöne bestimmt sich ... als das sinnliche Scheinen der Idee«. Das ist platonisch gedacht und im Geiste Schellings und der Romantiker formuliert. Je nach der Entwicklungsstufe, auf welcher sich die Idee in ihrem Gang durch die Geschichte künstlerisch gestaltet, unterscheidet Hegel drei Kunstformen: die *symbolische* Kunst, die dem Kindesalter der Menschheit zugeordnet sei, da die Idee noch nicht zur sinnlichen Klarheit durchdrang; die *klassische* Kunst, die dem Jünglingsalter entspreche – in Hegels Sinne der Welt des Griechentums, da die Form dem Inhalt bereits entsprach; die *romantische* Kunst, in der das Geistig-Seelische dominiert und sich im Dreiklang der Malerei, Musik und Dichtung offenbart. Einteilungen dieser Art waren der ganzen europäischen Romantik eigentümlich.

Von den drei Künsten lag Hegel die Dichtkunst am nächsten, und von den drei Grundgattungen des Wortkunstwerks wiederum die Theaterdichtung, die Tragödie in erster Linie. Eine ähnliche Vorliebe für die Tragödie werden wir, freilich aus andern Gründen, bei Schopenhauer bemerken. Von allen Werken der attischen Bühne hat Hegel die »Antigone« am höchsten gestellt, fand er doch in diesem Werk jene Spannung zwischen dem politischen Gemeinschaftssinn, wie er sich in Kreon symbolisiert, und dem Individualismus des Herzens, das seine Rechte in Antigone geltend macht. Das Wesen des Tragischen begreift Hegel in dem Untergang des Individuums, das sich als absolut gültig setzt und sich gegen das Weltgeschehen, also die Vernunft, auflehnt; dadurch gerät es ins Unrecht und darum wird es »zertrümmert«, »wenn es sich überhoben hat«. Wir verstehen, wie innerlich konsequent der Theoretiker Hegel philosophiert und der politische Pamphletist sich gegenüber dem Wartburgfest verhält. Aber nach Hegel steht »über der bloßen Furcht und tragischen Sympathie das Gefühl der Versöhnung, das die Tragödie durch den Anblick der ewigen Gerechtigkeit gewährt, welche in ihrem absoluten Walten durch die relative Berechtigung einseitiger Zwecke und Leidenschaften hindurchgreift, weil sie nicht dulden kann, daß der Konflikt und Widerspruch der ... sittlichen Mächte in der wahrhaften Wirklichkeit sich siegreich durchsetze und Bestand erhalte.«

So führt wohl der Weg von Hegel zu Hebbel – aber nicht zu Anouilh, dem Dichter des 20. Jahrhunderts, der mit seiner Neuschöpfung des Antigone-Stoffes dem Ideengang Hegels die Nachfolge versagte.

Es sei auch nicht vergessen, was Hegel seinem Freund Hölderlin aus den gemeinsamen Jahren der Tübinger Stiftszeit verdankte. Der Nachklang dieser Freundschaft mit dem großen Dichter ist häufig wachgerufen worden: das ἓν καὶ πᾶν, das mystische All-Erleben im Pantheismus und Panentheismus, die romantische Weltfrömmigkeit und Seinsverklärung, daß schließlich alles gut sei – das sind Motive Hölderlins, aber auch z. T., wie wir sahen, diejenigen Beethovens, worauf freilich nicht so viel verwiesen wurde. Letztlich sind es Motive der Zeit und ihres besonderen Aspekts, der Romantik, Motive, die sich in Schelling, dem andern Freund Hegels aus dem Tübinger Stift, resümiert haben. Daß Hegel später Hölderlin »überschwiegen« und umgekehrt Schelling in Ressentiments gegen Hegel endete, zeigt nur den tragischen Gang solcher Freundschaften verwandter Geister, die in ihrer späteren Entwicklung auseinanderstreben, ohne sich wechselseitig ganz überwinden zu können.

Die Philosophie der Ästhetik ist nicht Hegels vornehmstes Anliegen. Über ihr wölbt sich seine »Philosophie der Religion«. In drei Trakten baut sich das System auf: denn in dem Wesen der Religion sind Gott, das menschliche Gottesbewußtsein und der Gottesdienst beschlossen. Hegel war ein zutiefst religiöser, christlicher Mensch. Wir sahen, er machte mit dem Glauben, daß Gott in die Welt getreten sei, Ernst. Mit diesem Glauben steht und fällt sein ganzes System. Gott ist die Dialektik. Er ist Ereignis und die Erscheinung in der Welt. Die Vernunft aber des Menschen, der »capax dei« ist, d. h. Gott in sich fassen kann, vermag die dreifaltige Gesetzlichkeit Gottes selbst mitzudenken und das heißt mitzuvollziehen. Trinität und Logik sind identisch. Hegel steht damit in der Tradition von Aristoteles und Thomas, für die das richtige menschliche Denken das Sein auch richtig wiedergibt; denn auch Sein und Denken sind im Grunde identisch. Das Ereignis Gottes ist das Leben Gottes in der Welt. Es vollzieht sich im Dreitakt:

»(Gott) ist Leben ... Er ist Bewegung durch seine drei Momente. Er ist niemals nur an sich, ohne eine Welt, und hat die Welt niemals nur außer sich. Gott ist Widerstreit und Versöhnung, Kampf und Frieden, Prozeß und Ruhe.

So setzt er ewig die Welt, so hebt er sie ewig wieder auf, so ruht er ewig in sich selbst. Er ist das Spiel der Liebe mit sich selbst und der Ernst des Kampfes, der Schmerz, die Geduld und die Arbeit des Negativen.«

Die Religionsphilosophie Hegels ist diejenige Region seines Systems, »worin die Rätsel der Welt gelöst, alle Widersprüche des tiefer sinnenden Gedankens enthüllt sind, alle Schmerzen des Gefühls verstummen, die Region der ewigen Wahrheit, der ewigen Ruhe«.

So sagte er es selbst, und weiter:

»Die Sandbank der Zeitlichkeit verschwebt in diesem Äther, es sei im gegenwärtigen Gefühl der Andacht oder in der Hoffnung. In dieser Region des Geistes strömen die Lethefluten, aus denen Psyche trinkt, worin sie allen Schmerz versenkt, alle Härten, Dunkelheiten der Zeit zu einem Traumbild gestaltet und zum Lichtglanz des Ewigen verklärt«.

Gott ist Dialektik, wenn man will: das einfachste und zugleich genialste Beispiel der berühmten dialektischen Methode der Thesis-Antithesis-Synthesis. Gott ist Sein – Nichts – Werden. Wenn das SEIN die Thesis ist, ist NICHTS die Antithesis und das WERDEN die Synthesis. Mit Geburt und Tod ist Gott in dem großen Opfergang der Geschichte und Natur selbst drin. Das Sterben zumal wird zum großen Thema Hegels. Die Art, wie Hegel die »ars moriendi« begreift, weist auf Joh. Seb. Bach, also auf die Weisheit des Barocks – und, das scheint mir Friedrich Heer richtig gesehen zu haben, auf die großen Spanier, denen in der Tat, wie keinem Volke insgesamt, der Tod gewissermaßen eine familiäre Erscheinung im Umgang mit den Lebenden und Toten war. Das geht natürlich noch viel weiter zurück bis ins Urtümliche, mythische Denken, wo der Opfergang Gottes und der Menschheit in der Geschichte zwischen Eros und Thanatos sich hinstreckt. Aber kühner kann es nicht gesagt werden:

»Der Tod ist das Versöhnende. Der Tod ist die Liebe selbst. Es ist die Identität des Göttlichen und Menschlichen, daß Gott im Menschlichen, im Endlichen bei sich selbst ist und dies Endliche im Tode selbst Bestimmung Gottes ist.«

Hegel überspannt schließlich den Bogen der Dialektik. Als »Philosoph des 7. Tages« übernimmt er das Geschäft Gottes selbst; er ist im vollen Besitz des Alphabets und vermag das geheimnisvolle Buch der Weltgeschichte, darin der Geist sich selbst niedergeschrieben hat, in jedem Kapitel zu deuten. Das aber war der Punkt, wo, im Spiel der Dialektik, Hegels System selbst umschlagen mußte. Wer dies bewirkte, war Karl Marx. Er nahm das Geschäft aus Hegels Händen, trug den ganzen religiös-metaphysischen Überbau ab, stülpte das System um und schuf die große Antithese zur Hegelschen Metaphysik aus der Kraft eines säkularisierten Idealismus.

Noch aber fehlt der Schlußstein an Hegels Bauwerk. Mag sein, daß die Religion des Menschen höchstes Anliegen war. Indessen erfaßt sie das Absolute: Gott, zumeist nur im Bilde als Vorstellung. Die Menschen verehren gemeinhin das Bild Gottes. Erst die Philosophie erhebt das Religiöse ins reine Denken; sie rühmt sich, das Wesen aller Dinge zu begreifen und so auch das Absolute, die Wahrheit, zu erfassen. In und durch die Philosophie steigt der Mensch ins Unendliche, so wie der unendliche Geist sich selbst in seinem Wesen erfaßt. Philosophie ist also sowohl absolutes Wissen seitens des Menschen als auch Vollendung des sich in der Welt explizierenden absoluten Geistes seitens Gottes. Philosophie ist also streng genommen das Höchste und Tiefste, das Letzte und Erste, ist Berührungspunkt Gottes und des Menschen, des Endlichen und Unendlichen. Sie ist kein neuer Trakt im Gebäude Hegels, kein neues Stockwerk, sondern ist Kreis der Kreise, ist das Ganze der Geist- und Weltentfaltung, ist Philosophie der Philosophie.

Die Philosophie aber ist auch nicht etwas Starres-Unveränderliches, sondern entfaltet sich in der Geschichte als Wandel und Werdegang von Systemen. Sie ist jeweils »ihre Zeit, in Gedanken erfaßt«. An keiner Stelle wird der alte aristotelische Gedanke, daß Logik immer Ontologie ist, so erkennbar bestimmend wie hier. Die Philosophie ist also immer zugleich auch Philosophie der Geschichte u n d Geschichte der Philosophie. In diesem philosophisch so von Hegel begründeten »Historismus« lebte die ganze Folgezeit, das 19. Jahrhundert als das Jahrhundert der großen Historiker, das Jahrhundert Rankes.

Hegel selbst starb 1831, ein Jahr vor Goethe. Mit Goethe, der so viel Geschichte gesehen, erlebt und gedeutet hat, konnte sich Hegel in gewissem Umfang verstehen, war er doch ein Kind der Goethezeit, die an ihm haftete, und in der er atmete. Die Verwandtschaft geht ins Geistige, Wissenschaftliche, Weltanschauliche. Der Däne Heiberg, ein Schüler Hegels, war der erste, der auf die Verwandtschaft des Hegelschen Denkens mit der Goetheschen Weltansicht hingewiesen hat. Wir wissen, wie sich Hegel in den §§ 219 und 221 der »Encyklopädie« gegen Newtons Farbentheorie und für Goethes Lehre aussprach. Sobald es Goethe durch Sulpiz Boisserée erfuhr, übersandte er ihm seine Abhandlung über die entoptischen Farben. So steht er – kurios genug – auf dem Felde seiner Farbenlehre mit den extremfeindlichen Philosophengegnern Hegel u n d Schopenhauer in Verbindung: das Weltkind in der Mitte der streitenden Philosophen. Hegel rühmt Goethes ausgesprochenen Natursinn, mit dem er die »Urphänomene« zu erfassen wisse. Hegel konnte in Goethes Urphänomenen so etwas wie sein eigenes »Absolutes« wittern – nicht g a n z mit Recht. Aber Goethe ließ ihm als Geschenk ein gelbgetöntes Trinkglas mit einem Stück schwarzer Seide, das bläulich durch das Gelb schimmerte, zusenden und witzelte in seiner Zuschrift: »Dem Absoluten empfiehlt sich schönstens zu freundlicher Aufnahme das Urphänomen«. Goethe konnte Hegel nicht recht lesen; er schätzte mehr ein Gespräch mit ihm als eine Lektüre seiner Bücher. So verstehen wir, was er an Knebel unter dem 14. November 1827 schreibt:

»... was bei gedruckten Mitteilungen eines solchen Mannes uns unklar und abstrakt erscheint, weil wir solches nicht unmittelbar unsern Bedürfnissen aneignen können, das wird in lebendigem Gespräch alsobald unser Eigentum, weil wir gewahr werden, daß wir in den Grundgedanken und Gesinnungen mit ihm übereinstimmen, und man also in beiderseitigem Entwickeln und Aufschließen sich gar wohl annähern und vereinigen könne.«

Eine solche innere Verständigung ist um so weniger verwunderlich, als sich beide Denker in einer dritten, in Hamanns Welt trafen. Hegels berühmte Besprechung der Hamannschen Schriften, die in das Jahr 1828 fiel, mußte Goethes Zustimmung finden.

Von Hamann und Herder über Goethe und Schiller, Mozart und Beethoven über die ganze deutsche Romantik geht der Weg bis hin zu Schelling und Hegel, der mit seiner gott- und weltvertrauenden Philosophie diesen Zeitraum überwölbt. Wir verstehen Hegel und fühlen uns zugleich von ihm entfernt – entfernter als von Goethe und Beethoven, die seltsam nahe geblieben sind. Gewiß: Wir bewundern Hegels sacherfülltes Wissen; wir bewundern die kolossale Arbeitsenergie, mit der sich dieser wache Verstand in alle Bereiche der Natur- und Geisteswissenschaften hineingearbeitet und sie sich zu eigen gemacht hatte. Immer weiter, immer tiefer drang dieser Verstand und diese Vernunft. Nichts war seinem universalen Geiste fremd: keine Epoche der Geschichte von der Antike angefangen über das Mittelalter und den Barock zur eigenen Gegenwart. Er war in der antiken, der deutschen, englischen, französischen Kultur- und Geisteswelt zu Hause. Ein weltaufgeschlossenes Urvertrauen zu Gott und Menschen war das Fundament, das den Riesenbau seines Systems zu tragen vermochte. Daraus quoll auch sein Glaube, der eben noch der altüberlieferte Glaube seiner Zeit war, ein Glaube, der den größten geistigen und künstlerischen Leistungen jener großartigen Periode unserer deutschen Geschichte zugrunde lag – aber eben ein Glaube, der in unserem Jahrhundert verloren gegangen ist, oder der als tragender Untergrund der geistigen Leistungen unserer Zeit nicht mehr die Kraft besitzt, Berge zu versetzen, wenn es nötig erscheint. Hegel hat noch viele Berge versetzt, d. h. Fakten und Daten willkürlich in das Getriebe des göttlichen Weltplans, seines eigenen, vernünftigen Weltplans, eingeordnet – rücksichtslos oft und eigenwillig. Das geht nicht mehr, nachdem die ihm folgenden Generationen seit Schopenhauer, Marx, Freud und den Naturwissenschaftlern um 1900 Quader um Quader aus dem Gebäude der Hegelschen Architektur herausbrachen.

Über der Hegelschen »Pansophie« stand noch, mit ihr wesenhaft verbunden, der Glaube, daß Gott in die Welt getreten ist, um sich, im Spiel der Dialektik, in der Geschichte, der »Schädelstätte« der Menschheit, zu entfalten. Mit diesem Glauben der alten Kirchenväter machte Hegel bitteren Ernst. Entfernen wir indessen das christlich-mystisch-religiöse Element, dann bleibt uns der »Glaube an die Wissenschaft«. Diese »Wissenschaft« war freilich für einen Hegel »das wahre Gewebe des göttlichen Lebens«, war das System des lebendigen Logos. Aber wie –, wenn sich die »Wissenschaft« von ihrem religiösen Glauben, also von der Grundvoraussetzung der Hegelschen Philosophie, löst und selbständig macht? Dann geschieht es – und es geschah –, daß sich mit der Wissenschaft ein neuer säkularisierter, entchristlichter, doch ebenso entschiedener pansophistischer Wissenschaftsglaube verbindet. Und mit diesem Glauben haben Marx und die linken Junghegelianer einen ebenso bitteren Ernst gemacht wie Hegel mit dem seinen. Die »Wissenschaft des Marxismus« ist genetisch in Hegel selbst vorgebildet. Hegel contra Hegel. Mit der dialektischen Methode Hegels selbst wird die Enthegelianisierung durchgeführt. Hegel wurde von Marx aus dem Sattel gehoben.

Mit der Skepsis gegenüber dem Grundgedanken Hegels, daß »die Weltgeschichte nur die Erscheinung dieser einen Vernunft« – »ein Abbild des Urbildes in den Völkern« – »Bild und Tat der Vernunft« ist (alle drei Worte stehen am Anfang seiner Vorlesung über die Philosophie der Weltgeschichte), verbindet sich eine zweite Frage, ob nämlich der Mensch selbst so gottähnlich, ob sein Tun so vernünftig sei, wie es die Gläubigkeit und das Urvertrauen Hegels will, – oder ob nicht ganz andere Kräfte als der Logos in ihm ihr Spiel treiben und wirksam sind. Schon in Schopenhauers Urteil war Hegels Philosophie eine Utopie und grenzenloser Unsinn, der sich in romanhafte Unwirklichkeiten verlöre. Auf dem Urgrund des Lebens sei vielmehr nicht die Vernunft, nicht der Logos, nicht irgendeine Idee, sondern der Wille. Wir werden bei der Betrachtung Schopenhauers sehen, was das bedeutet. Hier sei nur angedeutet, daß von Schopenhauers »realistischem« Menschenbild eine Linie zu Sigmund Freud geht, eine Linie, die, in Verbindung mit der neuen naturwissenschaftlich-biologischen Denkweise des mittleren 19. Jahrhunderts, zur Entthronung des Menschen geführt hat. Anstatt den Menschen von oben her, vom Logos, vom Geist, von Gott her zu sehen, wird er nunmehr von unten erfaßt: vom »Es«, vom »Ich« und dann erst vom »Über-Ich«. Die Parallele zu Marx in der Denk*richtung* – nicht im Inhalt – ist auffällig.

Aus dem pansophischen Wissenschaftsglauben erwuchs endlich in einer dritten Generation nach Hegel der Souveränitätsanspruch der Naturwissenschaften, der Soziologie und des Existentialismus als eines Ausdrucks philosophischer Redlichkeit. Der Glaube an Gott, der vernunftgewollte »Volksgeist« Hegels und das Prinzip der Geistphilosophie ist einem Glauben an die Technokratie, an die Soziologie und an einen neuartigen Aufklärungspositivismus gewichen. An die Stelle des totalitären Anspruchs der Geistphilosophie ist der Totalitätsanspruch eines im theologischen Sinne ungläubigen Szientismus getreten. Die philosophische »Rücksichtslosigkeit«, mit der Hegel über »das Material der Welterfahrung verfügt« (Theodor Litt) wandelte sich im Laufe unseres Jahrhunderts in die technische Rücksichtslosigkeit, mit der heute mittels der angewandten Wissenschaften ganze Landschaften und Erdteile unseres Planeten verändert, Erdsatelliten und politische Satelliten der beiden Hemisphären geschaffen und die entbundenen Naturkräfte zu neuen Bestimmungen wirtschaftlicher, sozialer und politisch-militärischer Art verwendet werden. Diese Züge in der Physiognomie des 20. Jahrhunderts lagen in Hegel vorbereitet, waren nur noch nicht sichtbar und traten erst hervor, als die drei Generationen nach Hegel: Schopenhauer, Marx, Freud und ihnen zur Seite die Naturwissenschaftler, ihre Arbeit getan hatten. Mit Hegel endet eine große Zeit: die Zeit Goethes und des deutschen Idealismus; eine andere, aber nicht weniger große, ist im Werden. Ihre Geburtsstunde aber schlägt erst im 20. Jahrhundert.

6.

»Wir Deutsche sind Hegelianer«; – mit gleichem Recht ließe sich sagen: Wir Deutsche sind (oder waren, nämlich in einem historischen Augenblick unserer Entwicklung) Romantiker, – und zwar aus eben dem Grunde, daß wir, im Gegensatz zu den Lateinern, dem »Werden« einen tieferen Sinn und reicheren Wert beimessen als dem, was ist. In der Tat ist Romantik nach einer Definition Friedrich Schlegels »progressive Universalpoesie«. Das könnte ein hegelianischer Begriff sein.

Was ist Romantik, und was ist ein Romantiker? Das ist die Frage, die am Anfang einer Betrachtung über die deutsche Romantik beantwortet werden sollte. Das Problem ist aber so vielschichtig und allenthalben übergreifend, daß eindeutige Antworten nicht gegeben werden können. Auf den Gebieten der Kultur-, Kunst- und Geistesgeschichte verstehen wir unter »Romantik« einen bestimmten Abschnitt unserer Geschichte, der etwa von 1780 bis 1830 verläuft und seine eigentliche Dichte um 1800 hat. Man spricht von einer Frühromantik und einer Spätromantik. Die Bewegung hat ferner ihre Vorläufer, die nicht nur tief ins 18. Jahrhundert, sondern viel weiter zurück in die Renaissance, das Mittelalter, sogar in die Antike gehen, und sie hat ihre Ausläufer im europäischen »Symbolismus« und im Deutschland von George, Rilke und Hofmannsthal.

Romantik aber gibt es nicht nur im literarischen Leben, sondern auch in der Malerei, der Bildhauerkunst und der Musik. Weber, Schubert, Schumann, Berlioz, Chopin sind Romantiker der Klänge und Harmonien; Caspar David Friedrich, Philipp Otto Runge, Eugène Delacroix und Constable sind Romantiker in Thematik, Farben und Komposition. Der Geist der Romantik lebt im Wortkunstwerk, Tonkunstwerk, Farben- und Steinkunstwerk; er wirkt in der Theologie, etwa bei Schleiermacher, in der Philosophie bei Schelling; wir fassen ihn in den eigentümlichen Anschauungen vom Staat und von der Geschichte – so bei Adam Müller; er treibt politische und soziale Aktionen hervor, ist ein Seitenstück zur Großen Französischen Revolution und hat seinen Anteil an der spanisch-deutschen Befreiung vom Joch der Napoleonischen Diktatur. Der Geist der Romantik verbindet sich einerseits mit den modernen sozialistischen Tendenzen von Saint-Simon, Fourier und den Phalangisten, gebärdet sich zum anderen wieder konservativ und nationalistisch, etwa in Deutschland und Österreich. Er öffnet die Tore zu höchst modern anmutenden Ideen über Persönlichkeit und Gemeinschaft im kulturellen, staatlichen und wirtschaftlichen Leben und erträumt, wie bei Adam Müller, eine Synthese von Nationalismus und Universalismus, einen »Staatenbund als rechtliche Gemeinschaft wahrer Staaten«.

Darüber hinaus gibt es aber auch eine Romantik der Lebensform. Die »Vitae« der romantischen Meister sehen anders als die der »Klassiker« aus. Romantische Existenzen haben eine besondere »Aura«; ihre Lebensformen unterscheiden sich von denen anderer »Typen«. Und dieses alles trifft nicht nur auf Deutschland zu, sondern auf alle Länder und Nationen, über welche der Geist der Romantik wehte, auf Rußland und Polen, auf Frankreich und England, auf die Südromanen und Nordamerikaner; auch die skandinavischen Länder verspürten den neuen Atem, und die kleinen Völker des Baltikums und Balkans wuchsen überhaupt erst in der Atmosphäre des Romantischen zu ihrer jugend-

lichen Existenz heran. Dabei ergab es sich, daß manche Länder und
Nationen dem Romantischen offener, manche verschlossener gegen-
überstanden; manchen Völkern scheint der Zug zur Romantik eingeboren, in anderen ist er nur schwach ausgeprägt. Bei einigen führte die
Bewegung zu hohen und höchsten Leistungen ihrer Kultur, wie etwa in
England und Deutschland, bei anderen bricht sie wohl durch, bestimmt
für Augenblicke der Geschichte Farbe und Duft der künstlerischen Leistungen, wird aber wieder, wie etwa in Frankreich, von dem andersartigen Ingenium der Nation absorbiert und versandet. Wie es streng
genommen nur in Frankreich eine echte »Klassik« gab, nämlich um
1660, so gab es streng genommen nur in England und Deutschland eine
echte »Romantik«, nämlich um 1800. In jedem Lande traf die Bewegung
auf anders gelagerte soziale, politische, wirtschaftliche, künstlerische
Voraussetzungen und Verhältnisse der Völker. Das Bild der gemeineuropäischen Romantik wurde dadurch – zwar nicht aus der Entfernung, wohl aber aus der Nähe betrachtet – so verwirrend in seiner
Tiefe und Breite, daß es heute immer unmöglicher erscheint, die eingangs gestellte Frage zu beantworten. Dennoch sei mit allen Vorbehalten und im Bewußtsein der Unzulänglichkeit jeder Art von »Wesens-
bestimmungen« gewagt, eine Antwort wenigstens anzudeuten.

Es gibt unter den mannigfachen Möglichkeiten, sich dem Leben und
der Welt gegenüber einzustellen, drei Grundhaltungen, die uns zu jeder Zeit geschichtlich bezeugt werden. Der Mensch, in das Leben geworfen, kann seine irdische Existenz voll bejahen, kann sein Leben aus-
schöpfen und alle Wirksamkeit und allen Reiz in ihr finden. Das
Irdische zählt, das Jenseits wenig. Es ist der Mensch der vita activa,
der, sei er Staatsmann oder Künstler, sei er Kaufmann, Arzt, Landwirt
oder Techniker oder Erzieher oder was auch immer, ganz den Aufgaben des Hier- und Jetztseins hingegeben ist. Er »steht im Leben«; dort
sucht er seine Aufgabe, ein jeglicher in seiner Art. Dieser Haltung steht
jene andere schroff gegenüber, die das Irdische ablehnt. Wir kennen
sie als einen der möglichen Standpunkte innerhalb der Weltreligionen:
Das Irdische ist das Nicht-Seiende, das Vergängliche, ja das Böse.
Gott allein hat Realität. Auf diese höchste Wirklichkeit und Ewigkeit
muß alles ausgerichtet werden. Es ist die Haltung des Eremiten, des
Asketen, des Heiligen, der, im Schopenhauerischen Sinne, den circulus
der Natur durchbricht und freiwillig aus der Welt heraustritt. Dieser
Mensch der vita contemplativa hat, wie der andere Typ, viele Erscheinungsformen. Auf seiner Linie sehen wir Augustin und Rancé,
Pascal und Tolstoi, andere Denker der östlichen und westlichen Hemisphäre, denen allen es gemeinsam ist, das Jenseits realer und höher

zu bewerten als das Diesseits. Die Mitte zwischen diesen Extremen nimmt der Romantiker ein. Er bejaht das Leben, freut sich seiner und genießt alles Schöne, das »Natur« ihm bietet; aber er betrachtet das Leben nur als Durchgang zu höherem Sein. Er fühlt, daß seine Heimat nicht hier unten ist; seine Seele sehnt sich zurück, dorthin, woher sie kam. »Sehnsucht« ist das Losungswort des Romantikers. Auf Erden ist er nie befriedigt, gesättigt, vollendet. Er ist der ewige Wanderer zwischen dem Irdischen und Jenseitigen, immer auf dem Wege von der Endlichkeit zur Unendlichkeit, vom Leben zum Tode, der ihm ein höheres Leben verheißt. Ihm eignet eine metaphysische Vitalität.

Die Romantiker waren Frühgezeichnete. Das Fragmentarische war ihrem Leben wie ihrem Werke eigen. Ihre Sohlen hafteten nicht an der Erde, und so wurden die meisten von ihnen früh emporgenommen. Was sie hinterließen, war zumeist ein Torso, war Skizze, flüchtige Erdenspur. Karl Philipp Fohr starb mit 23 Jahren, Wackenroder mit 25, John Keats mit 26, Novalis mit 29, Shelley und Carl Maria von Weber mit 30, Franz Schubert mit 31, José de Espronceda mit 32, Géricault mit 33, Heinrich von Kleist mit 34, Lord Byron mit 36, Alexander Puschkin mit 38, Giacomo Leopardi und Frédéric Chopin mit 39 ... manche erreichten das 40. Lebensjahr und etwas darüber: E. A. Poe, Robert Schumann, E. T. A. Hoffmann, Gérard de Nerval und Alfred de Musset. Wir nahmen absichtlich Beispiele aus verschiedenen Ländern und Kunstbereichen, Beispiele von Malern, Musikern, Dichtern. Die meisten von ihnen gehörten, ihrem konstitutionellen Typ nach, zu den Leptosomen, waren labil, feingliedrig, nervös. So sehen wir die Porträts von Weber und Chopin, von Musset und Keats, von E. T. A. Hoffmann und Espronceda. Körperbau, Charakter, Seelenleben erscheinen in ihnen schicksalhaft verklammert.

Keine Epoche der deutschen Kulturgeschichte zeigt eine solche Ballung genialer Begabungen wie die romantischen Generationen. Ihre eindrucksvolle Dichte hat sie in den zwei Jahrzehnten von 1770–1790. Das setzt mit dem annus mirabilis der Geburten von Beethoven, Hegel und Hölderlin ein, die alle drei 1770 zur Welt kamen. Ihnen folgten in zeitlicher Ordnung Adam Müller, Friedrich Creuzer, Friedrich Schlegel, Novalis, Wackenroder, Tieck, Caspar David Friedrich, E. T. A. Hoffmann, Görres, Philipp Otto Runge, Kleist, Brentano, Savigny, Achim von Arnim, Jakob und Wilhelm Grimm, Weber, Eichendorff, Uhland, Kerner, Pforr, Schnorr von Carolsfeld und Rückert. Voran gingen Fichte, Baader, Aug. Wilhelm Schlegel und Schleiermacher in den 60er Jahren, und ihnen nach folgten die Spätgeborenen der 90er Dekade und des 1. Jahrzents im neuen Jahrhundert: Heinrich Heine,

Schumann, Mörike, Schopenhauer, Mendelssohn, Droste-Hülshoff und W. Hauff – Ausklang der Romantik. Jeder von ihnen ist als Dichter, Maler, Komponist, Naturwissenschaftler oder Philosoph eine Person sui generis, mit jedem andern unverwechselbar und dennoch vom Geiste dieser Zeitspanne, den sie selbst prägten, geprägt. Die damalige Kunst und Literatur und die ihnen zeitlich zugeordnete Philosophie, Naturwissenschaft, Staats- und Rechtslehre sind von einem gemeinsamen Stil getragen, den wir als »romantisch« empfinden und erkennen, ohne ihn »erklären« zu können.

Romantik wäre als eine Geistes- und Seelenhaltung, die sich in allen Tätigkeiten und Verhaltensweisen des Menschen jener Epoche ausdrückt, zu umreißen. Sie äußert sich in einer weltanschaulichen Haltung, die sich gegenüber der philosophischen Koalition von Rationalismus, Positivismus und Materialismus ablehnend erweist und sich zur Opposition des Irrationalismus, der Metaphysik und eines Idealismus bekennt. Gemeinsam ist ihnen der Widerspruch gegen alle Formen philosophischer »Aufklärung«; gemeinsam also die Ablehnung positivistischen Denkens, das, in seiner Metaphysikfeindlichkeit, nur den Tatsachen als solchen Wert zuerkennt, während eben den Romantikern der sinnlich wahrnehmbare, sichtbare »mundus sensibilis«, nur *Symbol* des Unsichtbaren, des »mundus intelligibilis«, des eigentlich Realen, ist. Gemeinsam ist ihnen schließlich die Unterbewertung des Materialismus, der eine lange und große Geschichte in Europa hat. Die Romantiker knüpfen dagegen an die ebenso säkulare Tradition des Idealismus an; sie sind das eigentliche Ferment in der damaligen Erneuerungsbewegung des Katholizismus, dessen religiöse Erscheinungsform sich in den Werken der Dichter, Philosophen und Künstler als christianisierter Platonismus darstellt. Die Ebene, auf der sich die mannigfaltigen Spiegelungen der romantischen Seele und der romantischen Weltbetrachtung zu einer Formel zusammenschließen, ist der Platonismus. Zum vierten Male wurde in der Geistesgeschichte Europas die platonische Philosophie umgedeutet: Das erste Mal war es im Neuplatonismus Plotins, dann im Platonismus des hohen Mittelalters; der dritte Schub vollzog sich in der europäischen Renaissance des 15. und 16. Jahrhunderts, und das letzte Ereignis auf dieser Linie war die Wiedergeburt Platons in der erdumspannenden Romantik. Alle Themen und Motive der vorangehenden Platonrezeptionen sind hier vereinigt: die rein philosophisch-spekulativen, die politischen, die ästhetischen und die religiösen. Christlicher Platonismus und platonisches Christentum begegnen sich in dem Doppelphänomen von Mystik und Pantheismus, die geradezu Kennzeichen der metaphysisch-religiös orientierten Romantik sind. In Goethes neuplatonischer Weltanschauung hatten die Romantiker ihr eigenes Denkmodell gefunden. Sie machten, wie Hegel, mit dem Gedanken Ernst, daß Gott in die Welt gestiegen ist, daß der Logos Fleisch wurde, und die Weltgeschichte die Theodizee Gottes ist. –

Auf seiner Wanderschaft ging der Romantiker zwei Wege, auf denen ihm nie geahnte Erlebnisse zuteil wurden. Der eine Weg führte in die Welt nach draußen, der andere war der »geheimnisvolle Weg nach innen«, von dem Novalis sprach. Der Weg nach draußen: Nichts war dem Romantiker uninteressant. Er zog auf Entdeckungsfahrten. Seine Wanderseligkeit kannte auf Erden keine Grenzen. In seinen Liedern, Erzählungen, Romanen singt und sagt er von der Lust des Wanderns. Was entdecken, erleben die Romantiker aufs neue, als sei alles zum erstenmal da? Die Natur, die Jahreszeiten, Städte und Länder, die alten und neuen Kulturen und den Menschen, der immer gleich ist. Ihr Bewegungstrieb, ihre schweifende Unrast wird zu geistiger Wanderschaft. Altes wird neu gesehen, Neues in Altes eingeschmolzen. Generationen vor ihnen war schon die Antike entdeckt; aber mit Schlegels Büchern über die Griechen und Römer und die Geschichte ihrer Poesie lernten sie alles wieder neu sehen: eine romantische Antike entstand. Sie schweiften in das Mittelalter, entdeckten die Rechtsaltertümer, gruben die Quellen einheimischer Poesie wieder auf, ertasteten die Fäden, welche die germanische Dichtung mit den südlichen Völkern und dem Orient verbindet; die Poesie uralter Mythen ging ihnen auf; die hohe Baukunst des Mittelalters, die Gotik, gewann nun erst Bedeutung, und die Romantiker folgten den Wegen Goethes, der in Herders Zeitschrift über das Straßburger Münster geschrieben hatte. Das so lange verkannte und verachtete Mittelalter erschloß ihnen seine eigentümliche Größe; ein Abglanz dieser Entdeckungen strahlte aus Novalis' Schrift über »Europa und das Christentum«. Wackenroder, Tieck, die Grimms, Novalis, Savigny, Görres und manch andere haben Anteil an der Restitution und Rezeption der mittelalterlichen Kultur. Das Volkslied, das Nibelungenlied, der Minnesang waren auf literarischem Gebiet die bedeutendsten Funde der Romantiker; die Entdeckung Dürers und der alten deutschen Meister durch Wackenroder war eine Parallele dazu. Ring um Ring neuer Erkenntnisse setzte der Enthusiasmus an den wachsenden Baum ihrer Forschungen; die hohen Kultur- und Kunstphänomene der Renaissance wurden ihnen lebendig. Indem sie auf diesen bislang kaum betretenen Pfaden Dante, Cervantes, Camões als vollendete Ausprägungen des italienischen, spanischen und portugiesischen Geistes fanden und sich ihn durch Übersetzungen aneigneten, haben sie den Horizont des eigenen Kunstverstandes erweitert. Derselbe Tieck, der den »Don Quijote« übersetzte, verdeutschte das dramatische Werk Shakespeares.

Aber über die Grenzen Europas hinaus ging es auf die Wanderschaft in den Orient: »Von der Sprache und Weisheit der Inder« kündete das gleichnamige Buch Schlegels. Das Persische hat den alten Goethe des »West-östlichen Diwan« verlockt, und Schopenhauer offenbarte der abendländischen Welt die ethisch-religiösen Ideen der Hindus. Wenn man bedenkt, daß zu gleicher Zeit die Franzosen und Engländer auf die weiten Entdeckungsfahrten ihrer eigenen Vergangenheit und der Welt draußen gingen, ahnt man, welche Zeit der Fülle die Romantik gewesen ist – eine der größten Perioden der »Diastole« in der europäischen Geistesgeschichte, der Diastole, die in Wechsel mit den Perioden der »Systole« den Rhythmus des Herzschlags und der Atmung im lebendigen Ablauf der Geschichte deutlich machen.

Der andere Weg, den die Romantiker gingen, war der »Weg nach innen«. Dort entdeckten sie, was von der rationalen Höhe der Aufklärungsepoche aus nicht sichtbar werden konnte, und was auch den scharfsichtigen französischen Moralisten verschlossen geblieben war: die irrationalen Kräfte und Triebe der menschlichen Psyche, das Abgründig-Dämonische menschlichen Wesens, das Reich der Träume, Märchen und Mythen. Die Romantiker waren die ersten »modernen« Menschen, die ersten »Künstler« Europas, in denen psychologisches Erahnen der Tiefenschichten des Menschen sich mit weltliterarischer Bildung vereinigte. Sie knüpften das Band, das den Menschen mit dem magischen Reich verbindet, wieder fester und öffneten die elfenbeinernen Tore ins Land der Träume. Dabei erwiesen sie sich als Virtuosen in der Kunst, dem magischen Geschehen Realität zu geben. Romantiker wie E. T. A. Hoffmann, Gérard de Nerval, Coleridge, E. A. Poe haben in der Wirklichkeit das Magische, im Magischen die Wirklichkeit gesehen. Sie haben es gehaßt, den Alltag vom Festtag zu trennen, die Wirklichkeit von der Phantasie. Welch eine Fülle tiefenpsychologischer Entdeckungen liegt in dem Werk der Märchen- und Mythendichter unter den Romantikern verstreut. Man lese nur wieder den »Meister Floh«, den »Klein Zaches«, den »Goldenen Topf«! E. T. A. Hoffmann und die ihm verwandten Geister ebneten der wissenschaftlichen Psychoanalyse die Wege – ähnlich wie die Entdeckungen der Romantiker auf dem Gebiet der nationalen Dichtung und der großen europäischen Literaturen die Heraufkunft der philologischen Wissenschaften, vornehmlich der Germanistik und Romanistik und die Begründung einer Weltliteratur im Sinne Goethes ermöglichten und förderten. Sie wurden mit alledem zu Wortkünstlern eigener Prägung, handhaben die Sprache, als sei sie Musik, sie besaßen den Schlüssel zu magischen Formeln und wußten darum, daß Poesie ein Zauber, ein »Charme«, lateinisch »carmen«, ist. Also gingen sie den Weg nach außen und nach innen: horizontal und vertikal, in die Peripherie und ins Zentrum der großen und kleinen Welt.

7.

Das höchste Anliegen der Romantiker war die Kunst. »Romantisch« wurde fast identisch mit Kunstverstand und Kunstschaffen. Die Romantiker lehrten erst die Welt, was der Begriff »Künstler« überhaupt bedeutete. »Künstler« im modernen Sinne: »Virtuosen durch und durch, mit unheimlichen Zugängen zu allem, was verführt, lockt, zwingt, umwirft, geborene Feinde der Logik und der geraden Linie, begehrlich nach dem Fremden, dem Exotischen, dem Ungeheuren, allen Opiaten der Sinne und des Verstandes.« Die Worte sind von Nietzsche. Nicht alle Künste stehen im Urteil des Romantikers auf der gleichen Stufe. Sie begründeten eine Hierarchie der Künste, die ihrem gesamten Kunstbild eigentümlich ist. Von den vier großen Künsten: dem Stein- oder Marmorkunstwerk, dem Linien- oder Farbenkunstwerk, dem Wortkunstwerk und dem Tonkunstwerk steht die erste, die Architektur, ihnen am fernsten. Die Zeit des Barocks ist vorüber. Die Romantiker empfanden den dionysischen Überschwang barocker Raumgestaltung als unnatürlich; und was dem Barock folgte, nämlich das Bauen nach antiken Modellen, der Empirestil ihrer eigenen Zeit, war Klassizismus, der im Grunde ihrem Wesen fremd war. Die Romantiker drängte es aus Städten und Häusern, Palästen und Domen hinaus ins Freie, in den naturgeschaffenen Raum, der durch die Unendlichkeit des Horizontes, des Meeres, der Gebirgsmassen, der Himmelskugel begrenzt war. Wir sehen an Friedrichs Gemälden, was das Raumgefühl der Romantiker war. Der romantische Mensch befriedigte seine Sehnsucht nicht mehr in den kühnen Kunst- und Geistesbauten der Dome, nicht mehr in den steingewordenen Träumen des Barocks, sondern dem allgemeinen Umschwung des damaligen Weltgefühls folgend, opferte er die zweckhaft gestaltete und begrenzte Architektur des Menschen der zweckfreien Schöpfung der ewigen Naturräume. Zuviel Irdisches, Erdgebundenes hing ihm am Stein oder Marmorkunstwerk.

Entbundener schon erscheint ihm das Spiel der Farben und Linien. Wer wollte leugnen, daß Künstler wie Delacroix oder Géricault, Caspar David Friedrich oder Philipp Otto Runge, Joseph Turner oder

John Constable mit ihren Landschaftsbildern, in denen die Seele der Natur zu singen scheint, der Poesie des eigentümlich Romantischen schon näher kommen? Und daß so abgründige Denker und Maler wie William Blake und Francisco Goya den oben beschriebenen Weg ins Reich der Träume, der Mythen und des Dämonischen gegangen sind? Und wer hat tiefsinniger über Farben und Linien philosophiert als Delacroix, Ingres und Runge – und wer hat die gesamte Malerei religiöser im Sinne eines Gottesdienstes aufgefaßt als Caspar David Friedrich mit seinen Zehn Geboten der Malerei? So gibt es allerdings eine romantische Malerei jenseits aller nationalen Grenzen. Um sie zu verstehen und zu würdigen, genügt es nicht, ihre rein malerischen Qualitäten zu sehen. Für einen Romantiker war ein Gemälde mehr als Malerei: es war Poesie, Philosophie, ja Religion. Uns Heutigen ist der Zugang zu ihr vielfach verbaut; denn 1. lehnt unsere Zeit die Literatur, das Anekdotische in der Malerei ab, und verbannt damit auch das »Poetische« aus ihrem Reich. Aber romantische Malerei w a r eben Poesie; ihre Gegenstände waren häufig Szenen aus Shakespeare, Ossian, Milton, waren Nibelungenlied und Gralssage, waren »Faust« und die »Göttliche Komödie«, waren Götz von Berlichingen und Don Quijote. 2. Wir sind zur Trennung der Künste zurückgekehrt. Der Traum ihrer inneren Verbindung, das Universalkunstwerk, ist ausgeträumt ebenso wie ihr philosophischer Anspruch, sich in der Metaphysik der Natur-Geist-Spekulation etwa eines Schelling zu verankern. Der metaphysische Sinn der Malerei ist aber für die Romantiker konstitutiv. 3. Die Religiosität eines »modernen«, entmythisierten Christentums kann zur romantischen Malerei kein Verhältnis mehr gewinnen; daß der Künstler die Mittlerstellung zwischen Gott und Menschen habe und also dem Priester gleiche, ist ein spezifischer Gedanke der Romantiker, der kaum noch Widerhall finden wird. Damit ist die Frage nicht gelöst, ob die Heutigen im Rechte sind. Bleiben wir in der historischen Perspektive: Was die Romantiker unter den Malern auszeichnet, ist die dreifache Tendenz einer Auflehnung gegen die Ideale des 18. Jahrhunderts, einer Rückwendung zum Mittelalter und zum 15. und 16. Jahrhundert und einer Hinwendung zur Natur- und Landschaftsmalerei. Die romantische Malerei ist also antiklassizistisch und antibarock, sie ist von den alten Meistern fasziniert, sie steht im Bann der mystisch-metaphysischen Tendenzen ihrer zeitgenössischen Naturspekulation. Ist sie »abstrakt«? Nein; sie bleibt am Gegenstand, ist »literarisch«, ist noch Kunst der »Nachahmung« äußerer oder innerer Visionen. So expressiv oder impressionistisch romantische Malerei und Zeichnung schon sein mag, so beseelt uns ihre Landschaften und Porträts erscheinen mögen, die Kunst der Linien und Farben ist in der Hierarchie der Kunstwerke noch nicht das Höchste; es hängt noch zu viel »Materie« an ihren Schöpfungen. Das freie Spiel der Phantasie ist noch zu sehr gehemmt und thematisch gebunden. Die zukunftweisenden Ideen abstrakter Malerei, wie wir sie wohl bei Runge aufspüren können, waren nur ein kurzes Aufleuchten in der Dämmerung des romantischen Zeitraums.

Höher als Malerei – und Plastik: Künste der Nachahmung, bewertet der Romantiker das Wortkunstwerk der Poesie. Was Friedrich Schlegel und Novalis, Kronzeugen der Romantik, in ihren Fragmenten über die Poesie sagen, läßt die Höhe der Rangordnung erkennen. Die Poesie wird aus dem didaktischen Regelgefüge des 18. Jahrhunderts herausgerissen und bekommt einen transzendentalen Sinn. Romantische Dichtung – und das heißt Dichtung schlechthin – ist Rechtfertigung des Wunderbaren; denn die Phantasie steht dem Romantiker höher als alle Vernunft und Logik. Dichtung ist nur als zweckfreier künstlerischer Schöpfungsakt zu verstehen – freilich ein Akt, in dem Besonnenheit sich mit Enthusiasmus vermählt und in dem sich das freie Spiel der Phantasie an große Gegenstände bindet. Dichtung ist »Magie«, und hat der Dichter das Zauberwort, dann hebt die Welt, die er »verdichtet«, zu singen an:

»Die Bäume fingen an zu sprechen und die Kräuter und Blumen zu singen – und das Tote durchdrang eine ungefühlte Lebenswärme – und Luftgeister und Erdgeister trieben sichtbar sich in den Elementen umher – und die Erde ward durchsichtig, und in ihren Tiefen erschien die alte Zeit in ihrer hohen, erhabenen Majestät – und wunderbare Töne aus der Fabelwelt drangen aus dem Abgrund heraus.«

Bezeichnende Worte, die wir bei Görres lesen. Ein Emportauchen des Ungeahnten, ein Erscheinen und Durchscheinen der Welt, ein Sprechen aus ursprünglichem Gesang und wieder zum Singen werdend ... So sind wohl Mythen und Märchen die Träume der Menschheit und ihre Verdichtung in Poesie das höchste Anliegen des romantischen Dichters ..., aber das Wort, dessen jede Dichtung bedarf, ist noch kein reiner musikalischer Wert, sondern hat seine rationale und logische Begrenzung – vom »Dada« war die Zeit noch weit entfernt. Es gibt im Bereich der Künste daher ein noch reineres Medium zwischen Diesseits und Jenseits, einen noch reineren, abstrakteren Schöpfungsakt, dessen Sprache wirklich »Selbstsprache« ist. Da ist die »Darstellung des Gemüts« durch ein reines Spiel mathematisch-physikalischer Größen erreichbar, und die Bewegung der Phantasie, der wir ins Reich des Magischen folgen, ist durch den operativen Zauber der Töne bewirkt. Über der wortgebundenen Dichtung erhebt sich das Reich der Töne, die Musik.

Die Musik steht in der Rangordnung der Künste an oberster Stelle. Sie wird zur Religion. Wenn der Romantiker sich auf den Weg macht, das verlorene Paradies zu finden, so öffnen sich ihm die Pforten zum Reich Gottes weniger im Wort als in der Musik. Das Verlangen der Seele nach der ewigen Heimat findet seinen Frieden in der Musik, die dem Lauschenden wenigstens für Augenblicke seines irdischen Daseins die Illusion der Erlösung gibt. Es war die Erfahrung der Romantiker, daß unter allen Künsten die Musik jene magische Gewalt über die Seele gewinnt, die sich im Rausch, in der Erschütterung und Ergriffenheit bekundet. Das musikalische Empfinden der Romantiker steht zwischen Eros und Religion. Die Psychologie will wissen, daß musikalische Menschen selten Atheisten, zumeist Pantheisten sind. Der Tatbestand trifft genau auf die romantische Generation zu. Das wäre im einzelnen unschwer zu zeigen. Die Romantiker schufen weitab von Joh. Seb. Bach, aber auf anderm Wege sich ihm doch wieder nähernd, den Begriff einer »Frömmigkeit der Musik«. Sie war nicht im spezifisch christlichen, wohl aber in einem mystisch-religiösen Sinne, zu verstehen. So wurde etwa, wie es das Beispiel Bettinas und anderer Männer und Frauen der Zeit lehrt, ein großer Teil des Beethovenschen Werkes und er selbst »religiös« gedeutet und verstanden. Wir erinnern uns des Wortes, das Bettina Beethoven in den Mund legte, daß »Musik höhere Offenbarung ist als alle Weisheit und Philosophie«. Wurde die Musik einmal so hoch erhoben, strahlte sie auf alle andern Künste zurück: Poesie drückte für Novalis »musikalische Seelenverhältnisse« aus; Farben und Kompositionen der großen Gemälde fingen an zu tönen; der Mythus von Amphion wurde neu verstanden: Durch den Klang der Leier bewegt, schichteten sich die Steinblöcke selbst zum Bau von Theben empor. Musik war die höchste himmlische Kunst, ein »Lautenspiel Gottes«.

Und nun begann die romantische Entgrenzung der Künste. »Sollte Poesie nichts als innere Malerei und Musik sein?«, fragte Novalis; und schon spielen die Romantiker mit allen Synästhesien: Töne werden zu Farben, Farben als Töne gehört; Lyrik wird in manchen Liedern Brentanos oder Tiecks zu reiner Wortmusik; Tasten und Schmecken werden zu Erkenntnisfunktionen, wie es schon bei Herder angedeutet und nun über den Weg altindischen, mystischen Denkens, wo das Wesen der Dichtung als Schmecken definiert wird, in moderne Vorstellungen gerät, denen zufolge poetische Erfahrung schmeckendes Erkennen ist. Aber der eigentliche romantische Verschmelzungsprozeß betrifft die

Dichtung und Musik. Die Idee des Gesamtkunstwerks wird aus romantischer Atmosphäre geboren. Aug. Wilh. Schlegel meint, man solle »die Künste einander wieder nähern und Übergänge aus einer in die andere suchen«. Ist es verwunderlich, daß in einer solchen Periode Künstler zur Welt kommen, die, wie etwa Schumann Musiker und Schriftsteller, wie Phil. Otto Runge Maler und Dichter oder gar wie E. T. A. Hoffmann Musiker, Schriftsteller und Maler zugleich und in einem waren? Zum andern wiederholt die Epoche der Romantik, was sich im Mittelalter und in der Renaissance mit der Dichtung und Musik begeben hatte, nämlich sie als untrennbare Schwesterkünste zu betrachten; sie gibt dem Begriff Lyrik seine Doppelsinnigkeit zurück. Gehörten in der Kulturepoche der Troubadours und Minnesänger Wort- und Tonregel zusammen, und faßten die Lyriker der Renaissance in der Epoche der polyphonen Madrigalmusik die Dichtung musikalisch und die Musik dichterisch auf, so vollzieht sich in der dritten dieser klassisch-lyrischen Epochen, nämlich der Romantik, die Ehe von Dichtung und Musik von neuem. Die Lyrik eines Heine, Goethe, Eichendorff wird – gewiß nicht immer zu ihren Gunsten – in das Liedwerk eines Schumann und Schubert eingeschmolzen und lebt seit diesen Tagen bis in unsere Zeit ebenso im musikalischen wie im poetischen Gedächtnis der Menschen fort.

8.

Die deutsche Romantik hat kein eigentliches Programm aufgestellt. Aber sie manifestiert ihre Tendenzen in den Fragmenten ihres besten theoretischen Kopfes, Friedrich Schlegels. Alle 738 sind interessant, viele bedeutungsvoll, drei von ihnen enthalten das Wesentliche in knappster Form.

1. »Die französische Revolution, Fichtes Wissenschaftslehre, und Goethes ›Meister‹ sind die größten Tendenzen des Zeitalters.« Schlegel selbst betont im folgenden die Eigentümlichkeit dieser Zusammenstellung, die auf den ersten Blick verblüfft. In einem dreifachen Ereignis, einem politisch-sozialen, einem philosophischen und einem literarischen wird hier die Gegenwart charakterisiert. Das ist klug gesehen und weitsichtig geurteilt, und von dem Standpunkt des auf die Gegenwart orientierten Romantikers richtig. Die Große Französische Revolution ist die Zäsur der neuen Zeit; das Ancien Régime im politisch-sozialen, philosophischen und literarischen Sinne ist zu Ende. Mit Fichtes Philosophie wird die neue Epoche einer metaphysisch bestimmten Transzendentalphilosophie eingeleitet. Und Goethes »Meister« entspricht so

genau der modernen Tendenz romantischen Romanschaffens, daß dieses Werk überhaupt von den Romantikern als Offenbarung einer neuen Welt von Kunst- und Lebensidealen erlebt wird. Nach Ansicht Schlegels steht der Roman schlechthin als Dichtungsart über allen Gattungen der Literatur; er gibt der modernen Poesie die eigentümliche Farbe und hat eine Mission; in die Romane nämlich habe sich die Lebensweisheit geflüchtet, und so verstehen wir, was Schlegel im 26. Fragment sagt: »Die Romane sind die sokratischen Dialoge unserer Zeit.« Nach dem Muster des »Wilhelm Meister« soll der moderne Roman »ein Compendium, eine Encyklopädie des ganzen geistigen Lebens sein«. Das romantische Pendant zum »Meister« wurde in der Tat das Romanfragment des Novalis: »Heinrich von Ofterdingen«.

2. »Dantes prophetisches Gedicht ist das einzige System der transzendentalen Poesie, immer noch das höchste seiner Art. Shakespeares Universalität ist wie der Mittelpunkt der romantischen Kunst. Goethes rein poetische Poesie ist die vollständigste Poesie der Poesie.« Dieser literarische Dreiklang der Weltdichtung ist für die Romantiker charakteristisch. Nehmen wir noch dazu, daß sie gleichsam als Obertöne auf dieser Tonika Cervantes und Camões entdeckten, dann können wir nur bewundern, mit welch instinktiver Sicherheit für das wahrhaft Große ihr künstlerischer und kritischer Sinn begabt war. Die Wertskala, die sie aufstellten, ist im Bewußtsein aller Kenner und Menschen von Geschmack bis heute von klassischer Gültigkeit geblieben.

3. »Die romantische Poesie ist eine progressive Universalpoesie.« Mit diesem Satz und den ihm folgenden Gedanken ist am deutlichsten ausgesprochen, was die Romantiker als ihr eigentliches Ziel betrachteten. Das »Universalisieren« ist einer der typischen Grundzüge der Romantik. Diese Tendenz erreicht verschiedene Schichten künstlerischen Schaffens. Sie will »alle getrennten Gattungen der Poesie wieder vereinigen«; sie will »die Poesie mit der Philosophie und Rhetorik in Berührung setzen«; »sie will und soll auch Poesie und Prosa, Genialität und Kritik, Kunstpoesie und Naturpoesie bald mischen, bald verschmelzen«; sie will schließlich »die Poesie lebendig und gesellig, und das Leben und die Gesellschaft poetisch machen«. Wie also die Grenzen der Kunst sich in der Anschauung der Romantiker verwischten, so auch innerhalb der Literatur die Grenzen der literarischen Gattungen selbst. In der romantischen Poesie sollen Drama, Epik, Lyrik nicht mehr im Sinn der klassischen Poetik voneinander getrennt sein, sondern sich in einer Art literarischen Gesamtkunstwerkes vereinigen. Diese Aufgabe erfülle am besten der Roman, der außer seinen konstitutionellen epischen Zügen auch das Lyrische und Dramatische in sich schließen

kann und soll. Wie nahe andererseits die Romantiker den Philosophen standen, zeigt ihr frühes Verhältnis zu Fichte, und ihr viel tieferes, aber späteres zu Schelling. Er lehrte als neue Wissenschaft eine Naturphilosophie: die Einheit des Alls. Körperwelt und Geisteswelt seien durch das einende Band der Natur verknüpft und zur Identität verschlungen. Die kühne These: »Die Natur ist der sichtbare Geist, der Geist die unsichtbare Natur«, war den Romantikern aus der Seele gesprochen. Den Nachhall solcher Spekulation hören wir in der gesamten europäischen Romantik.

In der Rangordnung der menschlichen Tätigkeiten steht aber dem Romantiker die Kunst an erster Stelle. Aus der sakralen Bewertung der Kunst erklärt sich die eigentümlich religiöse Haltung, welche die Romantiker vor ihr einnehmen. Kunst ist nicht Sache reinen Ästhetentums; sie wird ins Leben formgebend einbezogen, gewinnt darin immer stärkere Bedeutung, so daß am Ende die künstlerische Handlung ein religiöser Akt wird. Wackenroder war der erste, der dieses Priestertum der Kunst verkörperte. Er hat nicht nur das Mittelalter und die Renaissance, die Gotik und Dürer dem Verständnis neu erschlossen; er hat eine Haltung geprägt, die für die Romantiker charakteristisch wurde. In dem kurzen Aufsatz »Wie und auf welche Weise man die Werke der großen Künstler der Erde eigentlich betrachten und zum Wohl seiner Seele gebrauchen müsse«, lesen wir: daß die Bildersäle »sollten Tempel sein, wo man in stiller und schweigender Demut und in herzerhebender Einsamkeit die großen Künstler als die Höchsten unter den Irdischen bewundern ... möchte«. Dann vergleicht er »den Genuß der edleren Kunstwerke dem Gebet«. Und am Ende sagt er: »Die Kunst ist über dem Menschen: wir können die herrlichen Werke ihrer Geweihten nur bewundern und verehren, und, zur Auflösung und Reinigung aller unserer Gefühle unser ganzes Gemüt vor ihnen auftun.«

In dieser neuen romantischen Haltung ist sowohl die rationalästhetische Kunstbetrachtung der Aufklärung als auch der schrankenlos-individuelle Geniebegriff der Kunstanschauung des Sturms und Drangs überwunden. Die Kühle und Nüchternheit der aufklärerischen Verstandeskultur schmilzt der Romantiker im Feuer seiner Begeisterung auf; der Ungebundenheit des Geniebegriffs setzt er die religiöse Gebundenheit der Kunst entgegen, welche Dienst im Geiste Gottes ist. Der Künstler wird zum Organ Gottes. Gott spricht durch ihn wie durch einen Priester zu den Menschen. »Dichter und Priester waren im Anfang eins«, heißt es in den Fragmenten von Novalis. Eine solche Auffassung läßt sich in allen romantischen Dichtungen des damaligen Europa finden. Die Linie läuft über E. A. Poe bis nach Amerika; wir

können sie auch rückwärts verfolgen und gelangen dann über die Renaissanceanschauungen etwa bei Ronsard zu dem literarischen Quellgebiet Platon, in dessen Dialog »Ion« diese »romantischen« Gedanken ihren Ausgang haben. Große Kunst ist aber nicht nur Inspiration, die über den Dichter käme, sondern sie ist mit harter, verstandesheller Werkarbeit verbunden. Es hieße die romantische Kunst verkennen, wenn man ihre Schöpfer als »willkürlich« oder auch nur »unterbewußt« arbeitende Genies sehen wollte. Auch hier sagt Friedrich Schlegel ein Wort von antiker Weisheit, das wir nicht überhören dürfen:
»Denn obgleich das, was nicht durch Übung erreicht wird, sondern mit uns geboren wird, allgemein als das Herrlichere betrachtet wird, so haben doch die Götter auch die Ausübung jener ursprünglichen Kraft an das ernsthafte Bemühen der Menschen, an den Fleiß und die Überlegung so fest geknüpft, daß die Poesie, selbst wo sie angeboren ist, ohne die Kunst nur gleichsam tote Produkte hervorbringt.«

Die großen Werke der Romantiker werden also diejenigen sein und bleiben, in denen die Begeisterung durch den intellektuellen Kunstverstand geläutert wurde. In diesem Sinne begriffen die Romantiker Goethe und Beethoven als ihre bedeutendsten Zeitgenossen.

Bleiben wir im innersten Schaffenskreis der Romantiker: der Dichtung und Musik. Wo und wie bekunden sich ihre charakteristischen Leistungen in den drei Hauptgattungen der Lyrik, Dramatik und Epik?

a) *Die Lyrik.* Dem Romantiker eignet der Sinn für das Lyrische. Seine Liebe zur Natur, seine Fähigkeit, sich in sich selbst zu versenken, sein urtümliches Verhältnis zur Musik – all das prädestiniert ihn zum Lyriker, oder, genauer gesagt: Die Dichtung, die er aus diesem Geiste der Naturliebe, der Mystik und der Musik schafft, ist »romantische« Lyrik (denn es gibt auch andere Lyrik); und da die Großen unter ihnen wie ein Brentano, Tieck, Eichendorff, Mörike, Hölderlin Gedichte von wahrhaft zeitloser, »klassischer« Schönheit geschrieben haben, wurden die Begriffe »Romantik« und »Lyrik« fast identisch. Aber jeder der Lyriker hatte und behielt seinen unverwechselbaren Klang und Ton, seine ihm eigenen Rhythmen, seine besondere Farbe, seine Sehnsucht als tragenden Akkord seiner Verse. Drei Leistungen charakterisieren die romantischen Dichter: die Wiederentdeckung der mittelalterlichen Kunstpoesie in ihrem Doppelaspekt des Lyrischen und Epischen; – die Wiederbelebung der Volksdichtung; – die Neugeburt der Lyrik aus dem Geiste der Musik.

1. Das Interesse am Mittelalter ist ein Grundzug aller europäischen Romantiker: England hatte seinen Macpherson, seine »Reliques of ancient poetry« und seine »Ballads of the Scottish Border«; – Frank-

reich entdeckte seine provenzalische Troubadourlyrik und seine mittelalterliche Epik; – Spanien und Portugal folgten und A. W. Schlegel beendete seine Berliner Vorlesungen:

»Nachdem wir lange genug in allen Weltteilen umhergeschweift, sollten wir endlich einmal anfangen, einheimische Dichtung zu benutzen.«

Aus dieser Aufforderung entwickelte sich eine zweifache Tätigkeit: eine gelehrte Erforschung des Mittelalters, die zur Germanistik führte und sich an die Namen der Brüder Grimm knüpft; zum andern die künstlerische Nachfolge durch eigene Nachdichtung, in deren Umkreis wir vor allem Tieck, Brentano, Arnim erkennen.

Minnedichtung und Nibelungenlied, diese zwei Entdeckungen in der Welt des germanischen Mittelalters sind mit dem Namen Ludwig Tieck verbunden. Er, der zunächst von der altdeutschen Poesie nichts wissen wollte, kam einer Aufforderung Wackenroders nach, der damals an Tieck schrieb: »Sie (die altdeutsche Poesie) enthält sehr viel Gutes, Interessantes und Charakteristisches, und es ist für die Geschichte der Nation und des Geistes sehr wichtig.« Joh. v. Müller war der andere, der, auf den Spuren seiner Landsleute Bodmer und Myller, auf den dichterischen Rang des Nibelungenliedes hinwies. In seiner Schweizer Geschichte von 1786 brachte er den gewagten Vergleich mit Homers »Ilias« auf die wirksame Formel: »Der Nibelungen Lied könnte die teutsche Ilias werden.« Aber die Zeit war zum Verständnis dieses kühnen Vergleichs noch nicht reif. Was die Humanisten und diejenigen Gebildeten, die sich zum Geschmack der klassischen französischen Literatur erzogen hatten, in Wirklichkeit damals dachten und empfanden, formulierte Friedrich d. Gr. in einem wenig schmeichelhaften Brief:

»Ihr urteilt viel zu vorteilhaft von denen Gedichten aus dem 12., 13. und 14. Seculo, derer Druck Ihr befördert habet und zur Bereicherung der deutschen Sprache so brauchbar haltet. Meiner Einsicht nach sind solche nicht einen Schuß Pulver wert und verdienen nicht aus dem Staub der Vergessenheit gezogen zu werden. In meiner Büchersammlung wenigstens werde ich dergleichen elendes Zeug nicht dulden, sondern herausschmeißen.« (22. Febr. 1784)

Zwanzig Jahre später sieht die Lage anders aus. Wackenroder, Tieck, die Schlegels hatten eine Atmosphäre »Mittelalter« geschaffen und gleichzeitig den poetischen Horizont der Zeitgenossen zum weltliterarischen erweitert. Wir lesen 1803 in der Einleitung zu Tiecks »Minnelieder aus dem schwäbischen Zeitalter«:

»So wie jetzt wurden die Alten noch nie gelesen und übersetzt; die verstehenden Bewunderer des Shakespeare sind nicht mehr selten; die italienischen Poeten haben ihre Freunde; man liest und studiert die spanischen Dichter so fleißig als es in Deutschland möglich ist ... es steht zu erwarten, daß die Lieder der Provenzalen, die Romanzen des Nordens und die Blüten der indischen Imagination uns nicht mehr lange fremd bleiben werden. Unter diesen günstigen Umständen ist es vielleicht an der Zeit, von neuem an die ältere deutsche Poesie zu erinnern.«

Tieck gab eine glänzende Übersicht über die romantische Dichtung des Mittelalters. Sein Buch wurde gelesen. Das Mittelalter wurde modern; denn er selbst »modernisierte« die Texte durch kleine, vorsichtige Änderungen, Ergänzungen, Streichungen – und behielt dennoch das Altertümliche als charakteristische Patina der Dichtung bei. Er gestaltete seine Bearbeitungen bewußt für den Liebhaber, nicht für den Gelehrten.

Keiner aber hat gleichzeitig und in der Folgezeit die Atmosphäre des Mittelalters wirksamer durch Vortrag und Schrift verbreitet als Aug. Wilh. Schlegel. Im November 1801 begannen die Vorlesungen in Berlin und endeten 1804 vor überfüllten Hörsälen. Er sprach über philosophische Theorien der Kunst und Poetik, über Antik und Modern, Klassisch und Romantisch, über die griechische Architektur und die christliche Gotik, über Malerei und Musik, über Skulptur und Tanz und die Dichtung der großen Nationen ... In seiner Überschau »Über Literatur, Kunst und Geist des Zeitalters« – als Folie zu dem großen Versuch über die Geschichte der »romantischen Poesie« – entwirft er ein kulturgeschichtliches Gemälde der Epoche. Aus der Fülle der fesselnden Gedanken wollen wir nur jene drei Momente hervorheben, welche Schlegels Beglückung, Bewunderung und seine richtungsweisende Beurteilung des Nibelungenliedes verständlich werden lassen:

1. »Es ist unleugbar, daß der deutsche Nationalcharakter bei der ersten Erscheinung in der neueren Geschichte, so kurz nach der Völkerwanderung, im größten Stil ausgeprägt ist.«

2. »Allein nicht bloß ein Wunderwerk ist dieses Heldengedicht: nach meinen Ansichten muß ich es auch für ein erhabenes Werk der Kunst erklären, dergleichen seitdem noch nie wieder in deutscher Poesie aufgestellt worden.«

3. »Eine sehr naheliegende Vergleichung ist die mit der ›Ilias‹. Freilich steht Homer in verklärtem Lichte da, als der Vater der gesamten griechischen Bildung ... Unsere mystische Vorwelt hingegen steht wie eine Felsentrümmer da ... Was aber Lebendigkeit und Gegenwart der Darstellung, dann die Größe der Leidenschaften, Charaktere und der ganzen Handlungen betrifft, darf sich das Lied der Nibelungen kühnlich mit der ›Ilias‹ messen, ich würde sagen, es tut es ihr zuvor, wenn man es sich nicht zum Gesetz machen müßte, nie ein Meisterwerk auf Unkosten des andern zu loben ... (in der ganzen Darstellungskunst) der Nibelungen ist etwas, das ich durchaus mit nichts anderem zu vergleichen weiß als mit den Abgründen von Shakespeares Kunst.«

Die zukünftige Germanistik hat der Schlegelschen Vision von dem hohen Wert der Dichtung recht gegeben. Was Joh. v. Müller als erster kühn in die Diskussion geworfen hatte, was Schlegel aufgriff und öffentlich in seiner Vorlesung verkündete, das wird 1807 von Heinrich von der Hagen zusammengefaßt: Das Nibelungenlied: »unbedenklich eins der größten und bewundernswürdigsten Werke aller Zeiten und Völker, dem kolossalen Wunderbau Erwins von Steinbach vergleichbar.«

2. Die zweite Leistung, in Korrelation zu der Wiederentdeckung der altdeutschen Poesie stehend, ist die Wiederbelebung der Volksdichtung. Sie geht in doppelter Richtung. Einerseits besteht sie in der großangelegten Sammeltätigkeit, die als schönstes Ergebnis »Des Knaben Wunderhorn« und die Fixierung der Märchen aufzuweisen hat, andererseits trieb sie die Blüte eigener Dichtung hervor, die, mit den Namen Tieck, Brentano, Eichendorff, Heine, Hölderlin, Novalis, Mörike verbunden, zum eigentlichen Ereignis der deutschen Romantik wurde.

Die weltumspannenden Träume einer »progressiven Universalpoesie« wurden ausgeträumt. Diese Idee war zum Scheitern verurteilt; sie war unrealisierbar. Wo aber die Romantiker in bescheideneren Grenzen blieben, gelang ihnen der Wurf: die Einbringung des alten Volksliedes und seine Neugestaltung aus den Tiefen der Volksseele. An diese Doppelaktion knüpft sich der Begriff der »Heidelberger Romantik«: Achim von Arnim und Clemens Brentano. Im Juli 1804 siedelte Brentano nach Heidelberg über. Auf sein Drängen kommt Arnim zu ihm. Nun entsteht ein Werk, das in der Geschichte der deutschen Romantik unsterblich geworden ist: Des Knaben Wunderhorn.

Die Tendenz, verschüttetes Volksgut wieder einzubringen, war an sich nicht neu. Volksliedersammlungen kannte schon das Reformationszeitalter; von Herders »Stimmen der Völker in Liedern« (1778) haben wir gehört. 1804 sagte Schlegel in seiner Berliner Vorlesung: »Es fehlt nur noch an einer Sammlung dieser Art wie die Percysche, welche sich auf einheimischen Volksgesang beschränkte und sorgfältig alles, was wahren Gehalt hat, sei es als Ganzes oder Fragment, zusammenstellte.« Arnim und Brentano greifen 1806/7 den Gedanken auf und gehen zugleich weiter. Mehr als im rein wissenschaftlichen Bewahren alter Texte und Lieder wirkt das Prinzip ihrer Tätigkeit in der Wiederbelebung, der Wiedergeburt und schließlich in der Einschmelzung des echten liedhaften Volksgutes in das eigene, persönliche dichterische Werk. »Des Knaben Wunderhorn« war ihre uneigennützigste Tat. Auf Wanderungen erlauschten sie die Stimme des Volkes, zeichneten seine Geschichten, Sagen und Verse auf – und was sich schon zu ihrer Zeit in der mündlichen Überlieferung durch viele Generationen verändert hatte, das bildeten sie, liebevoll und stilgerecht zugleich, zu Ende. Sie bereicherten das Buch mit Nachdrucken aus alten Bänden. Mit Recht und Grund stellt Richard Benz dieses Buch in seinem Werk über die deutsche Romantik auf einen hervorragenden Platz in der Geschichte der Bewegung. Seltsam: der so deutsch klingende Titel »Wunderhorn« stammt aus der Übersetzung einer altfranzösischen Romanze, die am Beginn der Sammlung steht. So wurde darin auch Fremdes eingedeutscht und ein Bewußtsein wachgehalten, das wenige Jahre später, 1810/11 ein Wilhelm Grimm hatte, als er die »Nordische Heldendichtung« schrieb:

»Die Quellen einheimischer Poesie werden eben wieder aufgegraben, der Zusammenhang derselben mit den Dichtungen südlicher Völker offenbart sich immer mehr, gleicherweise ist eine Hindeutung nach dem Orient nicht weiter zweifelhaft: auf der andern Seite, was unabhänig von fremden Einflüssen auf eigenem Boden gewachsen, wird anerkannt, und so scheint es immer deutlicher zu werden, wie die Völker aufeinander gewirkt, was sie gegenseitig sich mitgeteilt, und was als selbständiges Eigentum einem jeden muß vorbehalten werden.«

Halten wir dazu gar noch die Seiten Uhlands über die deutschen Volkslieder, so erkennen wir, wie sich in der Volksliedbewegung der Romantiker Völkisches und Universales verbinden. Heute mag das Interesse an all dem nicht mehr groß sein, vielleicht verschwindet es immer mehr; dennoch bleibt etwas davon bestehen, und je näher sich die Völker heute wieder kommen, und die Jugend der Welt, wie etwa im jährlichen Heidelberger »Wettsingen der Nationen«, ihre Tanz- und Volkslieder zum Vortrag bringt, um so mehr erfahren wir von dem Reichtum des immer noch vorhandenen Gutes. Es ist kein Zweifel, daß Arnim und Brentano mit dem »Wunderhorn« aus dem Geist ihres, des deutschen Volkes, auch die deutsche Volksdichtung wieder lebendig machten und die Grundlage zu neuer Kunstdichtung legten. Und nicht nur zu einer D i c h t u n g; denn wie seit Joseph Haydn die Volksweise in die Kunst m u s i k einging, so wirkte die Liedpoesie des »Wunderhorns« bis heute auch in der Kunstmusik weiter. Gustav Mahler hat bis zu seinem 40. Lebensjahr – das ist das Jahr 1900 – seine Texte (sofern er sie nicht selbst verfaßte – »und auch dann«, sagte er, »gehören sie in gewissem Sinne selbst dazu«) – ausschließlich dieser Sammlung entnommen, und das »mit vollem Bewußtsein von Art und Ton dieser Poesie« – »Quellen der Poesie« ... der »ich mich sozusagen mit Haut und Haar verschrieben habe« (Brief an Ludw. Karpath 2. März 1905). Die Spur des »Wunderhorns« finden wir in seinen Liedern, in der 1. und vor allem in der 4. Symphonie, dem »wunderlich-reizenden Märchen . . . dem selig-heitersten, ergötzlichsten und dabei rührendsten Traum«, sagte Bruno Walter von jener Symphonie mit dem Sopransolo aus dem »Wunderhorn: »Wir genießen die himmlischen Freuden«. Will man noch einen Jüngeren? Da ist Wilhelm Petersen, der 1957 verstorbene letzte bedeutende Erbe der deutschen Romantik im Bereich der Musik. Sein Liedwerk enthält außer den Vertonungen von Klopstock, Shakespeare, Goethe, Hölderlin, Eichendorff und George vor allem die charakteristischen Liedhefte unter dem Titel »Wunderhorn«. Sie stehen in seinem Oeuvre ebenbürtig neben der zauberhaften Märchenoper vom »Goldenen Topf«, in welchem Petersen den romantischen Geist des genialen Dichterkomponisten beschworen hat.

3. Dichtung aus dem Geiste der Musik. Dieses romantische Phänomen hat drei Aspekte: den volkstümlichen Aspekt, den etwa das »Wunderhorn« oder Eichendorffs Lyrik im Klang des Volksliedhaften zeigt; den artistischen Aspekt, der in der raffinierten Klangmalerei mancher Gedichte von Tieck oder Brentano hervortritt; schließlich die Verschmelzung von Dichtung und Musik in den Liedern Schuberts, Schumanns und anderer. Arnim schreibt im Juli 1802 aus Zürich an Brentano: »Dichtkunst und Musik sind die beiden allgemeinsten, genau aufeinander gepfropften Reiser des poetischen Baumes«. Die ursprüngliche Auffassung der Dichtung als Gesang entsteht wieder; der alte Sinn des Wortes »Lyrik« aus dem Griechisch-Lateinischen »lyra«, ist wiedergefunden. In dem Briefwechsel beider Freunde nehmen die Erörterungen, wie sich Text und Komposition zueinander verhalten, einen großen Platz ein. Vom »Wunderhorn« sprachen wir; aber in diesem Zusammenhang sei noch eines Wortes gedacht, das wir in Goethes Besprechung des Buches finden:

»Am besten läge doch dieser Band (das ›Wunderhorn‹) auf dem Klavier des Liebhabers oder Meisters der Tonkunst, um den darin enthaltenen Liedern entweder mit bekannten hergebrachten Melodien ganz ihr Recht widerfahren zu lassen, oder ihnen schickliche Weisen anzuschmiegen, oder, wenn Gott wollte, neue bedeutende Melodien durch sie hervorzulocken.« –

In Tiecks Roman »Franz Sternbalds Wanderungen« sagt Ludoviko einmal zu Florestan: »Warum soll eben Inhalt den Inhalt eines Gedichtes ausmachen?« An dem bestrickenden Klangzauber Tieckscher Gedichte weben alle Elemente tonmalerischer Phantasie – und werden zum »Eigentlichen« des Gedichts: die Struktur der reimgebundenen Strophen, wie etwa bei der dreistrophigen »Magelone« mit dem Strukturschema abaabccc / deddeccc / fgffgccc; in der Schicht des Rhythmus ist es der Wechsel antiker und moderner Versmaße, Daktylen, Anapäste,

Trochäen, Jamben, er mischt die schwebenden und flimmernden Rhythmen von langem Atem mit hart akzentuierten und kurzen, hüpfenden Versen; – in der Schicht des Klanges aber brilliert seine Virtuosität. Wie er die Vokale und Konsonanten einsetzt, mit Alliterationen, Assonanzen und Binnenreimen arbeitet, klangliche Spannungen über ganze Strophen hin erzeugt und im Decrescendo wieder löst, wie er deutsche Klänge mit den weichen italienischen und den harten spanischen mischt, etwa in den lyrischen Partien des »Kaiser Oktavianus«, wie er in Versen singt, geigt oder flötet, mit einem Wort musiziert, bis die ihres rationalen Gehaltes entleerten Wörter in der reinen Sphäre des Klanglichen einen neuen, musikalischen Sinn bekommen, – das hat zu seiner Zeit nur Goethe noch gekonnt, wenn er wollte, und auch Brentano. Aber später wurde es Mode, vor allem in Frankreich, wo Verlaine, Mallarmé, Rimbaud und Valéry auf dieser Saite der Lyra meisterhaft zu spielen wußten. Die Folge solcher artistischer Spielerei war aber schon bei der deutschen Romantik, daß sich über den Ton des echten Volksliedes eine raffinierte, gekünstelte Klangschicht legte, die das Naive ins Artifizielle verwandelte. Auch das bleibt eine Leistung der Romantiker, eine große artistische Leistung.

> Es sang vor langen Jahren
> Wohl auch die Nachtigall;
> Das war wohl süßer Schall,
> Da wir zusammen waren.

Es ist, als schwimme der Dichter dieser Verse – Brentano – auf dem Strom der Worte im reinen Klang der Tonika auf a, als dichte er mit geschlossenen Augen, nur getragen von der Melodie – und aus den Versen blüht Musik und hüllt den Lauschenden in ihre weiche Melancholie. Die Verse klingen wohl naiv, volkstümlich, und sind doch »gemacht«, sind von technischem Raffinement. Auch hier verwischen sich, wie in der Musik selbst, Volksmelodie und Kunstmelodie.

Das Lied ist nach manchen Vorbereitungen im 18. Jahrhundert eine Schöpfung Schuberts, eine echt romantische Tat. Sie hat eine nicht nur musikalische Wirkung auf die abendländische Musikgeschichte gehabt – über Schumann, Brahms, Wolf, Strauß, Schönberg und ungezählte andere führte der Weg hinein in die Liedkultur des 20. Jahrhunderts. Schubert hat als Schöpfer des deutschen Liedes eine einzigartige Wirkung für die Schätzung der deutschen Kultur der Romantik in der Welt ausgeübt. Er komponierte 73 Gedichte von Goethe, 42 von Schiller, daneben Klopstock und Claudius, Schlegel und Novalis, Eichendorff und Uhland, Körner und Fouqué, Hölty und Matthisson,

Mayrhofer und Wilhelm Müller – dazu Lyrik des Auslands: Ossiangesänge, Shakespeare, Walter Scott, ja sogar Alexander Pope –; die deutsche Klassik und Romantik hat durch Schubert ein zweites Leben erhalten. Seine größte Verehrung – darin Beethoven ähnlich – galt Goethe. Es ist wunderbar, wie der Siebzehnjährige »Gretchen am Spinnrad« vertonte und die Ballade vom Erlkönig, in dem alle epischen, dramatischen und lyrischen Elemente – im Sinne der romantischen Verschmelzung der Gattungen – zu einer musikalischen Synthese vereinigt sind.

Dennoch regt sich ein Bedenken: Schubert hat alle Arten der Lyrik in Musik gehüllt, angefangen von den Gedichten der strengen Form wie dem Sonett über die rein lyrischen Aussagen etwa der Mignon-Lieder bis hin zur philosophischen Lyrik Goethes und der mythischen Schillers. Das war zweifellos genial, aber ist bedenklich. Genial: denn wie kaum einer faßte er den poetischen Gehalt, sogar der schlechtesten Verse, musikalisch auf. Was geschieht? Er fängt die Stimmungseinheit des Gedichtes in dem zumeist gleichmäßig bewegten Untergrund des Klavierparts ein: wir sehen Wälder und Wiesen, Wolken und Ströme; wir hören das Rauschen der Blätter im Winde und das Spiel der Forellen im Bach; wir spüren die Winternebel, den Flügelschlag der Krähe, das Sterben von Mensch und Natur. Das Klavier verwandelt jede Stimmung in Klang, und herrlich leuchtend oder von Schauern durchrieselt wölbt sich die Melodienlinie über der Komposition. Ein Schubertlied ist nicht nur eine »Vertonung« von Texten, sondern eine musikalische Neuschöpfung. Bedenklich: denn die Musik demütigt zuweilen die Dichtung, nimmt ihr das Eigendasein, behandelt sie, als ob sie Prosa wäre. Das mag für mittelmäßige und dürftige Verse hingehen; solche vermochte Schuberts Kunst zu veredeln. Was aber konnte seine Kompositionskunst leisten, wenn sie die Wortmusik der besten klassischen und romantischen Lyrik in Gesangs- und Instrumentalmusik verwandeln wollte? Die Grenzen der Künste, welche die Romantiker verwischen wollten, lassen sich nicht aufheben.

Die Freunde überredeten Schubert, nachdem 1817 vierzig Gedichte Goethes vertont waren, sie dem Staatsminister zu widmen; es waren auch noch andere Gedichte in den Heften. Spaun schrieb an Goethe: »Diese Sammlung wünscht der Künstler Ew. Excellenz in Unterthänigkeit weihen zu dürfen, dessen so herrlichen Dichtungen er nicht nur die Entstehung eines großen Teiles derselben, sondern wesentlich auch seine Ausbildung zum deutschen Sänger verdankt ...« Eine Antwort Goethes besitzen wir nicht. Hat der Dichter durch sein Schweigen seine Abneigung gegen die Kompositionen ausdrücken wollen? Dann hätte er damit vorausgenommen, was später Mallarmé empfand, als er Débussys Musik für seinen »L'Après-midi d'un Faune« als Attentat gegen seine Dichtung bezeichnete, und als Paul Valéry, der Jünger Mallarmés, anläßlich der Vertonung des »Cimetière marin« von der Gefahr sprach, »einen Text, der seine Eigenmusik besitzt, musikalisch aufzubereiten«. Fragt man nun anläßlich der Schubertschen Lieder: Was gewinnt ein Goethescher Vers in und durch eine Vertonung? Die Antwort könnte lauten: Nichts. Aber eben – d a s ist der springende Punkt: Schuberts Lieder sind keine »Vertonungen«, keine musikalische »Aufbereitung« vorliegender Texte, sondern souveräne, eigenständige Musik innerhalb der wortträchtigen Gesangsmusik. Die Schubertschen Lieder, wenigstens ihre besten, werden zu eigenen Tondichtungen, nachdem sie die jeweilige Wortmusik, die ihnen die Dichter gaben, eingebüßt haben. Das gilt für die »reine« Lyrik, nicht für das Gedicht etwa der strengen Form wie das Sonett, für das eine adäquate Tonsetzung seit der Kompositionsweise der Madrigalisten des 16. Jahrhunderts verloren war, und das gilt auch nicht für die philosophische Lyrik, die sich musikalischer Transposition entzieht. Schuberts Liedwerk bleibt Problem: ein Problem eben der Romantik.

Schuberts größter Bewunderer unter seinen jüngeren Zeitgenossen war Robert Schumann. Wäre nur sein großer Artikel über die C-Dur-Symphonie Schuberts erhalten, wir hätten einen Eindruck von der hohen Intelligenz Schumanns, der, wie keiner seiner musizierenden Zeitgenossen, Berlioz und Wagner und Liszt ausgenommen, vom Wesen der Musik und Literatur, von ihren ästhetischen, sozialen, psychologischen Verflechtungen im Worte künden konnte. Man ist in Verlegenheit, die Frage zu beantworten, wo sein stärkeres Talent lag: in der Musik oder der Musikkritik. Er war Musiker und Kritiker in einem und dazu ein Schriftsteller von Rang, sicherem Geschmack und einer Intuition in das Kommende. Wie er Bachs unübersteigbare Größe erkannt, Mozarts »Sonnenhöhe« (das Wort stammt von ihm) gesehen, Beethovens Menschentum gedeutet, Schuberts eigenständige Leistung gewürdigt und seinen eigenen Altersgenossen Chopin verkündigt hatte, so ahnte und prophezeite er die zukünftige Größe von Johannes Brahms.

Bei aller Weite des Horizonts ist Schumann aber dennoch in die Grenzen einer echt romantischen Musikernatur eingeschlossen. In Eichendorff hat er die ihm verwandteste Seele erspürt. So ist es kein Wunder, daß die Lyrik eben dieses Dichters in das Zauberreich der Schumannschen Töne umgesetzt ist. Die Lektüre der vielen Seiten über Schubert, Kirchner, Robert Franz u. a. macht es deutlich, wie Schu-

mann selbst sich in die nachschubertsche Phase deutschen Liedschaffens eingliederte:
»Im Zusammenhang mit der fortschrittlichen Dichtkunst«, schreibt er 1843, »ist der Franz Schubertschen Epoche bereits eine neue gefolgt, die sich namentlich auch die Fortschritte des einstweilen weiter ausgebauten Begleitinstruments, des Klaviers, zu nutze macht.«

Die »jüngere Romantik« war heraufgekommen. Eichendorff und Heine, Rückert und Uhland –, wenn wir sie in Schumanns Vertonungen hören, gleichsam im Clair-obscur des Zwischenreichs der Seele, dann erscheinen Schuberts Lieder allerdings fast von klassischer Geisteshaltung und Linienführung. Was Schumann über die Lieder des heute vergessenen Kirchner sagt, charakterisiert die ausklingende Romantik und kommt einem Selbstbekenntnis gleich:

»Der vorherrschende Charakter der Lieder ist der des Schwärmerischen, Sehnsüchtigen ... Das süße Wühlen in Frühlingsgedanken, das sehnende Gefühl des Weiterschweifenwollens über Berg und Tal, wie es unsere Dichter, so oft, so schön ausgesprochen, – darin ergeht sich auch der junge Musiker am liebsten.« (1843)

Und über Robert Franz:
»So entstand jene kunstvollere und tiefsinnigere Art des Liedes, von der die früheren nichts wissen konnten; denn es war nur der neue Dichtergeist, der sich in der Musik widerspiegelte.« (III, 153)

Schumann geht auf Schuberts Wegen weiter, begegnet manchem Weggenossen; er schließt Dichtung und Musik noch inniger zusammen, »er will uns das Gedicht in seiner leibhaften Tiefe wiedergeben«, sagte er von Robert Franz und denkt wohl dabei auch an sich selbst. Indem Schumann die Musik in dieser Weise der Dichtung unterordnet, die Wortlyrik musikschöpferisch werden läßt, teilt er der Musik die Rolle zu, den Text durch seine Aufhebung in die Sphäre der Töne im Sinne der Frühromantik zu »poetisieren«. Und dabei gelingt ihm dreierlei: Er fängt den romantischen Natur- und Landschaftszauber ein, wie etwa in dem klingenden Pastellbild des »Nußbaums«, wo der Klavierpart lockend und zärtlich in die verdämmernde Melodie der Singstimme hineinleitet. Er taucht durch den Zauber der Natur und Naturdichtung noch tiefer in kosmisch-mystische Urerlebnisse hinab, wie in der Eichendorffschen »Mondnacht«

> Mir war, als hätt der Himmel
> Die Erde still geküßt,
> Daß sie im Blütenschimmer
> Von ihm nur träumen müßt ...

romantischer Nachklang jener mystischen Brautnacht, da Himmel und Erde sich vermählten; Schumann gelang als erstem Liederkomponisten auch die Einschmelzung des Märchenhaften in die Musik – nicht ungestraft gehörte er zu der Jüngerschar E. T. A. Hoffmanns. Schließlich traf seine Liedmusik den Ton echten Volksgesangs: »Oh, Sonnenschein« oder »Wenn ich früh in den Garten geh'«, oder die »Soldatenbraut«. Etwas vom Geiste Brentanos, Tiecks und Arnims lebte noch in Schumann. Er gehört als einer der größten Liederkomponisten in die Geschichte der deutschen romantischen Lyrik hinein. Dichtung aus dem Geiste der Musik, Musik aus dem Geiste der Dichtung. Das ist Eichendorff-Schumann, das ist Schumann-Heine. Lyrik als Dichtung und Musik.

Zur Lyrik wurde, was immer seine Finger berührten. »Das Instrument glüht und sprüht unter seinem Meister« (III, 18), sagte er vom Klavierspiel Liszts, als dieser in einem Konzert Mendelssohn, Hiller und Schumanns »Carnaval« spielte. Und neben dem »Carnaval« stehen der »Faschingsschwank aus Wien«, die »Arabesken«, die »Davidsbündlertänze«, die »Impromptus«, »Phantasiestücke«; und wie er den krausbarock-romantischen Geist eines Jean Paul begreift (Blumenstück) und die Phantastik eines E. T. A. Hoffmann (Kreisleriana), so bleibt er der romantische Tondichter der »Kinderszenen« und der »Waldszenen«, der drei Sonaten, der C-dur-Phantasie und des Klavierkonzerts in a-moll. Er hat in allen diesen Klavierstücken die Tasten wie mit einem Zauberstab berührt, und siehe: Er lockte Poesie aus allen Dingen hervor, und was in ihnen schlummerte, erweckte er zum Gesang:

> Schläft ein Lied in allen Dingen,
> Die da träumen fort und fort,
> Und die Welt hebt an zu singen,
> Triffst du nur das Zauberwort.

Dieses Zauberwort, von dem sein geliebter Eichendorff in den zitierten Versen rätselt, dieses Zauberwort der Romantik hat Schumann gefunden und hat mit ihm die Welt zum Klingen gebracht; die »blaue Blume«, von der die Sehnsucht der Romantiker träumte, wurde, als Schumanns Hände sie berührten, zu Musik. Mit diesem Schumann, in dessen Geist sich alle Wehmut der Welt mit Ironie und überlegener Satire paarte, der Bewunderer Jean Pauls, Heines, Hoffmanns ... singt die Romantik ihre letzten Lieder. Was nach ihm kommt, trägt andere Züge. Dennoch leuchtet die »Wunderblume der Romantik« bis in unsere Tage hinein. Edwin Fischer hat sich zu Schumann bekannt und ihm in seinen »Musikalischen Betrachtungen« ein Denkmal gesetzt: »Ihm gehört mein Herz vor Allen, ihn liebe ich wie einen verehrten Freund, ihm danke ich die schönsten Stunden ...«, dann spricht Fischer von der Tragik des Schumannschen Lebens, wie ihn der Wahn umfing und er die Qual seines Lebens freiwillig enden wollte. Brahms, dessen Prophet Schumann geworden war, verwandelte die Tragik der Schumannschen Verzweiflung in das 1. Thema seines d-moll-Konzerts – und noch heute erschließt sich das Zauberreich der Schumannschen Musik unter den Händen der Pianisten und Dirigenten oder im Timbre einer beseelten Stimme:

»Da ersteht das Wien der vierziger Jahre, da jubelt und singt und tanzt es – und der ganze Zug seiner geliebten Gestalten zieht im Karnaval an uns vorüber, der Dichter spricht, Eusebius und Florestan sind unter uns – die ›Frauenliebe‹ und die ›Dichterliebe‹ flammen als herrliche Feuer der ewigen Macht des Eros auf dessen Altar. Zwischen ›Waldszenen‹, ›Kinderszenen‹, ›Nachtstücken‹ geistert die Figur des Kapellmeisters Kreisler und für uns Pianisten wurde das Triptychon der C-dur-Phantasie zum Sinnbild der Seele des Klaviers.«

b) *Die dramatische Dichtung.* Wer einen Blick auf die dramatische Produktion der Romantiker wirft, könnte auf den Gedanken kommen, daß eben die Bühnendichtung ihren Schaffenstrieb am meisten gereizt habe; so groß ist die Zahl ihrer Theaterstücke: Tieck, der Dresdner Theaterkritiker und Dramaturg, schrieb seine »Genoveva«, seinen »Octavian« und den »Fortunat«; Brentano pflegte das Libretto in seinen »Lustigen Musikanten« und der »Gründung Prags«, die Tragödie in »Aloys und Imelde«; Arnim, dessen Vater »Directeur des Spectacles« unter Friedrich d. Gr. war, wurde mit der Bühne früh vertraut, und Grimm beurteilte ihn als »ein hervorragendes dramatisches Talent« – auch er ein Dichter von Operntexten, so im »Heldenlied von Hermann und seinen Kindern«; er mischte die Gattungen, Erzählung und Drama, durcheinander; das Drama wurde unter seiner Hand zur lyrisch-dramatischen Geschichte wie in der »Päpstin Johanna«, und schließlich ging Arnim, wie in der Lyrik des »Wunderhorns«, auch in der Bühnendichtung den Weg ins Reformationszeitalter und Mittelalter zurück: mit »Cardenio und Celinde« knüpfte er an Gryphius an, holte die alten Puppenspiele, Fastnachtsspiele, Possen, Hanswurstspiele und Schattenspiele wieder hervor, aber seinem großen Projekt einer »Altdeutschen Bühne« wurde durch Tiecks »Deutsches Theater« »gewissermaßen der Rahm abgeschöpft«. Auf der höheren Ebene seiner Bühnenkunst strömten die Einflüsse von Shakespeare und Calderón zusammen:

»In keiner poetischen Erscheinung der neueren Zeit«, schrieb Brentano von Arnims ›Auerhahn‹, »habe ich das Zusammentreten des Shakespeareschen und Calderonschen Gestirns so wunderbar gefühlt.«

Dieses Urteil mag auch von »Halle und Jerusalem« gelten. Ganz im Sinne der romantischen Idee einer Auflösung der Gegensätze und der tragischen Konflikte ist Arnims letztes großes Schauspiel »Die Gleichen« – ein echt romantischer Sagenstoff von der Doppelehe des Grafen Gleichen, der, mit seiner sarazenischen Retterin verheiratet, aus dem Morgenlande zu seiner deutschen Gattin heimkehrt. – Fouqué dichtete sein Nibelungendrama »Der Held des Nordens« und rund 50 andere Stücke, unter denen nur »Undine«, das Libretto zu seinem gleichnamigen Märchen, überlebte und über E. T. A. Hoffmanns und Lortzings Oper bis zu Giraudoux in unsern Tagen lebendig blieb. Wie hübsch hat Heinrich Heine von der »Undine« gesprochen:

»Der Genius der Poesie küßte den schlafenden Frühling, und dieser schlug lächelnd die Augen auf, und alle Rosen dufteten und alle Nachtigallen sangen, und was die Rosen dufteten und was die Nachtigallen sangen, das hat unser vortrefflicher Fouqué in Worte gekleidet und er nannte es: Undine.«

Im übrigen wendete sich schon Heine von der »retrograden Richtung« ab, dem

»beständigen Singsang von Harnischen, Turnierrossen, Burgfrauen, ehrsamen Zunftmeistern, Zwergen, Knappen, Schloßkapellen, Minne und Glaube, und wie der mittelalterliche Trödel sonst heißt.«

Dann ist noch Eichendorff zu nennen mit seinem »Der letzte Held von Marienburg« und als letzter, in dessen Werk sich alle Tendenzen romantischer Dramatik verwirklicht haben, Zacharias Werner. Seine Zeit feierte ihn als größten Bühnendichter, als Erben Schillers, aber auch der Antike, Shakespeares und Calderóns, als den Geist, in dem sich die höchsten Bestrebungen der Romantiker zusammenschlossen, als den Schöpfer der »Söhne des Tals«, des »Kreuz an der Ostsee«, des »Martin Luther«, des »Attila«, der »Wanda«, der »Cunigunde die Heilige«, der »Mutter der Makkabäer« und des »24. Februar«.

Neben all diesen Komödien und Tragödien stehen noch die romantischen Lustspiele und auch Komödien klassischer Prägung, die aus dem Geiste des neu entdeckten und von allen Romantikern hochgepriesenen Aristophanes mit einem Schuß Shakespeareschen und volkstümlichen Humors gemischt und zuweilen sogar mit Erinnerungen an Molière und Lessing aufbereitet wurden: Stücke von Körner, Salice-Contessa, Adolf Müllner, und auf höherer Stufe von Tieck (»Octavian«), von Brentano (»Ponce de Leon«), von Arnim (»Der Stralauer Fischzug«), von Eichendorff (»Die Freier«) ... dann die Stücke Immermanns und des spät geborenen und früh verstorbenen Büchner ... und über allen, keiner Schule angehörend, und doch ebenso mit der Klassik wie mit der Romantik verbunden, dabei immer eigenständig, groß, genial, nach Lessing der größte deutsche Komödiendichter, nach Schiller der größte

Tragöde, der unzeitgemäße Zeitgenosse der Romantiker: Heinrich von Kleist. Überblicken wir das alles, dann erkennen wir: 1. Die Epoche der Romantik war an dramatischen Schöpfungen aller Art sehr reich. 2. Die meisten ihrer Bühnenwerke sind vergessen und offenbar, trotz mancher Versuche, nicht wieder zu beleben; sie konnten sich weder mit der Antike noch dem mittelalterlichen Volkstheater, weder mit Shakespeare noch Calderón, weder mit Molière oder Racine noch der italienischen Commedia dell'Arte messen. Sie sind tot. 3. Die Epoche aber hat eine Ausnahme gezeigt: Kleist. Die idealistische Weltanschauung, der die romantischen Zeitgenossen huldigten, ließ ihn im Stich. Er machte die Flucht der Romantiker ins Überwirkliche nicht mit, blieb den Erfordernissen der Zeit und den Grenzen der Erde verhaftet. »Man muß sich mit seinem ganzen Gewicht, so schwer oder leicht es sein mag, in die Waage der Zeit werfen.« Kleist erfüllte vor der unserer Zeit gemäßen Forderung einer »littérature engagée« bereits und in einem künstlerischen und tieferen Sinne deren Anliegen – weswegen er heute weit über Deutschlands Grenzen hinaus eine Wiedererstehung feiert: Das brandenburgische Kleid des »Prinzen von Homburg« ist lange abgestreift, und auf der heutigen französischen Bühne reicht er dem großen Corneille die Hand – ein Menschheitsdichter, und der modernsten einer, wie wir ihn in der genialen Interpretation des unvergeßlichen Gérard Philippe erleben konnten. Unter seinen älteren Zeitgenossen hat ihn der kluge Wieland erkannt:

»Wenn die Geister des Äischylos, Sophokles und Shakespeare sich zu einer Tragödie verbänden, so würde ein diesen Bruchstücken gemäßerer ›Guiskard‹ ans Licht treten und die große, auch durch Schiller und Goethe noch offen gelassene Lücke der deutschen Literatur ausfüllen.«

Goethe mußte sich freilich, ähnlich wie im Angesicht des Nibelungenliedes, vor dem absonderlichen Künstlertum und dem in die Zukunft weisenden psychologischen Naturalismus eines Kleist beängstigt fühlen. Erst wir Heutigen erkennen, wo ein Kleist steht: zwischen Lessing und Ibsen, ein Vorläufer des Naturalismus und gleich tiefer als diese Generation; ein Tiefenpsychologe und gleich künstlerischer als die dramatischen Jünger Freuds in unserem Jahrhundert; gleich weit entfernt, auf der einen Seite, von der romantischen Kunst- und Weltanschauung, d. h. den Schlegels, und, auf der andern Seite, von der Klassik, d. h. von Schiller und dessen Idealismus der Vernunft. Die Romantiker zählten ihn trotz seiner Freundschaft zu ihnen nicht zu den ihrigen; Goethe lehnte ihn ab. Aus den mannigfaltigen religiösen Tendenzen der Romantiker, wie den pantheistischen, katholischen, neuplatonischen läßt sich kein Stück von Kleist erklären. So war er ein Einsamer unter den

Zeitgenossen. Sein freiwillig gewählter Tod am Wannsee in Berlin war eine letzte Konsequenz seines Lebens in einer für ihn unmöglichen Zeit.

Wenn die Romantiker keine dramatischen Werke von bleibendem Wert geschaffen haben, so sind ihre *Theorien* keineswegs uninteressant. Mit einer Fülle theoretischer Äußerungen, Abhandlungen, Fragmente haben sie die Literatur bereichert. Adam Müller, Schelling, vor allem die Schlegels dürfen als die eigentlichen Theoretiker gelten. Müllers Vorlesungen »Über die dramatische Kunst«, die er zu Dresden 1806 gehalten hat, sind eine Fundgrube romantischer Theorien. In Schellings »Philosophie der Kunst« wird die Idee des Dramas aus seiner Identitätslehre entwickelt, d. h. aus dem Gegensatz und der Identität von Notwendigkeit und Freiheit.

»Denn eben dies ist die höchste Erscheinung der Kunst, daß die Freiheit sich zur Gleichheit mit der Notwendigkeit erhebe, und der Freiheit dagegen ... die Notwendigkeit gleich erscheine ... Die höchste Erscheinung der Kunst ist also, da F r e i h e i t und N o t w e n d i g k e i t die höchsten Ausdrücke des Gegensatzes sind ... diejenigen, worin die Notwendigkeit siegt, ohne daß die Freiheit unterliegt, und hinwiederum die Freiheit obsiegt, ohne daß die Notwendigkeit besiegt wird.«

Damit ist für Schelling das vollendete Drama dasjenige, in dem die Person — der Notwendigkeit unterliegend und durch die Freiheit des Geistes oder Willens sich wieder über sie erhebend — »besiegt und siegend zugleich«, in ihrer höchsten Indifferenz erscheint. Aber weder Lyrik noch Epik vermögen eine solche Darstellung der absoluten Indifferenz der Gegensätze, sondern allein das Drama, »welches die letzte Synthese aller Poesie sein sollte«. — Fragte man Schelling, in welcher Tragödie er das schönste Modell dieses seines Gedankens von der Indifferenz von Freiheit und Notwendigkeit gefunden habe, so gäbe er zur Antwort: im »Ödipus«:

»Es ist der größte Gedanke und der höchste Sieg der Freiheit, willig auch die Strafe für ein unvermeidliches Verbrechen zu tragen, um so im Verlust seiner Freiheit selbst eben diese Freiheit zu beweisen und noch mit einer Erklärung des freien Willens unterzugehen.«

Das ist im Sinne des Philosophen Schelling die Verklärung der Freiheit zur höchsten Identität mit der Notwendigkeit. Kein Wunder, daß er unter den Modernen besonders Shakespeare seine Aufmerksamkeit widmete, aber zugleich über ihn hinaus auf Calderón wies: In ihm zeige sich »als schon vorhanden, was die Theorie etwa nur als eine Aufgabe für die zukünftige Kunst weissagen zu können schien.« In diesem Gedanken spiegelt sich Fr. Schlegels Theorie des Dramas und seiner stufenförmigen Entwicklung.

In seinen Vorlesungen »Über dramatische Poesie« (Deutsches Museum I, 1812) setzte er als die erste und niedrigste Stufe dramatischer Dichtung d i e Schauspiele,

»in denen bloß die glänzende Oberfläche des Lebens, die flüchtige Erscheinung des reichen Weltgemäldes getroffen und uns gegeben wird.«

Auf der zweiten Stufe sieht er die Werke, die

»eine bis ins Innere eingreifende Charakteristik nicht bloß des einzelnen, sondern des Ganzen« (aussprechen), «wo die Welt und das Leben in ihrer Mannigfaltigkeit, in ihren Widersprüchen und seltsamen Verwicklungen, wo der Mensch und sein Dasein, dieses vielverschlungene Rätsel, als solches, als Rätsel dargestellt wird.«

Die dritte Stufe aber ist die, wo das Drama

»das Rätsel des Daseins nicht bloß darlegen, sondern auch lösen soll.«

Das ist Calderóns christlich-katholisches Schauspiel, von dem Schelling sagte, daß in ihm die Versöhnung zugleich mit der Sünde, und mit der Differenz unmittelbar auch die Notwendigkeit bereitet sei. Und Schlegel in einfacheren Worten, daß auf dieser Stufe des tragischen Unterganges

»aus allem Tod und Leiden ein neues Leben und die Verklärung des innern Menschen herbeigeführt wird.«

Wie Schelling, so stellt auch Fr. Schlegel den Spanier auf diese höchste Stufe des von der Romantik erhofften religiösen Dramas:

»Calderón ist unter allen Verhältnissen und Umständen und unter allen anderen dramatischen Dichtern vorzugsweise der christliche und ebendarum auch der am meisten romantische.«

Ein charakteristisches und vielsagendes Wort. Derselbe Schlegel weist aber in eben diesem Abschnitt darauf hin, daß »es im höheren Drama und Trauerspiel keine für alle Nationen gültige Norm geben« könne, und daß der verschiedene Geist der im Christentum verbundenen Völker je einen eigentümlichen »Mittelpunkt des innern Lebens« habe. Aus dieser Erkenntnis leitet dann der Bruder August Wilhelm Schlegel die Forderung ab, daß die Deutschen endlich i h r national-historisches Drama schaffen müßten. Darauf hatte auch schon Tieck, Schelling und Adam Müller abgezielt, aber erst unter dem Eindruck der nationalen Katastrophe von Jena und Auerstädt, auf deren Schlachtfeldern Preußen 1806 zusammenbrach, gewannen die Forderungen A. W. Schlegels in dem berühmten Brief an Fouqué ihre politische Resonanz:

»Wer wird uns Epochen der deutschen Geschichte, wo gleiche Gefahren uns drohten und . . . überwunden wurden, in einer Reihe Schauspiele, wie die historischen von Shakespeare, allgemein verständlich und für die Bühne aufführbar darstellen?«

In seinen späteren Wiener Vorlesungen führte er den Gedanken weiter: »Die würdigste Gattung des romantischen Schauspiels ist aber die historische. Auf diesem Felde sind die herrlichsten Lorbeeren für die dramatischen Dichter zu pflücken, die Goethen und Schillern nacheifern wollen. Aber unser historisches Schauspiel sei denn auch wirklich allgemein national; es hänge sich nicht an Lebensbegebenheiten von einzelnen Rittern und kleinen Fürsten, die auf das Ganze keinen Einfluß hatten... Lange haben sich die höheren Stände durch Vorliebe für fremde Sitten, durch Beeiferung um fremde Geistesbildung, die doch immer nur eine kümmerlich geratene Furcht im Treibhause sein kann, der Gesamtheit des Volkes entfremdet... Mögen sich alle, die auf die öffentliche Gesinnung zu wirken Gelegenheit haben, beeifern, ... die echt Gesinnten ... ihre unzerstörbare Einheit als Deutsche fühlen zu lassen.«

In dem religiös-christlichen und national-historischen Sinne der Brüder Schlegel wurde Zacharias Werner der eigentliche Meister des romantischen Schauspiels. Er hat von Shakespeare und Calderón, von Racine und Schiller gelernt, um nun im Besitz handfesten, dramaturgischen Könnens die Lücke, die Schillers Tod gerissen hatte, auszufüllen. Die hellenische Mythenwelt ist, schrieb Werner, zu nichts mehr zu gebrauchen; die nordische vergraben; die indische noch unentdeckt, bleibt »die christlich-katholische wiederaufzustellen, nicht als Glaubenssystem ... sondern als Kunstmythologie«. Werner legte den Weg vom Freimaurertum zum Katholizismus zurück, wollte nach seinem Übertritt die Bühne zu einem »Propyläum der Religion« erheben. Er nannte Kunst und Religion auch Synonyma, Mittler zwischen Gottheit und Menschen. Er nahm seine Stoffe aus der altpreußischen Geschichte wie etwa »Das Kreuz an der Ostsee«: die Eroberung des heidnischen Preußen durch die Kreuzherren. Werner wollte »ein echt katholisch gedachtes Stück schreiben, zu dem sein Landsmann E. T. A. Hoffmann die Ouvertüre und die Zwischenaktsmusik sowie die Chöre und Gesänge komponierte. Mit seinem »Martin Luther oder die Weihe der Kraft« schuf Werner andererseits das protestantische Gegenbild, wohl das wirkungsvollste Stück seines Lebens. Luther erscheint dort im Grunde der Prophet eines »geläuterten Katholizismus«. Dem Stücke folgte »Attila, König der Hunnen«, »Wanda, Königin der Sarmaten« und »Cunegunde die Heilige, Römisch-deutsche Kaiserin«: also Stoffe aus der Völkerwanderungszeit, der alten polnischen Geschichte und der deutschen Kaisergeschichte. So wurde neben Fouqué, einem der »Sangeshelden oder Heldensänger, deren Leyer und Schwert während dem sogenannten Freyheitskriege am lautesten erklang« (Heine), dieser Zacharias Werner der Prototyp des romantischen Dramatikers. Er hatte keine persönlichen Verbindungen mit den Schlegels, aber

»er begriff in der Ferne, was sie wollten, und tat sein Möglichstes, in ihrem Sinn zu dichten.«

Heine faßt mit dem ihm eigenen Scharfsinn die mystisch-romantischen Tendenzen seines Theaters zusammen:

»Genau betrachtet ist sich der Mann immer konsequent geblieben, nur daß er früher bloß besang, was er späterhin wirklich übte. Die Helden seiner meisten Dramen sind schon mönchisch entsagende Liebende, asketische Wollüstlinge, die in der Abstinenz eine erhöhte Wonne entdeckt haben, die durch die Marter des Fleisches ihre Genußsucht spiritualisieren, die in den Tiefen der religiösen Mystik die schauerlichsten Seligkeiten suchen, heilige Roués.«

An Werners Dramen wird es deutlich, wie das romantische Theater in den Bann der Oper geriet. Es lag im Wesen der Bewegung, die Gattungen zu verwischen. Ihre dramatischen Schöpfungen waren zuweilen eher lyrisch oder episch, häufig rhetorisch und predigerhaft – nicht immer eigentlich dramatisch und poetisch. Die Idee eines die Gattungsgrenzen aufhebenden theatralischen Gesamtkunstwerks wurde aus ihrer Theorie geboren, der Weg zur romantischen Oper freigelegt. Dahinter aber stand die Erinnerung an das alte griechische Theater als ein universales, religiös-nationales Festspiel:

»Ich bemerke nur noch«, sagte Schelling in seiner ›Philosophie der Kunst‹, »daß die vollkommenste Zusammensetzung aller Künste, die Vereinigung von Poesie und Musik durch Gesang, von Poesie und Malerei durch Tanz, selbst wieder synthesiert, die komponierteste Theatererscheinung ist, dergleichen das Drama des Altertums war, wovon uns nur eine Karikatur, die O p e r, geblieben ist, die in höherem und edlerem Stil von seiten der Poesie sowohl als der konkurrierenden Künste uns am ehesten zur Aufführung des alten mit Musik und Gesang verbundenen Dramas zurückführen könnte.«

Die Romantik schuf eine Oper, eine Opernatmosphäre, einen Opernstil in ganz Europa: die Italiener Rossini und Donizetti, die Franzosen Auber, Adam, Thomas, der Russe Glinka und die Deutschen Marschner, Lortzing, Kreutzer, Nicolai, E. T. A. Hoffmann und, alle überragend, Carl Maria von Weber. Den Weg der deutschen romantischen Oper hat E. T. A. Hoffmann, der Schöpfer der »Kreisleriana«, geebnet. Seine Messen, Symphonien, Kammermusiken, die geistlichen und weltlichen, werden zwar kaum noch gespielt, seine Oper »Undine« aber »spielt«, wie Hans Pfitzner von ihr sagte, »hinter den Kulissen der Musikgeschichte vielleicht eine größere Rolle als man denkt.« (»Vom musikalischen Drama«) Vieles erinnert an Gluck, Mozart, Beethoven; und die kontrapunktischen Bildungen weisen auf seinen verehrten Bach zurück; – erstaunlich, daß sich keine italienischen Züge in diesem Werk finden; es mutet romantisch und deutsch zugleich an, und Pfitzner wagte das Urteil: »›Undine‹ ist eigentlich die erste deutsche romantische Oper.«

Der aber das Deutsche und Romantische in seinen Opern bis zur Identität verschmolzen hat, war Carl Maria von Weber. Er schwankte in seinen Jünglingsjahren noch zwischen den bildenden Künsten und der Musik:

»Malerei und Musik teilten sich hauptsächlich in meine Zeit ... ich malte in Öl, Miniatur, Pastell und wußte auch die Radiernadel zu führen ... Die Musik verdrängte, meiner selbst unbewußt, – die Schwester endlich gänzlich ...«

Die aufschlußreiche »Autobiographische Skizze« von 1818, der diese Worte entnommen sind, läßt uns Webers seelisch-geistige Haltung als urromantisch erkennen: die zwingende Wanderlust, die ihn nie seßhaft werden ließ, die Phantasie, die sich im Land der Sagen, Mythen und Märchen entfaltete, das Gefühl, auch er sei ein Priester im Tempel der Kunst – all diese Motive, um die sich seine autobiographischen Seiten verdichten, und dazu noch die Naturliebe, von der sein Romanfragment »Tonkünstlers Leben« gesättigt ist, machen ihn zum Geistesverwandten der Romantiker. Auch fühlte er sich als »Dichter« den Lyrikern und Dramatikern der Vergangenheit und seiner eigenen Zeit verbrüdert. Die eigentümlich romantische Atmosphäre dieses Bühnenkomponisten lag schon in den Stoffen selbst, die, ähnlich wie Schuberts Opernsujets, romantische Literatur waren: Der deutsche Wald des »Freischütz« die spanische Ambiente der »Preziosa«, die Shakespearesche Märchenstimmung des »Oberon«, der chinesische Kaiserpalast und Tempel der »Turandot«-Ouvertüre. Damit steht Weber inmitten all der Komponisten, welche die romantische Opernatmosphäre schufen – ist zugleich ihr stärkster Exponent.

Unverkennbar geht von Spohrs indischer »Jessonda«, Davids arabischer »Wüste«, Mendelssohns Venezianischen Bildern und schottischen Landschaften eine Verbindung zu Schuberts Naturbildern und Webers Waldespoesie ... Man weiß, wie die Linie weitergeht: über Wagner, Berlioz, Liszt zu den Impressionisten Frankreichs, großen Verehrern Webers, und zu den Impressionisten Spaniens, großen Verehrern Schumanns ... und weiter zu den Norwegern und Russen. Das spezifisch Romantische der Weberschen Musik ist ihre Farbenpracht und ihr Stimmungsgehalt. In das neuartige Klanggewebe drängten sich exotische Rhythmen. Im Orchester der Romantiker begannen die Wälder zu rauschen und die Bäche zu murmeln; das Flimmern des Mondlichts und der Sterne, der Zauber der Mittsommernächte, alles wurde Musik, und die Klänge wurden zu Punkten und Flächen wie in der Malerei, und legten sich in Gruppen auseinander, und die Instrumente bekamen einen neuen Ton. Horn und Klarinette wurden farbenreich und zu romantischen Instrumenten par excellence, mannigfach gespielt mit Schallbecher oder Dämpfer. Aus den enharmonischen Verwechslungen zog der Komponist seine stärksten Effekte. Er konnte durch dieses Mittel, das nur im System der gleichschwebenden Temperatur möglich war, von einer Tonart bei gleichbleibendem Akkord auf eine andere hinübergleiten. Es geschah etwas wie im Märchen, wenn der Schritt durch das elfenbeinerne Tor von der Wirklichkeit ins Reich der Träume führte. Die Enharmonik ist solche Zauberschwelle. Wenn das as und des auf einmal in gis und cis übergehen, verwandelt sich das Bild: »Ein Hauch läuft über den Spiegel, und wenn er schwindet, stellt sich das gleiche Gebilde verändert dar.« (Emil Staiger in »Musik und Dichtung« 1959) Der Übergang ins magische Reich ist vollzogen. Und wie weiß der romantische Komponist auch durch die Überlagerungen der Rhythmen zu wirken – schon Mozart handhabe diesen Griff meisterhaft im »Don Giovanni« – wie läßt er sich durch Rhythmen hinreißen und schwingt sich selig mit ihnen ins Weite, Unendliche empor! –

Kein Musiker, sagt Emil Ludwig in seinem Weberaufsatz aus »Kunst und Schicksal«, ist deutscher gewesen als er und – »in ihres Herzens Herzen hat die Nation keinen tiefer erfaßt«. Nun, das ließe sich auch von Schubert und Schumann sagen. Es ist richtig: Weber nahm von der Nation, was ihm beliebte:

»Ich habe mich nicht gescheut, einzelnes aus deutschen Volksmelodien – soll ich sagen notlich – zu benutzen.«

Und er gab der Nation zurück, wessen sie an jenem romantischen Zeitpunkt ihrer Geschichte für ihre Seele bedurfte. Da steigt eine stattliche Anzahl seiner Opernkompositionen in unserm musikalischen Gedächtnis auf: Das »Waldmädchen«, »Abu Hassan«, »Preziosa«, vor allem aber der »Oberon« und der »Freischütz«. Märchenduft und Orient, Waldeszauber und Meeresweite umgeben uns, Elfen und Feen geistern durch dieses Werk, tauchen es in die Atmosphäre romantischer Phantasie und ihr Orchesterklang wird Malerei und Poesie. Die Nation aber dankte ihm bald nach seinem Tode für all diese Schätze durch den Mund seines größten Jüngers. Als Webers Leiche aus London nach Dresden überführt worden war, sprach der Dresdner Kapellmeister Richard Wagner an seinem Grabe:

»Wohin dich auch dein Genius trug, in welches ferne, bodenlose Reich der Phantasie, immer doch blieb er mit jenen tausend Fasern an dieses deutsche Volksherz gekettet, mit dem er weinte und lachte wie ein gläubiges Kind, wenn es den Sagen und Märchen der Heimat lauscht ... Sieh, nun läßt der

Brite dir Gerechtigkeit widerfahren, es bewundert dich der Franzose, aber lieben kann dich nur der Deutsche. Du bist sein, ein schöner Tag aus seinem Leben, ein warmer Tropfen seines Blutes, ein Stück von seinem Herzen.«

c) *Die epischen Formen.* Liest man die theoretischen Äußerungen der Romantiker über die literarischen Gattungen, könnte man annehmen, daß trotz der besonderen Vorliebe für das Drama ihnen der Roman am höchsten stehe. Im Roman erkennt Schlegel »die wahre, moderne Kunstgattung«; der Roman habe eine große Mission in der modernen Dichtung; in seine freizügige Form habe sich die Lebensweisheit vor der Schulweisheit geflüchtet. »Die Romane sind die sokratischen Dialoge unserer Zeit.« Nimmt man hinzu, daß außer der Lyrik im wesentlichen einige Novellen, Erzählungen, Anekdoten unserer Romantiker in den Bestand der deutschen Literatur gegangen sind – und bedenkt man ferner, daß ihre eigentümlichste Schöpfung wohl das Märchen ist, dann sieht man, welche Bedeutung den großen und kleinen Formen der Epik von den Romantikern beigemessen wurde.

Sie haben über den Begriff und die Idee des Romans so viel nachgedacht wie die Schriftsteller und Literaturwissenschaftler unserer Tage; aber den Komplex der europäischen Romankunst zu explizieren und zu definieren, ist bisher weder den einen noch den andern gelungen. Die Spannweite vom »Pantagruel« bis zum »Wilhelm Meister«, oder von Cervantes bis James Joyce und Marcel Proust über Rousseau, Goethe, Dickens, Balzac, Galdós und Dostojewskij umgreift schlechterdings die Weltfülle selbst. Seit es Romane gibt, sind sie jedem Experiment, jedem Willen, jedem Temperamente gefügig. Sie können Zeugnisse der Innen- und der Außenschau des Menschen sein: Bewußtseinsanalyse oder Abbild der Erscheinungswelt. Sie können die naturalistische Alltagsmisere oder ein phantastisches Märchenreich reproduzieren. Ihre Formen können von ausgewogener Architektur oder von formentbundener Bewegungsfreiheit sein. In ihnen können sich die tragischen, komischen, humoristischen Verhältnisse von Welt und Individuum spiegeln. Das alles wußten schon die Romantiker so gut wie wir Heutigen. Daß ein Roman sich nicht begrenzen und festem, ästhetischem Regelwerk unterwerfen läßt, das eben hat sie an dieser Gattung gereizt. Die in unserem Zusammenhang interessierende Frage lautet: Wie sind, auf die kürzeste Formel gebracht, ihre Ansichten und Theorien über den Roman? Lassen wir sie selbst sprechen: 1. »ihren« Philosophen, 2. ihren führenden Theoretiker; 3. den Autor, dessen Romanfragment das Standardwerk romantischer Romankunst geworden ist.

1. In *Schellings* »Philosophie der Kunst« lesen wir:

»In dieser Beziehung könnte man den Roman auch als eine Mischung des Epos und des Dramas beschreiben, so nämlich, daß er die Eigenschaften beider Gattungen teilte.«

»Dem Roman also ... bleibt nichts als die Prosa, welche die höchste Indifferenz ist, aber die Prosa in ihrer größten Vollkommenheit, wo sie von einem leisen Rhythmus und einem geordneten Periodenbau begleitet ist.«

»Der Roman soll ein Spiegel der Welt, des Zeitalters wenigstens, sein und so zur partiellen Mythologie werden. Er soll zur heiteren, ruhigen Betrachtung einladen und die Teilnahme allenthalben gleich festhalten; jeder seiner Teile, alle Worte, sollten gleich golden sein, wie in ein innerliches höheres Silbenmaß gefaßt ... Deswegen kann er auch nur die Frucht eines ganz reifen Geistes sein ... Er ist gleichsam die letzte Läuterung des Geistes, wodurch er in sich selbst zurückkehrt und sein Leben und seine Bildung wieder in Blüte verwandelt; er ist die Frucht, jedoch mit Blüten gekrönt.«

Die Motive der Gattungsmischung, der Prosastilisierung und der philosophischen Läuterung sind hier angeschlagen und zur Bestimmung der Romanidee zusammengebunden.

2. Zu wiederholten Malen und an verschiedenen Stellen ergriff *Friedrich Schlegel*, der sich selbst in seinem berühmten Roman »Lucinde« versuchte, das Wort zum Thema. In der 12. Vorlesung über »Geschichte der Literatur« heißt es: Immer hätten die Verfasser von Romanen »eine poetische Ferne« gesucht, sei es in dem »Künstlerleben des südlichen Italiens, wie oft in den deutschen Romanen, oder in den amerikanischen Wäldern und Wildnissen« – so mag Schlegel an Tieck, Heinse, Chateaubriand denken. Die Tradition mittelalterlicher Epen und ihr Fortleben in der Romankunst der Neuzeit bis hin in die Robinsonaden, die Aventurier-Romane und Goethes Bildungsroman tauchen vor unserer Erinnerung auf, wenn Schlegel die »Reiseabenteuer, Zweikämpfe, Entführungen, eine Räuberbande oder die Ereignisse und Verhältnisse einer fahrenden Schauspielergesellschaft« evoziert. Aber was ein Cervantes sich leisten konnte und in dem ritterlich-romantischen Klima des damaligen Spanien poetisch zu vollenden vermochte – den »Don Quijote«: »dieses Werk von einer in seiner Art einzigen Erfindung« – das wurde bei geringeren Künstlern eine gefährliche und irreleitende Nachahmung. »Der Begriff des Romantischen in diesen Romanen ... fällt meist ganz zusammen mit dem Polizeiwidrigen.« In einem geschlossenen Polizei- und Handelsstaat – wir spüren die Spitze gegen Fichte – werde ein Roman »schlechthin unmöglich« sein: – in dem alten Sinne. Aber ein Roman ist mehr und soll es sein, nämlich

»das, was als das Gewöhnlichste und Alltäglichste gilt, indem er (= ein wahrer Dichter) eine höhere Bedeutung und einen tieferen Sinn herausfühlt oder ahnend hineinlegt, durchaus neu und in einem dichterischen Lichte verklärt erscheinen zu lassen.«

Aufgabe des Romancier sei es, aus dem Bilde der Natur, der Geschichte und der Menschheit, die alle in die geschaffene Welt des Romans eingehen, das Ewige, das Göttliche selbst hindurchschimmern zu lassen. Dann vermag der Dichter auch die fernste Vergangenheit gegenwärtig zu machen, kann »das immer und überall Bedeutende und Schöne darstellen.« Die Poesie des Romans werde alsdann auch den »Reichtum der Gegenwart« dichterisch machen, das »Rätsel der Welterscheinung« zur Auflösung hinleiten und »überhaupt eine höhere Verklärung aller Dinge in ihrem Zauberspiegel ahnden« lassen. Sie vereint alle Zeiten, »Vergangenheit, Gegenwart, Zukunft als wahrhaft sinnliche Darstellung des Ewigen oder der vollendeten Zeit«.

Der »Brief über den Roman« erweist Friedrich Schlegel als Kenner der europäischen Romankunst. Was sich von Cervantes bis zu Lawrence Sterne und der aktuellen Gegenwart ereignet hat: der klassische Roman der Franzosen, die englische Linie über Richardson bis Fielding und Goldsmith, dann der romantische Roman in Frankreich und Deutschland zur Zeit Chateaubriands und der Frau von Staël, seiner Altersgenossen, nichts entging ihm, alles gipfelte sich auf zum Roman der Romane: zum »Wilhelm Meister«. Im übrigen ist der »Brief über den Roman« eine Lobpreisung Jean Pauls:
».. . ich behaupte dreist, daß solche Grotesken und Bekenntnisse noch die einzigen romantischen Erzeugnisse unseres unromantischen Zeitalters sind.«
Man kann Schlegel keiner Einseitigkeit zeihen. Zuweilen verblüfft er den Leser mit Definitionen wie dieser:
»Ein Roman ist ein romantisches Buch.«
Ist das eine nichtssagende Tautologie? Nein, vielmehr eine konzentrierte Aussage über eine der Grundtendenzen des »Romantischen«, das sich im »Roman« am sichtbarsten verwirklicht: die Verschmelzung der Gattungen Epik, Lyrik, Dramatik.
»Ja, ich kann mir einen Roman kaum anders denken, als gemischt aus Erzählung, Gesang und andern Formen.«
Jean Paul drückt dasselbe in seiner Sprache aus, wenn er den Roman eine Form nennt,
»in welcher fast alle Formen liegen und klappern können . . . die einzige erlaubte poetische Prose . . . eine poetische Enzyklopädie . . . eine poetische Freiheit aller poetischen Freiheiten«
– jene zukunftsträchtige Gattung, die um »die beiden Brennpunkte der poetischen Ellipse« – Epos und Drama – kreist.

3. Einfach und tiefsinnig in der konzisen Form seiner Fragmente äußert sich *Novalis* zum Roman:

»Der Roman handelt vom Leben – stellt *Leben* dar... Der Roman als solcher enthält kein bestimmtes Resultat – er ist nicht Bild und Faktum eines Satzes. Er ist anschauliche Ausführung – Realisierung einer Idee.« (VI, 207)

»Ein Romanschreiber macht eine Art von bouts-rimés ... aus einer gegebenen Menge von Zufällen und Situationen eine wohlgeordnete gesetzmäßige Reihe.« (VI, 239)

»Ein Roman muß durch und durch Poesie sein.« (X, 25)

»Alle Dinge haben eine Zentrifugaltendenz – zentripetal werden sie durch den Geist... er bildet eine Welt aus nichts... Er bildet erst das Feste. (VI, 239)

Damit berührt Novalis zugleich die Frage der Roman k u n s t. Mit einer diesem Erzromantiker eigentümlichen mathematischen Präzision umgrenzt er die sechsfache Möglichkeit der Komposition von Romanen, je nachdem die Elemente entweder der Begebenheit oder des Individuums in ihrer Verbindung, ihrer Unabhängigkeit oder in einer Mischzone behandelt werden. Aus Prämissen und Definitionen festigt sich alles Verflüchtende, wird Romantik zu höherer Mathematik, und der Roman, durch den das Romantische hindurchschimmert, wird zur Architektur.

»Die Schreibart des Romans muß ... ein in jedem Perioden (sic) gegliederter Bau sein. Jedes kleine Stück muß etwas Abgeschnittenes – Begrenztes – ein eigenes Ganzes sein.« (X, 50)

Dabei darf nie das Geheimnisvolle fehlen, ohne das es keine Poesie gibt. In einer guten Erzählung muß »allemal etwas Heimliches, etwas Ungebreifliches« sein ...

»eine gewisse Seltsamkeit, Andacht und Verwunderung«: »wesentliche Züge dieser Kunst« ... »Die Geschichte scheint noch uneröffnete Augen in uns zu berühren – und wir stehen in einer ganz anderen Welt, wenn wir aus ihrem Gebiete zurückkommen.« (X, 68, 104)

Wie immer bei Novalis: Es liegt in seinen Fragmenten etwas Faszinierend-Unheimliches, etwas, das wir längst zu kennen glauben und doch immer wieder neu, »modern« empfinden. Indem er ins Uralt-Mystisch-Weise greift, öffnet er die Augen für alles Gegenwärtige, ja Zukünftige. Die Welt wird durchsichtig, und der erkennende Mensch klein und groß zugleich. Aus seinen Fragmenten über den Roman kann sich der Romancier aller Zeiten bestätigt finden.

Zieht man das Fazit aus obigen Ansichten, die sich teils widersprechen, teils übereinstimmen, stets aber nach allen Horizonten erweitert werden können, so gewinnt man den Eindruck, daß der Roman – jedenfalls für die frühe Romantik – das Hauptanliegen der »modernen« Poesie sei. In der Tat beginnt in der Zeit der europäischen Romantik der Siegeszug des Romans durch die Weltliteratur. Sucht man nach den Vorbildern unter den Romanciers der Vergangenheit und Gegenwart, begegnet man immer wieder nur wenigen, die von den Romantikern erwähnt, besprochen und hoch bewertet werden: Cervantes' »Don Quijote« und Goethes »Wilhelm Meister«. Unsere Romantiker kannten die Evolution der dazwischenliegenden Zeit: den klassischen Roman der Franzosen des 17., der Engländer des 18. Jahrhunderts; sie kannten die Gespenster-, Ritter- und Räuberromane, die Robinsonaden und die empfindsame Erzählung, die politischen Staatsromane so gut wie die Familien- und Bildungsromane. Mit keinem waren sie indessen vertrauter als mit dem »Wilhelm Meister«; in ihrem Urteil verkörperte er am ehesten jenes Ideal des modernen Romans, »ein Compendium, eine Encyclopädie des ganzen geistigen Lebens eines genialischen Individuums« zu sein. So eindringlich hat der Roman auf die Romantiker gewirkt, daß der größte, eigentlich »romantische« Roman, nämlich der »Heinrich von Ofterdingen« des Novalis, als bewußtes Gegenbild zum »Meister« entstanden ist. Novalis empfand Goethes Roman geradezu als unpoetisch; er spiele sich in einer irdischen, gewöhnlichen Welt ab; da bleibe allein die ökonomische Natur des Menschen übrig; dem Roman fehle »die Berührungsstelle mit der unsichtbaren Welt«. Als Gegenstück dazu wurde der »Heinrich von Ofterdingen« »eine Apotheose der Poesie«, wie Novalis selbst sagt. Er wurde ein großer symbolischer Roman, in dem die äußeren Ereignisse des 1. Teiles Sinnbilder der verschiedenen Stufen des Reifens werden. Die Begegnungen, die Heinrich auf seiner Reise erfährt, mit den Kaufleuten, auf der Ritterburg, mit der Morgenländerin, dem Bergmann und Klingsohr sind wie Pforten, die sich immer tiefer in sein eigenes Innere hinein öffnen, bis er durch die Begegnung mit Mathilde lernt, in der Liebe sich selbst zu finden. Mit dem Tod Mathildes fällt nun auch die Schranke zwischen Diesseits und Jenseits: Heinrich v. Ofterdingen wird nun in den beiden Welten heimisch. »Die Erwartung« ist beendet, »Die Erfüllung«, des Romans zweiter Teil, kann beginnen. Er blieb Fragment; er bricht noch innerhalb des 1. Kapitels ab. Wie sich der Dichter die Fortsetzung gedacht hat, darüber hat Tieck einen Bericht verfaßt; er braucht nicht als »zuverlässig« zu gelten. Stimmt das, was Tieck berichtet, so wäre der Roman etwas Ungeheuerliches geworden: Es wäre eine Wanderung und Wandlung durch alle Schichten der Natur hindurch bis zur Wiedervereinigung mit der Geliebten ... das Ende: die Heraufkunft der goldenen Zeit, der Ewigkeit, die große Synthese von Naturreich und Geisterreich, die Aufhebung der Spannung zwischen dem Endlichen und Unendlichen. Die Idee ging weit über den »Wilhelm Meister« hinaus, aber sie verließ auch dessen festen

Boden und zerschellte im Grenzbereich des Sinnlichen und Unsinnlichen.

Von Tieck selbst besitzen wir »Sternbalds Wanderungen«, Brentano schrieb den »Godwi«, Schlegel seine »Lucinde«, alle sind Beispiele romantischer Romankomposition. Künstlerromane und Romane von Künstlern. Die unendliche Melodie ihrer romantischen Themen schlingt sich durch ein arabeskes Geranke von Gesprächen und Briefen, von Reflexionen und Phantasien, von Ahnungen und Träumen, Symbolen und Allegorien hindurch. »Sternbalds« farbige Seelenstimmungen gemahnen an die romantische Landschaftsmalerei, an die Dämmerstunden und Mondscheindichtungen, wie sie Caspar David Friedrich in die Farbkompositionen seiner Naturbilder gezaubert hat. So hoch aber Friedrich Schlegel den »Sternbald« pries: »... es ist der erste Roman seit Cervantes, der romantisch ist und darüber weit über ›Meister‹« – Goethe selbst nannte das Buch »musikalische Wanderungen« – so ist doch das klassische Prosawerk der Romantiker, das wirklich bis zum heutigen Tage l e b t und nicht tote Materie der Literaturgeschichten ist, sondern das gelesen wird und noch immer über die Schulen der Welt die Jugend der Welt anspricht, Eichendorffs »Aus dem Leben eines Taugenichts« – eine wahrhaft deutsche romantische Erzählung, wo aus Wanderlust und Fernweh ein Stück Dichtung geschaffen wurde, in dem – diesseits aller Metaphysik – ein lichter Humor über allen Wirrnissen der Seele schwebt und die beglückende Schönheit der Welt, der Menschen und der Natur zum Leuchten und Klingen gebracht ist.

Romane, Novellen, Erzählungen rühren bei den Romantikern oft ans Märchenhafte. Das Märchen ist von allen epischen Kunstformen die eigentümliche romantische Schöpfung. Wieder ist es Goethe, der seinen jüngeren Zeitgenossen mit seinem »Märchen von der goldenen Schlange« Vorbild wurde. Es war mit Deutungen nicht zu fassen; ihm fehlte die »pädagogische« Tendenz, die allenthalben im vorangehenden Zeitalter der Aufklärung den Feengeschichten einen rationalen Sinn gab. Goethes Märchen war nur »Märchen«, Darstellung der magischen Welt, in der die Gesetze des gemeinen Lebens, der Vernunft und Kausalität, aufgehoben sind. Die luftigen Gestalten der Phantasie waren »Wesen eigener Gattung«, die Goethe, der Realist, zwar freundlich begrüßte, aber die sich mit den plastischen Formen der »Wirklichkeit« nicht mischten. Die Romantiker setzten bei Goethe an aber gingen weiter und führten, von ihm ausgehend, die Entwicklung des Märchens zu höheren Stufen auf der Himmelsleiter der Phantasie. »Goethes Märchen ist eine erzählte Oper«, sagte Novalis (VI, 42). Im damaligen Sinne heißt das »magische Begebenheit«:

»In einem echten Märchen muß alles wunderbar – geheimnisvoll und zusammenhängend sein – alles belebt. Jedes auf seine Art. Die ganze Natur
muß auf eine wunderliche Art mit der ganzen Geisterwelt vermischt sein.«
Novalis' Worte zeigen bereits den Abstand zu Goethe und den Weg
des eigentümlich romantischen Märchens, von dessen Kunstform derselbe Novalis sagte:
»Im Märchen glaub' ich am besten meine Gemütsstimmung ausdrücken zu
können. (Alles ist ein Märchen.)« (IX, 821)
Von hier ist der Schritt nicht weit, im Märchen den höchsten Ausdruck der Poesie zu finden: Das Märchen als »Traumbild – ohne Zusammenhang«, als »Ensemble wunderbarer Dinge und Begebenheiten,
z. B. eine musikalische Phantasie – die Natur selbst« (IX, 987). Und
das gleichsam letzte Wort über die Bedeutung des Märchens:
»Das Märchen ist gleichsam der *Kanon* der *Poesie* – alles Poetische muß
märchenhaft sein. Der Dichter betet den Zufall an.« (IX, 943)
Im Märchen erscheint also die absolute Zwecklosigkeit der Dichtung
erfüllt, eine Traumdarstellung ohne Deutung, ein Phantasiespiel ohne
Sinn, eine Bewegung in sich selbst; – von daher ist Novalis' Wort verständlich: »Das Märchen ist ganz musikalisch.« (IX, 1013) Ihren eigentlichen Geistesverwandten erkannten unsere Romantiker – Dichter,
Komponisten wie Maler – in Shakespeare, von dem ihr englischer
Zeitgenosse William Hazzlit sagte:
»The world of spirits lay open to him, like the world of real men and
women: and there is the same truth in his delineations of the one as of the
other.«
Shakespeare verwirklichte die Verbindung des Magischen und Realen
in seinen Märchenspielen. Für die Romantiker aber war des Menschen
größtes Übel seine Untreue gegen das magische Reich: der Rückfall
in die bloße Realität, wie wir es in Tiecks Märchen vom »Blonden
Eckbert« erleben.
Märchen ist aber nicht gleich Märchen. So viele Zeiten und Völker,
so viele Glaubens- und Erlebnisformen der magischen Welt es gibt, so
viel Kindersinn, primitive Weltsicht und raffiniertes Künstlertum in
Märchenschöpfungen sich verbinden mögen, so viele Arten von Märchen hat die Menschheit hervorgebracht. Ein gewaltiger Bogen, der sich
vom Volksmärchen bis zum Kunstmärchen spannt. Wir kennen die antiken, die mittelalterlichen, die arabischen, die modernen Märchen aller
Zonen; wir besitzen ihre Schätze in umfassenden Sammlungen – und
wieder begegnen wir auf diesem Wege den Romantikern, deren erster
methodischer Sammlerfleiß uns Deutschen den Schatz der Grimmschen
Kinder- und Hausmärchen hinterlassen hat.
Die besten deutschen Märchenschöpfungen ballen sich in zwei Jahr-

zehnten zusammen: 1796 »Der blonde Eckbert«; 1802 »Der Runen-
berg« – beide von Tieck; im gleichen Jahr erschien der 1. Teil von
Novalis' »Heinrich von Ofterdingen« mit dem Klingsohr-Märchen;
1803 erzählt der 25 jährige Brentano »Märchen, die er erfand« (Frau
von Ahlefeld); 1805 steht Brentanos Plan fest, »Italienische Kinder-
märchen« für deutsche Kinder zu bearbeiten; Arnim wird zur Sammlung von Märchen aufgefordert – es ist die Zeit des »Wunderhorns«;
1803 erzählt der 25-jährige Brentano »Märchen, die er erfand« (Frau
geschriebenen Märchen »Der Machandel-Boom« und »Der Fischer un
syne Fru« dem Heidelberger Verleger Zimmer, der gerade des »Knaben
Wunderhorn« gedruckt hatte und der nun diese Rungeschen Märchen
Achim von Arnim für die »Einsiedler-Zeitung« überließ; – im Oktober
1810 erhielt Brentano die Märchenhandschrift der Brüder Grimm; –
1812 erschien der 1. Band unter dem Titel »Kinder- und Hausmärchen«;
ein Jahr zuvor, 1811, war Fouqués »Undine« erschienen und Tiecks
»Elfen«; – 1812 »Die Heimatlosen« von Just. Kerner; – 1813 entstand der »Peter Schlemihl« von Chamisso, und im gleichen Jahr finden
wir E. T. A. Hoffmann bei der Ausarbeitung seines Märchens »Der
goldene Topf« in Dresden, während die Entscheidungsschlacht der
Freiheitskriege um die Stadt tobte; – das Jahr 1816 brachte Salice-
Contessa »Das Gastmahl«; – 1817 wurde Eichendorffs »Das Mar-
morbild« abgeschlossen; – ins Jahr 1818 fiel die Entstehung des »Klein
Zaches« von E. T. A. Hoffmann; 1820 folgte sein Capriccio nach Jac-
ques Callot »Die Prinzessin Brambilla« und 1821 seine letzte große
Märchendichtung, die mir immer als das Meisterwerk romantischer
Märchenkunst erschien: sein »Meister Floh«. Unvergessen bleibt in der
Nachfolge Tiecks und Hoffmanns »Der Märchenalmanach auf das
Jahr 1826« des mit 25 Jahren verstorbenen Wilhelm Hauff, seine Mär-
chen vom »Wirtshaus im Spessart«. So liegt die Blütezeit des deutschen
Märchens in der Mitte zwischen der Sammlung von Musäus' »Volks-
märchen der Deutschen« (1782) und Eichendorffs letzter Märchen-
schöpfung »Eine Meerfahrt« (1835).

Mit Tieck beginnt die Überwindung des alten Märchengeistes des
17. und 18. Jahrhunderts. Die alte Gesellschaft Frankreichs, Italiens,
Deutschlands hatte Geschmack an »Tausendundeine Nacht« (Alf Laila
wa Laila) und »Tausendundein Tag« (Hezar jek Ruz). Sie las gleichfalls
Charles Perrault: »La Belle au Bois dormant« (Dornröschen), »Cendril-
lon« (Aschenputtel), »Le petit Poucet« (der kleine Däumling), »Le Chat
botté« (Der gestiefelte Kater) usw. und las mit derselben Freude Goz-
zis Märchenstücke von den drei Pomeranzen, dem grünen Vögelchen,
der Turandot. Beide, Perrault und Gozzi, die ihrer Geburt nach 100

Jahre voneinander getrennt waren (1628–1703 lebte Perrault in der Zeit der französischen Hochklassik; 1720–1806 Gozzi in der Hochzeit der europäischen Aufklärung), wirkten in die Romantik hinein: zu Tiecks Märchendrama »Zerbino«, zu Grimms Märchensammlung, zu Hoffmanns »Prinzessin Brambilla« – und dieser alte Märchengeist klingt bis in die Gegenwart nach: von Gozzi über Schiller bis Puccini (Turandot); von Perrault über Grimm bis zu Ravels »Contes de ma Mère l'Oye«, in denen der Kinderzauber jener Märchenwelt zu anmutig-geistvoller Musik geworden ist. Der Märchengeist der deutschen Romantik aber war ein anderer und ganz eigener.

Mit Tieck, Wackenroder, Novalis begann er. Sogleich wurden seine Grundzüge sichtbar: Abneigung gegen den Geist, in welchem Musäus vom Märchen in diesen Worten gesprochen hatte:

»Wozu dient dieser Unrat? Märchen sind Possen, Kinder zu schweigen und einzuschläfern, nicht aber, das verständige Publikum damit zu unterhalten.«

Demgegenüber ist das ästhetische, wenn nicht sogar das ethische Postulat Tiecks die naive Märchengläubigkeit. Neue psychologische und metaphysische Dimensionen eröffnen sich, so in Wackenroders »Morgenländischem Märchen von einem nackten Heiligen«, in Tiecks eigenem dämonischen Schauermärchen vom »Blonden Eckbert«, wo dunkle Urschuld des Menschen, Weltangst und Tod ineinanderfließen, in Novalis' »Heinrich von Ofterdingen«, von dem der Verfasser selbst an Tieck unter dem 23. Februar 1800 schrieb:

»Das Ganze soll eine Apotheose der Poesie sein ... Es sollte mir lieb sein, wenn Ihr (Caroline Schlegel und Tieck) Roman und Märchen in einer glücklichen Mischung zu bemerken glaubtet ... Der Roman soll allmählich in Märchen übergehen.«

Und das Klingsohr-Märchen am Ende des 1. Teils des Romans erweist den eigentümlich romantischen Geist, der die ältere Romantik von der Aufklärungszeit trennt. Durch die Magie der Phantasie konnte Novalis »alle Zeitalter und Welten verknüpfen«, »aus dem Gewöhnlichsten in das Wundervolle hinüberschweifen« und »die unsichtbare Welt mit der sichtbaren in ewiger Verknüpfung« halten. So lesen wir es in Tiecks Bericht über die erwähnte Fortsetzung des Fragment gebliebenen Romans seines Freundes Novalis. Die »Blaue Blume« aber, nach welcher der Jüngling sich im Traume sehnte, leuchtete weiter in alle Träume der Romantiker hinein und lag ihnen »unaufhörlich im Sinn«. Ein jeder sah, erlebte sie anders, und damit kam jener individuelle Grundzug in die Traumwelten hinein, die im Märchenschaffen der Romantiker Gestalt wurden. Keine Märchendichtung des einen ist mit denen des andern vergleichbar – und dennoch verbindet alle ein neuer

Märchengeist: er mochte sich dämonisch zeigen wie bei Tieck, mythisch wie bei Novalis, naiv wie bei den Brüdern Grimm, kunstreich und treuherzig wie in den sagenumwobenen Klängen und Bildern der Brentanoschen Rheinmärchen, ritterlich-romantisch wie bei Fouqué, naturselig wie bei Eichendorff, phantastisch-realistisch wie in den Wirklichkeitsmärchen von E. T. A. Hoffmann, – diese siebenfache Klangabstufung deutete immer wieder auf e i n e Grunderfahrung, die allen romantischen Märchendichtungen eigentümlich war: auf die Realität des Magischen und das Magische der Realität. Was Tieck von Novalis' »Ofterdingen« sagte, galt mehr oder weniger von allen Märchen jener Zeit:

»Auf die übernatürlichste und zugleich natürlichste Weise wird alles erklärt und vollendet, die Scheidewand zwischen Fabel und Wahrheit, zwischen Vergangenheit und Gegenwart ist eingefallen: Glauben, Phantasie, Poesie schließen die innerste Welt auf.«

Wenn einige fragmentarische Äußerungen des Novalis unsere Betrachtungen über die Romantiker und das Märchen einleiteten, so mögen zwei Zitate aus E. T. A. Hoffmann, dessen Märchen die Gattung im romantischen Geist vollendete, sie wieder ausleitend in den Anfang zurückschlingen. Das eine lautet:

»Viele verträumen den Traum im Reich der Träume – sie zerfließen im Traum ... nur wenige, erweckt aus dem Traum, steigen empor und schreiten durch das Reich der Träume – sie kommen zur Wahrheit – der höchste Moment ist da: die Berührung mit dem Ewigen, Unaussprechlichen.«

Das andere heißt:

»Ich meine, daß die Basis der Himmelsleiter, auf der man hinaufsteigen will in höhere Regionen, befestigt sein müsse im Leben, so daß jeder nachzusteigen vermag. Befindet er sich dann, immer höher und höher hinaufgeklettert, in einem phantastischen Zauberreich, so wird er glauben, dies Reich gehöre auch noch in sein Leben hinein, und sei eigentlich der wunderbare, herrlichste Teil desselben.«

Hat Novalis durch sein Roman-Märchen die ganze irdische Welt in die Transzendenz erhoben und zum Traum werden lassen, so holt Hoffmann mit seinen Märchen-Romanen von den höchsten Sprossen der Himmelsleiter die Traumwelt wieder in die reale zurück. Man weiß oft nicht, was man mehr an Hoffmann bewundern soll: die gebändigte Realistik, mit der er Welt und Menschen sah und darstellte, oder die entfesselte Phantasie, mit der er alles Zwielichtige und Doppeldeutige durchdrang, die höhnisch, kichernd, skurril, dämonisch sein konnte und welche die grausigen Nachtseiten der menschlichen Natur im Kampf mit ihren edlen, geistigen Prinzipien zum Thema erhob. Hoffmann war, neben Kleist, der scharfsinnigste Beobachter des Somnambulismus und des Spuks, der Ahnungen und Träume, des Sadismus und des Wahnsinns – eine wahrhaft geniale Natur, weit vorausgreifend, seine Zeit, die Romantik, abschließend und vielleicht den eigentlichen Traum der Romantiker verwirklichend: Dichtung und Gedanken in die Sphäre der Musik zu erheben, sie Musik werden zu lassen. Erfüllte sich dieser Wunsch in der Lyrik durch das »Lied«, erfüllte er sich in der dramatischen Gattung durch die Oper von C. M. von Weber, so erhielt das Wort des Novalis »Das Märchen ist ganz musikalisch«, durch E. T. A. Hoffmann seinen eigentümlichen Sinn. Er sprach nicht nur von Musik, er machte welche – mehr noch er l e b t e in ihr. Haydn, Mozart, Beethoven waren die Sternbilder über seinem Leben. In ihrem Zeichen bannte er die bösen Geister, die ihn mehr als irgendeinen Romantiker gefährdeten. Er wußte, daß aller Gespensterspuk an der H a r m o n i e zerstiebt. Dieser Sieg der M u s i k, darin sich die Harmonie offenbart, ist der tiefe Gehalt seiner unsterblichen Märchen.

KAPITEL II

POLITISCHE ZWISCHENSPIELE VOM WIENER KONGRESS
BIS ZUR REICHSGRÜNDUNG

I.

Europa stand an der Schwelle des 19. Jahrhunderts im Zeichen der
Großen Französischen Revolution und im Schatten Napoleons I. Die
Periode von 1789 bis 1815 war der Ausgang des Ancien Régime und
der Eingang zu einer Ära, die wir heute als Vorgeschichte zu unserer
eigenen Zeit betrachten können. Es bedurfte noch eines halben Säkulums
scharfer Kämpfe zwischen liberalen und restaurativen Tendenzen, bis
die Errungenschaften der Revolution sich in einem Teil Europas durchsetzten: die Volkssouveränität, wie sie Rousseau in seinem »Du Contrat social« theoretisch fundiert hatte; die Teilung der Gewalten, wie sie,
nach dem Vorbild der Sidneyschen Ideen, von Montesquieu wirksam
postuliert waren; die Grundgedanken von Jeffersons »Virginia Bill
of Rights«, die in wesentlichen Abschnitten durch Beschluß der Assem-
blée Nationale auch für Frankreich in Kraft gesetzt und später in die
Verfassung vom 3. September 1791 aufgenommen wurden. Die Völker,
junge und alte, die sich seither eine neue Verfassung gaben, erinnerten
sich der Artikel der »Déclaration des Droits de l'Homme et du Cito-
yen« vom 26. August 1789, in welche das Gedankengut der erwähnten
sozialpolitischen Denker eingeflossen war. Artikel I: »Die Menschen werden frei und an Rechten gleich geboren.« Artikel II: »Der Zweck jeder
staatlichen Vereinigung ist die Erhaltung der natürlichen und unver-
jährbaren Menschenrechte. Das sind die Rechte auf Freiheit, Eigentum, Sicherheit und Widerstand gegen Unterdrückung.« Artikel III:
»Der Ursprung jedes Hoheitsrechtes liegt wesentlich in der Nation.
Keine Körperschaft, kein Individuum kann mit einer Machtvollkommenheit bekleidet werden, die nicht ausdrücklich von ihr ausgeht.«
Sie erinnerten sich auch aller folgenden Artikel über Mitwirkung
der Bürger am Staatsleben, über Meinungs- und Religionsfreiheit, über
Rechtssicherheit und Eigentumsrecht.

All das war theoretisch seit Generationen vorbereitet. Nicht aber
vorbereitet waren praktisch – mit Ausnahme des englischen Volkes
und der nordamerikanischen Europäer – das französische Volk selbst,
auch nicht die Deutschen, noch weniger die andern Nationen, die alle

Topics ready
for presentation

seit Jahrhunderten den Denkformen und Systemen eines politischen Absolutismus verhaftet waren. Napoleon wurde der Erbe der französischen Revolution und spielte die Hauptrolle in dem Zwischenakt der europäischen Geschichte zwischen Gestern und Morgen. Noch einmal eroberte sich Frankreich, diesmal weniger kulturell als militärisch, die Vorherrschaft in Europa. Der Sieg Napoleons in der Dreikaiserschlacht von Austerlitz 1805 löste das Ende des Heiligen Römischen Reiches Deutscher Nation aus. Jeder Fürst konnte aus dem Reich austreten, ein Fürst dem andern – nach dem historischen Vorgang des Schlesischen Krieges unter Friedrich d. Gr. – Land wegnehmen. Der Reichsgedanke war nur noch eine Fiktion. Sechzehn Fürsten, darunter die von Bayern, Baden und Württemberg, erklärten ihren Austritt aus dem Reich und schlossen sich zum Rheinbund unter dem Protektorat Napoleons zusammen. So entstand neben Österreich und Preußen ein »Drittes Deutschland«. In der politischen Hand des Kaisers der Franzosen war es eine Waffe, die er geschickt gebrauchte. Der andere Kaiser aber, Franz II., legte am 6. August 1806 die Krone nieder und verwandelte sich in Franz I. zurück, den Kaiser seiner Erblande Österreich. Das tausendjährige Reich hatte ein ruhmloses Ende gefunden. Es sollte bis heute nicht wieder erstehen: denn auch der Traum des »Dritten Reiches« der kommenden tausend Jahre von 1933 ab dauerte nur zwölf Jahre.

Aber auch Napoleon traf das Schicksal. Dem raschen Aufstieg folgte der jähe Sturz und begrub des Kaisers politische Europa-Idee. Vom spanischen »Dos de Mayo« über die deutschen Oktobertage der Völkerschlacht von Leipzig bis zu dem englisch-preußischen Sieg bei Waterloo reicht die Schicksalskurve des Niedergangs. Die erste Etappe des 19. Jahrhunderts ist beendet. Jetzt erst zeichnen sich die charakteristischen Grundlinien der neuen Ära ab: Restauration – Revolution – Reaktion, das alles zwischen 1815 und 1860; dann wird Deutschland führend: Das Zeitalter Bismarcks 1860–1890 erfüllt die zweite Hälfte des Jahrhunderts.

Die Etappen der ersten Hälfte sind durch die Jahre 1815, 1830 und 1848 einigermaßen rhythmisch markiert, d. h. 1. durch die Neuordnung Europas und Deutschlands auf dem Wiener Kongreß, 2. durch die Juli-Revolution in Frankreich, ihre europäische Auswirkung und die Unruhe des »Jung-Deutschland«, 3. durch die Cäsur an der Jahrhundertmitte, wo ganz Europa vom Taumel der Revolution und von den nationalliberalen Ideen ergriffen wurde.

Der Kampf gegen Napoleon hatte mit dem Siege Englands und der Festigung seiner Seeherrschaft geendet. Englands Entwicklung zur Weltmacht konnte sich nunmehr ohne ernste Hemmnisse vollziehen. Das geschichtliche Leben auf dem europäischen Festland entwickelte sich hingegen in ständigen Aktionen und Reaktionen und in der Wechselwirkung jener drei Doppelbewegungen, die wir als Liberalismus und Nationalismus, Industrialismus und Imperialismus, Kapitalismus und Sozialismus charakterisieren können. Die Ereignisse, die mit diesen »Ismen« verbunden sind, stehen in festem Kontext mit der ganzen Tripelfuge, welche die politischen, wirtschaftlichen, sozialen Bewegungen miteinander verwoben hat. Es war zugleich eine große Völkerfuge, in der bald die Stimmen Englands und Rußlands, der Großmächte des See- und Kontinentalimperialismus, führend wurden, bald die Stimmen Frankreichs, Italiens, Deutschlands – es war das Jahrhundert Napoleons III., Cavours und Bismarcks; aber alle Nationen schrieben i h r e Seiten in das Epos des europäischen Bürgertums, das in jener Ära zur höchsten Machtentfaltung in der Welt berufen war. In jenem Jahrhundert stand die Welt unter europäischem Einfluß. Asien und die Neue Welt imitierten Europa, und die Europäer durchdrangen Asien, Afrika und Australien. Es war ein Jahrhundert voller Gegensätze: In der Weltpolitik der Gegensatz England-Rußland; im sozialen Leben der Klassenkampf zwischen Bourgeoisie und Proletariat; im Völkerleben die Spannungen zwischen Liberalismus und Reaktion, zwischen Nationalismus und Internationalismus, zwischen Klerikalismus und Laizismus; im geistigen, wissenschaftlichen, philosophischen Leben durchkreuzten sich Fortschrittsglaube, Untergangsstimmung und Machtphilosophie; es ist das Jahrhundert des plattesten Materialismus und einer hochgespannten Geistphilosophie, das Jahrhundert des Unglaubens und religiöser Konzentration. Die entscheidenden Beiträge Deutschlands zum Geschichtsbild des 19. Jahrhunderts lagen vornehmlich in der Philosophie, der Musik und der Politik; wir finden sie auf der Linie Hegel-Schopenhauer-Nietzsche; bei Wagner, Brahms, Bruckner und Strauß – und im Kunstwerk der Reichsgründung durch Bismarck. Sie lagen aber auch in der Gemeinschaftsarbeit mit den andern Nationen bei der Entwicklung der Naturwissenschaften, der Technik und der Wirtschaft. Im ganzen ein vielschichtiges Bild, in dem das, was wir im eigentlichen Sinne »Kultur« nennen, vielleicht schon gegenüber den Werten der Technik, Wirtschaft und Zivilisation im Rückzug ist.

2.

Nach der Unterwerfung Napoleons bestrebten sich die Alliierten, das Staatsleben Europas neu zu ordnen. Bis in den Juli 1815 dauerte der Wiener Kongreß. Alles, was Glanz und Namen hatte, war in Wien

7　Der Wiener Kongreß (1814)
Kupferstich nach einer Zeichnung von
Jean Baptiste Isabey (1767–1855)

versammelt: Zwei Kaiser, vier Könige, zahlreiche Fürsten, weltliche und geistliche, Männer der Wissenschaft wie Jakob Grimm und Wilhelm von Humboldt, Minister und hohe Verwaltungsbeamte wie Stein und Hardenberg, Künstler, Komödianten und Tänzerinnen. Beethoven dirigierte vor 5000 Besuchern seine Schlachtensymphonie »Wellingtons Sieg bei Vittoria« und siegte selbst mit seinem »Fidelio«; Zacharias Werner predigte im Stephansdom, und die »göttliche« Bigottini bezauberte als Prima-Ballerina die internationale Gesellschaft, während Turnvater Jahn mit dem langen Bart zur Sensation gehörte. Die bedeutendsten politischen Köpfe waren Metternich und Talleyrand – denn auch Frankreich, das besiegte, war vertreten, und was Napoleon auf dem Schlachtfelde verloren hatte, wurde von dem geistvollsten aller Kongreßteilnehmer, Talleyrand, wiedergewonnen. Der Besiegte wurde Sieger, der Sieger hingegen, also im wesentlichen Deutschland, auf 50 Jahre zur Ohnmacht verurteilt. Aber damals war alles im Taumel der Freude und des Gefühls der Befreiung vom Joch der napoleonischen Herrschaft. Was der seinerzeit gefeierte Film mit Lilian Harvey »Der Kongreß tanzt« auf der Leinwand bot, war ein Schattenspiel dessen, was die Monate des Kongresses gesehen haben: festliche Bälle und Soupers, Volksbewirtungen und »Karoussels«, Monstreshows in Theatern, Konzerten, Revuen, dazu Jagden, Truppenrevuen und Wettrennen, täglich Opern, Ballette, Komödien im Burgtheater, im Wiedner Theater, im Josephstädter Theater … Jubel und Trubel bei Tag und bei Nacht vor oder hinter den Kulissen hoher Politik. Es war die Zeit, da Beethoven an seinen Rechtsanwalt und musikalischen Freund Johann Kanka schrieb: »Von unsern Monarchen usw. schreibe ich Ihnen nichts … alles ist Wahn! Freundschaft, Königreich, Kaisertum, alles nur Nebel, den jeder Windhauch vertreibt und anders gestaltet.« (Brief vom Herbst 1814 und vom 8. Apr. 1815.) Der letzte Satz war also in der Zeit der Hundert Tage Napoleons geschrieben, als alles wieder auf dem Spiele stand, bis Wellington und Blücher den endgültigen Sieg während der Tagung des Kongresses auf dem Schlachtfeld von Waterloo herbeiführten.

Die Landkarte Europas wurde aber durch den Rückfall in die restaurative Potentatenwillkür so unglücklich verändert, daß in der »Neuordnung« durch den Kongreß alle Keime späterer Spannungen und Verwickelungen gelegt wurden. Die Grundsätze der Kongreßpolitiker hießen: Restauration, Legitimität, Solidarität. *Restauration*, d. h. die Wiederherstellung der vor der Großen Revolution bestehenden Staatenordnung; *Legitimität*, d. h. eben jene Wiederherstellung des unter der Herrschaft der alten Dynastien überlieferten Rechtes. In den deutschen Territorien war freilich eine solche Rückführung nicht mehr möglich. Wer sollte Kaiser sein? Der Habsburger oder Hohenzoller? An dem Dualismus Österreich-Preußen und dem Partikularismus der Mittelstaaten scheiterten die Versuche einer Wiedererrichtung des Reiches. Die Souveränität der einzelnen deutschen Fürsten war gleichsam »legitim« geworden und hatte einen Zustand der Schwäche hinterlassen, der den außerdeutschen Großmächten nicht ungelegen war. So entstand der »Deutsche Bund« aus 35 souveränen Fürsten und vier »Freien Städten«. Hier wurde der dritte Begriff der Solidarität von Wichtigkeit. *Solidarität*, d. h. die Ordnung sollte fest und dauerhaft sein, mit andern Worten: die revolutionären und die über die verjährten Formen dynastischen Denkens hinausdrängenden nationalen und liberalen Kräfte mußten unterdrückt werden. Das war die negative Seite der Solidarität; ihre positive aber war das im Augenblick der Gefahr selbst geborene solidarische Verhalten der Kongreßmächte bei der Rückkehr Napoleons aus Elba und andererseits die Verwirklichung des Begriffs der Solidarität in der Verwandlung des deutschen Bundes zum Staatenbund, dessen Vertretung sich im Bundestag zu Frankfurt a. M. zusammenfand. Daß einmal die Kurve der deutschen Geschichte von hier aus über die Nationalversammlung von 1848 zur Reichsgründung von 1871 verlaufen sollte, ahnte damals niemand. Vorerst mußte die Politik des Wiener Kongresses als ein trauriger Rückfall in dynastische Denkformen überholter Vergangenheiten erscheinen. Von diesem Rückfall zeugt das sonderbare Schriftstück, das kurz nach der Beendigung des Kongresses als Urkunde der »Heiligen Allianz« zu lesen ist. Es wurde auf Anregung des Zaren im Namen der Allerheiligsten und Unteilbaren Dreieinigkeit der Majestäten, des Kaisers von Österreich, des Königs von Preußen und des Kaisers von Rußland verfaßt. Darin heißt es im Artikel I:

»Entsprechend den Worten der Hl. Schrift, welche allen Menschen heißt sich als Brüder zu betrachten, werden die drei Monarchen vereinigt bleiben durch die Bande einer wahren und unauflöslichen Brüderlichkeit, indem sie sich als Landsleute ansehen ... indem sie sich ihren Untertanen und Heeren gegenüber als Familienväter betrachten ..., um Religion, Frieden und Gerechtigkeit zu schützen.«

Im Artikel II: »... und sich als Glieder ein und derselben christlichen Nation betrachten ... sich selbst nur als Beauftragte der Vorsehung ansehen, um drei Zweige ein und derselben Familie zu regieren, nämlich Österreich, Preußen und Rußland.«

Im Artikel III: »Alle Mächte, welche sich feierlich zu den heiligen Grundsätzen bekennen werden ..., werden bereitwilligst und wohlwollend in diese Heilige Allianz aufgenommen werden.«

Dieses Dokument, 26 Jahre nach der »Erklärung der Menschenrechte« abgefaßt, illustriert den Geist der Restauration. In wunderbarem Verein treten hier die drei reaktionären Mächte: das katholische Österreich, das protestantische Preußen, das orthodoxe Rußland ohne Ansehen ihrer Konfession zu einem Familienrat zusammen, dessen komische Theatralik, Phrasenhaftigkeit und »politische Nullität« – das Wort stammt schon von Gentz 1816 – bereits den Zeitgenossen nicht entgangen waren. Die meisten Fürsten traten dem Bunde bei mit drei bedeutsamen Ausnahmen, nämlich des Prinzregenten von England, der sich heraushielt, weil die Verfassung seines Landes eine bloß persönliche Verpflichtung des Staatsoberhauptes nicht zulasse, ferner des Papstes, dem man wohl eine Allianz mit heterodoxen Fürsten nicht zumuten konnte, schließlich des Sultans, dem man zubilligen mußte, daß die christliche Wahrheit nicht die seinige war. Treffend formuliert Friedell die Wirkung der drei Familienväter in der neugeschaffenen Kinderstube Europas: »Obschon ihre Liebe, nach den Züchtigungen zu schließen, sehr groß gewesen sein muß, erzeugten sie durch ihr väterliches Regiment nichts als einen ungeheuren Ödipuskomplex.« So wurde die gesamte europäische Geschichte, im besonderen aber die deutsche, in ihren wichtigsten äußeren und inneren Ereignissen des 19. Jahrhunderts, die Beseitigung und Änderung der Beschlüsse des Wiener Kongresses.

Die auf den Kongreß folgenden 15 Jahre stehen im Zeichen eines Generationskampfes zwischen den rückwärts gerichteten Restaurationsbestrebungen und dem vorwärts drängenden Liberalismus. Auf die Befreiung Serbiens 1817 folgten 1820 die revolutionären Bewegungen in Neapel und Spanien, das bereits 1812 eine nach der Idee der Volkssouveränität und Gewaltenteilung gestaltete Verfassung ausgearbeitet und den Begriff der »Liberalen« als Parteinamen kreiert hatte. 1821 brechen die Unruhen in Sardinien aus, wo der Kampfruf der nationalen Revolution den bezeichnenden Dreiklang hatte: »Es lebe der König, es lebe die spanische Verfassung, es lebe Italien!« Ein Jahr später erklärte eine Nationalversammlung in Epidauros die Unabhängigkeit Griechenlands. Es brodelte überall: bei den »Exaltados« in Spanien, den »Carbonari« in Italien, in der Hetärie der Philiker Griechenlands, bei den Polen, den Franzosen – und in Deutschland. Metternich war bestürzt. Er schreibt am 4. Mai 1820 an den Badischen Gesandten beim österreichischen Hof:

»Die Zeit rückt unter Stürmen vorwärts ... in unseren Zeiten ist (das Ziel) der restaurativen Kräfte nichts mehr und nichts weniger als die Aufrechterhaltung dessen, was vorhanden ist ... Das Übel war vor dem Kongreß zu Karlsbad zu einem solchen Grade gediehen, daß es nur einer unbedeutenden politischen Verwicklung bedurft hätte, um die gesellschaftliche Ordnung völlig umzustürzen.«

Was war in Deutschland geschehen? Der schwungvollen nationalen Erhebung in dem Befreiungskrieg war die Ernüchterung gefolgt; den Hoffnungen der Liberalen die Enttäuschung durch die reaktionäre Politik. Auf dem Kraftfeld der großen historischen Spannungen flossen nun drei Strömungen zusammen, die einen eigentümlichen Komplex kultureller, sozialer, politischer Tendenzen bildeten: eine rückwärts schauende Richtung, die sich als unpolitische Romantik erwies; eine vorwärts gerichtete, freisinnige Bewegung, die alles zusammenfaßte, was die Romantik an politisch-liberalen Elementen in sich hatte; schließlich der national-liberale Idealismus der Turnbewegung und studentischen Burschenschaften, von denen die erste mit dem Namen des Turnvaters Jahn, die zweite mit den Ereignissen des Wartburgfestes vom 18. Oktober 1817 verbunden war. Das Datum war ein doppelter deutscher Erinnerungstag: Völkerschlacht bei Leipzig und dreihundertjähriges Bestehen der Reformation. Die Burschenschaften, gleichermaßen beseelt von den Ideen der Freiheit, und der deutschen Einheit und erfüllt vom Haß gegen die reaktionären Unterdrücker dieser Ideen, also gegen Metternich und Gentz, gegen das zaristische Rußland und gegen die hl. Allianz, verbrannten eine Reihe reaktionärer Schriften. Das verursachte eine sofortige Intervention Österreichs und Preußens; als kurze Zeit darauf der Jenenser Theologiestudent Karl Sand den deutschen Dichter Kotzebue, der als russischer Staatsrat bei den Burschenschaftlern im Verdacht der Spitzelei und Reaktion stand, ermordete, löste diese Gewalttat eine Angstneurose bei den Regierungen der Hl. Allianz aus. Die Folgen waren die »Karlsbader Beschlüsse« vom 20. September 1819. Der Paragraph 1 enthielt die Befugnisse des von der jeweiligen Regierung eingesetzten Universitätsbevollmächtigten zur Überspitzelung der Professoren; der Paragraph 2 zählte die Gründe auf, die zur Amtsentlassung oder zum Lehrverbot der Professoren führen konnten; der Paragraph 3 enthielt das spezielle Verbot der allgemeinen deutschen Burschenschaften und die Abschnitte über die Relegierung der Studenten, die solchen Verbänden angehörten. Der Turnvater Jahn, von den Studenten schwärmerisch verehrt, wurde auf eine Festung gebracht, Ernst Moritz Arndt, seines Bonner Lehramts enthoben. Aber die Unruhen gingen weiter. Zehn Jahre danach: die französische Revolution war ausgebrochen, hatte ein weithin hallendes Echo und wurde gerade auch von den freiheitsliebenden Deutschen wie ein reinigendes Gewitter nach den schwülen Jahren der Unterdrückung erlebt. Das »junge Deutschland« wurde geboren: Börne und Heine wurden als zwei ihrer prominenten Vertreter betrachtet. Die politische Idee der »Freiheit« überspielte nunmehr die nationale Idee der »Einheit«. »Ich will lieber Freiheit ohne Einheit als Einheit ohne Freiheit«, sagte Rotteck und formulierte damit die Stimmung der Jungdeutschen. Das Hambacher Fest von 1832, der Sturm auf die Hauptwache in Frankfurt von 1833 schürten das Feuer. Nun mußten auch Fritz Reuter, Uhland, die Brüder Grimm daran glauben. Der erste wurde zu 30 Jahren Festungshaft, die andern nacheinander zur Niederlegung ihrer Professuren verurteilt. Görres floh über die Grenze. Die Jagd auf Röcke, Mützen, Quasten, Bänder und Pfeifenköpfe, auf das ganze Requisit der Burschenschaften und ihre altteutsche Tracht, begann. Die Gefängnisse füllten sich mit Studenten, Professoren, Journalisten; die liberale Jugend des Bürgerstandes war rechtlos, geknechtet und verfolgt.

Es ist kein Wunder, daß eine solche Generation selbst von den »Großen« unter den Alten abrückte, wie etwa von dem Weisen von Weimar, der schon dem Freiheitskrieg gegen Napoleon kritisch gegenübergestanden hatte, der jetzt zurückgezogen seinen »Faust« beendigte und sich am Ende seines Lebens mehr für den naturwissenschaftlichen Streit zwischen Cuvier und Saint-Hilaire interessierte als für die französische Juli-Revolution – oder von dem andern Großen, dem Philosophen an der Berliner Universität, Hegel, dessen Staatsphilosophie mit der preußischen Staatsidee verwandtschaftlich verbunden war, und dem die Gefühlspolitik der Burschenschaften unerträglich erschien.

Das »Junge Deutschland« war nun aber keineswegs ein kulturelles und künstlerisches Ereignis wie die Klassik und Romantik, gegen die es sich auflehnte. Mit Wolfgang Menzels Kritik an Goethes Werken hub seine Reaktion an. In seiner »Deutschen Literatur« trug Menzel den Angriff gegen Goethe voran und unterwarf – fast nur mit Ausnahme des »Faust« und des »Wilhelm Meister« – Goethes Werke einer moralisierenden Kritik. Börne führte die oppositionelle Linie weiter, aber auf ernster zu nehmender Ebene; er warf Goethe das Unpolitische seines Verhaltens vor: Warum hatte Goethe nicht gegen die »Karlsbader Beschlüsse« protestiert? Warum war, »der geheime Rat Goethe« auch der »*Karlsbader* Dichter« (wir hören in dem Städtenamen die politische Anspielung) und immer nur Diener unter andern Dienern seines Fürsten geblieben? Warum hatte er in seinem »Bürgergeneral« nur Abscheu vor der Französischen Revolution eingeflößt? Warum hatte er sich so reserviert verhalten, als es darum gegangen wäre, sich Fichtes anzunehmen, der in Jena des Atheismus angeklagt wurde? Was ist Goethe gegenüber einem Dante, der aus politischen Gründen den bitteren Weg der Verbannung gegangen war, was gegenüber Alfieri, der die Freiheit gefor-

dert hatte, was gegenüber Voltaire, der in heiligem Zorn das Menschen-
recht der Verfolgten unter Gefahr seines Lebens verfochten hatte? ...
»Die furchtbare, unbestechliche Richterin (die Nachwelt) wird Goethe fragen:
Dir war ein hoher Geist, hast du je die Niedrigkeit beschämt? Der Himmel
gab dir eine Feuerzunge, hast du je das Recht verteidigt? Du hattest ein
gutes Schwert, aber du warst immer dein eigener Wächter.«
Börne berührt die schwachen Punkte im Leben Goethes – er sieht
nicht, oder will nicht sehen, wie die eigentümliche Größe Goethes vielleicht gerade nur mit diesen Mängeln erkauft werden konnte. Was man
jenseits dieses besonderen Falles Börne contra Goethe erkennen kann,
ist, daß im Urteil der Jungdeutschen die Klassik im Grunde ein unpoli-
tisches Phänomen war. Selbst Schiller, den heute die ganze Welt in Ost
und West als politischen Dramatiker sieht, fiel für sie unter diese
Negation. Die eigentlichen Wortführer Jungdeutschlands hießen Wienbarg, Gutzkow, Laube, Mundt. Ihr Programm bestand darin, der
humanistischen, unpolitischen Klassik eine politisch aktuelle Literatur
entgegenzusetzen; der Vergangenheit den »Zeitgeist«: »Der Zweck
unserer Zeit ist der Bürger, nicht mehr der Mensch«, sagte Gutzkow.
Im Zusammenhang damit forderten die Jungdeutschen, daß die Kunst
mit Politik infiltriert werde, daß die Literatur »mit dem Leben« verschmolzen würde, und daß die Schriftsteller dienend sich den bewegenden Mächten der Zeit anschlössen. So schufen sie aus liberalem und
staatspolitischem Geist das Feuilleton als literarische Gattung. Eine
andere Forderung war die »Emanzipation der Sinne«, was wiederum
nur ein Echo des romantischen Kampfrufes gegen die Philister war.

Wer von der Klassik und Romantik, von Goethe, Schiller, Kleist oder
von Hegels weltumfassender Sicht der Dinge, Menschen und Geschichte kommend die Bewegung und Kritik des Jungen Deutschland
betrachtet, empfindet mit Georg Brandes, ihrem großen Historiker und
Kritiker, »den Übergang unleugbar als einen Sturz in künstlerischer
Hinsicht ... einen Sturz von der Höhe graziöser und göttlicher Frech-
heit – er denkt auch an Heine – in die Niederung jugendlich – plum-
per Herausforderungen.«

Ihre Werke waren aber nicht nur ästhetisch schwach, sondern ihre
amoralische, antiautoritäre und religiös indifferente Einstellung machte
sie ihrerseits der Regierung suspekt. Gutzkows früher Freund Wolfgang
Menzel ging zum Angriff auf dessen Roman »Wally die Zweiflerin«
über, sah darin nur Unzucht und Gotteslästerung, denunzierte den
einstigen Weggenossen ob seines »Krieges gegen das Christentum, gegen
die Moral, gegen die Ehe« ... er enthüllte ihn und andere als »Priester
des Schmutzes«, als Anbeter der »Venus vulgivaga«, demaskierte ihre

»Hetärenrepublik« als französischen Republikanismus Saint-Simon-scher Prägung und schloß seine Ausfälle damit, daß er die ganze verworfene Gesellschaft »eine jüdische Partei« nannte und das »junge Deutschland« ein »junges Palestina«, weil diese Partei gewissermaßen unter dem Protektorat von Heine und Börne stünde. Da horchte die Regierung auf, Menzel hetzte weiter und Gutzkow wurde verhaftet. Am 10. Dezember 1835 faßte der Bundestag den Beschluß gegen »das junge Deutschland« oder »die junge Literatur« mit der Begründung, daß diese Gruppe die christliche Religion angreife, die bestehenden »sozialen Verhältnisse« herabwürdige und Zucht und Sittlichkeit zerstöre:

»Sämtliche deutsche Regierungen übernehmen die Verpflichtung: gegen die Verfasser, Verleger, Drucker und Verbreiter der Schriften aus der unter der Bezeichnung ›das junge Deutschland‹ oder ›die junge Literatur‹ bekannten literarischen Schule, zu welcher namentlich Heinrich Heine, Karl Gutzkow, Heinrich Laube, Ludolf Wienbarg und Theodor Mundt gehören, die Straf- und Polizeigesetze ihres Landes, sowie die gegen den Mißbrauch der Presse bestehenden Vorschriften nach ihrer vollen Strenge in Anwendung zu bringen, auch die Verbreitung dieser Schriften, sei es durch den Buchhandel, durch Leihbibliothek oder auf sonstige Weise, mit allen ihnen gesetzlich zu Gebote stehenden Mittel zu verhindern.«

So wurde der Name »Das Junge Deutschland« offiziell, und Heinrich Heine, der nur in seiner allerersten Zeit Bindungen an ihn hatte, in ihre Gruppe eingereiht. Er aber stand im Grunde unendlich über ihr, wie auch Börne: menschlich, künstlerisch, philosophisch. Künstlerisch vor allem als Dichter und Schriftsteller. Dem blumenreichen, phrasenhaften und geschraubten Stil der Jungdeutschen, der oft bis zur Unerträglichkeit ging, steht Heines klare, geistvolle, wirklich moderne Prosa gegenüber; ihrer häufigen Plumpheit seine Anmut, sein wehmütig-satirisches Lächeln und der bezaubernde Esprit seines Stils; menschlich war Heines tiefe Sehnsucht, verehren, glauben, lieben zu können, der geistlosen Skepsis und Ungläubigkeit der andern unendlich überlegen – und philosophisch vermochte sich noch ein Nietzsche an ihm zu entzünden und die Klugheit und Erfahrenheit der Heineschen Weltschau und Lebensansicht zu goutieren. Wen ein Schubert, ein Schumann und ein Nietzsche liebten und verehrten, den darf man nicht mit Gutzkow in eine Linie stellen. Solche unerlaubten Verkoppelungen pflegen meistens beiden Partnern unrecht zu tun.

Was auch an Interessantem über die jungdeutsche Bewegung gesagt werden mag – sie bleibt eine rein *innerdeutsche* Angelegenheit. Erst die Ereignisse von 1848 und was aus ihnen folgte, vornehmlich die politische Leistung Bismarcks gewann *europäische* Bedeutung. Zur kulturellen *Weltbedeutung* aber war – als Beitrag Deutschlands – nur die Leistung in den Naturwissenschaften, die musikalische Entwicklung seit Beethoven über Wagner zu Bruckner und Strauß, und in der Geistesgeschichte die Trias Hegel-Schopenhauer-Nietzsche gelangt.

3.

Es begann in der Schweiz. Dort entwickelte sich als Reaktion gegen die ererbten Vorrechte des Adels und städtischen Patriziats in den Kantonen eine liberale Bewegung mit demokratischen und nationalen Zügen. Die konfessionellen Gegensätze trafen aufeinander und spalteten das Land in die konservativ-katholischen und liberal-evangelischen Kantone. Nach Beendigung des Sonderbundskrieges wurde die Schweiz nach dem Vorbild der amerikanischen Verfassung 1848 ein Bundesstaat. Ganz Europa verfolgte die Ereignisse, ähnlich wie die Welt seinerzeit auf den griechischen Befreiungskampf geblickt hatte.

Das Signal zur dritten Revolution aber ertönte wiederum in Frankreich. Die Februar-Revolution von 1848 erweiterte sich – im Gegensatz zur Juli-Revolution von 1830 – zu einer gesamteuropäischen Bewegung. Die petite bourgeoisie und die Arbeiterschaft standen zusammen gegen die grande bourgeoisie, die Industriellen und die Großgrundbesitzer. Die Bewegung griff im Augenblick auf Deutschland über, und zwar nicht nur auf die Mittelstaaten, sondern auf die beiden Flügelmächte Österreich und Preußen. Die Lage Deutschlands war anders als die Frankreichs. Einen Teil des liberalen Programms bildete das nationale Problem der Einigung Deutschlands. Die radikalen Männer der Heidelberger Versammlung forderten die Proklamation der deutschen Republik und sandten ihre Vertrauensmänner nach Frankfurt, damit sie die Probleme eines deutschen Parlaments berieten. Am 13. März brach die Revolution in Wien aus. Wie Louis Philippe nach London, so floh auch Metternich in die Hauptstadt Englands. Am 18. März sah sich Friedrich Wilhelm IV. gezwungen, vor den Leichen der Barrikadenkämpfer in Berlin das Haupt zu entblößen und unter den schwarz-rot-goldenen Fahnen die Lösung der deutschen Frage zu versprechen: »Preußen«, sagte er, »geht fortan in Deutschland auf.« Am 20. März dankte Ludwig I. von Bayern zugunsten seines Sohnes Maximilians II. ab. Die Donaumonarchie geriet in Aufruhr: Ungarn setzte ein eigenes Ministerium durch; die tschechische Nationalbewegung in Böhmen führte zum Slawenkongreß in Prag; die Polen erhoben sich und die Mailänder Bevölkerung vertrieb die österreichischen Soldaten und

Beamten; Venedig wurde wieder eine Republik, und Karl Albert von Sardinien erklärte Österreich Ende März den Krieg. Das Ende der Donaumonarchie schien gekommen. Der Februar des Jahres 1848 erschütterte Europa von Kopenhagen bis Madrid, von Paris bis Prag, von Sardinien bis Berlin.

Und das Ergebnis? In Frankreich, das die erste große Arbeiterrevolution sah, zerbrach die Furcht vor der künftigen Macht der Arbeiter die ursprüngliche Vereinigung von bourgeois und ouvriers. Die Aufspaltung war die Geburtsstunde einer neuen Diktatur: Der Bonapartismus war im Kommen. Am 2. Dezember 1851 wagte der Neffe des großen Bonaparte den Staatsstreich. Einige der besten Geister Frankeichs gingen ins Exil, wurden ihrer Lehrstühle enthoben, füllten die Gefängnisse. Die Enttäuschung über die Ereignisse klingt in Flauberts Meisterroman der »Education sentimentale« nach. Und das Ergebnis in den deutschen Landen? Ein preußisches Parlament, ein österreichischer Reichstag, eine deutsche Nationalversammlung. Die Frankfurter Nationalversammlung hatte drei Fragen zu lösen: 1. Wie sollen die Rechte der souveränen Einzelstaaten im Rahmen des erstrebten deutschen Gesamtstaates aussehen? Das war die staatsrechtliche und zugleich nationale Frage; 2. Welcher der großen Staaten: Preußen oder Österreich, sollte die führende Rolle in Deutschland spielen? Das war die machtpolitische und zugleich konfessionelle Frage; 3. Wie sollte die innerpolitische Front: Regierung und Volk, bereinigt werden? Das war die soziale und demokratische Frage. Die Gegensätze zwischen Zentralisten und Föderalisten, zwischen Österreich und Preußen, zwischen Republikanern und Konservativen mußten an diesen drei Fragen aufbrechen. Gemeinsam war allen nur der Wunsch, aus einem Staatenbund einen Bundesstaat zu machen. Dieser Bundesstaat sollte im Sinn der »kleindeutschen« Gruppe ein Gebilde sein, in welchem die preußische Krone die Führung Deutschlands unter Ausschluß Österreichs haben sollte, während die »großdeutsche« Fraktion keine Vormachtstellung Preußens, dafür die Einbeziehung Österreichs wollte. Bei einer »großdeutschen« Lösung hätte sich weiter das Problem ergeben, ob nur die deutschsprachigen Gebiete Österreichs oder die ganze Donaumonarchie in den Bund aufgenommen werden sollte. Je nach der Beantwortung dieser Frage wäre entweder das neue Deutschland kein nationales Reich mehr gewesen, oder aber der Habsburger Staat wäre innerlich zerrissen worden. Diese und zahlreiche andere Fragen waren praktisch unlösbar.

Die Paulskirche sah in ihren Mauern die besten Köpfe Deutschlands: die ältere und jüngere Generation: Jakob Grimm und Ludwig Uhland, der Freiheitssänger Ernst Moritz Arndt, der altteutsche Turnvater Jahn und neben ihnen die »Jungdeutschen« Laube und Ruge, dazu Historiker wie Droysen und Duncker, Literaturwissenschaftler wie Vilmar und Gervinus, Philosophen und Lyriker ... gerade, biedere Männer verschiedenster Weltanschauungen, Altersstufen, Berufe – eine neue großartige Elite deutschen Geisteslebens, wie es einst in Wien war, aber zum Scheitern verurteilt; denn es fehlte ihr, worauf es bei der Gestaltung des Völkerlebens ankommt: der realpolitische Instinkt. Die Frankfurter Nationalversammlung endete ruhm- und ergebnislos: Sie wählte Friedrich Wilhelm IV. zum Kaiser der Deutschen; aber dieser König von Preußen fand, daß eine solche Krone mit dem »Ludergeruch der Revolution von 1848« zu stark behaftet sei ... und daß er einen solchen »Reif, aus Dreck und Letten gebacken«, als »legitimer König von Gottes Gnaden« nicht tragen könne. Er lehnte die Wahl ab. Damit war das Verfassungswerk von Frankfurt gescheitert.

Zum zweitenmal hatte die Reaktion in Preußen und Österreich gesiegt. Mit nationalem Idealismus, mit dem Geist der Freiheitskriege, mit den romantischen Träumen alter volksdeutscher Kaiserherrlichkeit war der demokratisch-liberale Kampf nicht zu gewinnen gewesen. Doch war das politische und soziale Gedankengut der Frankfurter Versammlung nicht verloren. Es ging manches davon in die preußische Verfassung von 1850 ein, und diese war bis 1918 gültig. Es lebte stärker in der Weimarer Verfassung nach dem ersten, und in der der westdeutschen Bundesrepublik nach dem zweiten Weltkrieg weiter. Die dritte Etappe in der Geschichte Deutschlands während des 19. Jahrhunderts ist erreicht. Die kommenden Jahrzehnte stehen – von unserer heutigen Sicht gesehen – im Spannungsfeld der politischen und sozialen Wirksamkeiten zweier Männer, wie sie gegensätzlicher nicht gedacht werden können: Otto von Bismarck und Karl Marx. Der eine wurde von einem Preußen und Deutschen zu einer europäischen Figur, der andere von einem Sozialisten und Kommunisten zu einer Weltfigur in den machtpolitischen und sozialen Auseinandersetzungen des 20. Jahrhunderts.

4.

Bismarcks Leben und Schaffen ist wie ein dreiteiliges Epos – ich sage nicht ein dreiaktiges Drama; denn so dramatisch seine Arbeit auch verlaufen ist, im ganzen trägt sein Leben und Werk mehr den Charakter der souveränen Distanziertheit eines großen Epikers als das Pathos des Dramatikers. Man mag den ersten Teil dieses Epos das Vorspiel oder die Lehr- und Wanderjahre nennen; den zweiten das Mittelstück oder die Meisterjahre; den dritten das Nachspiel oder die Altersjahre.

Das Vorspiel dieses erfolgverheißenden Lebens (1815–1898) sind die drei Gesandtschaften. 1851 wird Bismarck Gesandter Preußens am Bundestag in Frankfurt. Er ist Befürworter von Olmütz, d. h. ein Freund Österreichs. Was dem preußischen König Friedrich Wilhelm IV. fehlte, besaß schon der junge Gesandte, nämlich den Blick dafür, daß eine preußische Machtpolitik mit dem romantischen Hang zu einem versunkenen Reichsgedanken, wie er im Herzen seines Königs lebte, unvereinbar sei. Bismarck erklärte am 3. Dezember 1850 im preußischen Landtag:

»Die einzige gesunde Grundlage eines großen Staates ... ist der staatliche Egoismus und nicht die Romantik, und es ist eines großen Staates nicht würdig, für eine Sache zu streiten, die nicht seinem eigenen Interesse angehört.«

Die Motive seines politischen Lebens und Verhaltens: Machtpolitik und Interessenpolitik, sind hier bereits angeschlagen. Bismarcks ganzes Wirken ist eine Entfaltung dieser zwei Motive. So kümmerte ihn, der eine auf Preußen gerichtete Realpolitik verfolgte, die Lösung der nationalen Frage vorerst wenig. Er suchte die Freundschaft Rußlands und erwog eine Verbindung mit Napoleon; denn er hatte schon damals in Österreichs führender Stellung im Bundestag alsbald einen Hemmschuh der preußischen Machtentfaltung gesehen; Rußland und Frankreich aber konnten ihm Österreich gegenüber nützlich sein. Indessen fürchtete Berlin diesen politisch waghalsigen, ja unheimlichen Mann, und der König schickte ihn 1859 als Gesandten nach Sankt-Petersburg. Da war er im wörtlichen Sinne kaltgestellt, aber welch eine Schule diplomatischer und politischer Erziehung konnte er auf dem zweiten Gesandtschaftsposten durchlaufen! Nicht nur, daß er die russischen Zeitungen lesen lernte und also sich immer noch in späteren Jahren unmittelbar auf dem Laufenden über das, was in der osteuropäischen Welt geschah, halten konnte, sondern er knüpfte wertvolle persönliche Beziehungen zu Alexander II. an, die später seiner Ostpolitik zum Vorteil gereichten. Dann ging er 1862 für einige Monate nach Paris. Frankfurt–Petersburg–Paris: das war eine solide Vorbereitung für einen Diplomaten und Politiker, der sich bald berufen fühlte, über die preußischen Landesgrenzen hinaus eine deutsche Politik zu treiben, die zwischen Ost und West lavieren mußte, wenn sie stark werden und Erfolg haben wollte. Daß er über dieser zweiten, deutschen Aufgabe dann auch zu einer europäischen Figur wurde, lag in der Natur der Entwicklung, einer Entwicklung der Dinge und einer Entfaltung seines politischen Ingeniums.

1862 wurde Bismarck zum preußischen Ministerpräsidenten berufen. Das »Zeitalter Bismarcks« begann – und mit ihm der zweite Teil seines Lebenswerks. Die Jahre von 1862 bis 1871 sind durch die drei kurzen, energisch geführten Kriege gegen Dänemark, Österreich und Frankreich bezeichnet. Alle diese epischen Vorgänge stehen im Zeichen der Bismarckschen Machtpolitik. Sie begann mit einem Verfassungsbruch anläßlich der Heeresreform, für die er – ohne die Zustimmung des Abgeordnetenhauses – die notwendigen Steuern erhob. Der machtpolitische und zugleich antiliberale Stil dieses zweiten Schaffenskreises ist in den klassischen Worten geprägt, mit denen sich Bismarck am 30. September 1862 vor dem Haushaltsausschuß des Abgeordnetenhauses vorstellte:

»Nicht auf Preußens Liberalismus sieht Deutschland, sondern auf Preußens Macht. Preußen muß seine Macht zusammenhalten auf den günstigen Augenblick, der schon einmal verpaßt ist ... Nicht durch Reden und Majoritätsbeschlüsse werden die großen Fragen der Zeit entschieden – und das ist der Fehler von 1848 und 1849 gewesen –, sondern durch Blut und Eisen.«

Preußen sollte, weil es sonst nicht anders ging, auf Kosten der Nachbarländer stärker werden, aber zugleich sollte das gestärkte Preußen auch das Fundament eines neuen Reiches sein. Allerdings »mit Reden und Schützenfesten und Liedern«, wie Bismarck sagte, macht sich die Einheit Deutschlands nicht. Das Werk der deutschen Einheit, in das Bismarck hineinwuchs, mußte auf andern Wegen als denen des Frankfurter Parlaments getan werden.

Auf dieses programmatische Kapitel folgte das zweite Kapitel dieses zweiten Werkabschnittes. Es ist das Epos der drei Kriege. Die Geschichte führte über den Vertrag von Gastein (1865), der den dänischen Krieg beendete, zu dem Frieden von Prag (1866), in dem Bismarck sich, nach dem Bruderkriege, mit Österreich auszusöhnen trachtete, und von dort zu dem Frieden von Frankfurt (1871), der mit Frankreich geschlossen wurde. Was waren die Ergebnisse dieser mutwilligen, z. T. rechtswidrigen Eingriffe, die Bismarck in Hinblick auf eine deutsche Gesamtpolitik ebenso kühl wie genial berechnete und mit Moltkes Hilfe glückhaft durchführte? Im Vertrag von Gastein erhielt Preußen die Verwaltung von Schleswig, Österreich diejenige von Holstein; Lauenburg fiel an Preußen. Was aber hatte Österreich von dem fernen Holstein anderes als nutzlose Lasten? Preußens Macht hingegen wurde durch die Übernahme der Verwaltung des nahen Schleswig gestärkt. Österreich geriet ins Schlepptau der preußischen Politik. – Mit dem Siege über Österreich setzte schon eine Neuordnung der Verhältnisse in größerem Stile ein: Hannover, Kur-Hessen, Nassau, Schleswig-Holstein und die

Reichsstadt Frankfurt wurden Preußen einverleibt; die süddeutschen Staaten, die gegen Preußen gestanden hatten, blieben in vollem Umfang erhalten; Österreich aber verlor Venetien an das Königreich Italien, mußte zahlen, aber wurde sonst »geschont«, damit einst aus dem Gegner wieder leichter der Freund werden könnte. So ist es in der Tat gekommen. Preußen und Österreich, die Flügelmächte des deutschen Reiches, gleichermaßen in Freundschaft und einer hohen geistigen Kultur verbunden, wie andererseits in Gegensätze politischer und konfessioneller Art gespalten, standen und stehen bis heute in diesem eigenartigen Doppelverhältnis. – Zwischen Königgrätz und Sedan, wo sich Napoleon in die Kriegsgefangenschaft begab, lag die Vorbereitung der Reichsgründung in der Schaffung des Norddeutschen Bundes. Preußen war nunmehr nach dem Sieg über Österreich die Lösung der deutschen Frage überlassen. Bismarck sah sie kommen, und zwar durch Napoleons eigenes Verhalten begünstigt. Er sagte 1868 zu Karl Schurz:

»ich glaube nicht, daß er (Napoleon) persönlich diesen Krieg herbeisehnt, ich glaube sogar, er würde ihn lieber vermeiden; aber seine unsichere Lage wird ihn dazu treiben. Nach meiner Berechnung wird diese Krise in etwa zwei Jahren eintreten. Wir müssen natürlich darauf vorbereitet sein, und wir sind es auch. Wir werden siegen, und das Ergebnis wird gerade das Gegenteil von dem sein, was Napoleon anstrebt, nämlich die vollständige Einigung Deutschlands und wahrscheinlich auch der Sturz Napoleons.«

Bismarcks Berechnung war richtig; er unterließ auch seinerseits nichts, um die Rechnung aufgehen zu lassen, indem er der französischen Regierung eben die diplomatische Niederlage beibrachte, die Frankreich Preußen zugedacht hatte. Was nach dem gewonnenen Krieg vorerst durch Bismarck erreicht wurde, war ein Kompromiß zwischen den unitarischen Zielen der Liberalen und den süddeutschen Regierungen, welche auf ihre Souveränitätsrechte bedacht blieben. Diese wurden ihnen weitgehend gewährt. Bei aller Zentralisation blieb Deutschland, etwa im Gegensatz zu Frankreich, ein verwaltungsmäßig, politisch und vor allem kulturell dezentralisiertes Land. Bis heute zeugen Kulturzentren wie Berlin, München, Hamburg, Frankfurt oder Dresden von der Vielfältigkeit unseres geistigen und künstlerischen Lebens. Auch daß der König von Preußen in Versailles Kaiser von Deutschland wurde, hat daran nichts geändert. Deutschland wurde eine konstitutionelle Monarchie, war kein Staatenbund mehr, sondern ein Bundesstaat. Es gab drei Organe: den Kaiser mit dem Reichskanzler, den Bundesrat und den Reichstag. Wohl baute Bismarck, durch die Entwicklung der Dinge dazu genötigt, die demokratischen Elemente in seine Verfassung ein. Aber er hielt die Volksvertretung von den eigentlichen Regierungsgeschäften so fern wie möglich und hinderte somit die Entfaltung eines demokratischen Lebens. Im Grunde hatte der Reichstag weniger Rechte als das Volkshaus der Verfassung von 1849. Wie schon einmal im Staate Friedrichs d. Gr., geschah es, daß auch im Bismarckreich die Waage des politischen Lebens der Nation sich durch das Schwergewicht *einer* genialen Persönlichkeit zum Absolutismus neigte. Das hinderte die Entfaltung der demokratischen Kräfte, die an und für sich in Deutschland nicht geringer als in andern Ländern waren. Prägungen, wie sie Persönlichkeiten vom Range eines Friedrich oder Bismarck einer ganzen Nation aufdrücken, lassen sich in wenigen Generationen nicht verwischen. Sie sind Schicksale im Leben der Völker.

Nun stand Bismarck am Schachbrett der großen europäischen Politik. Es mußte sich zeigen, ob er ein so überlegener Spieler war, daß er nicht nur sein deutsches Werk behaupten konnte, sondern womöglich aktiv ins Spiel der europäischen Mächte einzugreifen und es zu lenken vermochte. Damit eröffnet sich die letzte Epoche seiner Wirksamkeit, die nach zwei Richtungen strahlte: in die außenpolitische Ebene seiner Bündnispolitik und auf die innenpolitischen Gebiete, wo alle jene Fragen zu lösen waren, die während seines Lebens immer stärker in den Vordergrund des wirtschaftlichen und kulturellen Lebens traten: Probleme des Sozialismus, der Industrialisierung, des Imperialismus und des »Kulturkampfes«.

War der bisherige Weg, den Bismarck gegangen war, durch Machtpolitik bezeichnet, wie er sie ausgesprochen und praktisch betätigt hatte, so beschritt er nach dem vollendeten Werk der Reichsgründung, durch die Deutschland »saturiert« wurde, den Weg einer »Interessenpolitik«. Den Gegensatz der Richtungen charakterisierte er selbst:

»Jede Großmacht, die außerhalb ihrer Interessensphäre auf die Politik der andern Länder zu drücken und einzuwirken und die Dinge zu leiten sucht, die periklitiert außerhalb des Gebietes, welches ihr Gott angewiesen hat, die treibt Machtpolitik und nicht Interessenpolitik, die wirtschaftet auf Prestige hin. Wir werden das nicht tun.«

Die Bündnispolitik Bismarcks und die durch sie erreichte Festigung der Machtverhältnisse in Europa ist vielleicht die klassische staatsmännische Leistung, die ihn in die Nähe eines Richelieu und Friedrichs d. Gr. bringt: In der Pontuskonferenz von London 1871, wo Rußland mit Hilfe Bismarcks die Souveränitätsrechte im Schwarzmeergebiet zurückgewann, erwarb er von neuem die Freundschaft der östlichen Großmacht. Im Dreikaiserabkommen 1873 versprachen sich Deutschland, Österreich, Rußland die zwischen ihnen entstehenden Spannungen friedlich zu lösen. Im Berliner Kongreß 1878 verhinderte Bismarck als »ehrlicher Makler«, der er war und sein konnte, daß infolge des russisch-türkischen Konflikts sich ein Weltkrieg entzündete. Im Vollgefühl seiner Kraft und seines Könnens prägte er nach dem Kongreß das stolze Wort: »Jetzt fahre ich Europa vierelang vom Bock«. Dann folgten die vier Bündnisse, durch welche Bismarck ein so fein durchdachtes Netz internationaler Beziehungen spann, daß jeder Stoß, welcher der einen oder andern Macht gefährlich werden konnte, automatisch abzufangen war: Der *Zweibund* mit Österreich 1879 diente der Verhinderung eines Angriffs Rußlands auf Österreich, aber ebenso Österreichs auf Rußland. Im *Neutralitätsabkommen* zwischen Rußland, Österreich, Deutschland 1881 sah er die Neutralität zweier Partner vor, wenn der dritte in einen Krieg mit einer vierten Großmacht verwickelt würde. Im *Dreibund* zwischen Deutschland, Österreich, Italien 1882 überbrückte er die Spannungen zwischen Österreich und Italien und verhinderte gleichzeitig ein Zusammengehen von Italien und Frankreich, während er zugleich England, das mit Befürchtungen das Machtstreben Frankreichs im Mittelmeer und die dynamische Politik Rußlands auf dem Balkan beobachtete, näher an das Bündnis heranbrachte. Die Bündnisse von 1881 und 1882 bedeuteten eine doppelte Sicherung Deutschlands und Österreichs gegen einen russischen Angriff und eine Sicherung Deutschlands gegen einen französischen Angriff. Bismarck verhinderte damit, daß die französischen Revanchegedanken und die panslawistisch-nationalen Strömungen des Ostens wirksam gegen die deutsche Mitte zusammenflossen. Eine Nebenfolge dieser genialen Bündnispolitik, wo die natürlichen Reibungsflächen der Großmächte ausgenutzt oder neutralisiert wurden, war die Mittelmeerentente zwischen England, Österreich, Italien. Schließlich folgte 1887 Bismarcks berühmter *Rückversicherungsvertrag* mit Rußland: eine Versicherung der gegenseitigen Neutralität im Falle des Angriffs einer dritten Macht auf einen der beiden Partner. So gelang es dem Kanzler noch einmal am Ende seiner Karriere, ein Zusammengehen von Rußland und Frankreich unmöglich zu machen, d. h. Frankreich zu isolieren, Rußland vertraglich zu binden und damit den bedrohten Frieden zu erhalten.

Nur eine Persönlichkeit von der überragenden politischen Intelligenz und staatsmännischen Autorität konnte dieses siebenstrahlige Meisterwerk einer Vertragskunst wirksam erhalten. In schwächeren Köpfen mit geringerer Scharfsichtigkeit und geringerem persönlichem Gewicht war keine Garantie einer konsequenten Weiterführung der politischen Linien gegeben. Vielleicht war sie auch nicht mehr möglich. Ein solches Kunstwerk, wie der alte Bismarck es hier errichtet hatte, war ein Ende.

Es war das Ende nicht nur seines Lebenswerks, sondern das Ende einer ganzen politischen Ära. Eine neue hatte bereits begonnen, als alles dieses vollendet wurde. Diese neue Ära trat unter das Gesetz der imperialistischen Politik der Großmächte; sie ließ ganz andere, weltweite Reibungsflächen entstehen. Die Probleme, die durch Englands Seeimperialismus und Rußlands Kontinentalimperialismus erwuchsen, waren mit Bismarckscher Bündnispolitik, die auf Erhaltung der *europäischen* Machtverhältnisse gerichtet war, nicht zu lösen. Die Entlassung des Kanzlers im Jahre 1890 war ein Symptom dafür, daß eine neue Zeit angebrochen war. Deutschland ging seit 1890, wie England und Frankreich vor ihm, den Weg von der kontinentalen zur imperialistischen Politik, also tat das, wovor Bismarck gewarnt hatte. Die Folgen stellten sich mit unerbittlicher Konsequenz ein: Mit dem russisch-französischen Zweibund wurde die Gegenbewegung sichtbar; sie führte über die Entente cordiale (1904) zwischen England und Frankreich zu dem Ausgleich zwischen Rußland und England im Jahre 1907. Die Einkreisung Deutschlands vollendete sich. Als im gleichen Jahre von Bismarcks Sturz der Rückversicherungsvertrag mit Rußland nicht mehr erneuert worden war, war auch der wichtigste Stein aus der kunstvollen Architektur des klassischen Bismarckschen Vertragswerkes herausgebrochen. In weniger als 20 Jahren war der ganze Bau zerbröckelt.

Schon im Zeitalter Bismarcks betraten die Großmächte Europas den Weg des Imperialismus, d. h. des rücksichtslosen Einsatzes ihrer nationalpolitischen und wirtschaftlichen Energien. Die Schranken jedes natürlichen und historischen Rechts wurden beseitigt, die Öffnung des ostasiatischen Raumes erzwungen, England ging zielbewußt an den Ausbau der Herrschaft in Indien; Frankreich schuf sein zweites Überseereich; die wirtschaftliche Privatinitiative deutscher Kaufleute schlug sich in Handelsniederlassungen und Verträgen mit eingeborenen Häuptlingen in Afrika nieder. Die Europäer durchdrangen Asien, Afrika, Australien. Amerika imitierte Europa, bevor im 20. Jahrhundert Europa die Neue Welt imitierte. Großkapitalismus und Imperialismus gingen zusammen. Ihre Grundlagen waren das Machtpotential der wachsenden europäischen Bevölkerungszahl, der sich erschließende Reichtum der Bodenschätze, der Ausbau der Verkehrsadern, die Industrialisierung und Kapitalisierung und das, was alles dies ermöglichte: die technische Anwendung der sich stürmisch entwickelnden Naturwissenschaften. Die »geistigen« und sozialen Begleiterscheinungen dieser Vorgänge waren ein Utilitarismus und Materialismus größten Stils und eine Verschiebung der sozialen Schichtung. Imperialismus und Kapitalismus, Industrialisierung und Sozialismus wurden

8 Der Berliner Kongreß (1878)
   Gemälde von Anton von Werner

Synonyma des neuen Zeitgeistes. Wurde England das klassische Land des Seeimperialismus, so Rußland dasjenige eines Kontinentalimperialismus: Es eroberte den Norden Asiens in voller Breite, richtete seine Stoßkraft zugleich über den Kaukasus und Persien zum Arabischen Meer, über Turkestan und Afghanistan nach Indien und drängte zum Japanischen Meer. Wollte man die Signatur des 19. Jahrhunderts in einer Formel, so hieße sie der russisch-englische Gegensatz. Erst von der Mitte des 19. Jahrhunderts an ließ sich von »Weltgeschichte« reden. Die europäischen Spannungen wurden zu Weltspannungen. Bismarcks begrenzte europäische Politik wollte aber diesen Weg nicht gehen: Er wußte, daß, wenn Deutschland zum wirtschaftlichen Konkurrenten Englands, Frankreichs und Rußlands würde, ein Weltkrieg unvermeidbar war. Aber der Automatismus der Geschichte kümmerte sich nicht um Bismarcks Meinung. Hier erleben wir von neuem, wie das Rankesche Wort: »Männer machen die Geschichte«, nur begrenzt richtig ist. So war also Bismarck ein Gegner der imperialistischen Politik und der weltweiten Expansion Deutschlands.

»Ich wiederhole«, sagte Bismarck am 26. Juni 1884, »daß ich gegen Kolonien ... daß ich meine frühere Abneigung gegen diese Art Kolonisation, die für andere Länder nützlich sein mag, für uns aber nicht ausführbar ist, heute noch nicht aufgegeben habe ...«

Freilich konnte er nicht anders, als den Handelsunternehmungen deutscher Kaufleute in Afrika den Schutz des Reiches angedeihen zu lassen. Er tat es nicht gern, aber, sagte er,

»ich kann mich dem nicht entziehen ... womit könnte ich es rechtfertigen, wenn ich ihnen (den Unternehmern) sagen wollte: das ist alles sehr schön, aber das Deutsche Reich ist dazu nicht stark genug.« ... »Ich habe nicht den Mut gehabt, diese Bankerotterklärung der deutschen Nation auf überseeische Unternehmungen den Unternehmern gegenüber als Reichskanzler auszusprechen. Wohl aber habe ich mich sehr sorgfältig bemüht, ausfindig zu machen, ob wir nicht in unberechtigter Weise in wohlerworbene ältere Rechte anderer Nationen eingriffen.«

So blieb Bismarck nur die Hoffnung, daß alles gut ginge, aber ihm war nicht wohl dabei: »... ich kann nicht voraussehen, was daraus wird.« – – Indessen förderte der Kanzler die liberale Wirtschaftspolitik in den sog. Gründerjahren nach 1871. Das Reich wurde gleichzeitig mit der politischen auch eine wirtschaftliche Einheit. 1875 wurde die preußische Bank in die Reichsbank umgewandelt, das Reichsmünzgesetz von 1873 verschmolz die Eigengesetzgebung der Einzelstaaten zum Vorteil einer Nationalwirtschaft. Aber die Wirtschaftskrise, die in eben diesem Jahr einsetzte, war bereits eine Weltwirtschaftskrise, der zufolge zahlreiche Unternehmungen, vor allem in Deutschland und Österreich, in Konkurs gerieten, viele Bürger ihres Kapitals verlustig gingen und Tausende von Arbeitern beschäftigungslos wurden. 1878/79 ging die deutsche Wirtschaftspolitik vom Freihandel zum Schutzzoll über, um Industrie und Landwirtschaft gegen ausländische Konkurrenz zu schützen. Wiederum ließ sich Bismarck rein von der Erfahrung leiten:

»Die abstrakten Lehren der Wissenschaft lassen mich in dieser Beziehung vollständig kalt; ich urteile nach der Erfahrung, die wir erleben. Ich sehe, daß die Länder, die sich schützen, prosperieren, ich sehe, daß die Länder, die offen sind, zurückgehen.« (2. Mai 79)

Zu den großen wissenschaftlichen Theorien gehörte die sozialistische Wirtschaftswissenschaft, die durch Lassalle, Bebel, Liebknecht, aber vor allem Karl Marx und Friedrich Engels zu praktischer Bedeutung gelangte. Bismarck hatte sich mit Wesen und Forderungen des Sozialismus auseinanderzusetzen. Die Bewegung war bis 1848 eine Nebenströmung der politischen Ereignisse. Dann wurde sie in der Folge der Reaktion überwacht und unterdrückt. Marx und Engels mußten nach London emigrieren; seltsam, wie dorthin auch entthronte Könige und reaktionäre Staatsmänner geflüchtet waren und schließlich Anarchisten wie Bakunin ihre Zuflucht fanden. Erst mit dem Aufleben liberaler Kräfte verstärkte sich in Deutschland die sozialistische Agitation. Noch waren die Begriffe Sozialismus und Kommunismus nicht sauber geschieden. Lassalle und Marx wurden und werden z. T. heute noch in einem Atemzug genannt. Wenn aber Bismarck eine Strecke seines Weges mit Lassalle zusammengehen konnte, so war das mit Marx nicht möglich. Der preußische Ministerpräsident Bismarck, dem daran lag, die sich stärkende Arbeiterschaft gegen die Liberalen auszuspielen, unterhielt sich interessiert mit Lassalle, dessen national orientierter Sozialismus eine Zusammenarbeit von Krone und Arbeiterschaft in den Bereich realer Möglichkeit rückte. Aber eine monarchisch gesonnene Arbeiterschaft in Deutschland? Gewiß: Lassalle meinte in einem Schreiben an Bismarck, daß sich der Arbeiterstand einer Diktatur zuneigen könne, wenn diese in seinem Interesse ausgeübt würde – vielleicht schon aus dem Gegensatz zum Egoismus der bürgerlichen, ausbeutenden Gesellschaft. Das aber hieß doch, daß die Krone revolutionär würde und daß ein Königtum der privilegierten Stände des Adels sich in ein revolutionäres Königtum verwandle. Das war eine Utopie. Lassalle wurde noch zum Präsidenten des »Allgemeinen Deutschen Arbeitervereins« im Jahre seiner Gründung zu Leipzig 1863 gewählt. 1868 fand der erste Kongreß deutscher Gewerkschaften statt. 1869 gründeten Wilhelm Liebknecht und August Bebel in Eisenach die Sozialdemokratische Arbeiterpartei Deutschlands. Bebel errang ein Mandat im neuen Reichstag nach dem deutsch-französischen Kriege. Schon 1874 vermehrte sich die Zahl der sozialdemokratischen Abgeordneten auf neun. Im Mai 1875 erschien das Gothaer Programm der Deutschen Sozialdemokratie. So viele marxistische Grundgedanken es enthalten mochte, es war vielmehr ein Kompromiß zwischen der Bebelschen und Lasalleschen Richtung und rief eine spontane, leidenschaftliche, im Tenor ihrer Gedankenführung satirische und beißende Kritik von Karl Marx hervor. Punkt für Punkt handelte Marx unter Zugrundelegung des Textes das Gothaer Programm ab: Große Teile der Thesen wurden als »hohle Phrasen« entlarvt, als frevelhafte Rückwendungen zu den überholten Lasalleschen Theorien etwa des »ehernen Lohngesetzes«, oder als Rückwendungen zu den engsten nationalen Standpunkten. Marx spürte sehr deutlich die bürgerliche Herkunft der Programmverfasser auf, d. h. den Liberalismus demokratischer Prägung, der in diesem Programm eine fatale Verbindung mit Gedanken eingegangen war, die aus dem »kommunistischen Manifest« stammten. Marx unterzog diese Knotenpunkte des »sektiererischen« Programms einer genauen Analyse. An der Gegnerschaft zu Lassalle und Bismarck formuliert er mit aller Schärfe und Deutlichkeit s e i n e n wissenschaftlichen Sozialismus, also den Kommunismus. Marxens Kritik ist das Hauptdokument im theoretischen Kampf zwischen Sozialisten und Kommunisten seit 1917 geworden. Folgende 3 kleine Absätze seien als Proben herausgehoben:

»Lassalle wußte das Kommunistische Manifest auswendig, wie seine Gläubigen die von ihm verfaßten Heilsschriften. Wenn er es also grob verfälschte, geschah es nur, um seine Allianz mit den absolutistischen und feudalen Gegnern wider die Bourgeoisie zu beschönigen.«

»Lassalle hatte im Gegensatz zum Kommunistischen Manifest und zu allem früheren Sozialismus die Arbeiterbewegung vom engsten nationalen Standpunkt gefaßt. Man folgte ihm darin, und dies nach dem Wirken der Internationale!«

»Und worauf reduziert die deutsche Arbeiterpartei ihren Internationalismus? Auf das Bewußtsein, daß das Ergebnis ihres Strebens ›die internationale Völkerverbrüderung sein wird‹ – eine dem bürgerlichen Freiheits- und Friedensbund entlehnte Phrase, die als Äquivalent passieren soll für die internationale Verbrüderung der Arbeiterklassen im gemeinschaftlichen Kampf gegen die herrschenden Klassen und ihre Regierungen. Von internationalen Funktionen der deutschen Arbeiterklasse also kein Wort! Und so soll sie ihrer eigenen, mit den Bourgeois aller andern Länder bereits gegen sie verbrüderten Bourgeoisie und Herrn Bismarcks internationaler Verschwörungspolitik das Paroli bieten!«

Wahrhaft empörender Rückschritt – frevelhafter Leichtsinn – Mangel an wissenschaftlicher Einsicht in wirtschaftlichen Dingen – völlige

Ignoranz gewisser ökonomischer Grundbegriffe und -gesetze – mit einem Wort »Gewissenlosigkeit bei der Abfassung des Kompromißprogramms« – das sind einige der Vorwürfe, die Marx gegen das sozialdemokratische Programm erhebt:

»Die deutsche Arbeiterpartei – wenigstens, wenn sie das Programm zu dem ihren macht – zeigt, wie ihr die sozialistischen Ideen nicht einmal hauttief sitzen.«

Bismarck mußte trotz aller Lassalleschen Ideen, die im Gothaer Programm nachwirkten, von s e i n e m Standpunkt aus die Sozialdemokratie mit Mißtrauen betrachten. Er sah den Staats- und Gesellschaftsbau nicht von unten, vom Volke her und dessen berechtigten Interessen, sondern von oben her, d. h. von der Regierungsgewalt, welcher alle innerpolitischen und sozialen Interessen unterzuordnen wären, damit er freie und starke Hand für seine eigentliche Aufgabe, die Außenpolitik, haben könne. So ging er zur Unterdrückungspraxis über und schuf – nach den zwei Attentaten auf den Kaiser – das »Sozialistengesetz« gegen »die gemeingefährlichen Bestrebungen der Sozialdemokratie.« Vereine, Versammlungen, Zeitschriften, Druckschriften wurden verboten, Gewerkschaftsverbände aufgelöst, Personen verhaftet und ausgewiesen oder ins Gefängnis gebracht. Die Märtyrerzeit der Untergrundbewegung stärkte indessen nur die Reihen der Sozialisten und straffte ihre Parteidisziplin. Bismarck verlor den Kampf: 1890 wurde das Sozialistengesetz nicht wieder erneuert. Bebel hat uns in seinen Memoiren »Aus meinem Leben« ein anschauliches Bild jener Jahre der Verfolgungen entworfen, das in manchem an Fritz Reuter erinnert und mit Humor gezeichnet ist.

Aber noch bevor Bismarck selbst abtreten mußte, schuf er in seiner Sozialgesetzgebung ein Werk, das im fortschrittlichen Europa vorbildlich wurde: Der Reichstag beschloß ein Krankenversicherungsgesetz (1883), ein Unfallversicherungsgesetz (1884) und ein Invaliditäts- und Altersversicherungsgesetz (1889). »Die ganze Sache der Industrie aufzubürden«, lehnte Bismarck in seiner Reichstagsrede vom 2. April 1881 ab. Der Staat soll es sich zur Angelegenheit machen:

»Man kann nicht den Sparpfennig des Armen jedem Konkurse aussetzen; man kann auch nicht zugeben, daß ein Abzug von den Beiträgen als Dividende oder zur Verzinsung von Aktien gezahlt würde.«

Bismarck bezieht sich damit auf die Klage des Abgeordneten Bamberger über den Ruin der Versicherungsgesellschaften:

»... er hat gesagt, daß diese zerdrückt, zermalmt werden würden, und er hat gesagt, daß diese Versicherungsgesellschaften sich um die Dankbarkeit ihrer Mitbürger bewürben. Ich habe immer geglaubt, sie bewürben sich um das Geld ihrer Mitbürger.«

Bismarck sieht die Überlegenheit seines Vorhabens vor allem darin, daß es nicht »die mindeste Färbung von Parteipolitik hat:«
»und dadurch sind wir den Angreifern überlegen, weil die Gegner von ihrem Ursprung, von dem Boden der Parteikämpfe, der an ihren Schuhen klebt, sich niemals werden frei machen können.«

Viel Wind war damit aus den Segeln der Sozialisten und Kommunisten genommen – und so stand allmählich die sozialistische Parteiführung, vor allem nach 1890, vor der Frage, ob sie eine Mitarbeit am Staate verneinen oder in dem bestehenden Staate durch parlamentarische Mitarbeit im Rahmen des Erreichbaren die Lage der Arbeiterschaft erleichtern sollte.

Schließlich lag über den letzten Jahren der Bismarckschen Regierungszeit der Schatten des »Kulturkampfes«. Der Name stammte von Virchow und war unglücklich gewählt. Es handelte sich nicht um einen Kampf der Kultur oder um die Kultur, weder für sie noch gegen sie, sondern einfach um die Auseinandersetzung zwischen Staat und Kirche. Bismarck schrieb in seinen »Gedanken und Erinnerungen«:
»Der uralte Kampf zwischen Priestern und Königen wird nicht heute zum Abschluß gelangen, namentlich nicht in Deutschland ... bei jedem Modus vivendi wird Rom eine evangelische Dynastie und Kirche als eine Unregelmäßigkeit und Krankheit betrachten, deren Heilung die Aufgabe der Kirche sei.«

Es ist nicht so, daß Bismarck unbedingt die Interessen der evangelischen Kirche verfechten wollte. Er sagte einmal:
»Ich bin ein bibelgläubiger Christ, aber ein Feind der Priesterherrschaft. Dieser Streit ist so alt wie die Welt, und die lutherischen Pastoren haben ebensoviel Neigung, den Papst zu spielen, wie die katholischen.«

Wenn ihm insbesondere die katholische Kirche gefährlich erschien, so deshalb, weil er in dem Papst einen politischen Herrscher und im Katholizismus eine geistige Macht sah, die über einen großen Teil der deutschen Bevölkerung herrschte. Davor hatte er Respekt:
»Ich habe einen angeborenen Respekt vor allen realen Mächten und Gewalten. Ein Mann, der über die Gewissen von zweihundert Millionen Menschen verfügt, ist für mich ein großer Monarch.«

Man muß sich vergegenwärtigen, daß ihm in dem Papst Pius IX. eine starke Persönlichkeit entgegengetreten war. Erinnern wir uns, daß Pius IX. 1854 das Dogma der unbefleckten Empfängnis der Mutter Gottes definiert hatte; daß er 1864 im »Syllabus« die tragenden Gedanken des Liberalismus: Zivilehe, Ehescheidung, staatlich geleitete Schulen, Selbständigkeit der Philosophie gegenüber dem Dogma und religiöse Gewissensfreiheit aus der katholischen Welt eliminiert hat; daß schließlich auf dem Vatikanischen Konzil von 1869–1870 die Unfehlbarkeit des Papstes in Hinblick seines Amtes als Hirten und Lehrer aller Christen ausgesprochen wurde. Bismarck sah eine Gefahr seiner Außenpolitik, wenn eine solche Autorität über die Geister neben der politischen im eigenen Staate zur Geltung kommen sollte.

Die politische Partei, in der sich die katholischen Untertanen des Reiches organisierten, war das Zentrum; mußten die Katholiken doch fürchten, daß in einem überwiegend protestantischen Staate ihre Belange nicht zur Geltung kämen. Die Anfänge des Zentrums gingen in die Zeit vor 1848 zurück. Mit dem Zentrum verbanden sich im Laufe der Zeit die Welfen im ehemaligen Hannover, die ostdeutschen Polen und eine Opposition in Elsaß-Lothringen; alle drei Gruppen waren reichsfeindliche Kräfte. Als nun das Zentrum von Bismarck forderte, daß er die Artikel der alten preußischen Verfassung, in denen die Selbständigkeit der katholischen Kirche gegenüber der Staatsgewalt verbürgt war, in die neue Reichsverfassung aufnehme, und daß das Reich für die Wiederherstellung des Kirchenstaates eintreten solle, lehnte Bismarck aus innerpolitischen und außenpolitischen Erwägungen die Forderungen ab. Der Gegensatz verschärfte sich: Die katholische Abteilung im preußischen Innenministerium wurde 1871 aufgehoben, der Kanzelparagraph als Reichsgesetz erlassen: Gefängnisandrohung bei Mißbrauch der Kanzel zu politischen Zwecken; Ausschluß der Jesuiten aus dem Reichsgebiet; Einschränkung der kirchlichen Gerichtsbarkeit; Ausbildung der künftigen Kleriker auf dem Wege des Universitätsstudiums statt in Priesterseminaren; obligatorische Zivilehe und Aufhebung des Taufzwangs. Das waren die Maigesetze von 1873. Die Antwort auf diese Härten war das Anwachsen der Zentrumspartei. Die Folge: Bismarck sah sich gezwungen, den Kulturkampf abzubrechen. Der Schritt wurde ihm durch den neuen Papst Leo XIII. erleichtert, einen weitschauenden, politisch beweglichen und versöhnlichen Pontifex. Mit Erleichterung mochten alle Beteiligten, der Kaiser und die Kaiserin voran, die Worte des Papstes vom 23. Mai 1887 gelesen haben:

»... Wir hatten ... erkannt, daß bei Sr. Majestät dem Deutschen Kaiser und ebenso bei seinen Staatsministern billige Friedensvorschläge Anklang fänden ... In der Tat wurde bald die Wegräumung der größeren Unzuträglichkeiten erstrebt; dann kam man Schritt für Schritt auf verschiedene Bedingungen überein, und jüngst wurden dann durch ein neues Gesetz die Bestimmungen der früheren Gesetze teils von Grund aus aufgehoben, teils sehr gemildert: Sicher ist jenem erbitterten Kampfe, welcher die Kirche schädigte und dem Staat keineswegs nützte, ein Ziel gesetzt ... Dazu gehört an erster Stelle, daß man in Preußen aufgehört hat, die Gewalt des römischen Papstes in der Regierung der katholischen Kirche als eine ausländische Macht zu betrachten, und daß dafür gesorgt ist, daß sie fortan ohne Behinderung ausgeübt werden kann.«

Bismarck selbst profitierte durch den Abbruch des Kulturkampfes: Bei der Durchsetzung der Schutzzollgesetzgebung leisteten ihm das Zentrum und die Konservativen gegen die Nationalliberalen ihre Hilfe.

Das war Bismarck und der Abschnitt deutscher Geschichte vom Wiener zum Berliner Kongreß, von der österreichisch-deutschen Politik Metternichs zur preußisch-deutschen Staatskunst Bismarcks. Und so war Bismarck: Ein Proteus, der sich wandelte und dennoch klar umrissen im jeweiligen Augenblick seines Handelns vor uns stand. Er war der aufrichtige Gefährte der Konservativen, der Verbündete der Revolutionäre, der Freund der Bonapartisten, der Weggenosse von Lasalle; er war alles dieses oder das Gegenteil davon, je nachdem es ihm für den Augenblick – der aber als Augenblick in die Zukunft schaute – recht und nützlich erschien. Er war der klassische Realpolitiker: Fern aller theoretischen Befangenheit; ein Rationalist und Empiriker, dem ein mystisch-romantisch-metaphysisches Denken und Sehen der Dinge und Menschen fern lag. Er war undogmatisch und, wenn man will, amoralisch im Sinne eines Jenseits von Gut und Böse, wenn es sich um die Staatsraison handelte. In jedem Zug, den er auf dem Schachbrett der Politik zog, erkannte die Welt mehr und mehr den genialen Spieler, zu dessen Sicherheit und Überlegenheit Europa immer mehr Vertrauen, aber auch Furcht bekam. Es war in ihm etwas von Machiavelli und Talleyrand, von den Instinkten eines feudalen Junkers u n d eines aristokratischen Frondeurs, von der diplomatischen Geschmeidigkeit alter Schule und dem kompakten Bürgersinn seiner eigenen Ära. Er war ein Mann seines Jahrhunderts, und so wurde sein Jahrhundert zugleich auch seine Grenze: Er erkannte die mannigfachen und widerstrebenden Tendenzen seiner Zeit: den Sozialismus, den Imperialismus, die wirtschaftlichen Belange; er sah alles kommen, sah sie bereits in der Tiefe wirksam, versuchte, ihre Kräfte einzufangen, zu gebrauchen, sie in sein System einzuordnen. Seine Warnung vor der imperialistischen Machtpolitik und die Bemühungen um eine Sozialgesetzgebung waren zwei Antworten auf Fragen seiner späteren Zeit, Fragen, die aber weit über die von ihm gelösten Probleme, welche das Jahr 1848 zurückgelassen hatte, hinauswiesen.

Heute ist Bismarcks Reich, Bismarcks Werk, Bismarcks Politik Vergangenheit geworden. Dennoch strahlt von der hohen politischen Intelligenz, die nur das Mögliche zu erreichen suchte und es erreichte, und von der dämonischen Willenskraft dieses Mannes, dessen Zauber sich niemand entzog und dessen Wort einmal das Zünglein an der Waage der europäischen Politik war, eine Faszination eigener Art aus. Er war, wie Ernst Busch in seinem ausgezeichneten deutschen Geschichtswerk sagt, »der letzte große Staatsmann Europas, der im Sinne des überlieferten europäischen Staatensystems dachte«, d. h. er war seit 1871 »konservativ«, nur auf die Erhaltung seines deutschen und europäischen Werkes bedacht.

Nun, dieses Werk ist, wie jede Schöpfung der menschlichen Geschichte, den Weg des Untergangs gegangen. Es ist leicht und billig, vom Standort unseres Jahrhunderts, das Werk zu schmälern. Interessanter wäre es, zu erfahren, was bereits seine Zeitgenossen, die das Werden seines Werkes unmittelbar erlebten, als Kritik vorzutragen hatten. Zu den großen, weitschauenden Kritikern des vergangenen Jahrhunderts gehörten Jakob Burckhardt, Constantin Frantz, Karl Marx und Friedrich Nietzsche. Sie deuteten, ein jeder auf seine Art und von seinem Welt- und Geschichtsbild her, auf die vier schwachen Punkte der Bismarckschen Politik und damit auf deutsches und europäisches Schicksal zugleich: den fatalen Kulturkampf, welcher die Spaltung zwischen Staat und Kirche einerseits und Katholiken und Protestanten andererseits verstärkte; die Militarisierung Deutschlands, die von der Welt auf die Dauer als Bedrohung empfunden werden mußte; die Machtentfaltung der Industrie und des Kapitals, die schon zu Lebzeiten Bismarcks den Kanzler zum Nachgeben diesen Mächten gegenüber zwang; die Geister, die er gerufen hatte, überwanden ihn selbst; endlich die Verfolgung der Sozialistenpartei, durch welche der marxistischen Theorie des Klassengegensatzes und -kampfes ganz entgegen Bismarcks Wünschen mehr und mehr Nahrung gegeben wurde.

Wie jede Gestalt von welthistorischem Rang hatte auch Bismarck einen Januskopf, und sein Werk war doppelbodig:

»In dem Hirn und Herzen des Mannes«, sagt Friedell, »der das Kunstwerk der deutschen Einheit schuf, war alles lebendig versammelt, was jemals den deutschen Namen verehrungswürdig gemacht hat: die Kraft, Kirchen zu stiften wie Luther, die Kraft, Geistesschlachten zu schlagen wie Lessing, die Kraft, Geschichtssysteme zu bauen wie Hegel.«

So lebte in Bismarck wie in Moltke, seinem Getreuen, etwas vom Kantischen Geist: Schärfe des Denkens, Fülle des Wissens und der Erfahrungen, ein Realismus und Idealismus zugleich, die, wenn sie gepaart erscheinen, immer den Weg zu bedeutenden Leistungen eröffnen. Indessen war das Zeitalter Bismarcks auch die Ära, wo sich in Deutschlands Physiognomie die scharfen Züge des Geld- und Geltungshungers eingruben, wo Selbstherrlichkeit, Überheblichkeit und Selbstsucht zu häßlichen Masken erstarrten, unter denen das deutsche Antlitz Goethes, Schillers und Beethovens nicht mehr erkennbar war. Das Geld siegte über den Geist, wirtschaftlicher Kalkül über philosophische Spekulation, und das Gesetz des Gehorchens über das Gesetz der schöpferischen Entfaltung. Was am Ende blieb, war die Fassade eines gesättigten, kulturlosen Bürgertums, jene Fassade, vor der es einen Nietzsche schauderte, und die dieser Kulturphilosoph noch vor der Jahrundertwende einreißen sollte, bevor der erste Weltkrieg den Einsturz sichtbar und aller Welt fühlbar machte.

5.

Marx wurde geboren, als Bismarck ein Kind von drei Jahren war. Er starb 1883 im selben Jahre wie Richard Wagner, in dem Jahre, als Bismarck den »Dreibund« schuf und Nietzsche den »Zarathustra« erscheinen ließ. Sein Leben füllte fast ein ganzes Jahrhundert. Es wuchs sich in drei konzentrischen Schaffenskreisen zu einer ungeheuren, weltweiten Wirkung aus. Er hatte, ja er w a r eine urwüchsig revolutionäre Triebkraft, in der sich ein Wille zu realistischer Betrachtung mit einem verdeckten, aber doch spürbaren Hang zum prophetisch-mythischen Schauen verband. Mit 17 Jahren bezog er die Universität Bonn, ging ein Jahr später nach Berlin, hörte dort Hegel, trat in Kontakt mit den Linkshegelianern und promovierte nach fünf Jahren an der dortigen Universität. Es sind die Voretappen des ersten Durchbruchs seiner Persönlichkeit. In Paris gewann er Kontakt mit den deutschen Emigranten wie Heine und Börne und lernte die französischen Sozialisten persönlich oder in ihrem Schrifttum kennen. Nach seiner »Kritik der Hegelschen Rechtsphilosophie« verfaßte er gemeinsam mit Friedrich Engels die Feuerbach-Thesen und die »Deutsche Ideologie«. In diesen beiden Werken lag keimartig oder thesenhaft beschlossen, was er in den zukünftigen monumentalen Werken oder Fragmentblöcken entwickeln sollte. Diese Werke der ersten Stufe galt es zu studieren, um den philosophischen Aspekt seines Denkens zu gewinnen und sich von dort aus den Zugang zum Verständnis seiner politischen und wirtschaftstheoretischen Ideen zu erschließen. So war das »Kommunistische Manifest« von 1847/48 das Ende dieser ersten Etappe und zugleich der Beginn der zweiten. Da reifte der Gedanke in ihm, daß es – da die Revolution von 1848 gescheitert war – auf die Entwicklung des proletarischen Bewußtseins ankomme. Er und Engels nahmen seit 1864 an der Gründung und Leitung der »Internationalen Arbeiter-Assoziation« (der »Ersten Internationale«) bestimmenden Anteil. Die von Marx verfaßte Inaugural-

Adresse war ein zweites Manifest: eine Darlegung seiner politischen Ideen. Das Schrifttum dieses zweiten Stadiums seiner Entwicklung zeichnete sich durch seine Hinwendung zu den konkreten Problemen der internationalen Tagespolitik und eine Abschwächung der philosophischen Beleuchtung der politischen Fragen aus. In den Vordergrund trat das Interesse an den wirtschaftstheoretischen Problemen. 1859 erschien seine Arbeit »Zur Kritik der politischen Ökonomie«. Sie enthielt bereits die Gedanken, die acht Jahre später im ersten Band des »Kapitals« verarbeitet worden sind. »Das Kapital«, dessen 1. Band in der 2., endgültigen Auflage erst 1871 erschien, und dessen 2. und 3. Band posthum und unvollendet von Engels herausgegeben wurden, ist der gewaltigste Torso in der deutschen volkswirtschaftlichen Literatur des 19. Jahrhunderts. Es ist der »gigantische Versuch«, den als solchen Freund und Gegner anerkennen, die These von dem Selbstwiderspruch des Kapitalismus, von dem Umschlag des auf Warenproduktion und Warenzirkulation beruhenden Gesetzes des Privateigentums, die These schließlich von der Expropriation der Expropriateurs zu stützen und zu erhärten. Es ist darin ein ungeheures Tatsachenmaterial verarbeitet. Die vorbereitenden Studien, die Marx zur Geschichte der Wirtschaftstheorie getrieben hat, wurden später von Karl Kautsky unter dem Titel »Theorien über den Mehrwert« herausgegeben. Damit stehen wir schon in der dritten Phase der Entwicklung, die Marx durchlaufen hat, und die von der Pariser Kommune 1871 bis zu seinem Tode verläuft. Noch einmal reißt ihn die revolutionäre Schwungkraft empor. Noch einmal gewinnt das Politische das Übergewicht über die wirtschaftstheoretischen Interessen. Besser gesagt: die Interessensphären überschneiden sich. Seine Phantasie trägt ihn an die Schwelle der Utopie. Er rückt in die Nähe von Hobbes, Rousseau, Fichte, aber bleibt ganz er selbst, unverkennbar, unverwechselbar in jedem Zug seiner Feder und seines Denkens. Die Vorstellungen einer sozialistischen Zukunftsgesellschaft, eines klassenlosen Staates lassen noch einmal die Leidenschaft, ja den eschatologischen Zug seines Denkens sichtbar werden. »Der Bürgerkrieg in Frankreich« (1871) und die »Kritik des Gothaer Programms« (1875) gehören zu den Spätwerken. – Die Marksteine der Entwicklung der ineinandergelagerten Schaffenskreise dieses Philosophen, Politikers und Agitators heißen also die »Deutsche Ideologie«, das »Kommunistische Manifest« und das »Kapital«. Philosophie – Politik – Wirtschaft, das ist der Dreiklang der Marxschen Welt. Das eine hängt im andern, das Ganze ist konzentrisch zusammengefügt und kann nicht ohne Schaden des Gesamtverständnisses auseinandergespalten werden. Das Wunderbare seiner Wirkung aber ist, daß sie nicht darauf beruht, daß jeder Bürger oder Proletarier sein literarisches Werk las oder liest, sondern daß die Hälfte unserer heutigen Welt ohne die Lektüre der »Deutschen Ideologie«, des »Kommunistischen Manifests« oder des »Kapitals« marxistisch geworden ist. Offenbar hat die Strahlungskraft dieser Person und ihres Werkes etwas Übersinnliches im Bereich ganz irdisch-sozialer Belange, wie umgekehrt die heiligen Schriften der Religionen solche Wirkungen für den Bereich des Übersinnlichen im Menschen hatten und noch haben.

Was Marx zu seiner Zeit als ernst zu nehmende Philosophien vorfand, war einerseits der Idealismus der deutschen Metaphysik, andererseits der Materialismus und Positivismus der englischen, französischen und deutschen Schulen mit allen ihren Spielarten und wechselnden Akzentuierungen. Aber sowohl die »Deutsche Ideologie« wie den Vulgärmaterialismus hat Marx zu überwinden versucht. Schon in den »Thesen über Feuerbach« wird der fundamentale Vorwurf gegen »allen bisherigen Materialismus« erhoben, nämlich der Vorwurf, daß dieser Materialismus »nur unter der Form des Objekts oder der Anschauung gefaßt wird – nicht aber als sinnlich-menschliche Tätigkeit, Praxis, nicht subjektiv.« Das ist die erste These. Nach Marx ist aber zweitens der Mensch nicht bloß Produkt der Umstände, sondern die Umstände selbst werden ihrerseits von den Menschen verändert:
»Die materialistische Lehre von der Veränderung der Umstände und der Erziehung vergißt, daß die Umstände von den Menschen verändert und der Erzieher selbst erzogen werden muß.«
Und drittens hat Marxens Religionskritik eine andere Basis als die Voltairesche – sie hat freilich auch nicht ihren Esprit –, sie hat eine andere als die der Enzyklopädisten etwa eines Holbach oder Helvétius, eine andere als die Feuerbachsche, obwohl die seine mit allen diesen durch mancherlei Motive verbunden ist. Marx wendet sich gegen die superrationale, metaphysische Begründung der Theologie, indem er die Religion in den empirisch begreifbaren Bereich der auf soziologische Erkenntnisse gerichteten Anthropologie einschließt.
»Feuerbach sieht nicht, daß das ›religiöse Gemüt‹ selbst ein gesellschaftliches Produkt ist und daß das abstrakte Individuum, das er analysiert, einer bestimmten Gesellschaftsform angehört.« (7. These)
Nun aber heißt es in der 8. These: »Alles gesellschaftliche Leben ist wesentlich *praktisch*.« Was haben die Philosophen bisher getan? »Die Philosophen haben die Welt nur verschieden *interpretiert*.« Worauf aber kommt es an? »... es kommt darauf an, sie zu *verändern*.« (11. These)

So ist auch die »Natur« etwa keine primäre Realität, sondern nur ein »Mittel« des Lebens, nur in Verbindung mit der *Tätigkeit* des Menschen begreifbar, kein »unmittelbar von Ewigkeit her gegebenes sich stets gleiches Ding«, wie Feuerbach sie sah. Es geht also Marx weder um Materie noch um Ideen, es geht ihm immer wieder und wieder um das, was er »Praxis« nennt, d. h. das werktätige und wirkende Gesellschaftsleben der Menschen.

Nun aber hat der Mensch in demselben Maße, wie er sich über die Natur erhebt, indem er sie bearbeitet, sich selbst in Abhängigkeit von der eigenen Produktion gebracht. Er hat sich also unterworfen. So stand er eines Tages vor dem Phänomen der »Konsolidation unsres eigenen Produktes zu einer sachlichen Gewalt über uns«. Der Marxsche Begriff der »Entfremdung« beginnt mit dieser Erkenntnis seine ganze Kraft zu entfalten. Die Macht der Verhältnisse, die der Mensch selbst geschaffen hat, macht den Menschen seinerseits zu ihrem Produkt. Mit dieser Erkenntnis bereitet Marx den Boden für die existenzialistische Spekulation des 20. Jahrhunderts von Heidegger und Sartre vor. Das Phänomen der Entfremdung hat Marx tief bewegt. Er hat es auf verschiedenen Stufen und in mannigfachen Bezügen des Lebens erfahren: Entfremdung des Menschen vom Gegenstand seiner Arbeit. Eben noch hat der Mensch durch seine Arbeit dem Gegenstand Leben verliehen, dann aber wird ihm der Gegenstand »entrissen«, gerät in den Besitz einer fremden Macht. So fühlt er sich bald in seiner Arbeit außer sich, und erst außerhalb seiner Arbeit bei sich selbst. Ein Gefühl der Entfremdung gegenüber der Umwelt und seiner selbst bemächtigt sich seiner. Nicht die Natur, nicht die Götter – die Menschen selber, von denen ein Teil immer den andern versklavt, erzeugen die Entfremdung. Die Gier nach Besitz gründet die Macht des Materialismus. In diesem Sinne wird Marx dessen schärfster Kritiker.

Aber was ist der Mensch? Er ist weder von der Materie noch vom Geist her determinierbar; vielmehr m a c h t er sich – durch seine Arbeit – zu dem, was er ist. Er i s t im Produzieren und ist im Produkt. So wird nach den Worten Marx' die Geschichte der Industrie das Buch der menschlichen Wesenskräfte, »die sinnlich vorliegende menschliche Psychologie«. Die Arbeit ist somit das »Fürsichwerden des Menschen«. Mit andern Worten: Im Tun offenbart sich der Mensch, und am Tun erkennen wir den Menschen. Das Tun aber ist Industrie. Ist das Buch dieses Homo faber zugeschlagen und besagt uns der so »ausgebreitete Reichtum des menschlichen Wirkens« nichts, dann kann die Psychologie zu keiner »wirklichen, inhaltsvollen und reellen Wissenschaft« werden. Zur Arbeit und ihren Produkten gehören aber auch alle Werke der Kultur und Kunst: Wissenschaft, Philosophie, Architektur, Malerei, Dichtung und Musik. Sie bewirken ihrerseits eine Weiterbildung unserer

Sinne, eine Entwicklung der Ästhetik und gehören in die »Arbeit der ganzen bisherigen Weltgeschichte« hinein. Aber nie isoliert, immer nur im »Ensemble gesellschaftlicher Verhältnisse« erweist sich der Mensch mit seiner Arbeit als Mensch. Marx stellt den Menschen in seine geschichtliche Dimension hinein, wo anthropologische, psychologische, soziologische Probleme innig zusammengehören. So objektiviert und entfaltet sich der Mensch in seinem Tun. Gewinnt aber das Produkt seines Tuns Übermacht über ihn selbst – sagen wir etwa in der Mode, in jeglicher Form einer »Schule« oder in der wirtschaftlichen Form des »Kapitals« – dann verfängt sich der Mensch in den Maschen seines eigenen Netzes. Das ist das tiefe anthropologische Problem, dem wenige Jahre später Richard Wagner, der Linkshegelianer, in der mythischen Göttergestalt des Wotan Ausdruck verliehen hat. Auf diese noch kaum gesehenen Zusammenhänge werden wir noch später stoßen.

Vorerst beschäftigt uns der Zusammenhang von Marx mit Hegel, der, seit Lenin ihn mit Nachdruck hervorgehoben hat, die philosophische Welt interessiert. Lenin sagte:

»Man kann das ›Kapital‹ von Marx und besonders das erste Kapitel nicht vollkommen begreifen, wenn man nicht die ganze Logik Hegels durchstudiert und begriffen hat. Folglich hat nach einem halben Jahrhundert keiner von den Marxisten Marx begriffen.«

Hegel wurde Marx zum Schicksal. Er bewunderte ihn, löste sich von ihm und kehrte, obwohl in entgegengesetzter Richtung weiterlaufend, wieder zu ihm zurück. Er steht im Banne dieses Kreises – wie später Nietzsche in seinem Verhältnis zu Wagner. Wenn ich nicht irre, ist das Verhältnis ähnlich: Wie Nietzsches Kritik an Wagner ist Marxens Kritik an Hegel so etwas wie eine Bewunderung mit negativem Vorzeichen. Als niemand Hegel mehr recht verstand, und es im Bismarckreich schon Mode wurde, den Zusammenbruch des deutschen Idealismus zu verkünden, setzt Marx im Nachwort zur 2. Auflage des »Kapitals« seinem Lehrer ein schönes Denkmal: Das Große an der Hegelschen Phänomenologie sieht Marx gerade in dem Gedanken, daß Hegel den »gegenständlichen Menschen« – auf den es Marx immer ankam – »als Resultat seiner eigenen Arbeit begreift«. In der Tat mußte es Marx gefallen, daß Hegel »die ungeheure Arbeit der Weltgeschichte« sich in dem dialektischen Spiel der Gegensätze vollziehen ließ; daß ferner für Hegel das Denken nichts Absolutes oder Isoliertes war, sondern nur den Prozeß des geschichtlichen Werdens gleichsam widerspiegelte und ihn für den Menschen zum Bewußtsein erhob. Und dennoch setzt an eben diesem Punkte, wo Marx seinen Lehrer ganz zu verstehen und ihm zu-

zustimmen scheint, die heftige Kritik ein: ein wahrhaft dialektisches Gegenspiel zu Hegel. Wir lesen in der »Deutschen Ideologie«:
»Während die Franzosen und Engländer wenigstens an der politischen Illusion, die der Wirklichkeit noch am nächsten steht, halten, bewegen sich die Deutschen im Gebiete des ›reinen Geistes‹ und machen die religiöse Illusion zur treibenden Kraft der Geschichte. Die Hegelsche Geschichtsphilosophie ist die letzte, auf ihren reinsten Ausdruck gebrachte Konsequenz dieser gesamten deutschen Geschichtsschreibung.«

Der Hegelschen Konzeption der Geschichte setzt Marx seine eigene entgegen. Marx ist sich dieser seiner großen und verantwortungsvollen Aufgabe bewußt, die von Grund auf zu übernehmen er den Mut in sich fühlte. Unter den Junghegelianern und Linkshegelianern wurde er der kühnste, der konsequenteste:
»Diese Abhängigkeit von Hegel ist der Grund, warum keiner dieser neueren Kritiker eine umfassende Kritik des Hegelschen Systems auch nur versuchte, so sehr jeder von ihnen behauptet, über Hegel hinaus zu sein.«
Dabei habe sich der »Verwesungsprozeß des Hegelschen Systems, der mit Strauß begann, zu einer Weltgärung entwickelt, in welche alle Mächte der Vergangenheit hineingerissen sind«. Man kann sich die Kehrtwende des Denkens, die Marx vollzogen hat, an einem entscheidenden Satz aus seiner »Deutschen Ideologie« anschaulich machen:
»Ganz im Gegensatz zur deutschen Philosophie, welche vom Himmel auf die Erde herabsteigt, wird hier von der Erde zum Himmel gestiegen. D. h. es wird nicht ausgegangen von dem, was die Menschen sagen, sich einbilden, sich vorstellen, auch nicht von den gesagten, gedachten, eingebildeten, vorgestellten Menschen, um davon aus bei den leibhaftigen Menschen anzukommen; es wird von den wirklichen tätigen Menschen ausgegangen und aus ihrem wirklichen Lebensprozeß auch die Entwicklung der ideologischen Reflexe und Echos dieses Lebensprozesses dargestellt. Auch die Nebelbildungen im Gehirn der Menschen sind notwendige Sublimate ihres materiellen, empirisch konstatierbaren und an materielle Voraussetzungen geknüpften Lebensprozesses. Die Moral, Religion, Metaphysik und sonstige Ideologie und die ihnen entsprechenden Bewußtseinsformen behalten hiermit nicht länger den Schein der Selbständigkeit ... Die ihre materielle Produktion und ihren materiellen Verkehr entwickelnden Menschen ändern mit dieser ihrer Wirklichkeit auch ihr Denken und die Produkte ihres Denkens. Nicht das Bewußtsein bestimmt das Leben, sondern das Leben bestimmt das Bewußtsein.«

Das ist gleichermaßen eine Kritik an Feuerbach wie an Hegel. An Feuerbach: weil dieser nicht sieht,
»wie die ihn umgebende sinnliche Welt nicht ein unmittelbar von Ewigkeit her gegebenes, sich stets gleiches Ding ist, sondern das Produkt der Industrie und des Gesellschaftszustandes, und zwar in dem Sinne, daß sie ein geschichtliches Produkt ist, das Resultat der Tätigkeit einer ganzen Reihe von Gene-

rationen, deren jede auf den Schultern der vorhergehenden stand, ihre soziale Ordnung nach den veränderten Bedürfnissen modifizierte.« ... »Soweit Feuerbach Materialist ist, kommt die Geschichte bei ihm nicht vor, und soweit er die Geschichte in Betracht zieht, ist er kein Materialist.« – Feuerbach falle gerade da in den Idealismus zurück, »wo der kommunistische Materialist die Notwendigkeit und zugleich die Bedingung einer Umgestaltung sowohl der Industrie wie der gesellschaftlichen Gliederung sieht.«

Kritik an Hegel, insofern dieser die »Oberherrlichkeit des Geistes« im geschichtlichen Prozeß nachweist. Marx führt die Kritik an Hegel über eine Folge von drei Stufen: 1. Die leitenden Gedanken jeder Geschichtsperiode, also auch jeder Klasse im Sinne von Marx, sind Produkte der jeweils herrschenden Individuen, haben ihre empirischen Gründe und ihre empirischen Bedingungen:

»Die Gedanken der herrschenden Klasse sind in jeder Epoche die herrschenden Gedanken; d. h. die Klasse, welche die herrschende m a t e r i e l l e Macht der Gesellschaft ist, ist zugleich ihre herrschende geistige Macht.«

Es ist unter anderer Beleuchtung der Goethesche Gedanke:

> Und was ihr so den Geist der Zeiten heißt,
> das ist der Herren eigener Geist.

Hegel aber trenne sie von dieser tragenden Schicht, löse gleichsam bei der Auffassung des geschichtlichen Verlaufs die Gedanken der herrschenden Klasse los, verselbständige sie. Nunmehr werden diese ursprünglich an ganz konkrete Individuen gebundene Gedanken zu abstrakten Begriffen (wie etwa Ehre und Treue in der Monarchie; Freiheit, Gleichheit, Brüderlichkeit in der Demokratie usw.) – und: die Perioden der Geschichte treten alsdann unter die Herrschaft von Gedanken: ein Gedanke, ein Begriff, eine »Illusion« beherrsche die jeweiligen Zeiten. Hegels Trick ist also eine Umstülpung der realen Verhältnisse. 2. In diese »Gedankenherrschaft« bringe Hegel nunmehr eine gewisse Ordnung; er weise einen »mystischen Zusammenhang unter den aufeinanderfolgenden herrschenden Gedanken« nach, fasse sie schließlich – um in Hegels Philosophensprache zu reden – als »Selbstbestimmungen des Begriffs«. Dieser zweite Trick ist praktikabel, weil die Gedanken »vermittels ihrer empirischen Grundlage wirklich miteinander zusammenhängen«, sagt Marx, und darum, als »bloße Gedanken« gefaßt, zu Selbstunterscheidungen, »vom Denken gemachten Unterscheidungen«, werden. 3. Nun aber zaubere Hegel den letzten Trick vor: Er beseitigt das »mystische Aussehen dieses ›sich selbst bestimmenden Begriffs‹«, verwandelt ihn in das »Selbstbewußtsein« und gibt dann dieser Abstraktion eine materielle Form, indem er das Selbstbewußtwerden des Geistes sich in einer Reihe von Personen: Denkern, Philosophen, Ideologen repräsentieren läßt. Diese werden nun wieder als ›Rat der Wächter‹ gewissermaßen die »Fabrikanten der Geschichte«.

Dieses »Kunststück«, das Marx als »deutsche Ideologie« charakterisiert, reizt ihn, s e i n e n konträren Standpunkt zu begründen, eine »wirkliche Basis der Ideologie« als Fundament des Geschichtsverständnisses entgegenzustellen. Er schreibt jene Seiten über Verkehr und Produktivkraft, über das Verhältnis von Staat und Recht zum Eigentum, über die Teilung der Arbeit, über die naturwüchsigen und zivilisierten Produktionsinstrumente und Eigentumsformen, die alle zusammen genommen seine These stützen, daß es nicht der Logos oder Gott ist, der sich in der Geschichte entfaltet und verwirklicht, sondern daß der Mensch dazu bestimmt ist, das Weltsein von sich selbst aus in Ordnung zu bringen und die Geschichte in den Griff zu bekommen. Mit Recht hat Lassalle seinen Gegner Karl Marx den »Ökonom gewordenen Hegel« genannt. Die eigentümliche Begabung von Marx war es, eben die konkrete wirtschaftspolitische und soziale Perspektive der Geschichte aufzureißen, unter der in der Tat ein neues Weltbild entstand.

So gehören die Seiten, die Marx über die Entwicklung der Menschheit zur Weltwirtschaft schreibt, zu dem Fesselndsten, das aus seiner Feder kam. Hier ist er bei sich. Er kennt das umfangreiche französische und englische Schrifttum: Louis Blanc, Fourier, Proudhon so gut wie Adam Smith oder David Ricardo. Die Kenntnis des Kleinsten ordnet er großen Zusammenhängen zu, und in dem weitschwingenden Bogen, den er von den mittelalterlichen Wirtschaftsformen über die »zweite Periode« des 17. und 18. Jahrhunderts, die Jahrhunderte des Handels, der Kolonialmonopole und Navigationsgesetze zu seiner eigenen Gegenwart schlägt, fühlen wir den Atem eines großen Historikers, der, von einem festen Standpunkt aus, der wirtschaftspolitischen und sozialen Geschichtsschreibung in Deutschland weit über Fichte und Hegel hinaus einen Schwung verliehen hat, in den unsere eigene Zeit noch hineingerissen ist. Denn das 20. Jahrhundert ist einerseits Fortsetzung aller vitalen Tendenzen der Bourgeoisie, der großen Industrie, des Kapitals und aller technischen und naturwissenschaftlichen Errungenschaften – und steht andererseits zugleich unter dem Gesetz der Antithese, die sich im Kommunismus resümiert.

Der »Deutschen Ideologie« folgt das »Kommunistische Manifest«: zeitlich (geschrieben 1847, veröffentlicht 1848), logisch, inhaltlich. Das Dokument, in deutscher Sprache verfaßt, aber zugleich in englischer, französischer, italienischer, flämischer und dänischer Übersetzung veröffentlicht, gehört zu den leidenschaftlichsten, aufwühlendsten Zeugnissen der sozialpolitischen Literatur Deutschlands im 19. Jahrhundert.

Es ist aus Zorn und Verachtung, Erkenntnis und Prophetie, Vernich-tungswillen und Schöpfungsplänen zusammengeschmiedet und sonder-bar aus diesen Elementen gemischt. Es entwirft das Bild des Bourgeois, Proletariers und Kommunisten. Es ist mit einer Eloquenz und Farben-glut hingeworfen, deren sprachliche Strahlungskraft bis in die politische Prosa unserer Zeit eingewirkt hat. »Ein Gespenst geht um in Europa« – so beginnt es. Dieses Gespenst ist der Kommunismus, gegen das sich alle Mächte des alten Europa »zu einer heiligen Hetzjagd« (wir ver-stehen die Anspielung auf die »Heilige Allianz«) verbündet haben. Marx nennt den »Papst und den Zaren, Metternich und Guizot, fran-zösische Radikale und deutsche Polizisten«.

Zunächst beschäftigt ihn die Größe und Geschichte jener Klasse, die im Vollzuge ihrer Entwicklung die wirtschaftliche Macht der »großen Industrie« geschaffen, den »Weltmarkt hergestellt hat und durch die Eroberung der politischen Macht zur ausbeutenden Klasse geworden ist: die Bourgeoisie. Ihre einstige Rolle war höchst revolutionär: Sie hatte den Kampf aufgenommen, hatte alle »feudalen, patriarchalischen, idyllischen Verhältnisse zerstört« ... »Sie hat die heiligen Schauer der frommen Schwärmerei, der ritterlichen Begeisterung, der spießbürger-lichen Wehmut in dem eiskalten Wasser egoistischer Berechnung er-tränkt.« Sie machte sich im Laufe ihrer Geschichte alles und alle dienst-bar, verwandelte den »Arzt, den Juristen, den Pfaffen, den Poeten, den Mann der Wissenschaft in ihre bezahlten Lohnarbeiter«.

»Sie hat ganz andere Wunderwerke vollbracht als ägyptische Pyramiden, römische Wasserleitungen und gotische Kathedralen, sie hat ganz andere Züge ausgeführt als die Völkerwanderungen und Kreuzzüge. Das Bedürfnis nach einem stets ausgedehnteren Absatz für ihre Produkte jagt die Bour-geoisie über die ganze Erdkugel. Überall muß sie sich einnisten, überall an-bauen, überall Verbindungen herstellen.«

Der Leser dieser Zeilen und aller weiteren Abschnitte steht voller Be-wunderung vor der Epopöe des Bürgertums, das solch eine vitale Macht entfaltet hat. Man meint, Marx hätte die Seiten erst unter dem Ein-druck der höchsten Entfaltung der bourgeoisen Macht zwischen 1890 und 1900 schreiben können. Sie stammen aus dem Jahr 1847!

Sogar Nachklänge Goethescher Ideen zur Weltliteratur vernehmen wir: »Die geistigen Erzeugnisse der einzelnen Nationen werden Gemeingut. Die nationale Einseitigkeit und Beschränktheit wird mehr und mehr unmöglich, und aus den vielen nationalen und lokalen Literaturen bildet sich eine Welt-literatur.«

Goethe, die Schlegels, all die ins Weltweite strebenden romantischen Geister erscheinen – ohne genannt zu werden – als die geistigen Re-präsentativmächte des hochbürgerlichen Zeitalters. Schließlich hat die

Bourgeoisie das Land der Herrschaft der Stadt unterworfen. »Enorme Städte« wurden geschaffen, die Bevölkerung agglomeriert, die Produktionsmittel zentralisiert.

»Die Bourgeoisie hat in ihrer kaum hundertjährigen Klassenherrschaft massenhaftere und kolossalere Produktionskräfte geschaffen als alle vergangenen Generationen zusammen. Unterjochung der Naturkräfte, Maschinerie, Anwendung der Chemie auf Industrie und Ackerbau, Dampfschiffahrt, Eisenbahnen, elektrische Telegraphen, Urbarmachung ganzer Weltteile, Schiffbarmachung der Flüsse, ganze aus dem Boden gestampfte Bevölkerungen – welches frühere Jahrhundert ahnte, daß solche Produktionskräfte im Schoße der gesellschaftlichen Arbeit schlummerten.«

Die Organisation der alten Feudalwirtschaft und -gesellschaft entsprach eines Tages nicht mehr den sich entwickelnden Produktivkräften; sie förderte nicht mehr und verwandelte sie in ebensoviel Fesseln. »Sie mußten gesprengt werden, sie wurden gesprengt.« Aber unter unseren Augen, sagt Marx, zeichnet sich eine ähnliche Bewegung ab. Die Bourgeoisie ist auf dem Höhepunkt ihrer Macht; aber: »die moderne bürgerliche Gesellschaft ... gleicht dem Hexenmeister, der die unterirdischen Gewalten nicht mehr zu beherrschen vermag, die er heraufbeschwor.« Die »Epidemie der Überproduktion« bricht aus, Handelskrisen erschüttern die moderne Gesellschaft; die herrschende Klasse versucht sie auf zwei Wegen zu überwinden: »Einerseits durch die erzwungene Vernichtung einer Masse von Produktivkräften; andererseits durch die Eroberung neuer Märkte und die gründlichere Ausbeutung alter Märkte.« Was geschieht? Die Bourgeoisie, die den Feudalismus zu Boden geschlagen hat, wird jetzt von den eigenen Waffen getroffen:

»Aber die Bourgeoisie hat nicht nur die Waffen geschmiedet, die ihr den Tod bringen; sie hat auch die Männer erzeugt, die diese Waffen führen werden – die modernen Arbeiter, die *Proletarier*.«

Wer wollte in diesem Gemälde der Bourgeoisie, wo Marx den Realismus geschichtlicher Fakten fast ins Mythische steigert, die visionäre Kraft der Linien und Farben verkennen? Wessen Blick weit und tief genug ist, scheinbar disparate Dinge zusammenzuschauen, wird die Verwandtschaft erspüren, die zwischen diesen Seiten und der revolutionären sozialpolitischen Konzeption etwa von Wagners »Ring des Nibelungen« besteht. Wir werden darauf zurückkommen.

Wer ist der »Proletarier« und was ist das »Proletariat«?

»Diese Arbeiter, die sich stückweise verkaufen müssen, sind eine Ware, wie jeder andere Handelsartikel, und daher gleichmäßig allen Wechselfällen der Konkurrenz, allen Schwankungen des Marktes ausgesetzt.«

Die kleine Werkstube des patriarchalischen Meisters ist heute »in die große Fabrik des industriellen Kapitalismus verwandelt«. Der Arbeiter wird zum »gemeinen Industriesoldaten«:

»Sie sind nicht nur Knechte der Bourgeoisklasse, des Bourgeoisstaates, sie sind täglich und stündlich geknechtet von der Maschine, von dem Aufseher, und vor allem von den einzelnen fabrizierenden Bourgeois.«

Das Proletariat rekrutiert sich aus allen Klassen der Bevölkerung; die bisherigen kleinen Mittelstände, das sind »die kleinen Industriellen, Kaufleute und Rentiers, die Handwerker und Bauern« – sie alle fallen ins Proletariat hinab. Marx verfolgt seine verschiedenen Entwicklungsstufen: seine isolierten Angriffe auf die fremden konkurrierenden Waren, auf die Produktionsinstrumente, auf die Maschinen, Fabriken und Fabrikherren – wir denken an den Weberaufstand, wie Gerhart Hauptmanns Drama ihn uns ins Bewußtsein gehoben hat –; die Proletarier bekämpfen auf dieser Stufe noch nicht ihre Feinde, sondern »die Feinde ihrer Feinde«: »Reste der absoluten Monarchie, die Grundeigentümer, die nicht-industriellen Bourgeois«:

»Aber immer mehr nehmen die Kollisionen zwischen dem einzelnen Arbeiter und dem einzelnen Bourgeois den Charakter von Kollisionen zweier Klassen an.« – »Von Zeit zu Zeit siegen die Arbeiter, aber nur vorübergehend ... Es bedarf aber bloß der Verbindung, um die vielen Lokalkämpfe von überall gleichem Charakter zu einem nationalen, zu einem Klassenkampf zu zentralisieren. Jeder Klassenkampf ist aber ein politischer Kampf.«

Alle bisherigen Bewegungen, sagt Marx, waren Bewegungen von Minoritäten oder solche im Interesse von Minoritäten; jetzt wird sie »eine selbständige Bewegung der ungeheuren Mehrzahl im Interesse der ungeheuren Mehrzahl«. Aus lokalen, nationalen Erhebungen wird eine Weltrevolution werden. Aus der realen Situation des Proletariers seiner Zeit, wie er sie in England und Frankreich, in Amerika und Deutschland sieht, wo die »moderne Unterjochung unter das Kapital« den Arbeiter immer tiefer sinken läßt, bis er sich zum »Pauper« entwickelt, schließt Marx, daß die Bourgeoisie unfähig sei, »ihrem Sklaven die Existenz selbst innerhalb seiner Sklaverei zu sichern«. Sie muß ihn ernähren, statt von ihm ernährt zu werden. Die Entwicklung ist an den Punkt ihres Umschlags gelangt.

»Das Proletariat, die unterste Schicht der jetzigen Gesellschaft, kann sich nicht erheben, nicht aufrichten, ohne daß der ganze Überbau der Schichten, die die offizielle Gesellschaft bilden, in die Luft gesprengt wird.«

Eine offene Revolution wird ausbrechen und das Proletariat wird durch den »gewaltsamen Sturz der Bourgeoisie« seine Herrschaft begründen.

»Ihr Untergang und der Sieg des Proletariats sind gleich unvermeidlich.«

Was ist nun der Kommunismus und der Kommunist im Verhältnis zu dem Proletariat und dem Proletarier?

»Die Kommunisten sind keine besondere Partei gegenüber den andern Arbeiterparteien. – Sie haben keine von den Interessen des ganzen Proletariats getrennten Interessen.«

Sie sind aber nach Marx die intellektuell wachsten und politisch kämpferischsten unter den Arbeitern. Das unterscheidet sie von der großen Masse, wie vor allem auch ihre theoretische Einsicht in die Bedingungen und die Entwicklung der Bewegung:

»Die Kommunisten sind also praktisch der entschiedendste, immer weiter treibende Teil der Arbeiterparteien aller Länder; sie haben theoretisch vor der übrigen Masse des Proletariats die Einsicht in die Bedingungen, den Gang und die allgemeinen Resultate der proletarischen Bewegung voraus.«

Ihr nächstes Ziel ist dasselbe wie der aller übrigen proletarischen Parteien: »Bildung des Proletariats zur Klasse, Sturz der Bourgeoisieherrschaft, Eroberung der politischen Macht durch das Proletariat.«

Aber die theoretischen Sätze des Kommunismus basieren nicht auf »Ideen, auf Prinzipien, die von diesem oder jenem Weltverbesserer erfunden oder entdeckt sind«. Marx bezeichnet seine theoretischen Sätze als »nur allgemeine Ausdrücke tatsächlicher Verhältnisse eines existierenden Klassenkampfes, einer unter unseren Augen vor sich gehenden geschichtlichen Bewegung.«

Im einzelnen fixiert er die grundsätzlichen kommunistischen Thesen hinsichtlich des Privateigentums, des Kapitals, der Familie, Erziehung, Bildung, Religion und des Vaterlandes. Allen Angriffen, wie sie damals »von den religiösen, philosophischen und ideologischen Gesichtspunkten« geführt wurden, begegnet das Manifest mit scharfen Gegenattacken. Auf der Basis seiner Philosophie und sozialen Geschichtsanschauung zeigen seine Abwehr- und Angriffsfronten geschlossenen Zusammmnhang. Nur einige Sätze als Beispiele:

»Was den Kommunismus auszeichnet, ist nicht die Abschaffung des Eigentums überhaupt, sondern die Abschaffung des bürgerlichen Eigentums.« – »Das Kapital ist keine persönliche, es ist eine gesellschaftliche Macht.«

»Die Arbeiter haben kein Vaterland. Man kann ihnen nicht nehmen, was sie nicht haben.«

»In dem Maße, wie die Exploitation des einen Individuums durch das andere aufgehoben wird, wird die Exploitation einer Nation durch die andere aufgehoben.«

»Bedarf es tiefer Einsicht, um zu begreifen, daß mit den Lebensverhältnissen der Menschen, mit ihren gesellschaftlichen Beziehungen, mit ihrem gesellschaftlichen Dasein auch ihre Vorstellungen, Anschauungen und Begriffe, mit einem Worte auch ihr Bewußtsein sich ändert?«

»Die kommunistische Revolution ist das radikalste Brechen mit den überlieferten Eigentumsverhältnissen; kein Wunder, daß in ihrem Entwicklungsgange am radikalsten mit den überlieferten Ideen gebrochen wird.«

Am Ende des Kampfes aber steht die klassenlose Assoziation der befreiten und freien Individuen, die Glückseligkeit des auf höherer Ebene wiedergewonnenen Urzustandes unserer Gattung:

»Wenn das Proletariat im Kampfe gegen die Bourgeoisie sich notwendig zur Klasse vereint, durch eine Revolution sich zur herrschenden Klasse macht und als herrschende Klasse gewaltsam die alten Produktionsverhältnisse aufhebt, so hebt es mit diesen Produktionsverhältnissen die Existenzbedingungen des Klassengegensatzes, die Klassen überhaupt und damit seine eigene Herrschaft als Klasse auf. – An die Stelle der alten bürgerlichen Gesellschaft mit ihren Klassen und Klassengegensätzen tritt eine Assoziation, worin die freie Entwicklung eines jeden die Bedingung für die freie Entwicklung aller ist.«

Hier, am Ende des »Kommunistischen Manifests« ist die weiteste Entfernung von Hegel erreicht und der entscheidende Unterschied ihrer Wegrichtungen deutlich geworden. Gewiß: Hegel kennt wie Marx die Härte der Wirklichkeit. In der Geschichte geht es nicht sanft zu, und also auch nicht in der Arbeit des Geistes, in der wir die Einheit von Denken und Sein beim Prozeß des geschichtlichen Werdens erkennen. Es war für Hegel genug, das Buch der Geschichte, soweit es bis zu seiner Zeit geschrieben war, zu verstehen; es genügte ihm, die traditionellen Dualismen von Vernunft und Wirklichkeit, Wissen und Glauben, Theorie und Praxis in einen großen Zusammenhang gebracht zu haben, wo jedes dem andern zugeordnet ist. Hegel hat indessen nicht prophezeit, hat auch nicht »gekämpft«, hat nicht Geschichte geplant oder antizipiert. Aber einem Marx war es nicht genug, das Buch der Geschichte nur zu lesen: Er wollte die Seiten der Zukunft schreiben. Er prophezeite, er »kämpfte« um neue, soziale Ordnungen und löste sich aus der Umklammerung des Seins – die einen Hegel festhielt –, um Raum für seine eigenen Konzeptionen zu schaffen.

Diese eigenen Konzeptionen verdichten sich zu dem grandiosen Plan, die Zukunft in den Griff zu bekommen und das »Rätsel der Geschichte« aufzulösen. Das ist der grundlegende Wandel gegenüber Hegel, wie ihn Erwin Metzke in seiner ausgezeichneten Studie über »Mensch und Geschichte im ursprünglichen Ansatz des Marxschen Denkens« herausgearbeitet hat. Marx w i l l die Geschichte gestalten und begnügt sich nicht damit, den Logos der Geschichte sich selbst vollziehen zu lassen. Er hat nicht die Goethisch-Hegelsche Haltung der Gelassenheit vor Welt und Geschichte, sondern die des Willensmenschen, der in die Geschichte selbst einzugreifen sich berufen fühlt. Das Gewesene wird bei ihm nicht »aufgehoben« in dem Doppelsinne der negatio und sublimatio, sondern es wird abgestoßen und ausgelöscht. Eine neue Welt wird gebaut. Marx macht Ernst damit, daß der Mensch selbst die Welt in Ordnung bringe. Er überspielt den Hegelschen Logos, der sich selbst in der Welt verwirkliche und dem Menschen, der als vernünftiges Wesen sich auch vernunftgemäß erkennend und handelnd verhalte, dadurch seine eigentümliche Würde und Wahrheit gebe. Aber Würde und Wahrheit des Menschen bei Marx ist anderer Natur. Während bei Hegel die Weltgeschichte eben doch noch Theodizee war, ist bei Marx kein Gott mehr da, der sich in und durch die Welt rechtfertige und im Weltprozeß zu sich selbst komme. Der Mensch steht allein. In seiner Hand liegt die Zukunft. Das gewaltige und gewagte Spiel, in das ein großer Teil der Menschheit des 20. Jahrhunderts hineingerissen ist, hat begonnen. In der kommunistischen Gesellschaft ist der Mensch nur sich allein noch Maß und höchstes Wesen. Das regnum dei wird vom regnum hominis abgelöst. Die Linie, die von Bacon über Descartes und Comte zu Marx führt, wird deutlich sichtbar: Selbstsetzung und Selbstverwirklichung des Menschen. Das Erscheinen des Kommunismus, die weltenausgreifende und – erobernde Technik, die globalen ökonomischen Planwirtschaften und der ontologische Nihilismus ... alle diese Phänomene sind Züge unserer Zeit. In der These-Antithese: Hegel-Marx sind sie deutlich sichtbar geworden. Konnte man meinen, daß mit dem Hegelschen Moment der reifen Selbsterkenntnis des absoluten Geistes die Geschichte endet, so erleben wir an der Antithese Marx das Weiterschreiten der Geschichte in einem neuen dialektischen Vollzug, in dem wir Heutigen noch mitten inne stehen.

Aber es wäre einseitig, Marx nur auf der eben angegebenen Linie Bacon-Comte zu sehen. Wie in allen großen Denkern und Theoretikern, die weithin über die Welt gewirkt haben, steckt in Marx ein Träumer, ein Utopist. Da erscheint er uns vielmehr auf der Linie der alttestamentarischen Propheten, bei den apokalyptischen Visionären, den Mythendichtern der aetas aurea und den Chiliasten; näher an unsere Zeit gerückt sehen wir ihn bei Rousseau und Fichte; vielleicht steht er ihnen näher als einem Ricardo, einem Bakunin oder Proudhon. Allen Erstgenannten gemein ist die Vorstellung, daß die Menschheit einmal in einem glückseligen Zustand gelebt habe, daß der »Sündenfall« in die Welt zum Leid, Unheil, Verderben geworden sei und daß die Menschen nun, von ihrer Sehnsucht nach der ursprünglichen Einheit und Reinheit ergriffen, das verlorene Paradies zurückerobern wollten. Das Schema dieses Denkens, das tief in die Menschheit eingegraben scheint, ist eine Spiralbewegung, die als solche sowohl den Kreislauf als auch die Aufwärtsbewegung einschließt: den Kreislauf, insofern das Denken immer wieder zum Ursprung sich zurückwindet; die Aufwärtsbewegung, insofern der Prozeß der Menschheit in einem Fortschreiten gesehen wird.

Das Endresultat: die Apokatastasis oder Reintegratio des Endzeitalters in den Uranfang, des letzten Menschen zum ersten oder des Kommunismus zum Urkommunismus, diese Bewegung und Vollendung kann freilich im Bilde nicht mehr gefaßt werden.

Bleiben wir bei den sozialpolitischen Denkern, mit deren Theorien die eigentliche »Moderne« beginnt, dann erkennen wir vor allem die Verwandtschaft von Marx mit Rousseau und Fichte. Erinnern wir uns des Rousseauschen Gedankens, daß der Mensch in seinem natürlichen Zustand gut sei, daß er sich aber eines großen Irrtums schuldig gemacht habe und einen falschen Weg gegangen sei; er habe geglaubt, sein Glück in der Gesellschaft zu finden, während er sich dabei nur in Elend, Laster und Verzweiflung verstrickt habe. Nun war dieser Gedanke, obwohl er dem 18. Jahrhundert als unerhörte Idee erschien, nicht so neu; man konnte ihn als Abwandlung eines alten Mythus deuten, der von der Glückseligkeit der ersten Menschen in der freien Natur erzählte und von ihrem unseligen Fall in die Welt der Geschichte. Wir denken an die ewig-alten und ewig-jungen Vorstellungen vom »Goldenen Zeitalter«; wir denken auch an die plotinische Metaphysik vom Abfall der Seele aus der intelligiblen Einheit in die Vielgestaltigkeit der sensiblen Welt; ferner an theologische Vorstellungen vom Sündenfall und an alle Richtungen eschatologischer Spekulationen. Aber die eigentümliche Modernität, die ohne metaphysische Umschweife unmittelbar zu Marx führt, ist die sozialphilosophische Ausprägung dieses spiralförmigen Gedankenschemas. Rousseau hatte als erster den Mut gehabt, die bestehenden Werte der abendländischen Zivilisation, Wirtschaft und Gesellschaftsordnung in Frage zu stellen. Die Antinomie von Freiheit und Fessel ist in dem Leitmotiv des »Contrat social« dargestellt: »L'homme est né libre, et partout il est dans les fers«. Wer hat so wie er die hereinbrechenden Schatten der Weltkrise des 19. und 20. Jahrhunderts vorgefühlt? »Le grand devient petit«, heißt es im Emile, »le riche devient pauvre, le monarque devient sujet ... Nous approchons de l'état de crise et du siècle des révolutions«. Nirgends aber hat Rousseau ein »Zurück zur Natur« gepredigt im Sinne einer kreisförmigen Rückwärtsentwicklung, wo das Ende sich in den Anfang schlingt, sondern er hat den Menschen nur zugerufen: Geht durch das Fegefeuer der Gesellschaft und Geschichte hindurch – da ihr einmal auf diesem Wege seid – und schreitet vorwärts in das Reich der Freiheit! Rousseau erweist sich also zugleich als Feind u n d Apologet der Gesellschaft – als Feind der alten, als Apologet der neuen. Der Weg, der von hier zu Marx führt, ist unschwer aufzuspüren.

Noch greifbarer sind die Zusammenhänge mit Fichte. Man muß sich immer wieder ins Gedächtnis rufen, daß dieser Kantianer, Ethiker und Mystiker der erste deutsche Sozialist von großem geistigen Formate war. Seine interessanten Lehren vom Naturrecht, von den Urrechten, vom Zwangsrecht durch die Herrschaft der Gesetze im Staat; seine Ideen zum Mechanismus der gesellschaftlichen Interessenkämpfe und zum Ideal des sozialistischen Staates – all das führt in die Nähe von Marxschen Doktrinen –; wieviel mehr aber noch jenseits des »Geschlossenen Handelsstaates« die Fichtesche Konzeption der »Grundzüge des gegenwärtigen Zeitalters« (1804/05). Dort entwirft Fichte ein fünfaktiges Menschheitsdrama, in dem Franz Borkenau mit Recht eine Vorwegnahme des Marxschen Weltdramas sieht. Akt I: Der »arkadische« Zustand: Die Menschheit wird vom »Vernunftinstinkt« geleitet; sie ist im Stand der Unschuld. Akt II: Der »Sündenfall«. Das Laster erhebt sich; der Mensch reißt sich von der Gewalt der Sitte, die ihn bisher gebannt hat, los und will eigenem Trieb und Urteil folgen; der intellektuelle und moralische Zerfall des Gesamtlebens beginnt und leitet zum Akt III über: dem Zustand der »vollendeten Sündhaftigkeit«. Der Atomismus der Privatinteressen charakterisiert das Bild der Menschheit kurz vor Fichtes eigener Gegenwart, nämlich dem Zeitalter der Aufklärung. Dann folgt Akt IV: Erkenntnis und Umkehr. Der Individualismus hebt sich mit der Unterordnung der Menschen unter das Vernunftgesetz auf; das Zeitalter der Vernunftherrschaft beginnt und mit ihm das Bewußtsein des Kollektivs, der Notwendigkeit des Dienstes am Ganzen. In der Zeit der höchsten Not, wo das Schwungrad der Geschichte am tiefsten steht – also in der Zeit Fichtes – vollziehe sich die Um- und Rückkehr. In der Errichtung des sozialen Kulturstaates sieht Fichte die Mission Deutschlands. Endlich Akt V: Das wäre der neue Stand der Unschuld, Rückkehr zum Ausgangspunkt, aber zugleich auf »höherer Ebene«.

Und Marx? Sein erster Akt ist der Urkommunismus: eine Zeit gesellschaftlicher Harmonie, der an Rousseaus Utopie aus dem »Discours sur l'Origine de l'Inégalité parmi les Hommes« erinnert. Dem Paradies der Unschuld folgt der Sündenfall, der zweite Akt des Weltdramas: Einführung des Privateigentums – wieder denken wir an Rousseau: Staat, Familie, Religion und Ungleichheit entfalten ihre verderblichen Kräfte. Der folgende dritte Akt ist der Höhepunkt der Verderbnis: der Kapitalismus. Wie bei Fichte bringt der vierte Akt den Umschlag am tiefsten Punkt der Not – diesmal liegt er 40 Jahre nach Fichte: die proletarische Revolution reiße die Menschheit empor und der fünfte Akt beginnt: eine Zukunftsvision des wiedergewonnenen Paradieses, die klassenlose in Liebe und Freiheit vereinigte Gesellschaft des Kommunismus. In diesem Zustand sind Begriffe wie Materialismus und Idealismus leere, nichtssagende Worte. Wir kehren zum Ausgangspunkt unserer Betrachtung zurück. Wir sahen, daß sich mit der Unterscheidung von Idealismus und Materialismus, von Natur und Geist, von Sein und Denken bei Marx nicht viel beginnen läßt. Was ihn bewegte, war der konkrete Mensch in der konkreten Geschichte, d. h. der Mensch als Natur und Geschichte zugleich und in einem. Was ihn reizte, war der Griff in die Zukunft, die nicht Gott, sondern der Mensch gestaltet. Was ihm schließlich als Endresultat vorschwebte, war die vollendete Gesellschaft, von der am Schluß des Kommunistischen Manifests die Rede war, und von der er an anderer Stelle sagte:

»Die Gesellschaft ist die vollendete Wesenseinheit des Menschen mit der Natur, die wahre Resurrektion der Natur, der durchgeführte Naturalismus des Menschen, und der durchgeführte Humanismus der Natur.«

KAPITEL III

DAS SOMMERDREIECK DER DEUTSCHEN KULTUR
SCHOPENHAUER · WAGNER · NIETZSCHE

I.

Wenn man in den Sommermonaten am nördlichen Sternhimmel die drei helleuchtenden Sterne Atair im Adler, Deneb im Schwan und Wega in der Leier durch drei Grade verbindet, erhält man ein fast gleichschenkliges Dreieck, das in der Astronomie als »Sommerdreieck« bekannt ist. Das geübte Auge sieht die Sterne zusammen, als ob sie ein eigenes Sternbild darstellten. So geht es dem, der am Fixsternhimmel der Geistesgeschichte des 19. Jahrhunderts einen Schopenhauer, Wagner, Nietzsche betrachtet. Man kann einen jeden dieser Sterne erster Ordnung einzeln anschauen, aber aus der Distanz sehen wir sie in einem Triangulum verbunden, dem ich gern im Bilde astronomischer Anschauung die Bezeichnung des Sommerdreiecks unserer deutschen Kultur des vergangenen Jahrhunderts beilegen möchte. Vielleicht wird bei der Betrachtung der Zusammenhänge zwischen dem Philosophen, Musiker und Kulturkritiker deutlich, wie unsere Kultur des 19. Jahrhunderts im Zeichen der Philosophie und Musik stand.

»Ich stamme aus Danzig, wo ich am 22. Februar 1788 das Licht erblickte... Wenig fehlte, so wäre ich Engländer geworden; denn erst da ihre Niederkunft schon nahe bevorstand, verließ meine Mutter England, um in die Heimat zurückzukehren. Mein vortrefflicher Vater war ein wohlhabender Kaufmann und kgl. polnischer Hofrat.«
Die Sätze stammen aus dem Lebenslauf, den *Arthur Schopenhauer* Ende des Jahres 1819 der Philosophischen Fakultät der Berliner Universität einreichte. Es ist ein in lateinischer Sprache verfaßtes unschätzbares Dokument seiner ersten 30 Lebensjahre. Er erzählt darin die Begebenheiten seiner Knaben- und Jünglingsjahre und durchflicht sie mit Betrachtungen, die uns wertvolle Rückschlüsse auf seine Persönlichkeit, sein Werk und seine Denkrichtung gestatten. Vom Vater, den er sehr liebte und verehrte, erzählt er uns, wie dieser freiheitsliebende Mann wenige Stunden vor der Besetzung durch preußische Truppen die Hansestadt verlassen habe und nach Hamburg gezogen sei. Nach dem Wunsche des Vaters sollte Arthur »ein tüchtiger Kaufmann und zugleich ein Mann von Welt und feinen Sitten werden«. Die Familie reiste nach Paris – der Knabe war 10 Jahre alt –; in Le Havre wurde er bei

einem Geschäftsfreund zurückgelassen, »damit aus mir womöglich ein ganzer Franzose werde«. In den zwei Jahren seines Aufenthalts legte er die Grundlage für die hervorragende Kenntnis der französischen Sprache. Nach Hamburg zurückgekehrt, kam er auf eine Privatschule für Kinder vermögender Hamburger Kaufleute, zum Kaufmannsberuf selbst aber hatte er nicht die geringste Neigung, sondern fühlte sich zum Gelehrten berufen. Das behagte dem Vater wenig, waren doch in dessen »Ideenverbindung die Begriffe Gelehrtentum und Dürftigkeit unzertrennlich verknüpft«. Aber er übte keinen Zwang auf seinen Sohn aus: »Davon hielt ihn die ihm angeborene Achtung vor der Freiheit jedes Menschen zurück.« Arthur sollte sich selbst entscheiden. Der Vater nahm vorerst den Sechzehnjährigen auf eine zweite große Europareise mit. Sie führte ihn nach Holland, Frankreich, England und Schottland. In England blieb er ein halbes Jahr, genug, um auch die englische Sprache zu lernen. Dann ging der Weg zurück über Holland nach Belgien und Paris. Es war das Jahr, da Napoleon Kaiser der Franzosen wurde. Im Frühjahr ging die Reise nach Bordeaux, Montpellier, Nîmes, Marseille, Toulon und die Hierischen Inseln. Über Lyon führte sie die Route in die Schweiz, von dort nach Wien, Dresden und Berlin und zu einem kurzen Besuch in seine Heimatstadt Danzig. Als sie endlich nach Hamburg zurückkamen, war Arthur 18 Jahre alt. Schopenhauer zieht eine aufschlußreiche Bilanz dieser Zeit. Gewiß, sagt er, seien ihm durch diese langdauernde Reise zwei Jugendjahre für die Schulzeit verloren gegangen; was aber bedeute das gegenüber der Erfahrung, die er in den entscheidenden »Jahren der erwachsenden Mannbarkeit« auf dieser Europareise für seine ihm eigene realistische Betrachtungsweise der Dinge und Menschen habe sammeln können!

»Mein Geist wurde nicht . . . mit leeren Worten und Berichten von Dingen, von denen er noch keine richtige und sachgemäße Kenntnis haben konnte, ausgefüllt . . ., sondern statt dessen durch die Anschauung der Dinge genährt und wahrhaft unterrichtet . . . Besonders erfreue ich mich dessen, daß mich dieser Bildungsgang frühzeitig daran gewöhnt hat, mich nicht mit den bloßen Namen von Dingen zufrieden zu geben, sondern die Betrachtung und Untersuchung der Dinge selbst und ihre aus der Anschauung erwachsende Erkenntnis dem Wortschalle entschieden vorzuziehen, weshalb ich später nie Gefahr lief, Worte für Dinge zu nehmen.«

Der Vater schickt ihn in die kaufmännische Lehre zu einem Hamburger Senator. Arthur ist tief unglücklich; er vernachlässigt die Arbeit; studiert heimlich und liest viele Bücher. Die Mutter lebt seit längerer Zeit in Weimar, genießt den Umgang mit Goethe und schreibt Bände von Büchern und Romanen. Inzwischen stirbt der Vater, und Arthur, volljährig geworden, erhält von der Mutter das hinterlassene

Erbe. Nun gibt er sich ganz dem Studium hin. Latein und Griechisch hat er spielend nachgeholt. Dann studiert er in Göttingen an der Medizinischen und Philosophischen Fakultät. Seine Hauptlektüre ist Platon und Kant. Ihre Philosophie wird zum Fundament der seinigen. Darüber hinaus hört er Mathematik, Geschichte, Ethnographie, Mineralogie, Physiologie, vergleichende Anatomie, Chemie, Physik, physikalische Astronomie und Botanik. Die universale Kuriosität seines Geistes, der die Natur- und Geisteswissenschaften umspannt, hat seinem Weltbild den großen Atem verliehen. 1811 geht er nach Berlin. Er erweitert die Bereiche seines Wissens. Mit seinem philosophischen Thema »Über die vierfache Wurzel des Satzes vom zureichenden Grunde« will er bei Fichte promovieren; aber die Kriegsereignisse von 1813 hindern ihn daran. Schopenhauer war eine ängstliche Natur. »Meiner Natur nach dem Militärwesen abhold« – schrieb er von sich ... So war er damals wieder »gemütlich tief leidend und niedergeschlagen, weil ich mein Leben in eine Zeit gefallen sah, die ganz andere Gaben erforderte, als zu welchen ich das Zeug in mir fühlte.«

Im Winter geht er nach Weimar und hat hier eine der entscheidenden Begegnungen seines Lebens, die Begegnung mit Goethe:
»Der große Goethe ... würdigte mich seiner Freundschaft und seines Umgangs ... er kam aus eigenem Antrieb mir entgegen und fragte, ob ich seine Farbenlehre studieren wolle ...«
Schopenhauer nimmt den Vorschlag an, Goethe stellt ihm alle notwendigen Apparate zur Verfügung und Schopenhauer begibt sich an die Arbeit. Es bleibt nicht bei naturwissenschaftlichen Gesprächen:
»sondern unsere Gespräche wurden auf alle möglichen philosophischen Gegenstände gelenkt und spannen sich viele Stunden lang fort. Aus diesem vertrauten Umgang habe ich überaus großen, unglaublichen Nutzen gezogen.«
Schopenhauers neue Farbentheorie, die er Goethe später zusandte, wird ein ganzes Jahr lang Gegenstand ihrer Verhandlung; aber: »... ihr Beifall zu schenken, versagte der große Mann jedoch beharrlich.«
Inzwischen hat Schopenhauer zur Fundierung seines philosophischen Systems sich »aller dagewesenen Philosophen« bemächtigt, d. h. aller »derer, die ihre eigenen Gedanken vorgetragen haben, nicht jener, die nur, was andere gedacht, erläutert und wieder aufgekocht haben.« 1818 bringt er sein System zum Abschluß. Dann begibt er sich von neuem auf Reisen, die ihn weit nach Italien hinein bis Neapel und Paestum führen,
»wo ich im Angesicht der uralten herrlichen, im Laufe von 25 Jahrhunderten nicht erschütterten Tempel der Poseidonstadt mit Ehrfurchtsschauer daran dachte, daß ich auf dem Boden stehe, den vielleicht Platons Fußsohle betreten hat.«

Damit endet das Curriculum vitae. Schopenhauer habilitierte sich an der Universität Berlin, aber sein Lehrerfolg war gleich null. Erbittert gegen die »Philosophieprofessoren« (denen er in den »Parerga und Paralipomena« ein unsterbliches Denkmal der Ironie gesetzt hat) ging er wieder auf Reisen, lebte einige Zeit in München und Dresden und kehrte nach Berlin zurück, wo er noch während elf Semestern Vorlesungen ankündigte, die er nie gelesen hat. Dann verließ er Berlin, lebte probeweise in Mannheim und zog endlich nach Frankfurt a. M. über, das er für die gesündeste Stadt Deutschlands hielt. Sehr berühmt als Denker, Original und Junggeselle ist er dort am 21. September 1860 gestorben.

Sein Freund Wilhelm Gwinner hat zwei Jahre später sein Buch »Arthur Schopenhauer aus persönlichem Umgang dargestellt« in Leipzig erscheinen lassen. Er beschreibt seine Statur und seine Physiognomie, gibt die zahlreichen bonmots wieder, die von Schopenhauer selbst stammten oder über ihn zirkulierten; er dringt in sein Inneres, in seinen Charakter und seine Denkweise, wie sie sich dem Freund im Laufe des vertrauten Umgangs offenbarten. Das Imponierendste wäre sein Kopf gewesen, und was alle, die ihn gesehen hätten, gefesselt habe: die Züge seines Gesichts:
»Schwieg er, so sah er Beethoven ähnlich; gab er sich hingegen der Unterhaltung hin, so hatte man Voltaire vor sich.«
Er rühmt Schopenhauers überlegene Kunst der Gesprächsführung im Gebiet des reinen Denkens, wohingegen »in der Regel jedes Gespräch – das mit dem Freunde oder der Geliebten ausgenommen – eine leise Störung des innern Friedens« in ihm hervorgerufen habe. So war er ein einsamer Mensch, »obgleich mitten in der Gesellschaft stehend und vertraut mit allem, was sie trägt«. »Der indische Anachoret«, sagte Gwinner, »ist ein geselliges Wesen im Vergleich zu ihm.« Der Morgen, Mittag, Nachmittag und Abend waren streng eingeteilt: Morgens wusch er sich kalt, setzte sich früh an die Arbeit, spielte eine Stunde Flöte zur Erholung, nahm um 1 Uhr das Mittagessen im Wirtshaus ein, trank eine Tasse Kaffee und machte 1 Stunde Siesta. Der erste Teil des Nachmittags gehörte leichterer Lektüre und abends machte er seinen Spaziergang mit seinem Pudel. Er hatte immer Pudel, abwechselnd weiße und schwarze. Außer den profanen Namen gab er ihnen »den nur im intimen Verkehr geltenden esoterischen Namen ATMA, d. i. Weltseele«. Seine Wohnung glich anfangs mehr einem Absteigequartier als dem, was wir Deutsche »gemütlich« nennen. Erst nach dem 50. Lebensjahr kaufte er eigenes Mobiliar. Auf einem Marmorsockel stand eine echte, vergoldete Buddhastatue, auf seinem Schreibtisch eine Büste Kants, über dem

Sofa hing ein Ölporträt Goethes und an den Wänden Bilder von Descartes, Shakespeare und Claudius – und noch einmal ein Kant – und dazu: Hundebilder. Gwinner war am vorletzten Abend vor seinem Tode bei ihm. Schopenhauer klagte über Herzklopfen. Über dem letzten Gespräch lag etwas von Todesgedanken:

»Ernsthaft äußerte er noch: es würde ihm nur eine Wohltat sein, zum absoluten Nichts zu gelangen; aber der Tod eröffne leider keine Aussicht darauf. Allein, es gehe wie es wolle, er habe zum wenigsten ein reines, intellektuelles Gewissen.«

Das sind Züge im Porträt dieses seltsamen und seltenen Mannes; äußere Züge, die ein Inneres verraten, Züge, die ganz Wesentliches von seiner Welthaltung künden und die den besinnlichen Leser seiner Gesichts- wie gewissermaßen seiner Schriftzüge magisch anlocken, wie es schon Friedrich Nietzsche am Beginn seiner »Unzeitgemäßen Betrachtung« über »Schopenhauer als Erzieher« gestand.

Was waren die Voraussetzungen und Grundrisse seines philosophischen Denkens? Was verstand er unter Philosophie? Die einfache Antwort lautete: »Sie ist Entzifferung der Welt in Beziehung auf das in ihr Erscheinende.« »Entzifferung« deutet auf Schrift. Schopenhauer erklärt, was er meint:

»Wenn man eine Schrift findet, deren Alphabet unbekannt ist, so versucht man die Auslegung so lange, bis man auf eine Annahme der Bedeutung der Buchstaben gerät, unter welcher sie verständliche Worte und zusammenhängende Perioden bilden. Dann aber bleibt kein Zweifel an der Richtigkeit der Entzifferung ... Auf ähnliche Art muß die Entzifferung der Welt sich aus sich selbst vollkommen bewähren. Sie muß ein gleichmäßiges Licht über alle Erscheinungen der Welt verbreiten, und auch die heterogensten in Übereinstimmung bringen ... Diese Bewährung aus sich selbst ist das Kennzeichen ihrer Echtheit.«

Schopenhauer ist nun überzeugt, daß er, im Gegensatz zu den meisten früheren Philosophen, die Welt so eindeutig entziffert hat, daß jeder Widerspruch gelöst ist. Erst später erfährt er die Grenzen seiner eigenen Erkenntnisse. Zunächst zeigt er die Flächen auf, wo sich die Widersprüche auch der anerkannt großen Philosophen gebildet haben. So widerspricht Leibnizens Optimismus dem augenfälligen Elend des Daseins – das freilich wußte schon jeder Leser des »Candide«. Oder die Lehre Spinozas, »daß die Welt die allein mögliche und absolut notwendige Substanz sei« – sie vertrage sich nicht »mit unserer Verwunderung über ihr Sein und Wesen«. Und gar die Wolffsche Lehre, nach der ein fremder Wille außerhalb unserer selbst die Existentia und Essentia des Menschen bestimme – sie widerstreite dem Gefühl unserer morali-

schen Verantwortlichkeit. Vollends stehe die aufklärerische Doktrin von einer fortschreitenden Entwicklung der Menschheit zu immer höherer Vollkommenheit mit allen Erfahrungen, die die Menschen seit Jahrtausenden machen, in krassem Widerspruch ... »und so ließe sich ein unabsehbares Register der Widersprüche dogmatischer Annahmen mit der gegebenen Wirklichkeit der Dinge zusammenstellen«. An der primären Berücksichtigung »der gegebenen Wirklichkeit der Dinge« erkennen wir den realistischen und empirischen Grundcharakter der Schopenhauerschen Philosophie. Woran, so fragt sich unser Philosoph, liegen diese offensichtlichen Mißstände? Im Grunde daran, daß erstens die Philosophen zumeist mehr »Sophisten« als »Philosophen« seien, mehr solche, »die für andere denken«, als solche, »die für sich selbst nachsinnen« – aber immer gehe von den letzteren das Licht auch für die andern aus; daß zweitens die Philosophen eher theologische und metaphysische Romane, wie etwa die theistischen und pantheistischen Systeme, geschrieben hätten, als daß sie der Realität der Welt auf den Grund gingen; und daß drittens die Philosophen oft »zwei so verschiedenen Herren wie der Welt und der Wahrheit« dienten. An diesem Punkt entlädt sich der Ingrimm Schopenhauers gegen Hegel: »... da kann es geschehen, daß aus einem Priester der Wahrheit ein Verfechter des Truges wird ... oder auch, daß er, weil vom Staat und zu Staatszwecken besoldet, nun den Staat zu apotheosieren, ihn zum Gipfelpunkt alles menschlichen Strebens und aller menschlichen Dinge zu machen sich angelegen sein läßt ... wie z. B. Hegel zu der empörenden Lehre gelangt, daß die Bestimmung des Menschen im Staat aufgehe.«
Er geht wahrlich nicht sanft mit seinen Kollegen um. Wird schon Hegel als besoldeter Staatsdiener verurteilt, dann macht er mit den beiden andern Großen und Größen, Fichte und Schelling, wegen der Hirngespinste ihrer transzendentalen Metaphysik und Ideologie, seine Prozesse. Die Kritik, die Karl Marx über diese deutschen Idealisten in seiner »Deutschen Ideologie« gegeben hat, ist ein liebenswürdiges Geplänkel gegenüber dem kantigen Angriff eines Schopenhauer:
»Diejenigen sonach, welche vorgeben, die letzten, d. i. die ersten Gründe der Dinge, also ein Urwesen, Absolutum, oder wie sonst man es nennen will, nebst dem Prozeß, den Gründen, Motiven oder sonst was, infolge welcher die Welt daraus hervor geht oder quillt oder fällt oder produziert, ins Dasein gesetzt, entlassen und hinauskomplimentiert wird, zu erkennen – treiben Possen, sind Windbeutel, wo nicht gar Scharlatane.«
Sollen diese Philosophen ihre Windbeuteleien nur so weiter treiben. Aus Hohn, Spott, Satire braut Schopenhauer seine Sätze:
»Wie bisher endlich bringe auch ferner jeder Tag neue Systeme, rein aus Worten und Phrasen zusammengesetzt, zum Gebrauch der Universitäten,

nebst einem gelehrten Jargon dazu, in welchem man tagelang reden kann, ohne je etwas zu sagen, und nimmer störe diese Freude jenes arabische Sprichwort: ›Das Klappern der Mühle höre ich wohl; aber das Mehl sehe ich nicht‹.«

Statt neue philosophische Fabeln zu schreiben, versucht Schopenhauer auf eigenen Wegen zur Realität selbst vorzustoßen. Dazu war er durch sein Temperament prädestiniert. Er mißtraut der abstrakten Prozedur des nur schließenden Erkennens, wo Satz aus Satz gefolgert wird und der eigentliche *Gehalt* des Systems schon in den alleroberstens Sätzen vorhanden sein muß – wodurch alles Abgeleitete »schwerlich anders als monoton, arm, leer und langweilig ausfallen« muß. Schopenhauers Sätze kommen in der Tat zumeist nicht als Produkte einer Schlußkette heraus, sondern als Ergebnisse unmittelbarer Anschauungen, als anschauliche Auffassungen der Dinge. Er will, daß s e i n e Wahrheit, daß d i e Wahrheit überhaupt die »Übereinstimmung der Realität mit sich selbst« sei. Wir können sie nur »unter beständiger Kontrolle der *Erfahrung*« und nicht »auf bloß *logischem* Wege« gewinnen. Überall versucht er, »den Dingen auf den Grund zu kommen«, und läßt nicht ab, »sie bis auf das letzte, *real Gegebene* zu verfolgen«.

Dabei spricht Schopenhauer, ähnlich wie Goethe, von »Urphänomenen«. Diese zu entdecken und zu fassen, treibt ihn sein »natürlicher Hang«. Er will sich nicht »bei bloßen Begriffen, geschweige bei Worten beruhigen«. Was aber ist ein solches Urphänomen: Phänomen aller Phänomene? Es ist in Schopenhauers Weltansicht das, was *allen* Erscheinungen des Lebens und der Welt zu Grunde liegt: Der W i l l e. *Er* bestimmt den Lebenshunger der Menschen und die Reaktionen dagegen; *er* erhellt und erhält das Niedrigste und Höchste; *er* verbreitet Licht über das Weltgetriebe und begreift dessen Zusammenhänge.

So konnte Schopenhauer sein originelles System als »immanenten Dogmatismus« bezeichnen. *Immanent:* denn Schopenhauer geht nicht »über die Welt hinaus, um sie aus etwas anderem zu erklären« (wie es die transzendenten »Windbeuteleien der drei modernen Universitäts-Sophisten« täten). Schopenhauer erklärt nicht die Welt als aus irgendeinem Urgrund entstanden (auf welchen die Philosophen in umgekehrter Richtung nur schließen können), – sondern

»Meine Philosophie hub mit dem Satz an, daß es allein *in* der Welt und unter Voraussetzung derselben Gründe und Folgen gebe.«

Also »immanent«; – aber eben auch *dogmatisch:* denn Schopenhauer glaubte, das »richtige Alphabet« zu besitzen. Solange er nur das wirre Gewebe aller E r s c h e i n u n g e n dieser Welt deuten wollte, konnte er mit seinem System viele Widersprüche lösen; aber wo es nicht mehr

nur um die Erscheinungen der Dinge, sondern um die Dinge an sich geht, sah auch Schopenhauer die Grenzen des menschlichen Intellekts: »Welche Fackel wir auch anzünden und welchen Raum sie auch erleuchten mag; stets wird unser Horizont von tiefer Nacht umgrenzt bleiben. Denn die letzte Lösung des Rätsels der Welt müßte notwendig bloß von den Dingen an sich, nicht mehr von den Erscheinungen reden... Die Dinge an sich selbst... lassen sich durch keine Formen erfassen. Daher muß die wirkliche, positive Lösung des Rätsels der Welt etwas sein, das der menschliche Intellekt zu fassen und zu denken völlig unfähig ist.«

Auf welchen Wegen und wie weit ist Schopenhauer selbst gegangen, um der Lösung des Welträtsels näher zu kommen? Davon kündet sein Hauptwerk: »Die Welt als Wille und Vorstellung«. Was heißt die Welt »als Vorstellung«?
»Die Welt als Vorstellung... hat zwei wesentliche, notwendige und untrennbare Hälften. Die eine ist das Objekt: dessen Form ist Raum und Zeit, durch diese die Vielheit. Die andere Hälfte aber, das *Subjekt,* liegt nicht in Raum und Zeit: denn sie ist ganz ungeteilt in jedem vorstellenden Wesen.«
Das Subjekt also ist dasjenige, »was alles erkennt und von keinem erkannt wird«. Es ist »Träger der Welt«, »Bedingung alles Erscheinenden«: »denn nur für das Subjekt ist, was nur immer da ist«. Verschwände das letzte solcher Wesen, also der Mensch, »wäre die Welt als Vorstellung nicht mehr«. Jede der beiden Hälften hat »nur durch und für die andere Bedeutung und Dasein, ist mit ihr da und verschwindet mit ihr«. Schopenhauer geht also von Kant aus – und bekennt es: Die wesentlichen Formen alles Objekts, nämlich Zeit, Raum, Kausalität, lägen a priori in unserm Bewußtsein. »Dieses entdeckt zu haben, ist ein Hauptverdienst Kants und ein sehr großes.«
Wie aber sieht Schopenhauer Zeit und Raum?
»Wie in ihr (der Zeit) jeder Augenblick nur ist, sofern er den vorhergehenden, seinen Vater, vertilgt hat, um selbst wieder ebenso schnell vertilgt zu werden; wie Vergangenheit und Zukunft... so nichtig als irgendein Traum sind, Gegenwart aber nur die ausdehnungs- und bestandlose Grenze zwischen beiden ist, ebenso werden wir... einsehen, daß, wie die Zeit, so auch der Raum, und wie dieser, so auch alles, was in ihm und in der Zeit zugleich ist, alles also, was aus Ursachen oder Motiven hervorgeht, nur ein relatives Dasein hat, nur durch und für ein Anderes, ihm Gleichartiges, d. h. wieder nur ebenso Bestehendes ist.«
Schopenhauer weiß, daß solche Weltansichten uralt sind. Heraklit, Platon, plotinische Mystiker des Mittelalters, Spinoza, Kant wußten und sprachen davon. Schopenhauer aber zitiert noch – bezeichnend für seine Hinneigung zur altindischen Philosophie – Gleichnisse aus Stellen der Veden und Puranas:

»... es ist die *Maja*, der Schleier des Truges, welcher die Augen der Sterblichen umhüllt und sie eine Welt sehen läßt, von der man weder sagen kann, daß sie sei, noch auch, daß sie nicht sei: denn sie gleicht dem Traume, gleicht dem Sonnenglanz auf dem Sande, welchen der Wanderer von ferne für ein Wasser hält, oder auch dem hingeworfenen Strick, den er für eine Schlange ansieht.«

Sehen wir die Welt von außen an, werden wir dem Wesen der Dinge nimmermehr beikommen. Was wir gewönnen, wären nichts als »Bilder und Namen.«

Aber dem Menschen, der noch anderes ist als rein erkennendes Subjekt, nämlich ein Individuum, das selbst in jener Welt, die er erkennen will, wurzelt, – ihm, dem Menschen (nicht einem »geflügelten Engelskopf ohne Leib«) ist das »Wort des Rätsels« gegeben. Das Wort heißt »*Wille*«. Es gibt ihm den Schlüssel zur Erkenntnis seiner eigenen Erscheinung, zeigt ihm das innere Getriebe seines Tuns und schließt zugleich das Wesen der Welt auf. Der »Wille« ist Urgrund der Welt, ihr faßbarer Motor, das »Ding an sich«:

»Bei mir ist das Ewige und Unzerstörbare im Menschen, welches daher auch das Lebensprinzip in ihm ausmacht, nicht die Seele, sondern, mir einen chemischen Ausdruck zu gestatten, das Radikal der Seele, und dieses ist der Wille.«

Betrachten wir mit Schopenhauer, was die Welt ist, und wir werden verstehen, was der Wille ist und bedeutet. Die Welt ist Streit, Kampf, Wechsel des Sieges, stets Entzweiung mit sich selbst auf allen Stufen der Natur, wo

»am Leitfaden der Kausalität, mechanische, physische, chemische, organische Erscheinungen, sich gierig zum Hervortreten drängend einander die Materie entreißen.«

Dieses Schauspiel des durchgängigen Willens zum Leben, »der an sich selbst zehrt und in verschiedenen Gestalten seine eigene Nahrung ist«, hat unser Philosoph mit größter Wachsamkeit für die realen Erscheinungen des Lebens beobachtet. Auf der untersten Stufe stellt sich der Wille als »blinder Drang«, als »finsteres, dumpfes Treiben« dar. Dort finden wir die »einfachste und schwächste Art seiner Objektivation«, erkennen ihn in den Kräften der Attraktion und Repulsion, in der Zentripetal- und Zentrifugalkraft, in den Gesetzen des Mikrokosmos und Makrokosmos, mit denen es die Physik und Chemie zu tun haben. Derselbe Wille wirkt aber auch im Pflanzenreich »wo nicht mehr eigentliche Ursachen, sondern Reize das Band seiner Erscheinungen sind«. Auch auf dieser, schon höheren Stufe der Welt ist der Wille noch erkenntnislos, ist nur treibende Kraft, wie auch noch im vegetativen Teil der tierischen Erscheinungen. Indessen ist die Tierwelt wieder eine höhere Stufe der Objektivation des Willens. Was die damalige Zoologie an Erkenntnissen und Beobachtungen liefern konnte, zieht Schopenhauer in sein Bild hinein: Die Welt der Bienen, Maulwürfe, Vögel, Fische, Insekten, die endlose Mannigfaltigkeit der Evolutionen und Gestalten, das innere und äußere Getriebe ihrer Organismen, ihre rastlose Arbeitsamkeit, ihren unglaublichen »Aufwand an Kraft, Gewandtheit, Klugheit und Tätigkeit«, den ewig gleichen Kreislauf ihres Daseins, das zwischen Nahrung, Zeugen und Sterben verläuft – nichts läßt ihn in diesem Lebensbild gleichgültig, nichts läßt er undurchdacht. Bis hierher wirkt der Wille mit unfehlbarer Sicherheit als blinder Drang, ungetrübt und ungestört – wir würden sagen als Instinkt; aber schon im höheren Tierreich greift die andere Welt ein: die Welt als Vorstellung. Da sind auch schon die Tiere dem Schein der Täuschung ausgesetzt – wieviel mehr der Mensch, »das komplizierte, vielseitige, bildsame, höchst bedürftige und unzähligen Verletzungen ausgesetzte Wesen«. Mit dem Hinzutreten der Vernunft, als des Vermögens zu abstrakter Begriffsbildung, tritt der Instinkt zurück:

»... die Überlegung, welche jetzt alles ersetzen soll, gebiert Schwanken und Unsicherheit: der Irrtum wird möglich, welcher in vielen Fällen die adäquate Objektivation des Willens durch Taten hindert.«

Dennoch bleibt der Wille das Bestimmende, und alle Naturreiche, alle Schichten ihres Aufbaus sind nur verschiedene Stufen seiner Objektivation. Vielleicht steht obenan der Geist, in jedem Falle steht untenan der Wille. Er wirkt sich nach oben hindurch und hinauf, indem er sich von Stufe zu Stufe objektiviert. Die letzte Stufe im Aufbau der Natur ist der Intellekt: der mundus intelligibilis kommt n a c h dem mundus sensibilis. Das Ursprüngliche aber ist der Wille, der alles erfüllt, alles erhält und sich jedem unmittelbar kundgibt. Man kann nicht umhin, an Platons Eros zu denken, der als stärkste Kraft die Welt durchwaltet. Sätze wie die folgenden sind Schlüsselworte Schopenhauerischer Weltsicht:

»Die Welt ist nicht mit Hülfe der Erkenntnis, folglich auch nicht von außen gemacht, sondern von innen ... Der Intellekt ist uns allein aus der animalischen Natur bekannt, folglich als ein durchaus sekundäres und untergeordnetes Prinzip in der Welt, ein Produkt spätesten Ursprungs. Nicht ein Intellekt hat die Natur hervorgebracht, sondern die Natur den Intellekt. Wohl aber tritt der Wille, als welcher Alles erfüllt und in Jeglichem sich unmittelbar kundgibt, es dadurch bezeichnend als seine Erscheinung, überall als das Urspüngliche auf.«

Das Band, welches die Welt als Wille mit der Welt als Vorstellung verbindet, ist die Materie. Die Welt ist, als Vorstellung, Produkt des Intellekts, sie ist, als Materie, die bloße Sichtbarkeit des Willens, der sich in allen materiellen Wesen, d. i. Erscheinungen manifestiert. Schopenhauer stellt das »idealistische« Weltbild auf den Kopf. Das real Gegebene ist die Materie, und die Beharrlichkeit der Materie, in welcher das »Urphänomen« des Willens wirkt und sich gestaltet, ist der Stoff, der »von der Unzerstörbarkeit unseres wahren Wesens Zeugnis ablegt«. Aber schon hört Schopenhauer die entsetzten Rufe der andern: »Wie? Das Beharren des bloßen Staubes, der rohen Materie, sollte als eine Fortdauer unseres Wesens angesehen werden?« Worauf er:

»Oho! kennt ihr denn diesen Staub? Wißt ihr, was er ist und was er vermag? Lernt ihn kennen, ehe ihr ihn verachtet. Diese Materie, die jetzt als Staub und Asche daliegt, wird bald, im Wasser aufgelöst, als Kristall anschießen, wird als Metall glänzen, wird dann elektrische Funken sprühen, wird mittels ihrer galvanischen Spannung eine Kraft äußern, welche, die festesten Verbindungen zersetzend, Erden zu Metallen reduziert: ja, sie wird von selbst sich zu Pflanze und Tier gestalten und aus ihrem geheimnisvollen Schoß jenes Leben entwickeln, vor dessen Verlust ihr in eurer Beschränktheit so ängstlich besorgt seid. Ist nun, als eine solche Materie fortzudauern, so ganz und gar nichts? ... Dies einzusehen, dürfen wir uns erinnern, ... daß die lautere, formlose Materie – diese für sich allein nie wahrgenommene, aber stets bleibend vorausgesetzte Basis der Erfahrungswelt – der unmittelbare Widerschein, die Sichtbarkeit überhaupt, des Dinges an sich, also des Willens ist; daher von ihr, unter den Bedingungen der Erfahrung, das gilt, was dem Willen an sich schlechthin zukommt, und sie seine wahre Ewigkeit unter dem Bilde der zeitlichen Unvergänglichkeit wiedergibt.«

Die Grunderfahrung, die Schopenhauer aus der Beobachtung der Welt und Geschichte gewonnen hat, ist der »Wille zum Leben«. Am Ende stehen einige unumstößliche Einsichten und eine Frage. Einsichten: »... augenblickliches Behagen, flüchtiger Genuß« – demgegenüber: »vieles und langes Leiden, beständiger Kampf, bellum omnium, jedes ein Jäger und jedes gejagt, Gedränge, Mangel, Not und Angst, Geschrei und Geheul: und das geht so fort, in saecula saeculorum, oder bis einmal wieder die Rinde des Planeten bricht.«

Woraus die andere Einsicht formuliert wird:
»daß das Leben ein Geschäft ist, dessen Ertrag bei weitem nicht die Kosten deckt.«

Und die Frage?
»Für welche Verschuldung müssen sie diese Qual leiden? Wozu die ganze Greuelszene? Darauf ist die einzige Antwort: so objektiviert sich der Wille zum Leben.«

Es ist überflüssig, die Bilder des grauenhaften Naturlebens noch einmal vor unsern Augen ablaufen zu lassen. Indessen kommen bei den Menschen noch einige Nuancen hinzu, weil der Mensch, nicht nur in der

Natur, sondern auch in der Geschichte lebend und wirkend, gleichsam doppelbodig ist und darum doppeltes Leid erfahren muß:
»Viele Millionen, zu Völkern vereinigt, streben nach dem Gemeinwohl, jeder einzelne seines eigenen wegen; aber viele Tausende fallen als Opfer für dasselbe. Bald unsinniger Wahn, bald grübelnde Politik hetzt sie zu Kriegen aufeinander: dann muß Schweiß und Blut des großen Haufens fließen, die Einfälle einzelner durchsetzen, oder ihre Fehler abbüßen. Im Frieden ist Industrie und Handel tätig, Erfindungen tun Wunder, Meere werden durchschifft, Leckereien aus allen Enden der Welt zusammengeholt, die Wellen verschlingen Tausende. Alles treibt, die einen sinnend, die andern handelnd, der Tumult ist unbeschreiblich.«
Das Leben erscheint als Mißverhältnis zwischen Mühe und Lohn ...
In der faden Melodie des Durchschnittsmenschen quält sich gar die ewig-alte Trostlosigkeit des Lebens ewig-neu hindurch ...
»... unglaublich, wie nichtssagend und bedeutungslos ... das Leben der allermeisten Menschen dahinfließt ... ein mattes Sehnen und Quälen, ein träumerisches Taumeln durch die vier Lebensalter hindurch zum Tode ... Sie gleichen Uhrwerken, welche aufgezogen werden und gehen, ohne zu wissen warum; und jedes Mal, daß ein Mensch gezeugt und geboren worden, ist die Uhr des Menschenlebens aufs neue aufgezogen, um jetzt ihr schon zahllose Male abgespieltes Leierstück abermals zu wiederholen, Satz vor Satz und Takt vor Takt, mit unbedeutenden Variationen.«
Es ist im Grunde die Tragödie der Lebensunsinnigkeit, an deren Ende noch obendrein der Tribut des bitteren Todes bezahlt werden muß ...
Und das Erniedrigende ist dabei, daß
»wir nicht einmal die Würde tragischer Personen behaupten können, sondern, im breiten Detail des Lebens, unumgänglich läppische Lustspielcharaktere sind.«
Schopenhauer wird nicht müde, das Fresco des Lebensleidens bis ins kleinste Detail auszuführen: ein genial koloriertes Gemälde in Grau, das am Engang der Bildergalerie existentialistischer Romane vom Typ der Sartreschen »Nausée« stehen könnte. Aber an gewissen Stellen erinnert Schopenhauers Menschenporträt an Pascals großartige 72. »Pensée«, wo der französische Denker das Thema der »Disproportion de l'homme« in Bildern von stärkster Einprägsamkeit behandelt hat; wer diese Reflexion je las, hört ihr Echo in Schopenhauer:
»Im unendlichen Raum und unendlicher Zeit findet das menschliche Individuum sich als endliche, folglich als eine gegen jene verschwindende Größe, in sie hineingeworfen und hat, wegen ihrer Unbegrenztheit, immer nur ein relatives, nie ein absolutes *Wann* und *Wo* seines Dasein: denn sein Ort und seine Dauer sind endliche Teile eines Unendlichen und Grenzenlosen.«
Wie der Mensch bei Pascal als »milieu entre rien et tout« erscheint, so steht er auch zwischen Vergangenheit und Zukunft. Sein Dasein ist »ein

stetes Hinstürzen der Gegenwart in die tote Vergangenheit, ein stetes Sterben« – »das Leben unseres Leibes ein immer aufgeschobener Tod«. Und dieses Leben, das im Grunde »ein fortdauernd gehemmtes Sterben« ist, äußert sich im Wollen und Streben, ist mit dem Fluch eines unauslöschlichen Durstes beladen, der, kaum befriedigt, neuen Durst erzeugt.

Schopenhauer begnügt sich nicht damit, die Oberfläche dieses Leidensbildes auszumalen. Er will den Wahn ergründen, und da findet er als den Kern des Willens zum Leben den Geschlechtstrieb, »in dem das innere Wesen der Natur, der Wille zum Leben, sich am stärksten ausspricht.« Schopenhauer findet bei dieser Betrachtung sowohl den Anschluß an die Erosmetaphysik Platons, wie auch wesentliche Teile seiner Darstellungen bereits einige Grundanschauungen der Freudschen Psychoanalyse vorwegnehmen. So kann er sich einerseits auf Platon und Pherekydes, auf Hesiod oder Parmenides oder wen immer er unter den griechischen Dichtern und Philosophen in diesem Zusammenhang zitiert, berufen – und andererseits die naturwissenschaftliche Seite des Problems im Rahmen seiner Weltansicht erhellen:

»Diesem allen zufolge sind die Genitalien der eigentliche *Brennpunkt* des Willens und folglich der entgegengesetzte Pol des Gehirns, des Repräsentanten der Erkenntnis, d. i. der andern Seite der Welt, der Welt als Vorstellung.«

Der Geschlechtstrieb ist »der Wunsch der Wünsche«, »der Kern des Willens zum Leben«, »die Konzentration alles Wollens«. Aus eigener Machtvollkommenheit sitzt Eros als der »eigentliche und erbliche Herr der Welt« auf dem angestammten Thron und lächelt darüber, welche Anstalten die Menschen getroffen haben, den Trieb zu bändigen. Zu äußerster Dichte formuliert Schopenhauer die Erkenntnis:

»Ja, man kann sagen, der Mensch sei konkreter Geschlechtstrieb, da seine Entstehung ein Kopulationsakt und der Wunsch seiner Wünsche ein Kopulationsakt ist, und dieser Trieb allein seine ganze Erscheinung perpetuiert und zusammenhält.«

Aber Schopenhauer weiß zugleich, wie es Platon und alle Philosophen aus Erfahrung wußten und wissen: Aus diesem Trieb kommt gleichermaßen das Gemeinste u n d das Höchste: Verbrechen und Opfermut, jeglicher Schöpfungsakt einer großen Seele und jede Todessehnsucht der Liebenden. Immer weiß Schopenhauer um die Ursprünge auch aller Kunst, wie der enthüllende Satz über Petrarca zeigt:

»Wäre Petrarcas Leidenschaft befriedigt worden, so wäre, von dem an, sein Gesang verstummt wie der des Vogels, sobald die Eier gelegt sind.«

Die Pole in Schopenhauers Weltbild sind bezeichnet: Der eine Pol, das ist der Phallus- und Lingamkult bei den Griechen und den Hindu als Symbole der *Bejahung des Willens,* welcher der Zeit endloses Leben sichern will – und der andere Pol, das ist das Erkenntnisvermögen, durch welches der Mensch die Möglichkeit hat, sich den Weg zur *Aufhebung des Willens* zu bahnen, die Welt zu überwinden.

Gibt es aus diesem Hexenkessel des Lebens keinen Weg der »Erlösung«? Ist nicht der Tod, den wir doch für das Ende des Lebens halten, ein solcher? Weist uns nicht die stoische Philosophie Wege einer Weltüberwindung? Ja, es gibt Wege der Erlösung, nur sind es nicht die beiden eben angedeuteten: denn der Tod des einzelnen begrenzten Wesens unterbricht nicht den unendlichen Strom des Willens. Der Tod gehört der Welt der wandelbaren Erscheinungen an. Was stirbt, ist das Individuum, nicht die Gattung, die immer wieder die Möglichkeit findet sich zu perpetuieren, solange wie sie sich selbst in ihrem Lebenswillen bejaht.

»Ob die Fliege, die jetzt um mich summt, am Abend einschläft und morgen wieder summt; oder ob sie am Abend stirbt, und im Frühjahr, aus ihrem Ei entstanden, eine andere Fliege summt; das ist an sich dieselbe Sache.«

Zwischen Schlaf und Tod ist kein radikaler Unterschied und weder der eine noch der andere gefährdet das Dasein. Der Tod hebt den Willen zum Leben nicht auf, also ändert er nichts; – er ist vielleicht nur da, um wieder Leben zu haben.

Auch die stoische Weisheitslehre, welche uns die Seelenruhe und die Indifferenz im Angesicht des Glücks und Leidens anempfielt, erweist sich als Trugbild. Es liegt schon »ein vollkommener Widerspruch darin, leben zu wollen, ohne zu leiden«. Die stoische Lehre scheitert an der fundamentalen Erfahrung, daß eben der Urgrund des Daseins Leiden ist, unvereinbar mit dem Glück, das dem Reich der Träume zugehört. So konnte, wie Schopenhauer bemerkt – auch der stoische Weise »nie Leben oder innere poetische Wahrheit gewinnen«; er bleibt

»ein hölzerner, steifer Gliedermann, mit dem man nichts anfangen kann, der selbst nicht weiß, wohin mit seiner Weisheit, dessen vollkommene Ruhe, Zufriedenheit, Glückseligkeit dem Wesen der Menschheit geradezu widerspricht.«

Nun gibt es aber doch Stufen der Beruhigung, die wenigstens bis an das Ausgangstor des Lebens führen. Eine erste Stufe ist die Erkenntnis, daß nicht Zufälliges jeweils der Grund unserer Schmerzen und Leiden ist – ein Wissen darum, daß hinter den wechselnden Formen des Schmerzes der Schmerz als solcher steht. Immerhin ein erster, wenn auch geringer Trost. Der Mensch bleibt indessen doch, was er ist:

»Solange wir Subjekt des Wollens sind, wird uns nimmermehr dauerndes Glück noch Ruhe.« Denn das Subjekt des Wollens liegt beständig »auf dem drehenden Rade des Ixion, schöpft immer im Siebe der Danaiden, ist der ewig schmachtende Tantalus.«

Da überkommt Schopenhauer eine der tiefsten Erfahrungen seines Lebens: Es ist das wunderbare Ereignis der intellektuellen Anschauung: Die Erkenntnis reißt sich vom »Sklavendienst des Willens« los; der ästhetische Zustand wird in seinem intensivsten und heitersten Sinne herbeigeführt und die ungetrübte, interessenlose, willensfreie Anschauung der Welt wird Ereignis ...

»dann ist die auf jenem ersten Wege des Wollens immer gesuchte, aber immer entfliehende Ruhe mit einemmale von selbst eingetreten, und uns ist völlig wohl. Es ist der schmerzenslose Zustand, den Epikuros als das höchste Gut und als den Zustand der Götter pries: denn wir sind, für jenen Augenblick, des schnöden Willensdranges entledigt, wir feiern den Sabbath der Zuchthausarbeit des Wollens; das Rad des Ixion steht still.«

Worte tiefster Schönheit, von überzeugender Kraft und – so sagte Thomas Mann – von »grenzenloser Dankbarkeit« gegenüber der Kunst, die jene intellektuelle Anschauung bewirkt. Ist dieser Zustand der reinen Kontemplation erreicht, sind die Bilder der Erscheinungswelt dem geöffneten Auge des Genius durchsichtig geworden, so daß sich das erkennende Individuum zum reinen Subjekt des willenlosen Erkennens erhebt – nun, dann ist es einerlei, »ob man aus dem Kerker oder dem Palast die Sonne untergehen sieht«. Was Schopenhauer über die Kunst, diese Erlöserin vom Leid, zu sagen hat, war bis dahin nie über die Lippen eines Philosophen gekommen – vielleicht Platon ausgenommen; und die Dichter – vielleicht Goethe ausgenommen – waren nie Philosophen genug, um solche Einsichten zu formulieren. Was Wunder, daß Schopenhauers Gedanken über die Kunst eine so starke Macht gerade über jene Künstler und Philosophen gewannen, die beides in einem waren: Tolstoi, Wagner, Nietzsche.

Dem Künstler ist es gegeben, die Natur gleichsam »auf halbem Worte« zu verstehen, so daß er rein ausspricht, was sie nur stammelt; so auch drückt der Bildhauer dem harten Marmor die »Schönheit der Form« ein, stellt sie der Natur, der sie »in tausend Versuchen mißlingt«, gegenüber, ihr gleichsam zurufend: »das war es, was du sagen wolltest« – »Ja, das war es.« Dem Künstler eignet die »Betrachtungsart des Platon«, sagt Schopenhauer, und kontrastiert sie mit der des Aristoteles. Die eine ist die künstlerische, die andere die wissenschaftliche. Der Künstler vermag »rein erkennendes Subjekt« zu werden; er sieht nicht mehr nur die einzelnen, vergänglichen Dinge, sondern ihm fällt ein Maß von Erkenntniskraft zu, wo der gleichsam frei gewordene

Überschuß der Erkenntnis zum willensreinen Subjekt, zum »klaren Weltauge« wird: »zum hellen Spiegel des Wesens der Welt«. Aber Schopenhauer hat auch in dem Künstler, dem genialischen Menschen par excellence, den bedrohlichen Zusammenhang von Genie und Wahnsinn gesehen:

»Genialität und Wahnsinn haben eine Seite, wo sie aneinander grenzen, ja ineinander übergehen.«

Seine häufigen Besuche in Irrenanstalten zeugen von dem Interesse, das er auch der psychologischen Seite des Künstlertums entgegenbrachte. Er traf immer wieder auf diese Grenzlinie, wenn er die Biographien genialer Menschen wie Rousseau, Byron, Alfieri durchblätterte; er sah sie in Goethes »Torquato Tasso«, in Popes »Essay on man«, spürte dem Gedanken in Shakespeares »fine frenzy« in Horazens »amabilis insania«, in Platons »Phaidros« und anderen Zeugnissen dieser Art nach.

Von allen Künsten, die Schopenhauer in den Bereich seiner philosophischen Betrachtung zog, waren es vornehmlich Dichtung und Musik, die sich seinem Verständnis am weitesten geöffnet haben. Er war ein unermüdlicher Leser nicht nur der Alten, sondern auch der Modernen; und nicht nur die deutschen Dichter, Schriftsteller und Philosophen las er, sondern mit gleichem Interesse und gleichem Gewinn die englische, französische, italienische und spanische Literatur. Seine Zitate und Übersetzungen bekunden, wie gründlich und feinfühlig er die fremden Sprachen verstand. Nichts Wesentliches blieb ihm unbekannt, vor allem nicht die Literatur und Weisheit der alten Inder, die durch die geistige Welteroberung der Romantiker, seiner Zeitgenossen, in den Umkreis des europäischen Menschen getreten waren. Die horizontale Weite seines Wissens, verbunden mit dem vertikalen Tiefgang seiner denkerischen Potenz, bürgte dafür, daß seine ästhetischen Darlegungen einen weltweiten und zugleich philosophisch streng gebändigten Charakter trugen. Natürlich war er mit allen Gattungen der Literatur vertraut, mit der lyrischen, epischen und dramatischen. Die Tragödie aber erschien ihm der Gipfel der philosophischen Dichtkunst zu sein – kein Wunder, da

»der Zweck dieser höchsten poetischen Leistung die Darstellung der schrecklichen Seite des Lebens ist, daß der namenlose Schmerz, der Jammer der Menschheit, der Triumph der Bosheit, die höhnende Herrschaft des Zufalls und der rettungslose Fall der Gerechten und Unschuldigen uns hier vorgeführt werden: denn hier liegt ein bedeutsamer Wink über die Beschaffenheit der Welt und des Daseins.«

Die Tragödie ist für Schopenhauer das in die Kunst gesteigerte Widerspiel des Willens mit sich selbst. Man möchte sagen: Der kunstvolle

Aufbau des Schopenhauerischen philosophischen Weltbildes, seine Exposition, Steigerung, Aufgipfelung und die Katastrophe, in deren Strudel die Menschheit von Jahrtausend zu Jahrtausend in saecula saeculorum gerissen wird, ist s e i n Tragödienspiel. Da schildert er, wie ein und derselbe Wille in allen Protagonisten der Weltbühne erscheint, wie diese sich selbst bekämpfen, zerfleischen, wie der Wille in dem einen gewaltig, in dem andern schwächer hervortritt, bald mehr, bald weniger zur Besinnung gebracht und im Lichte der Erkenntnis gemildert wird; da schildert er die Stufen der Läuterung und des Leidens bis zu dem Punkt, wo der Schleier der Maja die Menschen nicht mehr täuscht, wo die Form der Erscheinung, das principium individuationis, vom Menschen durchschaut wird und also die Motive des Egoismus ihre Macht verlieren; die Erkenntnis des Wesens der Welt führt die Resignation herbei – und am Ende, nach langem Kampf und Leiden beschließen Tod, Entsagung, Aufgeben des Willens zum Leben das große Spiel. Das ist das von Schopenhauer verdichtete Schauspiel der Welt. Er liebte vor allem Gestalten wie Calteróns »Standhaften Prinzen«, Goethes Gretchen im »Faust«, Schillers Jungfrau von Orléans, Voltaires Palmire aus dem »Mahomed« und Shakespeares Hamlet. Er sieht in der Doppelperspektive des jüdisch-christlichen und antik-griechischen Denkens den »wahren Sinn des Trauerspiels« in der tieferen Einsicht,
»daß, was der Held abbüßt, nicht seine Partikularsünden sind, sondern die Erbsünde, d. h. die Schuld des Daseins selbst.«
Calteróns Verse:

> Pues el delito mayor
> Del hombre es haber nacido
> (Da die größte Schuld des Menschen
> Ist, daß er geboren ward.)

treffen ins Zentrum des Schopenhauerischen Denkens.

Er entwickelt seine Vorstellung von den drei Arten der Tragödie: Ein Trauerspiel kann beispielsweise durch die außerordentliche Bosheit eines Charakters entfesselt werden; das ist der Fall im »Richard III.«, bei Jago im »Othello«, im Shylock des »Kaufmann von Venedig«, im Franz Moor der »Räuber«, in der Phädra des Euripides und in vielen anderen. Es kann aber auch durch blindes Schicksal, d. h. durch Zufall und Irrtum, geschehen: Schopenhauer zitiert den »König Ödipus« des Sophokles als Muster dieser Tragödienart, denkt aber auch an »Romeo und Julia« und Voltaires »Tankred« und Schillers »Braut von Messina«. Schließlich kann das Unglück durch die bloßen Verhältnisse und Stellungen der Personen zueinander erfolgen, wie es denn im Leben oft geschieht, daß die Lage der Menschen sie zwingt,

»sich gegenseitig, wissend und sehend, das größte Unheil zu bereiten, ohne daß dabei das Unrecht auf irgendeiner Seite ganz allein sei.«

Diese letzte Art, wo tragische Verflechtungen zum Schicksal werden, hat Schopenhauer vorgezogen: Wir stünden solchen Schauspielen »furchtbar nahe«; es könnte täglich unser Schicksal sein, i s t unser Schicksal, unser Leid, unsere conditio humana. Den »Clavigo«, den »Wallenstein«, den »Cid« rechnet er hierher. In allen Arten aber liegt der tiefe Sinn des Tragischen sichtbar vor uns: In den größten Tragödien ist es ein Bild des Menschenleides von so hoher gesteigerter, reiner Aussagekraft, daß dem empfindend Betrachtenden die Schrecklichkeit jenes Urphänomens, des Willens, aufgeht, und wir inne werden, daß »das Leben ein schwerer Traum sei, aus dem wir zu erwachen haben«.

Sind alle Künste, so auch die Dichtung, Objektivationen der Urkraft: Bilder unserer Welt, die sich als Erscheinungen der Ideen in der Vielheit darstellt, so hat es mit der Musik, der sublimsten Offenbarung des Willens, noch eine besondere Bewandtnis. Schopenhauer bekennt, daß die Tonkunst den tiefsten Eindruck auf ihn machte, und Gwinner bezeugt uns:

»Der Kultus der Musik gehörte so wesentlich zu seiner Seelendiät, daß er ihn zu keiner Zeit seines Lebens vernachlässigte.«

Er gab sich ihr hin, reflektierte über sie und fand in ihrem »inneren Wesen« Aufschluß über den Kern seiner eigenen Philosophie. Davon zeugen einige Seiten seines Hauptwerks. Sie klingen wie Offenbarungszauber – und zeigen zugleich, wie Schopenhauer selbst bekennt, die Dürftigkeit und Schranken der Begriffe, mit deren Hilfe das Geheimnis dieser »wunderbaren Kunst der Töne« nicht leicht jemandem verständlich gemacht werden kann. Darum mutet er uns auch keineswegs zu, uns zu seinen Ansichten zu bekennen, ja nicht einmal sie zu verstehen – es sei denn, daß wir von der Wahrheit seiner Philosophie und Weltansicht, aus der sie hervorgingen, vollkommen überzeugt wären. Die Musiker und Musikologen sollten diese Einschränkung bei ihrer Kritik der Schopenhauerschen Musikphilosophie nicht übersehen. Es sei der Versuch gemacht, wenigstens ihre Ansatzpunkte zu verstehen!

Wenn der Zweck aller andern Künste darin besteht, durch Darstellung der konkreten Dinge mittels der Architektur, Plastik, Malerei, Dichtung, die Erkenntnis der Ideen, deren Erscheinung sie sind, anzuregen, so übergeht die Musik als einzige Kunst die Ideen als Zwischenglieder des Urphänomens und objektiviert unmittelbar den Willen, also das »Ding an sich«. Sie ignoriert gewissermaßen die Welt als Erscheinung – denn wie sollte Musik eine Erscheinung repräsentieren? –

sie ist nicht Abbild der konkreten Dinge, nicht einmal Abbild der Ideen; sie ist »Abbild des Willens« selbst:

»... deshalb eben ist die Wirkung der Musik so sehr viel mächtiger und eindringlicher als die der andern Künste: denn diese reden nur vom Schatten, sie aber vom Wesen.«

Es soll hier nicht dargelegt werden, wie Schopenhauer, ins Detail seiner Theorie gehend, die gesamte Stufenfolge der Ideen in Parallele mit den musikalischen Stufen und Symbolen vom Grundbaß bis zur Melodie setzt. Diese seine Spekulationen haben keinen verbindlichen Charakter; sie sind phantastisch. Als interessant sei indessen hervorgehoben, was er über die Melodie sagt, die Robert Schumann schon die »Königin« auf dem Schachbrett nannte. Die Melodie wölbt sich über die ganze musikalische Struktur »mit ungebundener Willkür in ununterbrochenem, bedeutungsvollem Zusammenhang *eines* Gedankens« ... sie ist »höchste Stufe der Objektivation des Willens ... das besonnene Leben und Streben des Menschen«.

»So ist das Wesen der Melodie ein stetes Abweichen, Abirren vom Grundton, auf tausend Wegen, nicht nur zu den harmonischen Stufen, zur Terz und Dominante, sondern zu jedem Ton, zur dissonanten Septime und zu den übermäßigen Stufen, aber immer folgt ein endliches Zurückkehren zum Grundton; auf allen jenen Wegen drückt die Melodie das vielgestaltete Streben des Willens aus, aber immer auch, durch das endliche Wiederfinden einer harmonischen Stufe, und noch mehr des Grundtons, die Befriedigung.«

Schopenhauer expliziert hier, was wir im allgemeinen unter Tonalität verstehen. Aber er geht weiter: Die Melodie erzählt gewissermaßen »die Geschichte des von der Besonnenheit beleuchteten Willens, dessen Abdruck in der Wirklichkeit die Reihe seiner Taten ist.« Die Melodie sagt noch mehr:

»... sie erzählt seine (des Willens) geheimste Geschichte, malt jede Regung, jedes Streben, jede Bewegung des Willens, als das, was die Vernunft unter den weiten und negativen Begriff Gefühl zusammenfaßt und nicht weiter in ihre Abstraktionen aufnehmen kann. Daher hat es auch immer geheißen, die Musik sei die Sprache des Gefühls und der Leidenschaft, so wie Worte die Sprache der Vernunft.«

Gwinner berichtet uns von Schopenhauer:

»Beim Anhören der Symphonien Beethovens saß er regungslos mit geschlossenen Augen von Anfang bis zu Ende.«

Schopenhauer der große Beethovenverehrer. Er schreibt Gedanken nieder, über deren grundsätzlichen Charakter noch die heutige Beethoveninterpretation nicht zur Ruhe gekommen ist. Eine Beethovensche Symphonie – »rerum concordia discors« – sei ein treues und vollkommenes Abbild des Wesens der Welt, welche »im unübersehbaren

Gewirre zahlloser Gestalten« dahinrollt und »durch stete Zerstörung sich selbst erhält«. Zugleich sprechen aus Beethovens Symphonien alle menschlichen Leidenschaften und Affekte: Freude, Trauer, Liebe, Haß, Schrecken, Hoffnungen in zahllosen Nuancen,

»jedoch alle gleichsam nur *in abstracto* und ohne alle Besonderung: es ist ihre bloße Form, ohne den Stoff, wie eine bloße Geisterwelt, ohne Materie.«

An diesem Gedanken könnten die Vertreter der »absoluten Musik« ihre Freude haben. Aber Schopenhauer fügt hinzu:

»Wir haben den Hang, sie beim Zuhören zu realisieren, sie in der Phantasie mit Fleisch und Bein zu bekleiden und allerhand Szenen des Lebens und der Natur darin zu sehen.«

Daran könnten sich nun wieder die Verfechter der »Programm-Musik« und der »poetischen Ideen« in Beethovens Musik erfreuen. Schopenhauers eigene Meinung schließt so:

»Jedoch befördert dies im ganzen genommen nicht ihr Verständnis noch ihren Genuß, gibt ihr vielmehr einen fremdartigen, willkürlichen Zusatz: daher ist es besser, sie in ihrer Unmittelbarkeit und rein aufzufassen.«

Schopenhauer also steht der heutigen Musikauffassung näher als wir vielleicht dachten. Jedenfalls schlägt er mit einer intuitiven Sicherheit, die damals ohnegleichen war, d a s Thema an, über das die Musikauffassung des 20. Jahrhunderts sich gespalten hat – und nimmt zugleich die Grundmotive der modernen Beethovenforschung voraus. Lassen wir den metaphysischen Ausgangspunkt der Schopenhauerischen Musiktheorie gelten, dann ist die Absolutheit der Musik, die, wie er sagt, kein »Nachbild eines Vorbildes« sein kann, die einzige Konsequenz. Mit einem berühmten, viel zitierten Satz spricht er aus, was – wenn wir Bettina Brentano glauben wollen – Beethoven selbst in ähnlicher Weise gesagt haben soll. Schopenhauer schreibt:

»Der Komponist offenbart das innerste Wesen der Welt und spricht die tiefste Wahrheit aus, in einer Sprache, die seine Vernunft nicht versteht; wie eine magnetische Somnambule Aufschlüsse gibt über Dinge, von denen sie wachend keinen Begriff hat.«

Die Kunst ist eine große Trösterin. Wenn die Menschheit im Genuß alles Schönen das Leiden für eine Zeit vergißt, so hat sie es dem Künstler zu danken. Sein Enthusiasmus – »dieser eine Vorzug des Genius vor den Anderen« – trägt ihn und den, der für die Kunst empfänglich ist, auf die erste Stufe der Erlösung. Den Künstler fesselt die Betrachtung des Weltenschauspiels. »Die reine, wahre und tiefe Erkenntnis des Wesens der Welt wird ihm Zweck an sich.« Aber der Künstler, der nicht müde wird, die Welt darzustellen, bleibt in ihr, muß also »die Kosten der Aufführung jenes Schauspiels« selbst tragen. Und w i r, die wir das

Abbild der Welt im Kunstwerk betrachten, wir sind als Genießende auch nur für Augenblicke »erlöst«. Die Kunst weist noch nicht den Weg a u s dem Leben h e r a u s, sondern ist einstweilen nur ein Trost in demselben.

Erst wo die Ästhetik in die Ethik führt, erklimmen wir die nächste Stufe. Dort lüftet sich der Schleier der Maja. Wenn der Mensch nicht mehr den egoistischen Unterschied zwischen seiner Person und der fremden macht, wenn er an den Leiden der andern soviel Anteil nimmt wie an seinem eigenen, wenn er dann hilfreich wird und opferbereit, weil er die endlosen Leiden alles Lebenden als die seinen betrachtet und sich schließlich den Schmerz der ganzen Welt zueignet, wenn er, mit einem Worte, sich eins fühlt mit der »leidenden Menschheit und leidenden Tierheit« – dann wird solche Erkenntnis und solche Wandlung zur Erkenntnis des Ganzen ein Weg zum »Quietiv alles und jedes Wollens«. Auf dieser Stufe, wohin ihn die Ethik führt, hat er hinter den Schleier geblickt und erfahren, was jener indische Lehrling erfuhr, als ein großer Geist vor seinem Blick alle Wesen der Welt, lebende und leblose, vorüberführte und bei einem jeden das Wort sprach: Tat twam asi – das bist du! Dem so Erfahrenen schaudert dann; der Wille wendet sich vom Leben ab und der Mensch erstrebt den Zustand wahrer Gelassenheit und gänzlicher Willenlosigkeit. Aber wie bald umwebt uns wieder der Schleier der Maja: Die Lockungen der Gegenwart, die Süße der Genüsse, die schmeichelnden Hoffnungen verstricken uns aufs neue in den Jammer der Welt, deren Nichtigkeit und Bitterkeit wir eben noch erkannten. Das »ewige Weltauge« schließt sich wieder. Wir sinken zurück: der Philosoph, der Künstler, der gewöhnliche Mensch. Der in der Kunst, in der Erkenntnis ergriffene Augenblick war zu schön, um Dauer zu erlangen. Nur e i n e m gelingt der letzte Vorstoß und Durchstoß: dem Heiligen.

Der Übergang von der »Tugend« zur »Askese« ist das Phänomen, in dem sich der Wille schrittweise verneint und aufhebt. Es genügt dem Heiligen nicht mehr, andere zu lieben wie sich selbst und so viel für sie zu tun wie für sich selbst. Er straft seine eigene Erscheinung, d. h. seinen Leib, die Objektivation des Willens, Lügen, indem er durch vollkommene Keuschheit den Willen zum Leben verneint – und »verneint dadurch die über das individuelle Leben hinausgehende Bejahung des Willens«. Was hier geschieht, ist die Erhebung der Erkenntnis über den Willen: Der Kreislauf der Natur ist unterbrochen, das Paradox Ereignis geworden. Erlöst der Heilige aber durch die *absolute* Verneinung des Urphänomens »Wille« sich und die Menschheit, so erlöst er zugleich die unteren Stufen der Willensinkarnation: die ganze Tierwelt. Versteht man, daß die Berührung mit dieser Metaphysik die Geburtsstunde des »Parsifal« geworden ist?

Den großen Asketen des Morgen- und Abendlandes trug Schopenhauer immer seine Bewunderung entgegen. In der Heiligkeit der Asketen verschmolz für ihn die Ethik des Christentums mit der Weisheitslehre der Hindus. Für beide war »die wichtigste und bedeutendste Erscheinung, welche die Welt aufzeigen kann, nicht der Welteroberer, sondern der Weltüberwinder«. Im Grunde genommen entspricht die christliche Lehre von der Menschenliebe und ihrer weltentsagenden Tendenz genau dem philosophischen Weltbild Schopenhauers. Die von Jesus und den Aposteln gepredigten Tugenden der Armut, Gelassenheit in allen weltlichen Dingen und Demut in Gott haben nach dem Urteil Schopenhauers ihre schönsten Blüten in den mystischen Schriften von Eckhard, Tauler und dem Frankfurter Deutschherren des 14. Jahrhunderts getrieben. Die »Theologia deutsch« des Letztgenannten, von welcher der junge Luther in seiner Vorrede gesagt hatte, er habe aus keinem Buch – die Bibel und Augustin ausgenommen – mehr gelernt, was Gott, Christus und der Mensch seien, enthält bereits Schopenhauers Lehre von der Verneinung des Willens:

»Die darin gegebenen Vorschriften und Lehren sind die vollständigste, aus tief innerer Überzeugung entsprungene Auseinandersetzung dessen, was ich als Verneinung des Willens zum Leben dargestellt habe.«

Schopenhauer erhebt die metaphysisch-mystische Lehre dieses vorreformatorischen Zeitalters der Eckehart und Tauler so hoch, daß er sagt:

»Was im Neuen Testament uns wie durch Schleier und Nebel sichtbar wird, tritt in den Werken der Mystiker ohne Hülle, in voller Klarheit und Deutlichkeit uns entgegen. Endlich auch könnte man das Neue Testament als die erste, die Mystiker als die zweite Weihe betrachten.«

So ausgesprochen-unausgesprochen Schopenhauers Gleichgültigkeit gegen die positiven Offenbarungsreligionen ist, so nahe steht er als atheistischer Christ oder christlicher Atheist – der Gott nie in seine Rechnung brachte –, der christlichen Ethik, jedenfalls ihrer asketisch-mystischen Seite. Von hier aus klärt sich auch seine Ansicht von dem, was nach seiner Auffassung der Kern des Christentums ist:

»Es lehrte nämlich die große Wahrheit der Bejahung und Verneinung des Willens zum Leben, im Gewande der Allegorie, indem es sagte, daß durch Adams Sündenfall der Fluch alle getroffen habe, die Sünde in die Welt gekommen, die Schuld auf alle vererbt sei; daß aber dagegen durch Jesu Opfertod alle entsühnt seien, die Welt erlöst, die Schuld getilgt und die Gerechtigkeit versöhnt.«

Indem Schopenhauer das Christusbild in bewußte Dogmenferne rückt, gelingt es ihm, die Verbindung zwischen der christlichen und indischen Ethik und Religion herzustellen:

»Liebe des Nächsten mit völliger Verleugnung aller Selbstliebe; die Liebe überhaupt nicht auf das Menschengeschlecht beschränkt, sondern alles Lebende umfassend; Wohltätigkeit bis zum Weggeben des täglich sauer Erworbenen, grenzenlose Geduld gegen alle Beleidiger, Vergeltung alles Bösen, so arg es auch sein mag, mit Gutem und Liebe, freiwillige und freudige Erduldung jeder Schmach.«

Und so geht der Parallelismus weiter bis zur Erkenntnis der »Einhelligkeit« indischer und christlicher Lehren. Von Offenbarung ist hier keine Rede, das Christentum habe nur das gelehrt, »was ganz Asien damals schon lange und sogar besser wußte«. Umso bedeutsamer erscheint ihm die Übereinstimmung: denn

»sie ist ein faktischer Beweis, daß hier nicht, wie optimistische Plattheit es gern behauptet, eine Verschrobenheit und Verrücktheit der Gesinnung, sondern eine wesentliche und nur durch ihre Trefflichkeit sich selten hervortuende Seite der menschlichen Natur sich ausspricht.«

Ein letzter Gedanke: Was bleibt, wenn das Leben endet? Noch niemand hat hinter den Vorhang gesehen. Das Geheimnis des Todes und des Nichts bleibt in seiner vollen Rätselhaftigkeit bestehen. Was aber Schopenhauer zu diesem Geheimnis, das wie ein Schlüssel und Abschluß seiner Weltanschauung ist, zu sagen hat, strahlt eine so dunkle Schönheit aus, daß wir begreifen, wie ein Wagner, ein Nietzsche, ein Thomas Mann von diesen tiefsten Kapiteln seines Buches fasziniert wurden. Der Tod, sagt Schopenhauer, ist die große Zurechtweisung, welche der Wille zum Leben, mithin der Egoismus, durch den Lauf der Natur erhält. Der Tod läßt sich als eine Strafe für unser Dasein auffassen, denn er ist »die schmerzliche Lösung des Knotens, den die Zeugung mit Wollust geschürzt hatte«. So ist der Tod die große Ent-täuschung. Der Egoismus des Menschen beschränkte alle Realität des Daseins auf seine eigene Person, nun aber belehrt ihn der Tod, daß sein Wesen, der Wille, fortan nur in andern Individuen leben wird und so auch sein Intellekt, mit dem er die Welt als Vorstellung aufgefaßt hatte. Der Tod ist die große Gelegenheit, nicht mehr Ich zu sein. Solange der Mensch lebt, ist sein Wille ohne Freiheit, weil sein Handeln an seinen unveräußerlichen Charakter gebunden ist und sich an der »Kette der Motive mit Notwendigkeit« vollzieht. Durch den Tod löst sich dieses Band: Der Wille wird wieder frei. Das Sterben ist der Augenblick dieser Befreiung. Der Mensch fällt durch den Tod in den Schoß der Natur zurück. Hat er aber, wie der Heilige, den Zirkel der Natur durchbrochen, ja, dann fehlen Bild, Begriff, Wort, um diesen Gegensatz zu bezeichnen; das bedeuten die Gedankenstriche am Ende des folgenden Satzes:

10   Arthur Schopenhauer
     Gipsabguß der Büste von Elisabeth Ney (1859)

»In der Stunde des Todes entscheidet sich, ob der Mensch in den Schoß der Natur zurückfällt, oder aber dieser nicht mehr angehört, sondern – – –«
D e r nur stirbt eigentlich *wirklich* und nicht nur *scheinbar*, der die unermüdlich wiederholte Frage der Natur: »Hast du genug? Willst du aus mir heraus?« bejaht. Wer keine Fortdauer seiner Person verlangt, gibt das Dasein willig auf. »Was ihm statt dessen wird, ist in unsern Augen das Nichts.«

Schopenhauer zieht die letzte Konsequenz: Wenn der Wille, der sich in allen Erscheinungen der Welt, von den dunkelsten Naturkräften bis zum bewußtvollsten Handeln des Menschen, manifestiert, vollständig aufgehoben ist und mithin auch die Mannigfaltigkeit aller Formen der Erscheinungen wie Raum, Zeit, Subjekt und Objekt verschwinden, dann bleibt vor uns »allerdings nur das Nichts«. Wenn wir Menschen nun das Nichts so sehr verabscheuen, ist das, in Schopenhauers Urteil, nur ein anderer Ausdruck davon, daß wir so sehr das Leben wollen und nichts kennen als eben diesen Willen, dessen Gestalt wir selbst sind. Aber für den, welcher den »Lebenstraum des wollenden Menschen« frei verneinte, ist das Nichts
»jener Friede, der höher ist als alle Vernunft, jene gänzliche Meeresstille des Gemüts, jene tiefe Ruhe, unerschütterliche Zuversicht und Heiterkeit«, die Schopenhauer uns nicht schöner sichtbar machen konnte als im Abglanz des Friedens, wie wir ihn im Antlitz einiger Köpfe von Raffael und Correggio als »ein ganzes und sicheres Evangelium« sehen. Letzter und tiefster Zauber der Kunst, daß sie
»den finstern Eindruck jenes Nichts, das als das letzte Ziel hinter aller Tugend und Heiligkeit schwebt ..., verscheucht.«

2.

Wagners Lebenslinie verbindet den Anfang des 19. Jahrhunderts mit dessen Ende. 1813 geboren, tritt er das Erbe der Romantik an; 1883 gestorben, steht er an der Schwelle zum 20. Jahrhundert, in das die Kunstbewegungen des Impressionismus, Naturalismus und Symbolismus einfließen. Es hat selten einen Künstler gegeben, der in so umfassendem Sinne alle Aspekte der sich wandelnden Zeit dargeboten hat. Wagner lebte nicht nur im 19. Jahrhundert, er i s t das 19. Jahrhundert: großartig in seinen Leistungen, fragwürdig in seinen Gesinnungen, voller Lebenstüchtigkeit und resignierender Schwermut, von epischer Wucht und grenzenloser Eigenliebe, dazu von einer allseitig nationalen Überheblichkeit: so stellt sich uns das 19. Jahrhundert, so auch die

Gestalt Wagners dar. Aus allen Poren der Zeit sickern ihm die Säfte und Kräfte zu, mit denen er seinen Organismus aufbaut. Ihn bewegen die politischen Leidenschaften so sehr, wie ihn das Studium der Geschichte fesselt. Er steht auf den Barrikaden – oder vielmehr als Beobachter der Ereignisse auf dem Kreuzturm in Dresden – gegen die Reaktionäre, ist ein Freund des Anarchisten Bakunin und wird als politischer Flüchtling steckbrieflich verfolgt. Die Schweiz bietet ihm ein Asyl, die französischen Sozialisten und Saint-Simonisten bereiten ihm aus politischer Sympathie den Weg seines Ruhmes in Frankreich. Aber er endet als Konservativer und Freund des Königs von Bayern, als Bewunderer Bismarcks und Verherrlicher der Reichsidee.

Ihn bewegt aber auch jede geistige und philosophische Strömung. Er ist zuerst von Feuerbach ergriffen, dann von Schopenhauer überwältigt und findet sich in Nietzsche wieder, wie Nietzsche sich in ihm. Mit hundert Fäden ist er an die Generationsgeschichte seines Jahrhunderts gebunden, ist ein Geistesverwandter von Zola und Tolstoi, verbindet das Unmögliche: Marx und Bismarck; er ist ein Wahlverwandter von Franz Liszt in künstlerischem und standesamtlichem Sinne –, da gemeinsame Kunstanschauung die beiden Musiker verband und Wagner des Freundes Tochter Cosima entführte und heiratete. Er ist ein Bourgeois und ein Bohémien, eine schillernde Figur, deren Leben selbst lebendigstes Drama war. Unruhe ist sein Signum. Er jagt über Meere und Länder, dirigiert an jämmerlichen Provinztheatern, flieht von Riga an die Küsten Frankreichs, schriftstellert, hungert, verzweifelt; dann steigt er zum Kapellmeister, zum königlich besoldeten, in Dresden auf, muß aber wieder außer Landes, ist von neuem der Verzweiflung nahe, ein Weltflüchtiger. Da wird er plötzlich, wie durch ein Wunder, von des Schicksals Gunst emporgehoben und endet dieses gequälte, besessene, ver-rückte Leben in dem Weltruhmesglanz von Bayreuth.

Wagner selbst hat uns einen Abriß seiner vita, »Mein Leben«, in vier großen Teilen hinterlassen. Zusammen mit der »Autobiographischen Skizze« von 1842 und der »Mitteilung an meine Freunde« von 1851 enthält es die wichtigsten Schlüssel zum Verständnis seiner Persönlichkeit. Indessen offenbart er sich gleichermaßen in seinen Pariser Novellen und Erzählungen wie etwa in »Eine Pilgerfahrt zu Beethoven«, »Ein glücklicher Abend« oder »Ein Ende in Paris«, aber auch in seinen politischen, philosophischen, kulturgeschichtlichen und kunsttheoretischen Schriften und Büchern. Nur einige Themen aus diesen vier literarischen Schaffenskreisen seien wegen ihrer Bedeutsamkeit erwähnt: »Staat und Religion« (1864), »Deutsche Kunst und deutsche Politik« (1866), »Die Kunst und die Revolution« (1849); – »Metaphysik der

Geschlechtsliebe«, »Über das Weibliche im Menschlichen« (1883), »Erkenne dich selbst« (1881); – »Die Wibelungen« (1848), »Das Kunstwerk der Zukunft« (1849), »Das Künstlertum der Zukunft« (Fragment, 1849); – »Oper und Drama« (1851), »Zukunftsmusik« (1860), »Über das Dichten und Komponieren« (1879). Zu der letzten Gruppe können wir noch alle jene zahlreichen Niederschriften und musikalischen Erläuterungen zählen, die er über eigene und andere Werke aufgezeichnet hat, und die entweder den Fachmann, wie etwa der Traktat »Über das Dirigieren« (1869), oder den Musikverständigen wie etwa die acht großen Erläuterungen fremder Meisterwerke, vornehmlich von Gluck, Beethoven und Liszt interessieren. Wer aber in dem voluminösen literarischen Oeuvre Wagners die kleinen Skizzen und Erinnerungen über Sänger und Schauspieler übersieht, hat gerade das überlesen, was zum Verständnis und zur richtigen Beurteilung seiner Künstlerpersönlichkeit von entscheidender Bedeutung ist: Wagner steht und fällt mit dem Theater. Seine Lebensluft ist die Lebensluft der Bühne. Wo er sie nicht atmet, schrumpft er zusammen; aber wo er sie atmet, wächst er zu einem Theatrach von souveräner Größe auf. Es ist etwas Wahres an dem Urteil Friedells über Wagner:
»Und es ist überhaupt mehr als wahrscheinlich, daß man in ihm das größte Theatergenie aller Zeiten zu erblicken hat.«
Wir werden sehen, daß das schon das Urteil Nietzsches war. So ist denn auch, was wir an Kammermusik, Liedkompositionen und reiner Instrumentalmusik haben, im Verhältnis zu seinen Musik*dramen* eine quantité négligeable. Seine musikalische Tat ist die Oper.

Es gibt natürlich eine Entwicklung seines musikalischen Stils, aber nicht eigentlich eine Wandlung und einen Fortschritt zu jeweils neuen Ufern seiner Kunst. Die großen Musikdramen legen sich vielmehr wie konzentrische Ringe um e i n e Grundidee: die Erlösung – ein unendlich variiertes Leitmotiv, das alle Stoffe und Gedanken gleichsam zu einer sphärenrunden Einheit bindet. Darauf hat Nietzsche spöttisch aufmerksam gemacht: Im »Holländer« ist es die Erlösung des Ewigen Juden (denn der ruhelos über die Weltmeere segelnde Kapitän ist nichts anderes als eine Abwandlung dieses Mythus); im »Tannhäuser« ist es die Erlösung des Sünders durch die Unschuld einer Frau; im »Lohengrin« wäre die Erlösung durch den reinen Glauben und jeden Verzicht auf Forschen und Fragen vollbracht; in den »Meistersingern« wird das bürgerliche Evchen durch den ritterlichen Stolzing erlöst; im »Ring des Nibelungen« aber der heidnische Gott Wotan und mit ihm die ganze alte Welt durch die Schopenhauerische Philosophie der Weltverneinung; im »Tristan« erlöst die sündige und verhängnisvolle Liebe die Liebenden vom Leiden an der Welt und vom Genuß an der Liebe selbst; und gar der »Parsifal« bringt eine letzte sublime Variation des Themas: Die verdorbene Kundry wird von einem keuschen Jüngling, und dann der Erlöser selbst erlöst. »Ah, dieser alte Zauberer!« ruft Nietzsche aus, »was hat er uns alles vorgemacht!«

Mit den genannten Opern ist der Umkreis seiner Werke bezeichnet. Sehen wir von den ersten Versuchen, den »Feen« und dem »Liebesverbot«, und von der ersten vollendeten Oper »Rienzi« ab, so ist alles zwischen dem »Holländer« und dem »Parsifal« – und diese beiden Werke eingeschlossen – ein einziges musikdramatisches Monument. Jedes einzelne Werk, – in sich so abgeschlossen wie jede der Beethovenschen Symphonien, eine Welt für sich –, wirft seinen Schatten für das jeweils zukünftige voraus, trägt es schon halb in sich, reflektiert die vorangehenden. Während der Ring-Komposition trägt er am »Tristan« und dem Satyrspiel der »Meistersinger«, und im »Tristan« liegt der »Parsifal« vorgebildet; nach rückwärts gesehen weist der »Parsifal« zum »Tannhäuser«, und gleich nach dem »Tannhäuser« entstand der »Lohengrin«. Alles ist ineinander verschachtelt; alles entfaltet sich; Ring um Ring wird angesetzt. Eins treibt das andere hervor.

Es ist kein Zweifel: Schon die Stoffe seiner Musikdramen weisen auf ihre Provenienz aus der Welt der europäischen Romantik. Mit Wagner endet diese große Bewegung an den Toren des 20. Jahrhunderts. »Parsifal« ist sein Ende; das Zeitalter des »Zarathustra« hat begonnen. Wir werden am besten in das Verständnis Wagners dringen, wenn es gelingt, sein Werk und die Erscheinung seines Schöpfers aus dem Erbe des romantischen Weltereignisses zu begreifen. Hier liegen Größe und Grenze des Tondichters. Wagner war schon als psychisches Phänomen ein Romantiker; er war es in den Abenteuern seiner politischen Existenz von 1848/49; er wurde es noch mehr, als er die Konzeptionen seiner Werke vom Ring über den Tristan zum Parsifal in der philosophischen Lebensluft Schopenhauers reifen ließ; er war es endlich als Mythologe – und hier vielleicht am greifbarsten. Wir wollen auf diesen vier Hauptwegen dem Phänomen Wagner nachspüren, uns dabei aber immer bewußt bleiben, daß dies alles nur eine Skizze ist.

1. Man könnte die Behauptung wagen, daß Wagner ein im Schopenhauerischen Sinne formgewordener Lebenswille ist, der mit unbeugsamer Entschlossenheit sein Werk hervortrieb, trotz Hohn, Spott, Verachtung. Er war dabei alles andere als eine »gesunde Natur«. Er fühlte sich oft krank, dem Tode nahe; durchlitt böse, schlaflose Nächte, war von seinen Ideen besessen und gepeinigt, und erpreßte den wenigen Stunden, da er arbeiten konnte – es waren in manchen Zeiten nur

zwei am Tage – ihre gestaute Kraft zur Förderung seines Werkes. Aber diese epischen Lasten zu heben, versagte oft der Mut. Dann brach er zusammen, verweinte die Zeit, dachte mit 40 Jahren täglich an den Tod – aber wieder lud er sich mit Energien auf, die sich noch von Jahr zu Jahr zu erhöhen schienen. Das übliche Bild, das sich der Laie, der in Wagners Orchester im wesentlichen Pauken und Trompeten vernimmt, vom kraftstrotzenden Voluntarismus Wagners macht, erfährt seine Komplettierung und Korrektur, sobald das Ohr tiefer hineinhorcht und das Auge tiefer sieht. Wagners Künstlerleben und -leiden ist eine ewig sich neu erzeugende Spannung aus Sensibilität und Robustheit, aus Erschöpfung und Regeneration, aus Weichheit und Härte. Aus eben diesen Spannungen strömen die wunderbaren Kräfte des Genies, das fast immer – in einem durchaus romantischen Sinne – eine Mischung von Gesundheit und Krankheit ist, wobei, im Falle Wagner, die gesunde Kraft im Übermaß der Arbeit verspielt wird, während sich gleichzeitig aus Ohnmacht und Krankheit die Kunst, als Wirkung und Werk der Sehnsucht, emporhebt. Da sind wir am romantischen Kern der Sache: Kunst als Ersatz des Lebens. Wir denken an das im vorigen Kapitel zitierte Wort Schopenhauers über Petrarca; das ist der ganze Fall Wagner:

»Vom wirklichen Genusse des Lebens kenne ich gar nichts«, schreibt er mit 39 Jahren an Liszt, »für mich ist Genuß des Lebens, ist die *Liebe,* nur ein Gegenstand der Einbildungskraft, nicht der Erfahrung. So mußte mir das Herz in das Hirn treten, und mein Leben nur noch ein künstliches werden: nur noch als ›Künstler‹ kann ich leben, in ihm ist mein ganzer ›Mensch‹ aufgegangen.«

Die Bekenntnisse sprechen Bände. Von hier bis zu der ebenso romantischen Idee der Kunst als Erlösung ist nur ein Schritt. Wenn er das Leben nicht leben kann, sondern es ersetzen und versetzen muß, nun, dann baue er ein zweites, »höheres« Leben darüber auf: ein Reich der Kunst und Künstlichkeit, eine zweite Wirklichkeit! Und da steht dieses zweite Reich: es ist das Theater, die Welt der Bretter. Dort wird ihm alles zuteil, was er hier unten missen muß. Dort ist das Reich der Freiheit, der Erfüllung, ja der Erlösung. Er weiß, lange bevor er Schopenhauer gelesen hat, daß Kunst ein Mittel der Erlösung ist; aber der spätere Wagner, der Kenner Schopenhauers, weiß noch mehr, nämlich daß K u n s t niemals zur *vollen* Erlösung führt. Dahin gelangt nur der Heilige, der sich des Lebenswillens ganz entäußert hat. Wagner war das Gegenteil des Heiligen – und wie soll das Theater, dem er sich verschrieben hat, den Weg zur Erlösung bahnen, wo es doch immer nur Abbild des Lebens und der Welt selbst sein kann? So bleibt als letzte

Wollust die Perversion der Idee: nämlich die Kunst umgekehrt als Hinderung des Heils zu erkennen und sich ihrer faszinierenden Macht dennoch hinzugeben, ja sie mit den Mitteln der ureigenen Begabung zur stärksten Verführungsmacht zu erhöhen. Der Romantiker Wagner ist kein Erlöser, sondern ein Zauberer. Der »Schleier der Maja« ist auch der Vorhang vor der Bühne Richard Wagners.

2. Das Jahr der europäischen Revolutionen, 1848, sah auch Wagner aktiv an seinen Ereignissen teilnehmen. Mehr noch: Es löste eine ganze Reihe von Reden, Schriften, Dichtungen und politischen Konzeptionen aus, die den Dresdner Hofkapellmeister als romantischen Politiker und politischen Romantiker von größter Leidenschaft zeigen. Am 14. Juni 1848 hält er eine Rede im Dresdner »Vaterlandsverein«: eine merkwürdige Mischung aus kommunistischen und royalistischen Gedanken, eine Blütenlese aus Marxens »Kommunistischem Manifest« (das 4 Monate zuvor erschienen war) und der Ideologie romantisch-mittelalterlicher Königsherrlichkeit: Eine Kampfansage gegen die »Feudalherren«, die »in dem Archiv der Geschichte des letzten Jahrtausends mit blutiger Tinte die Leiden, die Hörigkeit, Druck und Knechtschaft aller Art« eingeschrieben haben; ein Kampfruf gegen den Kapitalismus, »das bleiche Metall«, das die Menschen »in knechtischer Leibeigenschaft untertänig« gemacht hat; ein Kampf für das Wahlrecht, für die Aufhebung der Standesunterschiede und der »ersten Kammer«: »Es gibt nur ein Volk, nicht ein erstes und zweites«. Aber in der gleichen Rede die Warnung vor dem Kommunismus: »Oder wittert ihr hierin etwa Lehren des Kommunismus?« – Wagner nennt sie die »abgeschmackteste und sinnloseste Lehre« – soweit sie zu »einer mathematisch gleichen Verteilung des Gutes und Erwerbes« führen soll. Das Paradox, in das seine Rede mündet, heißt: Untergang der Monarchie durch Emanzipation des Königtums. Und seine romantische Formulierung:

»An der Spitze des Freistaates wird der erbliche König eben das sein, was er seiner edelsten Bedeutung nach sein soll: der erste des Volkes, der Freieste der Freien.«

Aber weder Preußen, das monarchisch dachte, noch Österreich, das dynastischen Motiven huldigte, sprach Wagner die Königskrone zu, sondern dem Hause Wettin.

In demselben Jahre 1848, wo Michelets »Le Peuple«, Arnold Ruges »Die Religion unserer Zeit« und Marx-Engels »Kommunistisches Manifest« erschienen, veröffentlichte Wagner drei seiner interessantesten Schriften, die unter sich und mit den genannten aufs engste zusammenhängen und die Irrungen und Wirrungen seiner politischen Romantik sichtbar machen. Es sind: das Drama »Siegfrieds Tod«, die seltsame Geschichtsphantasie »Die Wibelungen« und das Dramenfragment »Jesus von Nazareth«.

»Siegfrieds Tod« enthält in nuce das Finale der großen Ringschöpfung, die »Götterdämmerung«, die Wagner erst 1874 vollendete, und ist zugleich die erste Etappe auf dem langen Weg der Nibelungen-Komposition. Es ist ein Wortdrama, dessen künstlerischer Wert natürlich mit der Hebbelschen Dichtung keinen Vergleich verträgt. Wagner schreibt es in 15 Tagen nieder. Nun läßt ihn das Thema nicht mehr los. Als Einführung in »Siegfrieds Tod« schreibt er bald danach für die Weimarer Bühne eine Art Vorspiel »Jung-Siegfried«; es erzählt die Jugendgeschichte des Helden und motiviert die Haupttragödie. Noch bevor er an die musikalische Ausarbeitung geht, wächst die Idee des »Ringes« in die Dimension einer Trilogie: Walküre – Jung-Siegfried – Siegfrieds Tod, denen das Vorspiel »Rheingold« vorangehen sollte. Wie jedes bedeutende Werk der Kunst hat auch der »Ring des Nibelungen« mehrfachen Sinn, der vieldeutig und unausschöpflich bleibt. Der »Ring« umschließt zunächst autobiographische Elemente, die der Künstler vor allem in die Gestalten des Siegmund, Siegfried und Wotan hineingeheimnißt hat. Dann aber umgreift er eine Fülle von politischen und sozialen Gedankengebilden, denen seine revolutionäre Phantasie gerade in den späten 40er Jahren Nahrung gab. Siegfried wird Held des Dramas, Träger des revolutionären Wunschtraums und der unerbittlich sich vollziehenden Menschheitstragödie. George Bernard Shaw nannte diesen Siegfried Wagners »Siegfried-Bakunin« und hat in seinem geistvollen Wagnerbuch »The perfect Wagnerite« die ganze Dichtung des »Rheingold« und einen großen Teil der »Walküre« und des »Siegfried« als ein Märchen gedeutet, das Wagner unter dem Eindruck der sozialpolitischen Ideen des 19. Jahrhunderts in eine realistische Symboldichtung von erregender Aktualität verwandelt hat. »The whole work has a most urgent and searching philosophy and social significance.« Man muß das Buch von G. B. S. kennen, um zu verstehen, was weder in der Partitur noch der eigentlichen Bühnenhandlung liegt, nämlich die philosophische und soziale Hintergründigkeit des Werkes, bei dem es um »Schicksal und Geschichte der Menschheit im Lichte der modernen kapitalistischen Zivilisation« geht. – Aber immer tiefer nach innen dringend gelangen wir endlich in den philosophisch-religiösen Kern des Dramas, wohin uns Shaws Buch freilich nicht führt oder zu führen beabsichtigte. Dieser Kern öffnete sich Wagner selbst erst nach seiner Bekanntschaft mit der Philosophie Schopenhauers. Nun rückt Wotan in den Mittelpunkt des Ganzen. Über dem Menschenschicksal wölbt sich das Götterschicksal. Wotan ist der Gott, aus dem alles emaniert und der alles wieder in sich zusammenfaßt. Am Ende seiner Herrschaft über Götter und Menschen entsagt Wotan der Weltherrschaft und nimmt die Welt ins Nichts zurück. Was da geschieht, sollte man in den Seiten nachlesen, die Nietzsche über die Vorgänge im »Ring des Nibelungen« geschrieben hat. Besseres ist nie darüber gesagt worden. –

Die romantische »Weltgeschichte aus der Sage«, die Wagner mit den »Wibelungen« gedeutet hat, steht im Zusammenhang mit dem Nibelungenring. Sie sind eine Geschichtsmetaphysik aus dem Mythus und deuten den mittelalterlichen Herrschaftsanspruch des Frankengeschlechts als den »ewig-unruhvollen Drang« der Nibelungen nach dem Besitz des Hortes. Seine höchste Machtentfaltung hatte das Frankengeschlecht in der karolingischen Kaiserherrlichkeit. In dem Maße, wie sich der Weltherrschaftstraum der nachfolgenden deutschen Kaiser verflüchtigte, spiritualisierte sich die Idee des fränkischen Nibelungenschatzes. Mit dem Kaiser Barbarossa, Friedrich I., wurde aber noch einmal der Erbgedanke des Nibelungenhortes aufgenommen: Nachdem er sich mit dem Papst versöhnt, die deutschen Fürsten niedergeschlagen und den lombardischen Städten die Freiheit garantiert hatte, unternahm der Kaiser den Zug nach Osten, von wo ihm Kunde eines göttlichen Priesterkönigs kam, der dort über ein reines, glückliches Volk herrsche, unsterblich durch die Pflege eines wundertätigen Heiligtums, des heiligen Grals. So verknüpft Wagner bereits in dieser Schrift die Konzeption des Nibelungenringes mit dem zukünftigen »Parsifal«, oder anders gesagt: den nordisch-germanischen Mythus mit der keltisch-ritterlich-christlichen Sagenwelt, mit einem Wort: Wotan mit Christus. Diese ganz dem romantischen Phantasiezauber entsprungene mythologische Geschichtsmetaphysik schließt mit einem kühnen Salto ins Politisch-Aktuelle: Wir hören Rousseau, wenn da am Ende der Schrift die Klage über den Verfall des Ideals und den Raub am natürlichen Eigentum anhebt; wir hören Proudhon und die Hegelsche Linke: Es hämmern die revolutionären Schläge im Finale dieser seltsamen Schrift und künden das dritte Revolutionswerk von 1848 an: »Jesus von Nazareth«.

Wagner hatte den »Tannhäuser« und den »Lohengrin« beendet. Es drängte ihn, den Stoff eines Jesus-Dramas zu gestalten. Der Geist, in dem er es tat, war wiederum der romantische Sozialismus, diesmal in seiner religiösen Brechung. Wollte man das Jesus-Fragment auf eine Formel bringen, könnte man es als eine zur dramatischen Skizze verdichtete Philosophie Feuerbachs nennen, in welcher zugleich die pantheistischen Elemente Hegels in einen naturalistischen Humanismus eingeschmolzen sind. Die Unnatur des christlichen Gesetzes wird durch eine Lehre, die Wagner Christus selbst in den Mund legt, in der göttlichen, allumfassenden, vollkommenen, freien Liebe aufgehoben. Die Liebe ist größer als das Gesetz, welches die Natur des Menschen – seine Sinnlichkeit – als sündig erscheinen läßt. Das Fragment hat manche Zuflüsse aus der »Jungdeutschen« Bewegung. Wagner stand ihren Kreisen nahe. Die Spekulation greift alsbald vom religiös-metaphysischen Bezirk auf die Kritik an den staatlichen, wirtschaftlichen, sittlichen, ästhetischen Mißständen der Zeit über. Wagner selbst litt am meisten an den künstlerischen und sozialen Verhältnissen. Er war überzeugt, daß erst auf den Trümmern der alten, ungerechten Ordnung die neue Kunst – seine Kunst – gedeihen könne.

Die revolutionäre Welle erreichte Dresden. Wagner fieberte den Ereignissen entgegen, hielt die zitierte Rede im »Vaterlandsverein« und publizierte anonym im »Volksblatt« vom 8. April 1849 einen Artikel, wo er die Heraufkunft der »Göttin Revolution« in einer Sprache voller Farbenglut und Leidenschaft prophezeite:

»Da stürzt in Trümmer das in eitlem Wahn für Jahrtausende Erbaute, und der Saum ihres Gewandes streift die letzten Überreste hinweg! Doch hinter ihr ... eröffnet sich uns ... ein nie geahntes Paradies des Glückes ... Mit dem Himmel erschütternden Rufe: ›ich bin ein Mensch‹ stürzen sich die Millionen, der Mensch gewordene Gott, hinab in die Täler und Ebenen und verkünden der ganzen Welt das neue Evangelium des Glückes.«

Das schrieb er in den Tagen, als er die IX. Beethovens dirigierte. Wir erinnern uns aus Wagners Autobiographie, wie Bakunin, der im Konzertsaal war, die Befreiung der Millionen Menschenbrüder in dieser Schiller-Symphonie vorfühlte und nach dem Finale des 4. Satzes auf Wagner losstürzte, ihm zurufend,

»daß, wenn alle Musik bei dem erwarteten Weltenbrande verloren gehen sollte, wir für die Erhaltung dieser Symphonie mit Gefahr unseres Lebens einzustehen uns verbinden sollten.«

Das Ergebnis von Wagners publizistischer Betätigung und aktiver Beteiligung an dem wenige Wochen später ausbrechendem Aufstand war ein Haftbefehl, Flucht nach Weimar zu Liszt, steckbriefliche Verfolgung und Emigration in die Schweiz. Der literarische Niederschlag all seiner Erkenntnisse, Hoffnungen, Forderungen als Künstler und Revolutionär war das Manuskript »Die Kunst und die Revolution«. Es war als Aufsatzreihe für eine Pariser Zeitung gedacht, aber wurde schließlich, nach dortigem Fehlschlag, von Feuerbachs Verleger Wigand in Leipzig gedruckt. Wagners Hauptanliegen war es, »die Kunst als soziales Produkt zu erkennen«. In großen Umrissen entwarf er ein Bild der Größe und des Elends der Kunst, wie sie durch den Wandel der Gesellschaft bedingt ist. Wo sich Gott in Geld verwandelt und

Merkur, »der heilig-hochadlige Gott der 5 Prozent, Gebieter und Fest-ordner unsrer heutigen Kunst« in einen »bigotten englischen Bankier, dessen Tochter einen ruinierten Ritter vom Hosenbandorden heiratet« – da sind Kunst und Wissenschaft gleichermaßen versklavt, die Men-schen vereinsamen in ihren Egoismen und die Kunst löst sich in Einzel-künste auf. Wagners Traum eines Gesamtkunstwerks erscheint ihm nur auf dem Boden einer sozialistischen Gesellschaft möglich. Hier aber weitet sich der Begriff »Revolution« zu einem Vorgang, der eine menschheitsumspannende Bewegung ist:

»Umfaßte das griechische Kunstwerk den Geist einer schönen Nation, so soll das Kunstwerk der Zukunft den Geist der freien Menschheit über alle Schranken der Nationalität hinaus umfassen; das nationale Wesen darf in ihm nur ein Schmuck, ein Reiz individueller Mannigfaltigkeit, nicht eine besondere Schranke sein.«

Die politisch-soziale Revolution ist Vorbedingung für die Regenera-tion der Kunst; die Kunst aber gibt der Revolution erst die Seele und geistige Einheit; ohne sie gäbe es keine Revolution, höchstens eine Re-stauration der Gesellschaft. In dem Glutstrom dieser romantischen Seele verschmelzen alle ästhetischen, sozialen politischen, religiösen Ele-mente in einem Gärungsprozeß, aus dem er in der folgenden Etappe seines Schaffensweges bald heraustreten sollte. Schopenhauer verhalf ihm dazu.

3. Die große Enttäuschung folgte dem Flüchtling auf den Versen. Liszt gab ihm Geld und besorgte einen falschen Paß. Wagner irrte von der Schweiz nach Frankreich, schrieb aus Paris, dann aus Reuil an Liszt: »... und eines kann und will ich immer freudig tun: arbeiten, das heißt für mich: Opern schreiben. Zu allem übrigen bin ich untauglich.« (18. Juni 1849) Wir fühlen, wie sich der Wandel vollzog. Liszt hatte ihn gewarnt, sich auf politischen Gemeinplätzen zu tummeln und sich an sozialisti-schem Galimathias zu berauschen. Wagner hatte alles in den Wind ge-schlagen. Nun jammerte er nach einer neuen Heimat, sehnte sich nach seiner verlassenen Frau zurück – und namenlose Enttäuschung über die Welt, die Menschen, die Ereignisse übermannte ihn. Immer wieder stand Wagner in den ersten Jahren der Emigration am Rande der Verzweiflung und Selbstvernichtung. Man lese diese erschütternden Zeugnisse in den Briefen an Liszt aus den Jahren 1852, 1853, 1854: »So kann das nicht fortgehen!! Ich kann das Leben nicht länger ertragen!« ... »nicht wie ein Hund leben ...« und: »... ich glaub nicht mehr und kenne nur noch eine Hoffnung: einen Schlaf, einen Schlaf, so tief, so tief, daß alles Gefühl der Lebenspein aufhört.«

Und das Ende dieser Phase der Trostlosigkeit ist der unabdingbare Pessimismus:

»Beachten wir die Welt nicht anders als durch Verachtung ... Sie ist schlecht, grundschlecht, nur das Herz eines Freundes, nur die Träne eines Weibes kann uns aus ihrem Fluch erlösen ... Sie gehört Alberich: Niemand anders! Fort mit ihr! Genug – du kennst nun meine Stimmung: sie ist keine Aufwallung: sie ist fest und solid wie Diamand.« (Juli 1854)

Der Boden für die Aufnahme Schopenhauers war bereitet. Nun wurden die Schleusen weit geöffnet. Wagner verschlang »Die Welt als Wille und Vorstellung« – man möchte sagen: der Geist dieses Buches drang ihm durch alle Poren und wandelte sich in Geist von seinem Geist. An Liszt vom 16. Dezember 1854:

»Neben dem langsamen Vorrücken meiner Musik habe ich mich jetzt ausschließlich mit einem Menschen beschäftigt, der mir – wenn auch nur literarisch – wie ein Himmelsgeschenk in meine Einsamkeit gekommen ist. Es ist Arthur Schopenhauer, der größte Philosoph seit Kant ... Sein Hauptgedanke, die endliche Verneinung des Willens zum Leben, ist von furchtbarem Ernste, aber einzig erlösend. Mir kam er natürlich nicht neu ... aber zu dieser Klarheit erweckt hat mir ihn erst dieser Philosoph ... So habe ich ... ein Quietiv gefunden, das mir endlich in wachen Nächten einzig zu Schlaf verhilft; es ist die herzliche und innige Sehnsucht nach dem Tode: volle Bewußtlosigkeit, gänzliches Nichtsein, verschwinden aller Träume – einzigste, endliche Erlösung.«

Der Brief an Liszt, durchtränkt von dem Pessimismus Schopenhauers umreißt die musikalische Todesstimmung, in die Wagner sein Tristandrama tauchte. Der »Tristan« ist kongeniales Verstehen Schopenhauers und ebenso sein genialstes Mißverständnis – wie wir alsbald sehen werden.

1854 war das »Rheingold« beendet; 1857 der größte Teil der »Walküre« abgeschlossen; den »Siegfried« führte Wagner bis in die Mitte des 2. Akts. Dann erlahmte die Kraft. Geldsorgen bedrängten ihn. Sein Londoner Konzert brachte keinen materiellen Erfolg. Er wollte nach Amerika auswandern, Geld zu verdienen. Schließlich folgte eine Einladung des Kaisers von Brasilien: Wagner sollte eine italienische Oper für Rio de Janeiro schreiben – und dieses praktikable Opus, das Wagner dafür bearbeiten wollte, sollte der »Tristan« sein. Das alles hat etwas Rührend-Tragikomisches: Für den Kaiser Dom Pedro von Brasilien etwas Bel-Canto, etwas Praktikables von »geringen Dimensionen« zu machen ... Und was entstand daraus? Der »Tristan«, das »opus metaphysicum« par excellence, das Unerhörteste, was das 19. Jahrhundert an Opernwerken geschaffen hat, ein Werk nur für die Bühnen und Sänger allerhöchsten Ranges!

Das war nun freilich ein Stoff, den die Welt kannte, seit die Kelten ihn der epischen Dichtung vermachten und die mittelalterlichen Franzosen und Deutschen sich seiner bemächtigten. Die Sage wanderte in alle Windrichtungen nach Norwegen und England zurück, woher sie kam; nach Italien, Spanien, Portugal; nach Polen und Rußland ... und schließlich gelangte sie zu Hans Sachs, dem Meistersinger; aber erst die Romantiker bemächtigten sich des Stoffes und erkannten seine eigentümliche Schönheit und Größe wieder; die Schlegels, Immermanns, Simrocks führten eine Tristanrenaissance empor, ohne die Wagners Werk auch nicht denkbar wäre ... und immer von neuem verlockt die nie veraltende Mär von Liebe und Tod die Dichter und Komponisten ... Ernst Hardt: »Tantris der Narr«, Frank Martin: »Le Vin herbé« (ein Tristanoratorium), Jean Cocteau: »L'Eternel Retour«, eine der großen Leistungen des französischen Films. Das sind Etappen der Tristannachwirkung im 20. Jahrhundert. Das Wenige, was für Wagners Dichtung zu wissen nottut, läßt sich in wenigen Sätzen sagen: König Marke von Cornwall sendet seinen Neffen Tristan nach Irland, damit dieser ihm die »blonde Isolde« als Braut heimbringe. Tristan war schon einmal in Irland. Da hatte er Isoldes Verlobten Morhold, Markes Feind, im Kampf erschlagen. Die tödliche Wunde, die Tristan dabei empfangen hatte, war von Isolde selbst – da sie Tristan als Mörder ihres Geliebten nicht erkannt hatte, mit einem Wunderbalsam geheilt worden. Dann aber hatte die beiden die unerklärliche Gewalt der Liebe zueinander gezwungen. Nun zog Tristan wieder nach Irland, um in Ehren und Treuen Isolde, die Geliebte, für seinen Oheim nach Cornwall zu entführen. Tristans Diensthandlung gegenüber dem Herrn ist Verrat an seiner und Isoldes Liebe. Glühender Haß steigt in Isolde empor und schreit nach Rache für den Verrat und die alte Blutschuld an Morhold: Haß, der aus ihrer Liebe erwächst, in deren Banden beide schon vor dem Zaubertrank stehen. Es gibt nur einen Ausweg: den Tod. So bietet ihm Isolde, als sie sich auf dem Schiff der Küste Cornwalls nähern, den Todes- und Sühnetrank. Aber Isoldes Dienerin Brangäne, unfähig, den Gedanken ihrer Herrin zu verstehen, und nur darauf bedacht, sie zu retten, mischt statt des Todestranks den wundertätigen Zaubersaft der Liebe in den Becher. So stürzt sie die Liebenden, die nur Sühne und Erlösung im Tode suchten, in das selig-unselige Verhängnis. Seit sie den Becher der Liebe leerten, sind Tristan und Isolde wie Sklaven an die Kette ihrer Liebe gefesselt. Die Welt und ihre sittlichen Werte wie Ehre, Treue, Ritterlichkeit verlieren für sie den Sinn. Der Oheim und Gatte wird mit List betrogen, wenn die unstillbare Sehnsucht und brennende Leidenschaft die Geliebten zueinander zwingen. Wie sie eines Nachts in inniger Umarmung beieinander sind, werden sie von König Marke überrascht. Tristan, von seinem verräterischen Freund Melot verwundet, verläßt das Land. In der bretonischen Aremorika harrt er der Ankunft der Geliebten, die ihm zu folgen versprochen hatte. Siech und todesmatt späht er von seinem Lager übers Meer, ob Isolde nicht nahe. Als sie endlich kommt, erliegt er seinen Wunden. Über seine Leiche gebeugt, vereinigt sich Isolde im Tode mit dem Geliebten.

Das Textbuch, das selbstverständlich von der Partitur getrennt nicht zu lesen ist, zeigt indessen Wagners Meisterschaft der Konzentration und Verinnerlichung gegebener, weitläufiger epischer Stoffe. Dabei konnte er seine Eigenarten als Dichter-Musiker entfalten: Er hat einerseits die sich in bunter Fülle des sagenhaften Geschehens verströmenden Szenen und Handlungen des Gottfriedschen Tristanepos auf den Mittelpunkt zusammengezogen und hat andererseits, gemäß seiner eigenen Theorie über Dicht- und Tonkunst, den »zusammengedrängten, verdichteten Punkt«, also das Wort, nach seinem Gefühlsinhalt zur höchsten Fülle durch das Medium der Musik ausgedehnt. Die Wort-Ton-Sprache des Dramas verläuft in einem ständigen Wechsel von Kontraktion im Wort und Expansion im musikalischen Ausdruck. Wort und Ton sind dabei gleichbedeutend wichtig, voneinander nicht zu trennen. Kunstvoll wechseln schon im Text Stabreim und Assonanz – und Binnenreime wie Endreime verschlingen sich ineinander oder kontrastieren gegeneinander, je nachdem die Situation oder Charakterisierung der Personen oder Stimmungen es erfordern. Aber noch kunstvoller wird das Geflecht dieses Textes mit der ausdeutenden Musik, der chromatischen Harmonik. Das Eigentümliche an dieser Musik, die selbst die verwegensten Revolutionäre unseres Jahrhunderts noch immer zur Bewunderung zwingt, war dabei nicht etwa, daß sie um jeden Preis neuartig sein sollte, sondern diese Tristanmusik war, wie Wilhelm Furtwängler bemerkte, nur und ausschließlich die adäquate Sprache für seine dichterische Vision, eben die Tristanwelt, die Wagner so und nicht anders – etwa mit den Mitteln der späteren Meistersingersprache – darstellen konnte. Daß er dabei die zukunftträchtige Chromatik »entdeckte«, war nur ein Nebenprodukt seiner Genialität. Es erscheint mir gut, von Zeit zu Zeit diese Zusammenhänge zu durchdenken, um der Eigentümlichkeit dieses Werks gerecht zu werden. Aber noch ein anderes künstlerisches Moment der Tristanarchitektur sei kurz beleuchtet, bevor wir zu Wagner-Schopenhauer zurückkehren!

Das Werk ist in seinem äußeren Gefüge so klassisch und symmetrisch wie ein antiker Tempel oder eine Tragödie von Racine. Folgen wir der Analyse Chamberlains: Acht Personen treten auf, fünf davon sind als Charaktere sichtbar, in dreien vollzieht sich die Tragödie, eine unsichtbare Macht steht im verborgenen Mittelpunkt: Diese ist das souveräne Gesetz der Liebe, das alles von innen her bewegt und die Menschen unter das Fatum stellt. Die Liebe spielt mit Tristan und Isolde, die im Vordergrund der Handlung stehen; sie zertritt Kurwenal und Brangäne, die, in weitem Abstand folgend, auf einer andern menschlichen Ebene die Begleitfiguren des tragischen Paares sind; sie zerschlägt das Glück des Königs Marke, der im Hintergrund der Handlung steht und leidet. Melot, der Hirt und der Seemann, silhouettenhaft auftauchend, umsäumen die traurig-dunkle Seelenlandschaft. Gibt es ein »romantisches« Werk, das »klassischer« konstruiert wäre? Es ist nicht verwunderlich, daß schon ein Baudelaire mit seiner untrüglichen Witterung für echte Kunst und große Form in Wagners Gestaltungskraft – lange vor Nietzsche – den Zug zur antiken Größe und Klarheit bewunderte; es ist auch nicht erstaunlich, daß Gottfried Keller, der Wagners Lektüre des »Tristan« beiwohnte, dieselbe ästhetische Freude daran hatte, und daß endlich Chamberlain darauf im besonderen hinwies: Wie in dem ideellen Mittelpunkt des Ganzen unsichtbar das Gesetz der Liebe waltet, so ist der sichtbare Mittelpunkt der Handlung das Tristan-Isolde-Paar. An ihm vollzieht sich die Tragödie. Die Szene der Liebesnacht ist das Kernstück des Mittelakts, steht also genau im Zentrum des Ganzen. Sie ist von zwei Szenen umrahmt, die ein symmetrisches Pendant bilden: die Szene zwischen Isolde und Brangäne v o r der Liebesnacht, und die Szene zwischen Tristan und Marke n a c h der Liebesnacht. Weiter nach außen greifend erkennen wir, wie das Mittelstück, der 2. Akt, von den wiederum in sich symmetrisch gebildeten Formen des 1. und 3. Aktes umschlossen wird, wobei das »Vorspiel« und der »Liebestod« Einleitung und Ausklang der in wundervoller Symmetrie sich vollendenden Gesamtarchitektur darstellen.

Das ist aber nur der Rahmen. Das eigentliche Wunder dieses Werkes ist die darin eingelassene, bis ins letzte Detail durch*dachte* und durch*seelte* Musik. Dem symmetrischen Gebilde entspricht der musikalische Aufbau, wie ihn A. Lorenz in seiner Tristananalyse »sichtbar« gemacht hat. Der 1. und 3. Aufzug bilden je einen musikalischen Hauptsatz; beide umschließen den anders gearteten 2. Akt als Mittelsatz. Lorenz entdeckte eine strenge Gesetzmäßigkeit der Form in den Tiefen der sich auftürmenden und zerfließenden tonalen Wellen der Komposition. Es gehört ein geschultes Ohr und eine praktische Vertrautheit mit der Musik dazu, um zu erkennen, wie in diesem Wunderwerk, dem »Opus metaphysicum« der Liebe, die dionysische Begeisterung von einer apollinischen Formenkraft gebändigt worden ist. Davon wußte – nach Baudelaires Wagner-Aufsatz – keiner Tieferes und Schöneres zu sagen als Nietzsche und Thomas Mann. Aber auch Wagner selbst schrieb in seine Tagebuchblätter aus Venedig, wo er den 2. Akt komponierte:

»Oh, es wird tief und schön, und die erhabendsten Wunder fügen sich so geschmeidig dem Sinn ... Es ist der Gipfel meiner bisherigen Kunst.« (8. Dez. 1858; 10. März 1859)

Es ist bekannt, daß mit dem »Tristan« zwei Menschen verbunden sind: Mathilde Wesendonck und Arthur Schopenhauer. Mathilde trat in das Leben des Fünfundvierzigjährigen. Sie stand, wie viele Frauen, in dem magischen Bannkreis des Genies. Was sie ihm geben konnte, war Schönheit, Liebe, einfühlsames Verstehen. Das war viel für Wagners schweifende Sehnsucht. Damals verglomm im letzten aufzuckenden Schein die noch nicht ganz verloschene Liebe zu seiner Frau Minna – und Cosima Liszt, die »nichts sagte und weinte«, wenn der Meister spielte, war gerade mit Bülow verheiratet und bei ihrer Hochzeitsreise auf Besuch bei Wagner. Drei Frauenschicksale kreuzen sich auf den Stufen der Vergangenheit, Gegenwart, Zukunft. Aber Mathilde ist die Gegenwart des »Tristan«:

»Daß ich den Tristan geschrieben«, bekennt Wagner noch Jahre später (21. Dez. 1861), »danke ich Ihnen aus tiefster Seele in alle Ewigkeit.«

Das Wort ist – wie Künstlerworte dieser Art – aufrichtig und dankbar ausgesprochen. Indessen darf nicht vergessen werden, daß die Tristankonzeption v o r der Liebe zu Mathilde in seinem Kopfe war: ein Sehnsuchtstraum des Unbefriedigten, der sich einmal ganz sättigen wollte und nun in Mathilde die Wirklichkeit fand: Die Dichtung wurde zur Liebeswirklichkeit, wie die Wirklichkeit zur Dichtung gesteigert wurde.

Der andere war Schopenhauer. Er bedeutete für Wagners philosophisches Glaubensbekenntnis zur Zeit des »Tristan« das, was Mathilde ihm fast gleichzeitig für die Erfüllung seines schönsten Liebestraumes war. Liebesverlangen und Todessehnsucht verschmolzen ineinander. – Die einen wie H. St. Chamberlain, Wagners Schwiegersohn, meinen, wir dürften den Eintritt Schopenhauers in Wagners Welt als das bedeutendste Ereignis seines Lebens ansehen; die andern wie A. Drews, Anhänger Eduard von Hartmanns, sehen im »Tristan« den Einfluß Feuerbachs als dominierend an; dritte wie Thomas Mann verstehen Wagners Bekenntnis zu Schopenhauer als genial-künstlerisches Mißverständnis. Alle drei haben recht und unrecht zugleich: Gewiß, zwischen dem »Ring des Nibelungen« und Schopenhauers Philosophie bestehen auffallende Ähnlichkeiten; auch gesteht Wagner selbst, daß »die ernste Stimmung, in welche mich Schopenhauer versetzt hatte, mir die Konzeption eines ›Tristan und Isolde‹ eingab«,

und sicher ist auch, daß wir aus Wagners Beethoven-Arbeit von 1870 noch einmal Schopenhauers Gesicht herausblicken sehen; – gewiß ist zum andern aber auch, daß die Liebesmetaphysik und Todesspekulation – will man sie philosophisch aus dem »Tristan« herausschälen – eine Verwandtschaft mit Feuerbachs »Gedanken über Tod und Unsterblichkeit« hat; ja, sie drängt sich dem Blick geradezu auf; das ließe sich an Textparallelen ins Einzelne verfolgen; man würde am Ende entdecken, wie die Schopenhauerischen Elemente des »Tristan« Spiegelungen der Feuerbachschen Todes- und Liebesmetaphysik sind. Gewiß ist schließlich, daß zwar die Tristanmusik, als erotisches Mysterienspiel, bis in jeden Takt hinein schopenhauerische Tönung hat, – und daß dennoch die Erlösungsidee des »Tristan« nicht im Schopenhauerischen Sinne in der asketischen Verneinung des Willens zu suchen ist, sondern in der erotischen »unio mystica« des Liebesakts. So meint es wohl Thomas Mann, wenn er sagt:
»Es wird darin gleichsam die erotische Süßigkeit, die berauschende Essenz aus der Philosophie Schopenhauers gesogen, die Weisheit aber liegen gelassen.«
Es geschieht zuweilen, daß Künstler sich an einer Philosophie begeistern, besonders wenn sie künstlerisch so genial wie die Schopenhauers dargeboten wird; es kann geschehen, daß Künstler, wie Wagner, solche Philosophie geradezu als die ihrige erklären; dann ist es nicht ausgeschlossen, daß die Bekenner an ihr schuldig werden, weil sie den eigentlichen Kern gar nicht erfaßt haben. Das ist der Fall mit Wagner. Er dachte gar nicht daran, asketisch zu leben und den Willen zu verneinen; und die Stufe der Heiligkeit hat er selbst nicht zu betreten begehrt – er hat sie nur, im »Parsifal«, auf die Bühne projiziert. Was uns vielleicht verwandt erscheint, ist im Grunde eine allgemeine Welthaltung, wie der Pessimismus; sind ethische Grundhaltungen wie Mitleid, Entsagung; sind Erkenntnisse wie etwa die Zusammenhänge der großen indo-europäischen Religionen – ist endlich eine gemeinsame menschliche Sehnsucht: Streben und Sterben zum Nicht-mehr-sein. Es bleibt als Gemeinsames eine mystische, romantische Tendenz: der Aufstieg von der Welt der Erscheinungen zur Welt des intelligiblen Kosmos, von der bunten, zerstreuenden Welt des Tages und des Lichts zu dem geheimnisvolleren Reich der Nacht und des Nichts. In diesem Sinne stehen jedoch dem »Tristan« die »Hymnen an die Nacht« von Novalis näher als die Spekulationen der Philosophen. Auch sei nicht vergessen, daß Wagner in der Zeit der Tristan-Komposition sich mit den großen Spaniern, den Dramatikern Calderón und Lope de Vega, intensiv beschäftigte – vielleicht eine Nebenwirkung Schopenhauers, der sie so

11 Richard Wagner
1813–1883

häufig zitierte – mit Calderón zumal, »welcher um diese Zeit ...
einen tiefen und nachhaltigen Eindruck auf mich machte.«

In jenen berühmten Versen aus »Das Leben ein Traum« mußte sich
Wagner angesprochen fühlen:

Qué es la vida? Un frenesí,	Was ist Leben? Nur ein Wahn,
Qué es la vida? Una ilusión,	Was ist Leben? Illusion,
Una sombra, una ficción,	Ist ein Schatten, ist Fiktion,
y el mayor bien es pequeño:	Und das größte Gut ist klein:
que toda la vida es sueño,	Das ganze Leben ist ein Traum,
y los sueños sueños son.	Und die Träume Traumesschein.

Schließlich ist der »Tristan« keine Philosophie, sondern Werk eines
Künstlers, der hier auf jeder Seite »sein gewaltigstes reinmusikalisches
Wissen« offenbart. So schrieb Hans von Bülow an Franz Brendel.
»Reinmusikalisches Wissen« – und dennoch mehr: Mitten in der Arbeit
am »Tristan« in Venedig greift Wagner wieder zu »Freund Schopenhauers Hauptwerk«. Wieder ist er von ihm gepackt ... aber er folgt
ihm nicht mehr. Er sucht einen andern Heilsweg zur vollkommenen
Beruhigung des Willens, einen Weg, den Schopenhauer nicht gekannt
habe: den Weg über die Liebe, die naturgewollte, Mann und Weib zu-
sammenzwingende Liebe. Der Künstler in Wagner hat zu stark »die
wunderbare, enthusiastische Freudigkeit und Entzücktheit in den höchsten Momenten der genialen Erkenntnis« gespürt, die Schopenhauer
kaum zu kennen scheine, »da der Philosoph sie nur in der Ruhe und im
Schweigen der individuellen Willensaffekte zu finden vermag«. Die
Kluft zwischen Künstler und Philosoph bricht auf – so sehr auch
Schopenhauer Künstler und Wagner Philosoph gewesen sein mag. Unbekümmert, seiner Leistung bewußt schreibt Wagner am 8. Dez. 1858
in sein Tagebuch:

»Endlich greife ich immer wieder zu meinem Schopenhauer, der mich ... auf
die wunderbarsten Ideengänge zur Berichtigung mancher seiner Unvollkom-
menheiten gebracht hat. Das Thema wird mir täglich interessanter, weil es
sich hier um Aufschlüsse handelt, die gerade nur ich geben kann, weil es
noch nie einen Menschen gab, der in meinem Sinne Dichter und Musiker
zugleich war, und dem deswegen eine Einsicht in innnere Vorgänge möglich
wurde, wie von keinem andern sie zu erwarten sein können.«

4. Noch deutlicher als in dem politisch-sozialen oder dem philosophischen Aspekt zeigt sich das romantische Gesicht Wagners in seiner Vorliebe für das Mythische. Wir erinnern uns, welches Interesse die Romantiker an Mythen, Sagen, Märchen, Legenden hatten; wir denken an
Tieck, Brentano, Grimm, Novalis, vor allem aber an E. T. A. Hoff-

mann, den Wagner sein ganzes Leben über liebte und las. Wagner war
so sehr Mythologe, daß er sogar, wie wir es an den »Wibelungen«
sahen, die reale Geschichte ins Mythische zurücknahm. Er besaß die
Fähigkeiten, die Friedrich Creuzer, der Verfasser der »Symbolik und
Mythologie der alten Völker« (1811) von dem Mythologen forderte:
»großes, umfassendes Wissen« – »wissenschaftlichen Geist« – »geniale
Dichtungskraft«. Dem Interesse am Mythologischen liegt immer auch
ein Sinn fürs Menschlich-Urtümliche, Vorkulturelle, Mythisch-Traum-
kundige zu Grunde. Wo das ist, wird das Auge immer auch vom Geheimnis der Natur und des Kosmos gefesselt sein, und der Geist wird in
Versuchung geraten, das Vordergründig-Tatsächliche, das Geschicht-
lich-Greifbare mit den Mysterien des Ursprungs zu verknüpfen. Der
forschende Sinn ist von dem Tiefengehalt der Erscheinungen gebannt.
Er will den Schleier der Maja lüften. Wer aber in die Tiefen schaut und
hinter den Vorhang, sieht nicht nur die lichte Welt der platonischen
Ideen, sondern auch das H i n t e r gründige, das U n t e r gründige, die
Nachtseiten und das Dämonische der Welt und der Menschen. So war
die Romantik die Mutter der modernen Psychologie, deren stärkste
Exponenten Nietzsche und Freud wurden. Zwischen beiden steht Wagner: rückwärts an die Romantik gebunden, vorwärts auf Freud weisend – er selbst das interessanteste psychische Phänomen des Jahrhunderts. »Wagner est une névrose«, sagte Nietzsche, »unsere Ärzte
und Physiologen haben in Wagner ihren interessantesten Fall«. Dieser
Komplex, von dem aus auch die Wagnersche Musik zu deuten und zu
verstehen, also auch zu beurteilen ist, wurde bis heute noch nicht ent-
wirrt: »Über den Psychologen Wagner wäre ein Buch zu schreiben«,
sagte Thomas Mann. Das Buch ist noch nicht geschrieben, aber viele
Ansätze liegen vor; unter ihnen eben die Wagnerrede von Thomas
Mann 1933 – eine Arbeit, die mit eindringender Intelligenz die kom-
plexe Thematik des Mythologen und Psychologen Wagner verfolgt.
Diese große Festrede verrät aber ihrerseits die Spuren von Nietzsche
und Pringsheim, die, soweit ich sehe, als erste auf das psychologische
Phänomen der Wagnerschen Musik aufmerksam gemacht haben. Ich
möchte im Anschluß an diese drei Genannten das Phänomen an wenigen Beispielen beleuchten.

Pringsheim analysiert als versierter Neurologe das Thema von Siegfrieds Verrat in der »Götterdämmerung«. Bei dieser Untersuchung stößt
er auf das Problem, das in dem Märchenmotiv des Fürchtenlernens
steckt. Wir erinnern uns, mit welchem Ungestüm der junge Siegfried
von Mime Belehrung darüber verlangt, was es mit dem Fürchten auf
sich habe; durch Mimes Schilderung erregt, treibt es ihn dazu, das

338

Fürchten kennenzulernen; enttäuscht, daß Fafner es ihn nicht lehren konnte, erfährt er es plötzlich, als er zum erstenmal ein »Menschenweib« erblickt. Was der Dichter dabei nicht ausspricht, entwickelt der Musiker mit dem Kunstgriff des Leitmotivs: Im Sinne einer Verheißung wird durch die Musik das Bild der schlafenden Brünnhilde evoziert. In Siegfrieds Träumerei unter der Linde fließt der Muttergedanke durch die Suggestion des dunkel entstellten Leitmotivs ins Erotische – und, als später Brünnhilde Siegfried ihre Liebe schenken will, taucht das Motiv Fafners, das musikalische Symbol des Fürchtens, aus dem Orchester auf – ohne innermusikalische Notwendigkeit, gleichsam wie eine Verwunderung, aber eine von tiefstem, aufschließendem Sinn. Diese Motivverflechtung von Mutterbindung, geschlechtlichem Verlangen und Furcht ist einer der genialsten psychologischen Kunstgriffe Wagnerscher Musik; sie ist der intuitiv vorwegerfaßte Lehrsatz der modernen Neurologie, daß, wie Pringsheim sagt, »alle neurotische Angst aus sexuellen Quellen stammt«: Man staunt über die geniale Sicherheit, bemerkt er weiter, mit der, vor einem halben Jahrhundert (Pringsheims Essays über Wagner sind aus dem Jahr 1914) der Schöpfer der Nibelungen eine so typisch moderne Idee künstlerisch vorgebildet hat.

Ist man einmal auf diesem Wege zum psychologischen Verständnis der Wagnerschen Musik, dann ist der Entdeckungen kein Ende mehr: Man denkt an die Tristandichtung, da Isoldes Haß gegen Tristan in Liebe umschlägt, oder an andere Umformungen psycho-sexueller Energien, etwa des Liebesverzichts in die dämonischen Kräfte des Vernichtungswillens bei Alberich im »Rheingold«. Man denkt an die Figur der Kundry, »der stärksten, dichterisch kühnsten, die Wagner je konzipiert hat« (Thomas Mann). Welch eine Entdeckung – Wagner spricht selbst darüber –, als er die wilde Gralsbotin mit dem verführerischen Weibe, das Parsifal zu umstricken sucht, identifiziert: »... ein Stück mythischer Pathologie ... mit einer klinischen Drastik und Wahrheit, einer naturalistischen Kühnheit im Erkunden und Darstellen schauerlichkrankhaften Seelenlebens gemalt, die mir immer als etwas Äußerstes an Wissen und Meisterschaft erschienen ist.« So sagte Thomas Mann; und wir denken dabei an Wagners eigene Einsichten in die Beziehungen von Sexualität und Kunst.

Thomas Mann verfolgt nun, rücklaufend, den Weg, der, von der Psychopathologie ausgehend, zum Verständnis des *Mythologen* Wagner führt und damit in den Kern seiner künstlerischen Modernität: »Modernität«: das Wort im Geiste der Generation von Thomas Mann genommen. – Wenn man Wagner lausche, meint er, möchte man glauben, die Musik sei zu nichts anderem geschaffen als dem Mythus zu dienen –, ob dieser nun kosmogonische Märchenphilosophie sei, ein Wissen von der Welt Anfang und Ende, ob er »die Sprache des ›EINST‹ in seinem Doppelsinn aus ›Wie alles war‹ und ›Wie alles sein wird‹ rede«, ob er, wie in den Nornenszenen, zu Anfang der »Götterdämmerung«, »weihevoller Weltenklatsch« ist, oder ob er in der Szene von Siegfrieds Tod die Perspektive bis in frühestes menschliches Bildträumen aufreißt . . . immer träfe Wagner mit einer Sicherheit sondergleichen Ton und Stimmungsdichte des Mythus, kennt die beschwörende Formel.

»Solche Musik wie die von Siegfrieds Rheinfahrt oder wie die Totenklage für den Gefällten, Stücke von unnennbarer Herrlichkeit für unser Ohr, unseren Geist, waren nie erhört worden; sie waren unerhört im anstößigsten Sinn. Dies Aneinanderreihen symbolischer Motivzitate, die wie Felsbrocken im Gießbach musikalischer Elementarvorgänge liegen, als Musik im Sinne Bachs, Mozarts und Beethovens zu empfinden, war zuviel verlangt. Es war zuviel verlangt, den Es-Dur Dreiklang, der das Rheingoldvorspiel ausmacht, bereits Musik nennen zu sollen. Es war auch keine. Es war ein akustischer Gedanke: der Gedanke des Anfangs aller Dinge. Es war die selbstherrlich-dilettantische Nutzbarmachung der Musik zur Darstellung einer mythischen Idee«.

Wer die Partitur des Rheingoldvorspiels gelesen hat, weiß, was Thomas Mann hier meint. Wie über dem 4 Takte anhaltenden Orgelpunkt in Es sich die Quinte erhebt, dann im 17. Takt dieser ruhende Quintengrund in Bewegung gerät, immer vielstimmiger wird, vom Pianissimo zum Piano übergeht und sich in Sechzehntel auflöst . . . wie in immer neuen Ansätzen das Quirlen und Quellen des Urgewässers die ersten Regungen geheimnisvoller Kräfte entläßt und in die hellen Stimmen der Rheintöchter übergeht – in bloße Naturlaute »Weia – Waga«, in ein erstes triebhaftes Stammeln und Lallen des Geistes – ein bloßes Spiel noch, ein seliger Friede vor der Geburt der Welt und des Leidens . . . der begreift, was Thomas Mann unter dem Begriff »akustischer Gedanke« verstanden wissen will; er begreift dessen psychologische und philosophische Bedeutung.

Aber es war Nietzsche, der schon v o r Thomas Mann und allen anderen nicht nur die größte Bewunderung vor diesem »Unerhörten« der Wagnerschen Musik hatte, sondern auch ihre Fatalität erkannte. Er zuerst hat die unterirdischen Gänge gesehen, die Wagner mit der Romantik verbinden. Wagner war wie sie:

»Fanatiker des Ausdrucks . . . Virtuosen durch und durch, mit unheimlichen Zugängen zu allem, was verführt, lockt, zwingt, umwirft, geborene Feinde der Logik und der geraden Linie, begehrlich nach dem Fremden, dem Exotischen, dem Ungeheuren, allen Opiaten der Sinne und des Verstandes.«

Wenn Goethe das Klassische als gesund, das Romantische als krankhaft empfand, so sagte Nietzsche von Wagners Kunst: ».. . aber krank«. Er hat, wie er es selbst im »Ecce homo« sagt, am Schicksal der Musik wie an einer offenen Wunde gelitten ... daran gelitten, daß die Musik um ihren weltverklärenden, jasagenden Charakter gebracht worden sei, »daß sie décadence-Musik und nicht mehr die Flöte des Dionysos ist«.

Wagner also ist »romantische Musik« – in diesem weiten psychologischen und kulturhistorischen Sinne, den Nietzsche ihr beilegt. Jeder Kenner dieser Musik weiß es. Die ganze Natur lebt in und durch diese Musik ihr zweites Leben. Wir erinnern uns, wie die Romantiker Landschaften und Ländern ihre Seele gaben und den Liedern den stimmungsreichen Naturhintergrund, erinnern uns, wie in den Symphonien und Opern Farben und Klänge der Erde, des Meeres, der Berge und Wolken eingefangen waren – und all das ist nun bei Wagner gesteigert und übersteigert in die Surrealität einer Theaterwelt. Die feinsten Seelenregungen, aber auch jede Handlung ist dabei in ein Naturgeschehen verwoben: Donner und Sturmwolken, Ritt der Walküren und die Rheinfahrt Siegfrieds, die Frühlingsnacht in Hundings Hütte, der öde Tag, die verfallene Mauer, das graue Meer, die traurige Melodie des Hirten im »Tristan« – alles dieses und vieles andere naturgespiegelte, sichtbar gewordene unsichtbare Tiefen der Seele. Der ganze »Lohengrin« ist in Naturstimmung gebettet: der Glanz der Mittagstunde, die Nacht des 2. Akts und der dämmernde, dufterfüllte Morgen; – im »Fliegenden Holländer« ist das Meer zur leidenschaftlichsten Poesie geworden, und der »Ring« umschließt vollends die vier Elemente Luft, Wasser, Feuer, Erde. Das Fließen des Stromes, die Stimme des Waldvögleins, Mittagssonne und nächtliches Dunkel ... alles Naturhafte wird in und durch die Musik offenbar, und mehr noch: Was hinter den Nebelschleiern vorüberzieht, als im Dunkel der Nacht Siegfrieds Leiche durch den Wald getragen wird; der Mythus von Göttern und Helden wird mit Naturzauber umkleidet, wird uns durch ihn über alles Zeitliche hinweg verständlich.

Was Thomas Mann an Wagners Musik bewunderte, war auch Nietzsches große Verführung:

»Niemand kommt ihm gleich in den Farben des späten Herbstes ... er kennt einen Klang für jene heimlich-unheimlichen Mitternächte der Seele, wo Ursache und Wirkung aus den Fugen gekommen zu sein scheinen, und jeden

Augenblick etwas ›aus dem Nichts‹ entstehen kann.« ... »Aber Wagner macht krank«, heißt es hinterher.

Nietzsche witterte Gefahr von dieser »Circe«, Gefahr für sich und die Musik. Wenn er an anderer Stelle sagt: »Er (Wagner) ist der Victor Hugo der Musik als Sprache«, legt er den Finger auf die Wunde: Musik wurde mit Wagner »Literatur«. Nietzsche versetzt Wagner gewissermaßen aus der Klasse der Musik in eine andere: Er gehört woanders hin als in die Geschichte der Musik.

»Wagner *und* Beethoven – das ist eine Blasphemie – und zuletzt ein Unrecht selbst gegen Wagner.«

Er w a r nicht Musiker, er w u r d e es; hat nicht Wagner selbst immer wieder betont, daß seine Musik nicht nur Musik bedeute, sondern mehr! »Nicht nur Musik«: – so eben redet kein Musiker, wirft Nietzsche ein. Wagner war »Rhetor als Musiker«, darum brachte er das »es bedeutet« in den Vordergrund. Seine Theorie, die Musik immer nur als Mittel zu gebrauchen, wurde zur genialen Praxis, und er selbst etwas wie ein musikalischer Kommentator von Ideen. So brachte er sogar das Kunststück fertig, Hegel, Schelling, Schopenhauer in Musik zu projizieren. Wagner verstand sie alle, vornehmlich Schopenhauer, »den alten pessimistischen Falschmünzer«.

Wagner ist Ende, nicht Anfang. Es gibt keine »Zukunftsmusik« sondern nur »Musik ohne Zukunft«. Für Nietzsche kommt im Ablauf der Kulturgeschichte die Musik unter allen Künsten immer als »letzt aller Pflanzen« zum Vorschein: So wurde erst die Polyphonie der niederländischen Meister Ausklang des christlichen Mittelalters; ihre »Ton-Bau-Kunst« die nachgeborene Schwester der Gotik; so erklang erst in Händels Musik »das Beste aus Luthers und seiner Verwandten Seele, der jüdisch-heroische Zug, welcher der Reformation einen Zug der Größe gab – das Alte Testament Musik geworden, nicht das Neue«; erst Mozart verwandelte die Kunst Racines und Claude Lorrains in »klingendes Gold«, und »in Beethovens und Rossinis Musik sang sich das 18. Jahrhundert aus, das Jahrhundert der Schwärmerei, der zerbrochenen Ideale, des flüchtigen Glücks.« Ist nun jede wahrhafte, jede originale Musik Schwanengesang – wie es Nietzsche glaubt –, so hat auch »unsere letzte Musik« (also die Wagners) »nur noch eine kurze Spanne Zeit vor sich«:

» . . . denn sie entsprang einer Kultur, deren Boden im raschen Absinken begriffen ist, – einer alsbald versunkenen Kultur.«

Eine erstaunliche Prophezeiung über das Schicksal Wagners und seiner Musik am Vorabend des »Untergangs des Abendlandes«. Wagners Kunst konnte sich nur in dem »Zwischenakts-Charakter« entfalten,

»der den Zuständen Europas jetzt eignet«. (Nietzsche schrieb diese Worte 1888 – auf dem Scheitelpunkt der Bismarckära!) Wagner war schon fünf Jahre tot. Nietzsche tötet noch einmal den Toten – und das in vollem Bewußtsein dessen, was er diesem ihm einzig ebenbürtigen Genie verdankte; hat er doch schon 1885, zwei Jahre nach Wagners Tod, gesagt:

»Es versteht sich von selbst, daß ich niemandem so leicht das Recht zugestehe diese meine Schätzung (mich zu seinem Antipoden zu erklären) zur seinigen zu machen; und allem unehrerbietigen Gesindel, wie es am Leibe der heutigen Gesellschaft gleich Läusen wimmelt, sollte es gar nicht erlaubt sein, einen solchen großen Namen, wie der Richard Wagners ist, überhaupt in das Maul zu nehmen, weder im Lobe noch im Widerspruch.«

Das also wäre das Ende? Ja und nein. *Ja*: denn sprach Nietzsche nicht schon aus, was heute allgemein akzeptierte Meinung über Wagner ist? »Jeder rechtschaffene Musiker sagt heute Nein zu Wagner«, schrieb Nietzsche schon in den ersten Aufzeichnungen zum »Fall Wagner« 1884/85 nieder. *Nein*: Noch heute hören Millionen Menschen Wagner auf dem ganzen Erdenrund, von Rio de Janeiro bis Tokio, von London bis Kapstadt. Tausende zieht es jährlich nach Bayreuth, und nicht nur Snobs und die »Gesellschaft«. Mit welchem Dirigenten ich auch immer sprach: Wagner zu dirigieren ist noch immer ein Ereignis. Das Phänomen Wagner ist noch immer ein Problem.

Wieder war es Nietzsche, der in der Lucidität seiner Haßliebe die eigentliche Natur des Zauberers erkannt hatte. Zweifelte er daran, daß Wagner, jedenfalls im Sinne Bachs und Beethovens, überhaupt Musiker war, so gab es keinen Zweifel darüber, daß er etwas anderes m e h r war:

»ein unvergleichlicher histrio, der größte Mime, das erstaunlichste Theatergenie, das die Deutschen gehabt haben, unser Szeniker par excellence.«

Das sind die Kernworte Nietzsches, aus denen sich eine ganze Literatur über Wagner als Theatermann entwickelt hat. Wagner, sagten wir eingangs, steht und fällt mit dem Theater, und man muß Nietzsche recht geben, daß man von Wagner nichts errät, »solange man nicht seinen dominierenden Instinkt erriet«. Wer also theaterfremd, -unkundig, vielleicht sogar -feindlich ist, wird von Wagner wenig verstehen. Um den Zugang zu dieser seiner Wesensmitte zu finden, lese man, was Wagner über die »mimische Kunst« sagt, wie er etwa aus der Eigenart dieser Kunst einen Shakespeare und »sein künstlerisches Verfahren« erklärt; man muß gleichsam mit den Augen Menzels diesen Wagner als Regisseur auf der Bühne erlebt haben, muß sehen, wie er die Dirigenten, Sänger und Sängerinnen, das ganze Orchester und Theaterpersonal überzeugt, hinreißt, sich zu Freunden und Bewunderern macht und zum Theatrarchen aufsteigt – ja man muß weiter wissen, wie er einen theatralischen Stil entwickelte, die Meininger weit hinter sich ließ, typenbildend für das Ensemblespiel wurde ... wie er, von den Franzosen lernend, nun die große russische Dramaturgie und Regiekunst bestimmend beeinflußte; muß aus seinen Schriften herauslesen, wie er die Psychologie des Schauspielers kennt, wie er ihn formt, ihm dramatischen Geist einhaucht, um ihn dann zu seinen eigenen dramatischen künstlerischen Zwecken einzusetzen und – zu kommandieren ... und wer das alles vor Augen hat und überschaut, der erst wird begreifen, w a s eigentlich Wagners Genie ist, und daß mit ihm ein neues »goldenes Zeitalter« des Theaters und der Schauspieler heraufkommt. Allein in der Atmosphäre des Theaters ist Wagner groß. Er ist einer der Deutschen, die sich mit Schillers praktischem Theatergenie messen können, und einer, der seinen Aischylos, Calderón und Shakespeare wie kaum ein anderer Deutscher »besessen« hat.

Die Idee seines Gesamtkunstwerks setzt den Souveränitätsanspruch der Bühne voraus. Alle Künste, wie zumal die Dichtung, Malerei, Architektur, Tanz, Mimik – ja die Musik und alle technischen und maschinellen Künste haben sich dem Theater zu subordinieren. Mit Wagner beginnt das klassische Zeitalter der Regie-Diktatur: – es ist das unsrige. Seine Regieanmerkungen erinnern an Schiller. Da lesen wir, am Ende des 2. Aufzugs von »Wilhelm Tell«:

»Indem sie zu drei verschiedenen Seiten in größter Ruhe abgehen, fällt das Orchester mit einem prachtvollen Schwung ein; die leere Szene bleibt noch einige Zeit offen und zeigt das Schauspiel der aufgehenden Sonne über den Eisgebirgen.«

Hinter solchen Worten wittert Wagner den großen Verwandten, der dann auch, neben Gluck und Weber, sein eigentlicher Vorläufer ist. Eigentlich war es Schillers Tragik, daß er keinen Komponisten gefunden hat, der sein »Opern«genie verstand; denn was ist der Anfang des »Tell« anderes als eine Oper, der Krönungszug in der »Jungfrau von Orleans« ein Opernausschnitt, und dann dieses Ende der Rütli-Szene! Nun kommt Wagner und steigert die Effekte ins Übermaß: Effekt und Attitüde werden Zweck und Ziel. Und seine Mittel sind unerhört: Die musikalische »Chromatik« (ein Farbbegriff) wird zur Lichtsymphonie; im Spiel der Synästhesien offenbart sich seine ganz impressionistische Virtuosität. In kostbarste Farbenschleier hüllt er Bild um Bild und zieht den prächtigsten »Tonvorhang« davor, den bislang kein Auge je gesehen, kein Ohr je vernommen hatte. »Absolute Höhepunkte der Bühnenkunst«, sagt der erfahrene, wissende Schauspieler Egon Friedell ...

»ja, Wagner hat das höchste Theater gemacht, das erdenklich ist; und es läßt sich bloß noch fragen, o b das Theater das Höchste ist.«

Nun, diese Frage hat Wagners Kritiker Friedrich Nietzsche aufs entschiedenste verneint.

Das ist ein Standpunkt. Aber war es wirklich Nietzsches innerste Überzeugung, die Überzeugung eines Mannes, der die antike Tragödie kannte, der Shakespeare bewunderte, der zwanzigmal Bizets »Carmen« gehört hatte und also wußte, was großes Theater, großes Operntheater ist? ... oder war sein Angriff auf das Theater nicht überhaupt nur sein Angriff auf den »Wagnerismus«, der eben nur durch das Theater auf das Publikum wirkte und i h m, Nietzsche, dieses Publikum entzog? Wie man auch die Frage angehen mag, Nietzsche wird Wagner nie überwältigen können, und wenn er ihn hundertmal beleidigt hat: Wagner mache so etwas wie ein Kasperle-Theater ... der »Parsifal« sei ein »Operettenstoff par excellence« ... der Komponist ein »Meister hypnotischer Griffe« ... ein »Cagliostro der Modernität«. Aber das ist es eben, und ich glaube, Nietzsche hat es vollkommen verstanden: Was? – Daß eine Beleuchtungsdrehung genügt, und eine Tragödie ist in eine Posse verwandelt. Du sublime au ridicule il n'y a qu'un pas. Tragödie und Posse entstammen einer Wurzel. Es ist etwas Eigenes um den »Ernst im Spiel« und das »Spiel im Ernst« – besonders wenn beides durch theatralische Genialität ins sublime Spiel erhoben wird. Nietzsche errötete gleichsam über Wagners Virtuosität der Schaustellungen, des Wandlungsvermögens, der Beleuchtungseffekte. Eben:
»Ich bin wesentlich antitheatralisch geartet, ich habe gegen das Theater, diese Massen-Kunst par excellence, den tiefen Hohn auf dem Grunde meiner Seele«.
Gegenüber dem »begeistertsten Mimomanen, den es vielleicht gegeben hat«, gegenüber Wagner, konnte er nur sagen: »Wir sind Antipoden«.

Wie groß, wie stark muß die theatralische Genialität Wagners gewesen sein, um Nietzsche zu dem vollendeten Antiwagnerianer zu machen. Dahinter stand noch mehr als nur ein persönliches Schicksal. Im Lichtkegel der Nietzscheschen Kritik enthüllt sich die Bühnenkunst Wagners als Dokument der »Décadence«. Damit reißt Nietzsche ein Stück Kulturgeschichte auf:
»Was mich am tiefsten beschäftigt hat, das ist in der Tat das Problem der décadence ... ›Gut und Böse‹ ist nur eine Spielart dieses Problems.«
Er wehrt sich gegen den »Niedergang« und ihre heiligsten Namen und Wertformeln: »das verarmte Leben, der Wille zum Ende, die große Müdigkeit«, d. h. also gegen Schopenhauer, gegen Richard Wagner und gegen die ganze moderne »Menschlichkeit«. Wagner gehört nach Nietz-

sches eigenen Worten, zu seinen »Krankheiten«, die allerdings dem »Philosophen« unentbehrlich seien; ein anderer könnte ohne Wagner auskommen; »dem Philosophen steht es nicht frei, Wagners zu entraten«. Wenn der Philosoph das schlechte Gewissen der Zeit ist oder zu sein hat, dann muß er deren bestes Wissen haben:

»Aber wo fände er für das Labyrinth der modernen Seele einen eingeweihteren Führer, einen beredteren Seelenkünder als Wagner? Durch Wagner redet die Modernität ihre intimste Sprache.«

Erst mit Wagner ist das Zeitalter der Romantik an seinem Ende. Nietzsche versetzt allen dreien den Todesstoß: der Romantik, dem eigenen Zeitalter, Richard Wagner. Er schlägt zu, um selbst zu siegen und eine neue Ära emporzuführen.

3.

Mit dem Erscheinen *Nietzsches* ist das kulturgeschichtlich bedeutsame Dreieck des 19. Jahrhunderts geschlossen. Bleiben wir im geometrischen Bilde, dann könnte man sagen: seine Hypothenuse ist Schopenhauer-Nietzsche; seine Katheten Schopenhauer-Wagner und Wagner-Nietzsche. Mit der Reihenfolge der Namen ist zugleich die Bewegungsrichtung bezeichnet.

Nietzsche ist ein Ende, wenn er nicht – wie jedes Ende – zugleich auch Anfang wäre. Mit ihm endet ein Jahrhundert: Er starb im Jahre 1900; mit ihm endet eine Kultur: die Spätblüte des europäischen Impressionismus; mit ihm endet eine religiöse Illusion: mit Nietzsche vollstreckt sich die Entgöttlichung der Welt durch den freiwilligen Verzicht auf das Christentum. Mit gleichem Recht und gleicher Gültigkeit ließe sich umgekehrt sagen: Um 1900 begann eine neue Ära der Menschheit, deren Entwicklung Nietzsche selbst in mancherlei Richtungen vorausgesagt hat. Aus dem Impressionismus erwuchs als Fortbildung und Reaktion die moderne Kunst des 20. Jahrhunderts in Sprache, Musik und Malerei. Und der erklärte Anti-Christ, der Nietzsche war, bereitete selbst den Boden, auf dem die drei Hauptkonfessionen der christlichen Religion zur Selbstkritik und Selbstbesinnung in unserer Zeit ansetzen konnten. Nietzsche war also Ende u n d Anfang. Ein Ende insofern, als er die ganze antike und moderne abendländische Kultur in sich resümierte; ein Anfang insofern, als er tabula rasa machte, die überkommenen Tafeln zerbrach und neue Wertmaßstäbe setzte.

Wir Heutigen sehen die Verwandtschaft, die Nietzsche mit all den Denkern, Künstlern, Religionsstiftern verbindet, von denen er sich selbst befreien wollte. In zeitlicher Reihenfolge sind es Platon, mit dem ihn – malgré tout – der metaphysisch-künstlerische Sinn des Philosophierens verbindet; der Apostel Paulus, den er zwar in alle Höllen schickt, aber dessen Genie – dem fleischgewordenen, geniegewordenen »Tschandalahaß gegen Rom« – das seinige nur mit der umgekehrten religiösen Wegrichtung des Hasses verwandt war; der hl. Augustin: trug nicht Nietzsche selbst die Züge eines Heiligen auf der Stirn, gerade dann, wenn er sich in übermenschlicher Anstrengung die Religion versagte, asketisch wurde – wie er sich die Romantik, wie er sich Wagner versagte, um durch diese Stadien der Selbstbefreiungen die Wahrheit zu gewinnen: s e i n e n Gott? Wieviele Züge entdecken wir von Savonarola, von Luther, von Pascal in Nietzsches bedingungsloser, fanatischer Wahrheitssuche. Konnte Nietzsche von Luther sagen, daß dieser Mönch an jenem Punkt der Geschichte, wo das Christentum dem Zusammenbruch nahe war, den Glauben und die Kirche rettete, so wird man – vielleicht – später einmal von Nietzsche sagen können, daß dieser Anti-Christ für den überlebenden christlichen Teil der Menschheit – die Religion gerettet hat. Dann trat Rousseau auf: wie ähnlich sah Nietzsche in manchem diesem »ersten modernen Menschen«, dessen allmähliche Abkehr von der Umwelt ähnlich verlief wie bei Nietzsche; er ähnelte ihm, wenn er beim Ausbau seiner moralischen Rechtfertigung an der Motivkette der umwertenden weltanschaulichen Überlegungen die Kultur als Scheinkultur verwarf; wenn er in der moralischen Degradierung der Mitwelt und Vorwelt seine allotropen Neigungen immer weiter zu Gunsten der autistischen zurückdrängte. Und dann kam Kant – unter den Philosophen einer der wenigen, der, wenn er philosophierte, keine Romane schrieb, sondern unerbittlich in die Abstraktion führte – Kant, dieser junggesellenhafte Spaziergänger von Königsberg: gleich ihm auch Nietzsche, ein Wanderer, aber einsamer noch als Kant in der blauen Eiswelt der Gebirge oder unter dem halkyonischen Himmel Nizzas, oder wenn er dort in der Nähe auf dem maurischen Felsenneste Eze herumstreifte oder in den Alpen, immer in der Limpidezza einer eiskalten, geistigen Höhenluft, jeden »Wasserdampf« nordischer Mystik und Romantik fliehend. Vergessen wir am Ende nicht seine beiden zeitgenössischen Bewunderer und Künder: Brandes und Strindberg, welch letzterer an Nietzsche schrieb: »Ohne Zweifel haben Sie der Menschheit das tiefste Buch gegeben ... Ich schließe alle Briefe an meine Freunde: Lest Nietzsche! Das ist mein ›Carthago est delenda‹!« ... und dem Nietzsche antwortete, indem er mit »Nietzsche-Cäsar« und dem »Gekreuzigten« signiert – und wiederum, als Echo, Strindbergs Unterschrift »Deus optimus, maximus«

erhält. Ein schauriges Spiel um letzten, tiefsten Ernst im Schatten der Umnachtung . . . Aber die Begegnungen mit Schopenhauer und Wagner waren Nietzsches menschliches und philosophisches Schicksal, eine Tragödie der Wahlverwandtschaften, wo sich die Elemente von Verehrung und Abscheu, von Liebe und Haß verbanden und sich sonderten. Er fühlte sich in ihren Welten heimisch, und kehrte ihnen doch den Rücken aus innerem Zwang. Beiden war er eine zeitlang unterlegen; dem einen: denn Schopenhauer war n a c h Platon der eigentlich künstlerische Genius unter den wenigen echten, originellen Philosophen der Welt; also ihm selbst verwandt; dem andern: denn Wagner, das Genie der Verführung hatte ihn mit seiner »Modernität« und zugleich mit der antiken Wucht und Größe seiner Schöpfungen so in seinen Bann geschlagen, daß Nietzsche in die Gefahr der Selbstaufopferung im Dienste an dem andern geriet. Beide, Schopenhauer wie Wagner, waren Mystagogen in die verborgenen seelischen Bezirke, in denen sich Nietzsche selbst ein unbestreitbares Heimatrecht erwerben sollte; – und beide waren zugleich die unwiderstehliche Verlockung zur Décadence-Stimmung, Sehnsucht zum Nichts, zum Aufgeben, zum Ende – gefährliche Denker und Künstler, aus deren Verstrickungen sich Nietzsche lösen mußte. Diese Loslösung war der Kampf seines Lebens; der Preis war das Versinken in die eigene Nacht seines Geistes: die Umnachtung.

Nietzsche hatte ein tiefes Bedürfnis nach Verehrung. Er ehrte sich und Schopenhauer, als er, rückblickend, in Sils-Maria 1887 seinem »Jenseits von Gut und Böse« eine Ergänzung beigab, in deren 5. Abschnitt wir lesen:

»Es handelt sich für mich um den *Wert* der Moral, – und darüber hatte ich mich fast allein mit meinem großen Lehrer Schopenhauer auseinanderzusetzen.«

Der geheime Widerspruch zu Schopenhauer – zunächst eine vorsichtige Distanzierung von ihm – begann mit der 3. Unzeitgemäßen »Schopenhauer als Erzieher«. Was sind Erzieher? Sie sind Befreier, sie räumen dir alles Fremde fort, was nicht zu deinem Wesen gehört; sie helfen dir, dich selbst zu erkennen und hiernach zu handeln. Aber solche Meister und Erzieher können auch im Wege stehen und den eigenen Fortgang auf den als richtig befundenen Wegen hemmen. So wurden für Nietzsche die Werte des »Unegoistischen«, der »Mitleids-, Selbstleugnungs-, Selbstopferungs-Instinkte« problematisch, also jene Werte, die Schopenhauer »vergoldet, vergöttlicht und verjenseitigt hatte, bis sie ihm schließlich als die Werte an sich übrig blieben, auf Grund deren er zum Leben, auch zu sich selbst, *nein* sagte.«

»Aber gerade gegen diese Instinkte«, fährt Nietzsche fort, »redet aus mir ein immer grundsätzlicherer Argwohn, eine immer tiefer grabende Skepsis! Gerade hier sah ich die *große* Gefahr der Menschheit, ihre sublimste Lockung und Verführung – wohin doch? ins Nichts? – gerade hier sah ich den Anfang vom Ende, das Stehenbleiben, die zurückblickende Müdigkeit, den Willen gegen das Leben sich wendend, die letzte Krankheit sich zärtlich und schwermütig ankündigend.«

Die Moral des Mitleids – Schopenhauers Moral, Wagners Moral – wurde Nietzsche zum »unheimlichsten Symptom unserer unheimlich gewordenen europäischen Kultur«. Sie war der Umweg zu einem neuen (Europäer-)Buddhismus, d. h. zuletzt zu einem Nihilismus. Indem sich diese Art Mißtrauen, Argwohn und Furcht angesichts der Schopenhauerischen Moral seiner bemächtigte, drängte sich ihm eine Forderung auf: »Der Wert dieser Werte ist selbst erst einmal in Frage zu stellen.« So wuchs Nietzsche auf dem Wege der Abkehr von Schopenhauer in seine eigene Morallehre hinein, in s e i n e Aufgabe der Umwertung der bisher als undiskutiert hingenommenen Werte. Gewiß: Schopenhauer selbst war Bahnbrecher in dieser Richtung: »Mit Schopenhauer dämmert die Aufgabe des Philosophen, daß es sich um eine Bestimmung des *Wertes* handle«. Aber Schopenhauer sei auf halbem Wege stehen geblieben. Er hat wohl die »Ungöttlichkeit des Daseins« als etwas »Gegebenes, Greifbares, Undiskutierbares« gesehen und gelten lassen. Er hatte den Mut zu einem »unbedingt redlichen Atheismus« als Voraussetzung seiner Problemstellungen; sein ausgesprochener Tatsachensinn führte ihn sogar in die Nähe Nietzsches; aber seine Willensmetaphysik zog nicht die Konsequenz zum »Willen zur Macht«, sondern zum Willen des Verzichts und der Entsagung. Er verharrte in seiner Jugendkonzeption: »Durch die Romantiker verführt und von seinen besten Instinkten abgelenkt«, blieb er zeitlebens im Nein des Pessimismus, in der großen Müdigkeit befangen – »nicht stark genug zu einem neuen ›*Ja*‹«. Nun aber hat Nietzsche

»mit irgendeiner rätselhaften Begierde sich lange darum bemüht, den Pessimismus in die Tiefe zu denken und aus der halb christlichen, halb deutschen Enge und Einfalt zu erlösen.«

Und hat

»wirklich einmal mit einem asiatischen und überasiatischen Auge in die weltverneinendste aller möglichen Denkweisen hinein und hinunter geblickt – jenseits von Gut und Böse, und nicht mehr, wie Buddha und Schopenhauer, im Bann und Wahn der Moral.«

Dabei gingen ihm, Nietzsche, die Augen für das umgekehrte Ideal auf, »für das Ideal des übermütigsten, lebendigsten und weltbejahendsten Menschen, der sich nicht nur mit dem, was war und ist, abgefunden und vertragen gelernt hat, sondern es, *so wie es war und ist*, wiederhaben will, in

alle Ewigkeit hinaus, unersättlich da capo rufend . . . circulus vitiosus deus.«
Das alles lesen wir in »Jenseits von Gut und Böse«.

Hinter Schopenhauers Philosophie steht das »schauerliche Fragezeichen«: »Wie ist Willensverneinung möglich? Wie ist der Heilige möglich?« An der Uminterpretierung der buddhistisch-christlichen Antwort wurde Nietzsche zum Philosophen. Nun entdeckt er, der die Redlichkeit sowohl im Fragen als auch im Antworten besaß, Schopenhauers christliche Moral als offengelassene Hintertür, als Überchristlichung einer ausklingenden Christlichkeit, als nihilistische Gesamtabwertung des Lebens. Die Bewunderung Schopenhauers, noch in der 3. Unzeitgemäßen widerhallend, verkehrt sich in die heftigste Anklage gegen »die größte psychologische Falschmünzerei, die es, das Christentum abgerechnet, in der Geschichte gibt«.

Nietzsches Besorgnis ist, daß Schopenhauer der endgültigen Überwindung des Christentums im Wege stehe. Gefährlich ist die schopenhauerische Unmittelbarkeit eines religiösen Seinsverständnisses, gefährlich die verlockende Erlösungsmystik. Auch Schopenhauer war wie Wagner ein Verführer und ein Zauberer. Was an Schopenhauer einem Nietzsche so redlich erschien: der Tatsachensinn, das intellektuelle Gewissen, die Apriorität des Kausalgesetzes, die Werkzeugnatur des Intellekts, die Unfreiheit des Willens . . . all das hat die Menschen nicht verzaubert, wurde nicht als bezaubernd gefühlt. Wohl aber »die mystischen Verlegenheiten und Ausflüchte Schopenhauers an jenen Stellen, wo der Tatsachen-Denker sich vom eitlen Triebe, der Enträtseler der Welt zu sein, verführen und verderben ließ«. *Dieser* Schopenhauer wurde zum Verführer der Menschen. Das schon lange bestehende Spannungsfeld von christlichem Glauben und intellektueller Redlichkeit wird nun für Nietzsche der Boden, auf dem sich seine Philosophie mit elementarer Gewalt wie in Blitzen entlädt und in nie gesehene Tiefen leuchtet. »Christlicher Glaube und intellektuelle Redlichkeit« heißt das Buch von Gerd Günther Grau (1958), eine scharfsinnige Analyse, die unser Verständnis von Nietzsches Religionsphilosophie gefördert hat. Dort ist auch auf die Zusammenhänge zwischen Schopenhauer und Pascal verwiesen und auf jenen Punkt, wo Nietzsche seinem Lehrer die Gefolgschaft kündigte – nämlich dort, wo Schopenhauers Denken in die »große Literatur der Verleumdung des Lebens« einmündet. Diese große Literatur, das ist das Neue Testament, sind die Schriften der Kirchenväter, ist die Imitatio Christi, sind die Pensées Pascals. Auf seiner Hadesfahrt weiß sich Nietzsche von Pascal und Schopenhauer begleitet: »Ich habe die Verachtung Pascals und den Fluch Schopenhauers auf mir.«

Nietzsches Loslösung von Schopenhauer bedeutete auch eine Loslösung von Wagner. Die eine hatte die andere im Gefolge. Die Bewegung, die auf dieser Linie der Entfremdung bei »Schopenhauer als Erzieher« begann, um über »Menschlich-Allzumenschliches« beim »Anti-Christ« zu enden, hat ihre psychologische und logische Kontrapunktik in der Linie, die von der »Geburt der Tragödie aus dem Geiste der Musik« über »Richard Wagner in Bayreuth« zu »Nietzsche contra Wagner« führt. Die Parallele ist unverkennbar. Schopenhauer und Wagner sind im Grunde nur zwei Aspekte eines und desselben Problems, eben jenes Problems, das Nietzsche am tiefsten aufgewühlt hat: die Décadence. Solange Nietzsche sich zu Wagner bekannte, nannte er auch Schopenhauer seinen Erzieher; wo er sich von Wagner löste, flößte ihm auch Schopenhauer Argwohn ein. Wagner und Schopenhauer sind wie Binnenreime in der Versstruktur der Nietzscheschen Freundschaftstragödie.

Im November 1868 sahen sie sich bei Wagners Schwager Brockhaus in Leipzig zum erstenmal. Nietzsche war 24, Wagner 55 Jahre alt. Ein Jahr darauf wurde Nietzsche Professor für klassische Philologie an der Universität Basel. Er besuchte Wagner und Cosima in Triebschen. Die damals entstehenden literarischen Arbeiten sowohl des Älteren wie des Jüngeren lassen auf den ersten Blick erkennen, daß sie aus regem Gedankenaustausch, einem gegenseitigen Verstehen und gleichem Wollen geschaffen wurden. In Wagners »herrlicher Festschrift über Beethoven« (Herbst 1870) finden sich Gedanken, die Nietzsche selbst bei seiner Durchreise durch Triebschen im August desselben Jahres aus einem Manuskript seinem Freunde vorgetragen hatte. Es handelte sich um den später erschienenen Aufsatz »Die dionysische Weltanschauung«. Weit davon entfernt, Wagners »Beethoven« eines Plagiats zu zeihen, freute sich Nietzsche über die Gleichheit ihrer musikphilosophischen Ansichten. Und war nicht auch umgekehrt Nietzsches bedeutende Erstlingsschrift »Die Geburt der Tragödie aus dem Geiste der Musik« eben aus dem Geiste der Wagnerschen Gedankenwelt geboren? Noch als Nietzsche 16 Jahre nach der Entstehung dieses Buches einen Versuch der Selbstkritik aufzeichnete, nannte er es

»ein Buch vielleicht für Künstler mit dem Nebenhange analytischer und retrospektiver Fähigkeiten ... voller psychologischer Neuerungen und Artisten-Heimlichkeiten, mit einer Artisten-Metaphysik im Hintergrunde, ein Jugendwerk, voller Jugendmut und Jugend-Schwermut, unabhängig, trotzig-selbständig auch noch, wo es sich einer Autorität und eigenen Verehrung zu beugen scheint ...«

Großartige Worte: Welche Intelligenz und sprachliche Brillanz, welche Dichte des Ausdrucks in diesen fünf, sechs Zeilen! Man glaubt bereits Thomas Mann zu hören. Genug. Die »Autorität und »Verehrung« ist natürlich Wagner, der »große Künstler, an den es sich (das Buch) wie zu einem Zwiegespräch wendete«. Nun aber ist es ihm fremd geworden, dieses Buch, nicht aber seine Aufgabe: »die Wissenschaft unter der Optik des Künstlers zu sehen, die Kunst aber unter der des Lebens ...«

Das aber war die Optik Wagners. Tauchten nicht schon lange vor der »Geburt der Tragödie« die griechischen Gottheiten des Apollon und Dionysos in Wagners »Die Kunst und die Revolution« (1849) auf?

»... Apollon, der den chaotischen Drachen Python erlegt, die eitlen Söhne der prahlerischen Niobe mit seinen tödlichen Geschossen vernichtet hatte, der durch seine Priesterin zu Delphi den Fragenden das Urgesetz griechischen Geistes und Wesens verkündigte und so dem in leidenschaftlicher Handlung Begriffenen den ruhigen, ungetrübten Spiegel seiner innersten unwandelbar griechischen Natur vorhielt.«

Dionysos aber ist der Gott, der, wie Wagner sagte, den tragischen Dichter begeistert, daß er »das höchste erdenkliche Kunstwerk, das Drama« hervorbringe. Wie Nietzsche später die beiden Gottheiten verband, verkündete seine »Geburt der Tragödie«:

»An ihren beiden Kunstgottheiten, Apollo und Dionysos knüpft sich unsere Erkenntnis, daß in der griechischen Welt ein ungeheurer Gegensatz ... (Kunst des Bildners, der apollinischen – und der unbildlichen Kunst der Musik, der des Dionysos) ... besteht ... bis sie endlich, durch einen metaphysischen Wunderakt des hellenischen ›Willens‹ miteinander gepaart erscheinen und in dieser Paarung zuletzt das ebenso dionysische als apollinische Kunstwerk der attischen Tragödie erzeugen.«

Auch der Gedanke, daß die Philosophie – die späte des Sokrates – die attische Tragödie zugrunde gerichtet habe, daß sie mindestens mit Euripides ans Ende gelangt sei, um sich alsdann aufzulösen, dieser Gedanke Wagners hat in dem jungen Nietzsche sein Echo, sagt doch der spätere Nietzsche noch in dem rückschauenden Versuch der zitierten Selbstkritik:

»... das, worin die Tragödie starb, der Sokratismus der Moral, die Dialektik, Genügsamkeit und Heiterkeit des theoretischen Menschen – wie, könnte nicht gerade dieser Sokratismus ein Zeichen des Niedergangs, der Ermüdung, Erkrankung, der anarchisch sich lösenden Instinkte sein? ... Ist Wissenschaftlichkeit vielleicht nur eine Furcht und Ausflucht vor dem Pessimismus? Eine feine Notwehr gegen – die Wahrheit? ... O Sokrates, Sokrates, war das vielleicht *dein* Geheimnis? O geheimnisvoller Ironiker, war dies vielleicht deine – Ironie? – –«.

Die Grenzlinien des geistigen Eigentums zwischen Wagner und

12 Friedrich Nietzsche
    Ölgemälde von Curt Stoeving (1884)

Nietzsche in den ersten Jahren gemeinsamer Erkenntnisse und ästhetischer Willensrichtungen sind gar nicht zu ziehen. In dem Vorwort an Richard Wagner, das Nietzsche seiner 2. Unzeitgemäßen vorangestellt hat, bekennt er, daß er »von der Kunst als der höchsten Aufgabe und der eigentlichen metaphysischen Tätigkeit dieses Lebens« überzeugt ist – und zwar »im Sinne des Mannes«, den er hier als seinen »erhabensten Vorkämpfer auf dieser Bahn« bezeichnete.

Wagner als Freund war allerdings ein Problem. Er war ein naiver Egoist, wie es nur ein Genie sein kann, und erwartete, daß der junge Basler Professor sich ihm mit seinem ganzen Talent, seiner Kraft und seiner Freizeit zur Verfügung stellte. Er bürdete ihm Geschäfte aller Art auf, kleine, zeitraubende Besorgungen und die große verantwortungsvolle Überwachung des Drucks seiner Autobiographie. »Zeigen Sie, zu was die Philosophie da ist«, rief er dem jungen Freunde zu, nachdem er voller Begeisterung dessen »Sokrates und die griechische Tragödie« gelesen hatte. Schon begann der Jüngere an der »enormen Aufgabe«, die er Wagner gegenüber hatte, »schwere Kontristationen« zu empfinden, begann an ihm zu leiden. Aber noch sah er seine Aufgabe im Dienst an Wagner, dachte er doch eine zeitlang sogar daran, zugunsten des Bayreuther Unternehmens Wandervorträge zu halten! Und doch läßt bereits die 2. Unzeitgemäße zwischen den Zeilen erkennen, wie Nietzsche in der Gegenüberstellung der drei Arten von Historie auf Wagner zielt. Der Mensch, heißt es da,

»muß die Kraft haben und von Zeit zu Zeit anwenden, eine Vergangenheit zu zerbrechen und aufzulösen, um leben zu können: dies erreicht er dadurch, daß er sie vor Gericht zieht, peinlich inquiriert und endlich verurteilt ...«

Sollte Wagner angefangen haben, für ihn eine solche Vergangenheit zu werden, die peinlich zu inquirieren sei? Aus seinen Aufzeichnungen des gleichen Jahres 1874 ersehen wir, in welchem bedenklichen Licht er den älteren Feund zu sehen begonnen hatte: Das romantisch Überreizte, das ungebändigt Tyrannische seines Temperaments, sein Verhältnis zum König von Bayern, seine Hinneigung zur christlich-mittelalterlichen Weltanschauung, seine Deutschtümelei, kontrapunktiert von seiner Abneigung gegen das Jüdische – all das stieß den Freund ab und ließ ihn sogar Wagners Musik mit anderen Ohren hören. Kein Zweifel mehr: Nietzsche wollte sich von Wagner befreien, fühlte die eigenen Schwingen wachsen, aber zögerte noch und war mutlos. Da schrieb er die 3. Unzeitgemäße »Schopenhauer als Erzieher« und zielte auf Wagner, während er von Schopenhauer sprach. Diese Schrift ist doppelbodig, sehr hintergründig – eine Schrift von halben Zugeständnissen und schonendem Verschweigen. Er schrieb zu dieser Zeit an seine Schwester: »Das sammelt eine Wolke von Melancholie auf unserer Stirn.«

Doch die Idee von Bayreuth wurde Gestalt und Tat. Nietzsche blieb den Proben fern; doch wie konnte er schweigen, wenn Bayreuth Wirklichkeit wurde? – er, der noch vor kurzem eine erste Formulierung für einen Mahnruf an die Deutschen zur Förderung der Bayreuther Idee verfaßt hatte; – er, der in Wagners Werk die Zukunftshoffnung auf eine Renaissance der deutschen Kultur erblickt hatte! Die Aufführung des »Ringes« rückte näher. Die 4. Unzeitgemäße »Wagner in Bayreuth« entstand.

Noch einmal, ein letztes Mal, ließ Nietzsche sich besiegen. Noch einmal, ein einziges Mal wollte er dem Zauberer dienen. Er rief sich die Stunden der reinsten Beglückung, die er durch Wagners Musik erlebt hatte, in die Erinnerung. Dieses Feuer sollte nun seine »romantische« Seele ausbrennen, damit aus ihrer Asche die eigene, freie, zeitgemäße auferstehe und den Zauber quälender Verführung breche. So schrieb Nietzsche, fast 60 Jahre vor Thomas Manns großer Wagnerarbeit, die doppelsinnigste, aber intelligenteste und kongenialste Schrift über den Schöpfer von Bayreuth. Was er an Wagner zu hassen begonnen hatte, wurde noch einmal verdrängt und verdeckt. Er ignorierte, was er selbst wenige Zeit vorher geschrieben hatte: »Die Bedeutung der Kunst, wie Wagner sie hat, paßt nicht in unsere gesellschaftlichen und arbeitenden Verhältnisse«. Vielmehr trieb er den Illusionismus seiner Wagnerverehrung in diesem Augenblick, da er Wagner zu erniedrigen begann, um sich selbst zu erhöhen, in ein »paradis artificiel«, aus dem der Fall so schmerzhaft-zerreißend wirken mußte, wie das Erwachen aus dem künstlichen Paradies der Opiumträume.

Und dann kamen die Festspiele 1876. Nietzsche war unter den Gästen. Ließ er sich in den Sog der unerhörten Nibelungen-Musik gleiten? Wehrte er sich voller Vorurteile gegen sie? Er tat beides . . . Es endete mit einem Zusammenbruch. Seine Nerven hielten die ungeheuren künstlerischen und musikalischen Eindrücke dieser ersten Bayreuther Festspiele nicht mehr aus. Er verließ die Stadt. Ein Besiegter – und ein Sieger. Die Musik, so schien ihm jetzt, löst die Kultur auf. Allein der Dichter, der wie ein Phidias am Götterbild der Menschheit dichten soll, formt den künftigen Menschen. Dieser große Dichter zu werden, ist Nietzsches Hoffnung; – seine Hoffnung aber auch: die Geburt der neuen Seele durch die Dichtung. Aber Nietzsche mochte spüren – und da war er der Besiegte: daß Wagner die gewaltigere Künstlerpersönlichkeit war, die den Gesang seiner »neuen Seele« übertönte.

Was folgte, war Nietzsches Aphorismen-Sammlung »Menschlich-

Allzumenschliches«: eine bewußte Umkehrung der Wagnerschen Überzeugungen. Die alten Götter werden verbrannt: Schopenhauer, Wagner,
mit ihnen alle Wirrsal des Idealismus, der Metaphysik, der christlichen
Religion, der Hegelsche Staatsglaube, die deutsche Romantik. In allem
und jedem konstituiert sich Nietzsche als Antipode Wagners. Aber wie
immer er sich darein steigert ... bis zum »Fall Wagner« und zu
»Nietzsche contra Wagner«, er hat mit alledem irgendwie sich selbst
verletzt. An dieser Wunde litt er bis ans Ende seines Lebens. Er sah sein
Verhältnis zu Wagner im Bilde von Brutus und Cäsar. Eine der er-
schütterndsten Seiten Nietzsches ist mit den tragischen Vorgängen der
Bayreuther Tage verbunden:
»Schon im Sommer 1876, mitten in der Zeit der ersten Festspiele, nahm ich
bei mir von Wagner Abschied« ... dann kam der »Parsifal«: »Richard
Wagner, scheinbar der Siegreichste, in Wahrheit ein morsch gewordener ver-
zweifelnder décadent, sank plötzlich, hilflos und zerbrochen, vor dem christlichen Kreuze nieder ... Hat denn kein Deutscher für dies schauerliche Schauspiel damals Augen im Kopfe, Mitgefühl mit seinem Gewissen gehabt? War
ich der einzige, der an ihm – litt? – ... Als ich allein weiter ging, zitterte
ich; nicht lange darauf war ich krank, mehr als krank, nämlich *müde*, – müde
aus der unaufhaltsamen Enttäuschung über alles, was uns modernen Menschen zur Begeisterung übrigblieb, über die allerorts vergeudete Kraft, Arbeit,
Hoffnung, Jugend, Liebe, müde aus Ekel vor der ganzen idealistischen Lüg-
nerei und Gewissens-Verweichlichung, die hier wieder einmal den Sieg über
einen der Tapfersten davongetragen hatte; müde endlich, und nicht am
wenigsten, aus dem Gram eines unerbittlichen Argwohns – daß ich nunmehr
verurteilt sei, tiefer zu mißtrauen, tiefer zu verachten, tiefer *allein* zu sein
als je vorher. Denn ich hatte niemanden als Richard Wagner.«
   Nietzsche hat später in der Vorrede zu »Menschlich-Allzumenschliches« die ergreifende Seite zu dem Phänomen der tragischen Lösung
(von Wagner) geschrieben. Wie ein Erdstoß ist sie da – die »große
Loslösung« – von der Pflicht, der Ehrfurcht, der Scheu vor allem Alt-
verehrten und Würdigen, von der Dankbarkeit, dem Heiligtum ...
»die junge Seele wird erschüttert, losgerissen, herausgerissen, sie versteht
nicht, was sich begibt ... (ein Wunsch) fortzugehen, irgendwohin, um jeden
Preis – eine heftige, gefährliche Neugierde nach einer unentdeckten Welt
flammt und flackert in allen ihren Sinnen ... das Verlangen nach Wanderschaft, Fremde, Entfremdung, Erkältung, Ernüchterung, Vereisung, ein Haß
auf die Liebe, vielleicht ein tempelschänderischer Griff und Blick rückwärts,
dorthin, wo sie bis dahin anbetete und liebte ...«
Und mit der Scham kommt ein frohlockendes Schaudern – ein Gefühl
des Sieges –
»ein Sieg? über was? über wen? ein rätselhafter, fragender, fragwürdiger
Sieg, aber der erste Sieg immerhin«.

Nietzsche: der siegende Besiegte. Der Sieg Wagners in Bayreuth ist auch der erste Sieg Nietzsches über Wagner, ist »der erste Ausbruch von Kraft und Willen zur Selbstbestimmung, Selbst-Wertsetzung, dieser Wille zum *freien* Willen«. »Er zerreißt, was ihn reizt«, sagt Nietzsche von dem Befreiten. Nun hat er seine Herrschaft über die Dinge zu beweisen. Mit bösem Lachen dreht er um, was bisher irgendeine Scham verhüllte und schonte. Den Befreiten reizt das Fragezeichen einer versucherischen Neugier: »Kann man nicht alle Werte umdrehen?« Nietzsche versuchte es und kehrte alles um, was er bisher an Wagner geliebt, verehrt, bewundert hatte. Bei diesem schauerlich-heiteren Spiel fand er die Wege zu seiner eigenen Philosophie und Weltanschauung. Vereinfacht gesagt vollzog sich dieser Umwertungsprozeß auf drei Ebenen: 1. In der Frage nach der Kunst und dem Künstler – und dazu gehört die Bewertung der Romantik, in dessen Bannkreis wir Wagner fanden. 2. In der Frage nach dem Staat und der Politik – und dazu gehörte auch die interessante Nebenfrage »Was ist deutsch?«. 3. In der Frage nach der Moral und der Religion – und dazu gehörte der Komplex vom Schicksal der Kultur und der Menschheit überhaupt.

1. Stellte Nietzsche zur Zeit seiner Wagnerbegeisterung die Kunst und den Künstler auf den höchsten Rang in der Hierarchie der Kulturwerte, so e n t wertete er sie jetzt. Bayreuth war eine Enttäuschung. Der Glaube an den göttlichen Ursprung der Kunst: ein Aberglaube, – der Kultus des Genies: eine Folge der Eitelkeit; man rückt das Genie hoch über sich hinaus, um den eigenen Mangel leichter tragen zu können – ein nachdenklich stimmendes Selbstbekenntnis Nietzsches. Das Schlimmste aber ist, daß uns ein Künstler vom Typ eines Wagner krank macht, daß ein solcher zum »Artisten« wird und ein Ausdruck der Décadence ist. Damit greift Nietzsche die Romantik selbst an. Wagner und Schopenhauer sind ihre Prototypen. Was aber heißt Romantik? Romantik heißt Krankheit, Verzauberung, Vernebelung, heißt auch Fanatismus des Ausdrucks, ist Virtuosentum der Schaustellung. Nietzsche sieht Wagner und die Künstler seiner Art als Romantiker, eben jene Virtuosen mit ihren »unheimlichen Zugängen zu allem, was verführt, lockt, zwingt, umwirft ...« – wir vernahmen schon die Worte, mit denen Nietzsche die französischen Romantiker, in deren Umkreis Wagner hineingehöre, charakterisierte. Nietzsche degradiert die Künstler, wenn er sie – wie in der 3. Abhandlung »Zur Genealogie der Moral« – als »Kammerdiener einer Moral oder Philosophie oder Religion« bezeichnet ... »allzu geschmeidige Höflinge ihrer Anhänger- und Gönnerschaft und spürsinnige Schmeichler vor alten oder eben neu heraufkommenden Gewalten« – so etwa beugten sich die Romantiker vor dem Kreuz, vor

der Krone. Mit all dem trifft Nietzsche vor allem den Romantiker Wagner; »als die Zeit gekommen war«, habe sich Wagner auch einen Vordermann zu seiner »Schutzwehr« genommen, keinen geringeren als Schopenhauer.

Vielleicht denkt Nietzsche auch an den Gegensatz von Klassik und Romantik, wie ihn Goethe mit der Polarität von gesund und krank bezeichnet hatte – nur widersteht einem Nietzsche das Wort »klassisch«; oder aber: er will das Wort »klassisch«, und damit auch »romantisch«, in einem tieferen, philosophischen Sinn, in s e i n e m Sinn verstanden wissen, und das heißt: Romantik ist ein Phänomen, wie es dem philosophischen Pessimismus des 19. Jahrhunderts eigen ist – vielleicht der eigentliche, erlaubte »Luxus unserer Kultur«. So verstand es der junge Nietzsche. Ja mehr noch. In der »deutschen Musik« mochte er, wenn er an Wagner dachte, ein »Symptom von höherer Kraft des Gedankens«, »von verwegener Tapferkeit«, »von siegreicher Fülle des Lebens« erkennen. Die Musik – das war die eigentlich deutsche, die romantische Kultur, »Ausdruck einer dionysischen Mächtigkeit der deutschen Seele«; sie war ein »Erdbeben« mit Wagner, sie war »eine von altersher aufgestaute Urkraft.«

Nun aber weiß Nietzsche, daß jede Kunst, jede Philosophie, also auch Wagner und Schopenhauer, »Leiden und Leidende« voraussetzen. Aber es gibt zweierlei Leidende: einmal die an der Überfülle des Lebens Leidenden, sodann die an der Verarmung des Lebens Leidenden. Die ersten wollen eine »dionysische Kunst, eine tragische Ansicht und Einsicht in das Leben«; die andern aber suchen »die Ruhe, Stille, glattes Meer, Erlösung von sich durch die Kunst und Erkenntnis – oder aber den Rausch, den Krampf, die Betäubung, den Wahnsinn«. Es ist unmöglich zu überhören, auf wen Nietzsche anspielt. Gerade das Doppelbedürfnis der letzteren: Betäubung und Erlösung, bezeichnet »ebenso Schopenhauer als Wagner, um jene berühmtesten und ausdrücklichsten Romantiker zu nennen, welche damals von mir *mißverstanden* wurden«.

Aus der Erkenntnis, daß der philosophische Pessimismus einen doppelten Boden hat, stellt Nietzsche nunmehr die Frage: Ist in der Kultur der Hunger oder der Überfluß schöpferisch geworden? Der an der Verarmung des Lebens oder der an der Überfülle Leidende? Anders gefragt: der »dionysische« oder der »christliche« »Gott und Mensch«? Das war und ist schwer zu beantworten. Kunst – Schöpfung des Menschen – ist sowohl als Ausdruck übervoller, zukunftsschwangerer Kraft als auch aus Haß des Mißratenen, des Armen, des Entbehrenden deutbar. Als Ursache des Schaffens kann sowohl der Wunsch des Starken nach Verewigung, nach dem SEIN auffindbar sein, als auch das Verlangen des Entbehrenden nach Wechsel, nach Zukunft, nach WERDEN. Die Kunst kann »dithyrambisch« sein (Nietzsche denkt an Rubens), sie kann religiös-spöttisch sein (er denkt an Hafis), sie kann »hell und gütig« sein, und wie die Goethes »einen homerischen Licht- und Glorienschein über alle Dinge« breiten. Sie kann aber auch dem tyrannischen Willen eines »Schwerleidenden, Kämpfenden, Torturierten« entspringen; dann wird die »Idiosynkrasie seines Leidens noch zum verbindlichen Gesetz und Zwang« gestempelt. Ein solcher Wille nimmt an allen Dingen seine Rache, »dadurch daß er ihnen *sein* Bild, das Bild *seiner* Tortur, aufdrückt, einzwängt, einbrennt«.

»Letzteres ist der *romantische Pessimismus* in seiner ausdrucksvollsten Form, sei es als Schopenhauerische Willens-Philosophie, sei es als Wagnerische Musik: – der romantische Pessimismus, das letzte *große* Ereignis im Schicksal unserer Kultur.«

Es wird Nietzsches Anliegen sein – sein »proprium und ipsissimum« – mit der Überwindung der Romantik, d. h. Schopenhauers und Wagners, gleichsam das dritte Reich des Pessimismus zu betreten:

»Ich nenne jenen Pessimismus der Zukunft – denn er kommt! ich sehe ihn kommen! – der dionysische Pessimismus.«

Das Wort steht in der »Fröhlichen Wissenschaft«.

2. Auch Nietzsches politisches Denken verläuft kontrapunktisch zu Wagners politischer Existenz und Entwicklung. Denn Wagners Existenz war – dessen müssen wir uns hier erinnern – in den Strom der politischen Ereignisse und Tendenzen eingebettet. Mit Feuerbach und den Junghegelianern war Wagner Sozialist und Revolutionär; mit Schopenhauer und unter dem Eindruck realer und brutaler Erfahrungen wurde er der Politik gegenüber skeptisch; mit Ludwig II. und seiner Sehnsucht nach der Meistersingerpopularität wurde er demokratisch-deutsch-national und schließlich ein Bewunderer Bismarcks. Alles das verriet eine rührende Künstlernaivität in Dingen der Politik; denn was ihn eigentlich interessierte, war seine eigene Person – mehr noch s e i n *Werk*. Politisch bekannte er sich jeweils zu d e n Tendenzen und Mächten, von denen er am ehesten glauben konnte, daß sie sein Werk fördern könnten und würden. Nietzsche war eine sehr andere Natur, und die politische Wirkung seiner Ideen ungleich wuchtiger, aber auch gefährlicher. Wir lesen bei Wagner in »Staat und Religion«:

»Ihre Grundlage (die der Religion) ist das Gefühl der Unseligkeit des menschlichen Daseins, die tiefe Unbefriedigung des reinmenschlichen Bedürfnisses durch den Staat. Ihr innerster Kern ist Verneinung der Welt als eines nur auf Täuschung beruhenden flüchtigen und traumartigen Zustandes, sowie erstrebte Erlösung aus ihr, vorbereitet durch Entsagung, erreicht durch den Glauben. Der religiösen Vorstellung geht die Wahrheit auf, es müsse eine

andere Welt geben als diese, weil in ihr der unerlöschliche Glückseligkeits-
trieb nicht zu stillen ist, dieser Trieb somit eine andere Welt zu einer Erlösung fordert.«

Es gibt keinen Satz Wagners, gegen dessen christlich-religiöse, schopenhauerisch gefärbte Gedankenreihe ein Nietzsche, von seiner Philosophie her, einen so frontalen Angriff zu führen sich gezwungen
sah, wie gegen diesen Satz. Bleiben wir zunächst auf der politischen
Ebene.

Die Verwandlung Wagners von einem staatsfeindlichen Revolutionär, dem »Siegfried-Bakunin« der 40er Jahre, über einen regierungs-
treuen Patrioten zum schopenhauerischen Christen, stimmte Nietzsche
nicht nur melancholisch, sondern v e r stimmte ihn aufs äußerste. Vom
Anarchisten hat Nietzsche so wie so nichts gehalten: der Anarchist lebe
und handle aus Ressentiment. Vom Patrioten hielt er noch weniger: er
lebe und handle im politischen und nationalen Wahnsinn. Nietzsche
konstituierte sich als Antipode eines deutschen Patrioten. Wagners va-
terländische Verse zum Geburtstag des Königs Ludwig II., der sich
beim Ausbruch des Krieges am 15. Juli 1870 auf die Seite Preußens gestellt hatte, Wagners Hymnus »An das deutsche Heer vor Paris« und
schließlich die Huldigung an das gesamte deutsche Volk, der »Kaiser-
marsch«, den Wagner nach Beendigung des Krieges schrieb – alle diese
Manifestationen eines Patrioten mußten ihm später, als er auch *diesen*
Wagner überwunden hatte, äußerst peinlich sein. Dem patriotisch-na-
tionalen Überschwang des Siegesrausches und der Bismarck-Vereh-
rung Wagners setzte Nietzsche die nüchterne, klare Erkenntnis von
der Fassadenkultur des Kaiserreichs und die Notwendigkeit eines weiten, europäischen Denkens entgegen. Eine schlimme Entwicklung des
deutschen Bürgertums war vorausgegangen. Gegen den »weichen, gut-
artigen, silbern glitzernden Idealismus«, wie ihn Schiller, die Humboldts, Schleiermacher, Hegel, Schelling verbreitet hatten, und wodurch
die Deutschen den andern Völkern Europas interessant wurden, haben
die jungen Deutschen den »politischen und nationalen Wahnsinn« ein-
getauscht. Die Idealisten der Goethezeit waren »edel verstellte Stimmen«, der ganze Idealismus »anmaßlich« zwar, aber »harmlos« – »beseelt vom herzlichen Widerwillen gegen die ›kalte‹ oder ›trockene‹
Wirklichkeit und gegen jede Art philosophischer Enthaltsamkeit und
Skepsis«; Goethe zeigte sich nur »mild widerstrebend«, schwieg, und
Schopenhauer sah dem Treiben nur zu, obwohl gerade ihm »viel wirkliche Welt und Teufelei der Welt« sichtbar geworden war ... Nun
aber merkte Europa, daß die jungen Deutschen auf der einen Seite
noch anmaßlicher, auf der andern weniger harmlos sich entwickelt

hatten. Richard Wagner schwamm im Strom und ließ sich in die mannigfachen Wirbel der Zeit hineinziehen: Aber was sollte ihm Wagners Demokratismus, der die schopenhauerische Farbe des Mitleids mit den Armen und Unterdrückten trug? Was sollte ihm Wagners Abscheu vor Krieg und Machtpolitik, was sein wachsender Pazifismus? Was schließlich sollte ihm die Gobineau-Wagnerische Rassentheorie mit ihren politischen Spitzen und zu allerletzt die Regenerationslehre des späten Wagner, in der sich medizinische Ansichten über Kaltwasserkuren und vegetarische Ernährung mit religiösen, philosophischen, ästhetischen und sozialen Elementen vermengten?

Nietzsche bezieht seine eigenen Positionen. »Die moderne Demokratie samt ihren Halbheiten wie das ›deutsche Reich‹« kennzeichnet Nietzsche als »Verfallsform des Staates«; denn der Demokratismus erschien ihm zu jeder Zeit als eine Niedergangsform der organisierenden Kraft. Die vergangene Größe des Imperium romanum und die kommende Größe, Rußland, »die einzige Macht, die heute Dauer im Leibe hat, die warten kann, die etwas noch versprechen kann« (so in der »Götzendämmerung«), erwuchs und wird erwachsen aus einem Antiliberalismus, der »bis zur Bosheit« gehen wird.

»Der ganze Westen hat jene Instinkte nicht mehr, aus denen Institutionen wachsen, aus denen Zukunft wächst ... Man lebt für heute, man lebt sehr geschwind, – man lebt sehr unverantwortlich: dieses gerade nennt man ›Freiheit‹«.

Es kann nun aber sein, daß gerade die Demokratie das Grab der Freiheit wird. Denn mit den Begriffen »Zivilisation«, »Vermenschlichung«, »Fortschritt« – kurz mit der politischen Formel der »demokratischen Bewegung in Europa« vollzieht sich ein »ungeheuer physiologischer Prozeß«, nämlich eine »Anähnlichung der Europäer«, eine Loslösung von klimatischen und rassischen Bedingungen, eine Unabhängigkeit von jedem bestimmten Milieu ... »also die langsame Heraufkunft einer wesentlich übernationalen und nomadischen Art Mensch, die ein Maximum von Anpassungskunst und -kraft als ihre typische Auszeichnung besitzt«. Prozeß des kommenden Europäers. Kein »Sturm und Drang des National-Gefühls«, aber auch kein »eben heraufkommender Anarchismus« vermag sein Wachstum zu hindern. Dieser Typus bildet sich: er wird »ein nützliches, arbeitsames, vielfach brauchbares und anstelliges Herdentier Mensch« sein. Aber mit ihm zieht eine Gefahr herauf. Denn dieser Typus wird unter Bedingungen gezüchtet, die »im höchsten Grade dazu angetan sind, Ausnahmemenschen der gefährlichsten und anziehendsten Qualität den Ursprung zu geben«. Nietzsche sieht mit seinem prophetischen Tiefenblick Entwicklungen

der abendländischen Menschheit voraus, von denen Wagners gefühls-
bestimmter Wunschtraum eines demokratischen Humanitarismus nichts
geahnt hatte:

»... während der Gesamt-Eindruck solcher zukünftiger Europäer wahrscheinlich der von vielfachen, geschwätzigen, willensarmen und äußerst ab-
stellbaren Arbeitern sein wird, die des Herrn, des Befehlenden *bedürfen*
wie des täglichen Brotes; während also die Demokratisierung Europas auf
die Erzeugung eines zur *Sklaverei* im feinsten Sinne vorbereiteten Typus
hinausläuft: wird, im Einzel- und Ausnahmefall, der starke Mensch stärker
und reicher geraten müssen, als er vielleicht jemals bisher geraten ist, – dank
der Vorurteilslosigkeit seiner Schulung, dank der ungeheuren Vielfältigkeit
von Übung, Kunst und Maske. Ich wollte sagen: die Demokratisierung
Europas ist zugleich eine unfreiwillige Veranstaltung zur Züchtigung von
Tyrannen, – das Wort in jedem Sinne verstanden, auch im geistigsten.«

Diese Visionen aus »Jenseits von Gut und Böse« sind nur einzelne
Glieder in einer Gedankenkette, mit denen Nietzsche die demokratischen, humanitären, philosophischen Träume Wagners umschließt und
verdorren läßt. Wagner sah zwar wie Nietzsche die Entartung des deutschen Menschen; er litt daran; denn gerade s e i n e Kunst, die sich an
die Deutschen wendete, stand auf dem Spiel; sein Theater brauchte das
deutsche Publikum. Wieviel mehr litt Nietzsche, der »das seltene Auge
für die *Gesamtgefahr*« hatte, »daß der *Mensch* selbst entartet«,
Nietzsche, der den Spürsinn für das Verhängnis hatte, »das in der
blödsinnigen Arglosigkeit und Vertrauensseligkeit der ›modernen
Ideen‹, noch mehr in der ganzen christlich-europäischen Moral verborgen liegt« – Nietzsche, der noch dazu wie betäubt von der Erkenntnis war, wie »die ungeheuerlichste Zufälligkeit ... in Hinsicht auf die
Zukunft des Menschen ihr Spiel spielte«. So schaute er voller Sorgen
in die Tiefenschichten der Geschichte, wo »der Mensch noch unausge-
schöpft für die größten Möglichkeiten ist«.

Auch Wagners erstes und letztes Problem war das Décadence-Rege-
nerations-Problem der Menschheit. Wagner aber war Utopist, Nietzsche
Realist; bei Wagner war das Interesse an dem Problem mit dem Interesse an seinem Theater gekoppelt, bei Nietzsche ging es tief unter
die Haut bis in den Existenzgrund seiner Persönlichkeit. Wagners Antworten auf die Schicksalsfragen der Menschheit gründeten auf dem
unerschütterlichen Fundament der Schopenhauerischen Ethik und der
Religion des Mitleids, Nietzsche beantwortete sie als Antipode Wagners. Mit stechenden Seitenblicken auf die politischen und sozialistischen
Utopien und die christlich-moralischen Tendenzen Schopenhauers wie
Wagners durchdachte Nietzsche illusionsfrei und konsequent die kommende Entwicklung zu Ende:

»Die *Gesamtentartung des Menschen,* hinab bis zu dem, was heute den sozialistischen Tölpeln und Flachköpfen als ihr ›Mensch der Zukunft‹ erscheint – als ihr Ideal! – diese Entartung und Verkleinerung des Menschen zum vollkommenen Herdentier (oder, wie sie sagen, zum Menschen der ›freien Gesellschaft‹), diese Vertierung des Menschen zum Zwergtiere der gleichen Rechte und Ansprüche ist *möglich,* es ist kein Zweifel! Wer diese Möglichkeit einmal bis zu Ende gedacht hat, kennt einen Ekel mehr als die übrigen Menschen, – und vielleicht auch neue Aufgaben!« (Jenseits von Gut und Böse)

Die Regeneration ist überhaupt keine Frage der »Kultur«, etwa aus dem wagnerischen Geiste der Musik oder gar dem Geiste der wagnerischen Musik; sie ist auch kein Problem, dessen Lösung vom Urteil über die Wissenschaften abhängt; sondern sie ist eine Frage der »Krankheit des Willens«. Nietzsche sieht diese Krankheit dort am größten, »wo die Kultur schon am längsten heimisch ist; sie verschwindet in dem Maße, als der ›Barbar‹ noch – oder wieder – unter dem schlottrigen Gewande von westländischer Bildung sein Recht geltend macht«. Wenn Nietzsche so den Blick über die europäischen Völker schweifen läßt, erblickt er keineswegs in dem Germanentum das Heil und das Heile; – die prächtige Konzeption des »freien Menschen«, Siegfried, war längst im schopenhauerischen Nirwana der Entsagungstragödie Wotans aufgelöst; – er sieht die Willenserkrankung in ganz Europa, wenn auch in unterschiedlichen Graden ihrer Krisis: In Frankreich sei der Wille am schlimmsten erkrankt; darüber täuschte auch nicht die »meisterhafte Geschicklichkeit« dieser Nation, »auch die verhängnisvollen Wendungen seines Geistes ins Reizende und Verführerische umzukehren« – worin im Grunde das Genie auch der Wagnerischen Schaustellung beruht. Dann mißt Nietzsche an der Skala der Willensabnahme oder -zunahme Deutschland, England, Italien und Spanien. »Die Kraft zu wollen … ist … aber am allerstärksten und erstaunlichsten in jenem ungeheuren Zwischenreiche, wo Europa gleichsam nach Asien zurückfließt, in Rußland«. An diesem Punkte seiner Betrachtung setzt Nietzsches ganze »politische« Leidenschaft ein, sein heller Zorn auf die Ohnmacht Europas und der Europäer. Da, in Rußland, sei »die Kraft zu wollen seit langem zurückgelegt und aufgespeichert, da wartet der Wille – ungewiß, ob als Wille der Verneinung oder der Bejahung – in bedrohlicher Weise darauf, ausgelöst zu werden«. Der Abschnitt über diese politische Vision der Zukunft hat etwas Erregendes, wie alles Prophetische, was Nietzsche, im Gegensatz zu Wagner, dessen politische Gedanken im Vergleich zu denen seines Gegners rührend-hausbacken anmuten, von *seiner* Willensmetaphysik, *seiner* modern-antichristlichen Skepsis her zu sagen hat:

»Es dürften nicht nur indische Kriege und Verwickelungen in Asien dazu nötig sein, damit Europa von seiner größten Gefahr entlastet werde, sondern innere Umstürze, die Zersprengung des Reichs in kleine Körper und vor allem die Einführung des parlamentarischen Blödsinns, hinzugerechnet die Verpflichtung für jedermann, zum Frühstück seine Zeitung zu lesen. Ich sage dies nicht als Wünschender: mir würde das Gegenteil eher nach dem Herzen sein, – ich meine eine solche Zunahme der Bedrohlichkeit Rußlands, daß Europa sich entschließen müßte, gleichermaßen bedrohlich zu werden, nämlich *einen Willen zu bekommen,* durch das Mittel einer über Europa herrschenden Kaste, einen langen, furchtbaren, eigenen Willen, der sich über Jahrtausende hin Ziele setzen könnte: – damit endlich die langgesponnene Komödie seiner Kleinstaaterei und ebenso seine dynastische wie demokratische Vielwollerei zu einem Abschluß käme. Die Zeit für kleine Politik ist vorbei: schon das nächste Jahrhundert bringt den Kampf um die Erd-Herrschaft, – den *Zwang* zur großen Politik.« (Jenseits von Gut und Böse)

Es unterliegt keinem Zweifel, daß Nietzsche die neuen politischen und sozialen Lebensformen des Kommunismus, Faschismus und Nationalsozialismus des 20. Jahrhunderts hat kommen sehen; er sah, daß die Welt »in zwei Hälften auseinandergeschossen« würde und daß sich der »Wille« in Rußland auslöste, und zwar in der Doppelrichtung einer Verneinung der christlichen Metaphysik und einer Bejahung des irdischen Lebenswillens. Die großen und die kleinen, die gescheiterten und die erfolggekrönten Diktatoren unseres Jahrhunderts haben, jeder auf seine Weise, sich Nietzsche zu ihren Zielen und zu ihrem Ruhme zurechtmachen können. Aber einen Nietzsche deswegen einen ehrgeizigen deutschen Professor zu nennen, der zwar jenseits von Gut und Böse, nicht aber jenseits von Mussolini und Hitler philosophierte, ist ein verunglücktes Bonmot; denn so wenig wie ein J. J. Rousseau für seinen Bewunderer Robespierre verantwortlich ist, so wenig ist es Nietzsche oder Wagner etwa für die antisemitischen Wagnerianer und die faschistischen Nietzscheaner des Dritten Reiches. Dennoch liegt hier ein Problem – worauf Löwith in seinem klugen Essay über Nietzsche hinweist: »die nicht zu umgehende Frage nach der geschichtlichen Verantwortung jedes öffentlichen Denkens, Redens und Schreibens«. Also eine im eigentlichen Sinne politische Verantwortung. Nietzsche *wollte* Politik, »große Politik« treiben. Er wollte, beim Ausbruch des Wahnsinns, sogar eine europäische Konferenz nach Rom berufen, eine antideutsche Liga schaffen und Deutschland in einen Verzweiflungskrieg zwingen. Er sah die Zeit welthistorischer Krisen und Kriege voraus; dann erst würde *seine* Zeit da sein, wo der Wille zur Wahrheit als Wille zur Macht entwickelt wäre. Nietzsche steigerte sein Bewußtsein von sich in die Vorstellung, daß er »Dynamit« sei:

»Es wird sich einmal an meinen Namen die Erinnerung an etwas Ungeheures anknüpfen – an eine Krisis, wie es keine auf Erden gab, an die tiefste Gewissens-Kollision, an eine Entscheidung, heraufbeschworen *gegen* alles, was bis dahin geglaubt, gefordert, geheiligt worden war. Ich bin kein Mensch, ich bin Dynamit.«

Religionen? Er nennt sie »Pöbel-Affären«, und er hat eine wahrhaftige Angst davor, eines Tages heilig gesprochen zu werden; deswegen will er seinen »Ecce homo« lieber vorher herausgeben, um zu verhüten, daß man Unfug mit ihm treibe ...

»Ich will kein Heiliger sein, lieber noch ein Hanswurst ... Vielleicht bin ich ein Hanswurst ... Und trotzdem, oder vielmehr *nicht* trotzdem – denn es gab nichts Verlogeneres bisher als Heilige – redet aus mir die Wahrheit. Aber meine Wahrheit ist furchtbar: denn man hieß bisher die *Lüge* Wahrheit ... Ich habe erst die Wahrheit entdeckt, dadurch, daß ich zuerst die Lüge als Lüge empfand – roch ... Mein Genie ist in meinen Nüstern. Ich widerspreche wie nie widersprochen worden ist, und bin trotzdem der Gegensatz eines neinsagenden Geistes.«

Nietzsche fühlt sich als Schicksal, als Verhängnis:

»Denn wenn die Wahrheit mit der Lüge von Jahrtausenden in Kampf tritt, werden wir Erschütterungen haben, einen Krampf von Erdbeben, eine Versetzung von Berg und Tal, wie dergleichen nie geträumt worden ist. Der Begriff von Politik ist dann gänzlich in einen Geisterkrieg aufgegangen, alle Machtgebilde der alten Gesellschaft sind in die Luft gesprengt– sie ruhen allesamt auf der Lüge: es wird Kriege geben, wie es noch keine auf Erden gegeben hat. Erst von mir ab gibt es auf Erden *große Politik*.« (Ecce homo)

Seit Karl Marx hat man solche Sätze in deutscher Sprache nicht mehr gehört. Es ist dabei gleichgültig, daß beide Denker absolut konträre Ausgangspunkte ihrer Weltanschauung und ihres Wollens hatten. Was sie verbindet, ist der Wille zur Vernichtung des Bestehenden, des als krank Erkannten. Auch Nietzsche wollte nicht nur Diagnosen stellen, Krankheiten *erkennen* und philosophieren; sondern er wollte, was unausweichlich kommen mußte, befördern und zur Entscheidung treiben. Aber er sah – natürlich – die weltgeschichtlichen Ereignisse und die »große Politik« nicht mit dem realistischen, staatspolitischen Blick etwa seines Antipoden Bismarck, sondern im Lichtkegel seiner eigentümlichen Metaphysik und Mystik. Wer will verkennen, daß sein Flair für die realen Begebenheiten sich in mythische, ja apokalyptische Visionen steigerte? Das Schauerliche ist nur, daß in solchen Visionen Fetzen erlebter Wahrheiten wahrnehmbar sind. Man möchte sagen, die Zukunft hat für Nietzsche schon begonnen; wir stehen vor der letzten Etappe, der letzten Grausamkeit der Entwicklung:

»Einst opfert man seinem Gotte Menschen, vielleicht gerade solche, welche man am meisten liebte – dahin gehören die Erstlingsopfer aller Vorzeitreligionen ... Dann, in der moralischen Epoche der Menschheit, opferte man seinem Gotte die stärksten Instinkte, die man besaß, seine ›Natur‹; *diese* Festfreude glänzt im grausamen Blick des Asketen, des begeisterten ›Wider-Natürlichen‹. Endlich: Was blieb noch übrig zu opfern? Mußte man nicht endlich einmal alles Tröstliche, Heilige, Heilende, alle Hoffnung, allen Glauben an verborgene Harmonie, an zukünftige Seligkeiten und Gerechtig-keiten opfern? mußte man nicht Gott selbst opfern und, aus Grausamkeit gegen sich, den Stein, die Dummheit, die Schwere, das Schicksal, das Nichts anbeten? Für das Nichts Gott opfern – dieses paradoxe Mysterium der letzten Grausamkeit blieb dem Geschlechte, welches jetzt eben heraufkommt, auf-gespart: wir alle kennen schon etwas davon.« (Jenseits von Gut und Böse)

3. So verwandelte sich »politische« Schau in »religiösen« Schauder. War Nietzsche ein »gewendeter« Christ – au fond vielleicht ein anti-christ-licher Christ oder ein christlicher Anti-Christ? Der gekreuzigte Diony-sos – der dionysische Kruzifixus? Sicher gehört er als Philosoph und Prophet in die Geschichte des Christentums. Er will erkennen, Gott suchen. Er sucht Jesus beizukommen, den Paulus in der Stunde von Damaskus zu verstehen, Luther in die Geschichte der christlichen Menschheit einzuordnen. Er weiß um die ungeheure Wirkungsbreite und Tragweite der christlichen Religion, dieser Heilsbotschaft für die Ar-men, die Kranken, die Schwachen und ewig Geknechteten, aus denen die Majorität der Menschheit besteht. Er sagt eines der schönsten Worte, das je über das Mysterium des Erlösers gesagt wurde: »das Martyrium des Wissens um die Liebe«: ...

»das Martyrium des unschuldigsten und begehrendsten Herzens, das an keiner Menschenliebe je genug hatte, das Liebe, Geliebtwerden und nichts außerdem verlangte, mit Härte, mit Wahnsinn, mit furchbaren Ausbrüchen gegen die, welche ihm Liebe verweigerten ...«

(Jenseits von Gut und Böse)

Nietzsche im Spiegel Christi. Das geht in der einen Richtung bis zur verborgenen Lehre der Imitatio Christi, in der andern bis zur Schmähung, Verachtung, bis zu den boshaftesten Angriffen gegen das Christentum, seine Sklavenmoral und seine verhängnisvolle Auswir-kung in der Menschheitsgeschichte. Beide Wege schließen sich zum Kreis; wer von Jesus spricht, kann das Christentum nicht beiseite las-sen, und umgekehrt.

Nietzsche als einen Heiden zu bezeichnen, weil er die »ewige An-klage des Christentums an alle Wänd schreiben« wollte – und auch geschrieben hat, ist eine ungeheuerliche Verkennung. Nietzsche konnte freilich mit dem christlichen Humanismus wenig beginnen. Was frommte seinem Denken dieser heidnisch-christliche Humanismus, der seinen Bogen von den Alexandrinern über Thomas von Aquino zu den

Platonikern im christlichen Gewand, den Ficinos und Pico della Mirandolas und in ihrem Gefolge zu dem Humanismus Schillers und der Humboldts führte? Das war nichts mehr als »Platonismus fürs Volk«. Aber was war auf der anderen Seite die Nietzschesche Anklage gegen die christliche Moral als »die bösartigste Form des Willens zur Lüge, die eigentliche Circe der Menschheit« (Ecce homo) anderes als das verzweifelte Ringen eines Gottsuchers vom Schlage eines Paulus, Augustin, eines Luther oder Pascal? Und das heißt die bisher modernste Form der Wiederentdeckung des Gekreuzigten am Horizont sowohl einer antischopenhauerischen Lebens- und Willensbejahung als auch eines selbstwütig geforderten Nihilismus. Daß gerade in der Umnachtung, die über Nietzsche kam, die Gestalt des Erlösers sich seiner Seele aufdrängt, mag rein pathologisch begreifbar und psychoanalytisch deutbar und eindeutig sein; – es ist nichtsdestoweniger die Erkenntnis am Ende eines von übermenschlichen Kämpfen um die Wahrheit im Geiste unbedingter Redlichkeit erfüllten Lebens: die Erkenntnis, die der so treffsichere Egon Friedell in zwei Worten ausdrückt: »daß auch am Lebensende dieses größten Apostaten die Worte stehen: du hast gesiegt, Galiläer!«

So brachte sich Nietzsche selbst zum Opfer. Seine Todfeindschaft gegen das Christentum hat erst den Weg gebahnt, auf dem der Mensch unseres Jahrhunderts – falls er sich darum bemüht – ein neues Verhältnis zu ihm, dem Christentum, suchen und gewinnen kann. Er selbst aber wollte lieber ein »Hanswurst« sein, als eines Tages heilig gesprochen werden. Er weiß also wohl um die paradoxe, aber erhabene Trinität von Hanswurst, Ketzer und Heiligem, wir könnten auch sagen von der heiligen Mania, vom tragischen Widerspruch und vom Opfertod. Beziehen wir nun seinen religiösen Sieg – d. h. seine Niederlage vor dem Galiläer – auf sein Verhältnis zu Wagner – woraus selbst die Ereignisse auf der religiösen Ebene Nietzsches verständlich werden –, so steht am Ende zwar der Sieg des Komponisten vom »Parsifal« über den Dichterphilosophen des »Zarathustra« – du hast gesiegt, Galiläer, hätte Nietzsche auch zu Wagner sagen können, aber i c h habe dich wie keiner verstanden, und mein »Zarathustra«, dieses größte und genialste Gegenbild deines »Parsifal«, ist nicht nur deiner würdig, sondern war an diesem Zeitpunkt der Geschichte notwendig. Du lebst von neuem durch mich, der ich mich dir zum Opfer brachte, indem ich mich von dir löste . . . So hätte Nietzsche zu Wagner sprechen können.

Der »Parsifal« war Nietzsches letzte Wagnerverzweiflung. Oh, wie hat er ihn verstanden, wie ihn bewundern u n d hassen müssen! Es sei der Versuch gewagt, an diesem späten, aber vitalsten musikalischen

und poetischen Erlebnis Nietzsches den »Zarathustra« als das andere
Vermächtnis an die Menschheit, s e i n Vermächtnis zu begreifen. Es
war in den entscheidenden Jahren der Loslösung von Wagner – kurz
vor dem »Fall Wagner«. Da hörte Nietzsche zum erstenmal die
Einleitung zum »Parsifal« und berichtete Peter Gast am 21. Januar 1887:
»... will ich Ihnen sagen, was ich da *verstand*. Die allerhöchste psychologische Bewußtheit und Bestimmtheit ... die kürzeste und direkteste Form
... jede Nuance des Gefühls bis aufs Epigrammatische gebracht; eine Deutlichkeit der Musik als deskriptiver Kunst, bei der man an einen Schild mit
erhabener Arbeit denkt und zuletzt, ein sublimes und außerordentliches Gefühl, Erlebnis, Ereignis der Seele im Grunde der Musik, das Wagnern die
höchste Ehre macht ... eine Synthese von Zuständen, die vielen Menschen,
auch ›höheren Menschen‹, als unvereinbar gelten werden, von richtender
Strenge, von ›Höhe‹ im erschreckenden Sinn des Wortes, von einem Mit-
wissen und Durchschauen, das eine Seele wie mit Messern durchschneidet
– und von Mitleiden mit dem, w a s da geschaut und gerichtet wird. Dergleichen gibt es nur bei Dante, sonst nicht...«
Die Nachbarschaft zu Dante. Höher hinauf konnte Nietzsche seinen
Antipoden nicht rücken, es sei denn, daß er ihn zu sich selbst hinauf-
hob – und das geschah: zunächst auf der Ebene, wo sie beide souverän
waren: der Psychologie.
»Wie«, fragte Nietzsche, »war dieser ›Parsifal‹ überhaupt ernst gemeint?« Man möchte wünschen, daß der »wagnersche Parsifal heiter
gemeint sei« – jene »Einfalt vom Lande« – Naturbursch Parsifal –
»der von ihm (Wagner) mit so verfänglichen Mitteln schließlich
katholisch gemacht wird«. Aber der Parsifal ist vielleicht »ein Operettenstoff par excellence« (Thomas Mann wird sich dieser Formulierung
später erinnern) –, wenn nicht Wagners »heimliche Überlegenheit«, ein
»Lachen über sich selber«, der Triumph seiner letzten, höchsten Künst-
ler-Freiheit, Künstler-Jenseitigkeit«. Nietzsche möchte es im Interesse
Wagners selbst so wünschen; denn was würde der ernstgemeinte Parsifal sonst sein? »Eine Apostasie und Umkehr zu christlich-krankhaften
und obskurantistischen Idealen ... ein Sichselbstverneinen, Sichselbst-
durchstreichen...« jedenfalls eine Umkehr von der ursprünglich feuer-
bachisch-gesunden Sinnlichkeit zum Haß auf das Leben. Dann wäre
der Parsifal »ein Werk der Tücke, der Rachsucht, der heimlichen
Giftmischerei gegen die Voraussetzungen des Lebens, ein schlechtes
Werk«.
Das Nietzschesche Organ für tiefenpsychologische Erkenntnisse ist
bewundernswert. Er hat als erster ausgesprochen, was für ein toller
Psychologe – vielleicht der einzige ihm selbst ebenbürtige – sein

Antipode, der Komponist des »Parsifal«, eigentlich war. Und Thomas Mann sprach es ihm nach, führte es aus. Wir wollen ihn hören, um den ganzen Komplex zu verstehen:

»Der Personenzettel des ›Parsifal‹ – was für eine Gesellschaft im Grunde! Welche Häufung extremer und anstößiger Ausgefallenheit! – Ein von eigener Hand entmannter Zauberer (er meint Klingsor); ein desperates Doppelwesen aus Verderberin und büßender Magdalena mit kataleptischen Übergangszuständen zwischen den beiden Existenzformen (er meint Kundry); ein liebesiecher Oberpriester, der auf Erlösung durch einen keuschen Knaben harrt (er meint Amfortas); dieser reine Tor und Erlöserknabe selbst (also Parsifal) . . .«

Was aber geschieht? Dieses ganze schaurig-schöne Possenspiel verwandelt sich unter der Beleuchtung der Schopenhauerischen Erlösungsmetaphysik und dem Zauber der Wagnerschen Musik in ein religiöses Bühnenweihfestspiel, dessen tiefere Intention vielleicht eine durch die Kunst zu bewirkende Überwindung des kirchlichen Christentums ist. Steht der »Parsifal« dem »Zarathustra« so ganz fern? Schneiden sich die Parallelen nicht in der Unendlichkeit? Doch davon später.

Von allen diesen *Jahrmarktsfiguren* ist Kundry zweifellos die interessanteste. Seltsam, daß der Psychologe Nietzsche nicht mehr von ihr spricht, als daß er sie in Wagners große Studien zu den Hysterie-Problemen einordnet: Kundry: Kondrîe la sorcière; Dirne und Heilige in einem; die schöne Herzogin Orgeluse, die jungfräuliche Witwe Sigune – die »Namenlose«, »Urteufelin«, die »Höllenrose«, auch »Gundryggia« – und wie immer sie Wagner selbst nennt – die wollüstige Herodias, die einst Johannes der Täufer geliebt, und die sein blutiges Haupt mit Küssen bedecken wollte, – die Eva, die durch ihren Kuß dem Manne das Wissen um die Geschlechtlichkeit verlieh, – ein weiblicher Ahasver, verdammt zu ruhelosem Wandern, seit sie einst den Heiland am Kreuz verlacht hat: ein Frauenantlitz mit allen Zügen keltischer, jüdischer, indischer, persischer, christlicher Mythen und Sagen und Legenden gezeichnet; ein Wille in ihr zur Verneinung und Erlösung – und zugleich eine blinde, triebhafte Bejahung des ungezügelten Lebenswillens, das Weib, das Klingsor *und* Amfortas dient: dem höllischen Zauberer und dem durch sie selbst sündhaft gewordenen Hüter des Grals. Wie Wagner dieses »weltdämonische Weib« – so bezeichnet er sie selbst – in Wort und Ton, im Schweigen und Schreien, in Bewegung und Gebärde charakterisiert, wie er sie aus dem Starrkrampf von Klingsor erwecken läßt und wie dieser sie zur Verführung des unschuldigen Knaben zwingt, verrät wahrhaft ein »Äußerstes an Wissen« um das psychisch-physische Phänomen der Hysterie und des

Weibes überhaupt. Um das Gelingen eines solchen Porträts mußte ihn Nietzsche beneiden.

Der Punkt, an dem Nietzsche angriff, lag jenseits der psychologischen Studie Kundry, nämlich im Parsifal selbst, und dort sogleich im Zentrum: der schopenhauerischen Existenz des Helden. Man erinnere sich, wie der Aufstieg Parsifals zum Bewußtsein der Welt und zur Erlösung von ihr sich in den drei Stufen der Schwanentötung (Mitleid für das Leiden des geschöpflichen Daseins), der Amfortas-Begegnung auf der Gralsburg (Erschütterung durch den Anblick des menschlichen Leides) und der Kundry-Szene (Verneinung des Willens) vollzieht. Durch die Begegnung mit Kundry ist Parsifal »welt-hellsichtig« geworden. Was Wagner hier verdichtet, ist nichts anders als der Gedanke, dem Schopenhauer in *seiner* Sprache Ausdruck gegeben hatte:

»Wenn vor den Augen eines Menschen der Schleier der Maja ... so sehr gelüftet ist, daß derselbe nicht mehr den egoistischen Unterschied zwischen seiner Person und der fremden macht, sondern an den Leiden der andern Individuen so viel Anteil nimmt wie an seinen eigenen, und dadurch nicht nur im höchsten Grade hilfreich ist, sondern sogar bereit, sein eigenes Individuum zu opfern ..., dann folgt von selbst, daß ein solcher Mensch, der in allen Wesen sich, sein Innerstes und wahres Selbst erkennt, auch die endlosen Leiden alles Lebenden als die seinen betrachten und so den Schmerz der ganzen Welt sich zueignen muß ... Er erkennt das Ganze ..., sieht, wohin er auch blickt, die leidende Menschheit und die leidende Tierheit und eine hinschwindende Welt ... Wie sollte er nun bei solcher Erkenntnis der Welt eben dieses Leben durch stete Willensakte bejahen und eben dadurch sich immer fester verknüpfen, es immer fester an sich drücken? ... Der Wille wendet sich nunmehr vom Leben ab; ihm schaudert jetzt vor dessen Genüssen, in denen er die Bejahung desselben erkennt. Der Mensch gelangt zum Zustande der freiwilligen Entsagung, der Resignation, der wahren Gelassenheit und gänzlich Willenlosigkeit.«

(Die Welt als Wille und Vorstellung)

Wie wollte man die Ähnlichkeit Parsifals mit diesem Heiligen Schopenhauers verkennen? Wie aber auch verkennen, daß Buddha und Christus in Parsifal »aufgehoben« sind – das Wort in seiner dreifachen Bedeutung von emporheben, verbinden, auslöschen –? So ist Parsifal, im Sinne Schopenhauers, nicht Welteroberer, sondern Weltüberwinder, der, wie es Wagner sagte, »sich aufrafft, um durch eine wunderbare Umkehr seines mißleiteten Willens sich im Heiligen als göttlichen Helden wiederzufinden«.

Durch Parsifal wird nun erst Kundry selbst »erlöst«, als auch sie auf jenem zweiten Wege, dem »deuteros plous« Schopenhauers, zur Willensverneinung gelangte. Wir sehen sie zum ersten Male weinen und sehen, wie aus der läuternden Flamme des Leidens der »Silberblick der Verneinung des Willens zum Leben, d. h. der Erlösung« (Schopenhauer) leuchtet. Eine wundersame Stimmung breitet sich über die Welt aus – »jener tiefe innere Friede, der höher ist als alle Vernunft, jene gänzliche Meeresstille des Gemüts, jene tiefe Ruhe, unerschütterliche Zuversicht und Heiterkeit«. Die Assoziation des »Karfreitagszaubers« mit diesen Worten und Bildern Schopenhauers entsteht wie von selbst für den, der sich auch nur einmal dem musikalischen Zauber dieser Musik erschlossen hat. Wir erinnern uns der Szene: Parsifal neigt sich zu Kundry hinab. Sie wäscht seine Füße im Quell, benetzt sie mit dem heiligen Öl und trocknet sie mit ihren Haaren. Während sich diese orientalisch-biblische Szene vollzieht und Parsifal der verwandelten Kundry den Friedenskuß auf die Stirn drückt, geht eine Bewegung durch die ganze Natur: Halme und Blumen des Feldes richten sich dankbar zum Menschen empor; denn auch sie sind – eine letzte Sinnerfüllung der schopenhauerischen Erlösungsmystik – in das Mysterium des Karfreitagszaubers, der Erlösung, eingeschlossen. Mit der Spitze des Speeres berührt Parsifal die Wunde des Amfortas. Wie sie sich schließt, gesundet auch das ganze in Verfall geratene religiöse Leben der Gralsritterschaft.

Man sieht: Das »Christliche« des Parsifal ist nicht christlich, oder ist a u c h christlich. Die Kritik der Kirchen am »Parsifal« war und ist berechtigt. Was christlich erscheint, ist die Dekoration, ist sogar der kirchenmusikalische Stil, in dem hier Orlando di Lasso mit Bach und Händel verbunden werden – eine Musik, in welcher katholische Frömmigkeit mit protestantischer Glaubenskraft verbunden scheint. »Parsifal« steht außerhalb des kirchlich-konfessionellen Christentums, ist vielmehr ein Brückenbau, der, ganz im Sinne Schopenhauers, die indische Weisheitslehre der Willensverneinung mit dem Platonismus der deutschen Mystik – und der Regenerationslehre Wagners selbst verschmilzt.

Nietzsches Kritik am »Parsifal« trifft logischerweise ebenso Wagner wie Schopenhauer. Da sind wir zum Ausgangspunkt zurückgekehrt: Ziel von Nietzsches Kritik ist die »Entselbstungs-Moral«. Was ihn empört, ist »der vollkommen schauerliche Tatbestand, daß die *Widernatur* selbst als Moral die höchsten Ehren empfing«. »Parsifal« war Wagners Hochverrat – und Schopenhauers größte Schuld:
»daß man die allerersten Instinkte des Lebens verachten lehrte; daß man eine ›Seele‹, einen ›Geist‹ erlog, um den Leib zu schanden zu machen; daß man in der Voraussetzung des Lebens, in der Geschlechtlichkeit, etwas Unreines empfinden lehrt; daß man in der tiefsten Notwendigkeit zum Gedeihn, in der

strengen *Selbstsucht* (– das Wort ist schon verleumderisch! –) das böse Prinzip
sucht ...« (Ecce homo)
Die christliche Moral sah eben nach Nietzsches Darstellung ihren
eigentlichen Wert, den »Wert an sich«, gerade im Selbstlosen, der Ent-
persönlichung, der Nächstenliebe (– »Nächsten*sucht*!« –), sie sah ihn
also »in den typischen Abzeichen des Niedergangs und der Instinkt-
Widersprüchlichkeit«. Sie lehrte der Menschheit nur die »Décadence-
Werte« als ihre obersten Werte. Wagner und Schopenhauer werden im
»Parsifal« zu e i n e r Zielscheibe der fundamentalen Kritik an der über-
lieferten christlichen Moral:
»Diese einzige Moral ... die Entselbstungsmoral, verrät einen Willen zum
Ende, sie *verneint* im untersten Grunde das Leben.«
Der Wille zum Ende: Das war schon Wotan im »Ring«; das ist nun,
als »Entdeckung der christlichen Moral«, »eine wirkliche Katastrophe«.
Nietzsche, ihr Entdecker, erklärt sich hier im »Ecce homo« selbst als
Schicksal. Die Geschichte der Menschheit ist nunmehr in zwei Stücke
gebrochen. »Man lebt *vor* ihm, man lebt *nach* ihm.« Das Gefährliche
der Meister *vor* ihm lag nicht nur darin, daß ihre »Moral« ein »Vampirismus« war, sondern – das hängt freilich damit zusammen – darin,
daß sie Zauberer waren, daß sie faszinierten. Wohl mit einer Anspielung auf die Faszination dieses Vampirismus: Schopenhauer-Wagners
heiliger Parsifal im Gewande der Musik –:
»Wer die Moral entdeckt, hat den Unwert aller Werte mitentdeckt ... er
sieht in den verehrtesten, in den selbst *heilig* gesprochenen Typen des Menschen nichts Ehrwürdiges mehr, er sieht die verhängnisvollste Art von Miß-
geburten darin, verhängnisvoll, *weil sie faszinierten* ...«
»Wir Antipoden« überschreibt Nietzsche einen Absatz seines »Nietzsche contra Wagner«. Er hatte sich früher – wie wir uns erinnern –
Wagners Musik als »Ausdruck einer dionysischen Mächtigkeit der
Seele« zurechtgedeutet, hatte gemeint, in ihr das Erdbeben zu hören,
»mit dem eine von alters her aufgestaute Urkraft von Leben sich endlich Luft macht« – gleichgültig, »ob alles was sich heute Kultur nennt,
damit ins Wanken gerät«. Er hatte Wagner verkannt: Nicht an der
Überfülle des Lebens litten Wagner-Schopenhauer, sondern böse waren
»die an der Verarmung des Lebens Leidenden, die Ruhe, Stille, glattes
Meer o d e r aber den Rausch, den Krampf, die Betäubung von Kunst
und Philosophie verlangen«.
»Wagner wie Schopenhauer – sie verneinen das Leben, sie verleumden es,
damit sind sie meine Antipoden.«
Nietzsche bemerkt, daß er die oben zitierten Gedanken aus dem
»Ecce homo«, die mit den andern aus »Wir Antipoden« gleichzeitig sind,

alle bereits fünf Jahre vorher durch den Mund Zarathustras ausgesprochen habe. Bedenkt man, daß Wagners »Parsifal« die Summe seines ganzen Lebens, seiner Kunstanschauungen, seiner Metaphysik, seiner Religion, seines Könnens, aller Elemente seiner Meisterschaft ist, bedenkt man dann andererseits, daß der »Zarathustra« eben diese Rolle und Stellung im Leben und Denken Nietzsches hat, sprachlich, philosophisch, künstlerisch, – dann ist man versucht, den »Zarathustra« als das große Gegenbild zu begreifen, das in langen Jahren des Wachstums sich dem Alterswerk des Antipoden entgegenreckte. »Parsifal« und »Zarathustra« gehören, so will mir scheinen, als feindliches Brüderpaar so untrennbar zusammen – schon durch das Schicksal ihrer Geburt in der Zeit als Zwillingsbrüder – wie ihre Schöpfer auf Leben und Tod miteinander verbunden sind. Nietzsche lenkte selbst an kaum bemerkten Stellen die Aufmerksamkeit auf dieses Phänomen:

»Man darf vielleicht den ganzen Zarathustra unter die Musik rechnen; – sicher war eine Wiedergeburt in der Kunst, zu *hören*, eine Vorbedingung dazu.«

Dann erzählt er, wie er unweit Vicenza in einem kleinen Gebirgsbade mit seinem Maestro und Freund Peter Gast zusammen war, rechnet nach vorwärts und rückwärts Empfängnis und Geburt des Werkes und spielt auf die »unter den unwahrscheinlichsten Verhältnissen eintretende Niederkunft im Februar 1883« an –: »... die Schlußpartie ... wurde genau in der heiligen Stunde fertig gemacht, in der Richard Wagner in Venedig starb.« (Ecce homo). Erwägt man ferner, daß in diese Zeit auch der »Hymnus auf das Leben« (für gemischten Chor und Orchester), zu dem Lou Salomé den Text geschrieben hat, als ein nicht unbedeutendes Symptom seines Antiwagnerismus von Nietzsche komponiert wurde, dann vermeint man mit Händen zu greifen, wie das zum Leben ja-sagende Pathos dieser zusammenhängenden Werke des »Hymnus« und des »Zarathustra« der Gegenklang des zum Leben nein-sagenden Pathos des »Parsifal« ist. In den Versen:

> Hast du kein Glück mehr übrig mir zu geben,
> Wohlan! noch hast du deine Pein.

Da gilt der Schmerz nicht mehr als Einwand gegen das Leben.

Wagners Tod und Zarathustras Geburt: eine »heilige Stunde«. So ehrte Nietzsche sich als Antipoden selbst in Wagner, wie er Wagner in sich ehrte. Schon in dem zitierten Absatz »Wir Antipoden« liest man, ... »womit ich Wagnern und Schopenhauern beschenkte – mit mir ...« Im »Ecce homo« sendet er die frohe Kunde seines Zarathustra-Geschenks in die ganze Menschheit:

»Ich habe mit ihm der Menschheit das größte Geschenk gemacht, das ihr bisher gemacht worden ist ... nicht nur das höchste Buch ... das eigentliche Höhenluft-Buch ... es ist auch das tiefste, das aus dem innersten Reichtum der Wahrheit heraus geborene ... Hier redet kein ›Prophet‹, keiner jener schauerlichen Zwitter von Krankheit und Willen zur Macht, die man Religionsstifter nennt.«

Dem unruhvoll-romantischen Gewoge der wagnerschen Stimmen soll der »halkyonische Ton« der Zarathustra-Weisheit gegenüberstehen: »Die stillsten Worte sind es, welche den Sturm bringen, Gedanken, die mit Taubenfüßen kommen, lenken die Welt ... aus einer unendlichen Lichtfülle und Glückstiefe fällt Tropfen für Tropfen.«

Der Begriff des »Dionysischen«, von dem er nicht los kommt, begreift sich im »Zarathustra« selbst als »höchste Tat«. Nietzsche steigert seinen Zarathustra in noch viel einsamere Höhen und hohe Einsamkeiten, wohin kein Parsifal auf seiner Wanderschaft je gelangt ist: » ... azurne Einsamkeit, in der dies lebt ...! Ich schließe Kreise um mich und heilige Grenzen – ich baue Gebirge aus immer heiligeren Bergen ... Er widerspricht mit jedem Wort, dieser jasagendste aller Geister; in ihm sind alle Gegensätze zu einer neuen Einheit gebunden ... Es gibt keine Weisheit, keine Seelenerforschung, keine Kunst zu reden vor Zarathustra ... Die mächtigste Kraft zum Gleichnis, die bisher da war, ist arm und Spielerei gegen diese Rückkehr der Sprache zur Natur der Bildlichkeit.« (Ecce homo)

Spürt man hinter diesen Worten, wie sich Nietzsche »alle romantische Musik verbot, diese zweideutige, großtuerische, schwüle Kunst, welche den Geist um seine Strenge und Lustigkeit bringt«? Spürt man sein »Cave musicam!«, seinen Rat, »in Dingen des Geistes auf Reinlichkeit zu halten«? (Vorrede zu »Menschlich Allzumenschliches«). Spürt man aber auch, daß er *außer* oder *in* der Sprache der »Bildlichkeit« die Sprache der Musik und die Musik der Sprache braucht?, daß diese *seine* Musik eine dionysische, heitere, tänzerische sein muß: »Das Gute ist leicht, alles Göttliche läuft auf zarten Füßen: erster Satz meiner Ästhetik.« (»Der Fall Wagner«)

Und erkennt man schließlich, daß Nietzsche trotz alledem und endlich nicht von der *Musik*, sondern von der *Dichtung* das Heil erwartet? Also nicht von Wagner, dem T o n dichter, sondern von ihm, dem W o r t dichter des »Zarathustra.«

Das Unglaublichste wird im »Zarathustra« Ereignis: wie Zarathustra herabsteigt und jedem das Gütigste sagt ... »wie er selbst seine Widersacher, die Priester, mit zarten Händen anfaßt und mit ihnen an ihnen leidet!« – »Der Begriff ›Übermensch‹ ward hier die größte Realität« – heißt es rückbesinnlich im »Ecce homo«. Das ist nicht Parsifal: der Erlöser des Erlösers, der das Dasein wie das So-sein verneint, sondern das ist Zarathustra, »die höchste Art alles Seienden«, als welche Nietzsche ihn selbst bezeichnet ...

»die umfänglichste Seele, welche am weitesten in sich laufen und irren und schweifen kann,«

»die seiende Seele, welche ins Werden, die habende, welche ins Wollen und Verlangen *will* –«.

»die sich selber liebendste, in der alle Dinge ihr Strömen und Widerströmen und Ebbe und Flut haben – –«.

So ist Zarathustra nicht nur der Widerspruch zum Parsifal, sondern ist zugleich der Begriff des Dionysischen selbst, also letzte, tiefste und höchste – vollkommene Gestalt des ältesten und frühesten Nietzsche-schen Gedankens; auch die letzte Stufe seiner Selbstdisziplin:

»Partei zu nehmen *gegen alles* Kranke an mir, eingerechnet Wagner, einge-rechnet Schopenhauer, eingerechnet die ganze moderne ›Menschlichkeit‹ ... als höchsten Wunsch das Auge Zarathustras.« (Vorwort zu »Fall Wagner«)

Der »Zarathustra« als künstlerisch vollendete Sprachdichtung, der »Zarathustra« als tiefsinniger Widerspruch des »Parsifal«, der »Za-rathustra« als letzte Konsequenz des eigenen Denkens – was hatte er zu tragen, auszutragen! Und dazu sein psychologisches Problem:

»wie der, welcher in einem unerhörten Grad nein sagt, nein *tut*, zu allem, wo man bisher ja sagte, trotzdem der Gegensatz eines neinsagenden Geistes sein kann«.

Mit diesen beiden Werken, dem »Parsifal« und dem »Zarathustra«, kann das 19. Jahrhundert schließen.

Noch ein Letztes: Beide, Richard Wagner wie Friedrich Nietzsche wollten über das Bestehende, über die Gegenwart, hinaus. Der eine träumte den Traum vom »Kunstwerk der Zukunft«, der andere glaubte, daß seine ganze Philosophie nur ein »Vorspiel zu einer Philosophie der Zukunft« sei. Beide betrachteten sich im Grunde mehr als antike Grie-chen denn als moderne Christenmenschen. Dem einen schwebte das Ideal des attischen Theaters, die Vereinigung der in der Folgezeit ge-trennten Kunstgattungen, noch immer vor, dem andern war die Idee der ewigen Wiederkehr des Gleichen – eine griechische Ansicht der Welt – zur faszinierenden Vorstellung geworden: er wollte und konnte dadurch die »Umwertung aller Werte« ein zweites Mal vollbringen, nachdem die Moral des Christentums bereits die Werte des antiken Heidentums umgewertet hatte. Heute, hundert Jahre nach diesen Ver-suchen der beiden Re-volutionäre, kann man sagen, daß weder das Kunstwerk der Zukunft noch eine Philosophie der Zukunft ausgetra-gen worden ist. Heißt das, daß Wagner und Nietzsche gescheitert sind? So einfach läßt sich die Frage nicht beantworten. Man müßte erst definieren, was »scheitern« heißt. Gewiß: Sie haben die Welt und

Menschheit nicht revolutioniert. Aber aus beider Werken und Gedanken, mehr noch aus dem Mut und der unabdingbaren Treue zu ihren Ideen ist einerseits die Musik des 20. Jahrhunderts – in Evolution u n d Widerspruch – hervorgegangen, und andererseits die echte philosophische Tugend der Redlichkeit des Denkens, welche die Philosophie, die Existentialontologie unserer Zeit, charakterisiert und welche die Theologie, nach den Erschütterungen durch Nietzsche, zur Besinnung gebracht hat. Und aus Wagner wie aus Nietzsche, die beide die genialsten Kinder des romantisch-impressionistischen Jahrhunderts waren – »ich bin so gut wie Wagner das Kind dieser Zeit, will sagen ein »décadent« – (heißt es zu Eingang im »Fall Wagner«) – ist die gesamte moderne Psychologie, deren Boden die Romantik bereitet hatte, in ihrer besonderen Gestalt der analytischen hervorgegangen. Sigmund Freud steht mit ihnen im Bunde: der dritte Mann in zeitlicher Folge. Noch etwas: Wagner schuf, wie wir hörten, eine neue Sprache der Musik; sie erklang auf einer andern Ebene als der von Bach, Mozart und Beethoven; er gab der Musik eine neue Funktion und Aufgabe mehr: dem Drama, der höchsten aller Kunstgattungen, zu dienen. Nietzsche, der das zuerst gesehen und kritisiert hat, entdeckte seinerseits eine neue Dimension der Sprache, etwas bis dahin Unerhörtes. So setzten beide neue Maßstäbe: jahrzehntelang stand die Welt – und nicht nur die deutschsprachige – unter dem Einfluß der Wagnerschen Musik und der Nietzscheschen Prosa. Das geht bis in die Generation von Schönberg und Thomas Mann. Aus der Tristan-Chromatik entwickelte sich die dodekaphonische Musik, und die deutsche Sprache besitzt seit Nietzsche einen neuen Tonfall, neue Ausdruckskraft, mit der Nietzsche, nach Luther, Lessing, Goethe, die neuhochdeutsche Sprache auf eine vierte Stufe gehoben hat.: Neue Valeurs, Farbtöne, Schattierungen bedeuteten ihre malerische Bereicherung, neue Tempi, Rhythmen und Harmonien ihre musikalische. Wie eine Linie von Bach über die Wiener-Mannheimer Klassiker, dann die Romantiker zu Wagner verläuft, so eine Parallele dazu von Luther über die Weimarer Klassiker und die Romantiker zu Nietzsche.

All das ist wahrhaft nichts Geringes und vielleicht im Gesamthaushalt der Kulturgeschichte mehr und etwas Beständigeres und Wichtigeres als alles Revolutionäre oder solches, das sich revolutionär oder auch umgekehrt konservativ gebärdet. Was bedeuten solche Begriffe schon in der vielfältigen und vieldeutbaren Wirklichkeit der Geschichte! Sie sind eine Etikette und stimmen so wenig, wie wenn der Komponist des »Parsifal« sein Werk als »Oberkirchenrat« signiert, oder wenn Egon Friedell den Philosophendichter des »Zarathustra« als »Kirchenvater« stempeln möchte. Beide waren so wenig die *letzte* Glaubensstimme des Westens wie Schopenhauer vor ihnen. Die Geschichte der Menschheit geht weiter; wie und wohin ist eine andere Frage. So weit wir sehen können, steht die Menschheit immer im Zwielicht; es ist nie ganz Tag um sie, nie ganz Nacht. Wieviel mehr sind ihre großen Exponenten zwielichtig in dem, was sie denken, was sie tun, wo sie stehen. Wir bezeichneten schon unsern Schopenhauer als einen atheistischen Christen oder christlichen Atheisten; wieviel mehr gilt ein solches Urteil von Wagner und Nietzsche. Das Über-christentum des »Parsifal« ist eher indisch als christlich, dabei weder östlich-orthodox, noch südlich-katholisch, noch nordisch-protestantisch. Und der »Zarathustra« Nietzsches, den sein Verfasser zwar als »heilig« bezeichnet, hat wenig Aussicht, im kirchlich-religiösen Bereich also rezipiert zu werden. Etwas Zwielichtiges webt um alle diese drei großen Gestalten. Bei Schopenhauer ist es das Zwielicht zwischen realistischer Tatsachenbeobachtung und mystisch-metaphysischer Spekulation; bei Wagner ist es das Zwielicht zwischen den Bereichen der Religion, Politik und Kunst, bei Nietzsche das Zwielicht zwischen der Klarheit des Voltaireschen »Écrasez l'infâme« und der Dunkelheit seiner eigenen Religionsstiftermanie. Nietzsche wiederholt den Kampfruf des Freiesten aller Geister, Voltaires, im 8. Abschnitt seines »Warum ich ein Schicksal bin«, aber sogleich lesen wir im folgenden: »Hat man mich verstanden? – Dionysos gegen den Gekreuzigten . . .« Das ist nicht mehr die gesunde Klarheit eines Voltaire, das ist die schwer ergründbare Dunkelheit einer mystisch gearteten Seele.

Außer den eingangs genannten religiösen Geistern sind Nietzsches Brüder ein Rembrandt, ein Beethoven, ein Dostojewskij – aber warum nicht auch Schopenhauer und Wagner? Sie, die er in den »Unzeitgemäßen Betrachtungen« würdigte, lobte und liebte; sie, die er später von sich stieß, beschimpfte und haßte; – sie begleiteten ihn. Ihre Lebenslinien, ihr Denken, ihr Schaffen, ihr Künstlertum, vor allem ihre unbedingte Redlichkeit (auch die Wagners), ihr Opfergeist, ihre Kompromißlosigkeit, das alles ist ihm verwandt. Ihre Linien konvergieren zu ihm. Nietzsche ist der Schnittpunkt, wo sich die Geraden Schopenhauers und Wagners schneiden. Mit Nietzsche vollendet sich das Dreieck des 19. Jahrhunderts, in dem Geist, Größe und Künstlertum dieses Säkulums umfangen liegen.

TEIL III

Das xx. Jahrhundert · Zu neuen Werken und Tagen

KAPITEL I

DAS GESICHT DES XX. JAHRHUNDERTS

1.

Die äußeren Ereignisse waren zwei bewaffnete Konflikte, die sich zu den beiden ersten Weltkriegen des Jahrhunderts ausweiteten. Das Ergebnis: Zwei Niederlagen Deutschlands. Der erste Krieg (1914–1918) endete mit dem Zusammenbruch des Kaiserreichs und der Errichtung einer demokratischen Republik; der zweite (1939–1945) endete mit der Teilung der deutschen Republik in die Deutsche Demokratische Republik der Ost- und Mittelstaaten und die westdeutsche Bundesrepublik; die eine steht in der Einflußsphäre Rußlands, die andere in der der USA. Das Gesicht des alten Kontinents ist verändert. Ein Riß geht durch Deutschland in nord-südlicher Richtung und spaltet nicht nur das alte Reich, sondern ganz Europa in eine westliche und östliche Hälfte. Zwischen den beiden Kriegen erschütterten Revolutionen und Wirtschaftskrisen das soziale Gefüge des Kontinents. Von den Revolutionen waren am folgenschwersten einerseits die sozialistische Revolution in Rußland 1917, andererseits die faschistische Revolution in Italien, die Machtergreifung Deutschlands durch den Nationalsozialismus 1933 und der Staatsstreich in Spanien 1936. Am tiefsten aber griff die Weltwirtschaftskrise in das politische und soziale Leben Europas ein (1929–1933). Die Wirtschaft in den an Amerika verschuldeten Ländern erlahmte; eine nie gekannte Arbeitslosigkeit war die Folge. 30 Millionen waren ohne Arbeit in der Welt; davon in Deutschland 1932 nicht weniger als 6 Millionen. Hunger, Elend, Verzweiflung zeichneten das Gesicht breiter Massen. Da nutzte kein »Weltfeierjahr« mehr, für welchen Zeitraum die Zahlungsverpflichtungen der Schuldnerstaaten an Amerika eingestellt werden sollten. Viele Länder gingen zu einem modernen Merkantilismus über, betrieben eine autarke Wirtschaftspolitik, glitten in die Diktatur. Mit dem Liberalismus in Wirtschaft und Politik ging es zu Ende. Die Auswirkungen des ersten Weltkrieges, der Wirtschaftskrise und einer kurzsichtigen Außenpolitik der Ententemächte führten Deutschland auf den Weg zur nationalen Katastrophe. Im Schoße der Demokratie aktivierte die Reaktion die Kräfte der nationalsozialistischen Bewegung in Deutschland und Österreich, Kräfte, die, in ihrem Aggressionstrieb sich selbst überspannend, die beiden Länder in den Strudel des zweiten Weltkriegs rissen. Die andern europäischen Nationen gerieten in den Sog, nicht nur das verbündete Italien und Japan, sondern auch die Siegerstaaten des ersten Krieges. Als neue Weltmächte nach dem zweiten Kriege gingen die USA und Rußland hervor. War im 19. Jahrhundert der Weltgegensatz Rußland-England, so ist es im 20. Jahrhundert der Gegensatz Rußland – USA. Dahinter brechen neue Gegensätze auf. Die alten europäischen Mächte treten zwar nicht von der Bühne der Weltpolitik ab – dazu ist ihr geistiges, wirtschaftliches und wissenschaftliches Potential noch immer zu groß und wirksam –, wohl aber treten sie auf der Bühne zurück: Die Hauptrollen der »Staatsaktionen« gehen an neue Akteure über. Immer stärker greifen die Interessen der westlichen und östlichen Hemisphäre ineinander. Es gibt seit der Mitte des Jahrhunderts keine isolierte amerikanische, europäische, russische, asiatische, afrikanische Politik und Wirtschaft, sondern ihre Verflechtung ist global. Europa, das an Macht gegenüber seiner Weltposition im 19. Jahrhundert verloren hat, ist seit der Jahrhundertmitte auf dem Wege einer Konsolidierung und Integrierung seiner Kräfte. Währenddessen wächst im Fernen Osten China zur dritten Weltmacht heran. Das Gesicht der Welt hat sich in den ersten zwei Dritteln des Jahrhunderts verändert.

Unter der bewegten Oberfläche, wo sich Kriege und Revolutionen abspielen, werden in den bewegenden Tiefen die Kämpfe um alte und neue Ideologien ausgetragen. Das Alte, bewahrt im Dogma der christlichen Kirche, steht gegen das Neue, das im Gefühl menschlicheigenständiger, von der Religion entbundener Kräfte, die heutige Geschichte vorantreibt. An die Stelle des Glaubens an Gott ist der Glaube an die Naturwissenschaften und an die Omnipotenz des Menschen getreten. Das begann schon im 16. Jahrhundert, spitzte sich in der Aufklärung des 18. Jahrhunderts zu, wuchs mit Comte, Taine, Haeckel in die Breite, schlug sich literarisch im Naturalismus eines Zola und seiner Nachfolger nieder und ist heute seit Nietzsches universaler literarischer Wirksamkeit ins Bewußtsein der Masse gerückt. Gott wurde als oberster Wert aus einer Welt eliminiert, in welcher ein Polytheismus der Werte neue Reize des philosophischen und naturwissenschaftlichen Denkens hervorbrachte. Aber gleichzeitig entstand, im dialektischen Spiel der Kräfte, ein neuer Monotheismus mit einem Zug ins Mythische: der kommunistische Glaube, das dritte Rom in Moskau, eine neue Idee der Universalherrschaft. Sowjetreich und Gottesreich. Das 20. Jahrhundert wird vielleicht noch an seinem Ende die Frage beantwortet haben, um die es heute geht und gerätselt wird: Wird der Versuch des Ostens gelingen – so fragte sich Romano Guardini im

»Ende der Neuzeit« – »das Dasein nicht nur in Widerspruch zur christlichen Offenbarung zu bringen, sondern es auf eine von ihr wirklich unabhängige, welt-eigene Grundlage zu stellen?« Moskau-Rom: das ist der tiefe religiös-ideologische Weltgegensatz unseres Jahrhunderts. Er interessiert hier nicht allein als eine der vitalen Fragen unserer Zeit, sondern auch deswegen, weil die christliche Kultur Europas dabei im Spiele steht. Die Zeichen der Zeit lassen erkennen, daß sich der alte Kulturbesitz dem Zerfall nicht mehr entziehen kann – oder sagen wir genauer: Er bleibt zwar, wie alles, was je groß und bedeutend war; Dante und Cervantes, Greco und Grünewald, Michelangelo und Rembrandt, Bach und Beethoven, Goethe und Shakespeare – wer wollte leugnen, daß sie leben? Aber ihre Nachfolge zeitigt, jedenfalls bisher, keine nennenswerten Ergebnisse. Woran die eine Partei festhält, ist das Dogma der Kirche, das für den Gläubigen jede Zeitenwende überdauern soll; sie läßt sich so wenig wie die andere Partei des kommunistischen Dogmas eine Abschwächung des Inhalts und der Geltung bieten. So wird beiderseitig der Absolutheitsanspruch schärfer betont. Der Schritt zur Loslösung von jeder Art Liberalismus ist auf beiden Fronten getan. Das Zeitalter des Antiliberalismus ist angebrochen.

Was vor, zwischen, nach den Weltkriegen sich im deutschen Lebenskreis ereignete, wird durch die Meilensteine des wilhelminischen Imperialismus, der Völkerbundsbestrebungen der Stresemann-Ära, des nationalsozialistischen Interregnums des Hitlerreichs und durch die wirtschaftliche, politische und kulturelle Spaltung in zwei deutsche Republiken bezeichnet. Vier Etappen des Scheiterns, des Schicksals, der Katastrophen. Kaum ein Volk Europas konnte damals nach dem ersten Weltkrieg und heute nach dem zweiten besser verstehen, was Oswald Spengler ausdrückte, als das deutsche:
»Das zwanzigste Jahrhundert ist endlich reif geworden, um in den letzten Sinn der T a t s a c h e n einzudringen, aus deren Gesamtheit die w i r k l i c h e Weltgeschichte besteht. Es handelt sich nicht mehr darum, nach dem privaten Geschmack Einzelner und ganzer Massen die Dinge und Ereignisse im Hinblick auf eine rationalistische T e n d e n z, auf eigene Wünsche oder Hoffnungen hin zu deuten. An Stelle des ›So soll es sein‹ oder ›So sollte es sein‹ tritt das unerbittliche S o   i s t   e s und so w i r d es sein. Eine stolze Skepsis legt die Sentimentalitäten des vorigen Jahrhunderts ab. Wir haben gelernt, daß Geschichte etwas ist, das nicht im geringsten auf unsere Erwartungen Rücksicht nimmt.«
Das steht in der kleinen Broschüre von 1931 »Der Mensch und die Technik«.

Hier ist nicht die Frage, ob und in welchem Sinn das Abendland untergeht, sondern es ist nur die Forderung gestellt, ohne Illusion die Wirklichkeit, die harten Fakten, zu sehen; denn eine neue Wirklichkeit steht vor uns. Verschließt man vor ihr die Augen, dann begreift man auch nicht die Phänomene der jetzigen Kultur, die in diese Wirklichkeit eingelassen ist und sie ausdrückt. Uns Söhne des zwanzigsten Jahrhunderts erfüllt ein anderes Weltgefühl als unsere Väter, die voller Vertrauen und Optimismus als die »bourgeois conquérants« den Kapitalismus, Imperialismus und Kolonialismus großen Stiles schufen oder sie an die äußerste Grenze führten. Das 19. Jahrhundert: in seiner Art ein bewundernswertes; denn es legte den Grund zur modernen Naturwissenschaft, brachte den weltweiten Kaufmannsgeist hervor, führte die Romankunst allenthalben in Europa auf eine zuvor nicht geahnte Höhe, schuf den lockenden »Zaubergarten der impressionistischen Malerei« in Frankreich und vollendete das tonale Wunderwerk der deutschen Musik. Dennoch, wir verhalten uns, meinte Thomas Mann, dem vergangenen Jahrhundert gegenüber wie Söhne zum Vater, voller Kritik. Denn da war in dem bewundernswerten Jahrhundert noch etwas, was uns nicht gefiel:

»Wir zucken die Achseln über seinen Glauben sowohl, der ein Glaube an Ideen war, wie über seinen Unglauben, das heißt seinen melancholischen Relativismus. Seine liberale Anhänglichkeit an Vernunft und Fortschritt scheint uns belächelnswert, sein Materialismus allzu kompakt, sein monistischer Welteträtselungsdünkel außerordentlich seicht.«

Aber auch im 19. Jahrhundert zog sich unter der Oberströmung seines Optimismus eine Tiefenströmung pessimistischer Weltansicht hin, »eine musikalische Nacht- und Todverbundenheit« – weswegen Thomas Mann ebenso an Wagner und Schopenhauer wie an Tolstoi und Dostojewskij denkt.

2.

Aus der Physiognomie des vorigen Jahrhunderts hat sich durch Verwandlung mancher Züge ein neues Gesicht herausgebildet. Die Wandlung vollzog sich vornehmlich durch die dominierende Rolle, welche die angewandte Mathematik zu spielen übernahm. In dem neuen Heiligtum unseres Jahrhunderts steht nicht mehr der Dichter, der Philosoph oder der schöpferische Musiker, sondern ein neuer Wundermann, der Ingenieur, der »wissende Priester der Maschine«. So nannte ihn Spengler. Die Wirtschaftswelt unseres Maschinenzeitalters hat, dem Spenglerschen Gedanken zufolge, drei Typen herangezüchtet, die alle drei in absoluter Interdependenz stehen: den Unternehmer, den Ingenieur, den Fabrikarbeiter. Sie können ohne einander nicht leben. Eine immer fühlbarer werdende Versklavung an die Maschine, aber gleichzeitig auch ein überlegener Einsatz derselben zum Fortschritt, zur Lebensgestaltung, zur Forschung, das zusammen ist ein Grundzug unserer Zeit. Der »wahre Held« auf der Bühne unseres Jahrhunderts ist das Elektron, meinte Arthur Eddington. Die Elektrotechnik ist zwar erst drei Generationen alt, aber sie hat unsere Welt und Umwelt bereits verändert. Wir leben im Atomzeitalter und sind auf dem Wege zum kosmischen Zeitalter. Die erste Raumfahrt ist 1961 gelungen und wird mit dem Namen des russischen Kosmonauten Titow verbunden bleiben. Die Konstruktion der großen mathematischen Maschinen, der rechnenden Roboter, die lernen und handeln können, ist das Wunder und die Dämonie unserer Zeit. Die Ingenieurwissenschaft der elektronischen Automaten, die Kybernetik, greift tief ins Wirtschaftsleben ein, führt zur Fabrik ohne Menschen, wo bestenfalls ein paar Techniker und Monteure auf den Galerien vor den Kontroll- und Schautafeln die Instrumente beobachten. Der Laie steht bewundernd vor diesen Leistungen menschlichen Geistes. Das Interesse an ihnen, und damit das Interesse an Technik und Naturwissenschaft, absorbiert weit mehr den Geist als in früheren Jahrhunderten. Daß es auf Kosten der sog. Geisteswissenschaften geschieht, die dem, was wir gemeinhin »Kultur« nennen, näher stehen, ist deutlich und verständlich. Die menschlichen Energien sind nicht unbegrenzt, und nicht alles kann immer gleichzeitig geschehen. Es ist also töricht, darüber zu klagen, daß keine Matthäus-Passion oder Jupiter-Symphonie mehr geschrieben werden. Sind nicht die Entdeckung der Quantenmechanik, der Bau des Palomar-Observatoriums, die Konstruktion eines Raumschiffes gleichrangige Zeugnisse menschlicher Genialität? Alles zu seiner Stunde und in seiner Art.

Auf die markantesten Linien reduziert ließe das Bild unserer Zeit immer wieder drei Phänomene sichtbar werden, die das Terrain unserer heutigen Kultur abstecken und es zugleich charakterisieren. Wie einst Friedrich Schlegel auf die Frage, welches die großen Tendenzen seines Zeitalters seien, antwortete: die Französische Revolution, Fichtes Wissenschaftslehre und Goethes »Meister«, so würde ein Kritiker unserer Zeit auf eine analoge Frage die Antwort geben können: Es sind drei Wandlungen, die heute Zeit und Mensch erlitten haben: Wandel des Menschenbildes, Wandel des Weltbildes, Wandel des Kulturbildes.

In dreifacher Weise hat sich das Bild vom Menschen gewandelt. Die *biologische* Forschung ist weit über die Ergebnisse des 19. Jahrhunderts hinausgekommen, aber von der Lösung des Rätsels aller Rätsel: wann und wo und wie der Ursprung des Lebens war, ist sie noch weit entfernt. Immerhin wissen wir unendlich mehr vom Wunder des Lebens und also des Menschen, als es früher vorstellbar war. Die *psychoanalytische* Forschung hat auf anderen Wegen in Tiefenschichten des Menschen geführt und dort Entdeckungen gemacht, ohne die ein großer Teil der Kunst und Literatur unserer Zeit nicht verständlich wäre. Schließlich hat sich das *soziale* Bild des Menschen gewandelt, und mit dieser Wandlung ist eine neue Wissenschaft vom Menschen aufgetreten, die sich in rapider Weise verbreitet hat: die Soziologie.

a) Mit Driesch und Spemann machte die biologische Forschung unseres Jahrhunderts bedeutende Schritte über Darwin und Haeckel hinaus. Seit den letzten Jahren wissen wir indessen noch mehr vom Leben, d. h. von der erreichten Organisationshöhe, wie sie menschliches Leben darstellt. Diese ist offenbar – so paradox das klingen mag – unendlich viel größer als die Organisationsleistung in den Millionen sichtbarer Milchstraßen des Makrokosmos; denn die chemischen Bausteine der lebenden Substanz haben, so heißt es bei Julian Huxley, Moleküle mit Zehn-, ja Hunderttausenden von Atomen, die alle in typischen Mustern angeordnet sind. Ein »Ozean des Geheimnisses« eröffnet sich dem Blick des Biologen. Aber nur neue Fragen und Rätsel tauchen mit jeder Eroberung von Neuland auf. Nach dem »Proteion« (= dem »Ersten«, dem von Joh. Müller 1838 entdeckten »Grundstoff des Lebens«) sind inzwischen zahlreiche »Proteine« entdeckt worden, und immer noch ist der Blick nicht ans Ende gelangt. Die Grenzen des Wissens werden weiter gesteckt. Die Hormonen- und Genenforschung, der weite Bereich der Biochemie führte bislang immer nur auf die vorletzte Stufe, wo sich die Frage erhebt: Ist das Leben eine Schöpfung Gottes oder eine Selbstzeugung, zwei Fragen, die zu ergründen, der theologische und naturwissenschaftliche Forschergeist nicht müde wird. Es läßt sich aber weder über das eine noch das andere bisher etwas Endgültiges ausmachen. Es ist wie mit Gott selbst: Weder seine Existenz noch seine Nicht-Existenz läßt sich mit Menschenverstand beweisen. Inzwischen ist das biologische Bild des physischen Menschen fester umrissen; das Räderwerk, wo eins ins andere greift, ist sichtbarer geworden; die Genen, die Viren, die Desoxyribonukleinsäure – also die Träger der Erbeigenschaften, die »Gebilde der Zwielichtzone des Lebens« und die kleinste Lebenseinheit –, dazu die Vitamine als lebensnotwendige Bestandteile unserer Nahrung, und die Hormone, die im Gegensatz zu den Vitaminen, von unseren Organismen selbst erzeugt werden, all

13 Der Versuchs-Reaktor der Technischen Hochschule in Garching
    bei München

das sind Entdeckungen unserer Zeit ..., aber die Grenze, welche das Leben vom Unbelebten trennt, ist durch und für unsere Erkenntnis nur weiter hinausgeschoben: vielleicht besteht sie gar nicht.

Von anderer Art ist die Tiefenlotung, die im menschlichen Lebensbereich von der Psychoanalyse erstrebt wird. Da ihre Forschungen und Ergebnisse eine überragende Bedeutung für den Wandel des Menschenbildes und zugleich für die Erkenntnisse vom Werdegang und Wert menschlicher Kultur wie auch für das Verständnis eben dieser geistigen und künstlerischen Leistungen haben, wird ihrem wissenschaftlichen Begründer Sigmund Freud ein eigenes Kapitel gewidmet werden. Man mag Anhänger oder Gegner dieser psychologischen Forschungsrichtung sein, drei Tatsachen bleiben: daß sie das Bild vom Menschen erweitert und vertieft, daß sie seine Kulturleistungen neu beleuchtet haben, und daß ein großer Teil der Künstler, von der Psychoanalyse berührt, deren Elemente in seine Kunstwerke selbst eingeschmolzen hat. Das gilt seit der Generation von Rilke und Mann und gilt noch im Surrealismus der Dichter und Maler, eines Breton, Dali oder Marc Chagall.

Der Mensch ist ein Individuum – ein Einmaliges, Unteilbares, Unwiederholbares; aber er ist auch ein Zoon politikón – ein Lebewesen in der Gemeinschaft – freilich ein sehr spät geborenes soziales Wesen, da wahrscheinlich viele Millionen Jahre, bevor die Menschen Staaten bildeten, bereits verschiedene soziale Insektenvölker wie die Bienen, Ameisen und Termiten ihre staatlichen Ordnungen hatten. Doch das sei hier nur am Rande bemerkt, damit man sich vergegenwärtige, daß der Mensch als Säugetier und Homo sapiens ein Geschöpf sehr jungen Datums auf der Erde ist. In der verhältnismäßig kurzen Zeit seiner Geschichte hat er erstaunliche Wanderungen gemacht und Wandlungen erlebt. Das Phänomen der letzten 150 Jahre ist das Wachstum der Menschenvölker. Die Weltbevölkerung wächst in unserer Zeit jährlich um etwa 55 Millionen Menschen. Der Zuwachs in der Zeit nach dem Ersten Weltkrieg beträgt mehr als eine Milliarde. Davon entfällt fast die Hälfte auf die letzten 10 Jahre. Nun liegt freilich bei dieser Zuwachsrate nicht Europa an der Spitze, sondern Asien, Afrika und Südamerika. Der Druck dieser Masse ist ungeheuer. Er ist ein Novum in der Geschichte der Menschheit; denn seit dem Beginn der europäischen Geschichte im 6. Jahrhundert bis etwa zur Zeit Napoleons (also 12 Jahrhunderte) betrug die Einwohnerzahl unseres Kontinents nie mehr als 180 Millionen. Von 1800–1914 – also in wenig mehr als 1 Jahrhundert – wuchs sie von 180 auf 460 Millionen. Und dann kam der neue Schub in Asien und Afrika. Das Bild läßt keinen Zweifel darüber, daß die Zeugungskraft und Fruchtbarkeit des 19. und 20. Jahrhunderts, und nicht bloß die Verringerung der Sterblichkeitsziffer, außerordentlich ist. In 5 Generationen haben diese Zeiten, um mit Ortega y Gasset zu sprechen, massenweise »menschlichen Rohstoff« hervorgebracht, der sich wie ein Gießbach auf das Feld der Geschichte stürzt und es überschwemmt. Das Zeitalter der Masse und ihres Produkts, des Massenmenschen, ist angebrochen. Was dieser Massenmensch ist, haben eindrucksvoll Gustave Le Bon, Ortega y Gasset und C. G. Jung analysiert.

Daß zur Bewältigung der mit dem Wachstum der Weltbevölkerung verbundenen nahrungstechnischen und sozialen Aufgaben neue Organisationen, Forschungen, aber auch Bürokratien und diktatorisch eingreifende Maßnahmen aufkommen werden, liegt in der Natur der Sache. Die Erde wird vermutlich im 21. Jahrhundert 7 Milliarden Menschen zählen. Die ungeheure Hungersnot, die, blieb es bei den heutigen landwirtschaftlichen Betrieben, zwangsläufig ausbrechen würde, macht den Einsatz und die technische Entwicklung in der Richtung einer Urbarmachung noch ungenützter Gebiete und eine künstliche Beschleunigung des Pflanzenwachstums notwendig. Es ergibt sich eine Relation zwischen Menschheitswachstum und technischer Entwicklung. Man kann nicht das eine verhindern wollen und das andere ablehnen. Will man die technische Weiterentwicklung bremsen, muß man auch die Zuwachsrate der Weltbevölkerung diminuieren, wenn der Mensch nicht untergehen soll. Dagegen wird er sich stemmen. Also es liegt näher anzunehmen, daß einmal ein Ausgleich zwischen den Maßnahmen einer Geburtenregelung und dem eingeborenen Antrieb, die technische Entwicklung immer weiter zu treiben, zustande kommt. Hier ist ein Komplex religiöser, sozialer, technischer Interessen im Spiel, die in unserm Jahrhundert nicht leicht auszugleichen sind.

b) Um die Jahrhundertwende wandelte sich durch die Forschungen Plancks und Einsteins und anderer Naturwissenschafter das physikalische Weltbild. Die neue kopernikanische Wendung ist vielleicht das erregendste Phänomen, mit dem die heutige Menschheit in Berührung gekommen ist. Quantenmechanik – Relativitätstheorie – Atomwissenschaft sind die drei zusammenhängenden Ereignisse, die das Bild der Welt wesentlich für uns verändert haben. Der Schritt, den die Forscher in die neue Welt der unfaßbaren und den Sinnen unzugänglichen Elektronen und Protonen getan haben, indem sie die alte, klassische Physik unserer Sinneserfahrungen hinter sich ließen, ist so groß, obwohl folgerichtig, daß unser Jahrhundert nur mit dem Zeitalter eines Kopernikus und seiner Vollender bis Newton verglichen werden kann, jenem Zeitalter, in dem sich der Untergang des kosmischen Weltbildes der Antike erst vollzog. Wie seit Kopernikus jeder Schulknabe von den Bewegungsgesetzen der Planeten, also auch dem der Erde um die Sonne, weiß, so hört er heute sowohl von den Wundern des Makrokosmos, die sich noch durch den Blick in ungeahnte Tiefen des Weltalls von Jahrzehnt zu Jahrzehnt steigern, als auch von den Wundern des Mikrokosmos, des Atoms, des unsichtbaren Bausteins der großen Welt. Die »elementaren Partikel« – nicht mehr die Atome Demokrits, sondern die wirklich nunmehr unteilbaren Atome, d. h. die Elektronen und Bausteine der Atomkerne, bilden eine Welt voller Geheimnisse; und es ist schon ins Bewußtsein der Menschen gedrungen, daß ungeheure Kräfte sich darin verborgen halten. Aber nicht immer ist dem Laien bewußt, daß in diesem Mikrokosmos der elementaren Teilchen andere Gesetze als in dem Makrokosmos herrschen. Seit Plancks Entdeckung einer »zweigeleisigen Naturordnung« sollte indessen niemand mehr der irrigen Annahme verfallen, als sei die Welt der letzten Materieteilchen »einfach eine verkleinerte Ausgabe der groben makroskopischen Welt« (Arthur March). Dieser Mikrokosmos der elementaren Partikel steht nicht im Analogon zu der jeweils teilbaren und veränderlichen Welt etwa der Gestirne oder jedweder anderer Körper. Die revolutionäre Entdeckung Plancks von 1900 war, daß die Energieverteilung der sog. schwarzen Strahlung »sich nur aus der Annahme verstehen läßt, daß das Mikrogeschehen sich in *unstetigen Akten* vollzieht«. Hier liegt der Ursprung der modernen Quantenphysik, welche das gesamte physikalische Weltbild unseres Jahrhunderts umgestalten sollte. Das physikalische Denken ging neue Wege; es schuf auch neue mathematische Symbole, wodurch die Gesetze der klassischen Physik zwar nicht außer Kraft gesetzt (denn sie gelten unverändert noch heute in i h r e m Bereich), wohl aber in einem Sinne erweitert und verändert wurden, daß in den veränderten mathematischen Symbolen das beobachtete, neuartige Geschehen annähernd erklärbar war. Das Charakteristische der Quantenphysik lag in ihrer Richtung zur Abstraktion, also in einer der Grundtendenzen unserer Zeit, wie sie sich, wohl nicht zufällig, auch in manchen literarischen Strömungen, in der bildenden Kunst und der Musik auswirken. Ob dabei kausale Relationen mitspielen, sei dahingestellt. Sicher ist, daß die Naturwissenschaften einen neuen, kräftigen Zug in die Physiognomie unserer Zeit gegraben haben, und daß die Reperkussionen ihrer Leistungen im veränderten Weltgefühl und in den kulturellen Schöpfungen unserer Tage spürbar sind.

Das begann bereits im literarischen Vorspiel des 20. Jahrhunderts im sog. Naturalismus. Die Verbindung der Literatur mit den modernen Naturwissenschaften (und der Soziologie) ist eine Tendenz, die seit den Tagen Zolas und seines »Roman expérimental« nicht mehr verstummte. Der Ruf hallt noch in den deutschen Epigonen des europäischen Naturalismus kurz vor der Jahrhundertwende nach. Wilhelm Bölsche schrieb 1887 über »Die naturwissenschaftlichen Grundlagen der Poesie« und Otto Brahm präzisierte im 1. Jahrgang der »Freien Bühne« (1890) die Stellung des jungen Schriftstellers vor dem Phänomen der modernen Naturwissenschaft. Man mag vieles in diesen und den anderen theoretischen deutschen Schriften zum Naturalismus der Jahre 1882–1890 belächeln, es handelt sich hier nur um die Feststellung, daß bereits an der Schwelle zum 20. Jahrhundert das neue naturwissenschaftliche Denken als charakteristisches Phänomen der modernen Zeit in die Literatur und Künste eingesickert ist.

Indessen ist der Naturalismus keine typisch deutsche Erscheinung, sondern in ihm reflektiert sich nur der Glanz, der von der Peripherie des großen Halbkreises Frankreich-Skandinavien-Rußland nach Deutschland hineinstrahlt. Die Sterne erster Ordnung waren im Westen Balzac-Flaubert-Maupassant-Zola, im Norden Björnson, Jacobsen, Ibsen und Strindberg, im Osten Tolstoi und Dostojewskij. Motive und Thematik des europäischen Naturalismus erschöpften sich in ihren epischen und dramatischen Werken: ein Wissen um die gottlos gewordene Welt; ein Wissen um die Macht der Grundtriebe Liebe, Ehre, Ruhm, Geiz; ein Wissen um die Hemmungslosigkeit, den Macht-, Sinnen-, Expansions- und Aggressionsrausch; die Prostration vor dem Allerheiligsten, dem Geld, in den neuen Tempeln der Banken und Börsen; – an Ende die grenzenlose Traurigkeit; denn der Scharfblick der Naturalisten enthüllte alle edlen Gesten als enttäuschende Theatercoups in einer entzauberten Menschenwelt. Aber mit den drei Größten: Balzac, Zola, Dostojewskij steigerte sich der Naturalismus ins Mythische: Père Goriot und Nana wurden solche Mythen, und die zerebrale Schärfe der Dialektik, die Zartheit des empfindenden Herzens und die Wucht der religiösen Eingebung machten einen Dostojewskij zu einem der letzten großen christlichen Denker nach Pascal.

Was konnte neben und nach den Schöpfungen dieser naturalistischen Meister noch bestehen? Da nimmt sich, vielleicht mit der Ausnahme Gerhart Hauptmanns, der Reflex in Deutschland matt aus. Hier aber handelt es sich nicht um literarische Wertung, sondern um die Tatsache, daß neben der sozialkritischen und aufklärerischen Thematik in den deutschen naturalistischen Manifesten gerade auch die Bindung der Literatur an den naturwissenschaftlichen Geist der neuen Zeit – auf den Spuren Zolas – besonders spürbar ist. »Die Basis unseres gesamten modernen Denkens bilden die Naturwissenschaften«, steht bei Wilhelm Bölsche, und weiter:

»Man hat sich geeinigt über den Satz: Wir müssen uns dem Naturforscher nähern, müssen unsere Ideen auf Grund seiner Resultate durchsehen und das Veraltete ausmerzen.«
All das ist unverkennbarer Widerhall der Zolaschen Gedanken aus dem »Roman expérimental«.
Mit weitsichtiger Intelligenz zeigt Otto Brahm den Wurzelgrund der modernen Literatur und läßt zugleich die Grenzen zu weiteren, möglichen Entwicklungen offen:
»Wir schwören auf keine Formel und wollen nicht wagen, was in ewiger Bewegung ist, Leben und Kunst, an starren Zwang der Regel anzuketten. Dem Werdenden gilt unser Streben ... denn nicht, wer den Anschauungen einer versunkenen Welt sich zu eigen gibt, – nur wer die Forderungen der gegenwärtigen Stunde im Innern frei empfindet, wird die bewegenden geistigen Mächte der Zeit durchdringen, als ein moderner Mensch.«
Wohl entspringt die moderne Kunst dem Naturalismus, aber es gilt, die Wege für jede mögliche, weitere Entwicklung freizuhalten:
»Die moderne Kunst, wo sie ihre lebensvollsten Triebe ansetzt, hat auf dem Boden des Naturalismus Wurzel geschlagen. Sie hat, einem tiefinneren Zug der Zeit gehorchend, sich auf die Erkenntnis der natürlichen Daseinsmächte gerichtet und zeigt uns mit rücksichtslosem Wahrheitstrieb die Welt wie sie ist. Dem Naturalismus Freund, wollen wir eine gute Strecke Wegs mit ihm schreiten, allein es soll uns nicht erstaunen, wenn im Verlauf der Wanderschaft, an einem Punkt, den wir heute noch nicht überschauen, die Straße plötzlich sich biegt und überraschende neue Blicke in Kunst und Leben sich auftun. Denn an keine Formel, auch an die jüngste nicht, ist die unendliche Entwicklung menschlicher Kultur gebunden;« (1890)
In der Tat folgte nach dem Mechanismus der Hegelschen Dialektik, sehr bald auf die Thesis des Naturalismus die Antithesis der deutschen Neuromantik: – einer Spielart des gemeineuropäischen Symbolismus. Und alsbald bildete sich aus dieser Thesis und Antithesis als Synthesis das erste bedeutende literarische und kulturelle Phänomen des neuen Jahrhunderts, der Expressionismus. Es trat genau zu jener Zeit in die Welt, als Planck, Einstein, Niels Bohr die wirklich »moderne« Naturwissenschaft begründeten.

c) Um die Jahrhundertwende war Heidegger 11, Jaspers 17 Jahre alt. 1927 erschien, bald nach Spenglers »Untergang des Abendlandes«, Heideggers existenzialphilosophisches Hauptwerk »Sein und Zeit«; 1932 Jaspers dreibändige »Philosophie«: die Existenzialphilosophie ist ein Kind des 1. Drittels unseres Jahrhunderts. Damals herrschten noch der *Neukantianismus* mit Cohen, Natorp, Cassirer, Windelband und Rickert, die alle ein bis zwei Generationen älter waren als Heidegger. Die *Phänomenologie* kam in Mode: Husserls »Ideen zu einer reinen

Phänomenologie und phänomenologischen Philosophie« (1913) war am Vorabend von »Sein und Zeit« der diskutierteste Komplex von Fragen, die für die Entwicklung philosophischen Denkens in unserer Zeit von höchster Bedeutung waren; eine immens weit und tiefgesteckte Forscherarbeit wurde hier mit einer Dialektik von höchster Wahrheit für die »Dinge«, mit einer Scheidekraft und Logizität durchgeführt, die v o r Heideggers denkerischer Leistung sui generis bleiben wird. Daneben bewegten Dilthey, Simmel, Scheler die Geister. Insgesamt war da ein großer Reichtum an Ideen und Seinsverständnis ausgebreitet, vergleichbar dem Reichtum, mit dem um dieselbe Zeit die deutsche Dichtung, Musik und Malerei die Welt noch einmal beschenken konnte. Aber das eigentlich »Neue«, die Sprache der Zeit um die Mitte des Jahrhunderts, wurde von Heidegger und Jaspers gefunden und geprägt. Der modifizierte Widerhall tönte aber nur aus Frankreich zurück. Wie Maurice Merleau-Ponty der echte Weiterbildner Husserls ist, so sind Sartre und Marcel die französischen Stimmen jener existenzialistischen Bewegung, die weder in den slawischen noch angelsächsischen Ländern ein wirkliches Echo fand.

Was ist das für eine Bewegung, die weit über die Bezirke der Fachphilosophie hinaus einen solchen Zauber ausübte, wie zuvor – innerhalb der deutschen Geistesgeschichte – vielleicht nur das Denken eines Leibniz, eines Kant und eines Hegel, d. h. also eines tief im metaphysischen Optimismus, – in der Kraft des Intellekts, – im Vertrauen zum Logos, – gründenden weltdeutenden Philosophierens. Als der ältere Hegel in Berlin die Philosophie verwaltete, saß Schopenhauer zu seinen Füßen, aber bald saß dieser einsam und allein als »spekulierender Hiob« auf dem »Aschenhaufen der Endlichkeit«. Das bemerkte Kierkegaard, und eine neue, wenig professorale Linie des Philosophierens begann; denn sie führte von Schopenhauer über Kierkegaard zu Nietzsche; und bald nach diesem letzten Propheten der Zukunft, der auch die Gegenwart scharfsichtig wie niemand sonst erfaßt hatte – denn er hatte, wie wir sahen, das paradoxe Mysterium der Grausamkeit unserer Zeit: »für das Nichts Gott opfern«, messerscharf formuliert –, saßen Gläubige und Ungläubige in großen Massen im »Leeren«, saßen in Hoffnung oder Verzweiflung auf den Trümmern einer zerschlagenen Welt. Ohne die Katastrophen zweier Weltkriege und einer globalen Wirtschaftskrise wäre gewiß der Existenzialismus in der Nachfolge Schopenhauers, Kierkegaards und Nietzsches auch gekommen, wäre aber sicher nicht so nach seinen rein philosophischen Anfängen in den 20er Jahren aufgeblüht wie nach diesen spürbar existenziellen Erlebnissen, und begreiflicherweise in den Ländern, die am härtesten getroffen waren:

Deutschland und Frankreich. »Nach seinen rein philosophischen Anfängen«, sagten wir; das waren »Sein und Zeit« und »L'Etre et le
Néant«, also die Fundamentalwerke von 1927 und 1943. Da Sartres
Ideen durch das Medium seiner existenzialistischen Dramen einem
breiten Publikum zugänglich wurden, weitete sich, rückwirkend auch
in Deutschland, der Begriff des Existenzialismus derart aus, daß seine
eigentliche philosophische Bedeutung nur noch eine neben anderen war.
Er wurde um die Jahrhundertmitte ein soziales Phänomen, das ebenso-
gut Gegenstand soziologischer Forschung sein könnte. Es gab bald
Existenzialistenkeller, -cafés und -parties; es gab christliche und
atheistische Existenzialisten; es gab existenzialistische Moden mit blue-
jeans, Haarfransen und Tanzrhythmen, die mit dem Negerjazz eine
eigentümliche Ko-existenz führten; es gab existenzialistisches behaviour
und alles, womit der Laie in den Filmen der »neuen Welle« überrascht
wird: Freudianismus und Humanismus existenzieller Prägung.

Fassen wir alles zusammen, so spricht aus dem Existenzialismus sowohl philosophischer wie modischer Art ein Grundgefühl, dessen Melodie schon in Hiob aufklang, in Schopenhauers Satz: »Sein eigentliches
Dasein (= das menschliche Individuum) ist nur in der Gegenwart,
deren ungehemmte Flucht in die Vergangenheit ein steter Übergang in
den Tod, ein stetes Sterben ist«, aufgenommen wurde und in Nietzsche
mit einer kritischen Wendung gegen den vermeintlich so erhabenen und
erhobenen Intellekt modern geprägt erscheint: »... wie kläglich, wie
schattenhaft und flüchtig, wie zwecklos und beliebig sich der menschliche Intellekt innerhalb der Natur ausnimmt«. Und weiter sagt der
29jährige dort »Über Wahrheit und Lüge im außermoralischen Sinn«:
»Es gab Ewigkeiten, in denen er (der Intellekt) nicht war; wann es wieder
mit ihm vorbei ist, wird sich Nichts begeben haben. Denn es gibt für jenen
Intellekt keine weitere Mission, die über das Menschenleben hinausführte.«
In solchen Worten sind Spengler, Heidegger, Sartre vorgeprägt. Me-
lancholische Töne des Nichts, des Untergangs, der Kultur- und Menschheitsdämmerung. Unüberhörbar in der packenden Sprache Spenglers,
um nur dieses eine Beispiel zu geben:
»Eine unübersehbare Masse menschlicher Wesen, ein uferloser Strom, der
aus dunkler Vergangenheit hervortritt, dort, wo unser Zeitgefühl seine
ordnende Wirksamkeit verliert und die ruhelose Phantasie – oder Angst – in
uns das Bild geologischer Erdperioden hingezaubert hat, um ein nie zu lö-
sendes Rätsel dahinter zu verbergen; ein Strom, der sich in eine ebenso
dunkle und zeitlose Zukunft verliert: das ist der Untergrund des faustischen
Bildes der Menschengeschichte ... Geschlechter, Stämme, Völker, Rassen ...
fassen eine Reihe von Generationen in einem beschränkten Kreise der historischen Oberfläche zusammen ... Wenn die gestaltende Kraft in ihnen

erlischt ... erlöschen auch die physiognomischen, sprachlichen, geistigen Merkmale, und die Erscheinung löst sich wieder in dem Chaos der Generationen auf ... Über diese Fläche hin aber ziehen die großen Kulturen ihre majestätischen Wellenkreise. Sie tauchen plötzlich auf, verbreiten sich in prachtvollen Linien, glätten sich, verschwinden, und der Spiegel der Flut liegt wieder einsam und schlafend da.«

Das sind Nachklänge aus Schopenhauer und Nietzsche: Bilder existenzialistischer Untergangsstimmungen. Sie stehen aber mit den eigentlich philosophischen Fragen, die der Existenzialismus aufgeworfen hat, in tieferem Zusammenhang. Was charakterisiert in erster Linie die Existenzialisten?

Eine gründliche Skepsis gegenüber den geschlossenen philosophischen Systemen jeder Art. Wir erinnern uns des Wortes, das Dilthey in seinen Tagebüchern niederlegte, und das F.-J. Brecht in seinem methodisch wie inhaltlich ausgezeichneten Buch über den Existenzialismus gewissermaßen als Leitmotiv der neuen philosophischen Haltung zitiert hat: »Wir verschmähen die Konstruktion, lieben die Untersuchung, verhalten uns skeptisch gegenüber der Maschinerie eines Systems. Diese Systematik und Dialektik kommt uns zuweilen vor wie eine gewaltige Maschine, die im Leeren arbeitet. Wir sind zufrieden, am Ende eines langen Lebens vielfache Gänge wissenschaftlicher Untersuchung angebahnt zu haben, die in die Tiefe der Dinge führen; wir sind zufrieden, auf der Wanderschaft zu sterben.«

Dieses Wort läßt die Haltung des Philosophen deutlich sichtbar werden: Sie ist Hinwendung zum Objekt, sie ist ein Bestreben, sich zu den Sachen selbst durchzuarbeiten, die Realität zu erfassen, nicht über sie etwas auszusagen, sondern sie selbst auszusagen. Andererseits ist zu fragen, wer es ist, der dieses Sein versteht und aussagt, also wer der Mensch, das Subjekt, ist. In dieser Doppelrichtung liegt die Bewegung existenzialistischen Fragens. Es ist also uralt, und klingt doch neu; und uralt, wie Hiob, ist die Sorge, die Angst, die Verzweiflung, ist der Aufschrei der Kreatur gegen die Sinnlosigkeit des Lebens, ist die Erkenntnis der Ausweglosigkeit alles Geschehens und das Gefühl des Untergangs, der radikalen Endlichkeit von Welt und Mensch. Uralt aber ist auch das Bewußtsein der Freiheit, ja sogar das Sartresche Verdammtsein zur Freiheit, die stoische Haltung eines eisigen Triumphes in der Möglichkeit der Wahl; uralt schließlich der Sprung aus diesem Nichts und dieser Leere in die Transzendenz: der Mensch vermöge, nach Jaspers, im »überschreitenden Denken« die Zeitlichkeit zu durchbrechen, nicht, um in den Abgrund zu fallen, sondern ins Ewige einzugehen. Mit allen Seiten menschlicher Bekümmernisse und Hoffnungen berührt sich die Existenzphilosophie, mit jeder Art atheistischer Denkweise, mit jeder religiösen Erfahrung einer unio mystica. Existenzphilosophie ist nichts

Einheitliches. Was die atheistische und christliche Richtung indessen gemein haben, ist nur eine neue Ehrlichkeit des Fragens, ein Verzicht auf Verallgemeinerungen und Systematisierungen, eine Haltung, wie sie dem Menschen unter der Schockwirkung der quälenden Realität unseres Jahrhunderts und der Nietzsche-Nachfolge zu eigen geworden ist. Vielleicht ist es »gleich«, was am Ende steht: das Nichts oder Gott.

Im Hinblick auf die Vieldeutigkeit des Existenzialismus konnte es geschehen, daß die Moralisten dem Existenzialisten Schmutz, Gemeinheit, nicht nur seine Ge-worfenheit, sondern sogar seine Ver-worfenheit vorwarfen; daß die Kommunisten den Zug der Existenzialisten zur Vereinzelung des Menschen beanstandeten; daß die Christen ihn ablehnten, weil er die Gebote und Dogmen der Kirche außer acht ließ. Die drei Hauptsätze, des Existenzialismus, wie Sartre sie formulierte, lauten: 1. »Der Mensch ist nichts anderes als das, wozu er sich selbst macht.« 2. »Die Überzeugung, daß die Existenz der Essenz vorausgehe, oder, wenn man will, daß man von der Ichheit ausgehen muß.« 3. »Wenn aber wirklich die Existenz der Essenz vorausgeht, so ist der Mensch verantwortlich für das, was er ist ... und nicht eben nur für seine eigene Individualität ... sondern für alle Menschen.«

Es liegen also ontologische, metaphysische, soziale, ethische, ja sogar religiöse Elemente im Existenzialismus – nur eigentlich keine Ansätze ästhetischer Art. Es ist eins der Paradoxe unserer Zeit, daß aber gerade Dichter und Künstler, also die eigentlich »Kulturschaffenden«, von der Woge des Existenzialismus erfaßt wurden, und daß die Grundtönung vieler künstlerischer Phänomene unserer Zeit existenzialistische Färbung hat. Zeuge dessen ist Sartre selbst, der Romancier und Dramaturg, dessen Romane und Theaterstücke von Sartre, dem Philosophen, geschrieben wurden.

Es ist nicht verwunderlich, daß gewissermaßen auf der Ekliptik des Existenzialismus die Untergangsbilder unserer Zeit auftauchen, ja daß infolge der Weltkriege und -krisen eine ganze Philosophie des Untergangs wirksam wurde. Arthur Huebscher hat in den »Denker unserer Zeit« (I) die Namen und Werke eindrucksvoll zusammengestellt. Wir sehen da, im literarischen Gewande, eine philosophische Leistung ganz eigener Art vor uns entstehen, sehen aber zugleich auch die Gegenströmung: den Glauben an die Zukunft, die werdende Größe des Menschen. Wir sehen einerseits eine Renaissance der alten, furchtbaren Mythen hoffnungslosen Scheiterns, andererseits die Überwindung dieser Schrecknisse, einen neuen Glauben, daß einmal der Fels des Sisyphus nicht mehr zurückfallen und daß Orpheus über den Tod triumphieren wird. Aber so war es jeweils immer, seit Menschen dachten, litten, hofften. Wo die eine Kurve in der Deszendenz verlief, verlief die andere in der Aszendenz; wo ein Optimismus regierte, war der Pessimismus nicht fern; wo die Entwicklung der Technik hoffen ließ, brauten Angst und Sorge phantastische Zukunftsvisionen. So steht auch heute neben Spenglers »Untergang des Abendlandes«, Schelers Lehre vom werdenden Gott.

Neben – oft auch in eigentümlicher Verquickung mit der Philosophie – wachsen Literatur, Kunst, Musik neuartig empor. Sie tragen alle ihre spezifischen Merkmale und Akzente, jede der Künste innerhalb der »Kunst« hat ihre Autonomie, sie haben auch alle ihre Höhepunkte und besonderen Entwicklungskurven. Aus der Distanz gesehen fallen ihre entscheidenden Leistungen innerhalb unseres Jahrhunderts in die fruchtbaren Jahre der Weimarer Republik. In der Literatur erkennt man den Höhepunkt bereits in der Doppelbewegung des Expressionismus und Surrealismus; in den bildenden Künsten zur gleichen Zeit in der Aufschichtung von Expressionismus, Surrealismus, abstrakter Malerei; in der Musik brachte eben diese Zeit die atonale Tonschöpfung Schönbergs und seiner Nachfolger hervor. Gibt es in diesem Kunst- und Kulturleben unseres Jahrhunderts gemeinsame Nenner? Zunächst sei bemerkt, daß die wesentlichen Schöpfungen in das erste Drittel fallen; das zweite Drittel scheint, soweit wir es bisher beurteilen können, nur eine Fortsetzung und Weiterbildung der fruchtbaren Ansätze und Formen des ersten zu sein. Man könnte vorsichtig formulieren, 1. daß die Künste: Wortkunst, Farbkunst, Tonkunst, neuartig erscheinen und es wirklich in dem Maße sind, wie wir als Kinder unserer Zeit mit neuen Organen die Daseinslust und -not empfinden; 2. daß die Künste, seien es die neuartigen Gedichtstrukturen, die antiperspektivische Malerei, die dissonierende Musik, die formzertrümmernde, expressive Plastik, das experimentelle Bauen mit neuem Material, daß dies alles sowohl ernst zu nehmender Ausdruck unseres Zeitempfindens als auch heiter zu wertende Expression eines unbändigen menschlichen Spieltriebs ist; 3. daß man im Grunde aber überhaupt zweifeln darf, ob die moderne Kunst wirklich »neu« im üblichen Sinn des Wortes ist; denn aus der Perspektive größerer Zeiträume gesehen, ließe sich auch erweisen, daß in allen »modernen« Formen sich stets nur uralte Geistes- und Seelenhaltungen des Menschen ausdrücken, oder auch typische Welthaltungen und Weltempfindungen. Von den Felsbildern in Altamira geht eine Linie zu Franz Marc, der sie nicht gekannt hat; von den Arabesken der in geometrischen und ornamentalen Formen denkenden Araber des 9. und 10. Jahrhunderts geht eine andere zur abstrakten Kunst; von der Ars nova des Mittelalters zu Ausdrucksformen neuer Musik. Picasso und Chagall sind in Goya praefiguriert, Goya in Hieronymus Bosch und alle zusammen in den hochwertigen Zeichnungen der fernsten magischen Epochen unserer Menschheitsdämmerung. In diesem Zusammenhang wäre zu erinnern, was Herder von der Musik sagte, und Schumann von den Quellen der Musik, die »Im großen Umlauf der Zeit immer näher aneinandergerückt« erscheinen. Und daß sich im Gedicht ein magisches Geschehen vollzieht wie in den ältesten Zeiten der Menschheit, ist seit Mallarmé jedem bekannt. »Alt« und »modern«, das sind problematische Bezeichnungen in einer Welt, die weder physikalisch noch geistesgeschichtlich geradlinig, sondern gekrümmt ist.

3.

Der Morgen der Menschheit war die zweite Hälfte der letzten Eiszeit. Wir sind von ihr noch nicht so weit entfernt. Damals begann die Kultur. Die erregenden Entdeckungen der eiszeitlichen Kultstätten mit ihren Wandmalereien stürzte die Menschen in ein damals unfaßbares Wunder: Wie konnten die »modern« anmutenden Farbbilder von einem Eiszeitmenschen sein! Ein moderner Maler hatte sich einen Witz gemacht: er war in die Höhle gekrochen und hatte die Menschen mystifiziert. So argumentierte man – und die Entdeckung blieb jahrelang unbeachtet. Wir haben heute in ganz andern Dimensionen sehen und denken gelernt. Die Archeologie, die Geschichte der alten Religionen, die wissenschaftliche Rassenforschung, die Geophysik, ja die Psychologie, die das »Es« in der Tiefenschicht des Menschen entdeckte, sie alle haben unsern Blick in die Tiefen der Zeiten geöffnet. Mit dem Geigerzähler besitzen wir ein wissenschaftlich zuverlässiges Instrument, das uns das Alter gewisser Erscheinungen zu messen ermöglicht. Die umrätselten Altertümer offenbaren uns, wie alt sie sind: die Bibelrollen vom Roten Meer, die Holzkohlenreste aus Lascaux, ja das Alter unseres Planeten selbst ist berechenbar. Die »Erde« ist 3250 Millionen Jahre alt. Schon oft hat man vom Morgen, Mittag und Abend einer Kultur gesprochen. Es wäre interessant, diesen Sonnenlauf und alle Kulturzeichen, in denen sie stand, zusammenzustellen, zu vergleichen und ihre Verschiebungen zu studieren. Rafft man aber heute diese unvorstellbare Zeitspanne der Erd- und Menschheitsgeschichte in ein »Schöpfungsjahr« zusammen, wie wir es in dem Werk von Ernst von Khuon finden, d. h. reduzieren wir die mit der Erd- und Menschengeschichte verbundene Kulturgeschichte auf die 12 Monate, während welcher die Erde einmal um die Sonne kreist, dann ist unser Planet bis Ende April ein Feuerball; allmählich beginnt die Rinde sich zu verkrusten; bis Anfang November lassen die vulkanischen Eruptionen die Auffaltungen der Gebirge entstehen; erst vor 500 Millionen Jahren – das entspricht in der Schöpfungsjahrrechnung noch dem November – entfaltet sich das im Meer entstandene Leben, und nach weiteren 250 Millionen Jahren – wir sind bereits im Dezember – wachsen Farne und Schachtelhalme und Wälder, – Insekten und Kriechtiere, – und aus den Reptilien entstehen Vögel; erst in der geologischen Neuzeit (zwischen 60 Millionen und 600000 Jahren) – da sind wir in der Weihnachtswoche – entwickeln sich die Säugetiere und Blütenpflanzen. Und nun: Der Mensch selbst, der Neandertaler, erscheint am 31. Dezember gegen 22 Uhr, während er als Homo sapiens gerade 25 Minuten vor Sylvester auf der Bühne des Lebens auftritt. Die Kultur beginnt in dieser letzten Viertelstunde des Schöpfungsjahres. Nur wenige Sekunden trennen jeweils den Pyramidenbau vom Pergamonaltar, die römischen Theater von den Kathedralen des christlichen Mittelalters; die abendländische Kultur seit der Renaissance bis in unser Jahrhundert komprimiert sich in Bruchteilen von Sekunden.

Es ist gut, daß wir uns diese Relationen hin und wieder gegenwärtig halten. Es bleibt dennoch die jeweilige Größe und Besonderheit jedweder kulturellen Schöpfung in jedweder Zeit bestehen, genauso wie die Riesendimensionen, in welche unser Dasein eingebettet ist, uns Einzelne nicht zu einem Nichts werden lassen. Das eben ist ja unsere rätselhafte Lage im Schnittpunkt des Alls und des Nichts, der Ewigkeit und Endlichkeit. Wenn, erdgeschichtlich gesehen, 4000–40000 Jahre ein Nichts im Verhältnis zum gesamten Erdalter sind, so sind diese 4000–40000 Jahre doch wieder eine weite Zeitspanne in Hinblick auf die unendliche Mannigfaltigkeit der menschlichen Kulturen. Daß dabei wieder Europa nur einen Teil, zwar einen gewichtigen, der Menschheit ausmacht, und daß Deutschland selbst wiederum nur ein Teil eines Teiles, und daß das 20. Jahrhundert gar nur ein Ring an der großen Kette der Zeiten ist, soll freilich nicht übersehen werden. Wohl haben wir das Recht, unser Jahrhundert und unsere Kultur als »neu«, als »einzigartig« zu empfinden, auch unvergleichbar mit vergangenen Zeiten und Kulturen, aber wir werden diesen jüngsten Ring so wenig vom Ganzen lösen können, wie wir überhaupt den Zusammenhang der Kette nicht zerreißen sollen. Als Individuen leben wir kurze Zeit, als Gattung schon ein wenig länger. Immer wird den Kommenden alles »neu« erscheinen, doch im Lichte der Menschheitsgeschichte neu u n d alt zugleich. Das Schönste, was unser Jahrhundert bisher uns lehren konnte, ist, daß je weiter wir in Raum und Zeit und Zukunft schauen, wir auch um so tiefer in der vergangenen Geschichte der alten Räume und Zeiten graben und bislang verborgenes Leben entschleiern können.

KAPITEL II

DAS EREIGNIS DER NATURWISSENSCHAFT

I.

Das Ereignis der deutschen Naturwissenschaft in der ersten Hälfte des 20. Jahrhunderts ist die Trias Planck-Einstein-Heisenberg. Ihre Forschung ist der deutsche Beitrag zur Entwicklung der Naturwissenschaften unserer Ära. Mit Kopernikus begann die Auflösung des aristotelisch-mittelalterlichen Weltbildes: unsere Erde ruhte nach Meinung unsrer Ahnen im Mittelpunkt des Alls. Die Schale des Fixsternhimmels war die kugelförmige Begrenzung der Welt. Außerhalb der Schale war kein Raum, kein Stoff, keine Zeit. Unter dem Fixsternhimmel kreisten in kontinuierlichem Anschluß weitere Schalen: die Sphären der Planeten, die sich in kreisförmiger Bewegung um den Weltenmittelpunkt, die Erde, drehten. Von den vier Elementen bewegten sich die schweren, nämlich Erde und Wasser geradlinig zum Weltmittelpunkt hin, die leichten aber, nämlich Luft und Feuer, in umgekehrter Richtung dem Fixsternhimmel zu. Ein schönes, klares, harmonisch gezeichnetes Bild, wo Kreise und Gerade die Bewegungen der Himmelskörper von denen der Elemente unterschieden. In solchem Weltbild konnte sich der Mensch auf der »wohlgegründeten, dauernden Erde« geborgen fühlen und sich seiner Würde, Zentrum der Welt zu sein – »medio in mundo te posui« (Pico della Mirandola) – ruhig erfreuen. So einfach, wie mittelalterliche Vergröberung dieses Weltbild zeigte, war nun die Struktur des Kosmos, wie wir sie in Aristoteles' Buch »Vom Himmel« lesen, nicht. Aber eben die Vereinfachung des geozentrischen Bildes wirkte und kam der Theologie zu Hilfe. Da trat Kopernikus in seinem Werk »De revolutionibus orbium coelestium« (1543) den Beweis an, daß nicht die Erde, sondern die Sonne im Mittelpunkt unserer Welt stünde und von der Erde umkreist würde. Kopernikus stützte sich bei der Rechtfertigung seiner Lehre auf die mathematische Seite der Beweisführung, indem er die physikalischen Schwierigkeiten nur flüchtig streifte und die Bewegungen der Gestirne rein phoronomisch betrachtete. Die neue, heliozentrische Lehre mußte erschütternd wirken. Antike Elemente der platonisch-plotinischen Licht- und Sonnenmetaphysik kamen zu neuartiger Bedeutung, kombinierten sich in den vielgelesenen Schriften der italienischen Renaissanceplatoniker zu neuen Anschauungen. Der metaphysische Heliozentrismus verwandelte sich in der erregten Seele des jungen Kopernikus in einen astronomischen.

Wir verstehen Goethes Worte über die Erschütterung, welche durch die kopernikanische Entdeckung im denkenden Menschen ausgelöst werden mußte; wir lesen sie in dem historischen Teil seiner Farbenlehre: »Unter allen Entdeckungen und Überzeugungen möchte nichts eine größere Wirkung auf den menschlichen Geist hervorgebracht haben, als die Lehre des Kopernikus. Kaum war die Welt als rund anerkannt und in sich selbst abgeschlossen, so sollte sie auf das ungeheure Vorrecht Verzicht tun, der Mittelpunkt des Weltalls zu sein. Vielleicht ist noch nie eine größere Forderung an die Menschheit geschehen; denn was ging nicht alles durch diese Anerkennung in Dunst und Rauch auf: ein zweites Paradies, eine Welt der Unschuld, Dichtkunst und Frömmigkeit, das Zeugnis der Sinne, die Überzeugung eines poetisch-religiösen Glaubens; kein Wunder, daß man dies alles nicht wollte fahren lassen, daß man sich auf alle Weise einer solchen Lehre entgegensetzte, die denjenigen, der sie annahm, zu einer bisher unbekannten, ja ungeahnten Denkfreiheit und Großheit der Gesinnungen berechtigte und aufforderte.«

Wir wissen, wie die Linie von Kopernikus über Tycho Brahe zu Galilei (1564–1642) und Kepler (1571–1630) und von dort zu Isaac Newton weiterlief, der im Todesjahr Galileis geboren wurde und mit Recht von den Philosophen, also den naturwissenschaftlich denkenden Enzyklopädisten des 18. Jahrhunderts, als der größte Forscher der neuen Zeit betrachtet und geschätzt wurde. Dann ging der Weg ins 19. Jahrhundert, das eine ungeahnte Entwicklung der Physik und Chemie sich vollziehen sah. Aber erst die Forschungen des 20. Jahrhunderts führten zu Ergebnissen, die zum zweitenmal unsere Vorstellungen vom Kosmos erschütterten und jene Unruhe in unsere Seele bringen sollten, von der Goethe anläßlich der kopernikanischen Revolution sprach. Die mathematische Beschreibung der Natur absorbiert immer stärker das augenfällige, den Sinnen erfahrbare Bild des Kosmos, des Makro- wie des Mikrokosmos. Der allzu kompakte Materialismus, der sich in dem monistischen Welträtselungsstreben des 19. Jahrhunderts und seinem Glauben an die Atome als das unteilbare, eigentlich Seiende, die unveränderlichen Bausteine der Materie, ausspricht, weicht dem Einbruch eines Neuen, das sich schon mit der Elektrizitätslehre ankündigte: Das »Wirkliche« war nicht mehr die Materie, sondern waren die Kraftfelder. Das Tor zur Abstraktion war geöffnet. Am Ende des vergangenen Jahrhunderts wurde die Radioaktivität entdeckt: Die Atome der Chemie sind nicht mehr a-tomare (un-teilbare) Bauelemente, sondern bestehen selbst aus drei Sorten von Grundbausteinen, die uns als Protonen, Neutronen und Elektronen bekannt geworden sind.

Die tiefgreifende Veränderung, die sich mit der Atomphysik im »Naturbild« vollzog, lag darin, daß wir darauf verzichten mußten, sowohl eine Anschauung der Atomteilchen zu gewinnen als auch die Frage zu stellen, ob diese Elementarteilchen – als Bausteine der Materie – »an sich« in Raum und Zeit bestehen, d. h. unabhängig von uns Menschen und losgelöst von unseren naturwissenschaftlichen Experimenten; vielmehr wissen wir seit Planck, »daß die Naturgesetze, die wir in der Quantentheorie mathematisch formulieren, nicht mehr von den Elementarteilchen an sich handeln, sondern von unserer Kenntnis der Elementarteilchen.« (Heisenberg). Wir sind, wie Niels Bohr es ausdrückte, nicht mehr nur Zuschauer, sondern stets auch Mitspielende im Schauspiel des Lebens, oder wie es Heisenberg formulierte:
»Wenn von einem Naturbild der exakten Naturwissenschaft in unserer Zeit gesprochen werden kann, so handelt es sich also eigentlich nicht mehr um ein Bild der Natur, sondern um ein Bild unserer Beziehungen zur Natur.«
Im Blickfeld der modernen Physik steht demnach »das Netz der Beziehungen zwischen Mensch und Natur«. Eine alte Weisheit wird neu erlebt: Der Mensch ist als körperliches Lebewesen selbst ein Teil der Natur, aber er unterläßt es nicht, eben diese Natur gleichzeitig zum Gegenstand seines Forschens zu machen. Wir verlassen mehr und mehr die Betrachtungsweise eines Descartes und eines Goethe. Die Unterscheidung, die der eine von Materie und Denken (res extensa und res cogitans) macht, verstopft die Wege zum Verständnis der modernen Naturwissenschaft; das Bedürfnis des andern, im Anschaulichen zu bleiben und den Sinnen zu trauen, ist gewiß auch heute noch regsam, aber weicht immer mehr dem Zuge zur Mathematisierung der Wirklichkeit, also einem neuen – wenn nicht uralten – Bedürfnis nach mathematischer Klarheit des Weltverständnisses.

Im großen und ganzen heben sich folgende Grundzüge naturwissenschaftlicher Betrachtungsweise hervor:

a) Planck: »Die Naturforscher sind sich klar darüber geworden, daß der Ausgangspunkt ihrer Forschungen nicht in den Sinneswahrnehmungen allein gelegen ist ... Gerade die neue Physik prägt uns die alte Wahrheit wiederum mit aller Schärfe ein: Es gibt Realitäten, die unabhängig sind von unseren Sinnesempfindungen.«
Planck hat seine eigene Leistung in der Entwicklung der modernen Physik angedeutet:
»Einen wichtigen Schritt vorwärts in dieser Frage brachte die Aufstellung

der Quantenmechanik oder Wellenmechanik, aus deren Gleichungen sich nach genauen Vorschriften die beobachtbaren atomaren Vorgänge in voller Übereinstimmung mit der Erfahrung berechnen lassen.«

Seit Planck ist das physikalische Weltbild nicht mehr *vorstell*bar, nur noch *denk*bar. Was wir – noch immer im Banne Goethes – so gern als »Gestalt« erträumen, hat sich in Mathematik verwandelt, Vorstellung in Formel chiffriert. Die Abwendung von der klassischen Physik ist vollzogen. Wie verhielt es sich mit der klassischen Physik?

»Zunächst ist zu betonen«, sagte Planck, »daß man nicht von einem Zusammenbruch der theoretischen Physik sprechen darf in dem Sinn, daß nun alles Bisherige als unrichtig betrachtet und beiseite geworfen wird. Dafür ist die Fülle der von der klassischen Physik erzielten Erfolge viel zu drückend. Es handelt sich nicht um einen Neubau, sondern um einen Ausbau und eine Erweiterung der Theorie, und zwar speziell für die Mikrophysik, da auf dem Gebiet der Makrophysik, d. h. für größere Körper und größere Zeiträume die klassische Theorie ihre Geltung behalten wird.«

Wenn der Physiker heute vom »klassischen« Weltbild spricht, meint er jene Welt, deren reale Elemente und charakteristische Merkmale die chemischen Atome sind. Aber das heutige Weltbild beruht auf der Quantentheorie:

»Die realen Elemente dieses Weltbildes«, heißt es bei Planck, »sind nicht mehr die chemischen Atome, sondern es sind die Wellen der Elektronen und Protonen, deren gegenseitige Wirkungen durch die Lichtgeschwindigkeit und durch das elementare Wirkungsquantum bedingt werden.«

Das klassische Weltbild bleibt nur »als ein spezieller Ausschnitt aus einem noch größeren, noch umfassenderen und zugleich noch einheitlicheren Bilde« gültig. Das Ziel physikalischer Forschung ist nach Planck »die Schaffung eines Weltbildes, dessen Realitäten keinerlei Verbesserungen mehr bedürftig sind und die daher das endgültig Reale darstellen«. Die absolute, reale Welt stehe als objektive Natur hinter allem Erforschlichen. Ihr gegenüber bleibe das aus Erfahrung gewonnene wissenschaftliche Weltbild, die phänomenologische Welt, immer nur eine Annäherung, ein mehr oder weniger gut geratenes Modell. Somit gerät die Physik in den Bannkreis der Metaphysik: Einem Planck erschien vom Standpunkt der exakten Wissenschaft eine neue Kluft unüberbrückbar aufgerissen: »die Kluft zwischen der phänomenologischen und der metaphysisch realen Welt«. Aus dem Zwiespalt, der sich nunmehr zwischen dem stürmisch vorwärts dringenden Erkenntnistrieb und dem stillen Bewußtsein der Unerreichbarkeit der realen Welt im physikalisch-metaphysischen Sinn auftat, drängte ein irrationales Moment hervor und haftete sich der exakten Wissenschaft an.

b) Die Tendenz zur Abstraktion. Das jetzige wissenschaftliche Welt-

14   Der Physiker Max Planck (1858–1947)

bild, sagt Planck, bietet, verglichen mit dem ursprünglich naiven Weltbild, einen seltsamen, geradezu fremdartig anmutenden Anblick. »Die unmittelbar erlebten Sinneseindrücke, von denen doch die wissenschaftliche Arbeit ihren Anfang nahm, sind vollständig aus dem Weltbild verschwunden; vom Sehen, Tasten, Hören ist darin nicht die Rede.« Ein physikalisches Laboratorium ist eine Anhäufung äußerst komplizierter Meßgeräte. Mit ihrer Hilfe arbeitet der Forscher, und zwar an Problemen, die nicht mehr anschaulich darstellbar sind, sondern nur mit Hilfe von »abstrakten Begriffen, von mathematischen und geometrischen Symbolen formuliert werden können, und die dem Laien oft überhaupt nicht verständlich sind«. Aus dieser Situation, die sich noch durch die Differenzierung der Arbeit kompliziert, ergibt sich dreierlei, das die heutige Naturwissenschaft charakterisiert.

1. Der Vorstoß der modernen Physik in das unendlich Große wie das unendlich Kleine zwingt zum Verzicht auf jedwede Anschaulichkeit im üblichen Sinne des Wortes. Die Vorgänge in den riesigen Weiten des Kosmos, wie sie uns heute mit Hilfe des Fernrohrs vom Mount Palomar und der Radio-Astronomie errechenbar werden, sind mit den »Sinnen« nicht mehr faßbar. Einstein, der es unternommen hat, den Radius der Welt zu berechnen, spricht von 5,8 Milliarden Lichtjahren. Die Lichtwelle legt in der Sekunde 300 000 km. zurück; ein Lichtjahr ist gleich der Strecke, zu deren Durcheilung das Licht ein Jahr bedarf. Eine Strecke von 5,8 Milliarden Lichtjahren ist nicht mehr vorstellbar, dennoch schauen wir heute mit dem Teleskop von Palomar in eine räumliche Tiefe von 2 Milliarden Lichtjahren! In diesem Raum sind mehrere Milliarden Sternsysteme verstreut. Unser Weltgebäude, das wir allnächtlich sehen und das uns riesenhaft erscheinen mag, ist von verschwindender Kleinheit im gesamten Weltenbau. Gehen wir in umgekehrter Richtung vom Makrokosmos zum Mikrokosmos und fragen nach der Größe eines mittleren Atoms, dann ist die Antwort, die uns der Atomphysiker gibt, von ebenso unvorstellbarem Ausmaß: Es hat einen Durchmesser von einem fünfmillionsten Millimeter. Das Atom bleibt unserem Auge unsichtbar; es kann nicht abgebildet werden; dennoch gelingt es, mit Hilfe von Übermikroskopen, Feldelektronen- und Feldionen-Mikroskopen, die Orte, an denen die Atome sich aufhalten, als helle Punkte ins Sichtbare zu heben. Was da z. B. an der Oberfläche einer Wolframnadelspitze in 1,2 millionenfacher Vergrößerung schaubar wird, ist von so erregender Schönheit, daß man begreift, wie ein Malerauge, von diesem Eindruck fasziniert, ein solches Wunder in abstrakter Bildkomposition festzuhalten sucht. Hier werden auch die althergebrachten Vorstellungen von Bewegungen, Bahnkurven und Krei-

sen im eigentlichen Sinne »gegenstandslos«, und die bekannten Atommodelle sind bestenfalls Andeutungen von Wirklichkeiten, deren Gesetze sich anschaulicher Darstellung entziehen. Die Gesetze als solche sind allein in der Abstraktheit einer mathematischen Symbolsprache faßbar. Relativitätstheorie, Quantenmechanik, Atomforschung – jene drei fundamentalen Ereignisse der heutigen Physik – können nur formelhaft, »in einer zu schärfster Konzentration gelangten Stenographie« (Pascual Jordan) dargestellt werden.

2. Vorbei ist die Zeit, da der Forscher in stiller Abgeschiedenheit die naturwissenschaftlichen Probleme allein zu lösen unternimmt. Schon seit etwa hundert Jahren hat sich eine Arbeitsteilung entwickelt. Planck weist auf das klassische Beispiel der Kollaboration von Bunsen und Kirchhoff, den Schöpfern der Spektralanalyse hin. Die Zusammenarbeit von Theoretikern und Experimentatoren hat sich in der modernen Naturwissenschaft weiter zu der unlösbaren Verbindung von Forschung und Technik entwickelt. Gewiß war schon früher die Technik sowohl Voraussetzung als auch Folge der naturwissenschaftlichen Entwicklung gewesen; heute ist sie beides in noch erhöhtem Maße. Erst die Konstruktion von Lichtmikroskopen, die 1000fach, von Elektronenmikroskopen, die 100 000fach vergrößern, von Feldelektronenmikroskopen mit ihrer 1 000 000 Vergrößerungskraft und von Feldionenmikroskopen, die eine 5 000 000fache Vergrößerung erreichen, ermöglichte die Forschungen und Entdeckungen unserer Zeit im Makrokosmos wie im Mikrokosmos, in der Astronomie wie in der Biologie. Und umgekehrt ist etwa die Technik des Atomantriebes als einer Ausnutzung von Naturkräften erst die Folge unserer wissenschaftlichen Kenntnis der Atome. So zeichnet sich eine eigentümliche Doppelbewegung der Wissenschaft ab: Einerseits versteht nur noch der Fachmann die Abstraktion der heutigen Wissenschaft, andererseits führt die Anwendung wissenschaftlicher Erkenntnisse zum Allgemeingebrauch ihrer Ergebnisse, zur Weiterentwicklung der Technik. Die Technik ermöglicht nun ihrerseits wieder eine Entwicklung der Wissenschaft – und so wird aus der Doppelbewegung ein spiralförmiger Kreislauf, der gewiß nicht neu ist, der aber heute mit schwindelerregender Schnelligkeit nach oben treibt.

Mit der Technik betreten wir neues Wunderland: das Wunderland des Instrumentenbaus. Die moderne Welt der technischen Anlagen, Apparaturen, Instrumente mag im herkömmlichen Sinne vielleicht nicht als schön empfunden werden, sie ist dennoch ein Wunderreich, dessen unheimlichem Zauber sich der Mensch nicht entziehen kann. Vom Zyklotron, das die Atomforschung gefördert hat, bis zum elektrischen

Gehirn, das tausend Rechenschritte in einer Sekunde erledigt, verläuft eine Kette technischer Erfindungen, die ein neues Zeitalter eingeleitet haben.

3. Die Bewältigung der heute gestellten naturwissenschaftlichen Aufgaben bedingt ein immer schärfer profiliertes Spezialistentum. Dabei sind – so paradox es klingen mag – die alten Fachabgrenzungen ins Wanken geraten. Und dies sogar in den altüberlieferten historisch-geistesgeschichtlichen Disziplinen. Die Chemie hilft der Palaeographie, die Pollenforschung der Kulturwissenschaft, die Photographie der Kunstwissenschaft. Eine Fülle neuer Fächer erscheint – Grenzgebiete der Naturwissenschaften: Astrophysik, Geophysik, Biophysik; – Biochemie, Strahlenchemie, Geochemie; – dazu Unterabteilungen wie Kernphysik, Sonnenphysik, Festkörperphysik usw. Aber während das Spezialistentum notwendig fortschreitet, biegen sich die Linien der Entwicklung zurück: Das Divergierende wird konvergierend. Was sich trennt, wächst wieder zu neuen Einheiten zusammen. Die eine Forschungsrichtung dient der andern. Die Chemie ist durch die Entwicklung der Atomforschung mit der Physik heute so eng verknüpft, daß man in der Verbindung beider vielleicht die ganzheitliche Wissenschaft von Materie und Kräften erblicken darf. Die dritte Wissenschaft im Bunde ist die Biologie. Sie fördert heute ihre Erkenntnisse durch die Anlehnung an die Atomphysik, wenn sie auf dem Wege zu den hochkomplizierten Organismen etwa einer Amöbenzelle, die zur Zeit Haeckels noch als die niedrigste Lebensform betrachtet wurde, zu dem Wunderwerk molekularer Struktur heruntersteigt. Noch ist das Problem der Uranfänge des Lebens, der Urzeugung, nicht gelöst; aber das Zeitalter Haeckels liegt für die Biologie so weit hinter uns wie, für die Atomforschung, das Zeitalter der antiken Atomphilosophie – wenn auch beide, die Antike und das 19. Jahrhundert die wirksamsten Anregungen zur modernen Entwicklung gegeben haben.

c) Von den Anfängen der »eigentlichen Physik« bis zu Einsteins vierdimensionalem Raum-Zeit-Kontinuum führt ein stufenreicher Weg. Einstein selbst beschreibt die Etappen:

»Die eigentliche Physik setzte mit der Schöpfung der Begriffe ›Maß‹ ›Kraft‹ und ›Inertialsystem‹ ein . . . Sie bilden die Grundlage für das mechanistische Denken.«

»Für den Physiker des beginnenden 19. Jahrhunderts setzte sich die reale Außenwelt aus Partikeln zusammen, zwischen denen ausschließlich von der Entfernung abhängige einfache Kräfte walten.«

»Nun kam die hochbedeutsame Abstraktion des elektromagnetischen Feldes. Es bedurfte eines kühnen Gedankensprunges, um zu erkennen, daß nicht das Verhalten von Körpern, sondern das von etwas zwischen ihnen Liegendem, d. h. das Verhalten des Feldes, für die Ordnung und das Verständnis der Vorgänge maßgebend sein können.«

»Die Quantentheorie arbeitete dann wieder neue, grundlegende Züge unserer Realität heraus. Diskontinuität trat an die Stelle von Kontinuität. Die Gesetze für einzelne Teilchen wurden von Wahrscheinlichkeitsgesetzen abgelöst.«

»In der Relativitätstheorie kam man von der absoluten Zeit und dem Inertialsystem ab. Als Rahmen für das Naturgeschehen wurde fortan nicht mehr das eindimensionale Zeitkontinuum in Verbindung mit dem dreidimensionalen Raumkontinuum angesehen, sondern das vierdimensionale Raum-Zeit-Kontinuum, eine neue Abstraktion mit neuen Transformationsmerkmalen.«

3.

Die grundlegenden Leistungen *Einsteins* fallen in das seltsam erregende Jahr 1905: Damals begannen der literarische Expressionismus, die atonale Musik und die »moderne« Malerei. Das neue Jahrhundert war da. Plancks Quantentheorie wurde von Einstein auf eine neue Lichtquantentheorie angewendet: die Korpuskulartheorie des Lichts. Das Licht besteht aus Quanten (Photonen), die sich mit Lichtgeschwindigkeit bewegen. In einer weiteren Etappe folgte die Aufstellung der speziellen Relativitätstheorie und schließlich, 1916, erweiterte Einstein die spezielle zur allgemeinen Relativitätstheorie. Einsteins Arbeiten sind Dokumente eines Forschers, der mit einem unerschütterlichen Glauben an die kosmische Ganzheit des Alls sich in die Reihe der großen Physiker der Menschheit stellte. In der Mitte seines Lebens war er auf der beglückenden Suche nach immer gedrängteren, einfacheren Weltformeln, in denen der Zusammenhang von optischen, elektromagnetischen und astronomischen Vorgängen erkennbar wurde. Seine Worte von der »inneren Harmonie« erinnern an Keplers »kosmische Harmonie« und weisen weit zurück auf pythagoreisches Denken:

»Ohne den Glauben daran«, schreibt Einstein, »daß es grundsätzlich möglich ist, die Wirklichkeit durch unsere theoretischen Konstruktionen begreiflich zu machen, ohne den Glauben an die innere Harmonie unserer Welt, könnte es keine Naturwissenschaft geben. Dieser Glaube ist und bleibt das Grundmotiv jedes schöpferischen Gedankens in der Naturwissenschaft.«

Sollte Einstein sich an dieser Stelle des Fragments von Novalis erinnert haben?

»Physik der geistigen Tätigkeit. Moralität des G l a u b e n s überhaupt. Er beruht auf Annahme der Harmonie.« (IX, 909)

Die metaphysisch-religiösen Motive, die in diesem bedeutsamen Wort anklingen, lassen sich offenbar aus dem Denken der großen Physiker

auch unserer Tage nicht eliminieren. Deutlicher noch als bei Einstein traten sie bei Planck hervor. Wer sich noch seiner Berliner Vorträge erinnert, weiß davon. Von den zwei Haltungen, die der Mensch – nach Plancks Darstellung – heute vor den Phänomenen der Naturwissenschaft und Technik einnehmen kann, nämlich der »Angst und dem feindlichen Widerstand« oder der »Ehrfurcht und der vertrauensvollen Hingabe«, hat der große Physiker die zweite gewählt: nicht aus flachem Optimismus oder religiösem Sentiment, sondern unter »Berufung auf die exakte Wissenschaft selbst«. Ein weiter Weg von 25 Jahren Forschung und reifen Denkens führte von Plancks philosophisch-physikalischen Arbeiten wie »Kausalgesetz und Willensfreiheit« über die »Physik im Kampf um die Weltanschauung« zu »Religion und Wissenschaft«. In diesen Arbeiten tauchten zuweilen die Namen Lessing und Goethe auf. Vom einen übernahm er das Motiv der »Wahrheit«, besser der »Suche nach der Wahrheit«, vom andern beglückte ihn der weise Satz aus den »Maximen und Reflexionen«:
»Das schönste Glück des denkenden Menschen ist, das Erforschliche erforscht zu haben und das Unerforschliche ruhig zu verehren.«
Planck wußte, wie nach ihm Einstein, daß wir Heutigen aber, trotz der ungeheuren Entdeckungen im Makrokosmos und Mikrokosmos noch weit davon entfernt sind, den Schleier des Weltgeheimnisses zu heben. Wenn aus dem »thaumazein«, aus dem »Sich-Wundern« einst das Philosophieren hervorgebrochen ist, wenn von diesem thaumazein auch heute noch jeder Fortschritt in der Naturwissenschaft begleitet ist, dann ist das Korrelat dieser ursprünglich und urwüchsig menschlichen Fähigkeit am Ende oft die Resignation, welche sich aus der Unzulänglichkeit unserer menschlichen Erkenntniskräfte, die so elementar aus dem Staunen über die Wunder der Welt hervorbrachen, langsam über uns legt. Wenn es so beginnt, wie Planck es einmal sagte, daß wir »immer das sich wundernde Kind« bleiben, das da staunend vor der »unermeßlich reichen, stets sich erneuernden Natur« steht, so endet es auch häufig so, wie es Einstein noch kurze Zeit vor seinem Tode dem alten Weggenossen seiner Berliner Jahre, Max von Laue, schrieb: Wir seien von einer »tieferen Einsicht in die elementaren Vorgänge viel weiter entfernt, als die meisten Zeitgenossen glauben«.

4.

Unsere Zeit steht offensichtlich vor so neuen Situationen, daß dem heutigen Menschen, ähnlich dem der kopernikanischen Zeit, das Althergebrachte in »Dunst und Rauch« aufzugehen scheint. Was? Eine

»Welt der Unschuld«, »das Zeugnis der Sinne«, »die Überzeugung eines poetisch-religiösen Glaubens«. Auch haben die Wandlungen in den Grundlagen der modernen Naturwissenschaft ihre Reperkussionen in unserm Denken, ja sogar in unserer Lebensweise. *Werner Heisenberg* hat versucht, sich zu den Gründen dieser durch die Naturwissenschaft herbeigeführten Veränderungen vorzutasten. Er glaubte bei diesem Gang zu den Fundamenten eine gewaltige Wendung des menschlichen Geistes zu erspüren: Zum erstenmal im Laufe der Geschichte stehe der Mensch auf dieser Erde nur noch sich selbst gegenüber. Wo immer wir gehen, was immer wir handhaben, welcher Maschinen wir immer uns bedienen, stets stoßen wir auf die vom Menschen hervorgerufenen Strukturen, »daß wir gewissermaßen immer nur uns selbst begegnen«. Das ist jedermann einsichtig; aber – und hier tritt die Situation mit aller Schärfe hervor – selbst die Bausteine der Materie, d. h. die früher als objektive Realität gedachten Atome, können überhaupt nicht mehr »an sich« betrachtet werden, sondern spiegeln im Grunde nur unsere Kenntnis von diesen Teilchen. Gegenstand der Forschung ist also nicht mehr nur die »Natur an sich«, »sondern die der menschlichen Fragestellung ausgesetzte Natur, und insofern begegnet der Mensch auch hier wieder sich selbst«. Vielleicht leuchtete dieser Gedanke schon in dem genialen Novalis auf, als er über die Physik nachdachte und eben dieses Problem von Subjekt und Objekt, vom Menschen und der ihm entgegenstehenden Natur, niederschrieb:
»Wir erblicken uns im System als Glied – mithin in auf- und absteigender Linie vom unendlich Kleinen bis zum unendlich Großen – Menschen von unendlichen Variationen ... Jetzt sehen wir die wahren Bande der Verknüpfung von Subjekt und Objekt ... Nun erscheint die sogenannte Transzendentalphilosophie – die Zurückweisung ans Subjekt – ... der Zusammenhang zwischen Objekt und Vorstellung in einem ganz neuen Lichte.« (IX, 532)
Wer Heisenbergs »Naturbild der heutigen Physik« liest, dem möchte es zuweilen scheinen, als seien diese Seiten eine Variation des tiefsinnigen Novalisschen Distichons:

>»Einem gelang es – er hob den Schleier der Göttin zu Sais –
>Aber was sah er? er sah – Wunder des Wunders – sich selbst.«

»Wunder des Wunders«. Der Mensch bleibt sich selbst, auch in der Naturwissenschaft, das größte Wunder. Aber wer fühlt diese Erregung? Kaum hat der Mensch das heliozentrische Weltbild begriffen, das ihn selbst an die Peripherie setzte; kaum hat er sich fast als ein Nichts im Weltall verstehen gelernt, da erfährt er nun wieder, daß eine zweite kopernikanische Wendung diese Welt nunmehr wieder in s e i n e m

Denken nur bestehen läßt. Wir erinnern uns, daß diese Wendung von Kant vollzogen wurde. Er hatte in der »Kritik der reinen Vernunft« diesen Gedanken der modernen Physik formuliert und war sich auch der von ihm ausgelösten zweiten »kopernikanischen Revolution der Denkungsart« bewußt. Wir zitierten in anderm Zusammenhang die bedeutungsvollen Worte aus der Vorrede zur zweiten Auflage der »Kritik«; an dieser Stelle seien sie durch einen Satz ergänzt, der Heisenbergs Gedanken vorwegzunehmen scheint:

»Die Ordnung und Regelmäßigkeit, die wir Natur nennen, bringen wir selbst hinein« Und: »Der Verstand schöpft seine Gesetze nicht aus der Natur, sondern schreibt sie dieser vor.«

Vielleicht stehen manche modernen Physiker wieder dem Gedanken einer anthropozentrischen Weltordnung nicht fern: der Mensch das Maß aller Dinge – oder wie es Novalis aussprach:

»Sollte der Mensch die Einheit für die Natur (das Weltall) sein, ist es das Differential der unendlich großen, und das Integral der unendlich kleinen Natur – das allgemeine, homogenisierende Prinzip – das Maß aller Dinge – ihr gegenseitiges Realisierungsprinzip – das Organ ihres Kontakts?« (IX, 262)

Es wäre dabei unwesentlich, daß das unendlich Große und das unendlich Kleine heute realiter noch viel unendlich größer und unendlich kleiner ist als es einem Novalis bekannt war. Es ist so, als seien die realen Erkenntnisse der heutigen Physik und die geistigen Umschwünge der Erkenntnis für den Menschen zu viel. Er vermag kaum noch Schritt zu halten, wenn er nicht vom »Fache« ist. Bis vor kurzem lernte er die Lehrsätze Keplers, Galileis, Leibnizens und Newtons – und zwar in einem Lebensalter als Knabe, da ihm die Bedeutung und Größe dieser Dinge und Denkprozesse kaum aufgehen konnte; heute lernt er die Lehren Plancks, Einsteins, Heisenbergs, aber trägt sie zumeist als totes Wissen mit sich herum, ohne von ihrer Großartigkeit, ja Furchtbarkeit bewegt zu werden. »Der nimmer rastende Strom des Lebens«, sagte Ernst Goldbeck in seinem »Untergang des kosmischen Weltbildes der Antike«, »rauscht an dieser letzten Menschheitsfrage, wie denn das Weltenhaus beschaffen sei, das wir zu bewohnen genötigt sind, ebenso wie an andern Fragen meist vorüber.«

Anders die Dichter, die Künstler. Ihnen ist das Organ gegeben, mit dem sie die Tragik im Untergang des Alten, scheinbar Gesicherten, erleiden und den Schauer vor dem Neuen, stets Erregenderen, empfinden können: einem Neuen, das vielleicht wieder nur ein Altes ist – ein ewig Altes, und dennoch immer Neues, ganz Anderes. Will Novalis dies sagen?

»... In der *künftigen* Welt ist alles wie in der *ehemaligen* Welt – und doch *alles ganz anders.* Die künftige Welt ist das *vernünftige* Chaos – das Chaos, das sich selbst durchdrang – in sich und außer sich ist – Chaos^2 oder ∞ ...« (IX, 238)

Die Rätsel sind noch nicht gelöst; man möchte mit Einstein glauben, daß alles nur noch weiter gerückt ist. Wie einst Goethe, der gleich jedem großen Künstler ins Vergangene und aufs Zukünftige schaute, und dem die Gegenwart stets lebendig war, die Weltveränderungen spürte, so auch auf ihre Weise die heutigen großen Künstler. Bei der Betrachtung der Malerei wird es uns offensichtlich werden. Aber diesen Beziehungen zwischen den Naturwissenschaften und den Künsten, die gewiß nur zwei große, zusammenhängende Seiten der allgemeinen Menschheitskultur sind, nachzugehen, sie gar zu erklären, ist ebenso schwierig wie gefährlich und dürfte, was das Kulturbild unserer Zeit angeht, erst einer späteren Epoche, die Abstand von den Phänomenen gewonnen hat, möglich sein.

KAPITEL III

EROS UND THANATOS
KULTURBILD DER PSYCHOANALYSE

1.

Ähnlich wie die Entdeckungen im physikalischen Makrokosmos und Mikrokosmos sind Sigmund Freuds Entdeckungsfahrten ins Neuland der Seele eine der großen Leistungen an der Schwelle unseres Jahrhunderts. Planck und Freud sind Altersgenossen; Freud ist nur zwei Jahre älter als der Physiker. Wie bei Planck, so kommen auch bei Freud die grundlegenden Arbeiten im 1. Jahrzehnt ans Licht: Von der »Traumdeutung« 1900 über die »Psychopathologie des Alltags« 1901 und die »Drei Abhandlungen zur Sexualtheorie« 1906 zu den »Kleinen Schriften zur Neuroselehre« und der »Psychoanalyse« von 1910. Auf ihnen basieren die Erweiterungen seiner Theorien, die Arbeit über »Das Ich und das Es«, die Technik der »Metapsychologie«, bis sich der Gelehrte, vorsichtig deutend (Vorsicht und Ängstlichkeit waren in seiner Natur), von seinen psychologischen Erkenntnissen aus ein Bild der Kultur zu entwerfen getraut: »Das Unbehagen in der Kultur« 1930. Aber schon 1911 erfolgte der Abfall Alfred Adlers (1870–1937) und Carl Gustav Jungs (geb. 1875) von ihrem Lehrer Freud – oder die Distanzierung des Lehrers von seinen Schülern. Der Streit entzündete sich an dem Begriff und der Sache der »libido« und damit zusammenhängend an den Problemen von Religion und Sexualität. Aber diese drei Forscher gehören bei aller Divergenz ihrer Blickrichtungen und Forschungsergebnisse so unlösbar miteinander zusammen wie in der physikalischen Wissenschaft Planck, Einstein und Heisenberg.

Das begriffliche Fundament der Freudschen Lehre sind die drei psychischen Provinzen oder Instanzen, die er das »Es«, das »Ich« und das »Über-Ich« nennt. Die Definition dieser Begriffe eröffnet den »Abriß der Psychoanalyse«. Die Kenntnis dieser Begriffe und ihrer Funktion ist Voraussetzung zum Verständnis seines ganzen Lehrgebäudes und der großen Tragödie des Menschen, seiner Zivilisation und Kultur. Hören wir Freud selbst:

a) »Die älteste der psychischen Provinzen ... nennen wir das »Es«; sein Inhalt ist alles, was ererbt, bei Geburt mitgebracht, konstitutionell festgelegt ist, vor allem also die aus der Körperorganisation stammenden Triebe ... Dieser älteste Teil des psychischen Apparates bleibt durchs ganze Leben der wichtigste.«

In einer andern Arbeit, »Die Zerlegung der psychischen Persönlichkeit«, wird das »Es« näher beschrieben. Das Wenige, was Freud von diesem »dunklen, unzugänglichen Teil unserer Persönlichkeit« erfahren konnte, verdankte er dem Studium der Traumarbeit und der neurotischen Symptombildung. Es ist ein Chaos, ein Kessel brodelnder Erregungen, wo weder logische Denkgesetze noch moralische Wertungen gelten. Es ist die Provinz des Primitiven und Irrationalen. Aber unter dem Einfluß der Außenwelt hat ein Teil des Es eine besondere Entwicklung erfahren. Es entstand eine eigentümliche Organisation, eine »Rindenschicht mit den Organen zur Reizaufnahme und den Einrichtungen zum Reizschutz«, die zwischen Es und Außenwelt vermittelte. Diesem Bezirk unseres Seelenlebens beließ Freud den Namen des Ichs.

b) Das Ich hat die Aufgabe der Selbstbehauptung. Es erfüllt diese Aufgabe,

»indem es nach außen die Reize kennenlernt, Erfahrungen über sie aufspeichert (im Gedächtnis), überstarke Reize vermeidet (durch Flucht), mäßigen Reizen begegnet (durch Anpassung) und endlich lernt, die Außenwelt in zweckmäßiger Weise zu seinem Vorteil zu verändern (Aktivität); nach innen gegen das Es, indem es die Herrschaft über die Triebansprüche gewinnt, entscheidet, ob sie zur Befriedigung zugelassen werden sollen, diese Befriedigung auf die in der Außenwelt günstigen Zeiten und Umstände verschiebt oder ihre Erregungen überhaupt unterdrückt.«

Damit ist das Wesentliche von der Funktion des Ichs gesagt: Entscheidung über die Zulassung, den Aufschub oder die Unterdrückung der Triebansprüche des Es.

c) Nun hat sich als Niederschlag der langen Kindheitsperiode im Ich des werdenden Menschen eine neue Provinz gebildet, in der sich zunächst der elterliche Einfluß fortsetzt, alsdann jeglicher durch die Eltern fortgepflanzter »Einfluß von Familien-, Rassen- und Volkstradition sowie die von ihnen vertretenen Anforderungen des jeweiligen sozialen Milieus«. Diese Provinz hat bei Freud den Namen des »Über-Ichs« erhalten. Es ist die »dritte Macht«. Das Über-Ich wird zum Gewissen, daraus Schuldgefühl, Angst, Reue usw. entspringen können. Das Es und das Über-Ich sind die beiden Mächte, zwischen denen das Ich eingeengt ist und seine äußerst schwierigen Aufgaben zu erfüllen hat. Das Ich soll gleichzeitig den Anforderungen des Es, des Über-Ichs und der Außenwelt genügen, ja, deren Ansprüche miteinander versöhnen. Es und Über-Ich haben dabei die Gemeinsamkeit, daß sie die Einflüsse der Vergangenheit repräsentieren:

»das Es den der ererbten, das Über-Ich im wesentlichen den der von andern übernommenen, während das Ich hauptsächlich durch das selbst Erlebte, also Akzidentelle und Aktuelle bestimmt wird«.

Das Spiel dieser drei Mächte ist das psychische Leben des Menschen, des Einzelnen, vielleicht aber auch ganzer Gruppen, ja der Menschheit. Das Es ist die tiefe Schicht des Unbewußten, das immer da ist und im Traum befreit wird; Aufgabe des Ichs ist, »die günstigste und gefahrloseste Art der Befriedigung mit Rücksicht auf die Außenwelt herauszufinden«; Hauptleistung des Über-Ichs bleibt die Einschränkung der Befriedigungen.

2.

Was wollen die Menschen? Freud gibt die unwiderlegliche, eindeutige Antwort: »sie streben nach dem Glück, sie wollen glücklich werden und so bleiben.« Es ist mit andern Worten das Programm des Lustprinzips, das den Lebenszweck setzt. »Dies Prinzip beherrscht die Leistung des seelischen Apparates von Anfang an.« Und dennoch oder gerade deswegen, weil wir das Glück suchen, leben wir im Hader mit der ganzen Welt. Wenn Freud sagt: »Die Absicht, daß der Mensch glücklich sei, ist im Plan der Schöpfung nicht enthalten«, begegnet er, der Forscher des Seelenlebens, dem Forscher der anorganischen Materie, Max Planck, dessen spätes Wort wie ein Echo auf das Freudsche klingt: »Denn ein rechtlicher Anspruch auf Glück, Erfolg und Wohlergehen im Leben ist niemandem von uns in die Wiege gelegt«, heißt es in »Sinn und Grenzen der exakten Wissenschaften«.

Von drei Seiten bedroht uns Leiden. Das sind uralte Erfahrungen, denen seit altersher einzelne Schulen der Lebensweisheit zu begegnen strebten, indem sie verschiedene Wege empfahlen, Lustgewinn wenigstens durch Leidvermeidung zu erreichen. Da droht zunächst Leiden vom eigenen Körper her; denn der Körper ist hinfällig und dem Schmerz unterworfen. Da droht aber auch Leiden von der Außenwelt, von der Übermacht der Natur, »die mit unerbittlichen, zerstörenden Kräften gegen uns wüten kann«. Leiden erwächst und schließlich aus den Beziehungen zu anderen Menschen, und das heißt sehr oft aus der Unzulänglichkeit der menschlichen Einrichtungen in Familie, Staat, Gesellschaft; es ist die soziale Leidensquelle, in der bereits leise das Motiv des aus der »Kultur« stammenden Unbehagens aufklingt. Die natürlich erscheinenden Reaktionen gegen das Leiden erweisen sich als undurchführbar: Eine uneingeschränkte Befriedigung der Triebkräfte würde zum Chaos führen; ein gewolltes Fernhalten von andern Menschen zur leidvollen Vereinsamung – »wer sich der Einsamkeit ergibt, ach, der ist bald allein« – und schließlich würde ein Angriff »in tyrannos«, mit dem die Natur überwältigt und das leidbringende Böse vertilgt werden soll, wie ein Karl Moor-Schicksal aus den »Räubern« sein. Anarchismus, Eremitentum, Rebellentum sind äußerste Reaktionen. Es gibt andere Methoden zur Leidverhütung, nämlich solche, die den Organismus beeinflussen; denn alles Leid ist nur Empfindung, die wir in unserm Organismus verspüren. In der Technik der Leidabwehr hat sich der Mensch verschiedene Wege eröffnet, von denen Freud als Vorstudium seines »Unbehagens in der Kultur« die fünf folgenden beschreibt: den chemischen Weg der Intoxikation; den psychischen Weg der Libidoverschiebungen; den sentimentalen Weg der Liebe; den intellektuellen und ästhetischen Weg der Künste und Wissenschaften, den Weg der Religionen.

Die erste Methode ist die roheste, aber auch wirksamste. Jeder kennt sie. Der Einzelne und ganze Völker wissen um ihre Wohltat »im Kampf um das Glück und zur Fernhaltung des Elends«. Vielleicht wissen Dichter und Künstler zumal, wie das »heißersehnte Stück Unabhängigkeit von der Außenwelt« als unmittelbarer Lustgewinn auf das Konto des Alkohols und Opiums innerhalb der Libido-Ökonomie gebucht werden kann: E. T. A. Hoffmann, Nerval, Baudelaire, Rimbaud, Wilde . . .

Der zweite Weg eröffnet sich durch den Mechanismus der Libidoverschiebungen. Die Außenwelt versagt uns die Erreichung unserer Triebziele. Nun gut: unser seelischer Apparat gestattet uns dafür, Auswege zu finden. Wir ziehen Lustgewinn aus künstlerischer und wissenschaftlicher Arbeit. Was uns an Sättigung unserer groben und primären Triebregungen versagt wird, holen wir gleichsam ersatzweise auf einer uns »feiner und höher« erscheinenden Ebene nach. Die Sublimierung der Triebe erhöht Lustgewinn aus solchen Quellen; aber eine jede solche Dämpfung bedingt auch Verlust an Intensität primärer Sättigung. Auf breiterer Basis finden wir das Phänomen in der Befriedigung bei der Arbeit, besonders in und durch die frei gewählte Berufsarbeit; auf sie wird häufig »ein starkes Ausmaß libidinöser Komponenten«, »narzißtische, aggressive und selbst erotische« verschoben. Das gereicht dem Einzelnen wie der Gesellschaft und ihrer Kultur zum Vorteil. Die eigentliche »Sublimierung« hingegen ist nur den wenigen vorbehalten, denen die dazu notwendigen Anlagen und Begabungen zuteil geworden sind. Aber sowohl auf der unteren wie auf der höheren Ebene versagt diese Technik, »wenn der eigene Leib die Quelle des Leidens wird«.

Der dritte Weg ist wie die andern jedem Menschen bekannt. Er geht ihn, versucht, ihn zu gehen, auch wenn die Erfahrung von Jahrtausenden zeigt, daß zumeist an seinem Ende die Enttäuschung steht. »Ich meine«, sagt Freud, »jene Richtung des Lebens, welche die Liebe zum Mittelpunkt nimmt, alle Befriedigungen aus dem Lieben und Geliebtwerden erwartet«. Auch die Liebenden verlagern die Befriedigung häufig in innere, seelische Vorgänge, wenden sich von der Außenwelt ab, aber klammern sich um so fester an das Liebesobjekt. Sie gäben Kunst und Wissenschaft dahin, wenn ihnen die Erfüllung der Liebe in all ihren Erscheinungsformen, von denen die geschlechtliche wohl die stärkste Erfahrung aller Lustempfindungen ist, vergönnt wäre. Was es damit für eine Bewandtnis hat, erzählen uns die tausend und abertausend Seiten der Weltliteratur, an ihrer Spitze das vielleicht genialste unter den Büchern über den Eros: Platons »Symposion«.

Der vierte Weg verläuft nahe dem dritten: die Befriedigung aus Illusionen, die aber als solche erkannt werden. Wir erinnern uns eines Satzes von Richard Wagner: er hätte keine Seite Musik geschrieben, wenn ihm die volle Befriedigung in der sinnlichen Liebe zuteil geworden wäre. Das ist es. Aber die Kunst ist nicht nur »Ersatz« oder ein »faute de mieux« – dieser vierte Weg führt ins weite Gebiet des Phantasielebens, weitab von der Realität, aber dennoch zu einer neuen eigenen Realität. Die Phantasie: gewiß ein »Ersatz für Triebbefriedigung« – entstanden »beim schmerzlichen Übergang vom Lust- zum Realitätsprinzip« – ein Reich, wo sich der Künstler ansiedelt, aber auch der Paranoiker, nur mit dem Unterschied, daß der letzte in der Wahnwelt eingekerkert ist, während der erste den »Rückweg von der Phantasie zur Realität« offenhält. Kunst ist »Lustquelle und Lebenströstung«, Freud preist sie als unentbehrliche Wohltat. Während Freud mit Theologen und Philosophen in Hader lebte, weil sie gefährliche Diktatoren sein können, lebte er mit den Künstlern in Frieden, weil er i h r e Triebbefreiung in der Kunst als harmlos hielt. Ludwig Marcuse meinte in seiner geistvollen Studie zu Sigmund Freud, daß, wenn man Freud gefragt hätte, ob nicht auch Kirchen-Dogmen und Philosophie-Lehren Lustquelle und Lebenströstung gewesen seien, er wohl geantwortet hätte, daß nur die Kunst keine schlimmen Folgen gehabt hätte ... »und würde vielleicht darauf hinweisen, daß man zwar im Namen von Aristoteles und Thomas, aber nie im Namen von Michelangelo gekreuzigt hat«. Die Phantasiebefriedigung erstreckt sich aber nicht auf den schaffenden Künstler allein, sondern auch auf den, der das Kunstwerk genießt. An dieser Stelle wird deutlich, wie Freud in die Nähe seines großen Vorläufers Schopenhauer gerät. Wir erinnern uns, wie Schopenhauer den ästhetischen Weg als eine der Methoden zur Erlösung erkannt hatte – freilich eine nur zeitlich begrenzte Befreiung – und Freud wiederholt nur den Gedanken, wenn er sagt:

»Doch vermag die milde Narkose, in die uns die Kunst versetzt, nicht mehr als eine flüchtige Entrückung aus den Nöten des Lebens herbeizuführen und ist nicht stark genug, um reales Elend vergessen zu machen.«

Dasselbe gilt von der Flucht in die Wissenschaft und von jeder Art Libidoverschiebung in Richtung einer Sublimierung.

Da eröffnet sich der fünfte Weg. Die Seele erkennt die Realität als den wahren und einzigen Feind. Wie, wenn sie des Teufels wäre? Man kann sie in Trümmer schlagen und mit Mephistopheles sagen:

> Denn alles, was entsteht,
> Ist wert, daß es zugrunde geht.

Man kann sie aber auch fliehen: Eremit oder Heiliger werden. Die meisten jedoch werden, sagt Freud, die unleidliche Seite der Welt durch eine Wunschbildung korrigieren und diesen Wahn in die Realität eintragen. Wenn nun eine größere Zahl von Menschen gemeinsam den Versuch unternimmt, »sich Glücksversicherung und Leidensschutz durch wahnhafte Umbildung der Wirklichkeit zu schaffen«, dann entstehen die Religionen der Menschheit als Formen des Massenwahns. Was Freud, ein Aufklärer des 20. Jahrhunderts, über Religion zu sagen hat, liegt auf der konsequent beschrittenen Linie seiner psychoanalytischen Betrachtungen. Das Arsenal seiner Waffen im Kampf um die Religion ist nicht der unheimlich scharfe Intellekt eines Voltaire, vielmehr die noch unheimlichere, subtile Psychologie dessen, der ohne Zynismus, als Seelenarzt, ans Werk geht. Wir wissen, wie Freud seinem französischen Freunde Romain Rolland die kleine Schrift zuschickte, welche die Religion als Illusion behandelte, und wie dann Romain Rolland antwortete, er sei mit Freuds Urteil über die Religion einverstanden, nur bedaure er, daß Freud die eigentliche Quelle der Religiosität nicht genügend gewürdigt hätte; diese sei ein besonderes Gefühl von etwas Unbegrenztem, Schrankenlosem, gleichsam »Ozeanischem«. Nun, mit einer psychoanalytischen, d. h. genetischen Ableitung eines solchen Gefühls, das Freud nicht in sich entdecken kann, beginnt er seine Arbeit über das »Unbehagen in der Kultur«. In ihrem Verlauf ist häufiger von der Religion in diesem oder jenem Zusammenhang die Rede. Stellt man Freuds Ansichten zusammen, wird man folgenden Gedanken begegnen:

a) Freud ist bereit, bei vielen Menschen das »ozeanische« Gefühl anzuerkennen, und er ist geneigt, es auf eine frühe Phase des Ichgefühls zurückzuführen. Damit ist aber die Frage noch nicht beantwortet, welchen Anspruch dieses Unendlichkeitsgefühl als »fons et origo« der religiösen Bedürfnisse erheben kann. Der Anspruch ist ihm nicht zwingend; unabweisbar ist dem Psychologen allein die Ableitung der religiösen Bedürfnisse von der infantilen Hilflosigkeit und der durch sie geweckten Vatersehnsucht. Bis dahin geht Freud – nicht weiter:

»Bis zum Gefühl der kindlichen Hilflosigkeit kann man den Ursprung der religiösen Einstellung in klaren Umrissen verfolgen. Es mag noch anderes dahinterstecken, aber das verhüllt einstweilen der Nebel.«

b) Aber Freud wollte gar nicht in seinem Versuch »Die Zukunft einer Illusion« an die tiefsten Quellen des religiösen Gefühls gehen, sondern ihm lag nur an der Analyse dessen, »was der gemeine Mann unter seiner Religion versteht«, also des Systems von Lehren und Verheißungen, das ihm einerseits die Rätsel dieser Welt mit beneidenswerter Vollständigkeit aufkläre, andererseits ihm zusichere, daß eine sorgsame Vorsehung über sein Leben wache und etwaige Versagungen in einer jenseitigen Existenz gutmachen werde. In dieser so vorgetragenen Lehre für den »gemeinen Mann« liegt für Freud so viel offenkundig Infantiles und Wirklichkeitsfremdes, »daß es einer menschenfreundlichen Gesinnung schmerzlich wird zu denken, die große Mehrheit der Sterblichen werde sich niemals über diese Auffassung des Lebens erheben können«. Freud scheint es mit Goethe zu halten (ob er ihn zwar immer recht verstanden hat, zweifelt auch Marcuse) – mit Goethe, den Freud, sein großer Verehrer, immer zitatbereit hat:

> Wer Wissenschaft und Kunst besitzt,
> hat auch Religion;
> wer jene beiden nicht besitzt,
> der habe Religion!

Ein verwickelter Satz, in welchem Religion einerseits als Gegensatz gegen die beiden höchsten Leistungen der Menschheit, Wissenschaft und Kunst, auftritt, andererseits als Ersatz dieser Werte.

c) Kommen wir dem Problem näher, wenn wir die Frage nach dem Zweck des menschlichen Lebens stellen? Nein; denn eine solche Frage verrät nur etwas von der menschlichen Überheblichkeit; vom Zweck des Lebens der Tiere werde nicht gesprochen, es sei denn, daß ihre Bestimmung darin bestehe, dem Menschen zu dienen. Es klingt fast ironisch, wenn Freud sagt: »Es ist wiederum nur die Religion, die die Frage nach dem Zweck des Lebens zu beantworten weiß.«

d) Aber auch im Funktionieren des psychischen Apparates wirke die Religion, wenn das geschmeidige Spiel der Auswahl und Anpassung im Gange ist, eher beeinträchtigend, »indem sie ihren Weg zum Glückserwerb und Leidensschutz allen in gleicher Weise aufdrängt«: »Ihre Technik besteht darin, den Wert des Lebens herabzudrücken und das Bild der realen Welt wahnhaft zu entstellen, was die Einschüchterung der Intelligenz zur Voraussetzung hat.« Nachklänge Nietzsches mit schopenhauerischen Obertönen; dann aber klingt Freud ganz freudianisch:

»Um diesen Preis, durch gewaltsame Fixierung eines psychischen Infantilismus und Einbeziehung in einen Massenwahn gelingt es der Religion, vielen Menschen die individuelle Neurose zu ersparen. Aber kaum mehr.«

Der Bogen der Darstellung schließt sich zu den Anfangsfragen zurück. Es gibt viele Wege, die zum Glück führen können, wie es den Menschen erreichbar ist; keinen aber, der sicher dahin leitet:

»Auch die Religion kann ihr Versprechen nicht halten. Wenn der Gläubige sich endlich findet, von ›Gottes unerforschlichem Ratschluß‹ zu reden, so gesteht er damit ein, daß ihm als letzte Trostmöglichkeit und Lustquelle im Leiden nur die bedingungslose Unterwerfung übriggeblieben ist. Und wenn er zu dieser bereit ist, hätte er sich wahrscheinlich den Umweg ersparen können.«

3.

Mitten in seiner großen Abhandlung sagt Freud: »Es ist Zeit, daß wir uns um das Wesen dieser Kultur kümmern, deren Glückswert in Zweifel gezogen wird.« Die »Kultur«. Unter ihr versteht Freud die Summe der Leistungen und Einrichtungen, in denen sich unser Leben von dem unserer tierischen Ahnen entferne und die zwei großen Zwekken dienten: »dem Schutz des Menschen gegen die Natur und der Regelung der Beziehungen der Menschen untereinander«. Freuds Blick richtet sich also nicht von der ästhetischen oder philosophischen Seite, sondern von der psychologischen und sozialen Seite her auf die Kultur.

Kulturell sind alle Werte und Tätigkeiten, »die dem Menschen nützen, indem sie ihm die Erde dienstbar machen, ihn gegen die Gewalt der Naturkräfte schützen u. dgl.« Das sind Banalitäten, die Freud natürlich nur am Rande streift; worauf es ihm ankommt, ist die psychische Analyse der ersten Kulturleistungen, zu denen etwa die Schaffung von Werkzeugen, der Bau von Häusern und – in weitester Vergangenheit – die Zähmung des Feuers gehören. Die Freudsche Erklärung der Feuerbezähmung – einer fast mythischen Großtat des Menschen – klingt sogar nach seiner eigenen Aussage so phantastisch, daß sie unglaubwürdig wäre, müßten wir nicht in Rechnung stellen, daß nach den analytischen Erfahrungen des Arztes Freud ein Zusammenhang von Feuer-Ehrgeiz-Harnerotik bestünde. So nur läßt sich begreifen, daß dem Urmenschen bei seiner Begegnung mit dem Feuer die Lust ankam, es durch seinen Harnstrahl auszulöschen, indem er dadurch eine infantile Lust befriedigte. Freud läßt an Gulliver und Rabelais' Gargantua denken. Wer nun aber als erster auf diese Lust verzichtete, das Feuer, die sich emporzüngelnde Flamme, auszulöschen, also das Feuer verschonte, hätte als Lohn für diesen Triebverzicht das Feuer selbst gezähmt und es in seinen Dienst gezwungen. Wie dem auch sei, aus den genannten drei Großtaten entwickelte sich die Kultur.

Mit den Werkzeugen vervollkommnet der Mensch seine Organe, die motorischen wie die sensorischen, und rückt, wie es in unserm Jahrhundert in unvorstellbarem Maße geschieht, die Schranken fast ins Unendliche zurück: Schiff-Flugzeug-Raumschiff; Brille-Fernrohr-Hohlspiegel vom Mount Palomar; Zählen-Rechenmaschinen-elektronische Gehirne, das ist der Weg bis heute; und dann die Serie von Materialisationen der Seh- und Schalleindrücke durch die photographische und die Schallplatte; das Reich der Technik öffnet sich dem staunenden Blick. Freud geht auf s e i n e m Weg an die Kernprobleme der heutigen Kulturphilosophen heran. Es ist interessant, seine Stimme als die eines Psychologen und Naturwissenschaftlers im Konzert der übrigen Stimmen von Philosophen, Historikern, Soziologen, Ästhetikern zu hören; sie hat gewiß so viel Gewicht wie die eines Spengler oder Toynbee, Berdjajew oder Ortega y Gasset.

Was sich der Mensch durch Wissenschaft und Technik errungen habe, sei nach Freuds Meinung Erfüllung vieler seiner Märchenwünsche – und immer weiter geht der Weg. Einst schuf der Mensch seine Götter als Kulturideale; in ihnen sah er die Vorstellung von Allmacht und Allwissenheit verkörpert. Heute ist er beinahe selbst ein Gott geworden:

»Freilich nur so, wie man nach allgemein menschlichem Urteil Ideale zu erreichen pflegt. Nicht vollkommen, in einigen Stücken gar nicht, in anderen nur so halbwegs. Der Mensch ist sozusagen eine Art Prothesengott geworden, recht großartig, wenn er alle seine Hilfsorgane anlegt, aber sie sind nicht mit ihm verwachsen und machen ihm gelegentlich noch viel zu schaffen.«

Man spürt, wie ruhig und überlegen, auch leicht ironisch, dieser Psychologe, der um tiefste Geheimnisse eben des Menschen, dieses »inch of nature«, weiß, die Erregungen der heutigen Menschheit beurteilt. Wie mit leichter Geste hingeworfen entläßt er den Satz, auf den es ja im Grunde ankommt – in s e i n e r Philosophie:

»Im Interesse unserer Untersuchung wollen wir aber auch nicht vergessen, daß der heutige Mensch sich in seiner Gottähnlichkeit nicht glücklich fühlt.«

Also hätte die Kultur nicht zu seinem Glücke beigetragen? Ja und Nein. Rekonstruieren wir mit Freud den Ursprung der Kultur. Von der Zähmung des Feuers haben wir gesprochen. Man kann sie auch prometheisch-mythisch sehen. Einmal ins Mythische gerückt, sinkt diese Frage nach der Kultur in eine noch andere Dimension hinein. Da fällt mitten in dem Buch ein Satz auf, der, wie häufig bei dem im allgemeinen so nüchtern-strengen Wissenschaftler, vom Schimmer des Mythischen umgeben ist: »Eros und Ananke sind auch die Eltern der menschlichen

Kultur geworden.« Beiden Mächten, der Liebe und der Notwendigkeit, kommt in der Kultur eine weitstrahlende Wirkung und Geschichte zu.

Daß aus der Not, der Ananke, noch immer jede Art schöpferischer Kraft sich entfaltet hat, zeigt die ganze Kulturgeschichte. Nicht so eindeutig in seiner kulturellen Wirksamkeit erscheint uns Eros. Liebe, dieses nachlässig gebrauchte Wort, wird von Freud in scharfumrissene Bedeutungen eingegrenzt. Es ist zunächst und immer die Beziehung zwischen Mann und Weib, »die auf Grund ihrer genitalen Bedürfnisse eine Familie gegründet haben«. Die Familie wurde Ausgangspunkt der Kultur. Liebe nennt man aber auch die »zielgehemmte« Liebe, die wir eigentlich »Zärtlichkeit« heißen sollten, wie sie zwischen Eltern und Kindern, zwischen Geschwistern oder Freunden besteht. Diese Liebe wird für die soziale Kultur noch wichtiger, breiter; denn sie stellt neue Bindungen her und kommt der Hauptbestrebung der Kultur näher, nämlich die Menschen zu größeren Einheiten zusammenzuführen. Dabei wird die Kulturarbeit immer mehr Sache der Männer; die Aufgaben werden schwieriger, Triebsublimierungen notwendiger; und was der Mann an Energien für kulturelle Zwecke verbraucht, entzieht er den Frauen, entfremdet ihn sogar den Kindern. So tritt die Frau in ein feindliches Verhältnis zur Kultur; »denn sie vertritt die Interessen der Familie und des Sexuallebens«. Wir verstehen Freud: »Einerseits widersetzt sich die Liebe den Interessen der Kultur, andererseits bedroht die Kultur die Liebe mit empfindlichen Einschränkungen.« Wieso dieses Letztere?

Je weiter sich ein Kulturkreis dehnt, desto deutlicher wird die Tendenz zur Einschränkung des Sexuallebens. Schon die erste Kulturphase, etwa im Totemismus, charakterisiert sich durch das Verbot der inzestuösen Objektwahl, »vielleicht die einschneidendste Verstümmelung, die das menschliche Liebesleben im Laufe der Zeiten erfahren hat«. Tabu, Gesetz, Sitte fordern weitere Einschränkungen. Unter dem Zwang ökonomischer Entwicklungen entzieht die Kultur immer größere Beträge der psychischen Energie auf Kosten der Sexualität. »Dabei benimmt sich die Kultur gegen die Sexualität wie ein Volksstamm oder eine Schicht der Bevölkerung, die eine andere ihrer Ausbeutung unterworfen hat.« Angst vor der Rebellion der Unterdrückten ist die Folge, und aus der Angst entstehen strengere Vorsichtsmaßregeln: etwa die Verschleierung der Rolle der Sexualität in der Kindererziehung; die Ächtung der meisten außergenitalen Befriedigungen als Perversionen; die Eingrenzung der heterosexuellen Liebe auf die Einehe; bei weiterer Entwicklung droht das Phänomen einer planvoll geregelten Menschenerzeugung in Retorten und Brutapparaten für operativ entnommene Keimzellen; das ermöglicht die Herstellung verschiedener Klassen von Menschen, die auf mechanischem Wege auf ihre soziale Zweckbestimmung dressiert werden. Die Zukunft hat auch hier bereits begonnen.

Äußerste Gefahr aber droht der Kultur durch die Aggressionsneigung des Menschen. Sie wurzelt in einer primären Feindseligkeit der Menschen gegeneinander: homo homini lupus; sie äußert sich spontan, verhüllt, in Raub, Demütigung, in Verfolgungen, in Kriegen und Grausamkeiten. Freud nennt die Greuel der Völkerwanderungen, der Kreuzzüge, der Progrome; er hätte vieles andere evozieren können, mehr oder weniger die gesamte Geschichte der Menschheit. Nun muß die Kultur alles tun, um diesen Trieb, der ein Destruktionstrieb ist, in Schranken zu halten. Sie versucht es seit Menschengedenken mit einem Aufgebot von Methoden, die geeignet erscheinen, die Aggressionstriebe durch psychische Reaktionsbildungen niederzuhalten. Unter ihnen nennt er zwei, die eines zeitlosen und zeitgemäßen Interesses wert sind, die aber beide vor dem Urteil Freuds nicht bestehen können: Die eine ist eine religiöse Idealforderung, die andere eine soziale. Die religiöse lautet: Du sollst deinen Nächsten lieben wie dich selbst, eine weltberühmte Formel des Christentums. Diese Forderung löst in dem Psychologen ein Gefühl von Überraschung und Befremden aus. Ihre Erfüllung kann sich nicht als vernünftig empfehlen; denn, mit einem Wort gesagt, kann und soll ich einen andern nur dann lieben, wenn er es auf irgendeine Art verdient. Das Gebot hätte nur in der Modifizierung Sinn: »Liebe deinen Nächsten wie dein Nächster dich liebt!«. Das andere Gebot: »Liebe deine Feinde!« erscheint ihm noch unfaßbarer – und leicht ironisch fügt Freud hinzu: »Es ist im Grunde dasselbe.« Da gefiel ihm Heines Ehrlichkeit in dessen »Gedanken und Einfällen« (1856) besser: »Ich habe die friedlichste Gesinnung«, sagt dort Heine. »Meine Wünsche sind: eine bescheidene Hütte, ein Strohdach, aber ein gutes Bett, ein gutes Essen. Milch und Butter, sehr frisch, vor dem Fenster Blumen, vor der Tür einige schöne Bäume, und wenn der liebe Gott mich ganz glücklich machen will, läßt er mich die Freude erleben, daß an diesen Bäumen etwa sechs bis sieben meiner Feinde aufgehängt werden. Mit gerührtem Herzen werde ich ihnen vor dem Tode alle Unbill verzeihen, aber nicht früher, als bis sie gehängt werden.«

Den andern Weg versuchen die Kommunisten. Das private Eigentum, sagen sie, habe den ursprünglich guten Menschen verdorben. Der Besitz privater Güter gebe dem einen Macht und führe ihn in Versuchung, den andern zu mißhandeln. Der vom Besitz Ausgeschlossene müsse sich gegen den Unterdrücker auflehnen. Wäre das Privateigentum aufgehoben, alle Güter gemeinsam gemacht, würden Übelwollen und Feindseligkeit unter den Menschen verschwinden. Auch diese Methode und Vorstellungsart lehnt Freud ab. Zwar enthält er sich einer Kritik der wirtschaftlichen Seite des kommunistischen Systems, aber die abstrakte Gerechtigkeitsforderung der Gleichheit aller Menschen will er durch den Einwand entkräften, »daß die Natur durch die höchst ungleichmäßige körperliche Ausstattung und geistige Begabung der Einzelnen Ungerechtigkeiten eingesetzt hat, gegen die es keine Abhilfe gibt.« Er versucht, »die psychologische Voraussetzung dieses sozialen Systems als haltlose Illusion« zu erweisen.

Der Punkt, an dem Freud sich von Marx trennt, ist nicht das, was man ungenau und ungenügend den »Materialismus« nennt, sondern eben dessen theoretischer »Idealismus«, jener unbegründete »Glaube« der einen Marx zum säkularisierten Theologen mache. Freud kann nicht glauben, daß, wenn einmal die klassenlose Gesellschaft sich durchgesetzt habe, der Aggressionstrieb aus dem Menschen verschwunden sei. Politische und ökonomische Beweise vermögen nichts gegen menschliche Leidenschaften, nichts gegen eine Realität wie den Destruktionstrieb, der auf operativem Wege nicht entfernbar wäre. Es sei aussichtslos, die aggressiven Neigungen des Menschen abzuschaffen; man könne, solange man Mensch ist, gegen die biologischen und psychologischen Fundamentalgesetze nichts ausrichten. Und außerdem: »Es ist ein Stück der angeborenen und nicht zu beseitigenden Ungleichheit der Menschen, daß sie in Führer und Abhängige zerfallen.« Das gilt von Moses bis Hitler – bei dem einen zum Vorteil, bei dem andern zum Nachteil der Menschen und ihrer Geschichte: der eine leitete die Menschen zum Triebverzicht und ebnete dadurch Wege zur Kultur; der andere stärkte den Aggressionstrieb und ebnete Wege zu Welt- und Rassenkriegen. Daß Freud ein Pazifist war, wird niemand leugnen wollen; daß er aber an einen »Ewigen Frieden« – Traum und Wunschbild der gequälten Menschheit – nicht glauben konnte, wird man verstehen; daß er gegen jede Form von Utopien war, machte seine Gegnerschaft zu jedem politischen und sozialen Dogma begreiflich: »Kommunismus und Psychoanalyse gehen schlecht zusammen«, sagte er. Diese Überzeugung hinderte nicht, daß er eine große Bewunderung für Marx hatte, wie ja auch Nietzsche, der Antichrist, eine stille Verehrung für die großen, geistigen Köpfe besaß, die das Christentum nun einmal hervorgebracht hatte. Im ganzen sah Freud – innerhalb der neueren Geschichte – drei große Aggressionen: die des Christentums gegen die Heiden, die des Germanentums gegen die Juden und die des Bolschewismus gegen die Bourgeoisie, – und fügt der nüchternen Einsicht hinzu: »Es ist immer möglich, eine größere Menge von Menschen in Liebe aneinanderzubinden, wenn nur andere für die Aggression übrig bleiben.« – Also christliche Theologen auf der einen, kommunistische Soziologen auf der andern Seite mögen sich mit Freuds Ansichten auseinandersetzen. Währenddessen ändern sich die Methoden, wachsen die Kulturen, wandeln sich die Gesellschaftsformen – der Aggressionstrieb der Menschen aber, der älter ist als alle Vernunft, wird bleiben.

Kultur und Gesellschaft sind ständig bedroht. Erhebt sich die Frage, welcher Mittel sie sich bedienen, um die Aggressionslust des Menschen zu hemmen. Unter den verschiedenen Mitteln hebt Freud eines als besonders bedeutungsvoll hervor, weil es – auf interessanten psychologischen Umwegen – nach seiner Meinung zum »wichtigsten Problem der Kulturentwicklung« überhaupt wird. Freud geht von der Entwicklung des einzelnen Menschen aus. Von hier lassen sich Schlüsse auf das Gesamt der Menschheitsentwicklung ziehen. Beide Evolutionskreise gehören konzentrisch zusammen. Wie also sieht es beim einzelnen aus?

»Die Aggression wird introjiziert, verinnerlicht, eigentlich aber dorthin zurückgeschickt, woher sie gekommen ist, also gegen das eigene Ich gewendet. Dort wird sie von einem Anteil des Ichs übernommen, das sich als Über-Ich dem übrigen entgegenstellt, und nun als ›Gewissen‹ gegen das Ich dieselbe strenge Aggressionsbereitschaft ausübt, die das Ich gerne an anderen, fremden Individuen befriedigt hätte.«

Dadurch wird eine Spannung zwischen dem gestrengen Über-Ich und dem unterworfenen Ich erzeugt, die wir mit der Bezeichnung »Schuldbewußtsein« belegen; es äußert sich als »Strafbedürfnis«:

»Die Kultur bewältigt also die gefährliche Aggressionslust des Individuums, indem sie es schwächt, entwaffnet und durch eine Instanz in seinem Innern, wie durch eine Besatzung in der eroberten Stadt, überwachen läßt.«

Wie und auf welchen Wegen es durch die erwähnte Spannung zum Schuldbewußtsein kommt, darüber denkt – meint Freud – der Analytiker anders als der Psychologe. Die Verkettungen vom »Bösen«, vom »schlechten Gewissen«, von der »Angst vor dem Liebesverlust« und der »sozialen Angst« sind ein besonderes Kapitel, von dem wir hier nicht zu sprechen haben; wohl aber ist für unsere Kulturschau jener Moment von Interesse, da die drohende Autorität etwa der Eltern, des Staates, der Gesellschaft usw. durch die Aufrichtung eines Über-Ichs verinnerlicht wird. Jetzt wird es anders. Die Menschen gestatten sich nicht mehr, das »Böse« ruhig auszuführen – wenn nur die Autorität nichts erfährt (die Angst gilt immer nur der Entdeckung der Untat). Vor dem Über-Ich kann sich indessen nichts verbergen. Böses tun und Böses »nur«

wollen wird jetzt identisch; auch der Gedanke kann sich nicht verstek-
ken. Die Gewissensphänomene sind auf eine neue Stufe gehoben, ohne
daß die erste überwunden wäre; die infantile Stufe des Gewissens
(Angst vor den Eltern) wird nie ganz verlassen, besteht weiter, darunter, daneben, dahinter. So nun, wie im einzelnen und beim einzelnen,
schafft auch in der Gemeinschaft die Kulturseele ihr »Kultur-Über-
Ich«. Dieses bildet seine Ideale aus, erhebt seine Forderungen. Unter
ihnen ist die »Ethik« die unerbittlichste. Vom Standpunkt des Psycho-
analytikers erscheint sie als »ein therapeutischer Versuch . . ., durch ein
Gebot des Über-Ichs zu erreichen, was bisher durch sonstige Kulturarbeit
nicht zu erreichen war . . .«: die Ausräumung der konstitutionellen
Neigung des Menschen zur Aggression. Gegen das Über-Ich des einzelnen hat Freud bereits vom Standpunkt der Neurosenforschung und
Neurosentherapie Vorwürfe erhoben: Das Über-Ich kümmere sich in
der Strenge seiner Gebote und Verbote zu wenig um das Glück des Ichs;
es bringe die Widerstände gegen deren Befolgung, die Triebkräfte des
»Es« einerseits und die Schwierigkeiten der realen Umwelt andererseits
nicht genügend in Rechnung. Analoge Einwände erhebt Freud nun
gegen das Kultur-Über-Ich: Dieses erlasse z. B. ein Gebot wie das »Liebe
deinen Nächsten wie dich selbst!« und frage nicht danach, ob die Befolgung dieses Gebots dem Menschen überhaupt möglich sei. Es ist dem
Menschen eben n i c h t möglich, da dem Ich keine unumschränkte Herrschaft über dem Es zusteht.

»Das Gebot ist die stärkste Abwehr der menschlichen Aggression . . . Allein,
wer in der gegenwärtigen Kultur eine solche Vorschrift einhält, setzt sich nur
in Nachteil gegen den, der sich über sie hinaussetzt.«

Wer die Rolle des Über-Ichs in der Kulturentwicklung verfolgen würde,
könnte bei der Ähnlichkeit, welche die Entwicklung der Menschheit mit
der Entwicklung des einzelnen zeigt, zur Diagnose verleitet sein, daß
in gewissen Kulturepochen die Menschen, und heute möglicherweise die
ganze Menschheit, unter dem Druck des Kultur-Über-Ichs neurotisch
geworden ist. Sollte eine Analyse wenigstens eines Teiles der Menschheit
den Tatbestand einer sozialen Neurose ergeben, wo wäre dann die Autorität, der Masse die Therapie aufzudrängen? Wir sehen, daß Freud, der
diese Fragen streift, einen schwierigen Komplex unserer Zeit anrührt:
die »Pathologie der kulturellen Gemeinschaften«. Unschwer lassen sich
von hier aus Verbindungen zu der Metaphysik der Angst im zeitgenössischen Existenzialismus erkennen. Und nicht nur dort, sondern im ganzen Bereich unserer »modernen« Kunst, Literatur, Musik: zu Munch,
Kafka, Schönberg. Das Schuldgefühl ist im Grunde nichts anderes als
eine »topische Abart der Angst«. Die Angst«, sagt Freud, »steckt hin-

ter allen Symptomen«. Oft verbirgt sie sich und kommt nur als ein un-
abweisbares malaise zum Vorschein. Mit einer Rückwendung zur Kul-
turpsychologie können wir es mit Freud als denkbar hinstellen,
»daß auch das durch die Kultur erzeugte Schuldbewußtsein nicht als solches
erkannt wird, zum großen Teil unbewußt bleibt oder als ein Unbehagen, eine
Unzufriedenheit zum Vorschein kommt.« Gerade das ist es, was die Religionen stets erkannt haben: »die Rolle
des Schuldgefühls in der Kultur«. Daher auch ihr Anspruch, »die
Menschheit von diesem Schuldgefühl, das sie Sünde heißen, zu erlösen.«

4.

Ganz in der Tiefe ist das Schuldgefühl »Ausdruck des ewigen Kamp-
fes zwischen dem Eros und dem Destruktions- oder Todestrieb«. Der
Konflikt bricht auf, wenn den Menschen die soziale Aufgabe des Zusam-
menlebens gestellt wird. Solange die Gemeinschaft nur die Form der
Familie kenne, äußere sich der Konflikt im Ödipuskomplex. Über die
Zusammenhänge von Ödipuskomplex, Gewissen und Schuldgefühl hat
Freud die klassischen Seiten seiner psychoanalytischen Studien geschrieben. Hier verfolgen wir eine andere Linie: Die Kultur gehorcht nach
Freuds Ansicht einem inneren erotischen Antrieb, einer rastlosen Aus-
breitungstendenz des Eros, der den Menschen gebietet, sich zu größeren
Gemeinschaften zu vereinigen. Die Kultur erreicht das vom Eros ge-
steckte Ziel durch eine immer wachsende Verstärkung des Schuldgefühls. »Ist die Kultur der notwendige Entwicklungsgang von der Familie zur Menschheit, so ist unablösbar mit ihr verbunden ... die Steigerung des Schuldgefühls.«
Bei seinen Spekulationen über den Anfang des Lebens kam Freud
auf die Entdeckung, es müsse außer dem Trieb, die lebende Substanz
zu erhalten und zu immer größeren Einheiten zusammenzufassen, einen
anderen, ihm gegensätzlichen, geben, der diese Einheiten aufzulösen
und in den uranfänglichen, anorganischen Zustand zurückzuführen
strebe. Also außer dem Eros einen Todestrieb. Aus dem Zusammen-
und Gegeneinanderwirken dieser beiden ließen sich die Phänomene erklären. Im weiteren Verfolg dieses Gedankens fand er, daß diese beiden
Triebarten nicht isoliert, sondern in wechselnden Mengenverhältnissen
miteinander legiert auftreten. Dagegen wurde als Einwand erhoben,
daß diese Konflikte eher der Bipolarität im Wesen der Liebe zuzuschrei-
ben seien. Aber Freud blieb bei seinen Auffassungen: »Im Laufe der
Zeit haben sie (meine Auffassungen) eine solche Macht über mich ge-

wonnen, daß ich nicht mehr anders denken kann.« Er erhärtete seine Ideen am Studium des Sadismus und Masochismus und gelangte schließlich zu jener »Vereinfachung ohne Vernachlässigung und Vergewaltigung der Tatsachen, nach der wir in der wissenschaftlichen Arbeit streben.« Er blieb unbeirrbar und erkannte nun auch den Aggressionstrieb als »Abkömmling und Hauptvertreter des Todestriebs, den wir neben dem Eros gefunden haben, der sich mit ihm in die Weltherrschaft teilt«. Auf der Spitze seiner psychologischen Beobachtungen, seiner wissenschaftlichen Deduktionen und seiner begrifflichen Konstruktionen biegt Freuds Denken in den Mythus ein. Er spricht vom »Streit der Giganten« – ewiger, unversöhnlicher Feinde – »Gegensätze der Urtriebe, Eros und Tod«.

»Und nun meine ich, ist uns der Sinn der Kulturentwicklung nicht mehr dunkel. Sie muß uns den Kampf zwischen Eros und Tod, Lebenstrieb und Destruktionstrieb zeigen, wie er sich an der Menschenart vollzieht. Dieser Kampf ist der wesentliche Inhalt des Lebens überhaupt und darum ist die Kulturentwicklung kurzweg zu bezeichnen als der Lebenskampf der Menschenart.«

Eros und Thanatos sind die Pole unserer Existenz und der Geschichte der Menschen. Der Wille zum Leben und der Wille zum Tod. Freud gerät in die Nähe Schopenhauers und Nietzsches. Aber er glaubt nicht, daß eine Lösung des Konflikts möglich sei; er glaubt nicht an Schopenhauers »Erlösung« des Menschen, wie sie dem Heiligen vollziehbar sei, und er glaubt schon gar nicht an den Übermenschen oder die ewige Wiederkehr der Dinge im zyklischen Prozeß. Auch huldigte Freud nicht jener Geschichtsmetaphysik, der zufolge das Böse nur ein Element, ein dienendes Stimulans der Aufwärtsentwicklung der Menschheit sei – »ein Teil von jener Kraft, die stets das Böse will und stets das Gute schafft«. Freilich: er kannte den Teufel wie Goethe und nannte ihn Aggression und Destruktion, aber er neigte dazu, den Teufel für ebenso stark wie Gott zu halten und sah also auf dem Kampffeld der menschlichen Geschichte nur ein ewiges Remis. Die Schicksalsfrage der Menschenart, »ob und in welchem Maße es ihrer Kulturentwicklung gelingen wird, der Störung des Zusammenlebens durch den menschlichen Aggressions- und Selbstvernichtungstrieb Herr zu werden«, bleibt unbeantwortet. Den Trost, den alle in diesem Weltgetümmel suchen, kann auch Freud nicht geben:

»So sinkt mir der Mut, vor meinem Mitmenschen als Prophet aufzustehen, und ich beuge mich ihrem Vorwurf, daß ich ihnen keinen Trost zu bringen weiß; denn das verlangen sie im Grunde alle, die wildesten Revolutionäre nicht weniger leidenschaftlich als die bravsten Frommgläubigen.«

Die Lektüre der Freudschen Abhandlungen ist nicht immer eine leicht erworbene Freude. Vieles wiederholt sich, vieles klingt an allzu Bekanntes an, was seit Heraklit und Platon bis zu Goethe und Schopenhauer gedacht und gesagt worden ist; wenn Freud sich auf die Dichter zumal beruft, dann zitiert er sie als Kronzeugen seiner eigenen Meinung und Überzeugung. Häufig werden auch die Linien seiner Gedanken unterbrochen; manches bleibt auf dem Wege liegen, wird später wieder hereingeholt und anders beleuchtet, und so entsteht bei erster Lektüre zuweilen ein wirres Bild, dessen Komposition sich erst wiederholtem, nachdenklichem Lesen erschließt. Ich stimme Thomas Mann nicht zu, wenn er von einer »anschaulichen Prosa« Freuds redet. Vielmehr ist Freud abstrakt, begrifflich, »unpoetisch« mit Absicht, nüchtern aus Prinzip und Enthaltsamkeit. Poesie und Mythen zu schreiben, war auch nicht seine Aufgabe als Arzt und Forscher – was nicht hinderte, daß umgekehrt Dichter und Schriftsteller sich seiner bemächtigten und sich an ihm begeisterten wie zwei der einflußreichsten Schriftsteller unseres Jahrhunderts: André Breton und Thomas Mann selbst.

Freud wurde zum Pionier der modernen Psychologie. Nicht der Entdecker, aber der wissenschaftliche Begründer der Seelenkunde im Bereich des Unbewußten. Er ging ziemlich allein auf Fahrt, und es ist seltsam, daß er nicht einmal seine Vorgänger und Weggenossen gut kannte, um sich bei ihnen Rat und Hilfe zu holen. Und doch: wie nahe stand er den Romantikern, E. T. A. Hoffmann, Novalis, Nerval, vielen anderen ihres Schlages, die vor ihm in das nächtliche Dunkel der Seelenbereiche getaucht sind und von ihm gekündet haben. Wie nahe stand er Schopenhauer und Nietzsche; wie deckt sich Freuds »Es« mit Schopenhauers »Willen«! Wie verwandt war sein Wahrheitssinn demjenigen Nietzsches, der die Sonde nicht weniger tief in die Urgründe senkte und unerschrocken sagte, was er dort sah. Und manchmal fragt man sich, ob Freuds Psychoanalyse nicht etwa die geniale Weiterentwicklung der klassischen Psychologie der französischen Moralisten wie Montaigne, Larochefoucauld, La Bruyère, Chamfort, Stendhal war. Freilich, Freud sieht alles neu, von anderer Seite her und »entdeckt« dabei die fundamentale Rolle, welche die Sexualität für das Leben des einzelnen wie das der Gemeinschaft, und also für die Kultur, spielt. Die vier oder fünf Seiten über die »Entwicklung der Sexualfunktionen« im »Abriß der Psychoanalyse« sind in ihrer Prägnanz und Durchsichtigkeit klassisch, also vermutlich von bleibendem Wert. Hinter solchen Zeilen steht ein Forscherleben.

Was Freud beim Aufbau des psychischen Kunstwerks des Menschen auszeichnet, ist sein Blick für das Gesetz der Transformationen der psychischen Energien, also sein Blick in die bewegten und bewegenden Tiefenschichten, die bis in die Urzeit des Menschen hinabreichen. Nichts, was einmal gebildet wurde, kann untergehen; unter geeigneten Umständen kann durch Regression Entferntestes wieder zum Vorschein gebracht werden. Diesem Tiefenblick enthüllte sich das psychologische Bild und Spiel vom Es-Ich-Über-Ich. In den Seiten, die Freud über die Entwicklung der Ewigen Stadt geschrieben hat: die Roma quadrata – das Septimontium – die Servianische Mauer – und den ganzen weiteren Schichtenbau von Ruinen oder Erhaltenem – symbolisiert er die Erhaltungsweise des Vergangenen in dem psychischen Apparat des Menschen; nicht ein »Erhalten« im eigentlichen Sinne, sondern ein Aufgehen im jeweils Folgenden, zu dem das Vorgängige den Stoff bietet.

Wer so wie Freud ins Vergangene hinabzusteigen vermag, stößt an Grenzen, wo mythisches Sehen und Denken beginnt. An diesem Punkt fand Thomas Mann seine innere Verwandtschaft zu Freud begründet. »Das mythische Interesse« sagte er in seiner Rede über Freud, »ist der Psychoanalyse genauso eingeboren, wie allem Dichtertum das psychologische Interesse eingeboren ist.« Mit Freud dringen wir bis ins Primitive und Primäre zurück, in die Kindheit des Menschen und Menschengeschlechts, an die Ursprünge der Religionen, in die Tiefen und Zeiten, wo der Mythus zu Hause ist, und aus denen die Urformen des Lebens aufsteigen. Da begegnet der Wissenschaftler dem Dichter: Beide verstehen das Raunen der Brunnen, wie es ewig war, ist und sein wird. Haben die Romantiker Märchen und Mythen neu entdeckt, so weiß Freud uns Heutigen den Sinn zu deuten. Von hier aus wird die Beziehung von Psychologie und Mythus, und gleichermaßen von Dichtung und Psychoanalyse, von Bildträumen und bildender Kunst interessant.

Ich glaube, niemand kommt heute mehr um Freud herum. Er ist ein Meilenstein auf dem Wege der Psychologie, an dessen Ende wir immer ein vollständiges Wissen vom Menschen erhoffen, eine vollständigere Anthropologie und damit verbunden eine idealere Gemeinschaft der Menschen, als sie bisher bestanden hat. Das ist freilich ein unendlicher Weg. Es wird, jedenfalls vorerst, vermutlich dabei bleiben, daß, ähnlich wie bei der Physik, hinter jeder Entdeckung sich neue Horizonte entfalten, die voll des Unbekannten sind. Am Ende resignierte Freud gleich Einstein, der bei allem hinsichtlich der Regierbarkeit des Menschen noch optimistischer als Freud gewesen ist. Freud hat von der Aufklärungs- und Aufstiegsmöglichkeit des Menschen nicht mehr gehalten als der Philosoph auf dem Königsthron 150 Jahre vor ihm. Bei diesem verbot sich der Glaube an den »Fortschritt der Menschenart, weil er durch Beobachtung, Denken und Regierungspraxis die Dummheit und

Bosheit dieser Species gründlich erkannt hatte und sie für unüberwindbar hielt; bei jenem, weil er tiefer als der andere im Wissen um die Macht des »Es« lebte und im letzten das ganze Leben und die Kultur der Menschheit als Schauplatz der Giganten Eros und Thanatos sah. Zwischen Heil und Unheil eingeengt, gibt es da für den Menschen keinen eigentlichen Fortschritt.

Man darf Freud Glauben schenken, wenn er meint, die Zukunft werde urteilen, daß die Psychoanalyse als Wissenschaft des Unbewußten ihren Wert als Heilmethode weit übertreffe. Dennoch: Eine Heilmethode könnte sie grundsätzlich auch für die gegenwärtigen und zukünftigen Menschenmassen werden, wenn es ihr gelänge, die Neurose der Zeiten überwinden zu helfen. Aber Freud selbst blieb skeptisch: Wer sollte der Masse die Therapie aufdrängen? Da gilt auch für Freud nur das ewige Streben: »Wo ›Es‹ war, soll ›Ich‹ werden.« Mit diesem Gedanken tritt er zu Lessing, seinem »bewußten, erwählten Vorbild«, wie er diesen großen unpathetischen und toleranten Humanisten nannte – und zu Goethe, der stets sein eigentlicher Kronzeuge war, den er tief verehrte, und der ihn, wie niemand sonst, als Mensch und Dichter faszinierte.

KAPITEL IV

DIE DICHTUNG IM XX. JAHRHUNDERT

1.

Die deutsche Dichtung des 20. Jahrhunderts läßt aus unserer Sicht an der Schwelle seines letzten Drittels drei Etappen mit verhältnismäßiger Deutlichkeit erkennen.

An der Jahrhundertwende steht das Werk Georges, Rilkes, Hofmannsthals fast als klassisches Monument des Jahrhundertanfangs da. Sie sind die Erben des belgisch-französischen »Symbolismus«. Ihr Dichten ist der deutsche Beitrag zu der erdumspannenden Bewegung jener Spätzeit des 19. Jahrhunderts, von der die moderne Dichtung ihre Impulse erhielt. Baudelaire, Mallarmé, Rimbaud; Maeterlinck, Verhaeren, Rodenbach gingen voran; Gabriel d'Annunzio war die italienische Stimme; in Spanien, Holland, Portugal stieg die »generación de 98«, die »Beweging der Tachtig«, der »Modernismo« Eugenio da Castros empor; in Rußland wurde Alexander Blok der Erbe des Symbolismus; Griechenland, der Balkan, das Baltikum, ganz Skandinavien bis Finnland stimmte in das große Konzert ein, und die Nord-Mittel- und Südamerikanischen Länder erlebten Höhepunkte ihrer Lyrik. Die Zusammenhänge dieser Bewegungen, die ich anderenorts an dem konkreten Beispiel der Sonettdichtung zeigen konnte, lassen sich auch in der Gesamtentwicklung der Poesie jener Jahrzehnte erkennen. Fragt man sich, was diesen lyrischen Zeitraum charakterisiert, so wird man bei vorsichtiger Abwägung und Auswahl der Motive sagen dürfen:

a) Das literarische Profil dieser Zeit, und mithin auch das lyrische, war nicht eindeutig. Als der Symbolismus sich durchsetzte, war der Naturalismus erst auf seinem Höhpunkt. In manchen Dichtern verbanden sich die gegensätzlichen Züge; in andern überwog die eine oder andere Tendenz, so daß zwei Gruppen in Aktion und Reaktion neben- und gegeneinander standen. Beide aber hatten sich neue Erlebnisbereiche erschlossen: Der Weg der einen führte abseits der »Wirklichkeit« in die Welt der Träume, des Unbewußten, in eine mystische Todessehnsucht, wie sie sich etwa in den psychologischen und mythischen Schicksaldramen Maeterlincks widerspiegelt; der andere öffnete sich Zugänge zur Realität des irdischen Daseins, zu dessen Nacht- und Schattenseiten, seinen Brutalitäten, wie solche der lyrische Dichter bis dahin – im Gegensatz zum Epiker und Dramatiker – zumeist verhüllt gelassen hatte. Ein neuer Bereich, der bislang der Prosa der Romanciers zugehörte, war jetzt der Poesie erschlossen.

b) Beiden Richtungen, der metaphysisch-ästhetischen wie der realnaturalistischen, gemeinsam ist die Sorge um die Sprache. Bei der einen heißt sie Erweiterung in die Sphäre der sprachlich noch nicht bewältigten terra incognita der sozialen Tiefenschichten – großartige Ansätze einer Arbeiterdichtung entstehen: Lersch, Engelke, Winckler; bei der andern prädominiert eine ästhetische Sorge um die Perfektion der Sprache überhaupt. Bleiben wir im deutschen Sprachbereich. Da geht das Erbe Nietzsches, der nach Luther, Lessing, Goethe der letzte Höhepunkt deutscher Sprachkunst war, nicht nur unmittelbar in die Prosa Thomas Manns ein, sondern dieses Erbe lebt auch in der neuen Sprachkunst der Lyriker. Perfektion des sprachlichen Ausdrucks und Entbindung der im Wort selbst enthaltenen Energien – in diese Doppelrichtung strebt das neue lyrische Wortkunstwerk. Also entdeckten die Dichter noch einmal, was streng genommen die Romantiker schon gefunden hatten: die Magie des Wortes, durch die sie eine Welt der Wirklichkeiten verwandeln oder eigene Traumwelten hervorzaubern konnten. Das lag in der naturgegebenen Richtung des Symbolismus – oder wie wir im Deutschen auch sagen: der Neuromantik; indessen war auch der Naturalismus nicht etwa nur eine Kopie der Wirklichkeit, sondern war häufig durch das Medium der Sprache eine Erhöhung der Realität ins Mythische. Wer wollte das bei Zola oder Gerhart Hauptmann verkennen, oder im Bereich der Lyrik bei Verhaeren oder Arno Holz?

c) Wenn die deutsche Lyrik mit Goethe, Hölderlin und der Romantik vorurteilslos als das entscheidende Ereignis der Poesie um die Wende vom 18. zum 19. Jahrhundert betrachtet werden durfte, so würde nur ein beengender Patriotismus bestreiten wollen, daß seit der Mitte des vorigen Jahrhunderts die führende Rolle der lyrischen Dichtung an Frankreich übergegangen war. Baudelaire-Mallarmé-Rimbaud nebst ihrem Vorläufer Gérard de Nerval und ihrem Erben Paul Valéry, das ist die weltgültige Linie großer Lyrik, in welcher das poetische Bewußtsein zu sich selbst gelangte. Der deutsche Dichter, angezogen von der Kraft dieser in sich ruhenden Poesie, richtete seine Blicke nach Frankreich. Die drei Großen wurden entdeckt, übertragen, ihr Werk in die eigene Substanz verwandelt. Diese Leistung, die in der Hingabe an das Fremde bestand, knüpfte sich an die Namen George, Rilke, Hofmannsthal. Da nun die Franzosen selbst eine Quelle ihrer symbolistischen Dichtung neben der Ader Novalis-Wagner in der englischen Poesie von Blake über Poe bis zu den Praeraphaeliten fanden, so wird deutlich, welche weiten Horizonte sich die später erscheinende deutsche Generation um die Jahrhundertwende erschließen konnte.

Alles Fremde schmolz sich in Eigenes um. George, Rilke, Hofmannsthal wurden in diesem Vollzug die deutschen Vertreter des inzwischen über die Welt verbreiteten Symbolismus. Daß sie dabei selbstverständlich als deutschsprachige Dichter an Klopstock, Goethe, Hölderlin, Novalis anknüpfen konnten, braucht nicht eigens erwähnt zu werden, läßt aber ahnen, daß die Synthese aus Eigenem und Fremdem zu besonders interessanten und bedeutungsvollen Ergebnissen führen würde. Sie gelangten über Fremdem zu sich selbst, waren große Wanderer auf der Erde oder im Bereich der Phantasie oder Kultur. Die Landkarte etwa von Rilkes poetischem Schicksal spricht Bände: Moskau-Paris-Duino; die böhmische Heimat, die Schweiz, Kastilien und Norddeutschland. Er lebte überall, verstand die andern, und wurde von ihnen verstanden. Und George, der ganz andere? Auch er ein Reisender im wörtlichen und übertragenen Sinne. Er kannte Frankreich, England, Holland, Italien, Spanien – und übersetzte aus Shakespeare, Rossetti, Swinburne, Dawson, Jacobsen, Kloos, Dante, Verwey, Baudelaire. Also deutsch und weltoffen beide ... und neben ihnen andere weltselige Vaganten, die, dem bürgerlichen Leben entfliehend, die Kraft ihres Dichtertums auf der Wanderschaft und im Fernweh verströmen ließen: Liliencron, Peter Hille, Theodor Däubler ...

Stefan George. (1868–1933)

Er ist ein skandalon – so beginnt Johannes Klein seinen inhaltsvollen Essay über George –: anmaßend mit seinem Anspruch auf geistiges Führertum; religiöser Scharlatan in seiner Gottesvorstellung; verhängnisvoll als Wegbereiter des Nationalsozialismus. Also ein Ärgernis den Bescheidenen; ein Anstoß den christlich Gläubigen; ein Verhängnis für die Welt? So wird er heute von vielen beurteilt und verurteilt. Nur vergißt man dabei, daß, abgesehen von der Torheit und Oberflächlichkeit solcher Kritik – die etwa auch einem Wagner und Nietzsche zuteil wurde – George einer der großen Dichter der Neuzeit war, daß er überhaupt Dichter war. Da ließe sich freilich nicht ohne Grund einwenden, daß eben das, was ihn charakterisiert, nicht »nur« die lyrische Potenz seines Dichtertums, sondern das »Darüber-hinaus« ist: die Stufen seiner Entwicklung vom Lyriker, welcher der »Herrin«, seiner Muse, folgte, über den Menschenbildner, der den Anruf des »Engels« ernst nahm, zum Religionsstifter, der mit der Vergottung des schönen Jünglings Maximin einen Kult schuf, bis er ganz am Ende, in der Praxis gescheitert, zur reinen Lyrik zurückkehrte. So durchlief er den Kreis, mit einer literarischen »L'art pour l'art«-Kultur beginnend, im Engagement höchster Erziehungsaufgaben den Weg fortsetzend, um sich alsdann selbst in den Anfang zurückzunehmen. Aber jedes seiner letzten Werke ist mit den Erfahrungen seiner Lebensstationen gesättigt, mit Verdruß und Hoffnungen erfüllt, ist durchsichtig geworden, indem es den Leser hellsichtig machte. Ein Einsamer steht er am Ende da, von vielen Freunden seines Kreises verlassen und durch seinen Tod in der Emigration selbst viele verlassend, die, wie ein Stauffenberg, der vor den Machthabern des Dritten Reiches nicht kapitulieren wollte, noch spät, am 20. Juli 1944, ihren Einsatz um Deutschlands Freiheit aus dem Geiste Georges mit dem Tode büßen mußten. George hatte gelehrt: Wer das Menschenbild erniedrigt, gehört zu den Verworfenen. Das wirkte in der Haltung solcher Jünger, – die nicht von ihm abgefallen waren –, nach. Viel Faszinierendes strahlte von Georges Gestalt und Werk auf seine Umgebung aus.

Das Faszinierende lag zunächst in seiner hohen geistigen Kultur. Wir glauben, fünf Schichten seiner Bildung deutlich zu erkennen. Er wurde in seiner ersten Jugend von den zeitgenössischen Franzosen verzaubert, von Mallarmé und den Symbolisten; zudem empfand er sich selbst als Franke, gewissermaßen im politischen Raum des Karolingerreiches, wo Deutsche und Franzosen zusammengehörten. Man sagt, er habe den Typ des lothringischen Bauern gehabt; in jedem Falle zog ihn als Künstler viel Wesensverwandtes zur romanischen Wortkunst der Franzosen hin. Er war stolz auf seine rheinhessische Heimat, wo er 1868 in der Binger Gegend, in Büdesheim, geboren wurde, und verleugnete weder als Mensch noch in seiner Sprache die Herkunft aus altem Bauerngeschlecht. Vergessen wir auch nicht, welches Verständnis ihm in seiner Neigung zu Italiens und Spaniens Sprache, Landschaft und Kultur allgemein für die romantische Welt aufgegangen war.

Vom Gegenwartserlebnis der Mittelmeerkulturen war nur ein Schritt zur antiken Welt. Er fühlte sich ihr verbunden, lag doch schon der Lebensboden seiner Heimat auf den Fundamenten der antik-römischen Kultur. Aber im Grunde war er »griechisch«. Sein menschlich und künstlerisch vielleicht tiefstes Erlebnis: die Eros-Idee, ist platonischer Provenienz. In dem geliebten Menschen, dem fast noch knabenhaften Jüngling Maximin, den Träger göttlicher Mächte der Schönheit und Wahrheit zu erleben und ihn wie einen Gott zu verehren, ihm eine Kultstätte – wenn auch eine unsichtbare – zu bereiten, das ist griechisch. Unter allen großen Deutschen, die das verstanden, steht er einem Winckelmann nahe.

Damit stoßen wir auf eine dritte Schicht: die deutsche Klassik. Sie ist die humanistisch durchgeistige Welt, in die Georges Denken eingelassen ist. Goethe-Hölderlin-Humboldt, das ist der Dreiklang, den er vernommen hat. Vor allem klang die Saite Hölderlins in ihm nach.

Antik und unchristlich, wie er da erscheint, zieht er seine Lebenskraft auch aus einem Boden, den er nie verleugnet hat, dem katholischen Ursprung seines Geschlechts. Dadurch fand er den Weg zum Mittelalter, das ihm eine ganze Welt bedeutete. Er liebte die hohe Poesie des Mittelalters, vielleicht das Platonische in ihr, verbunden mit dem Märchenzauber, der um Minne und Ritterwesen webte. Er stand dem hochchristlichen, katholischen Mittelalter nicht fern, und im Grunde seines Maximinerlebnisses konnten sich Fäden von der griechischen Vergottung des Menschen zu dem christlichen Kult der Heiligen spinnen. Was ihn aber intellektuell an den Katholizismus und das Mittelalter band, war die Erkenntnis, daß die katholische Kirche eine geistige Ordnungsmacht war und die weltliche Struktur des Mittelalters ein eminent geistiges Gefüge. In dem Papst Leo XIII. sah er so etwas wie ein geistiges Führerideal; auch im »Buch der Sagen und Sänge« ist Mittelalterliches evoziert; neben Hölderlin tritt Novalis.

Die gemeinsame Wurzel von Griechentum und Christentum aber ist der Orient. Er ist eine Schicht im Werk und Wesen Georges, zwar nicht die tiefste, die bedeutendste, die wirklich nährende, aber sie ist nicht herauszulösen. Die »Hängenden Gärten« – das blieb Märchentraum, gespeist aus literarischen Einflüssen, blieb ein *Paradis artificiel,* aus dem wir Töne Davidscher Psalmensprache vernehmen, wie etwa im Mittelstück des »Siebenten Ringes«, oder auch Nachwirkungen des »West-östlichen Diwans«; und dann versenkte er sein eigenes schwelgerisches Sinnen, die Imagination üppiger Sinnlichkeit und Liebe zu Lust und Leben in das magische Reich des Orients.

Vielleicht entsprächen die Kultur- und Bildungsschichten fünf Bedürfnissen seines weiten Menschentums: dem sinnlichen Traum –: der Orient; der Leidenschaft zum Geist, zur Schönheit, zum Manneskult –: das Griechentum; der inspiratorischen Kraft des Herzens, die zu Taten aufruft –: das Mittelalter; dem l'art pour l'art-Ideal seines dichterischen Ästhetizismus –: die zeitgenössische französische Dichtung; dem visionären Sinn, der aufs zukünftige »Neue Reich« gerichtet ist –: die deutsche Sehnsucht, welche die Besten seiner Epoche erfüllte, und zugleich das ganze Nietzsche-Erbe mit seinem Hang zum Übermenschen, seiner aristokratischen Verachtung des Menschen als Herdentiers, seiner vielfach verwundeten Liebe.

Aber nicht seine vielschichtige Kultur, sondern sein Wortkunstwerk ist es, das uns an ihm als *Dichter* interessiert. Da fasziniert zunächst die Struktur seiner Gedichte und Gedichtzyklen. Er steht, wie so viele Denker und Baumeister (denn irgendwie sind alle Künste Strukturen und Bauwerke) unter dem Gesetz der Trias. Schon die Dreiteilung Griechenland-Mittelalter-Orient mit der romanisch-germanischen Rahmenstruktur zeigt die Tendenz zur Dreiteilung. Das »Buch der Hirten« weist auf Griechenland und die großartige Tat griechischen Geistes, der den Menschen sich zum Maß der Dinge setzen ließ, und der den Keim zu jeder höheren Menschheitskultur legte; das »Buch der Sagen und Sänge« weist aufs Mittelalter und seine Sagen- und Glaubenswelt; das »Buch der hängenden Gärten« schließt die Ordnung ab. So erkennen wir in dem dreifältigen Werk von 1895 mit dem umständlichen Titel »Die Bücher der Hirten und Preisgedichte, der Sagen und Sänge und der hängenden Gärten« eine triadische Konstruktion wieder, welche schon in der inneren Zusammengehörigkeit der drei vorgängigen Bücher »Hymnen« (1890), die »Pilgerfahrten« (1891), »Algabal« (1892) sichtbar war. Mit dem »Jahr der Seele« (1897) erreicht George seine dichterische Meisterschaft. Wieder bilden die drei Zyklen *Nach der Lese, Waller im Schnee, Sieg des Sommers* eine Einheit, deren innere Struktur unschwer auffindbar ist.

George isolierte sich. Er wurde Abseitiger, ein »Losgelöster«, wie Nietzsche es war: losgelöst von der »Gesellschaft« seiner Zeit; aber immer fester band er die Jünger, die an ihn glaubten, an sich: Klages, Wolfskehl, Verwey, Gundolf, Bertram, Kommerell und viele andere nicht geringere. Dem Bürger erschien er ein Outsider, dem Arbeiter ein Bourgeois. Es standen ihm drei Wege offen: Er konnte zugrunde gehen, wenn die utilitaristische, materialistische, zu immer stärkerer Macht gelangende bürgerliche Gesellschaftsschicht ihn als unbrauchbares Glied absterben ließ. Er konnte auch zum Clown und Unikum dieser wilhelminischen Gesellschaft werden, wenn sie sich den Luxus solcher Existenz in ihrem Schoß erlaubte; sie erlaubte sich den Luxus, auch wenn sie über seine Kreise und Bünde den Kopf schüttelte. Er konnte sich aber auch als Antipoden des Zeitgeistes aufstellen und den gigantischen Versuch wagen, die Gesellschaft selbst zu reformieren; das versuchte er und zwar vom Geiste her.

Da liegt der Wendepunkt. Während früher die »Herrin« als Muse ihn zur Aussage aufrief, so sprach jetzt im »Teppich des Lebens« (1900) der »Engel« und verlangte vom »Ich« Verzicht auf die Eigenliebe um einer größeren Liebe willen. George folgte der Stimme: er wandte sich vom Lyrischen ab und hin zum »Werk«. Damit gelangte er unausweichlich in das dialektische Spannungsfeld, wo Einsamkeit und Gemeinschaft im Spiel sind. Nun ging der Weg zum »Siebenten Ring« (1907), dem 7. Werk (wenn wir die »Fibel«, darin die frühen Gedichte gesammelt sind, weglassen), gleichsam dem 7. Jahresring am Baum seiner Dichtung. In der Mitte der geheimen Siebenzahl steht als 4. Teil von vorn und von hinten, der Zyklus Maximin. Nach der »Herrin«, nach dem »Engel«, ist nun der götternahe Geliebte, der bald dem irdischen Leben entrissen wurde, der »Erlöser«. George schöpft aus diesem erotisch-religiösen Erlebnis neuen Lebenssinn. Was der Dichter nunmehr ins Wortkunstwerk prägt, ist von der »Lyrik« her nicht mehr verständlich. Anderes als die Dichtung steht auf dem Spiel. Maximin wird der »Stern des Bundes« (1914). Wieder ist das Werk zyklisch: Drei Teile mit jeweils 30 Gedichten werden von 9 Gedichten des *Eingangs* und dem zehnten des *Schlußchors* umschlossen. Aber Gedanke und Wille werden zum Wesentlichen. Ein didaktischer Idealismus verdeckt, verstopft die lyrischen Quellen. Immer seltener bricht »reiner Gesang« hervor. Die »Tafeln« im Siebenten Ring sind Gedichte zu Tagesereignissen, zur russischen Revolution, zu politischen Zirkeln, zur deutschen Öffentlichkeit, Gedanken zu einem neuen Staat. Getragen ist das alles von hoher, geistiger Kultur, von einer Noblesse humaner Gesinnung, vom Mut des Herzens. Und das zündete in dem jungen Deutschland, das in den ausgehenden Jahren des Kaiserreichs zu ersticken drohte:

> »Alles habend, alles wissend, seufzen sie:
> ›Fülle fehlt!‹
> Karges Leben! Drang und Hunger überall!«

Was die Expressionisten, die damals hochkamen, quälte, quälte also auch ihn.

Er sah den Krieg kommen. Er begrüßte ihn; denn er glaubte, daß der Krieg den Wandel der Herzen und Seelen vollbringen könne; er träumte ihn als Befreiung. So zogen aus seinen Kreisen viele freiwillig in den Krieg – und auf der Gegenseite war's dasselbe, wenn auch aus andern Motiven ... reine Toren, Gläubige, Getäuschte und die sich täuschten. An der brutalen Realität des Krieges wurde erst allen offenbar, daß die Menschheit an einem Wendepunkt stand, aber nicht zur Läuterung hin, sondern ins Dämonische zurück. Tragödie der Idealisten! Aber das Opfer der Jugend zehrte an dem Alternden. George ging nach dem Kriege auf seine Weise an die Lösung des Problems, wie Deutschland wiederaufzubauen sei. Nun kam es zu einem der groteskesten Paradoxe, an denen die Weltgeschichte doch nicht gerade arm ist: In den Kreisen um George wurden die Fragen des Führertums, die Bildung von Eliten, der Volkstums-Gedanke und Entwürfe idealistischer Diktaturen diskutiert. Seit langem war das Hakenkreuz auf den Titelblättern von Georges Büchern erschienen; aber wer ahnte, was aus diesem Symbol einmal werden sollte? George hatte auch Ausdrücke wie »Führer«, »Heil« verwandt, hatte die Schönheit der Gemeinschaft, des korporativen Lebens, des heldischen Ideals, die inferiore Stellung der Frau verkündet, und die Männerbünde ins Ideale erhoben. Es wuchs in diesen Kreisen der Gedanke, daß die Deutschen eine europäische Sendung zu erfüllen hätten ... Das Tor zur nationalen Überheblichkeit ging auf. Nun stand George selbst weit über diesen Dingen; er hatte mit der Entwicklung der kommenden Dinge so wenig zu tun wie einst vor ihm Richard Wagner oder Friedrich Nietzsche. Tatsache ist, daß ihm die Männer der nationalsozialistischen Partei hohe Ehren anboten; sie täuschten sich über ihn. Mag sein, daß er eine zeitlang mit dem Gedanken gespielt hat, im Sinne seiner humanistischen, aristokratischen Idee eine Art geistiger Führer der Nation zu werden, aber am Ende erfolgte die fundamentale Entscheidung: er lehnte alle Angebote ab und emigrierte. 1933 ist er in der Schweiz gestorben.

In George lag eine visionäre Kraft. Er schrieb am Ende ein kurzes Drama »Der Brand des Tempels«: Eine alte Kultur wird von einem barbarischen Eroberer zerstört. Aber dieser Eroberer hat eine seltsame Macht. Er ist der Typus von etwas Neuem, Schrecklichem. In seiner Unerbittlichkeit ist er hart gegen sich wie gegen die andern. Als letzter, kostbarer Besitz der Stadt steht noch der Tempel – und eben weil es der Tempel ist, gibt der Eroberer Befehl ihn zu zerstören. Selbst die Opfer finden noch eine Art Bewunderung für diesen zweiten Dschingis-Khan, eine Verkörperung der Macht. Aber er übt diese Macht nicht um der Macht willen aus, sondern um eines abstrakten Ideales willen. Er ist, wie Bowra sagt, absoluter Puritaner: der Zerstörer aller Idole auf dem Marktplatz oder in den Herzen; der starre Richter, in dem sich kein Gefühl, keine Gnade regt ...

»Der Tempel brennt. Ein halbes Tausend-Jahr
Muß weiterrollen, bis er neu erstehe ...«

Eine neue Schlacht auf den Catalaunischen Feldern wird entbrennen:

»Der schrecklichste Schrecken, der dritte der Stürme« ...

War es der Schrecken des dritten Reiches? George dachte in viel weiteren Äonen ...

Der ganzen Tragödie II. Teil – Georges Seher- und Erziehertum – war die Tragödie des Scheiterns. Er sah selbst voraus, daß sein Werk untergehen würde. Im Tempelbrand verloderte die eigene Leistung. Hatte George zuviel gewollt? Vielleicht. Aber in solchem Scheitern liegt immer Größe, wenn auch eine umdüsterte Größe. Wo Ideale, in die »Wirklichkeit« treten, wurden und werden sie seit je pervertiert. Das mußte auch George erfahren. Georges Schicksal, das mit dem ersten Drittel des Jahrhunderts abschließt, beleuchtet mit greller Deutlichkeit, welche tragische Stellung ein Dichter seines Schlages in der modernen Welt einnimmt. In einer Gesellschaft, die heute an der Schwelle zum letzten Drittel des Jahrhunderts steht, ist er kaum noch denkbar. Der Dichter ist in die absolute Isolation geraten. Dennoch bleibt George groß – und wäre es nur als Meister der Sprache im Bereich der reinen Dichtung.

Rainer Maria Rilke (1875–1926)

Am andern Ende des deutschsprachigen Kulturraums, dem Osten zugewandt, wuchs Rainer Maria Rilke auf, ein ganz Anderer als George, aber ein Besonderer wie er, das größte lyrische Ereignis an der Wende zum 20. Jahrhundert. Vier Jahre nach seinem Tod hat Wilhelm Hausenstein Erinnerungen an seine Begegnung mit dem jungen Dichter niedergeschrieben. Rilke tritt uns lebendig auf diesen Seiten entgegen, distinguiert, konventionell, immer etwas Snob in seinem marineblauen Anzug, den lichtgrauen Gamaschen und hellen Wildlederhandschuhen – den Stock in der Hand. Und doch ein »seelenwärts lebender« Mensch, in sich gezogen wie seine Stimme es war, die dämmernd durch den Raum schwebte »wie auf Sohlen von Samt«. »Er lebte auf der Welt als Gast«, sagte Hausenstein, und »kein Augenblick Gegenwart ging ihm verloren«. Ihm war die Kunst, Dinge, das Unscheinbarste, die flüchtige Situation in einen Vers zu bannen, wie kaum einem Dichter zu eigen. Man möchte sagen, seine Heimat war das Reich der Seele; seine Mitgift eine Sensibilität von feinsten Schwingungen – und seine Laufbahn als Dichter war jene Folge von Versuchen, seiner weichen Empfindsamkeit harte Konturen, dauernde Form zu geben; sein Leben war gestaltgewordene lyrische Existenz, wie es die Natur nur selten in ihrem Ablauf der Jahrhunderte und Jahrtausende, die wir überblicken können, geschehen ließ. Uralt waren die Themen, die er abwandelte, aber immer neuartig durchführte: Liebe und Tod. Darum kreiste sein Denken wie um die Brennpunkte einer Ellipse. Auf diesem inneren Lebensweg widerfuhr ihm manch Seltsames. Er wurde *Realist*, weil er den Willen zum scharfen Blick aufs Irdische hatte, weil er sich an das Seiende in seiner Häßlichkeit wie Schönheit, seinem Schmerz wie seiner Freude, seiner Güte wie seiner Bosheit gebunden fühlte, weil er aufs genaue Sagen der Dinge zielte, das »Ungefähre« haßte und sich zur »Gerechtigkeit« der Aussage erzog. Er wurde *Idealist*, indem er eben diese sichtbare Welt in eine unsichtbare verwandelte; er wollte, wie das Bienenvolk, den Honig des Sichtbaren sammeln, um den verwandelten Reichtum in den Waben anzuhäufen; im Menschen allein kann sich, wie er sagt, »diese intime und dauernde Umwandlung des Sichtbaren in Unsichtbarem vollziehen«. Er wurde *spekulativer Mystiker*, als er nach langem Nachdenken zur Einsicht kam, daß Leben und Tod in der Sphärenrundheit des Ganzen eine Einheit bilden: »Wie der Mond, so hat gewiß das Leben eine uns dauernd abgewendete Seite, die nicht sein Gegenteil ist, sondern seine Ergänzung zur Vollkommenheit, zur Vollzähligkeit, zu der wirklich heilen und vollen Sphäre und Kugel des Seins«. Er wurde *Ontologe* – oder war es immer in gewissem Sinne –, und fand oder erfand den »Weltinnenraum«, einen dritten Bereich, der weder das Diesseitige, die Landschaft der Dinge und Lebenden, noch das Jenseitige, die Landschaft der Toten, ist. In seinem »Weltinnenraum« ist die Diesseits-Jenseits-Scheide und Unterscheidung aufgehoben. Diese dritte Dimension ist aber bei Rilke gleichweit von der christlichen Jenseitsvorstellung wie von den existentialontologischen Motiven Heideggers entfernt. Er wurde schließlich *Sprachkünstler*, indem er auf langen Etappen zur Reife seines Dichtertums gelangte. Rilke hat neue Aussageformen, einen neuen »Stil« geprägt. Er wußte wieder von der uralten Weisheit, daß die Dinge den Menschen brauchen, der – indem er sie sagt – ihnen Existenz, Dauer, Leben gibt. Rilkes Sagen ist das echte lyrisch-magische Sagen: ein inniges Sagen – Gesang. Durch das Wort des Dichters vollzieht sich das Mysterium der Verwandlung: ein ekstatischer Akt der Verinnerlichung der Welt.

Das alles spiegelt sich also auf dem Seelengrund, dem die Suite seiner Gedichtbände entwuchs. Die ersten Verse verströmen noch viel Süße und Sehnsucht, sind traumbeladen und dem Leben entrückt. Die Romantik klingt nach, und klingt doch neu; aber auf diesem Wege, das mochte Rilke fühlen, konnte er zu neuen Ufern nicht gelangen. Da öffneten ihm die Franzosen, Maler, Dichter, Plastiker, eine andere Welt, und die Frucht seiner Berührung mit Mallarmé, Rodin, Cézanne, waren die »Neuen Gedichte« (1903–1908). Rilke schreibt im »Malte Laurids Brigge«:

»Verse sind nicht, wie die Leute meinen, Gefühle (die hat man früh genug); es sind Erfahrungen.« Und im »Requiem«:

»Oh, alter Fluch der Dichter,
Die sich beklagen, wo sie sagen sollten,
Die immer urteil'n über ihr Gefühl,
Statt es zu bilden.«

Rilke will nun, ähnlich wie George, auf seine Weise mit dem Instrument der deutschen Sprache jene Faktur der Verse erreichen, wie sie der französische »Parnasse« in plastischer u n d musikalischer Perfektion gestaltet hat. Rilke versenkt sich in die Objekte, fühlt sich in sie ein, versucht, das Wesen der Dinge zu ergründen und trägt als Ergebnis all dieser Bemühungen die Gedichte vom »Panther«, von den »Flamingos«, dem Papageienpark, dem Karussel und die zahlreichen Gedichte, die sich auf Kunstwerke beziehen, heim. Er ist noch ein Lernender, dem, bei vielem Mißlingen, schon manches glückt – vor allem die allmähliche Festigung der eigenen Handschrift.

Von den »Neuen Gedichten« verläuft eine Linie zu den »Duineser Elegien« (1923), an denen er aber seit 1911 gearbeitet hat, also in der Zeitspanne des Expressionismus. Rilke freilich schloß sich keiner Schule, keiner Gruppe an; er blieb unabhängig, war weder ganz Parnassien noch Expressionist. Zwischen den »Neuen Gedichten« und den »Elegien« liegt eine Entwicklung zu einer höchst persönlichen, symbolischen Dichtkunst, die eher an Valéry gemahnt. Schon die Struktur zeigt neue Züge: da werden die regulären strophischen Gliederungen selten, umso häufiger weitgespannte Abschnitte, die von kühnen Bogenkonstruktionen zusammengehalten werden; der »vers libre« überwiegt den Blankvers; ruhige Meditationen weichen nervösem, erregtem Denken; die Sprache registriert die »subtilen Bewegungen einer mit sich selbst kommunizierenden Seele«. Die »Duineser Elegien« sind ein Kapitel Seelengeschichte, schwer zu deuten, immer wieder die Dichter selbst, die Philosophen und Literarhistoriker zur Deutung reizend. Rilke selbst gab Hinweise in seinem Brief an die Gräfin Sizzo (12. April 1923):
»Die Identität von Furchtbarkeit und Seligkeit zu erweisen, dieser zwei Gesichter an demselben göttlichen Haupte, ja dieses einen einzigen Gesichts, das sich nur so oder so darstellt, je nach der Entfernung, aus der, oder der Verfassung, in der wir es wahrnehmen ... dies ist der wesentliche Sinn und Begriff meiner beiden Bücher.« (gemeint: Elegien und Sonette)
Jeder also wird die Dichtungen nach dem Maße seiner Erfahrungen und seines Wissens begreifen.

Die gekoppelten Themen von Liebe und Tod – uralte Erfahrung der Liebenden – entwickeln sich zu neuartigen Klängen. Von Liebe weiß Rilke vieles Geheime: Grausiges und Schönes, zu sagen. Da wird seine »moderne« Seele in einer Sprache mitteilsam, die uns sein Wissen von der damals erst zur Wirkung gelangenden Psychoanalyse zu verraten scheint. Er weiß um das Erwachen der dunklen, aus Urzeiten her ererbten Begierde des Blutes. Der »Neptun im Blut« steht auf, und der Liebende sinkt in die Tiefen des Seins, in das Chaos:

> ... »Liebend
> Stieg er hinab in das ältere Blut, in die Schluchten,
> Wo das Furchtbare lag, noch satt von den Vätern. Und jedes
> Schreckliche kannte ihn, blinzelte, war wie verständigt.
> Ja, das Entsetzliche lächelte ...«

Rilke weiß nicht nur um Zartes; er weiß auch, wie der Mensch den Urwald liebt, der in ihm ist, das »Es«. Die Liebe *erfuhr* Rilke in Wahrheit als etwas Unheimliches, darunter sich Schlünde auftun, von denen der Liebende nichts ahnt. – Etwas anderes ist seine *Lehre* von der Liebe, die er lange, mit absolutem Ernste, predigte. Das platonische Ideal eines »Eros der Ferne«, der die Seelenkräfte steigere, der nie enttäusche. Das aber war früher gesagt, in den Aufzeichnungen des Malte Laurids Brigge:

> Ach, in den Armen hab ich sie alle verloren,
> du nur, du wirst immer wieder geboren:
> weil ich niemals dich anhielt, halt ich dich fest.

Es ist die Idee der freilassenden Liebe. Aus ihrem Glanz und ihrer Kraft leben die großen Frauengestalten der Rilkeschen Gedichte: die Eurydike, Alkestis und Magdalena; die Gaspara Stampa, Louize Labé und die Comtesse de Noailles. Es ist die schon von den Trobadors, den Renaissancedichtern Frankreichs, Spaniens, Englands, dann von den Romantikern ergriffene Idee eines Eros der Ferne und Sehnsucht. Das Freilassen des Liebenden kann aber auch in eigener Verlassenheit enden; dann legt sich der eisige Hauch der Einsamkeit ums Herz. Wie ist da Besitz und Verlust zu vereinigen?

> Dies ist Besitz: daß uns vorüberflog
> die Möglichkeit des Glücks. Nein, nicht einmal.
> Unmöglichkeit sogar.

In Wendungen, Widersprüchen, Rückläufen, Aufstiegen verlaufen die Linien seines subtilen Denkens. Da tritt viel Paradoxes zutage; aber alles Gesagte, das Frühere und Spätere, bleibt auf seine Art wahr; doch ist es jeweils nie die ganze Wahrheit. Er sucht und findet sie für sich schließlich in dem ewigen Mysterium der Verwandlungen, deren letzte, äußerste der Tod ist.

Nirgends, Geliebte, wird die Welt sein als innen. Unser
Leben geht hin mit Verwandlung. Und immer geringer
Schwindet das Außen.

Der Mensch allein ist das Wesen, das ins Geistige verwandeln kann,
was ihm von der äußeren Welt gegeben ist. Rilke schreibt an seinen
polnischen Übersetzer:

»Unsere Aufgabe ist es, diese vorläufige vergängliche Erde so tief, so schmerzlich, so leidenschaftlich in uns hineinzuprägen, daß ihr Dasein noch einmal
›unsichtbar‹ in uns zu beginnen vermag.«

Es ist also nicht damit getan, sich dem Leben, der Erde zu entziehen
und in Träume zu versinken, sondern im Gegenteil die »Adern voll
Dasein« zu pumpen, das Leben zu lieben und es, in uns verwandelnd, zu
vergeistigen.

Mit dieser Verwandlung verbindet sich die Idee des Todes. Die 10.
Elegie ist wie ein Evangelium des Todes. In einem Brief, der sich auf
die »Elegien« und die »Sonette an Orpheus« bezieht, spricht Rilke, wie
sich eine wesentliche Absicht darin kundtut, die Liebenden in das »erweiterte Ganze« des Weltzusammenhangs hineinzustellen. Die Mitein-
beziehung des Todes führt zu der Erweiterung ins Ganze. Der Tod ist
nicht Vernichtung, sondern Selbst-Transzendenz. Rilke liebt es, im
Bild einer Frucht den Tod als deren Kern zu begreifen. Im Tode ist die
Verwandlung vollkommen. Der Mensch kehrt – wieder bildlich gesprochen – zu den Wurzeln des Lebens zurück. Worum er früher, im
»Stundenbuch«, gebetet und gebeten hat:

»O Herr, gib jedem seinen eignen Tod . . .«

das scheint nicht ganz – wie Langenfeld meint, – ohne Beziehung zu
Kierkegaard und Heidegger zu sein, also zu jener Todeskonzeption als
der »eigensten Möglichkeit des Daseins«; Tod als »wesensmäßig je der
meine« – im philosophischen Jargon gesprochen. Zur über-»individuellen« Auffassung des Todes gelangte Rilke erst in dem Augenblick,
da er Tod und Leben nur als die zwei verschiedenen Aspekte des »Ganzen« sah. Vom Moll-Geschlecht der »Duineser Elegien« geht seine Wort-
und Gedankenmusik ins Dur der »Sonette an Orpheus« über. Orpheus –
Erinnerungen an Gluck tauchen auf. Macht des Gesangs. Durch die
ganze abendländische Musik- und Dichtungsgeschichte zieht sich der
griechische Mythus hin. Bei Rilke wird er wie durch Wolkenschleier
hindurch mit platonischen und noch älteren Vorstellungen verknüpft:

Wandelt sich rasch auch die Welt
Wie Wolkengestalten,
Alles Vollendete fällt
Heim zum Uralten.

> Über dem Wandel und Gang,
> Weiter und freier,
> Währt noch dein Vor-Gesang,
> Gott mit der Leier.

Gesang ist jene Urkraft, die v o r und ü b e r der Welt ist und ihre wechselnden Erscheinungen hervorruft. Gesang ist ein Absolutum, das – seiner Definition nach – eben »losgelöst«, in sich selbst besteht und sein Genüge findet. So löst sich Philosophie auch wieder in Dichtung auf, und Rilkes Poesie wird, wenn man den französischen Terminus will, »poésie pure«. Der Kreis der Rilkeschen Anschauungen schließt sich. Gesang dient keinem außerhalb seiner liegenden Ziele. Wahres Singen ist etwas, was um seiner selbst willen existiert:

> In Wahrheit singen, ist ein andrer Hauch.
> Ein Hauch um nichts. Ein Wehn in Gott. Ein Wind.

Für Rilke ist also Singen: Dichten – künstlerisches Schaffen, nicht eine Betätigung unter anderen, sondern eine göttliche Macht. Gesang ist Wurzel des Daseins: er gehört beiden Reichen an, dem Leben und dem Tod:

> Ist er ein Hiesiger? Nein, aus beiden
> Reichen erwuchs seine weite Natur.

Damit ist zugleich der Anschluß an eine der tragenden Ideen der modernen Dichtung gefunden: Nicht der Gegenstand der Dichtung ist primär, sondern wesentlich ist die Verwandlung des »Realen« durch und in Gesang. Das Sagen der Dinge, also die Dichtung, ist schöpferischer Akt.

Hugo von Hofmannsthal (1874–1929)

Man hat sich daran gewöhnt, Hugo von Hofmannsthal im Bunde mit George und Rilke als einen der Sterne des klassischen Dreigestirns der modernen Dichtung des 20. Jahrhunderts zu nennen. Dazu sei einiges bemerkt.

Streng genommen gehörte nur die erste seiner Schaffensperioden bis 1900, da er sich mit 26 Jahren der Lyrik versagte, zur Geschichte des deutschen Gedichts; die andern gehörten der Essayistik, dem Journalismus, der Bühnendichtung an, Bereichen, wo andere »geistige Dränge« sich in seine Dichterkraft »dumpfer vermischten« – das Wort ist an George gerichtet. Er ist frühreif, fast ein lyrisches Wunderkind, von altkluger Skepsis schon in jungen Jahren, und unterlag viel mehr als George, ja sogar Rilke, dem Reiz, mit dem Publikum zu spielen: »Es gibt dem Geist ein verblüffendes und unwahres Verhältnis zu den Dingen

des Lebens, ein Verhältnis voll Koketterie, voll Pointen und Antithesen . . .
im tiefsten unwahr und unsäglich verführerisch.«

Mit George ging er anfänglich eine Wegstrecke gemein. Er hat den
Älteren angezogen; der aber forderte von ihm, wie es Georges herrischer
Natur entsprach; Hofmannsthal jedoch versagte sich ihm am Ende aus
Treue zu sich selbst. Ihre Korrespondenz atmet den Geist zweier Men-
schen, welche die Natur nicht füreinander bestimmt hat.

Hofmannsthal: »Ich glaube, es widerstrebt mir sehr, den Ausdruck der
Herrschaft über das Leben, der Königlichkeit des Gemütes aus einem Munde
zu vernehmen, dessen Ton mich nicht zugleich mit der wahrsten Ehrfurcht
erfüllt . . .«

Das zielte auf die Haltung der Georgeschule, mittelbar auf George
selbst.

Auch von Rilke trennte ihn Wesentliches. Zwar waren ihre frühen
Gedichte dem gemeineuropäischen Boden der Romantik verhaftet,
waren »neuromantisch«: – »frühgereift und zart und traurig«; aber
während Rilke bei der Lyrik blieb und sie bis zu einem gewissen Endpunkt der sprachlichen Entwicklung, *seiner* Entwicklung, führte, wurde
Hofmannsthal immer stärker von der Gattung des Dramas ergriffen,
und seine lyrische Potenz verströmte sich in außerlyrische Bezirke –
nicht zuletzt als fermentierende Kraft des Musikdramas, dessen be-
deutendem Exponenten, Richard Strauß, er Freund und Mitarbeiter
war.

Hofmannsthal war die bewußt österreichische Stimme in dem Trio
der Lyriker. Das Deutsche in ihm entdeckte sich als spezifisch öster-
reichisch. Er liebte sein Land: Prinz Eugen und Maria Theresia; Rai-
mund, Stifter, Grillparzer; und natürlich die Musik. Er liebte die ganz
un-georgische und unpreußische Lebensform: hatte Verständnis für das
laissez-faire, laissez-aller, und verharrte lieber im Unentschiedenen,
als daß er, wie es georgisch war, einen Kreis von Menschen beherrschen
und durch Idee und Wort zum Menschenbildner werden wollte. Auch
Rilkes Sucht und Sehnsucht nach adliger Beziehung und Herkunft, nach
Aufenthalt und Wohnung in Schlössern und alten Möbeln war ihm
nicht wesenseigen, so wenig wie der Hang zur Preziosität zum hoch-
geschraubten Stil Rilkes sich dauernd seiner bemächtigen konnte. Nicht
weniger als die zwei andern hatte er seine tragischen Erkenntnisse und
Erfahrungen, aber die Frucht s e i n e s Reifens war am Ende nicht der
symptomatische »Brand des Tempels«, Vision und Agonie, auch nicht
die esoterische Metaphysik der »Sonette an Orpheus«, sondern lächelnde
Weisheit eines Menschen, der weder Prophet noch Philosoph und doch
ein Wissender war – königlich und bescheiden in Haltung und Ge-

bärde. Wie er es gewünscht hatte, wurde er – am 15. Juli 1929 – in der Kleidung eines Franziskaners beigesetzt.

In sein Österreichertum war die ganze deutsche Kultur eingelassen: er verstand den Preußengeist so gut wie Habsburg, sah in diesem historisch gewordenen Dualismus die Spannweite deutschen Wesens und vermochte von hier aus zu zeigen, wie das Schrifttum ein »geistiger Raum der Nation« ist. Noch während des ersten Weltkriegs, als die theresianische Ambiente in der Donaumonarchie noch vorherrschend war, bekannte er sich zu dem Gedanken einer mitteleuropäischen Gemeinschaft; nach dem Zusammenbruch und der Aufteilung Österreichs war seine europäische Gesinnung von Skepsis nicht frei. Kosmopolitismus und Chauvinismus waren ihm gleichermaßen verdächtig. Europa war für ihn nur jeweils »in den höchsten Äußerungen jeder Nation enthalten«.

Das den drei Dichtern Gemeinsame lag auf der hohen Ebene ihrer Kulturerfahrung. Welches Bildungsgut hatte *Rilke* von seinen langen, wiederholten Reisen aus Rußland, Spanien, Frankreich, Norddeutschland, Italien, der Schweiz und Österreich eingeholt! Alles war, wie er es vom »alten Rußland« sagte, »in die Grundmauern meines Lebens eingelassen«. Wir erinnern uns, wie andererseits *George* die Brücke von der Moderne aus rückwärts über das Mittelalter zum Griechentum und dem Orient schlug. Nun sehen wir, daß *Hofmannsthal* die literarischen Zeiten und Räume durchschreitet: die griechische Antike (da ergriff ihn alter Mythensinn mit stärkster Gewalt), das Mittelalter (aus dessen christlichem Geist der »Jedermann« entstand), dann die europäische Renaissance- und Barockdichtung (Shakespeare und Calderón), die Klassik Frankreichs (man denke auch an die Molière-Bearbeitungen) und das Zeitalter Goethes (Erlebnisse, Symbole, Bilder, Klang und Farbe mancher Verse verraten Hofmannsthals intimen Umgang mit Goethe) und endlich die Gegenwart des belgisch-französischen Symbolismus, der damals alle bezauberte. Vergessen wir nicht, daß Hofmannsthal gerade durch sein Studium der Romanistik sich die mediterrane Kultur der Antike und ihr lebendiges Erbe erschließen konnte. Seine ganze Existenz ist ein Beweis dafür, daß »Bildung« für einen Künstler und Schriftsteller nichts Überflüssiges oder gar Hemmendes ist, sondern eher ein goldener Überfluß und unerschöpflicher Reichtum, was allzu leichtfertig und zu häufig von unseren heutigen schaffenden Künstlern geleugnet wird. Bei Hofmannsthal jedenfalls erwies es sich, daß eine solche, in eigene Substanz verwandelte Bildung den geistigen Horizont in die Tiefe und Weite eröffnet, daß sie zu philosophischem Weltverstehen verhilft, zu Urbanität und Toleranz erzieht und eine kritische Reserve auch gegenüber der Wichtigkeit des eigenen Werkes hat.

Hofmannsthal hat Bleibendes geschaffen. Einige der frühen *Gedichte* wie die »Terzinen über die Vergänglichkeit«, die »Ballade des äußeren Lebens«, »Manche freilich ...« gehören zur klassischen deutschen Lyrik der großen Trias der Jahrhundertwende; sie sind Gipfelleistungen dichterischer Kunst, viel zitiert und meisterhaft kommentiert. Seine *Essays* bleiben als sprachliche und geistige Leistungen dieser von ihm bevorzugten Gattung einer freien, geöffneten Form; sie gewinnen immer größeren Wert als Dokumente eines Generationsgeistes, der die sensiblen, impressionistischen Lyriker neben so vielen Romanciers seiner Zeit in Europa an der Jahrhundertwende erfaßt und erfüllt hat. Man erinnere sich der Seiten, die Hofmannsthal am Ausgang des Jahrhunderts (1893) schrieb.

»Uns aber ist nichts zurückgeblieben als frierendes Leben, schale, öde Wirklichkeit, flügellahme Entsagung. Wir haben nichts als ein sentimentales Gedächtnis, einen gelähmten Willen und die unheimliche Gabe der Selbstverdoppelung. Wir schauen unserm Leben zu; wir leeren den Pokal vorzeitig und bleiben doch unendlich durstig ... Wir haben gleichsam keine Wurzeln im Leben ...«

Das sind die »Neuromantiker«, in wenigen, sicheren Strichen skizziert – die »Décadence« des späten Impressionismus, deren Konturen schon Nietzsche, eine Generation vor Hofmannsthal, umrissen hatte. Und einige Seiten später:

»Heute scheinen zwei Dinge modern zu sein: die Analyse des Lebens und die Flucht aus dem Leben ... Man treibt Anatomie des eigenen Seelenlebens, oder man träumt. Modern sind alte Möbel und junge Nervositäten; ... das Zerschneiden von Atomen und das Ballspiel mit dem All ... und modern ist die instinktmäßige, fast somnambule Hingabe an jede Offenbarung des Schönen, an einen Farbenakkord, eine funkelnde Metapher, eine wundervolle Allegorie.«

Da also rafft Hofmannsthal zusammen, was damals »modern« hieß: die psychoanalytische Moderne, die physikalische Moderne, die ästhetische Moderne – insgesamt die drei faszinierenden Modernitäten am Eingang unseres Jahrhunderts.

Die »Landschaften der Seele«, die Hofmannsthal so gut zu zeichnen wußte, evoziert er nun in seinen *Bühnendichtungen* zu vollem Leben. Der Dramatiker Hofmannsthal ist immer neu zu entdecken. Da bleibt als erstes das unvergessene Versdrama aus früher Zeit: »Der Tor und der Tod«. Auch diese lyrische Tragödie beleuchtet das neuromantische Phänomen der »Impotenz des Herzens«, dem Walter H. Sokel in einer ausgezeichneten Studie seines »Literarischen Expressionismus« nachgegangen ist. Dieser Claudio des Versstückes, der »im Innern Stummgeborene« – »der keinem etwas war und keiner ihm«, der erst, da er stirbt, spürt, daß er ist – er ist der Mensch jener Zeit, in welcher allenthalben in der europäischen Literatur der narzißtische Ästhet sein Wesen trieb; – bei André Gide vielleicht am deutlichsten ausgeprägt, finden wir ihn auch in Prousts Marcel der »Temps perdus«, in Rilkes Malte Laurids Brigge, in den Geschöpfen von Eliot, und in Heinrich und Thomas Manns frühen Werken. Er ist der »auto-emotionale« Typ: intellektuell, alles wissend, zaudernd, ein Impotenter des Herzens, verführender Egozentriker, der unfähig ist, sich zu binden, zu verschenken, ein Belasteter der Spätzeit, die mit ihm in Träumen versinkt. Und da ist das »Kleine Welttheater« – die »Glücklichen«: Schauspieler selbstgeschaffener Träume, die selig Kunstberauschten, die auf schmalem Grat das Glück ihrer Traumwelt angesiedelt haben und so oft ihre Sehnsucht an schwankende, schwindende Werte klammerten: »Die Frau am Fenster« (1898), »Die Hochzeit der Sobeide« (1899) und aus dem gleichen Jahr »Der Abenteurer und die Sängerin« – sie alle unvergeßliche Frauengestalten von einst, von jetzt und immer. So die Sängerin Vittoria, deren Worte an den einst Geliebten die lebenspendende Kraft der Musik, die auch in dem Dichter wirkte, zu erweisen scheint:

> Du hauchtest Schmerz und Lust
> In mich, wie einer Luft in Flöten haucht,
> So achtlos einen Augenblick zur Kurzweil,
> Doch nun bedarf es Deines Athems nicht!
> Bin ich nicht die Musik, die er erschuf?

Dann, nach der lyrischen Periode die andern Stücke: »Elektra« (1903), »Das gerettete Venedig« (1905), »Ödipus und die Sphinx« (1906) – bis zur Krone seiner Theaterdichtung aus Calderonschem Geist: »Der Turm« (1925). Der Expressionismus war fast schon im Stadium seiner Spätblüte. Eine ästhetische Weltanschauung war seit dem Zusammenbruch auch für Hofmannsthal kaum noch möglich. Im Gespräch erklärte er, schreibt Rudolf Kayser in seinen »Erinnerungen an Hofmannsthal«, daß der »Turm« seine Antwort auf die Zeitgeschichte sein soll: »Glauben Sie nicht, daß ich mich um die Außenwelt nicht kümmere. Ich sehe genau, was vorgeht, und versuche auf meine Weise damit fertig zu werden.« Der »Turm«, die Tragödie des modernen Zivilisationsmenschen. Hofmannsthal vermag den politischen und sozialen Umwälzungen, die er noch erlebte, nur die Zeitlosigkeit von Mythus und Legende gegenüberzustellen. Drei Jahrzehnte hat ihn das Thema aus Calderóns »Leben ein Traum« bewegt; immer neue Probleme, aus politischen Erfahrungen stammend, haben sich im Gange der inneren Entwicklung dort angesiedelt. Jetzt stellte sich die Frage, ob die Kraft des Magischen einer entseelten Welt noch einmal eingebildet werden könne. Wird sich ein neues Reich der Gerechtigkeit stiften lassen, nachdem die alte, vom Geist bestimmte Ordnung aufgelöst ist? Wird werden, was die Armen von der Tat des Königs erhoffen?: Als Sigismund, der Königssohn, der im Turm gefangen ist, in die Welt tritt, muß er sterben. Er entsagt dem Tun und fällt als Opfer. In Sigismund verbindet sich ein politischer Sinn mit der Tragödie des Dichters und Märtyrers. Sigismund ist der rechte König: er muß der »Wirklichkeit« zum Opfer fallen; er ist auch der Dichter, dessen Wort die Welt beseelen kann; das Wort aber wird gerettet, als es ihm, noch unbefleckt von der Welt, der Kinderkönig, mit dem Sigismund Blutsbrüderschaft schloß, aus dem Munde nimmt: »Das, was du nicht sagen kannst, das allein frage ich dich.« In der letzten Fassung näherte ihn Hofmannsthal noch mehr der Gestalt Christi, und so zeichnete sich auch eine religiöse Schicht dieses seltsam verschlüsselten symbolischen Stückes ab. In seinem Tagebuch vermerkte der Dichter: »Der Turm: Darzustellen das eigentlich Erbarmungslose unserer Wirklichkeit, in welche die Seele aus einem dunklen mythischen Bereich hineingerät.«

Und davor liegen die Komödien, das Charakterlustspiel »Der Schwierige«, in dem manche, wie Paul Requadt, des Dichters bedeutendste Leistung sehen. Es ist ein wehmütiger und halb ironischer Abschied vom alten Österreich und der Wiener Aristokratie, zu der er ja selbst gehörte. Nobel, fast scheu, immer liebenswert, so ist dieser Graf Bühl, für den es so »schwierig« ist, dem geliebten Mädchen seine Gefühle zu offenbaren. Wahrhaft populär ist Hofmannsthal nie geworden. Vielleicht hat nur sein »Spiel vom Sterben des reichen Mannes Jedermann« (1911) eine unverlierbare Wirkung in seiner altertümlich-poetischen Sprache, wie sie einst die mittelalterlichen Mysterienspiele auf die Gemüter der Menschen ausübten. Die erste Aufführung unter Max Reinhardt war eine Glanzleistung; heute ist das Spiel Bestandteil der Salzburger Festspiele. Und dann wird Hofmannsthal – und sollte ihn niemand mehr lesen, ein zweites Leben durch seine lustspielhaften Libretti leben, die er für Richard Strauß geschrieben hat: Voran »Der Rosenkavalier« (1910), am Ende die »Arabella« (1929) und dazwischen neben andern die »Ariadne auf Naxos« (1912), die »Josephslegende« (1914) und »Die ägyptische Helena« (1928). So hat sich, im wirklichen Sinne, das Wort des Dichters in Musik aufgelöst. Hofmannsthal war immer ein Horchender; er lauschte dem unterirdischen Quellen der Geschichte, und im Hinhorchen sollten wir wieder sein Wort vernehmen, das auch in veränderter Zeit seine magische Kraft bewahrt hat.

2.

Während die drei »Klassiker« dichteten und sich mit ihnen und durch sie all das vollzog, was wir eingangs von der Übernahme des Fremden und seiner Verwandlung in eine deutsche Lyrik sagten, brachte bereits der zweite Schub die deutsche Poesie in neue Bewegung: Der *Expressionismus.* Er war eine übernationale Bewegung wie der Naturalismus und der Symbolismus. Er war *die* moderne Revolution in Kunst und Literatur des 20. Jahrhunderts schlechthin – jedenfalls bis heute. In das erste Jahrzehnt fällt die Wirksamkeit von Picasso, Arnold Schönberg, Guillaume Apollinaire und Einstein; im zweiten Jahrzehnt erscheinen Marinettis Manifest des Futurismus, die Dada-Bewegung T. S. Eliots »Prufrock«, der »Ulysses« von Joyce; zwei Dramen Barlachs, Strawinskys »Sacre du Printemps«; Marc Chagall, Max Beckmann, Oskar Kokoschka stehen in den Dreißigern. Die Bewegung geht am Anfang des Jahrhunderts über die Erde von Rußland bis Amerika; sie ergreift alle Künste und ist bis in die Philosophie hinein spürbar. Aus Gründen aber, denen man erst in jüngster Zeit nachging, Gründen sozialer und politischer Art und Gründen der philosophischen Wirksamkeit eines Kant, Schopenhauer und Nietzsche, wurde der Expressionismus ein wesentlich deutscher Beitrag, da sich typische Reaktionen und Verhaltensweisen des deutschen Menschen in ihm auszudrücken scheinen. Alle, die sich mit seinem Wesen beschäftigten bis hin zu Walter H. Sokel (»The writer in extremis«, 1959) haben als Dichter oder als Literaturkritiker, als Kunsthistoriker oder Kulturphilosophen darauf hingewiesen, daß Ähnliches schon im »Göttinger Hain«, im »Sturm und Drang« vor allem, dann in der »Romantik« und im »Jungen Deutschland« sowie im Naturalismus zu erkennen war, ja daß die drei Errungenschaften der deutschen Klassik und Romantik: die Unterscheidung von ästhetischen und logischen Ideen (bei Kant), die souveräne Freiheit des Genies (in der romantischen Forderung bei Schlegel) und die Absorbierung des Inhalts durch die Form (wovon schon Schiller sprach), den Boden für die moderne Kunst, und das heißt vor allem den Expressionismus, vorbereitet haben. Im Ablauf der Kulturperioden beobachten wir, wie sich innere Anlagen, »gleiche Ausdruckszwänge«, um mit Benn zu reden, wiederholen. Derselbe Benn entdeckte auch, klug und hellsichtig wie er war, in Kleists »Penthesilea«, Goethes »Faust«, (Teil II), in Hölderlins bruchstückartiger Lyrik, in Wagners Partiturseiten absoluter Musik und in Nietzsche wesentliche Elemente des dichterischen, wie in Cézanne, van Gogh und Munch entsprechende Elemente des malerischen Expressionismus. Im deutschen Kulturbezirk fällt die besondere

Radikalität der Revolution auf, welche jeweils schnell und gründlich die alten Götter stürzt, damit neue Altäre aufgerichtet würden. Infragestellen, Entfesseln und Rebellieren, die »Wirklichkeitszertrümmerung als rücksichtsloses An-die-Wurzeln-der-Dinge-Gehen«, wo die Dichter »im akausalen Dauerschweigen des absoluten Ich der seltenen Berufung durch den schöpferischen Geist entgegensehen« – das ist nach Gottfried Benn (Lyrik des expressionistischen Jahrzehnts, 1955) die innere Grundhaltung dieser Generation. Die innere Grundhaltung, sagt Benn; denn der empirischen Abwandlungen in der Dichtkunst selbst gibt es viele. Wie jede Generation hat auch die expressionistische ihre Widersprüche, Gegensätze, mannigfachen Individualitäten, die jedweden Versuch einer klassifizierenden Einordnung problematisch werden lassen.

Literarhistorisch ließe sich indessen ohne Gefahr allzu grober Verfälschung sagen, daß der Expressionismus eine Reaktion sowohl gegen den Symbolismus als auch gegen den Naturalismus ist. Den Expressionisten besagt der aufklärerische Positivismus der strengen Naturalisten wenig. »Nicht photographieren, sondern schauen!« verkündete Kasimir Edschmid 1917 in seiner Abhandlung »Über den dichterischen Expressionismus«. Was sollte schon an der Jahrhundertwende, die bereits im Schatten der kommenden Katastrophe stand, was sollte erst gegen Ende des Weltkriegs, als die dämonischen Kräfte des Menschen entfesselt waren, ein naturalistisches Denken, das sich radikal antimetaphysisch und antimythisch gebärdet und von der höllischen Untiefe der Geschichte kaum etwas geahnt hatte? Nur wo sich der Naturalismus der Kunst ins Mythische steigerte, bei Zola etwa und dem späteren Hauptmann, da waren innere Bindungen an die expressionistische Richtung gegeben. Und was sollte an der andern Front dieses früh gezeichnete Geschlecht, das auch alsbald von der Sturmflut des ersten Weltkrieges fortgeschwemmt wurde, mit der ästhetisch-impressionistischen Grundhaltung der neuromantischen Symbolisten beginnen? Mit jenen Dichtern, die, wie einst die Romantiker, ihr Leiden an der Welt in Träumen kompensierten und den ästhetischen Weg zur Bewältigung der schmerzlichsten Lebenserfahrungen zu gehen suchten? Auch zogen Romantiker und Symbolisten den Schleier zu fest vor die naturalistische Wirklichkeit und bedeckten mit heiliger Scheu das nächtliche Grauen des »Es«, dessen Gesicht sie fürchteten. Eine ästhetische Lebensform, das fühlten sie alle, würde bald nicht mehr möglich sein. Dennoch hingen die Expressionisten mit manchen Fäden am Symbolismus, insofern dieser ihnen selbst den Blick ins Mark der Dinge, oder auch hinter die Welt, geöffnet hatte, dahin, wo sich die Urkräfte der

15   Rainer Maria Rilke
Ölgemälde von Oskar Zwintscher (1902)

Geschichte regen, wo Eros und Tod miteinander ringen. Elemente des Naturalismus wie der Neuromantik sind im Expressionismus aufgehoben. Im dialektischen Spiel der Kräfte wäre also diese junge Bewegung eine Synthesis aus der Thesis und Antithesis der vorangehenden Richtungen und Strebungen.

Ernst Wiechert hat in seiner Autobiographie »Wälder und Menschen« das Bild der deutschen Generation von 1905 gezeichnet. Es ist die Altersgemeinschaft der Expressionisten. Die stärksten Eindrücke seien ihr von Dostojewskij und Tolstoi, von Ibsen und Strindberg, von Schopenhauer und Nietzsche gekommen. Auch von Dickens, Balzac und Zola. Das erweist sich nicht nur für den Epiker als richtig, sondern auch für den Lyriker. Im sozialen und politischen Bereich seien sie ein querköpfiges Geschlecht gewesen, hätten das Hohle und Fassadenhafte des ausgehenden Kaiserreichs erkannt und wären als »glühende Sozialisten« vom Drange bewegt gewesen, die Welt zu zerschlagen, um eine bessere aufzubauen. Tatsächlich war Aktivismus im sozial-politischen Sinn ein Kennzeichen der Expressionisten. Sie alle lebten im Gefühl einer Weltkrise, da ihnen alles fragwürdig geworden war. Radikaler Sozialismus und Antikapitalismus, pathetisch verkündeter Pazifismus und Antimilitarismus bis in die Spielarten von Anarchie und Kommunismus hinein, Kritik an Thron und Altar, Zerstörung der Illusion in Politik, Wirtschaft und den Künsten – das waren die Zeichen, unter denen das junge Deutschland des 20. Jahrhunderts antrat: Musiker wie Maler, Dramatiker, Epiker, Lyriker: Wedekind und Schnitzler, Sternheim und Kaiser, Barlach und Toller, Zech und Joh. R. Becher.

Aber sie wurden ein Geschlecht der Geopferten. Frühreif wie einst die Stürmer und Dränger traf sie das Schicksal zumeist schon vor und während des ersten Weltkriegs, den sie kommen sahen und als Zeitenwende vorausahnten. Heym ertrank 1912; Trakl endete sein Leben selbst im 1. Jahr des Krieges; Stadler fiel im Westen, und Sorge, Sack, Lichtenstein, Stramm starben, von den Kriegsjahren und Ereignissen dahingerafft. Andere überlebten das Grauen wie Werfel und Becher, aber dafür gingen sie um 1933 wieder mit anderen in die Verbannung: die Künstler vom Bauhaus, von der Brücke, vom Sturm – auch Arnold Schönberg und Thomas Mann. Wenige nur überlebten auch diese Krise, dieses noch entsetzlichere Grauen: Brecht, Benn, Becher, alle drei erst 1958 gestorben. Die Generation der Expressionisten ist dahin – nicht aber ihre Wirkung und ihr Werk.

Wie sieht ihre Dichtung aus? In seiner Studie über das Thema »Was war Expressionismus?« hat F. Martini ihre lyrische Sprache gedeutet: Steigerung der Ausdrucksenergie bei der Übernahme naturalistischer Motive; Verse oder Versgruppen, von elementarer Wucht, nicht harmonisch oder symmetrisch gefügt, sondern im musikalisch-linearen Sinne dissonierend – kontrastierend, aneinander- und übereinander geschichtet; Aussparung von Worten war ihr technischer Kunstgriff; gezielte Knappheit bei visionärer Bildersprache von oft symbolischen Farbwerten; eine Expedition ins Irreale und Alogische, wo der Dichter einerseits bis an die Grenze des Wahnsinns geht, und wo andererseits der Schritt ins Mythische wieder gewagt wird. Zweifellos brach in der Malerei wie in der Dichtung der Expressionisten Platonisches ursprünglich wieder auf.

»Der große Garten Gottes«, schrieb Edschmid, »liegt paradiesisch geschaut hinter der Welt der Dinge . . . wie unser sterblicher Blick sie sieht. Große Horizonte brechen auf. Melodie der Schöpfung aus dichterischem Ruf . . . voll Ehrfurcht nähert Dichtung sich dem Kern der Dinge . . .«

Raum und Zeit rücken zusammen. Noch wird der Vers wie bei Trakl, mit einer hauchdünnen Patina romantischer Wehmut überzogen; am Ende aber werden Formen und Inhalte zerbrochen, wie in Joh. R. Bechers früher Lyrik oder im bewußten Gestammel des Dadaismus; Ende der Kausalität und Schwerkraft – man möchte sagen – der klassischen Mechanik der Poesie. Der Gegenwurf und das konsequente Extrem ist das automatische Schreiben, das vornehmlich die expressionistischen Surrealisten propagierten. Ein Spiel innerer Monologe auf den Kraftfeldern des Unbewußten. Bleiben wir beim Bilde der Mechanik: Wie die moderne Mikrophysik die klassische Mechanik überwand, so wollte die Dichtung in andere Schichten der Wirklichkeit stoßen; das war der eigentliche Impuls, durch den der Expressionismus an den wissenschaftlichen Naturalismus gebunden war.

Die große Zeit des Expressionismus war vor und während des ersten Weltkriegs. Der Krieg wurde verloren, die Schlacht der Expressionisten gewonnen. Aber mit dem Sieg, der den Dichtern recht gegeben hatte, war ihre geschichtliche Aufgabe auch erfüllt. Alles war gut, solange der Impuls echt war; als aber bald nach dem Kriege aus dem expressionistischen Stil Manier und Mode wurde, war seine Kraft und Schönheit gebrochen. Auf dem Trümmerfeld hätte nach der Überwindung von Naturalismus und Neuromantik der erträumte Aufbau einer neuen poetischen Welt beginnen müssen. Aber die Jugend war gefallen. Die politischen und sozialen Ereignisse drängten die Verbliebenen, drängten ganz Deutschland und die Welt in andere extreme Richtungen. Es geschah das Paradox, daß Hitler die Elemente des Expressionismus als »entartete Kunst« oder die Bewegung als »Kulturbolschewismus« zu unterdrücken und auszurotten trachtete, während diese expressionistischen Elemente, in anderer Weise sich verbindend und kristallisierend, der Idee des »totalen Menschen« Vorschub leisteten. Hier liegen interessante Probleme, auf die Sokel hinwies, und die noch nicht gelöst sind.

In den überlebenden Expressionisten vollzog sich indessen, nach offenbar unüberwindbaren Gesetzen, eine Rückwendung zur Form und formalen Zucht – nicht im Sinne einer geistig-politisch-ästhetischen Reaktion – im Gegenteil: im Sinne einer freiwilligen Unterwerfung unter das Gesetz der lebendigen Form an sich. Die erregendsten Beispiele, die ich in der Lyrik kenne, sind Joh. R. Becher und Gottfried Benn. Bechers Bekenntnis zum Sonett und sein Versuch einer »Philosophie des Sonetts« (die nur in Ansätzen vorliegt und die zu vollenden ihn der Tod gehindert hat) liegen in dieser Richtung. Er wurde durch diesen inneren Zwang zur Form neben seinem Antipoden Weinheber der letzte große Sonettist deutscher Sprache – eine seltsame, aber tiefbedeutsame Entwicklung eines der führenden Expressionisten der Frühzeit. Der andere ist Benn. Für ihn lautete die Frage: Was ist Gestaltung und wie ist sie möglich? Schon die Fragestellung ist von kantischer Wucht und Grundsätzlichkeit. Er schrieb:

»Die Frage, mit der Kant 150 Jahre früher eine Epoche der Philosophie beendet und eine neue eingeleitet hatte: Wie ist Erfahrung möglich, war hier im Ästhetischen aufgenommen und hieß: Wie ist Gestaltung möglich?«

Für Gottfried Benn gehört diese grundlegende Fragestellung der Expressionisten in den Problemkreis und die »Zwangswelt« des 20. Jahrhunderts, »in seinen Zug, das Unbewußte bewußt zu machen, das Erlebnis nur noch als Wissenschaft, den Affekt als Erkenntnis, die Seele als Psychologie und die Liebe nur noch als Neurose zu begreifen.« Diese Fragestellung setzte zugleich voraus, daß neue Welten entdeckt, daß alte Schranken der Dichtung eingerissen, daß jenes »Es«, »das noch bei Goethe, Wagner, Nietzsche gnädig bedeckt war«, nunmehr bloßgelegt wurde. Die Fragestellung erwies echte Bereitschaft, »echtes Erlebnis eines neuen Seins, radikal und tief« – und so gingen die Expressionisten »jenen dunklen Weg zu den Schöpfungsschichten, zu den Urbildern, zu den Mythen«. Soweit ist auch Benn im Einverständnis mit der expressionistischen Generation. Nun aber sagt er als alter Mann Dinge, die zu denken geben:

»Ich bin sicher und ich sehe und höre es von andern, daß alle die echten Expressionisten, die jetzt also etwa meines Alters sind, dasselbe erlebt haben wie ich: daß gerade sie aus ihrer chaotischen Anlage und Vergangenheit heraus einer nicht jeder Generation erlebbaren Entwicklung von stärkstem inneren Zwang erlegen sind zu einer neuen Bindung und zu einem neuen geschichtlichen Sinn. Form und Zucht steigt als Forderung von ganz besonderer Wucht aus jenem triebhaften, gewalttätigen und rauschhaften Sein, das in uns lag und das wir auslebten, in die Gegenwart auf. Gerade der Expressionismus erfuhr die tiefe sachliche Notwendigkeit, die die Handhabung der Kunst erfordert, ihr handwerkliches Ethos, die Moral der Form. Zucht will er, da er der Zersprengteste war; und keiner von ihnen, ob Maler, Musiker, Dichter, wird den Schluß jener Mythe anders wünschen, als daß Dionysos endet und ruht zu Füßen des klaren delphischen Gottes.«

3.

Der dritte Schub deutscher Lyrik wurde nach dem zweiten Weltkrieg spürbar. Grundsätzlich Neues gegenüber den Errungenschaften des Naturalismus, der Neuromantik und des Expressionismus hat er nicht hervorgerufen. Im Gegenteil wird in unserer Zeit der alte Expressionismus als der eigentliche schöpferische Aufbruch der Dichtung unseres Jahrhunderts betrachtet. Das zeigt sich bereits im Kunsthandel mit der preislichen Bewertung expressionistischer Kunstwerke auf den internationalen Auktionen; das zeigt sich in den Regiestilen unserer heutigen Theater; das zeigt sich ebenfalls im literarischen Schaffen und dem besonderen Interesse, das die Literaturwissenschaft der letzten Jahre am Phänomen des Expressionismus genommen hat; nicht zum wenigsten mag die Rückbesinnung unserer Zeit auf den Expressionismus ein politisches Motiv haben. Und wieder hat die Menschheit, genau wie vor 50 Jahren, das dumpfe Gefühl einbrechender Weltkatastrophen. So knüpft die junge Generation viele Fäden an den Expressionismus an, geht aber auch – unter Ausklammerung der drei »Klassiker«, von denen wir sprachen – rückwärtsschreitend zu dem Altmeister der modernen Lyrik, zu Mallarmé. Natürlich liegt zwischen Heute und Gestern eine gewaltige Spannweite der Entwicklung, die vor allem durch die Fortschritte der Physik, der Technik, der Wirtschaft, des Verkehrs und der gesellschaftlichen Umschichtung hervorgerufen wurde. Aber eine lyrische Entwicklung hat ihre Grenzen. Über Rilke und George, Heym und Trakl, Benn und Brecht noch weiter hinauszugehen und lyrisches Neuland zu entdecken, ist schwierig. Freilich bieten sich immer wieder neue Themen an, auch vorher nicht gesehene neue Beziehungen etwa zwischen der Philosophie des Existenzialismus, der atomaren Physik und der abstrakten Musik und Malerei. Und immer wird, wie es eh und je war, das lyrische Wortkunstwerk einer unter den mannigfachen Ausdrücken des jeweiligen Zeiterlebens sein. Aber schließlich bleibt das Gedicht in den Fesseln des Wortes: Es kann weder »reine Musik« noch eine »mathematische Formel« werden oder kann solche ersetzen; und umgekehrt wird kein Techniker oder Mathematiker mit einer poetischen oder visuellen Abstraktion, und wenn sie noch so viel Wahres von der Zeit aussagt, arbeiten können. »Abstraktion« bedeutet in der Welt der heutigen Naturwissenschaft etwas anderes als »Abstraktion« der heutigen Kunst. Die beiden Welten bleiben getrennt. Im Dichterischen heißt Abstraktion Stilrichtung, und zwar diejenige, welche durch die Abkehr vom Konkreten bedingt ist. Dadurch sind aber weder Dichtung noch Musik noch Plastik oder Malerei zur Mathematik geworden.

Die Anthologien der letzten fünfzehn Jahre zeigen neue Gesichter und Gedichte. Ihr einfaches Dasein hat seinen Grund. Sonst wären sie nicht. Der Drang zum Dichten scheint dem Menschen wesenhaft. Lebt der Dichter »in der Zeit« und hat er ein helles Bewußtsein von ihr, dann werden seine Gedichte auch den »Geist der Zeit« in sich tragen, und die Auffindung einer sprachlichen Formel des Zeitverständnisses wird seine besondere Leistung sein. Unsere Zeit aber ist unendlich schwer zu begreifen; man müßte Naturwissenschaftler, Soziologe, Philosoph, alles in einem und in jedem Gebiet Fachmann und dazu geistig universal begabt sein, um Kern und Schale unserer Epoche zu verstehen. Wer vermag das? Wenn aber schon einer der fachlichen Betätigungskreise von einem Menschen kaum noch umlaufen werden kann, wen wundert es, daß die »moderne« Dichtung – dieses Weltkonzentrat eigener Art – noch schwerer zu begreifen und zu umgreifen ist? Schwer hat es der Dichter. Er will und vermag nicht mehr wie Klopstock, Hölderlin, Goethe oder Rilke zu dichten. Doch m u ß er dichten, wenn er nicht freiwillig, wie schon der große Ahnherr der Moderne, Arthur Rimbaud, sich die Zunge bindet. Da tritt dann eine Dichtung zutage, die auf Anhieb niemand mehr versteht, und wenn es auch nur »Rufe in unserer Zeit« sind. Sie ist fast nur noch der fachmännischen Analyse des Literaturwissenschaftlers zugänglich, muß »erarbeitet« werden, ist kein Zeitvertreib, keine seelische oder geistige Erholungspause mehr.

Daraus ergibt sich eine Entfremdung zwischen Dichter und Publikum. Sie war zwar mehr oder weniger immer da, aber sie fällt uns heute besonders in die Augen. Der Dichter wird einsam und in die Defensive gedrängt. Das ist töricht vom Publikum und schmerzlich für den Dichter; denn immer noch ist der wirklich große Dichter (nur an ihn sei hier gedacht) etwas wie ein poeta-vates, er hat einen divinatorischen Sinn, ist immer ein klein wenig der eigenen Zeit voraus und fühlt das Kommende. Was aber steht ihm als Instrument seiner Aussage zur Verfügung? Nur das Wort und was man mit ihm »machen« kann: Sätze, Bilder, Rhythmen, Strukturen; das hat er und das kann er; aber er hat nicht die Farbpalette, hat nicht die Skala der physikalischen Töne, oder die mathematische Formel; er ist kein Maler, kein Tonsetzer, kein Mathematiker, aber er sehnt sich immer ein wenig danach, es zu sein. Das wissen wir von Valéry. Also nur das Wort: Auf diesem schmalen Grat muß er arbeiten. Da er nicht banal sein will, muß er chiffrieren. Das Wort wird beim modernen Dichter häufig zur Chiffre, und der Vers zur Zeichenreihe. Das ist *seine* Abstraktion: ein Tribut, den er an unsere Zeit zahlt. So wird die ganze heutige Dichtung »schwer«, »ernst«, ja »bitter«. »Der Umgang mit Kunst ist ein bitter ernster Umgang geworden«, sagt Karl Krolow. Darüber hat der Dichter fast das Spielen vergessen, also jene göttliche Kunst aus dem Auge verloren – und vielleicht ist das *sein* und *unser* größter Verlust – verloren die Souveränität, die frei und spielerisch gestaltet und Freude und Genuß sich und anderen bereiten kann – verloren dies alles in der erdrückenden Umklammerung der Zeit, die den Lebensquell nicht mehr frei nach außen entläßt, sondern ins Innere drängt, verdrängt, verstopft. Statt dessen blüht wie nie zuvor die Theorie und Wissenschaft von der Dichtung. Kaum je gab es eine Zeit, wo so viele gescheite Bücher über Dichtung und Dichter geschrieben worden sind. Die Dichter selbst sind daran beteiligt. Ziehen wir aus all dem, was Kritiker, Literarhistoriker und eben die Dichter selbst über »Dichtung heute« zu sagen haben, das Wesentliche heraus und stellen wir es mit dem zusammen, was eigene Forschung und Erfahrung uns auf diesem Gebiet hat erkennen lassen, so treten uns folgende Gedanken und Leitmotive entgegen:

1. In literaturgeschichtlicher Perspektive gesehen steht die moderne deutsche Lyrik seit dem klassischen Dreigestirn wieder ebenbürtig neben der Dichtung der andern Nationen, sie ist in deren Klang verwoben. Damit ist sie wieder wie einst weltgültig geworden und hat doch als Instrument der Aussage ihre unverkennbare Klangfarbe im Ganzen des Orchesters. War sie mit George und Rilke noch in der Schuld ihrer Väter Mallarmé und Rimbaud, so entfaltete sie mit den Expressionisten eine spezifisch deutsch anmutende Ausdruckskraft, deren revolutionäre, neuartige Linienführung in der Symphonie der lyrischen Weltstimmen unüberhörbar ist.

2. Die Bedeutung eines Gedichts ermißt sich seit dem Expressionismus nicht allein mehr an der Bedeutung der Motive und der Formen, sondern an der Kraft, mit der ein Vers ein Stück Wirklichkeit durch das Wort zum geistigen Besitz verwandeln kann. »Gedichte gewinnen ihr Leben«, sagt Albrecht Goes, »... nicht eigentlich vom Glück einiger kostbarer Formulierungen, sondern vom Maß gelebten Lebens, von der ihnen innewohnenden Wirklichkeit.«

3. Objektive Kriterien zur »Beurteilung« eines Gedichts sind streng genommen nicht mehr gegeben. Nur in den Fällen, wo der Dichter sich noch heute einer »festen Form« bedient, etwa des Sonetts oder der Terzine, kann der Beurteilende sagen, ob dieses oder jenes Gedicht nach dem immanenten Kriterium der Form gut oder schlecht ist. Selbst das ist noch schwierig, wenn man bedenkt, welche Fülle der Spielarten und Anwendungsmöglichkeiten etwa im Sonett gegeben sind. Die Einprägung dichterischer Aussage in eine »forme fixe« ist keineswegs »veraltet« – es genügt ein Blick auf die große spanische und portugiesische Lyrik von heute – sie zeugt vielleicht nur von einem spezifischen Sinn für hohe Formkultur – und warum sollte man diesen Sinn dem Menschen rauben? – oder zeugt auch von philosophischer Einsicht in den Wert gegebener Form, wie wir es bei Benn und Becher sahen. Die Tendenz der Zeit geht allerdings wesentlich – jedenfalls in Deutschland – in die Richtung einer Auflösung fester Formen und auf die Suche zu inneren Strukturen. Jedes Gedicht wird zu einer Monade.

4. Das Bild der heutigen Lyrik zeigt ein Neben- und, oft, ein Ineinander von Altem und Neuem. In älteste Formen, wie das Sonett, wird neuestes Welt- und Zeiterleben gegossen. Konservative Kräfte wirken neben revolutionären und avantgardistischen. Aus ihrem Zusammenspiel ergeben sich Strömungen wie etwa Hofmannsthals »konservative Revolution«. Bewahrendes und Weiterführendes halten sich die Waage. In der deutschen Lyrik ist die Tradition Goethes, der schon im Teil II des »Faust« und im »West-östlichen« Diwan »modern« gedichtet hat, mindestens ebenso stark wie in Italien Dante oder in England Shakespeare (zwei der größten »Expressionisten« der Weltliteratur) – gar nicht zu sprechen von dem nie veraltenden Cervantes, dessen »Don Quijote« schon Dostojewskijs Denken ergriff. Aber mit diesen Namen geraten wir in Bereiche des Epischen. Vor den ganz Großen wird die Rubrizierung in Klassik, Romantik, Symbolismus, Realismus, Expressionismus zum Un-sinn. Die Großen tragen alles zusammen in sich und bleiben eben wegen dieser ihrer Welthaltigkeit immer aktuell und gültig.

5. Littérature engagée und Poésie pure sind auch für die Lyriker von heute polare Gegensätze künstlerischer und menschlicher Haltung. Sie sind keine Kriterien für gutes oder schlechtes Dichten, sondern Grundpositionen, die ein einzelner sogar im Laufe seines Lebens wechseln kann. Der Wert eines Gedichtes ermißt sich auch nicht daran, was es an Zeitproblematik in sich birgt, auch nicht daran, ob es in einem politischen, sozialen, moralischen, religiösen Betracht nützlich und förderlich ist. Poesie ist kein Traktat, kein Essay, keine Predigt – das k a n n

sie sein, war es auch sehr häufig, aber das meinen wir hier nicht. Der Wert eines Gedichts ermißt sich allein daran, ob es überhaupt so oder so ein Stück »Sein« erfaßt und dieses nach poetischen Gesetzen – d. h. nach seiner ästhetischen Idee und immanenten Logik – dargestellt hat. Als Monade ist jedes Gedicht ein Stück Welt. Nach Jahren erst oder Generationen wird sich zeigen, ob ein Gedicht noch lesbar und genießbar ist – oder ob es bei späterer Durchsicht mit dem jeweiligen Schutt beiseite geräumt wird. Ein Hexameter Homers, eine Terzine Dantes, ein Sonett Shakespeares, ein Alexandriner Racines, ein freier Vers Goethes sind so lebendig, modern, aktuell wie je das Beste u n s e r e r Zeit es sein kann. Es gibt also Bleibendes im Wandel. Diese Erkenntnis ist uralt. Wichtig ist für unsere Betrachtung hier die Bemerkung, daß die Heutigen mehr als früher, so will mir scheinen, diesen Tatbestand anzuerkennen bereit sind – wohl weil die heutige Generation mehr ontologisch denkt als früher.

6. Was ist ein Gedicht? Wie entsteht es? Es ist auch heute, was es immer war und sein wird; und es entsteht, wie es immer entstand: Ein Gebilde aus Worten, das im Dichter als einem Medium durch Inspiration oder Offenbarung »werden« kann, oder: mit den Kunstgriffen seines Schöpfers »gemacht« wird – je nach dem der Dichter Medium (einer Offenbarung zugänglich) oder Schöpfer (einer autonomen Leistung fähig) ist. Immer aber ist das Gedicht »autonom«; es darf verlangen, daß es aus sich selbst heraus begriffen wird, und es ist niemandem und keiner Macht grundsätzlich dienstbar. In sich selbst trägt es das Faszinosum, durch sich selbst verzaubert es Dinge und Menschen und errichtet eine Überwirklichkeit. Es ist Magie und trägt zugleich den Geistcharakter des Menschen in sich. Es ist unabhängig von andern Bereichen menschlicher Lebensordnung und Tätigkeit, und ist doch mit ihnen auf geheimnisvolle Weise verbunden. All dessen sind sich die Heutigen wohl bewußt.

7. Die Sonderheit eines Gedichts – etwa im Gegensatz zur Malerei oder Musik – ist durch sein Element, das Wort, bedingt und charakterisiert. Wort ist etwas anderes als Ton, Farbe, Linie, Marmor, Stein, Holz oder synthetische Stoffe. Das Wort selbst aber ist in sich nichts Eindeutiges, sondern hat verschiedene Funktionen. In der Prosa sind Worte fast ausschließlich Zeichen; in der Poesie (und poetischen Prosa) sind sie außerdem noch Wirklichkeiten, Bausteine einer eigenen vom Dichter geschaffenen Welt. Der »Sinn« eines Gedichts liegt in seiner Wortform. Dieser »poetisch«-ästhetische Sinn ist offenbar etwas anderes als der »vernünftig«-logische Sinn. Darauf hatte bereits Kant, wie wir uns erinnern, mit der Trennung von ästhetischen Ideen und Ver-

nunftideen in seiner »Kritik der Urteilskraft« hingewiesen. Man übersetze einmal ein Gedicht in rationale Prosa; dann ist das Gedicht, also die in ihm durch die ästhetische Idee, das Dichterwort, erschaffene Welt zerstört; der »Sinn« hat sich verflüchtigt. In einem Gedicht gibt es in strengem Sinne keine Synonyma. Aber auch die poetischen Wirklichkeiten sind ihrerseits nur Zeichen; denn sie sind nur bildhaft – Bilder eines transzendenten Seins. Selbst die weltenschaffenden Worte des Dichters können ihrer Zeichenfunktion nicht enthoben werden. Hinter, unter, über ihnen steht immer noch etwas. Das Wort bleibt geist- und vernunftträchtig. Auf dieser fundamentalen Erkenntnis baut Raissa Maritain ihren Versuch über den »Sinn und Un-sinn in der Dichtung« auf.

8. Mehr als in früheren Epochen erkennt man heute das scheinbare Paradox: daß einerseits die einzelnen Künste danach streben, autonom zu werden: Dichtung sei eben Dichtung und nicht Musik und Malerei; Malerei sei eben Malerei und nicht Dichtung und Musik; Musik sei eben Musik und nicht Malerei und Dichtung; – und daß doch andererseits diese Künste nur verschiedenartige Phänomene bestimmter Grundtendenzen des Zeitgefühls und Zeitgeistes sind, mag man ihn Surrealismus, Expressionismus, Existenzialismus nennen; sie alle sind Kinder der gleichen Zeit, fast in den selben Jahren zur Welt gekommen. Der Dichter Trakl ist für das Wortkunstwerk, was der Maler Kandinsky für das Farbkunstwerk ist: der gleiche Gebrauch maskierender Metaphern, dasselbe Sichversenken und Emportauchen aus alogischem, akausalem Träumen; und beide ähneln wieder dem Plastiker Barlach, dem Komponisten Schönberg, und so weitet sich die innere Verwandtschaft mit den zeitgenössischen Dramatikern und Romanciers, – voran ein Joyce und Kafka, ein Kornfeld und O'Neill – zu Familienähnlichkeiten aus. Ein jeder symbolisiert, abstrahiert, transponiert auf seine Weise. Der Plastiker stellt keinen wirklichen, normalen Körper mehr dar, sondern sein abstraktes Gebilde gleicht eher einer Spannung, einer Emotion, einer traumbeladenen Idee; bei dem Plastiker werden sie Körper, bei dem Musiker schmerzliche Dissonanz, bei dem Maler Farbenexpressionen. In dieser »Zeichensprache« unserer heutigen Dichter und Künstler dämmert wieder eine Mathesis universalis, wie schon einst im Zeitalter von Leibniz, Euler, Kant. Ist die Dämmerung ein Abendschein oder ist sie Morgenröte? Vielleicht gibt es da angesichts der Sphärenrundheit, wo Anfang und Ende eins sind, keinen eigentlichen Unterschied.

9. Dichtung wie jede Kunst dringt aus den Tiefen herauf; dort ist es dunkel, und das Gedicht wird immer von einem geheimnisvollen Dun-

kel – oder dem dunklen Geheimnis seines Ursprungs – umschlossen sein. Aber das Dunkel ist nuancenreich wie die Helle. Es reicht vom geistdurchleuchteten Dunkel eines Dante über das bewußtseinslichte Dunkel vom »Faust« bis zum gewollten Un-sinns-Dunkel poetischer Mache und dem tragischen Dunkel der Ohnmacht, der Verzweiflung, des Verzichts. Aufsteigend geht aber die Helle von der Oberflächenklarheit aus metaphysischem Unvermögen über die umwölkte Helligkeit des schlichten, klaren Volksliedes zu der erleuchteten Klarheit klassischer Meisterschaft, wo Bild, Klang, dichterischer Sinn und intelligibler Logos in Harmonie sind. Wir denken an Homer, Michelangelo, Shakespeare, Cervantes, an Bach und an Goethe. Sie erreichten das Ende des Weges, den auch die Besten unter den Modernen suchten und suchen, den Weg, der sie »zu Füßen des klaren, delphischen Gottes« führte.

KAPITEL V

DIE MUSIK DES XX. JAHRHUNDERTS

I.

Parallel zu der Entwicklung der Lyrik vollzieht sich die der Musik des 20. Jahrhunderts in drei Schüben. Dem klassischen Dreigestirn George-Rilke-Hofmannsthal entspricht das letzte große Sternbild am Firmament der deutschen Musik um die Jahrhundertwende Strauß-Pfitzner-Mahler. Mit ihnen – wir könnten noch Hugo Wolf und Max Reger beigesellen – erreicht die Entwicklung abendländischer Musikauffassung der letzten dreihundert Jahre eine Grenze, jenseits welcher nur andere musikalische Formen und Konzeptionen möglich sind, es sei denn, daß man beim Alten verharrt. So kam naturnotwendig und entwicklungsgeschichtlich der zweite musikalische Schub: Er verdrängte das bisher gültige System der Tonalität und entwickelte aus sich neue musikalische Strukturen, deren wichtigste und zukunftsträchtigste, jedenfalls in der deutschen Musik, die »Atonalität« geworden ist. Dieser Schub entsprach innerhalb der Dichtung und Malerei dem Expressionismus. Sein Träger und stärkster Exponent war Arnold Schönberg. Diese zweite Generation unseres Jahrhunderts wandte ihr Gesicht bewußt in die Zukunft, aber entdeckte zugleich verschüttete Werte einer älteren Vergangenheit. Wie von den Dichtern der Zeit die alte Barockpoesie (Gryphius), der Sturm und Drang (Lenz und Klinger), das »Junge Deutschland« von Heine und Börne neu ergriffen wurden, so von den Musikern die alten Meister vor Bach, ja sogar der vortonalen Epoche, Musik der östlichen Länder, die Pentatonik und mit all dem die fremden, exotischen Sprachen der älteren Tonsysteme. So wurden in der Malerei und Plastik die gotischen Skulpturen, die Primitiven, das Exotisch-Fremdartige erstmalig entdeckt oder neu verstanden. Die Erweiterung des musikalischen Bewußtseins war groß und intensiv wie diejenige, welche auf der poetischen oder bildnerischen Bewußtseinsebene durch den literarischen und malerischen Expressionismus erreicht wurde. Nach dem zweiten Weltkrieg folgte der dritte Schub: ein von jedweder Tradition entbundenes und vom überlieferten Musikbetrieb isoliertes Experiment mit elektronischer Musik. Hier hören die Entsprechungen mit den andern Künsten auf; vielmehr hat sich eine neuartige Verbindung von Technik, Physik und Musik angebahnt; die Beziehungen zum Wort- und Farbkunstwerk sind abgebrochen. Elektronische Musik ist Angelegenheit von komponierenden Technikern oder von technisch arbeitenden Tonsetzern. Auf jeden Fall steht diese Musikrichtung im Bann der Technik und Physik. Wir wollen das Wesentliche dieser drei Phänomene in der Entwicklung der Musik in knappen Umrissen aufzeichnen.

Zwischen dem Gipfelpunkt der klassischen und romantischen Musik (Beethoven-Schubert) und der Trias der deutschen Komponisten an der Jahrhundertwende liegt die Epoche von Wagner-Brahms-Bruckner. Das bedeutet einen fast kaum noch übersteigbaren Höhenzug der dramatischen, symphonischen und lyrischen Musik. Die Größe und Wirkung dieser drei Meister macht verständlich, daß in der folgenden Entwicklung der deutschen Musik das Ereignis des französischen Impressionismus von Débussy, Ravel, Dukas auf dem musikalischen Boden Deutschlands, also bei den drei »Klassikern« um 1900, gar nicht, oder nur unbedeutend, zur Wirkung kam. Während die deutschen Lyriker wie George und Rilke bei den Franzosen Mallarmé und Rimbaud, zur Schule gingen, weil es in der deutschsprachigen Lyrik seit Goethe und Hölderlin in der Jahrhundertmitte dürftig aussah, konnten die Musiker aus dem vollen schöpfen. Aber das Erbe Wagners, Brahms' und Bruckners verpflichtete zu äußerster Anstrengung, wenn es die Jungen wagen wollten, auf diesen Wegen überhaupt noch weiter zu gehen. Aber sie gingen, und zwar bis zum Ende der Möglichkeiten. Wagners Linie endete mit Richard Strauß (1864–1949). Brahms war selbst schon Synthese von klassischer und romantischer Musik mit kontrapunktischen Spuren altklassischer Polyphonie und elementaren Schichten volksliedhafter Musik. Josef Anton Bruckners symphonische Monumentalität, in deren religiöse Fundamente urromantische Züge eingegraben waren, endete bei Gustav Mahler (1860–1911). Alle drei: Wagner-Brahms-Bruckner führten die Evolution der Musik bis vor die Grenzen der tonalen Harmonie. Die Grenzsteine selbst errichteten dann Strauß, Pfitzner, Mahler.

Richard Strauß (1864–1949) hat sich von der Spätromantik nie gelöst. Seine Verehrung für Wagners Werk war, wie wir an anderer Stelle sahen, unbegrenzt. Er wollte das Musikdrama auf den höchsten Gipfel führen. Mit der »Salome« (1905), seinem ersten Welterfolg, eroberte er Neuland, um dann mit der »Elektra« (1909) an die Grenzen der atonalen Musik zu stoßen. – *Hans Pfitzner* (1869–1949), ähnlich wie Hermann Hesse »der letzte Romantiker«, Schöpfer der romantischen Kantate »Von deutscher Seele« mit einem Text von Eichendorff

(1921), hatte in der Tat das seltsam Versponnene und Versonnene der
Romantik, das Grüblerische auch und ihren Gefühlsdrang, der nach
lyrischem Ausdruck suchte. Er war der Wiederentdecker von E. T. A.
Hoffmanns Oper »Undine«, die er in einer analytischen Studie die
erste echte deutsche romantische Oper nannte, blieb selbst den Stilmit-
teln des 19. Jahrhunderts verhaftet und kam auch als Musikschrift-
steller aus der Welt Schopenhauers, Schumanns und Wagners. So stand
er der »musica futurista«, dem anti-neuromantischen Manifest des
Francesco Balilla Pratella, ablehnend gegenüber, aber obwohl er sich
durch seine Schrift »Futuristengefahr« (1917) von dieser avangardi-
stischen Generation abhob, grenzte auch s e i n praktisches musikalisches
Schaffen an das kommende Reich der Atonalität. – *Gustav Mahler*
(1860–1911), die österreichische Stimme unter den drei Klassikern
der Jahrhundertwende, schließt die symphonische Linie von Haydn
über Beethoven zu Bruckner, dessen Schüler er war, ab. Noch einmal
graben wir, den Quellen seiner Inspiration nachgehend, die Schichten
der Dichtung auf und erkennen ein letztes Mal, wie wesentlich diesem
vergangenen Jahrhundert, welches das Jahrhundert von Berlioz-Liszt-
Wagner und auch das Jahrhundert von Schubert, Schumann, Wolf war,
die intime Verbindung von Dichtung und Musik gewesen ist. Chinesische Dichtung lebt in Mahlers »Lied von der Erde« (1908), Verse aus
Goethes »Faust II« in der »Sinfonie der Tausend« (1907), und sein
Leben über kam er von der Poesie des Volkes, von »Des Knaben
Wunderhorn«, nicht los. Seine 10 Symphonien – die letzte blieb un-
vollendet – zeigen auch ihn auf dem Wege zum Grenzstein der tonalen
Harmonie.

Was hat es mit diesem vielgebrauchten Begriff für eine Bewandtnis?
Tonalität ist der musikalische Raum unseres traditionellen Musikemp-
findens seit dem Ausgang des Mittelalters. Er entspricht, wenn man
den Vergleich gestatten will, dem gesicherten Raum unserer klassischen
Mechanik und Physik seit Galilei und Newton. Die »klassische« Höhe
hat die in diesem Raum entwickelte Musik im 18. Jahrhundert gehabt,
und zwar in ihrem Doppelaspekt von Bach und Mozart. Die Tonalität
entspricht drei Forderungen, die der Mensch an die Musik stellen kann:

a) Das tonale Musikstück soll Gestalt und Konturen haben. Eingebettet in eine bestimmte Tonart, die durch die »Kadenz« bekräftigt
wird, laufen die Töne mit einfachen Schritten zur Ober- dann zur
Unterdominante, um zur Tonika zurückzukehren. Jeder Takt steht
nicht nur mit den ihm benachbarten in Zusammenhang, sondern ist
ein harmonisch logisches Glied in der Kette des ganzen Werkes. Es entsteht ein Raum, bei dem jeder Punkt auf ein Koordinatensystem be-

zogen ist, ein fest umrissenes Gebilde, dessen Anfangspunkt, Weg und Ende bestimmbar bleibt. In der vortonalen Musikperiode, etwa im Mittelalter oder der Antike, war es anders; die östliche Musik läßt sich in das tonale Tonsystem auch heute noch nicht einfangen. Wir verstehen sie gar nicht spontan, sondern müssen sie wie eine fremde Sprache lernen, wobei wir uns die ungewohnten Intervalle nach unserm System zurechtmachen. Erst mit der Renaissance kommt diese unsere tonale Bestimmtheit und Gestimmtheit in die abendländische Musik. Das Zeitalter charakterisiert sich durch seine Tendenz zur Mathesis universalis, und so wird die Sicherheit der Ortsbestimmung, die Orientierung im Verlauf des musikalischen Geschehens gleichsam zur geometrischen Freude an der Musik klassisch-mathematischer Prägung. Wilhelm Furtwängler, der bei allem theoretischen und praktischen Wissen um die Atonalität sich zur tonalen Musik bekannte, wies in seinem »Siebenten Gespräch über Musik« auf die schon von Oswald Spengler gemachte Bemerkung hin, daß Tonalität in diesem Sinne mit der Erfindung der Perspektive in der Malerei in Verbindung zu bringen sei.

b) Nicht allein von der intellektuellen Seite her, sondern auch in biologisch-psychologischer Sicht ist das Wesen der Tonalität faßbar. Sie scheint in diesem Bezug eine naturgebundene Kompositionsweise zu sein. In der Natur waltet ein Gesetz, nach dem die Organismen sich in einem Wechsel von Kontraktion und Expansion, von Systole und Diastole, von Spannung und Entspannung entfalten. Diese Goethesche Auffassung vom Leben der Natur und der Geschichte läßt sich auch auf den Grundrhythmus jedes tonalen Werkes beziehen. Die Musik vermag das Naturphänomen von Spannung und Entspannung in ihrer Weise zu offenbaren, denn sie ist eine Kunst, die in der Kategorie der Zeit verläuft. Die Tonalität verfügt über die Symbolsprache der Konsonanz und Dissonanz, welche in der physikalisch-akustischen Natur der Intervalle und Obertöne begründet ist. Sie hat in dem Dur-Dreiklang (große Terz + kleine Terz) und in dem Moll-Dreiklang (kleine Terz + große Terz) die Konsonanz als bestimmende Macht fixiert. Der Dreiklang steht am Anfang und am Ende – ein Urzusammenklang, der in sich selbst gründet und dauert, eine in sich ruhende Harmonie. Entspannung: wobei man ebenso an Bachs d-moll Dreiklang zu Beginn der »Kunst der Fuge«, wie an die Es-dur-Akkorde des Rheingoldvorspiels oder den Anfang der romantischen Symphonie Bruckners denken mag. Aus solchen Ruhelagen erwächst nun die spannungsreiche Vielgestaltigkeit eines tonalen musikalischen Werkes. Die sich entladenden Spannungen können, wie bei Beethoven, bis an äußerste Grenzen gehen; immer kehrt das Stück »nach dem Gesetz, wonach es angetreten«, zum Ausgangspunkt, zur Tonika, zurück. Ein solches tonales Werk ist Bewegung in der Ruhe, ist Ruhe in der Bewegung: Musikalische Realisierung eines physikalisch-biologischen Gesetzes vom Leben, im Akt des Hörens begriffen.

c) Musik kann somit zur Quelle philosophischer Erkenntnis, ein Weg zur Erziehung und zugleich zum Genuß werden. Vom ersten sprachen schon die Chinesen, die Griechen, die christlichen Theologen, die Mathematiker und Philosophen; wir denken dabei an das fundamentale Problem Musik und Existenz, wie es Schopenhauer erfaßt hat; vom zweiten wissen alle Pädagogen und Psychologen; das dritte (und hier handelt es sich vornehmlich um die tonale Musik) erfahren wir alle, sofern der musikalische Sinn in uns entwickelt ist: Musik kann beruhigen, trösten, erheben, ein Weg zur Beglückung sein. Wir denken an das Wort des siebzigjährigen Haydn, das er in einem Brief an den »Assessor K.« am 22. Sept. 1802 schrieb:

»... da flüsterte mir ein geheimes Gefühl zu: ›Es gibt hienieden so wenige der frohen und zufriedenen Menschen, überall verfolgte sie Kummer und Sorge, vielleicht wird deine Arbeit bisweilen eine Quelle, aus welcher der Sorgenvolle oder der von Geschäften lastende Mann auf einige Augenblicke seine Ruhe und Erholung schöpfet.‹«

Ich weiß wohl, daß der Komponist unserer Tage keinen Wert darauf legt, daß seine Musik zur Quelle solcher Kräfte wird; der Gedanke ist ihm fremd geworden, aber nicht dem breiteren Konzertpublikum; das wissen die Dirigenten. Die Programme unserer Konzerte, bei dem Bach, Beethoven und Brahms an der Spitze stehen, sind indessen doch keine Konzessionen an ein sich überlebendes Publikum, das »moderne Musik« nicht verstünde, sondern bekunden nur, daß auch der Mensch unserer Tage – mag es nun aus Gewohnheit, Tradition geschehen, oder tiefer begründet sein – sich noch in der Welt der Tonalität heimisch fühlt, und daß er im unmittelbaren Verständnis ihrer Tonsprache seine Beglückung findet. Es gehörte ein großer Mut dazu, sich selbst und das Publikum aus diesem Zusammenhang zu reißen, den Schritt zur Freiheit vom tonalen Gesetz der Tonbeziehungen zu wagen, um ein neues Tonreglement aufzustellen. Derjenige, welcher den Mut zu solcher Gesetzgebung und damit den Mut zur Einsamkeit hatte, war Arnold Schönberg (1874–1951) aus eben der letzten klassischen Generation der tonalen Komponisten. Längst wußte man, daß Tonsysteme nicht unveränderlich sind. Nun aber zeigte Schönberg durch die Praxis seines Komponierens, daß man durch eine andere Einstellung zu den Tonbeziehungen eine Art neuer musikalischer Sprache schaffen kann, die solange fremdartig klingt, bis man sie »erlernt« hat. Das Alte aber, die tonale Musik, ist dadurch so wenig außer Kraft gesetzt, wie die klassisch-mechanische Physik von Newton durch die Quantenphysik und Relativitätstheorie unseres Jahrhunderts; so wenig auch wie die klassische perspektivische Malerei durch die ihr vorangehende alte oder auf sie folgende neue unperspektivische Kunst. Alles ist im Fluß, im Wandel und in der Verwandlung. Auch bleibt die Atonalität, die Antithese zur Tonalität, grundsätzlich noch im gleichen Tonvorrat, ja sogar prinzipiell im gleichen Tonsystem; was sich wandelte, war die Einstellung des Komponisten zu den Tonbeziehungen. So war auch Schönbergs mutiger Schritt nicht radikale Veränderung, sondern Weiterbildung der tonalen Musik an jenem Grenzpunkt, wo die funktionelle Harmonik ans Ende gelangt war.

2.

Drei Zitate Arnold Schönbergs können uns den Zugang zum historischen und ästhetischen Verständnis seiner Neuerungen finden helfen:

a. »Ich habe eine Entdeckung gemacht, durch welche die Vorherrschaft der deutschen Musik für die nächsten hundert Jahre gesichert ist.«

Zu einer solch kühn-übertreibenden Aussage (die er im Kreise einiger Schüler im Sommer 1922 machte) vermochte ihn die Entdeckerfreude an der Methode, mit 12 Tönen zu komponieren, veranlaßt haben. Die Voraussage hat sich aber bislang nicht erfüllt; denn erstens lag die Entdeckung, wie stets alle Entdeckungen, in der Luft: Fast gleichzeitig mit ihm wies der erwähnte Pratella in seinem Manifest der »futuristischen Musik« denselben Weg, und unabhängig von Schönberg gelangten Josef Matthias Hauer (1883–1959) und Edgar Varèse (geb. 1885) zu den gleichen Erkenntnissen. Pratella forderte Aufhebung der Gegensätze Dur und Moll; Gleichwertigkeit der 12 Töne der chromatischen Tonleiter; Vorstoß in die mikrotonale Welt der Vierteltonsmusik; Auflösung des Rhythmus zur Polyrhythmie; Bekenntnis zur Maschine und dem von ihr geprägten neuen Zeitalter. Hauer schrieb seine »Zwölftontechnik: die Lehre von den Tropen« (1926). Varèse trieb die Entwicklung noch weiter bis an die Grenzen der elektronischen Musik und komponierte sein »Poème électronique« für die Brüsseler Weltausstellung von 1958. – Zweitens aber ist bislang die »Vorherrschaft« der Musik des 20. Jahrhunderts nicht mehr wie im 18. und 19. auf den deutsch-österreichischen Kulturraum begrenzt, sondern man könnte ebenso gut sagen, sie sei an Rußland oder Ungarn oder Italien oder Frankreich oder

16   Richard Strauß (1864–1949)

England übergegangen. Man denkt an Namen wie Strawinsky und Prokofiew, an Béla Bartók und Kodály, an Malipiero und Casella, an Messiaen und Milhaud, an Delius und Britten . . . neben Hindemith und Berg. »Vorherrschaft« hat heute niemand mehr – und die Zwölftonmusik hat sich nicht überall durchgesetzt.

b. »Sagenswert ist nur das noch nicht Gesagte.«

In diesem Wort erkennen wir den Impuls, der den Komponisten aus dem Gefühl heraus, daß mittels des bestehenden Tonsystems alles gesagt sei, zu neuen Ufern drängte. Das begann früh. In dem Dankschreiben an die American Academy of Arts and Letters, die Schönberg den Tausend-Dollar-Preis für hervorragende Leistungen verliehen hatte, sprach der Komponist rückblickend auf sein Werk davon, wie er das Gefühl hatte, »in einen Ozean kochenden Wassers gefallen zu sein«; er wußte selbst nicht, warum er nicht ertrank oder lebendig gekocht wurde . . .« ich habe vielleicht nur ein Verdienst, daß ich es nie aufgab«. Kein Freund, der ihm zu Hilfe kam, nur Feinde ringsum, »keine schlechten Menschen«, meinte er, nur solche, deren Wunsch es war, »diesen Alpdruck, diese unharmonische Folter, diese unverständlichen Gedanken, diesen methodischen Wahnsinn loszuwerden.« Alpdruck-Folter-Unverstand-Wahnsinn: damit resümiert Schönberg, was seine Zeitgenossen bestürzte. War das die »Atonalität«? Dann gehörte nicht nur Entdeckergeist, sondern auch Bekennermut zu diesen Schritten ins Neuland. Glaube an die eigene Mission – Mut – ein Müssen, das hielt ihn aufrecht.

c. »Kunst kommt nicht von Können, sondern von Müssen«. – »Der Künstler tut nichts, was andere für schön halten, sondern was ihm notwendig ist.« – »Der Künstler, der Mut hat, überläßt sich ganz seinen Neigungen; und nur wer sich seinen Neigungen überläßt, hat Mut; und nur wer Mut hat, ist Künstler.«

Aus diesem *Drang*, Ungesagtes zu sagen, aus diesem *Mut* zur Unbeirrbarkeit und zum Durchhalten, aus diesem *Muß* des Künstlers ergab sich der eigentümliche »Schönberg-Stil«.

Schönberg (1874–1951) kam wie alle Meister seiner Generation von Wagner her. Nach eigenen Äußerungen hat er wohl jedes Musikdrama des Bayreuther Meisters zwanzig bis dreißigmal gehört. Die ersten großen Würfe, die »Gurrelieder« nach Jacobsen und die symphonische Dichtung »Pelleas und Melisande« nach Maeterlinck (unabhängig von Débussys Oper, die er nicht kannte) sind noch echte Werke der Wagnernachfolge in der mythischen Thematik, der chromatisch durchsetzten Harmonik, der weichen Klangfarbe der Sexten – und zeigt doch schon seine Handschrift, wie wir sie in der »Glücklichen Hand«, im »Pierrot lunaire«, auf weiten Strecken von »Moses und Aaron« und den ganz späten Werken wiedererkennen.

Mit Strauß, Pfitzner, Mahler geht er eine Wegstrecke gemein. Dann aber rückt er ferner und ferner. Die Tonarten entgrenzen sich mittels einer Polyakkordik; Quartenakkorde beginnen das System der Terzen zu erschüttern; charakteristisch werden die Negationen der klassischen Harmonik: Symetrie und Metrik; Schönberg komponiert asymmetrisch und hebt den Grundtonschwerpunkt auf. Mit etwa dreißig Jahren ist sein »Stil« geprägt; die geprägte Form kann sich nunmehr entwickeln. Es gibt kein Zurück mehr.

Schönbergs Biograph und Interpret H. H. Stuckenschmidt erklärt an Hand einprägsamer Beispiele »die Methode, mit 12 Tönen zu komponieren«. Das Wesentliche ist das Prinzip der Reihenherrschaft, das »serielle« Komponieren. Eine Reihe ist die festgelegte Folge der 12 Töne einer Oktave, z. B. die unten abgebildete Reihe e-d-es-h-c-des-asges-a-f-g-b. Kein Ton ist darin wiederholt. Das ist Gesetz. Die Intervalle können verschieden verbunden werden, z. B. das Intervall e-d abwärts als große Sekunde; e-d aufwärts als kleine Septime, oder noch einmal abwärts als große Non. Das führt zu weiten melodischen Spannungen. Die verschiedenen Intervalle werden dabei als gleichwertig angesehen: Die Quint aufwärts ist funktionell identisch mit der Quart abwärts, bzw. die große Terz aufwärts mit der kleinen Sext abwärts. Es ist strukturell gesehen einerlei, ob die Intervalle nach oben oder unten verlaufen, und ebenso unwesentlich ist es, ob die Reihe von vorn nach hinten oder von hinten nach vorn gelesen wird.

Ich empfinde bei der Betrachtung der Schönbergschen Fundamentalgesetze, daß eine seltsame Verwandtschaft zwischen ihnen und einigen Ordnungsprinzipien der ältesten italienischen Sonettkompositionen des 14. Jahrhunderts besteht, wie sie uns Antonio da Tempo in seiner lateinischen Sonettheorie überliefert hat. Vielleicht ist es kein Zufall, daß Schönberg selbst geradezu ein Musterbeispiel der Zwölftontechnik mit der Vertonung des Petracaschen Sonetts Nr. 217 gegeben hat.

O könnt ich je der Rach' an ihr ge - ne - sen

Der italienische (wie der ins Deutsche übersetzte) Sonettvers hat jeweils 11 Silben. Auf jede Silbe kommt 1 Ton. Es bleibt also jeweils in den 14 Zeilen eines Sonetts 1 Ton übrig, so daß jeder neue Vers mit einem andern Ton begonnen wird. Kein anderes lyrisches Gebilde bietet sich so natürlich der Algebra der Zwölftonmusik an wie die altehrwürdige Form des Sonetts. Darüber wäre Interessantes zu sagen, was in unserem Zusammenhang zu weit führen würde. Kurz: Eine Zwölftonreihe hat drei Perspektiven: 1. Die Umkehrung oder Spiegelung, d. h. die Intervalle können nach oben oder nach unten umgekippt werden. 2. Der Krebs, d. h. die Reihe läuft dann rückwärts ab. 3. Die Umkehrung des Krebses, bzw. der Krebs der Umkehrung. In allen drei Perspektiven kann der Schritt e-d als Sekunde, Septime oder None getan werden. Rechnet man dazu, daß die Reihen auch transponiert werden, also in 12 verschiedenen Tonarten auftreten können und erwägt man die vielfachen Möglichkeiten rhythmischer Variierung der Reihen, dann ergeben sich für diese Methode zu komponieren nicht weniger vielseitige Möglichkeiten als in anderen Systemen wie etwa dem kontrapunktischen. In einem Brief an Nikolas Slonimsky vom 3. Juni 1937 beschreibt Schönberg seinen Weg zur Zwölftonmusik. Da gab es »Vorversuche« seit 1914. »In der folgenden Zeit hatte ich bei meiner Arbeit immer das Ziel vor Augen, den Aufbau meiner Werke bewußt auf einen Einheit verbürgenden Gedanken zu basieren«. Dieser musikalische Gedanke sollte dann die übrigen hervortreiben sowie auch »ihre Begleitung, die Akkorde, die ›Harmonien‹ bestimmen«. Nun gelangte er zu einer Technik, die er »Komposition mit Tönen« nannte. Seine »Serenade« (op. 24) wurde das Werk, dessen 4. Satz eben das »Sonett« ist – »eine wirkliche Zwölftonkomposition« ... »eines der ersten, das ganz nach dieser Methode geschrieben wurde«. Hinter all diesen Versuchen stand, erst unbewußt, dann aber bewußt, der Wille zur »Ordnung und Gesetzmäßigkeit«.

Die Kritik sprach von »intellektueller Konstruktion«, von »mathematischer Musik«, von »Kreuzworträtseln«. Es ist nicht zu leugnen, daß die atonale Musik (Zwölftonmusik) dem Ohr fremd klingen, ja ungenießbar sein mußte. Damals. Sie ist auf dem Wege der Überspitzung der letzten harmonischen Verfeinerungen der tonalen Harmonik zur Negation der oben geschilderten tonalen Prinzipien geworden: 1. Dreiklang und Kadenz sind verschwunden, also die Basis der tonalen Musik wurde aufgehoben. 2. Das biologisch begründete Gesetz von Spannung und Entspannung ist außer Kraft gesetzt; entweder fehlen die Spannungen oder die atonale Musik kennt überhaupt nur Spannungen und Überspannungen auf kleinstem Raum und von kleinster Art. Was Furtwängler die »Ruhe in der Bewegung« nannte – Charakter der Tonalität –, ist hier zur Rastlosigkeit geworden. Ruhepunkte fehlen. Die Beanspruchung des Hörers ist gewaltig und hat etwas Gewaltsames. Eine Ortsbestimmung, in der Perspektive der tonalen Musik gesehen, ist unmöglich. Auch bei den größten Formen tonaler Werke, wie dem 1. Satz der IX. Beethovenschen Symphonie, ist sich der Hörer des Weges noch bewußt. Die atonale Musik aber kümmert sich nicht um das Gefühl der Orientierung. Eine andere Ordnung ist eingesetzt. 3. Die Sorge um »Schönheit« und »Genuß« ist kein echtes Anliegen der atonalen Musiker mehr, so wenig wie es ein solches der Maler und Bildhauer jener Zeit des Expressionismus war.

Heute, nach sechzig Jahren, »verstehen« wir die atonale Musik. Vielleicht »lieben« wir sie nicht, aber sie hat nichts Erschreckendes mehr für uns wie für die damaligen Hörer. Wir sind uns bewußt geworden, daß auch sie, wie der Expressionismus in Malerei und Dichtung ein echter, d. h. »richtiger« Ton im Lebensgefühl der heutigen Menschen ist. So hat auch die Musik etwas vorweggekündet, was eingetreten ist: den vielzitierten »Verlust der Mitte«, eine Desorientierung des europäischen Menschen, und ein gleichzeitig hervordrängendes Verlangen nach einem neuen Ordnungsgefüge in der Realität des Seins. Auch die Atonalität wird nicht das letzte System unserer abendländischen Musik sein. Es gibt auch hier keinen Stillstand. Schönberg selbst ging in Gedanken weiter. Er hoffte, die zwei seit Jahren liegengebliebenen Arbeiten des Oratoriums mit dem 3. Satz der »Jacobsleiter« und die Oper »Moses und Aaron« noch vollenden zu können. Er äußerte Stuckenschmidt gegenüber, daß er sie gar nicht im Gedanken an Aufführungen geschrieben habe ... »vielleicht einmal in Zukunft, mit synthetischem, elektrisch produziertem Ton«. Er starb 1951 – in dem Jahr des ersten elektronischen Klangmodells.

3.

Eine neue Erscheinung in der musikalischen Welt um die Jahrhundertmitte: die elektronische Musik. Was ist sie? Das Orbis-Lexikon der Musik unterscheidet bei dieser generellen Bezeichnung drei verschiedene, aber in sich zusammenhängende Phänomene: 1. Die Elektrifizierung von Instrumenten, wie etwa das längst bekannte elektrische Klavier, Cembalo, Vibraphon u. a. 2. Klangspektren, die durch Elektronenröhren zur Erweiterung des Klangfarbenbereiches erzeugt werden; dahin gehören etwa das Trautonium, von Friedrich Trautwein 1924 erfunden, ein halbelektrisches Instrument, bei dessen Bespielung die obertonreichen Kippschwingungen elektrisch modifiziert werden. Hindemith und Honegger schrieben für dieses Instrument. Auch die Ondes Martenot, ein elektrophonisches Instrument mit Tastatur, Spielband und Klangabstrahlern, sowie das Melochord und die Hammondorgel sind hier zu nennen. 3. Im engeren Sinn heißt elektronische Musik eine Komposition durch Kombination von Geräuschen, Tönen, Musiken, Rezitationen mittels Phono-Montage – sog. »musique concrète« oder eine Musik, deren Ton- und Klangmixturen aus Sinus- und Teiltonschwingungen erzeugt werden. Elektronische Musik ist also vornehmlich ein Phänomen der Phonotechnik, also einer angewandten Wissenschaft der Elektroakustik, in welcher, wie der Name besagt, zwei physikalische Wissenschaftszweige eine enge Verbindung eingehen. Erst in einer Zeit, deren Fundamente Naturwissenschaft und Technik sind, ist elektronische Musik überhaupt denkbar und erfahrbar. Soweit sie Teil eines angewandten physikalischen Wissenschaftsgebietes ist, wird sie jedermann verständlich, der mit den Gesetzen der Elektro-Akustik, der Tonfrequenztechnik und ihrer Anwendungsprinzipien vertraut ist. Sobald das Phänomen aber als »Musik« im Bereich der »Kunst« gesehen wird, beginnt es problematisch zu werden. Die Reaktionen vor diesem Novum sind verständlich: man lehnt es ab, man bejaht es, man verhält sich abwartend. In jedem Fall wird mit dem Auftreten dieser elektronischen Musik der 3. Schub in der Entwicklung der Musik unseres Jahrhunderts fühlbar. Von hier aus gesehen rücken die kühnsten Fortschritte unserer Musik der letzten Perioden enger zusammen. Von Beethoven über Wagner und Strauß bis Schönberg geht e i n e Linie; sie bilden e i n e n Bogen, eine Struktureinheit gegenüber dem, was mit der elektronischen Musik eingebrochen ist. Denn mit der Entwicklung der angewandten Elektro-Akustik werden dem menschlichen Ohr neuartige akustische Hörakte vermittelt. Die eigentliche Revolution der Musik liegt, so gesehen, nicht mehr um 1905, als Schönbergs Ideen zur atonalen Musik aufkeimten, sondern um 1950, als er starb. Was wird uns von Experten wie Herbert Eimert über diese neueste Musik mitgeteilt?

a) Es handelt sich um eine Erweiterung des Tonmaterials. Wir erinnern uns aus der Schulphysik, daß der Kammerton a' auf der Pariser Stimmtonkonferenz 1858 auf 435 Hertz festgelegt worden war. Abweichungen blieben die Regel, die Schwingungszahl wurde auf der Londoner Konferenz 1939 auf 440 Hz heraufgesetzt, bis die Pariser Akademie der Wissenschaften im Jahre 1950 den Kammerton, das eingestrichene a' wieder herabsetzte – auf 432 Hz. Wir erinnern uns ferner, daß jeder Ton nach seiner Höhe, Lautstärke, Dauer und Farbe bestimmt wird. Insgesamt umspannt der unserm Ohr zugängliche Tonraum etwa 9 Oktaven; das Klavier hat ungefähr 7, d. h. wir hören unterscheidend etwa 70–80 Töne, die in dem Frequenzbereich von ca. 20 Hz bis

16000 Hz liegen. Darunter liegt der Infraschall, darüber der Ultraschall. Gehen wir einen Ganzton, etwa von a^1 nach h^1, so vibriert die neue Saite mit etwa 52 Schwingungen schneller. Nun aber kann der Tongenerator heute 52 verschiedene Töne einstellen, und unser Ohr kann bei skalenartiger Progression jeden 4. Schritt als neues Intervall unterscheiden. Ähnlich steht es mit der Lautstärke und Tondauer. Verringert man die Schallintensität eines Tones, der innerhalb des Hörbereiches liegt, immer mehr, so wird ein Wert erreicht, bei dem die Schallwahrnehmung aufhört: die »Hörschwelle«. Wird der Ton umgekehrt immer mehr verstärkt, so erreicht die Schallwahrnehmung einen Punkt, an dem sie mit einer Schmerzempfindung verbunden ist: die »Schmerzschwelle«. Der Techniker kann nun heute mehr als 40 Lautstärken gegenüber den 6 oder 7 der alten Skala vom Pianissimo zum Fortissimo messen und er kann selbst eine Vielfalt von Tondauer in Zentimeterlängen des Bandes erzeugen. Das alles bedeutet also zunächst nichts anderes als »Erweiterung« des Tonmaterials, das nun der Elektronenmusiker neu zu ordnen hat.

b) Wie realisiert der Komponist elektronische Musik? Es ist zunächst zu bemerken, daß er ohne die Mitarbeit des Elektrotechnikers gar nicht komponieren kann; er ist auf dessen Hilfe angewiesen. Seine eigentlichen Instrumente sind Lautsprecher und Magnetophonbänder; seine »Klaviatur« ist zwar ein differenziertes Funkinstrumentarium, aber keineswegs ein Geheimapparat. Wo Rundfunkwerkzeuge vorhanden sind, kann elektronische Musik gemacht werden; ein Spezialgerät ist nicht erforderlich. Es gilt, das Verhältnis von Technik und elektronischer Musik auf das richtige Maß zu reduzieren. Herbert Eimert leugnet, daß diese junge Musikbemühung lediglich als naturwissenschaftliches Experiment zu werten sei, oder daß gar der »Komponist« eine Art musikalischer Kernspaltung in den Rundfunkstudios betreibe. Die technisch-naive Phantasie unserer nicht fachlich geschulten Zeitgenossen schweift gern ins Phantastische. Freilich ist schon die Notation erregend: »akustische Diagramme und Zahlen, Kurven, Linien und mannigfache Zeichen« – welch neues Bild gegenüber der Notation der klassischen Musik! Aber die Zahl, das Fundament der Musik, tritt nur in neuer Erscheinung auf. Nur für den Nicht-Techniker sind die Formeln für das Linienspektrum, die Frequenzspektren der verschiedenen Musikinstrumente, das Weber-Fechnersche Gesetz, nach dem die Lautstärkeempfindung annähernd mit dem Logarithmus des auftreffenden Reizes ansteigt und also die Lautstärke in folgender Beziehung ausgedrückt werden kann:

$$L = 20 \cdot \log \frac{P}{P_0}$$

(wobei P der momentane Schalldruck und P₀ der Schalldruck an der Hörschwelle ist) und die Formel für den Schallpegel eine fremde Sprache. Freilich: Frequenzen, Schalldruck, Bandlängen beziffern sich hier nicht mehr im Fünfliniensystem mit Notenköpfen und Notenschlüsseln, sondern werden mit Zahlen und mathematischen Symbolen bezeichnet. Wer sie lesen kann, ist so wenig desorientiert wie irgendein Musiker vor dem Fünfliniensystem, das einem, der keine Noten lesen kann, ebenso rätselhaft erscheinen muß. Die eigentliche Arbeit des Komponisten besteht in der Verarbeitung von elektrisch erzeugten Tönen, die von einem Tongenerator unmittelbar, d. h. ohne Vermittlung eines Spielinstruments oder eines Mikrophons auf das Tonband aufgenommen werden. Das revolutionierende Ereignis war die Einführung der elektronischen Tonumwandlung 1925, welche durch die Erfindung der Elektronenröhre des Wiener Physikers von Lieben ermöglicht wurde. War einmal die Umwandlung des Schalles möglich geworden, so konnte der Komponist nunmehr seine Klangstrukturen (allein um diese geht es hier) aus der Permutation weniger Teiltöne gewinnen. Häufig werden reine, obertonfreie Töne, die sog. Sinustöne, verwendet. Der Sinuston ist das letzte, nicht mehr teilbare Element, welches das Ohr vernehmen kann. Mit der Fortnahme der Obertöne, welche die Klangfarbe eines Tones bestimmen, ist ein akustisches Novum für unser Ohr geschaffen. Das erste Anhören einer aus diesen Elementen aufgebauten Musik muß verständlicherweise schockieren. Aber schockiert hat schon Wagners »Chromatik« und Schönbergs »Atonalität«. Wer will voraussagen, daß die neuartige Klangwelt der elektronischen Musik für alle Zukunft zum Scheitern verurteilt sei? Die Möglichkeiten der menschlichen Sinneswahrnehmungen haben auch im Akustischen gewiß eine Grenze, aber sie sind bisher so wenig erschöpft wie die physikalischen Erkenntnismöglichkeiten nach Planck, Einstein und Heisenberg. Es steht nicht geschrieben, daß der vom Menschen selbst gemachte elektronische Klang – so sehr er unser Ohr heute noch zu beleidigen scheint – nicht eines Tages als neuer Expressionismus akustisch-musikalischer Prägung in der Jahrtausende alten, ewig sich wandelnden und entfaltenden Menschheitsmusik gewertet wird.

c) Es bleibt die Frage offen: Haben wir es in der Elektronenmusik mit einer ins Musikalisch-Künstlerische geleiteten *Technik* oder mit einer ins Physikalisch-Technische abgleitenden *Musik* zu tun? Aber vielleicht geht diese Alternative ganz in der Sache vorbei – und aus der »unheiligen Allianz von Technik und Musik« würde am Ende eine weitgespannte neue Ordnung hervorgehen können. Noch verstehen sich Techniker und Musiker selten; aber sie sind in der Erzeugung von Elektronenmusik aufeinander angewiesen; jedoch sprechen sie nicht dieselbe Sprache. Sollte hier ein großes Kunstwerk entstehen, wäre jener Idealfall notwendig, der bisher noch nicht eingetreten ist: daß Musiker und Techniker in e i n e r Person verbunden sind. Er k a n n eintreten in unserer technisierten Welt, die, nur weil sie technisiert ist, noch keineswegs den Sinn für Kunst verloren hat. Vielleicht bringt die Zukunft Menschen hervor, in denen das physikalisch-technische Ingenium sich mit dem künstlerisch-musikalischen Geist zu einer neuartigen Synthese verbindet. Dann erst schlägt – vielleicht – die Stunde einer kunstträchtigen elektronischen Musik.

4.

So stehen wir heute im Schnittpunkt dreier Tendenzen: Es begegnen sich die tonale Tradition, die Atonalität und die elektronische Musik. Von allen drei Strömungen haben wir gesprochen. Tatsache ist, daß die Hörerschaft der elektronischen Musik bislang nur einen ganz geringen Teil der Musikfreunde erfaßt; sie ist gewissermaßen auf der soziologischen Landkarte der Musik nur eine kleine Provinz, und da sich vom Blickpunkt unserer Gegenwart noch nichts von der elektronischen Musik als einer »Kunst« aussagen läßt, wollen wir uns in dieser Schlußbetrachtung nur auf die beiden andern Musiken beschränken. Aber lassen wir auch nicht außer acht, daß in unserm modernen Musikleben Altes und Ältestes neben Neuem und Zukünftigem geboten wird: Es geht vom Volksliedsingen der Nationen und dem weltumspannenden Jazz einerseits bis zu Mozart und der »Abstrakten Oper Nr. 1« andererseits. Auf einen »klassischen« Konzertabend, wo man das »feine, gebildete Publikum« sieht, folgt Jazz und »heiße Musik« für die »Jazz-Fans«, tags darauf »Musik auf alten Instrumenten« und danach lauschen auf den gleichen Stühlen die Anhänger der »musica nova« den Söhnen und Enkeln Arnold Schönbergs. Ein wahrhaft polychromatisches Bild unseres Musiklebens. Und alle spielen, hören, singen mit gleicher Hingabe *ihre* Musik. Der Horizont hat sich mächtig erweitert. Die Schallplatte konserviert noch zur rechten Zeit die sich verlierenden Traditionen der Volksmusik, etwa des spanischen Zigeunergesangs des »cante jondo«; das jährliche Heidelberger »Wettsingen der Nationen« macht uns mit der Musik des Fernen Ostens von Indien bis Japan vertraut; die Forschung eruiert die Musik der ältesten Zeit und der weitesten Zonen. Bleiben wir in Deutschlands Grenzen und im 20. Jahrhundert. Da sehen wir, daß heute die beiden Hauptlinien der Kunstmusik nebeneinander laufen. Zwar stößt die *atonale* Musik noch immer auf Mißtrauen, ja Abneigung der meisten Konzerthörer, wird aber bereits von einem breiteren Publikum nicht nur verstanden, sondern verlangt. Indessen zieht die *tonale* klassische Musik in dem ganzen Umfang ihrer Instrumental- und Vokalmusik das Publikum noch immer am stärksten an, vermutlich, weil sie seinem Bedürfnis am meisten entgegenkommt. Da mag es manchen wägenden Kopf aufhorchen lassen, wenn er ein Wort von Thomas Mann vernimmt, der, ein äußerst intelligenter und sensibler Kenner der abendländischen Musik, auch der neuesten, in einem Brief an Stuckenschmidt vom 19. Oktober 1951 sich also äußerte:

»... Ich verstehe mich auf die Neue Musik nur sehr theoretisch. Ich weiß wohl etwas davon, aber genießen und lieben kann ich sie eigentlich nicht.«

Mit diesem Bekenntnis spricht der alte Große aus der Generation von Hofmannsthal auch heute noch den weitesten Kreis der Musikliebhaber an. Und Schönberg selbst, um den es hier geht? Zwei Jahre vor dem Brief von Thomas Mann schrieb er in seinem Aufsatz »On revient toujours« die nachdenklich stimmenden Worte:

»... Mein Schicksal hat mich in diese Richtung (der atonalen Musik) gezwungen; es war mir nicht gegeben, in der Art der ›Verklärten Nacht‹ oder der ›Gurrelieder‹ oder selbst von ›Pelleas und Melisande‹ weiterzuschreiben. Das Schicksal hat mich auf eine härtere Straße gewiesen. – Aber immer war in mir der Wunsch lebendig, zu dem früheren Stil zurückzukehren; und von Zeit zu Zeit gebe ich diesem Verlangen nach. – So kommt es, daß ich manchmal tonale Musik schreibe.«

Was Schönberg, der musikalische Zeitgenosse der Expressionisten hier aussagt, klingt wie ein fernes Echo jener Bekenntnisse von Benn und Becher ... »Dionysos zu Füßen des klaren delphischen Gottes«. Das haben die Griechen in der attischen Tragödie erreicht; das taucht immer wieder als Sehnsucht auch der Modernsten auf. Daher die Rückwendungen, das »On revient toujours ...« Wir sehen es bei Hindemith und fühlten es in seinem Urteil über Bach und spüren's in seiner Schönberg-Kritik des »eigenbrötlerischen Tonkombinationssystems«, das ihm doktrinärer erscheint als »die Leitsätze ausgekochter Diatoniker«. Und wir hören selbst Strawinsky rufen:

»Ich bin kein Revolutionär ... Unsere avant-gardistischen Eliten, die sich dauernd überbieten wollen, erwarten und fordern von der Musik, daß sie ihren Hang nach absurden Kakophonien befriedige.«

Diese Worte richten sich aber nicht gegen Schönberg; denn was er gerade an Schönberg schätzt, ist die Logik und Konsequenz, mit der ein Komponist von »wahrer, musikalischer Kultur« sein Werk im Zuspruch oder Widerstand der Welt ins Leben setzte. So erkennen wir auch hier, woher alles Große kommt, und wo es hinausläuft: aus dem Genie des Mutes zur Überwindung des Chaos. Es ist dabei einerlei, ob der delphische Gott im Tempel der tonalen oder atonalen Musik seinen Platz nimmt. In beiden herrscht »Ordnung und Gesetzmäßigkeit«. Am Ende sind es nur »stilistische« Fragen – und Schönberg: »Für mich haben stilistische Unterschiede dieser Art (der tonalen und atonalen Musik) keine besondere Bedeutung.«

Kapitel VI

MALEREI DES XX. JAHRHUNDERTS

I.

Was wir gemeinhin »moderne Malerei« nennen, beginnt wie die »moderne Musik« im 1. Jahrzehnt unseres Jahrhunderts. Die französischen Impressionisten hatten sich durchgesetzt, ein jeder war dann seinen Weg gegangen und schließlich hatte ihre Malweise Reaktionen hervorgerufen, die sich im »Fauvisme« auswirkten. Das war in eben diesem 1. Jahrzehnt, als auch in Deutschland eine neue Generation herangewachsen war, deren Bestrebungen in der Dichtung, Musik und Malerei gemeinsame Merkmale aufweisen: Trakl und Heym in der Dichtung, Schönberg in der Musik, und in den Ateliers arbeiteten als junge Künstler neben den französischen Fauvisten der Norweger Munch, der Spanier Picasso, der Russe Kandinsky, die Deutschen Kokoschka, Beckmann, Nolde, Marc und Klee. Dieses erste Jahrzehnt sah die Eröffnung des »Salon d'Automne«, die Gründung des »Deutschen Künstlerbundes«, der Zeitschrift »Sturm« in Berlin; es sah 1905 die »Brücke« in Dresden, 1906 die »Neue Sezession«, die ersten kubistischen Werke und das erste abstrakte Aquarell von Kandinsky; es folgte noch vor dem 1. Weltkrieg die Ausstellung des »Blauen Reiter« bei Thannhauser in München, unter den Architekten traten Behrens mit dem Turbinenhaus der AEG in Berlin und Gropius mit dem Fagus-Werk in Alfeld hervor, der »Jugendstil« reformierte die Intérieurs, und die Bildhauer Barlach und Lehmbruck waren die etwas jüngeren Zeitgenossen von Bourdelle und Maillol. Die neue Zeit war da, die »neue Kunst« geboren, wiedergeboren; denn die moderne Kunst ist alt wie die Welt ... die eiszeitlichen Höhlenmalereien in Spanien und Südfrankreich gehören der Epoche zwischen 50 000 und 10 000 v. Chr. an, und die Verwandtschaft heutiger Malerei mit diesen Höhlenmalereien im Dunkel der ältesten Menschheit hat etwas Erregendes, nachdenklich Stimmendes, etwas, das man nicht mehr aus den Augen lassen soll, gibt es doch kaum eine Richtung innerhalb der Malerei unseres Jahrhunderts, die nicht irgendeine Bindung an jene ferne Urzeit dieser Kunst hätte. Damit ist zugleich ein Standpunkt gewonnen: Malerei unserer Zeit ist zugleich das Älteste vom Alten u n d das Modernste vom Modernen. Die Extreme fallen zusammen. Und was sind 40–50 000 Jahre der Menschheitsgeschichte: viel, wenn man will – oder aber auch nur eine Stunde, prall gefüllt mit Welt und Wirklichkeit, mit grauenhafter Geschichte und der ewigen Sehnsucht des Menschen nach Schönheit und Transzendenz.

Durchleuchten wir nur den gegenwärtigen Bruchteil einer Sekunde dieser Menschheitsstunde, dann wird deutlich, wie die Genesis dieser Sekunde »moderner Malerei« eine Erhebung gegen die geistige und formale Unzulänglichkeit jenes sinnlichen Stiles war, der in Frankreich unter der Bezeichnung »Impressionisme« zum Siege kam – einer Malweise zu schön, zu faszinierend, zu sinnbetörend, als daß die metaphysischen Temperamente, wie sie da im 1. Jahrzehnt emporkamen, darin ihr Genüge hätten finden können. Erinnern wir uns, was der Impressionismus war: Er war eine Technik des Malens; er war trotz aller Verschiedenheit der einzelnen Talente so etwas wie eine Schule, eine Schicksalsgemeinschaft und Künstlergemeinsamkeit; und er war in seiner tiefsten kulturgeschichtlichen Bedeutung – historisch gesehen – eine letzte Etappe in der Krisengeschichte der europäischen Seele – vielleicht, wie Friedell bemerkte: ein Endstadium des narzißtischen Großstadtatheismus, gepaart mit einem sensualistischen Naturpantheismus. Heute erkennen wir, daß der Impressionismus wohl die Reaktion der jungen Maler von 1905 hervorgerufen, aber daß er ihnen, den Fauves in Frankreich und den Expressionisten in Deutschland, auch den Weg zu ihrer eigenen Malerei gebahnt hatte, also den Weg der Moderne schlechthin. Wir erkennen andererseits, daß der Impressionismus seine Väter, die Maler der Generation von 1830, nicht verraten konnte, daß er seinerseits seine Wegbereiter hatte: die Künstlerkolonie von Barbizon, die englischen Landschaftsmaler um 1800: Turner und Constable, daß ein Adolf Menzel zu den ihrigen gehörte und daß ein C. D. Friedrich und die französischen Romantiker und Klassizisten schon auf den Impressionismus wiesen, und daß Impressionistisches schon bei Goya, Velazquez, bei Tintoretto und Rubens, also in der ganzen großen europäischen Malerei des Barocks zu finden ist. Graben wir noch tiefer in die Zeit hinein, so ließen sich Analogien in der altägyptischen Malerei und in gewissen Phasen der spätantiken Kunst entdecken; und es gab in der Entwicklung der steinzeitlichen Höhlenmalerei ein Stadium, das man als »impressionistisch« ansprechen könnte. All das zeigt nur, wie unzulänglich solche Begriffe sind. Das Wesen des Impressionismus, jenes auf französischem Boden gewachsenen Stiles, den wir hier meinen, läßt sich, Hartlaub folgend, mit einigen Strichen umreißen: Malerei der Impressionisten ist nicht Kunst der Naturnachahmung im Sinne der Antike und der Renaissance: Abbildung von Gegenständen, wie wir sie in nahsichtiger Betrachtung oder Betastung zu erkennen glauben. Sie ist die Kunst, »Eindrücke« zu malen, also zunächst auf die Anrede der Gegenstände zu lauschen, sich von ihnen beeindrucken zu lassen und den Sinneseindruck auf der Leinwand festzuhalten. Der Impressionist weiß, daß die Erscheinung der Gegenstände durch die sie umhüllende Luftschicht verändert wird. Was den Impressionisten interessiert, ist nicht der Gegenstand, gewissermaßen das abstrakte Ding an sich, sondern seine »Erscheinung« in der wechselnden atmosphärischen Hülle, im zerstreuten Licht des Freiraums oder Innenraums. Wir denken etwa an Menzels »Balkonzimmer«, das bereits 1845 gemalt, ein Intérieur darstellt, dessen Thema gleichsam nicht mehr gestellte Gegenstände bei erstelltem Licht sind, sondern das einströmende Licht des frischen Morgens, das durch den gebauschten weißen Vorhang an der Balkontür in den diagonal gesehenen Raum flutet, von allen Gegenständen zurückstrahlt und in den zu Farbe gewordenen Schatten schließlich versickert. Die großen Impressionisten waren längst klassisch geworden, als dieses Menzelsche Bild, eines seiner Meisterwerke, erst 1903 bekannt wurde. Wir spüren, daß der Impressionismus, auch der frühe eines Menzel, wie der spätere eines Liebermann und Slevogt, durch ein neues Verhältnis zum Faktor der »Zeit« bestimmt wurde. Die Eindrücke, die wir aufnehmen, sind immer flüchtig, ja vergänglich; mögen die Objekte, von denen die Eindrücke ausgelöst werden, scheinbar feststehen, die Luft- und Lichtverhältnisse machen sie beweglich in der Zeit, zum Objekt im kreisenden Licht.

Was die Malerei der Impressionisten – negativ ausgedrückt – charakterisiert, ist die Abkehr von drei Phänomenen, die zwar nicht aus seinen Bildwerken verschwinden, wohl aber andersartig erscheinen: Abkehr von der Komposition im Sinne einer geometrischen Idealfiguration der Bildelemente; statt dessen versteckt sich die Ordnung der Gegenstände in einer andern »Gleichgewichtsrechnung«, die mit der Auswiegung von Massen, Flächen, Farben zu einer neuen Harmonie strebt; – Abkehr vom motivischen Inhalt im Sinne der Anekdote; es kommt nicht darauf an, was das Bild »erzählt«, »dramatisiert«, »besingt«; das impressionistische Bild ist nicht gemalte Literatur, auch nicht gemalte Philosophie oder Symbolik, sondern Bild um des Bildes willen, und das heißt ein rein sinnfälliges, visuelles Phänomen, das zu unserem Auge mit den allein der Malerei eigenen Mitteln zu sprechen vermag; – Abkehr vom Humanismus im Sinne einer Psychologie und der geistigen Schau des Menschen; nicht daß der Impressionist außerstande wäre, im Antlitz eines Menschen ein Schicksal zu erkennen; aber Wesensschau und Charakterdarstellung durch und im Bilde ist weniger Angelegenheit des Impressionisten als desjenigen, der nach ihm kommen wird, nämlich des Expressionisten mit seinem Blick ins Transzendente, ins Wesen und in die platonische Idee eines Dinges. Aus alledem ergibt sich die neue Technik wie von selbst: eine neuartige alla-prima-Malerei, ein skizzenhafter, »unvertriebener, intermittierender Pinselvortrag«, ein Malen in Flächen und Flecken. Farbe ist Trumpf. Farbe hat Eigenwert. Dem Kontur wird wieder der Krieg erklärt; die Artikulation des Sujets wird unscharf, aber suggestiv. Der Landschaft gewinnen die Impressionisten seit Corot immer neue Reize ab, aber eine ihrer kühnsten Leistungen waren in thematischer Hinsicht die Straßenbilder der Großstadt. Man denke an den Pont-Neuf in Paris, der 1872 gleichzeitig von Renoir und Monet von derselben Stelle aus gemalt wurde; man denke an Pissarros Boulevard des Italiens (1897), an die nächtliche Beleuchtung und ihre Spiegelung auf dem Straßenbelag, an die Häuser, die zu schemenhaften Flächen, an die Passanten, die zu Farbflecken, an die Baumkronen, die zu Farbstreifen werden, und in dieser stenographischen Abkürzung, die, isoliert, unverständlich wäre, dem Bild die einheitliche Impression: Paris bei Nacht, verleihen. Die ganze Bewegung endet im Neoimpressionismus, einer aus der Seh- und Erlebnisweise der Impressionisten abgeleiteten Technik des Divisionismus. Das Ölbild wird zum Mosaik oder zur Stickerei, wo der Pinsel gleichartige, rechteckige Flecken in waagerechter, senkrechter oder schräger Linie hinsetzt. Daraus entstand ein so herrliches Bild wie Signacs Papstpalais in Avignon 1908. Der Impressionismus hatte sein Ende erreicht. Er war zu dem Punkte gelangt, wo das Farbkunstwerk sich in Töne, also in Musik, aufzulösen begann, oder, wo, vorsichtiger gesagt, die Malerei in den Bann der Musik geriet. Die Komponisten Débussy und Ravel waren die jüngeren, legitimen Brüder der großen französischen Impressionisten. In Deutschland gewann indessen die impressionistische Bewegung niemals eine entsprechend weltgültige Bedeutung wie in Frankreich. Die Stunde des Impressionismus schlug in Paris. Der Impressionismus war ein französisches Phänomen; darin stimmen alle Kritiker überein. Was aber bedeutet die Behauptung? Sie bedeutet Sieg des französischen Sensualismus und seines Korrelats, der analytischen Methode Descartes; das wurde schon seltener gesagt, am deutlichsten von Friedell, der sonst das »Französische« nicht immer richtig sieht. Der Sensualismus der impressionistischen Malerei ist ohne weiteres begreiflich; ihr Kartesianismus liegt verborgener, nämlich in der Auflösung der Realität in ihre kleinsten und feinsten Einheiten und der darauffolgenden, sehr präzisen Rekonstruktion. Die Deutschen Liebermann und Slevogt, vor ihnen Adalbert Stifter und Menzel, waren ganz anderer Art und nur entfernte Vettern der Impressionisten Frankreichs.

Die französischen Impressionisten kamen bis an die Grenze des objektiven Realismus. Dahinter öffnete sich eine Welt des Irrealen, Phantastischen, A-logischen, des Traumes, der Abstraktion: Domänen der Malerei unseres Jahrhunderts, deren eigentümliches Liniengeflecht sich mit den Hauptzügen des Expressionismus, Kubismus, Surrealismus und der Abstraktion umreißen läßt. Hatte die Stunde der Impressionisten in Frankreich geschlagen, so war der Expressionismus die Stunde der deutschen Malerei: der gültige Beitrag, den Deutschland zur Geschichte der bildenden Künste in Europa geleistet hat. »Die Brücke«, »Der blaue Reiter«, »Das Bauhaus«: Dresden – München – Dessau und: das Berlin der Jahre nach dem ersten Weltkrieg, das waren die Etappen und kunstgeographischen Zentren Deutschlands, von denen vor allem München zur Brücke von Ost und West wurde. Dorthin kam Kandinsky 1896 aus Moskau, präsidierte 1908 die »Neue Künstlervereinigung«, veröffentlichte mit Franz Marc den Almanach »Der blaue Reiter« und publizierte dort 1912 das Résumé seiner Kunstlehre: »Über das Geistige in der Kunst«. Nach München kam Robert Delaunay 1911 aus Paris, stellte dann 1913 in Berlin in der Galerie »Der Sturm« aus. Dazwischen waren Marc und Macke in Paris und hatten die erste Fühlung mit der Gruppe der jüngeren Kubisten. Mehr als die Musik war und ist die Malerei ein internationales Phänomen. Ihre Hauptstadt blieb, auch in der Periode des Expressionismus, Paris. Dort fielen die Entscheidungen der internationalen Malerei, so wie in Wien und Berlin die musikalischen Ereignisse Weltbedeutung erlangten. Nach Paris ging, in Paris lebte und wirkte der Maler, der alle Zeitgenossen durch sein technisches Können, seinen Ideenreichtum und seine Wandlungsfähigkeit überragt: Pablo Picasso, dessen geniales Oeuvre ein wahrhaftes Compendium aller Ideen und Stile der ersten Jahrhunderthälfte darstellt.

Ähnlich wie der Impressionismus tritt auch der Expressionismus als Generation auf. Es ist lehrreich, Namen und Daten gegenüberzustellen: Dabei erfahren wir, daß einerseits die französischen Impressionisten fast alle zwischen 1830 und 1840, und andererseits die deutschen Expressionisten gemeinsam mit den Fauvisten zwischen 1880 und 1890 geboren wurden.

Eine solche Liste der Gegenüberstellungen ließe dreierlei erkennen: 1. Der Impressionismus und Fauvismus ist eine wesentlich französische Bewegung, der Expressionismus ein wesentlich deutscher Beitrag zur Malerei unseres Jahrhunderts. 2. Ein Zeitabschnitt von etwa 40 Jahren trennt die Expressionisten und Fauvisten von der impressionistischen Malergeneration, deren künstlerische Richtung von den beiden jungen Gruppen auf neuer Ebene weitergeführt und zugleich konsequent bekämpft wird. Mit den Fauvisten und Expressionisten, mit ihrer Grundeinstellung zur Malerei, beginnt streng genommen die Moderne. 3. Der Fauvismus kann als die französische Spielart des zeitgenössischen deutschen Expressionismus, wie umgekehrt der Expressionismus als deutsche Begleiterscheinung des Fauvismus gesehen werden; denn der deutsche Expressionismus hat entscheidende Anstöße von Picasso, Braque, Matisse erhalten, ist aber in seiner Besonderheit wiederum sehr deutsch.

Drei Aussprüche von Malern selbst mögen als Motive der neuen Bestrebungen durchdacht werden:

Ernst Ludwig Kirchner: »Sie wissen, daß ich 1900 die kühne Idee hatte, die deutsche Kunst erneuern zu wollen ... Eine Ausstellung von französischen Neoimpressionisten ließ mich aufmerken ...«

Henri Matisse: »En regardant un tableau, il faut oublier ce qu'il représente.« – »Wenn man ein Bild betrachtet, muß man vergessen, was es darstellt.«

Paul Klee: »Kunst gibt nicht das Sichtbare wieder, sondern macht sichtbar.« Die französischen Fauvisten und deutschen Expressionisten sind gemeinsam der alten Generation von van Gogh, Gauguin und Cézanne verpflichtet. Jenseits des Impressionismus werden diese drei zu Vorbildern des ganz Neuen. Matisse sagt, man soll vergessen, was ein Bild »darstelle«: Diese Negation bedeutet, ins Positive gewendet: der Maler will und sucht Ausdruck, aber einen Ausdruck, der nicht im Gegenstand selbst liegt, sondern in den Bildmitteln, also in der *Linie,* ihren Windungen, ihrer Kraftentfaltung, ihrem Tasten, – in der *Farbe,* ihrem Glühen, ihrer Reinheit, ihrer Leidenschaft, – in den *Kuben und Kegeln und Kugeln* und ihrer Verbindung, ihrer Rundung oder Kantigkeit. Das Schlüsselwort aber, das uns Sinn und Wesen der modernen Malerei erschließt, sagte Klee. Die Kunst befreit sich von der Funktion der Mimese, gibt nicht mehr das Sichtbare wieder, sondern macht selbst Verborgenes sichtbar. Form und Farbe und Linie dienten nicht mehr der Darstellung der gegebenen Welt und des Menschen, sondern Form und Farbe und Linie schufen selbst Welt, Natur und Menschen aus eigenem, autonomen Akt. Jetzt wird verständlich, warum diese Jungen die moderne Größe eines van Gogh begriffen, der nicht bloß die Wirkung der Sonne am Abglanz der Dinge studierte, sondern die Sonne selbst ergreifen wollte und vom *Wesen* des Menschen kündete: »Ich versuche mit dem Rot und dem Grün den schrecklichen mensch-

Ich werde fachsimpeln, das heißt von
der Form reden. Mein Bild wird
sicher ganz anders als der Laie
glaubt. Besonders als der Laie der
gerade kurz vorher irgend wo
einen komplizierten Essay über
unsern Ismus las. Das könnt
ja heutzutage manchmal vor,
(aber nicht im Apparat) Es gibt
    Auch in der Musik eine Polyphonie.
Der Versuch einer Übertragung dieser
Wesenheit ins Bildnerische wäre
an sich noch nichts Besonderes.
Aber, bei der Musik durch die Besond-
heit polyphoner Kunstwerke Erfahrung
schöpfen, in diese kosmische Sphäre
tief eindringen, um als gewandelter
Kunstbetrachter draus hervor-

zu gehen, und dann die Bild dieser
Dingen nach zu warten, das ist
schon besser. Den die Gleichzeitig-
keit mehrer Selbständiger Themen
ist eine Sache die nicht nur
in der Musik zu Haus, wie
alle Dinge nicht nur an einen
typischen
Ort gelten, sondern irgendwo
und überall verwurzelt sind,
organisch verwurzelt

17 Paul Klee
Selbstporträt

lichen Leidenschaften Ausdruck zu geben.« Nun begriffen sie Gauguin, der in der Südsee die reinere Welt des ungebrochenen Seins und der ungetrübten Farben zu erobern hoffte. Und jetzt begann auch Cézanne erst seinen Siegeszug.

Im Rückgriff auf diese drei Großen und in der Reaktion gegen die zeitlich näheren Impressionisten, deren Technik sie nicht verschmähten, wurde die Eigenart der Fauvisten Zug um Zug sichtbar. Sie gaben die Gesetze der Perspektive auf; sie verzeichneten bewußt. Die Gegenstände wurden in starke Konturen gebannt, damit das Wesentliche ihrer Erscheinung hervortrete. Die Farbe selbst bestimmte die Formen und verlieh ihnen ihr spezifisches Leben. Dabei verzichteten die Fauves auf manche hohen Errungenschaften der großen europäischen Malerei, z. B. ihrer Farbtöne zugunsten der lauten Töne, des Veronesgrün, des Preußischblau, des Zinnoberrot; Schwarz und Weiß gewannen neue Bedeutung und wurden als Farben legitimiert. Das alles mußte barbarisch und naiv erscheinen, und wer von der kultivierten, nuancierten, subtilen Malweise der Impressionisten kam, mußte in den jungen Malern eine Wildheit, einen »fauvisme« sehen, der in der Tat aus der Überzüchtung und bourgeoisen Zivilisation herauswollte und in Arthur Rimbaud, dem Dichter des »Bateau ivre« und dem Abenteurer von Äthiopien, einen Geistesverwandten erblickte. – Der Fauvismus strahlte über ganz Europa aus; seine Verbindung mit dem deutschen Expressionismus, in dem seinerseits viele östliche Elemente steckten, machte die Bewegung zu einer umfassenden Kunstströmung, in die auch philosophische Spekulationen einflossen und soziale Momente sich richtungweisend einschoben. Erst in Deutschland wurde die Bewegung des Expressionismus als ein gesamtkünstlerisches Ereignis sichtbar: ein Triptychon des Wortkunstwerks, des Tonkunstwerks und des Farb- und Formenkunstwerks.

Es mag paradox klingen, daß drei der wesentlichen Charakterzüge unserer Kunst des 20. Jahrhunderts in drei Grundanschauungen des deutschen Idealismus, der uns so fern zu rücken scheint, vorgebildet sind. Auf diesen Tatbestand hat W. H. Sokel in seinem Buch über den »Literarischen Expressionismus« hingewiesen. Es handelt sich um die romantische Bestimmung des Genies, um die philosophische Unterscheidung der logischen und ästhetischen Ideen, und um das ästhetische Problem von Stoff und Form. Vielleicht ist die Erörterung und Beantwortung dieser drei Probleme durch Herder-Schlegel, durch Immanuel Kant und durch Friedrich Schiller der wesentliche, typisch deutsche Beitrag zur Philosophie und Geistesgeschichte der modernen Kunst. – Das Genie ist frei. Der schöpferische Mensch, der Künstler, ist eine Art Creator mundi – gottähnlich im Akt des Schaffens, im künstlerischen Akt par excellence. Sein Gesetz liegt nicht in den Konventionen ästhetischer Regeln, sondern in ihm selbst. Wir sahen schon bei Herder, mit welchem Ernst, mit welchem Feuer damals in der »Genieperiode« des Sturms und Drangs das Problem des Genies diskutiert wurde und erinnern uns jetzt bei der Betrachtung des deutschen Expressionismus des Fragments 116 von Friedrich Schlegel, wo es anläßlich der »romantischen Dichtart« heißt, sie sei noch »im Werden«:

»... das ist ihr eigentliches Wesen, daß sie ewig nur werden, nie vollendet sein kann. Sie kann durch keine Theorie erschöpft werden, und nur eine divinatorische Kritik dürfte es wagen, ihr Ideal charakterisieren zu wollen. Sie allein ist unendlich, wie sie allein frei ist, und das als ihr erstes Gesetz anerkennt, daß die Willkür des Dichters kein Gesetz über sich leide.«

Zum zweiten war es Kant selbst, der durch die Unterscheidung der logischen und ästhetischen Ideen den Grund dafür legte, daß zum einen der freischaffende Künstler sich von der herrschenden aristotelischen Vorstellung, die Kunst sei Nachahmung von irgendetwas, befreien konnte, und daß zum andern die Künste ihre Autonomie gewannen; sie unterlägen ihren eigenen, ästhetischen Ideen und emanzipierten sich aus ihrer moralischen, philosophischen oder religiösen Dienerrolle. Kant hat aber auch die Grenzen des menschlichen Verstandesvermögens gezeigt und die Welt als ein Produkt unseres Geistes bewiesen. Also kann die menschliche Kunst weder eine Offenbarung Gottes noch als Mimese der Natur sinnvoll sein. So dient die Kunst keinem außerhalb ihrer selbst liegenden Zwecke. Die »Kritik der reinen Vernunft« und die »Kritik der Urteilskraft« weisen in diesem Sinne auf die modern anmutende, aber von Kant antizipierte Idee einer reinlichen Unterscheidung der »ästhetischen Attribute« im Reich der Einbildungskraft, also der Kunst, und der »logischen Attribute« im Reich des reinen Denkens und der reinen Begrifflichkeit.

»Unter einer ästhetischen Idee verstehe ich diejenige Vorstellung der Einbildungskraft, die viel zu denken veranlaßt, ohne daß ihr doch irgendein bestimmter Gedanke, d. i. Begriff, adäquat sein kann ... Man sieht leicht, daß sie das Gegenteil (Pendant) von einer Vernunftidee sei, welche umgekehrt ein Begriff ist, dem keine Anschauung (Vorstellung der Einbildungskraft) adäquat sein kann.«

Einen dritten Weg zur modernen Kunstauffassung eröffnete Schiller, als er 1795 im 22. Brief seiner »Ästhetischen Erziehung« schrieb:

»In einem wahrhaft schönen Kunstwerk soll der Inhalt nichts, die Form aber alles tun: denn durch die Form allein wird auf das Ganze des Menschen, durch den Inhalt hingegen nur auf einzelne Kräfte gewirkt. Der Inhalt, wie erhaben und weitumfassend er auch sei, wirkt also jederzeit einschränkend auf den Geist, und nur von der Form ist wahre ästhetische Freiheit zu erwarten. Darin also besteht das eigentliche Kunstgeheimnis des Meisters, daß er den Stoff durch die Form vertilgt.«

Damit hat Schiller bereits die Tore zur ungegenständlichen Kunst aufgestoßen; aber erst unsere Zeit hat sie durchschritten.

Schlegel, Kant, Schiller haben also mit einigen ihrer grundlegenden Ideen: Freiheit des Genies, Autonomie der Kunst, Souveränität der Form, gewisse Vorbedingungen für die Entfaltung der modernen Kunst geschaffen. Aber das Phänomen des Expressionismus, mit dem diese beginnt, läßt sich damit allein nicht fassen. Er ist als eine Erscheinung des ersten und zweiten Jahrzehnts unseres Jahrhunderts aus eben der Geschichte dieser Epoche zu begreifen. Politische Kritik an den bestehenden staatlichen Lebensformen, Träume einer zukünftigen sozialistischen Weltordnung irdischer Gerechtigkeit, Abscheu vor der Tripelallianz von Kapital, Kirche, Militär im Kaiserreich, Ahnung der einbrechenden Weltkatastrophe, Angst vor der Ummauerung des Menschen durch die Errichtung eines Reiches der Bürokratie, der Technik und der Organisation, bei aller formalen Perfektionierung des Lebens dennoch das Gefühl des Chaos und der Verwirrung und Verirrung – und als Korrelat zu alledem die Sehnsucht nach Freiheit, die Hoffnung auf eine neue Ordnung aller Gebiete und so auch aller Künste, das Streben nach neuer, echter, wahrer Humanität –, das waren die verwirrenden Signale in der Frühzeit des 20. Jahrhunderts, als der Expressionismus durchbrach, bevor noch der erste Weltkrieg aufloderte und das alte Ordnungsgefüge zusammenfiel. Im deutschen Expressionismus – ob wir an die Dichter Trakl oder Heym, an den Komponisten Schönberg und seinen musikalischen Neuordnungsversuch denken oder an die Maler Nolde, Klee und Marc – wirkten in jeweils verschiedenen Graden der Intensität heterogene Elemente religiöser Sehnsucht, sozialistischer Gesinnung, psychologischer Einsichten zusammen. Es genügt, die Romanliteratur jener Zeit der Vorkriegs-, Kriegs- und Nachkriegsjahre zu lesen, einen Werfel und Heinrich Mann, einen Fritz von Unruh und Leonhard Frank, einen Wassermann und Wolfenstein, oder sich das expressionistische Drama jener Zeit zu vergegenwärtigen: Toller und Sternheim, Kornfeld und Barlach, Hasenclever und Georg Kaiser, um zu erkennen, wie in den Revolten und Sehnsüchten, Verzweiflungen und Hoffnungen dieser geopferten Generation ein neuer Stil und Wille emporloderte und nach Ausdruck des Erlebten suchte. Über Schlegel, Kant und Schiller legten sich die Schatten jener Männer, die unmittelbar ans Tor der Moderne getreten waren: Marx, Freud und Einstein. Von ihnen wurde die Signatur des Jahrhundertbeginns bestimmt.

Die Kunst erhielt von ihren Gedanken, Taten und Entdeckungen nicht nur neue Impulse, sondern ihre eigentümliche sozialistische, psychoanalytische und naturwissenschaftliche Färbung. George Grosz und Otto Dix, Barlach und Käthe Kollwitz, Hans Baluschek und Otto Pankok, Liebermann und Fritz von Uhde sind auf der Linie eines expressionistischen Verismus und einer sozialistischen Malerei neuer Sachlichkeit zu suchen. Die satirische, antibürgerliche und antinaturalistische Tendenzkunst, die zum Angriff gegen den Offizierstyp und Corpsstudenten oder gegen die Lüge der Sentimentalität und die Behaglichkeit bourgeoiser Indifferenz übergeht, fand ihr Organ im Simplizissimus. Sozialistische Tendenzkunst und proletarische Milieuschilderung wie bei Grosz und Kollwitz sind wie die Arbeiterdichtungen der gleichen Zeit thematisch an den Naturalismus gebunden, während der Ausdrucksstil ihrer Lyrik, Malerei und Graphik die Herkunft aus dem Expressionismus verrät; es ist die greifbar marxistische Seite expressionistischer Kunst, ein zur Kunst gewordener politischer Aktivismus. Vergessen wir in diesem Zusammenhang auch nicht den Düsseldorfer Expressionistenkreis um »Mutter Ey« und die Zyklen vom Zigeunerleben, die Blätter des »Jüdischen Schicksals« und den großartigen Zyklus zu dem chinesischen Volksroman »Die Räuber vom Liang Schan-Moor«, die wir alle dem farbenblinden Otto Pankok verdanken.

In ganz andere Bewußtseinsschichten stößt der Expressionismus auf den Wegen Freuds. Man versteht wenig von Kafka, Chagall, Kubin oder Ensor, wenn man sie nicht im erhellenden Spiegel psychoanalytischer Erkenntnisse sieht. Die Grenzen des Wachseins werden überschritten, die Hemmungsschwelle unseres Denkens im Schlaf gesenkt; verdrängte Gedanken und Gefühle steigen als Bilder auf, und aus Vision und Traumeszauber entstehen Werke und Gesichte, die einen stärkeren, expressiveren Wahrheitsgehalt erweisen als solche, die in den Grenzen unseres rationalen Denkens und des eingedämmten Willens möglich sind. Der Künstler vermag die ursprüngliche, lustvolle Beziehung zur Außenwelt, die uns Menschen im Laufe der Jahrtausende und der mit Realität gesättigten Zivilisation und Kultur verlorengegangen ist, wieder herzustellen. Er, der ursprüngliche Mensch, der im Schöpfungsakt noch in den Tiefenschichten webt und wirkt, vermag auf kurze Zeit den Zwiespalt zwischen Innenwelt und Außenwelt zu lösen und den Betrachter zu erlösen. Davon wußten E. T. A. Hoffmann, Schopenhauer, Wagner – ein jeder auf seine Art – und davon künden auch heute die künstlerisch interessanten, aber schwer zu deutenden Blätter eines Max Ernst, Salvador Dali, Marc Chagall auf ihrem Wege zum Surrealismus.

Nicht ungestraft wuchsen endlich die Expressionisten in einer geschichtlichen Epoche heran, deren naturwissenschaftliches Bild von den Entdeckungen Plancks, Einsteins und Niels Bohrs, d. h. von der Quantentheorie, der Relativitätstheorie und der Atomforschung bestimmt wurde. Wir können erst heute, nach mehr als einem halben Jahrhundert begreifen, welche Erschütterungen die damaligen Entdeckungen im Erdreich der traditionellen Kunst hervorgerufen haben. Ein Teil der Künstler geriet in den Bann der Wissenschaften und der Technik. Das Wort Marinettis: »Une auto de course est plus belle que la ›Victoire de Samothrace‹« (Ein Rennwagen ist schöner als die Nike von Samothrake) ist vor dieser Zeit nicht denkbar. Das Futuristische Manifest ist ein einziger *acte de foi* in die technischen Errungenschaften der Moderne, eine Bejahung des wissenschaftlichen Zeitalters, ein einziges Bemühen, die Kunst auf dem Kult einer primitiven Vitalität und zugleich einer modernen, zerebral bestimmten Zivilisation zu gründen. Der Futurismus war nicht ohne Einfluß auf den Expressionismus. Die Flucht mancher Künstler vor eben dieser technischen Zivilisation ist nur die Kehrseite der Medaille. Beide Bewegungen gehören zusammen.

Außer all diesen Beziehungen zur Zeitgeschichte sehen wir den Expressionismus auch im Bann des Religiös-Metaphysischen, der Mathematik und einer andern, vom Maler viel beneideten Kunst: der Musik. Seit Nolde gibt es wieder eine ernst zu nehmende religiöse expressionistische Kunst in Europa: vielleicht Nachwirkungen Kierkegaards und seines Verlangens, daß das Christentum wesentlich werde, und daß der Mensch in die Tiefe leben, sich in den Abgrund Gottes werfen müsse. Kierkegaard erschütterte die Generation, die das Erbe Nietzsches angetreten hatte. Sie hörte von neuem den Ruf der Mystik und manche der religiösen Maler kerbten dem Expressionismus den Zug ins Gotische ein; sie entdeckten jenseits der Renaissance den leidenden Christus und die religiöse Mystik Grünewalds und El Grecos. Der Bogen spannt sich von der geistigen Intensität und Ekstase der Noldeschen Farbenglut bis zum späten Rouault der vierziger und fünfziger Jahre. Im religiös-metaphysischen Bereich des Expressionismus wird der Unterschied zum Impressionismus relativ deutlich: Der Impressionist ist vom Gegenstand befangen und lauscht auf seine Anrede; der Expressionist lauscht auf die Stimme hinter den Erscheinungen und befreit sich vom Gegenstand. Der Impressionist übt sich im Sehen und Verstehen, der Expressionist will bekennen und schauen. Der Impressionist sucht die Natur und die Landschaft, der Expressionist Gott selbst und den Menschen.

»Vom Vorbildlichen zum Urbildlichen. Wer möchte da als Künstler nicht wohnen? Im Schoß der Natur, im Urgrund der Schöpfung, wo der geheime Schlüssel zu allem verwahrt ist? ... So hatten zu ihrer Zeit unsere gestrigen

Antipoden, die Impressionisten, völlig recht, bei den Wurzelschößlingen, beim Bodengestrüpp der täglichen Erscheinungen zu wohnen. Unser pochendes Herz aber treibt uns hinab, tief hinunter zum Urgrund.«

So Paul Klee in seinem Vortrag »Über die moderne Kunst« (1924) Analoges finden wir bei Marc und Kandinsky. Es ist ein platonisches Schauen und pythagoreisches Horchen, wenn Kandinsky vom »inneren Blick« spricht und der »Sphärenmusik« in der Malerei:

»Dieser Blick geht durch die harte Hülle, durch die äußere ›Form‹ zum Innern der Dinge hindurch und läßt uns das Innere ›Pulsieren‹ der Dinge mit unseren sämtlichen Sinnen aufnehmen. Und diese Aufnahme wird beim Künstler zum Keim seiner Werke. Unbewußt. So erzittert die ›tote‹ Materie. Und noch mehr: die inneren ›Stimmen‹ der einzelnen Dinge klingen nicht isoliert, sondern alle zusammen – die ›Sphärenmusik‹« (Aufsätze 1923–1943)

Fügen wir ein drittes Wort, einen Ausspruch von Franz Marc aus den Briefen, Aphorismen und Aufzeichnungen, hinzu:

»Die Sehnsucht nach dem unteilbaren Sein, nach Befreiung von der Sinnestäuschung unseres ephemären Lebens ist die Grundstimmung aller Kunst ... Ein unirdisches Sein zu zeigen, das hinter allem wohnt, den Spiegel des Lebens zu zerbrechen, daß wir in das Sein schauen. Es gibt keine soziologische und psychologische Deutung der Kunst. Ihre Wirkung ist durchaus metaphysisch ... Haben wir nicht die tausendjährige Erfahrung, daß die Dinge um so stummer werden, je deutlicher wir ihnen den optischen Spiegel ihrer Erscheinung vorhalten? Der Schein ist ewig flach, aber zieht ihn fort, ganz fort... die Welt bleibt in ihrer wahren Form zurück, und wir Künstler ahnen diese Form; ein Dämon gibt uns, zwischen die Spalten der Welt zu sehen, und in Träumen führt er uns hinter die bunte Bühne der Welt.«

Neben der platonisch und schopenhauerisch gefärbten Betrachtungsweise, die sich, auch bei andern unter ihren Zeitgenossen, zu einer religiös-metaphysischen Weltsicht verdichtet, kennzeichnet die Expressionisten eine Neigung zur Mathematik und Musik. Aus diesen ihren Tendenzen entwickelte sich der Zug zum Abstrakten. Wenn man in den Arbeiten Klees und Kandinskys liest, überrascht einen auf jeder Seite das geradezu leidenschaftliche Interesse, mit dem diese und manche anderen Gesinnungsgenossen ihre Kunst in Verbindung mit Mathematik und Musik stellen. Man denkt zugleich an Paul Valéry und wie er als Dichter einer poésie pure neidisch auf die Komponisten blickte und sie um ihre abstrakte Notenschrift beneidete. Die Notenschrift und die in ihr enthaltene und durch sie vermittelte Kraft abstrakter Komposition hat es auch den Malern angetan. Ein Paul Klee lebte in der musikalischen Welt eines Bach und Händel, eines Gluck, eines Haydn-Mozart-Beethoven; er lebte mit Schubert und Berlioz, und über Lulli und Couperin rückwärts hinaus besagten ihm die Rhythmen und Melodien der Ars nova, der Gotik und Renaissance Wesentliches. Aber nicht auf dieses Wissen und die Kenntnis der Musik kam es an. Entscheidend war, daß ihm gerade in der Musik, – auch hierin Valéry ähnlich – das Phänomen der *Form* einsichtig wurde. Er erlebte das Wunder der Musik darin, daß sie aus dem Nichts erwächst. Die Töne werden Gestalt und Erscheinung aus eben dem Nichts. Wie, wenn es dem Maler glückte, was er noch nie versuchte? Da, wo nichts ist, auf dem leeren Blatt? Aber nicht etwa eine optische Transposition schon umrissener Programmusik. Das wäre Einengung, Nachbildung, malerische Interpretation einer musikalischen Gegenständlichkeit. Was ihn entzückte, war das Wunder der absoluten Klangfigurationen der alten, klassischen Musik, die Genialität der Ordnung, die um der Ordnung willen da ist, die Genialität der Fuge, die Architektur um der Architektur willen ist. So ist es gut, daß das leere Blatt da liegt, nichts darin praefiguriert ist, kein Gegenstand vorhanden im Draußen, aber im Innern der Wille zur Figur, die werden will; so entstehen die Gebilde Klees: Menschen, Tiere, Häuser, Landschaften, die aber gar keine »wirklichen« Menschen, Tiere, Häuser und Landschaften sind, sondern – wie Hausenstein im »Kairuan« bemerkt, »nur der Nomos von allem, die Musikalität von allem«. Klees Bilder und Blätter werden wie Noten geschrieben: kontrapunktisch, harmonisch, linear, rhythmisch. Die Musik ist der Malerei und Zeichnung inhaerent. An seinen Werken wird das Phänomen der Synästhesie, von dem die Romantiker, E. T. A. Hoffmann vor allem, schon viel wußten, durchsichtig: Töne werden Farben; musikalische Proportionen zu farbigen Proportionen, und die ganze Transposition geschieht in feinster Abstufung, bis der »tonale« Bau des Bildes hervortritt. Und so auch in der Zeichnung; denn auch Klees graphische Arbeiten tragen das Zeichen der Musik in sich. Klee selbst hat darüber nachgedacht:

»Was für die Musik schon bis zum Ablauf des achtzehnten Jahrhunderts getan ist, bleibt auf dem bildnerischen Gebiet wenigstens Beginn. Mathematik und Physik liefern dazu die Handhabe.«

Was also der alte Gauguin prophezeit hatte: »Seien Sie überzeugt, daß die farbige Malerei in eine musikalische Phase tritt«, ist mit der Ära Klee und dem Expressionismus Wirklichkeit geworden.

Die moderne, von den Expressionisten geschaffene Malerei im Banne der Mathematik? Das steht in voller Übereinstimmung mit ihrem geheimen Platonismus und ihrer latenten Musikalität und leitet uns unversehens in die aus dem Expressionismus erwachsende Epoche der abstrakten Malerei. 1910: Es war noch in der ersten Etappe des Expressionismus: Matisse malte »Tanz« und »Musik«; Marc hatte seine erste Ausstellung in München, und Kandinsky, dessen erstes abstraktes Aquarell erschien, schrieb an seinem Versuch »Über das Geistige in der Kunst« (erschienen 1912):

»Der Punkt ist Urelement, Befruchtung der leeren Fläche. Die Horizontale ist kalte tragende Basis, schweigend und ›schwarz‹. Die Vertikale ist aktiv, warm, ›weiß‹. Die freien Geraden sind beweglich, ›blau‹ und ›gelb‹. Die Fläche selbst ist unten schwer, oben leicht, links wie ›Ferne‹, rechts wie ›Haus‹. Jeder Klang von Farben und Formen differenziert sich entsprechend seiner Lage auf der Fläche.«

Das Faszinosum der Geometrie, wie es etwa in der Schönheit einer Linie, eines Dreiecks, eines Kreises erlebt wird, hat Kandinsky beunruhigt und beglückt. Die geometrischen Figuren wurden nicht nur malerische Mittel, sondern hatten Eigenwert und setzten sich als solche wieder in Klang, Aktion, in die »Musik« des Bildes um:

»Eine Vertikale, die sich einer Horizontalen verbindet, erzeugt einen fast dramatischen Klang. Die Berührung des spitzen Winkels eines Dreiecks mit einem Kreis hat in der Tat nicht weniger Wirkung als die des Fingers Gottes mit dem Finger Adams bei Michelangelo.«

Die Wiederentdeckung der elementaren Kraft geometrischer Figuren, wie sie der Antike, die sich Gott als den Geometer der Welt ersann, bis in die Zeit der europäischen Aufklärung geläufig war, ist ein Kennzeichen moderner Kunst. Die »große Realistik« und die »große Abstraktion« sind korrelativ. Jeder beliebige Gegenstand hat, so sagte Kandinsky, »einen inneren Klang, der von seiner äußeren Bedeutung unabhängig ist«. So wirkt auch eine ganz einfache Bewegung von Menschen bedeutend, geheimnisvoll, faszinierend, wenn man ihren praktischen Zweck nicht kennt. »Sie wirkt als reiner Klang, so dramatisch und packend, daß man stehenbleibt wie vor einer Vision« – erkennt man aber den praktischen Sinn, dann ist der Zauber verschwunden. So kommt die Ästhetik des zweckfreien Spiels, das dem Musiker geläufig ist, auch ins Blickfeld des Malers, und er erfährt: Je mehr »Reales« gestrichen wird, desto mehr verstärkt sich in der Abstraktion der innere Klang der Dinge:

»Das zum Minimum gebrachte Gegenständliche muß in der Abstraktion als das am stärksten wirkende Reale erkannt werden.«

Erst wenn eine Linie von ihrer Zweckhaftigkeit, ein Ding zu bezeichnen, befreit wird, und selbst als ein Ding fungiert, bekommt sie im Bild ihre volle, gültige, innere Kraft. Die »abstrakten«, zwecklosen Formen, befreit von ihrer Aufgabe, Gebrauchsgegenstände darzustellen, werden mit dieser ihrer inneren Erlösung echte »Naturformen«, mit denen der Maler nunmehr schöpferisch gestalten, das Chaos zum

Kosmos ordnen kann. Vielleicht ist in diesem Sinne das Wort des großen Expressionisten Max Beckmann zu verstehen:

»Lernen Sie die Formen der Natur auswendig«, schreibt er an eine Malerin, »dann können Sie sie benutzen wie die Musikzeichen einer Komposition ... Natur ist ein wundervolles Chaos, das in eine Ordnung gebracht und vervollständigt werden soll.«

Aber dieser vom Naturrausch erfüllte Künstler fährt fort:

»Wir wollen uns der Formen erfreuen, die uns gegeben sind: eines menschlichen Gesichts, einer Hand, einer Frauenbrust oder eines Männerkörpers, eines frohen und traurigen Ausdrucks, der unendlichen Meere, der wilden Felsen, der melancholischen Sprache schwarzer Bäume im Schnee, der wilden Kraft der Frühjahrsblumen und der schweren Lethargie eines heißen Sommertages ... In jedem Falle trägt der Wille zur Form in sich selbst einen Teil der Rettung, nach der Sie suchen.«

Das also ist der dreifache Bann, in dem die Künstler des Expressionismus stehen: Die Musik, die Mathematik, die Natur. Sie weisen rückwärts auf uralte pythagoreisch-platonische Weisheit, weisen vorwärts auf die letzte Konsequenz, welche die reinen abstrakten Maler ziehen werden, und wurzeln wiederum mit einem Teil ihres Wesens in der eigentümlich deutschen Tradition der lebenspendenden Naturliebe und -mystik eines Goethe und Schelling.

Vielleicht ist in diesem Sinne einer weitverstandenen romantischen Kultur ein Franz Marc der »deutscheste« unter den Expressionisten. Er hat zusammen mit Klee und Kandinsky die Wege zur abstrakten Malerei gebahnt. Die Bewegung begann mit der deutschen Romantik. Der alle Phänomene seiner Zeit erspürende Hegel hat in der Nachfolge Kants in seinen ästhetischen Vorlesungen darauf hingewiesen, daß die romantische Kunstform »eine freie konkrete Geistigkeit« gewann, nämlich eine »innere Welt«, die »als dieses Innere und im Schein dieser Innigkeit zur Darstellung gebracht werden müsse«. Inneres und Äußeres war nur in dem Idealfall der »Klassik« verbunden: das Geistige im Leiblichen, das Leibliche im Geistigen eingefangen. Die Romantik löste diese schöne, ideale Einheit auf:

»Die Innerlichkeit feiert ihren Triumph über das Äußere und läßt im Äußeren selbst und an demselben diesen Sieg erscheinen, durch welche das sinnlich Erscheinende zur *Wertlosigkeit* herabsinkt.« (Hegel)

Diese Entwicklung vollendete sich auf den Spuren der Romantik erst im 20. Jahrhundert, dem Zeitalter der entdinglichten Malerei. Die Entwertung des Gegenstandes und der Gegenständlichkeit gerät in ein immer stärkeres Gefälle, und als vollends mit dem singulären Phänomen des »Impressionismus« die äußerste Spitze der Gegenstandsmalerei erreicht und das Leben des Lichtes selbst im farbig-flimmernden Abglanz auf den Gegenständen eingefangen war, da ging der Weg zur »Entbilderung der Bilder« – zu dem »geheimnisvollen Weg nach Innen«, von dem Novalis sprach. Paul Klee und Franz Marc waren die spätgeborenen Brüder der Romantiker Novalis und Philipp Otto Runge. Die Verwandtschaft zwischen den Malern des »Blauen Reiter« und den introspektiven Romantikern ist offensichtlich. Darauf hat Lankheit aufmerksam gemacht.

Die inneren Kämpfe, die Franz Marc ausfocht, vollzogen sich auf dieser Ebene, wo die Formen der inneren Erfahrung, die abstrakt geometrischen Formen, mit den realen Formen der sinnlichen Erfahrungswelt haderten. Es wurde sein Problem, die zwei Seelen seiner Erfahrung in konstruktiven Kunstwerken zu vereinigen. Der »Turm der blauen Pferde« ist Ergebnis solchen Ringens. Doch zuvor tauchte er ganz in die reale Gegenstandswelt, versank in sie ..., aber »vom Tier weg leitete mich ein Instinkt zum Abstrakten ... zum zweiten Gesicht, das ganz indisch-unzeitlich ist ...« Da geschah ihm, was für einen großen Teil der modernen Maler so charakteristisch wurde und was wir schon bei Marcs Altersgenossen Klee erfahren konnten: die Erkenntnis, daß die Musik (und Marc bezieht sich vornehmlich auf die deutsche klassische Musik) so etwas wie ein Vorläufer abstrakter Kunst war: »Sie blieb unsere platonische Liebe zur Wahrheit, zum Absoluten, einer europäischen Wirklichkeit um zwei Jahrhunderte vorauseilend.« (Aphorismen) Sie, die Musik, war ihm der »grünschimmernde Traum einer absoluten Formenwelt«. Also auch Marc ein Neider der immateriellsten, abstraktesten aller Künste, wie Valéry als Dichter die Komponisten beneidete; da wurde es zur Absicht vieler Zeitgenossen unter den Malern – denn Marc und Klee standen nicht allein –, es den Musikern mit den Mitteln der abstrakten Malerei gleichzutun. Die Farbe sollte klingen, der Ton Farbe werden. Das geht bis in junge und jüngste Versuche abstrakter Maler über ganz Europa, im Spiel der Farben, und nicht nur der Linien und Montagen, die Mathematik der Musik in Malerei (und Plastik) zu transfigurieren. Der Ausspruch der abstrakt malenden portugiesischen Künstlerin Vieira da Silva, sie wolle »die musikalische Mathematik einer Fuge malen«, stehe für diese Tendenz. Man betrachte Marcs »Heitere Formen«: Im Geviert der Fläche ein Mysterium erleuchteter Formen, die wie aus Unbewußtem auftauchen und an keinen Gegenstand mehr erinnern, die ein glücklicher Zufall hervorzurufen schien, und die nun ihr heiter-ernstes Spiel einer neuen Weltschöpfung spielen. – Spielen? ... Eben wie Bachs Fugenkunst in der »Kunst der Fuge« schöpferisch spielte und den »Kosmos«, d. h. die große Ordnung der Dinge und der Welt, hörbar machte.

Auf den Spuren Gauguins haben aber die Maler unseres Jahrhunderts eine weitere Entdeckung gemacht, woran neben und mit Paul Klee auch Franz Marc entschieden beteiligt war: die lapidare Einfalt und Schönheit afrikanischer Schnitzereien und der Inka-Werke. Marc war von den Entdeckungen erschüttert. Er kündete von diesem »Frührot künstlerischer Intelligenz«. Er befreite die Farbe aus ihrer realistischen Servilität – wir denken auch an Nolde – und erkannte wie dieser ihre Kraft, die er nun seinen Visionen nutzbar machte. Er suchte den Weg zur expressiven »Abstraktion«. Es war aber im Grunde mehr ein ins Künstlerische gewandelter Platonismus. Er schuf aus Traum*anschauung* und erfaßte die Dinge, die Tiere zumal, aus mythischem Geist. So machte er sich dazu frei, blaue Pferde und rote Kühe zu malen, wenn sein Blick ihm die Tiere s o zur Erscheinung brachte. Er sah sie in der Farbenglut einer versunkenen Märchenwelt, die für ihn als Dichter Realität besaß, und so konnte er sie in seinen poetischen Bildkompositionen ver-*klären*. Er war eine Art hl. Franziskus mit seinen Tieren und erfüllte die Forderung Goethes nach der dreifachen Ehrfurcht, die der Mensch haben soll: Ehrfurcht vor dem, was über ihm, unter ihm und mit ihm ist. Die Tiere waren Marcs Brüder und Freunde. Aus seinen Bildern spricht franziskanische Frömmigkeit, indische Weisheit, religiöse Mystik. Emil Nolde notierte in seinen autobiographischen »Jahren der Kämpfe«:
»Franz Marc hatte seine einfachen Gruppen der Rehe und Tiere gemalt, ohne jegliche Neigung zum Manierieren, nun wurde er plötzlich konstruktiv, kubistisch, fast bis zur Unkenntlichkeit seiner dargestellten Tiere. War dies die neue, angebrochene Zeit? Diese großen gewaltsamen Strahlungen, Biegungen, Linien und die prismatischen Farben?«
Die angebrochene neue Zeit – Nolde hat sie wie Kandinsky in Marc kommen sehen: Nolde und Kandinsky, zwei der Großen, in denen selbst die neue Zeit in Deutschland schon angebrochen war. Und Marc wußte um diese seine Aufgabe, sie heraufzuführen, er tat es, weil er gar nicht anders konnte. An einem wundervollen Herbstmorgen – es war im ersten Weltkrieg, wo Marc in Frankreich lag – ritt er aus. Da lag vor ihm das anheimelnde französische Dorf mit seinen graugelben Sandsteinhäusern in einer Landschaft von weißem, glitzerndem Reif. Wie war ihm, dem großen Verehrer und Künder der jungen französischen Malerei, die »Impression« vertraut! Er notierte in seinem Brief:
»Ein wehmütiges Gefühl beschleicht mich dabei, aber immer, wenn ich mich in solche Szene vertiefe, ertappe ich mich dabei, daß ich statt dem Kalt und Warm und der Luftperspektive, *Zahlen* sehe, rein abstrakte *Klänge*, und schnell ist der impressionistisch anheimelnde Traum vorbei, und die Arbeit beginnt.«

Das impressionistische Spiel des 19. Jahrhunderts wandelte sich in den Ernst einer nach Expression suchenden Abstraktion der neuen Zeit. H. Bünemann weist daraufhin, wie die nunmehr einsetzende Arbeit der Entmaterialisierung auf dem Wege der Reduktion der sinnlichen Erscheinung zu ihrer abstrakten Durchdringung verläuft. Vielleicht erwuchs diese Anspannung und Anstrengung aus jener Sehnsucht, die andere große Zeitgenossen mit Marc teilten: das verlorene Paradies zurückzugewinnen. Daß rein formale Probleme dabei nicht das Letzte waren, versteht sich bei einem philosophisch-metaphysischen Kopf, wie Franz Marc es war, von selbst. Die Bilder jener jungen Generation im Frührot des 20. Jahrhunderts hatten zum Teil noch ihre »Bedeutungen« – am Vorabend der großen Katastrophe von 1914. Wir denken an Kokoschkas »Windsbraut«, wir denken an Marcs großes Jahr 1913: da schuf er das »Reh im Blumengarten«, da schuf er die bedeutungsträchtige Komposition »Tierschicksale« – eine Tragödie, die Tier und Mensch alsbald erleben sollten, preisgegeben ihrem Schicksal, dem Untergang; – das steil aufgebäumte blaue Reh, Symbol des Opfers, Geopfertwerdens, der Todbereitschaft; – er schuf im gleichen Jahr die »Weltenkuh«, die »Ernsten Tiere« und wohl sein größtes Werk, den »Turm der blauen Pferde«, der eine der vollkommenen Realisationen des deutschen Expressionismus in der Malerei war. Hier wurde der Gedanke moderner Malerei Ereignis: Er schuf lebendigstes Leben, aber ein Leben, das in einem ausgezirkelten Liniensystem gebändigt und durch diese mathematische Verwandlung hindurch in mythische Wahrheit eingesenkt wurde. Die Farbe der Pferde ist lichtes Blau, jene Farbe, der Goethe die Kraft zuschrieb, uns »nach sich zu ziehen«. Hundert Jahre nach Schelling scheint Marc den Fundamentalgedanken der romantischen Transzendentalphilosophie in s e i n e r, in der modernen Sprache u n s r e s Jahrhunderts legitimiert zu haben: Die Natur ist der sichtbare Geist, und der Geist die unsichtbare Natur.

Wenn die drei Großen: Kandinsky, Marc und Klee – wir haben sie als Künstler des deutschen Kulturbereichs und nur stellvertretend für viele andere genannt – den Malern des 20. Jahrhunderts vom »Blauen Reiter« und vom »Bauhaus« aus den Weg zur »Abstrakten Malerei« vorzeichneten, dann knüpften sie aber die moderne Kunst zugleich auch wieder nach rückwärts an; denn in den Künsten gibt es nicht eigentlich »Fortschritt«, sondern ihre Erscheinungen zirkulieren stets, d. h. sie sind dem Kreise angebannt, wo jeder Punkt der peripherischen Bewegung immer Anfangspunkt und Endpunkt zugleich ist. Denn was heißt »abstrakt«? Lateinisch »abstrahere« bedeutet »abziehen«, »ablösen« (im Sinne der bildenden Kunst: ablösen vom Gegenstand). Von daher erklären sich auch die Synonyme »gegenstandslos« (französisch: »non-figuratif«) – »absolut« (was etymologisch nichts anderes heißt als »losgelöst«); schließlich nennt man sie auch »konkrete Kunst« – ein Ausdruck, der wohl parallel zur »musique concrète« zu verstehen ist. »Gegenstandslos« will streng genommen nur sagen, daß die Malerei keine Gegenstände der Außenwelt mehr abbilden soll, daß solche »Kunst« nicht eigentlich die tiefere Aufgabe der Malerei sein kann: »La photographie le fait beaucoup mieux et plus vite« sagte, Matisse. Malen ist noch etwas anderes als Abmalen. Warum durch Malerei eine zweite, identische Wirklichkeit schaffen, die doch nie den *Ideal*fall der *realen* Wirklichkeit erreichte? So fragte sich schon Platon. »Absolut« beinhaltet aber auch noch, daß die Kunst nicht nur »losgelöst« vom Gegenstand ist, sondern nun auch, positiv gewendet, für ihre spezifischen Aufgaben frei sein soll, um souverän in ihrem Reich, im Reich des Formalen, zu herrschen. Und schließlich weist der Begriff »abstrakt« darauf, daß hier die alte Verbindung mit der Mathematik und Musik weiterwirkt, neu begriffen wird. In Platons Dialog »Philebos« steckt der Kern dieser Anschauungen. Hören wir Sokrates argumentieren:

»Ich will versuchen, von der Schönheit der Form zu reden. Damit meine ich nicht, wie die meisten Leute glauben, die Formen lebender Gestalten oder deren Nachbildungen in Gemälden, sondern ich meine gerade Linien und Kurven und die aus ihnen gemachten Formen, flache und körperhafte, hergestellt mit der Drehbank oder mit Lineal und Winkelmaß. Diese sind nicht schön wegen irgendeines besonderen Grundes oder Zweckes, wie andere Dinge es sind, sondern sie sind durch ihre wahre Natur schön und geben Freude allein durch ihr eigenes Dasein, gänzlich frei vom Reiz des Begehrens. Und auch Farben dieser Art sind schön und gewähren eine ähnliche Freude.«

Ein Punkt, eine Gerade, eine Kurve, ein Kreis, ein Kegel, eine Kugel haben nicht nur ihren mathematischen Symbolwert, sie haben auch ihren ästhetischen Zauber. Der Maler weiß darum, wie er durch einen Punkt, eine Linie, ein Dreieck die gestaltlose Fläche in einer fast magischen Weise verändern kann. Aus diesem Grundgedanken Platons verstehen wir, wie die reiche Welt des orientalisch-islamischen Flächenschmucks als ein Wunder ästhetisch-geometrischer Ornamentik hervorkommen konnte und wie zur gleichen Zeit die farbige Abstraktion der gotischen Rosettenfenster ein göttliches Formenspiel war. Kandinskys »Im schwarzen Kreis«, Piet Mondrians puritanische Abstraktionen, Klees und Marcs Schöpfungen und in ihrem Gefolge die eigentlichen »Abstrakten« sind alle auf dieser Linie zu suchen; sie führen nach vorwärts, indem sie nach rückwärts übers Mittelalter zu Platon und den Griechen gehen.

Da taucht die Frage auf: Warum die gewollte Deformation des Ding-, Natur- und Menschenbildes bei den Expressionisten? Warum wurde das Antlitz »entmenschlicht«? Warum diese Grimassen, Verzerrungen, Verbeulungen und Verquetschungen? Darauf die Antwort der Maler: Eben weil wir unverbildet sehen, weil wir sehen wie die Kinder, direkt, spontan, impulsiv, primitiv, unangelernt. So sehen sie die Wüstheit und Bosheit, auch die fleischige Unförmlichkeit und tierische Verkommenheit des Menschen; wir könnten auch sagen: die Maler sähen mit der Schonungslosigkeit der Psychoanalyse in die Untiefen und Abgründe. Sie sehen vielleicht in ihren eigenen zerquälten und zerfurchten Seelengrund, verloren, ins Leere geworfen – und ihre Hand zieht die expressionistische Linie: gespannt, verwickelt, kapriziös-sprunghaft und nervös; und ihre Hand ist selbst nur Medium metaphysischer Kräfte. Es gibt so viele expressionistische Mal- und Machweise wie es expressionistische Küntlerindividualitäten gibt. Aber obgleich keiner der Expressionisten sich einer gemeinsam verpflichtenden Doktrin unterwirft und sie in alle Richtungen divergieren, scheinen dennoch alle instinktiv zu einem Gravitationspunkt zu konvergieren: Dieser ist vielleicht das Geheimnis der unbekannten Wirklichkeit, das Mysterium des Daseins, das Du und das Ich. Max Beckmann hat es formuliert:
»Meiner Meinung nach sind alle wesentlichen Dinge in der Kunst seit Ur in Chaldäa, seit Tel Halaf und Kreta immer aus dem tiefsten Empfinden für das Mysterium unseres Daseins entsprungen ... Was bist Du? Was bin ich?« (1938)
So ist jede expressionistische Leinwand ein Porträt und eine Konfession, ein Loch im Schleier, der das unendlich weite Unbekannte verhüllt.

2.

In den achtziger Jahren des vorigen Jahrhunderts wurden die Maler geboren, die sich später, im ersten und zweiten Jahrzehnt unserer Zeit, zur Gruppe der »Kubisten« zusammenfanden. Sie waren also die Altersgenossen der Fauvisten und Expressionisten und die dritte Stimme, die sich am Anfang der Moderne gegen den Impressionismus erhob und nach einem anfänglichen Unisono mit den andern Gruppen ein immer stärkeres Eigenleben zu führen begann. Der Kubismus machte eine Entwicklung durch, an der man den Gang der modernen Malerei von einer zunächst gegenständlichen Kompositionsweise über eine Dekomposition zum abstrakten Bildwerk ablesen kann. Er ist mit vielen

Fäden an den Expressionismus gebunden, vor allem durch sein Bemühen, in das Innere der Phänomene zu dringen und gewissermaßen den Tiefenformen der Natur – wenn man so sagen dürfte – auf die Spur zu kommen. Was bildnerisch herauskam, war in den Anfängen noch eine an den Expressionismus erinnernde metaphysische Transfiguration einer Innenschau, die aber noch ein ersichtliches Verhältnis, ja Verlangen nach dem Körperlichen und Räumlichen hatte. Es herrschte aber sogleich eine neuartig anmutende Dynamik. Die Würfel, Prismen, Pyramidenformen ruhten in den Bildern nicht nach dem Gesetz der Schwerkraft in sich oder aufeinander, sondern gerieten in Bewegung, stießen, drängten, schoben sich durcheinander, stürzten übereinander, zerschellten aneinander. Ein innerer Aufruhr tobte durch diese Bilder – wohl dasselbe Katastrophengefühl wie bei den Expressionisten. Bald klärte sich der Tumult. Die erste Periode des Kubismus, die sog. »analytische« begann. Das Malerauge geht gleichsam um den Gegenstand herum, wird verschiedener Ansichten desselben Gegenstands gewahr – von oben und unten, von vorn und hinten und von allen Seiten – und der Gegenstand wird auf seine Körperlichkeit, seine Dichte, Vertiefung, sein Vorspringen und Zurückweichen geprüft. Die gesamte Vielansichtigkeit auf die gegebene zweidimensionale Ebene zu projezieren, ist die Aufgabe des Malers. Die Bilder entstehen nicht mehr vor der Natur, sondern als Erinnerungsbilder im Atelier. Sie werden in einen neuen, unwirklichen Raum hineingebaut, der das alte Raumgefühl, wie es uns der optische und taktile Sinn vermittelt, heimatlos macht. Ein imaginärer Innenraum der Dinge und Menschen nimmt das Interesse der Maler gefangen. Über eine zweite Phase, in der durch eine sonderbare Zeit-Raum-Verknotung die Dimension der Erinnerung die kubistische Malerei in die Nähe von Proust und James Joyce bringt, läuft die Entwicklung zu einer letzten Stufe, auf der sich die Meister trennen und nur noch gelegentlich begegnen. Das Schlüsselwort dieser Phase ist »Gestaltzusammenhang«. Schmeller: »Die Form ist Funktion des Gestaltcharakters«. Zwar taucht der Gegenstand von neuem auf, aber die Beziehung zwischen ihm und dem Bildgefüge ist noch komplexer und desorientierender geworden, und was anfänglich mit dem harten Willen unternommen wurde, nämlich auf Grund der gleichsam radiographischen Durchsicht des kubistischen Auges durch die Oberfläche die Innenwelt der Dinge stereometrisch-strukturell im Bilde aufzubauen, gerät in den Zwang einer Dekomposition. Die Gestalt zerfällt. Es wird kaum zu leugnen sein, daß eine innere Beziehung zu der Entdeckung des Atomzerfalls denkbar ist.

Der Kubismus war als Gesamterscheinung neben dem Expressionismus eine erregende Etappe moderner Malerei. Die Meister, bei denen wir anfragen müßten, was diese Bewegung sei, und die auch eine Antwort zu geben hätten, sind Pablo Picasso (* 1881) und Juan Gris (* 1887), Joan Miró (* 1893) und Rufino Tamayo (* 1899), sind André Lhote (* 1885) und Georges Braque (* 1882), sind Albert Gleizes (* 1881) und Robert Delaunay (* 1885) und alle diese Maler begleitend, sie verstehend und sie verkündigend der Dichter Guillaume Apollinaire (* 1880). Es ist also wesentlich eine Generation von Spaniern und Franzosen. Obwohl ein Klee, Marc und Macke Anregungen von Delaunay empfingen, ist das für die Geschichte der modernen Malerei bedeutsame Phänomen des Kubismus ein vornehmlich romanischer Beitrag – neben dem Expressionismus deutscher Prägung wohl der stärkste Apport – auch im wirtschaftsterminologischen Sinn einer Sacheinlage – der modernen Malerei. Einige Aussagen der Künstler selbst mögen illustrieren, in welcher Richtung sie die Aufgaben der Malerei sahen, was sie verwirklichten und wo die natürlichen Verbindungen mit dem Expressionismus lagen. In dieser Sicht und Begrenzung gehört das Problem des Kubismus in unsere kulturgeschichtliche Betrachtung.

Wie für die Expressionisten ein van Gogh und Gauguin Vorbilder wurden, so für die Kubisten der große, alte Cézanne:

André Lhote: »Wer sich zu solcher Höhe erheben kann, dem scheint sich der ständig wechselnde Kreis der Erscheinungen vollkommenen Figuren anzunähern. Er wird statt des Gegenstandes die Beziehungen auszudrücken suchen, die er mit Kugel, Kegel und Zylinder oder mit komplexeren, aus jenen kombinierten Formen unterhält.«

In den Cahiers von Georges Braque lesen wir, was uns an die Kantischen Axiome der Expressionisten erinnert:

Braque: »Man darf nicht noch einmal machen wollen, was die Natur schon vollkommen gemacht hat. – Man darf nicht wahrhaftig erscheinen wollen durch die Imitation von Dingen, die vergänglich sind und sich verändern und die wir nur irrtümlicherweise als unveränderlich ansehen. Die Dinge an sich existieren ja gar nicht. Sie existieren nur durch uns.« – »Das sujet ist nicht der Gegenstand, sondern die neue Einheit, der Lyrismus, der völlig aus den Mitteln hervorgeht. Die Sinne entformen, der Geist formt.« –

Guillaume Apollinaire schrieb 1913 sein berühmtes »Les Peintres cubistes« und nannte im Untertitel das Buch »Méditations esthétiques«. Die Kubisten akzeptierten es als eine Art Manifest, ohne daß es jedoch im strengen Sinne ein Fachbuch des Kubismus war. Es mag uns hier der dreifache Anklang an den Expressionismus interessieren: Die metaphysische Bedeutung, die Apollinaire dem Künstler zuspricht; das Verhältnis zur Musik; die Idee der Neuschöpfung im Akt der Kunst.

18 Emil Nolde
Windmühle, 1924

Apollinaire: »Ohne die Dichter und Künstler würden die höchsten Ideen, welche die Menschen vom Universum haben, rasch verfallen; die Ordnung, die in der Natur erscheint und die nur das Ergebnis der Kunst ist, würde verschwinden. Alles würde ins Chaos versinken.« – »So gehen wir einer völlig neuen Malerei entgegen, die sich zu der Malerei, wie man sie bis heute verstand, verhält wie die Musik zur Literatur.« – »Was den Kubismus von der alten Malerei unterscheidet, ist die Tatsache, daß er nicht mehr eine Kunst der Nachahmung ist, sondern eine Kunst der Vorstellung, die sich bis zur Neuschöpfung zu erheben trachtet.«

Robert Delaunay weiß sich auf dem Wege zur Abstraktion, die im Grunde nichts anderes ist als eine »Couleur-pour-la Couleur«-Kunst, er glaubt seine Malerei aber auch auf dem neuen, richtigen Wege in das neuartig-rechtverstandene Phänomen der uralten, echten Natur. Delaunay stand mit Marc und Kandinsky in persönlicher Verbindung, stellte in der Exposition des »Blauen Reiter« in München aus und ging mit Apollinaire noch vor dem ersten Weltkrieg nach Berlin. Paul Klee hat seine Abhandlung »Über das Licht« übersetzt.

Delaunay: »Ich kam zu einem abstrakten Kubismus . . . Es handelte sich in diesen Bildern um die Farbe-um-der-Farbe willen . . . Es war keine Naturdarstellung mehr und auch kein Übernaturalismus, sondern . . . die erste abstrakte Malerei aus der Farbe.« – »Die Natur ist von einer in ihrer Vielfalt nicht zu beengenden Rhythmik durchdrungen. Die Kunst ahme sie hierin nach, um sich zu gleicher Erhabenheit zu klären, sich zur Anschauung vielfachen Zusammenklangs zu erheben, eines Zusammenklangs von Farben, die sich teilen und in gleicher Aktion wieder zum Ganzen zusammenschließen. Diese synchronische Aktion ist als eigentliches und einziges Sujet der Malerei zu betrachten.«

Zum Schluß vier Worte von Picasso selbst. Sie resumieren einige immer wiederkehrende Tendenzen der modernen Kunst innerhalb der Grenzen gegenständlicher Malerei, in der sich auch der Kubismus selbst noch bewegte.

Picasso: »Ich bemerkte, daß die Malerei einen selbständigen Wert hat, unabhängig von der sachlichen Schilderung der Dinge.« – »Ein Bild kann ebenso gut die Idee der Dinge darstellen, wie ihre äußere Erscheinung.« – »Es gibt keine abstrakte Kunst, man muß immer mit etwas beginnen. Nachher kann man alle Spuren des Wirklichen entfernen. Dann besteht ohnehin keine Gefahr mehr, weil die Idee des Dinges inzwischen ein unauslöschliches Zeichen hinterlassen hat.« – »Ob es dem Menschen paßt oder nicht, er ist das Werkzeug der Natur . . . Man kann nicht gegen die Natur angehen, sie ist stärker als der stärkste Mann.«

3.

Mit der Geschichte der Malerei verbunden ist der Surrealismus ein
Ereignis der allgemeinen Literatur-, Kunst- und Geistesgeschichte des
abendländischen Menschen in der ersten Hälfte des 20. Jahrhunderts.
Der Surrealismus als Malerei steht mit dem »magischen Realismus« des
Douanier Henri Rousseau, mit dem Dadaismus der Züricher und dem
ready-made-Experiment der ver-rückten Dinge eines Duchamp in ur-
sprunghafter Verbindung. Ja, von Chagall und Dali führt rückwärts
eine Linie über Kubin, Jacques Callot, Hieronymus Bosch bis hinein in
die Felszeichnungen praehistorischer Jäger. Der Surrealismus ist uralt,
und doch neu wie unser Jahrhundert. Sofern er eine allgemeine Kultur-
erscheinung ist, hat er seine Vorfahren und Gründer in Sigmund Freud
und der europäischen Romantik. André Breton, der Verfasser der sur-
realistischen Manifeste, weist schon in dem ersten von 1924 mit Nachdruck auf die Traumforschungen Freuds hin: »Mit voller Berechtigung
hat Freud sich kritisch dem Traum zugewandt.« Die Freudsche wissenschaftliche Entdeckung der Traumreiche und ihrer Bedeutung ist eins
der tragenden Fundamente, auf denen das Gebäude des Surrealismus
errichtet wurde. In diesem Sinne rückt Alfred Kubin (geb. 1877) als unmittelbarer Vorläufer an die Bewegung heran. Er schreibt in seinen
»Künstlerbekenntnissen« »Über mein Traumleben«:
»Eine richtige Fundgrube sind mir Träume ... Das im untergegangenen
Einst Geschaute mischt sich da mit Bruchstücken des vielleicht erst gestern
Erlebten.«
Diesem seltsamen Künstler, für den der Traum etwas Kontinuierliches
ist, das nur im Wachsein von der »grellen Schärfe des Verstandes« zer-
schnitten wird, entgleiten Worte, die wie ein Echo Hoffmannscher Ge-
danken anmuten:
»Die Augenblicke des Wandelns von einem Bewußtseinszustand in den andern
sind mir künstlerisch die ergiebigsten. Dämmrige, farbarme Phantasmen
huschen und fließen im Raum vorüber, in welchen fremdartiges Licht aus
unsichtbaren Quellen wie in eine Höhle dringt.«
Es genüge um zu erkennen, wie nachhaltig hier über Freud und Kubin
die Romantik eines E. T. A. Hoffmann, eines Gérard de Nerval oder
E. A. Poe mit ihrem Wissen um Magie und Traumsymbolik in den
Surrealismus unserer Zeit einwirkt. Die Kunst der Surrealisten ist
durchaus gegenständlich; nur gewinnen als Gegenstände nicht die sog.
realen Dinge der kausal- und schwerkraftbedingten Welt, sondern die
Traumwirklichkeiten ihre eigentümliche Bedeutung; die Bilder aber
werden bei aller Gegenständlichkeit ihrer Aussage eher magische Zei-

chen, Hieroglyphen. Damit gerät der Surrealismus in die Bereiche des Alogischen, Widervernünftigen, des Unberechen-, Unwäg- und Unmeßbaren. Alle diese Tendenzen schießen in den grundsätzlichen Zweifel an der Allmacht und dem Souveränitätsrecht der Raison zusammen und verkrampfen sich zu einer Gebärde gegen den »bon sens«.

Das geschichtlich greifbare, konkrete, auslösende Motiv war der Erste Weltkrieg. Seine Lehre war, daß alte Überzeugungen, Traditionen, Glaubenswerte sich in ihren vermeintlich ewiggültigen Werten als sinnlos erwiesen hatten. Was hieß Gott – Kaiser – Vaterland? Und Ehre und Treue? So entstand »Dada« schon inmitten der Kriegskatastrophen im Zürich der neutralen Schweiz, wo einige Emigranten: Dichter, Maler, Musiker, das *Cabaret Voltaire* gründeten.

»Wir verhöhnten einfach alles, nichts war uns heilig, wir spuckten auf alles, und das war Dada. Es war weder Mystizismus noch Kommunismus noch Anarchismus. All diese Richtungen hatten ja noch irgendein Programm gehabt. Wir aber waren der komplette, pure Nihilismus, und unser Symbol war das Nichts, das Vakuum, das Loch.«

So erzählte der Maler George Grosz, der gegen Ende des Krieges zur Dada-Gruppe stieß. Die Bewegung ergriff die Völker und wurde von der Zeit getragen. Sie wurde gleichzeitig in Frankreich, der Schweiz, den USA und Deutschland registriert, wurde in Zürich von Tristan Tzara und Arp geleitet, in New York von Marcel Duchamp und in Paris von André Breton und seinen Freunden Soupault und Eluard. Die Revolte zündete in den Hauptstädten Europas; ihre Flamme züngelte an dem morschen Gebäude der alten Gesellschaft empor; sie nährte sich, schlug nach Amerika über, und aus dem negierenden, einreißenden Geist von »Dada«, der die Elemente der Dekomposition selbst in sich trug, ging eben jene kräftige, positive Bewegung hervor, die zunächst in Frankreich Wurzeln schlug und zu Ehren Guillaume Apollinaires, der den Begriff kreierte, von Soupault und Breton »Surrealismus« getauft wurde. Die alten Dadaisten scheiterten in ihrer politischen Aktivität. Manche desertierten in die konservative Rechte, andere in die konformistische Linke – dasselbe Bild, das wir in der politischen Entwicklung des deutschen Expressionismus vor Augen haben: Pendelschläge nach rechts und links, vom Vitalismus zum Intellektualismus und umgekehrt und wieder zurück, von Gruppe zu Gruppe und wieder auch im Einzelnen selbst, und das alles aus psychologischen Zwängen, dem Unbehagen an der Kultur und Zivilisation heraus. Seit 1930 aber läßt sich beobachten, daß die Surrealisten ihre Aktivität immer stärker auf die Gebiete der Wissenschaft und Dichtung, der Malerei und des Theaters und Films eingrenzen. Das ihnen

Gemeinsame ist nicht als Weltanschauung, wohl aber als Welthaltung zu bezeichnen wie einst die Romantik, der sie so nahe stehen. Die Definition, die André Breton gibt, charakterisiert die Haltung der Surrealisten:

»Ich definiere den Begriff: Surrealismus ist die reine psychische Selbstbewegung, durch welche man es unternimmt, mündlich, schriftlich oder auf irgendeine andere Weise das wirkliche Funktionieren der Vorstellung auszudrücken. Ein Diktat des Denkens unter Ausschaltung jeglicher von der Vernunft ausgearbeiteter Kontrolle, außerhalb jeglicher ästhetischer oder moralischer Bedenken.«

Also Skepsis gegenüber dem rationalen bon sens; Übersteigung der Bewußtseinsschwelle; Niederschrift oder malerische Komposition unter automatischem Diktat im Trancezustand; Vorstoß in neue Seinsbereiche, ins Mythische, Märchenhafte und Magische. Aber der Mensch unserer Zeit ist ein w a c h e r Mensch; der Rückgriff auf die Urweltzeit seines mythischen Träumens geschieht mit Bewußtsein und Aufmerksamkeit. Er trägt das poetische Erbe der Romantik, aber auch das wissenschaftliche Freuds in sich; er ist auf beiden Linien zu finden: Der Surrealist ist Poet und Wissenschaftler; der eine schließt den andern nicht aus. Es ist kein Wunder, daß die surrealistische Kunst, das Bild- wie das Wortkunstwerk, den Tiefenpsychologen immer wieder fesselt; dieser vermag uns häufig zwingendere Aufschlüsse über den »Sinn« eines Gedichtes oder eines Bildes zu geben als der reine Literar- oder Kunsthistoriker. Manches Kunstwerk der Surrealisten mag schizophrene Elemente enthalten, aber den Künstler selbst deswegen für schizophren zu halten, weil er sich (oder andere) in seinem Werk zuweilen in ein Tier, eine Pflanze, in ein Urgestein verwandeln kann, ist nicht angängig; dann wären Picasso, Kafka, Rilke, Dali, Tanguy, Max Ernst und hundert andere vor ihnen nichts anderes als eine Galerie Geistesgestörter. Der bildende Künstler oder dichtende Magier des Worts ist so wenig verrückt wie ein Clown, dessen Mimik ebenfalls nichts anderes ist als ein Protest, eine Geste, in der die Fragwürdigkeit des Vernünftigen angedeutet ist. Aber ein Einschuß Mania, die schon die Griechen als heilig empfanden, wird freilich bei den großen Künstlern nicht fehlen. Ist er hoffnungslos »normal«, dann wird ihm kaum ein großes Werk gelingen – oder aber es gelingt ihm nur das Abstruse, das gewollt Verrückte, das einmal die unerbittliche Richterin Zeit auf dem großen Schutthaufen der Pseudo-Kunst wird verrosten lassen.

Traum- und Seelenlandschaften stehen als Hintergrund oft im Vordergrund surrealistischer Malerei. Die Maler malen zwar realistisch, gegenständlich, imitativ: Man »erkennt« auf ihren Bildern die Gegenstände: einen Elephanten, einen Löwen, eine schlafende Zigeunerin, Blumen, Felsen, Einöden, die banalsten Gegenstände des Hauses und der Wirtschaft, Städte und Straßen. Aber die Gegenstände werden seltsam verknüpft. Wir denken an »Die zufällige Begegnung von Nähmaschine und Regenschirm auf einem Seziertisch« (Lautréamont). Es ist das klassisch gewordene, von den Surrealisten entdeckte Phänomen, daß »die Annäherung von zwei (oder mehr) scheinbar wesensfremden Elementen auf einem ihnen wesensfremden Plan die stärkste poetische Zündung provoziert«. (Max Ernst) Gerade Max Ernst weist darauf hin, daß die Freude der Maler an derartig gelungenen Metamorphosen nicht »elendem ästhetischem Distraktionstrieb« entspringe, sondern »dem uralten vitalen Bedürfnis des Intellekts nach Befreiung aus dem langweiligen und trügerischen Paradies der fixen Erinnerungen und nach Erforschung eines neuen ungleich weiteren Erfahrungsgebietes«. Die Landschaften bei Dali, Max Ernst, Tanguy werden un-heimlich: Spiegelbilder hintergründiger Welten des Menschen, in denen er seit Hunderttausenden von Jahren lebt. Und in Katastrophen lebt – immer wieder ins Niemandsland gestoßen zwischen Trümmern und Scherben der Geschichte – Zonen der Vernichtung.

So sind ihre Landschaften oft leer wie Bühnen an Abenden, wo nicht gespielt wird, sind Ebenen, Wüsteneien, oder tote Städte mit uralten Schichtungen, erstorben wie »Die ganze Stadt« von Max Ernst (1935). Und wie die Landschaft so der Raum: Grüfte, Schluchten, Felslöcher. Und der Mensch taucht hinein, geht hindurch, schwebt, die Körperwelt wird durchlässig und bleibt doch kompakt wie in Dalis unbetiteltem Bild, wo ein nackter Menschenkörper wie in einen Felsen einsickert, noch einmal aufglimmt, bevor er in das Unsagbare verschwindet. Das großartigste surrealistische Werk aber ist ein Filmwerk von Cocteau, der »Orphée«. Da ist mit filmischen Mitteln Mythus neu sichtbar gemacht und surrealistisch interpretiert, verfremdet und vermenschlicht zugleich. – Wer Behausungen und Ateliers von Malern kennt, weiß, welche magische Gewalt oft die realsten Gegenstände, die einer am Strande gesammelt und nach Hause getragen hat, für den Künstler haben können: Wurzeln, Steine, Muscheln, Schiffshölzer, Strandgut. Da entstehen Szenen und Bilder von urmythischen Stimmungen wie etwa bei Tanguy. Oft ist es, als ob nicht der Maler eigentlich male, sondern das »ES« sich seiner bediente, um sich ins Bild zu bringen. Die schärfste Formulierung der antirationalen Denkhaltung der Surrealisten fand Max Ernst:

»Als letzter Aberglaube blieb dem westlichen Kulturkreis das Märchen vom Schöpfertum des Künstlers. Es gehört zu den ersten revolutionären Akten des Surrealismus, diesen Mythos mit sachlichen Mitteln und in schärfster Form attackiert und wohl auf immer vernichtet zu haben, indem er auf der rein *passiven* Rolle des ›Autors‹ im Mechanismus der poetischen Inspiration mit allem Nachdruck bestand und jede ›aktive‹ Kontrolle durch Vernunft, Moral oder ästhetische Erwägungen als inspirationswidrig entlarvte.«

Der Bereich der Realität ist nicht konstant. Er kann schrumpfen oder sich erweitern. Er ist offenbar variabel. Gegenüber dem Mittelalter brachte die Renaissance eine Erweiterung des realen Bereichs mit sich. Indessen wissen wir, streng genommen, von der Realität der Dinge immer nur so viel, wie wir sie in Zahlen, Zeichen, Formen oder Namen fassen können. Wir bleiben, wie Max Bense sagt, immer Nominalisten und Realisten: Was wir nicht nennen können, treibt in dem Strom des Seins und Geschehens dahin, von uns nicht ergriffen, »noch« nicht ergriffen, noch ungekannt, ungenannt, bis wir seiner habhaft werden. Wir sind alle an der Arbeit, den Umfang der Realität – unserer Welt – zu erweitern, um dadurch selber realer, konturierter, bewußter zu werden. Künstler, Wissenschaftler, Philosophen arbeiten, ein jeder auf seinem Gebiet, an der Erschließung des Seins. Über oder hinter unserer jeweils erfaßten und errechneten Welt lagert immer noch eine »Surrealität«, die in diese unsere untere oder vordere Welt hineinleuchtet, hineinragt, als eine noch labyrinthisch geheimnisvolle Realität. Wir leben in einer relativen Daseins- und Bewußtseinsentwicklung. Mit dem Surrealismus ist eine alte Erkenntnis wieder aufgedämmert, daß die Aneignung der unbegrenzten Realität jeweils durch die Wissenschaft und die Kunst geschieht. Seit Heidegger richtet sich die Philosophie wieder, wie bei den Griechen, auf das Sein des Seienden. Und eben:

»Das Kunstwerk eröffnet«, sagt Heidegger, »auf seine Weise das Sein des Seienden. Im Werk geschieht diese Öffnung, d. h. das Entbergen, d. h. die Wahrheit des Seienden. Im Kunstwerk hat sich die Wahrheit des Seienden ins Werk gesetzt.«

In der Mathematik, Musik und Malerei bekundet sich vielleicht am begreiflichsten das Phänomen der Aneignung durch Ausdruck. Bense weist auf Galilei, der die Welt als das große Buch sah, »das uns stets aufgeschlagen vor Augen liegt« – und, so fährt Galilei fort, es ist geschrieben »in mathematischer Sprache, und seine Buchstaben sind Dreiecke, Kreise und andere geometrische Figuren, ohne welche es unmöglich ist, auch ein einziges Wort zu verstehen; ohne sie dreht man sich ohne Nutzen in einem Labyrinth herum.« Das andere Phänomen, das uns lesen lehrt und Erfahrungen bringt, ist die Kunst. Eben der Surrealismus will etwas von der noch unvertrauten, unbewältigten Realität und eine Seinserfahrung ermöglichen, um die sich Philosophie, Naturwissenschaft, Dichtung und

Kunst gleichermaßen bemühen. Mit der Erfahrung der Surrealität muß dann auch korrelativ eine Surrationalität wachsen, müssen Instrumente farblicher, klanglicher, kompositorischer Art genauso wie neue mathematisch-physikalische Formeln geschaffen werden, mit deren Hilfe die Surrealität in unser Bewußtsein hineingeleitet werden kann. Die Einbrüche neuer Wirklichkeiten, welche den Erdrutsch des 20. Jahrhunderts bewirkten, liegen auf drei Ebenen: Es ist die Entdeckung vom Reich und der Macht der Libido; die Erkenntnis der urzeitlichen Einwurzelung unseres Seins in unabweisbare, aber bisher noch nicht erkannte, erst von Freud eröffnete Realitäten unserer Seele. Es ist alsdann der Bereich der physikalischen Welt, der mikrophysikalischen und hypomakrophysikalischen, also der Welt des Allerkleinsten und des Allergrößten – Welt der Elektronen, Protonen, Positronen und Welt des Einsteinschen Raum-Zeit-Kontinuums. Es ist drittens der Bereich mikrobiologischer Realität, der Bereich der Viren, Genen, Proteine, mit deren Erkenntnissen wir tiefer in das Geheimnis des Lebens eingedrungen sind. In diesen neuen Realitätsbereichen hört Anschaulichkeit auf. In Anbetracht dieser Situation ist es natürlich, daß die Künstler, die gleichsam von der »Anschauung« leben, nach neuen Wegen suchen, das Erkannte, Geschaute oder Geahnte in Formen und Stile zu bringen. Diese müssen anders sein als diejenigen, welche ihre Legitimität und Gültigkeit in der Epoche der Galileischen und Newtonschen Himmelsmechanik, der Buffonschen und Linnéschen Naturkunde und der Psychologie eines Descartes und Locke hatten. Die Realitätsbereiche des heutigen Menschen fallen über die Grenzen der »natürlichen« Weltanschauung hinaus. Der Surrealismus ist der legitime Versuch, das neue Reale in symbolischen Formen auszuprägen, sein verzehrendes Verlangen ist, die Hieroglyphe zu finden, also Form und Stil, wodurch er das Erregende und Fürchterliche solcher Realitätseinbrüche bannen kann. Ist das Unbekannte genannt oder symbolisiert, tritt die Beruhigung ein. Diese Symbole zu lesen, ist vorerst noch schwer; daß sie schwer sein m ü s s e n, leuchtet ein, wenn man sich des Zusammenhanges von Kunst und Sein bewußt ist.

Der Gang durch die Bildergalerie unseres Jahrhunderts läßt erkennen: Alles erscheint neu – und doch ist alles uralt. Seit Kunst getrieben wird, gibt es drei wesentliche Grundeinstellungen des Künstlers zum bildenden Tun und drei divergierende Auffassungen der Kunst:

a) Die *naturnachahmende*, d. h. die Auffassung der Kunst als *Mimese*, sei es, daß die Kunst Nachahmung oder Abbildung von etwas ist: der Natur draußen, der Gesichte innen oder der Geschichte, Mythen, Sagen, Legenden, Märchen; Malerei ist dann bildgewordene Literatur oder Geschichte oder Psychologie – eine erzählende Kunst; sie wird zur Sinnenhaftigkeit, zu jeglicher Weise impressionistisch getönter Malerei neigen.

b) Die *ornamentale Kunst*, d. i. eine abstrakte Formung aus Linien, Flächen, Farben. Sie wird eine natürliche Neigung zur Mathematik und Musik haben, den beiden Reichen der reinen Formen; sie wird sich zum Geist mehr als zu den Sinnen neigen, weil Geist wesentlich Form ist; sie wird sich aber nur zu Formen hingezogen fühlen, die sinnlich wahrnehmbar sind, ein sinnliches Faszinosum in sich tragen und ästhetische Reize ausstrahlen – wodurch der Künstler erst bewegt wird, Kunst ins Werk zu setzen. Es ist das Reich der euklidischen Planimetrie und Stereometrie – eine Mathematik, in der die Kunst seit langem beheimatet ist; es sind jene Formen, die uns nicht nur intellektuell, sondern auch emotional berühren können, Elementarformen, über deren Symbolkraft ein Kandinsky, enthusiastisch erregt, in seinen Aufsätzen geschrieben hat. Es drängt den Künstler immer wieder, eine Reduktion seines Ausdrucks – also beim Maler der malerischen Sprache – auf mathematische Formen von geometrischem und arithmetischem Charakter zu erreichen. Für diese Gruppe von Künstlern ist die Verbindung von Mathematik – Musik – Kunst immer lebendig gewesen: so in der Antike, im islamischen und christlichen Mittelalter, in der Renaissance; wir erinnern uns auch der Leibnizschen Ideen im Barock, im Zeitalter der mathesis universalis, gewisser Strömungen der Romantik bei Runge und denken an die abstrakte Malerei unserer Zeit. Die Frage wäre nur die: Wieweit hält die Kunst mit der Entwicklung der Mathematik Schritt? Und lassen sich die Sinne noch von Formen und Formeln affizieren, die jenseits der euklidischen Mathematik in Bereichen der Unanschaulichkeit liegen? Wir wissen es nicht und können nicht ermessen, welche Organe dafür im Künstler noch geöffnet werden können. Das Gebot, das Max Beckmann für sich formulierte, bleibt für diese Gruppe bestehen:

»Den optischen Eindruck von der Welt der Gegenstände durch eine transzendente Arithmetik meines Innern zu verändern – so lautet das Gebot.«

c) Die Kunst ist weder nachahmend noch autonom, oder sie ist beides; sie ist in völliger Indifferenz im Sowohl-als-auch und Weder-noch. Sie ist allein *Wille zur Schöpfung und Befreiung*, mag der Vollzug in der ersten oder zweiten Richtung verlaufen. Hier kommt ein ganz anderes Moment als das der Mimese oder der Form-Ästhetik ins Spiel: Ein höchstes außerästhetisches Ziel, an das nur wenige rührten und rühren, unter den Modernen ein Nolde, Beckmann, Marc – wenn wir ihren

Aufzeichnungen Wert beimessen wollen: In und durch die Kunst »Symbole zu schaffen, die auf die Altäre der kommenden geistigen Religion gehören«. (Marc). Transzendentale Motive ewiger Kunst: »Gott in seiner Einheit erkennen«, schrieb Beckmann – sei es auch durch das Medium der Natur, sei es in den Formen der Mathematik. Die Kunst, in welcher Erkenntnis zum Ereignis wird, bewirke Wandlung und Befreiung. Erlösung durch die Kunst. Kunst als Religion. Diese dritte Auffassung weist rückwärts auf C. D. Friedrich und Wackenroder und auch ins Mittelalter und die Antike. Man verkenne nicht, daß diese drei Ansichten von der Kunst und über die Kunst: die *Mimese* und *Abstraktion* als Kunstformen, und die *Transzendenz* als außer-künstlerisches Motiv –, sich einander durchdringen und sich nicht auszuschließen brauchen. Nolde, Marc, Klee, Beckmann, Barlach, um nur einige unter den modernen Deutschen zu nennen, verbinden diese Anschauungen zu mächtigen Synthesen. Sie fühlen die unverlorenen Schätze der Vergangenheit in sich wirken, sie leben dennoch in der Gegenwart, sie schaffen für die Zukunft; sie sind Propheten, Künder, Bekenner und sie sind, wie die Wissenschaftler, in ihrer Weise Erforscher des Universums, indem sie dem Sein Stück um Stück entreißen, die Reiche der Realität und des Bewußtseins erweiternd.

Der Beitrag Deutschlands zur modernen Kunst deutet sich damit an. Er liegt, so will mir scheinen, wesentlich im Expressionismus auf seinem Wege zur Abstraktion. Er ist da zu finden, wo alte Tendenzen der deutschen Kunst- und Geistesgeschichte, und vor allem der Musik, in neuer expressiver Form wirksam wurden: *Platonische Motive,* die unverlierbar sind, und sich wie eh und je mit mystischen und naturphilosophischen Spekulationen mischen; *ästhetische Anliegen,* die aus der Leibnizschen Tradition kommen und zur Mathematisierung der Kunst tendieren; die *Musik,* die ureigenes Anliegen deutscher Künstler war, und in die sich die Malerei mit i h r e n Mitteln fast aufzulösen schien. Aus alledem spricht etwas, was man als deutsche Eigenart bezeichnen dürfte. Auch in den religiös-philosophischen Motiven. Der Drang, den Schleier der Maja wenigstens für Augenblicke zu lüften, um hinter die Erscheinungen der Welt zu sehen, ist stark und mächtig in einem Lande, das einen Schopenhauer, unsern größten Kunstphilosophen, hervorgebracht hat. Wir fühlen noch in Nolde, Beckmann und Marc Geist von seinem Geiste. Vielleicht litt der deutsche Künstler mehr als andere an der Welt und in der Welt, litt an der Diskrepanz zwischen seinem Künstlerwillen und der jeweiligen politischen Realität, litt mehr an Verfolgungen, Verkennungen, an Abbrüchen und Zusammenbrüchen, an der immer extremen Entwicklung der deutschen Geschichte, an ihren Katastrophen. So riß es ihn und seine Kunst immer in die Tiefen und immer wieder mußte er mit äußerster Kraftanstrengung emportauchen oder untergehen. Die große Zeit der modernen deutschen Malerei lag im ersten Drittel des Jahrhunderts, in der Zeit der »Brücke«, des »Blauen Reiter« und des Dessauer »Bauhauses«, also im späten Kaiserreich und in der Weimarer Republik. Die Welt weiß, wie viele Impulse gerade vom »Bauhaus« für die Malerei und Architektur über die Länder gingen und sich mit den großen europäischen Strömungen der Kunst verbanden, um zu weltweiter Wirkung zu gelangen.

Wohin führt der Weg? Niemand kann es sagen. Es wird immer Strömungen, Gegenströmungen und Unterströmungen im Wechsel und Umschlag geben. Das Dilemma von konkreter und abstrakter, von gegenständlicher und non-figurativer, impressionistischer und expressionistischer Kunstrichtung ist nur scheinbar eines. Es wird in allen Stilen gemalt und mit nicht geringerem Können als früher. Es ist für die Qualität des Kunstwerkes gleichgültig, ob der Maler sich zur Kunst als Mimese, zur Kunst als Abstraktion oder zur Kunst mit transzendentaler Funktion erklärt. W i e, in welchem Stil er malt, das ist seine persönliche Entscheidung, die in gewissem Umfang von seinem Temperament und seiner Begabung abhängt, und mehr oder weniger bewußt geschieht. Immer bleibt ihm dabei das Recht, sich zu wandeln, die Richtung zu ändern. Das alles ist kein Chaos, sondern natürlich. Verbindliche Kriterien für das Gute aufzustellen, werden sich Ästhetik und Philosophie als Wissenschaften bemühen. Aber die Kunst bleibt das Primäre und bleibt autonom. Vermutlich wird das 20. Jahrhundert einmal zeigen, daß einerseits nichts Großes, das je die Malerei der Vergangenheit hervorgebracht hat, verloren ging, daß anderseits neue Bereiche erschlossen wurden, die heute noch im Surrealen liegen und morgen schon, durch die Kunst transponiert, ins Bewußtsein der Menschen gelangen können, wenn die Maler in unermüdlichem Bemühen sich die adäquaten Ausdrucksmittel erarbeitet haben. Dann wird von neuem deutlich werden, wie alles zusammenhängt, doch erst spätere Generationen werden rückblickend die Zusammenhänge sehen und deuten und das wenige Große als solches erkennen können.

Der Gang durch die letzten drei Jahrhunderte deutscher Kultur mag gezeigt haben, daß ihre Werke, von einer sich wandelnden Gesellschaft auf dem nie stillestehenden Strom der Geschichte getragen, ebenso wandelbar sind,

Utque novis facilis signatur cera figuris
Nec manet, ut fuerat, nec formas servat easdem,
Sed tamen ipsa eadem est . . .

Wie das geschmeidige Wachs, zu neuer Gestalt sich bequemend,
Weder bleibt, wie es war, noch bewahrt dieselbigen Formen,
Aber dasselbe doch ist . . .

Die Verse stehen bei Ovid in der Nähe der eingangs zitierten Stelle
der »Metamorphosen«. Dort gibt er auch, durch den Mund des Pythagoras, dem Heraklitischen Gedanken Ausdruck, der uns an den Beginn
unserer Betrachtungen zurückführt:

> . . . Nihil est, toto quod perstet in orbe,
> Cuncta fluunt omnisque vagans formatur imago.
> Nichts ist, was im Weltall Bestand hat,
> Alles verrinnt, und jedes Gebilde ist schweifend gestaltet.

So ist alles Wandel. Gewiß. Aber es zeigt sich auch, daß der Mensch
eben diesem Strom des Lebens etwas entreißen, ja, daß er dem Flüchtigen Dauer verleihen kann. Auf der Kehrseite dieses Ovidischen Bildes
vom Wandel des Seins stehe darum auch das Goethesche Wort aus
seinem »Vermächtnis«, der Gedanke, daß alles Große, das je geschaffen
wurde, nicht in nichts zerfallen kann:

> Kein Wesen kann zu nichts zerfallen!
> Das Ewge regt sich fort in allen,
> Am Sein erhalte dich beglückt!
> Das Sein ist ewig; denn Gesetze
> Bewahren die lebendgen Schätze,
> Aus welchen sich das All geschmückt.
> . . .
>
> Das Wahre war schon längst gefunden,
> Hat edle Geisterschaft verbunden,
> Das alte Wahre, faß es an!
> . . .
>
> Dann ist Vergangenheit beständig,
> Das Künftige voraus lebendig,
> Der Augenblick ist Ewigkeit.

NAMENVERZEICHNIS

BIBLIOGRAPHISCHE HINWEISE
AUF DIE DEUTSCHSPRACHIGE LITERATUR
DER LETZTEN DREI JAHRZEHNTE

A. Allgemeines – Anthologien – Nachschlagewerke

E. Friedell, Kulturgeschichte der Neuzeit. 3 Bde. C. H. Beck München 1948.
Sonderausgabe in einem Band 1961

Europa Aeterna. Eine Gesamtschau über das Leben Europas und seiner Völker. Kultur, Wirtschaft, Staat und Mensch. 3 Bde. Metz, Zürich, 1957–58

K. Muhs, Geschichte des abendländischen Geistes. Grundzüge einer Kultursynthese. 2. Bde. Duncker u. Humblot, Berlin 1950 und 1954

R. Benz, Rhythmus deutscher Kultur v. Schröder, Hamburg 1948

A. Weber Kulturgeschichte als Kultursoziologie. 2. Aufl. Piper, München 1960

F. Lütge, Deutsche Sozial- und Wirtschaftsgeschichte. 2. Aufl. Springer, Berlin 1960

A. Rüstow, Ortsbestimmung der Gegenwart. Eine universalgeschichtliche Kulturkritik. Erlenbach-Zürich 1950

Wirtschaft und Kultursystem. Hrsg v. G. Eiermann. Rentsch, Erlenbach-Zürich 1955

A. Hauser, Sozialgeschichte der Kunst und Literatur. 2 Bde., 2. Aufl., Beck München 1958

H. Herzfeld, Die moderne Welt. 2 T. I: Die Epoche der bürgerlichen Nationalstaaten 1789–1890; II: Weltmächte und Weltkriege 1890–1945, Westermann, Braunschweig 1961

B. Gebhardt, Handbuch der deutschen Geschichte. 4 Bde. 8. Aufl. Union, Stuttgart 1960

G. Mann, Deutsche Geschichte des 19. und 20. Jahrhunderts. Frankfurt/M., S. Fischer 1961

Die großen Deutschen. Deutsche Biographie. Hrsg. v. H. Heimpel, Th. Heuss, B. Reiffenberg. 5 Bde. Propyläen Verlag, Frankfurt/M.–Berlin, 1955 ff.

Wert und Ehre deutscher Sprache. Hrsg. v. H. v. Hofmannsthal, Fischerbücherei 176, Frankfurt/M. und Hamburg 1957

Das Erlebnis der Gegenwart. Deutsche Erzähler seit 1890. Hrsg. v. B. v. Heiseler und H. Fromm, J. F. Steinkopf, Stuttgart 1961

Zeichen der Zeit. Ein deutsches Lesebuch. Hrsg. v. W. Killy. 4 Bde. Fischer-Bücherei 1958 ff.

A. Huebscher, Denker unserer Zeit. 2 Bde. Bd. I (2. Aufl. München 1958) Bd. II (1957). Piper, München

Dichter und Dichtung in Briefen, Tagebüchern u. Essays. Ausgew. u. komment. v. W. Schmiele, Stichnote, Darmstadt 1955

Kleines deutsches Kulturlesebuch. Hrsg. v. W. Mönch. 3. Aufl. F. H. Kerle, Heidelberg 1959

Im Zeichen der Hoffnung. Ein Lesebuch. Hrsg. v. E. de Haar, Max Hueber Verlag, München 1961

Reallexikon der deutschen Literaturgeschichte. 2. Aufl. Hrsg. v. W. Kohlschmidt und W. Mohr, de Gruyter, Berlin 1958 ff.

Schmitt-Fricke, Deutsche Literaturgeschichte in Tabellen. 3 Teile (I. 1949, II. 1960, III. 1952), Athenäum, Frankfurt/M. – Bonn

Personalbiographie zur deutschen Literaturgeschichte von J. Hansel. E. Schmidt, Berlin 1962

Bibliographie der deutschen Literaturwissenschaft. 3 Bde. Hrsg. v. H. W. Epelsheimer, Klostermann, Frankfurt/M. 1957 ff

Kürschners biographisches Theaterhandbuch. Schauspiel – Oper – Film – Rundfunk. Deutschland – Österreich – Schweiz. Hrsg. v. H. A. Frenzel und H. J. Moser, de Gruyter, Berlin 1956

M. Geisenheyner, Kulturgeschichte des Theaters, Safari, Berlin 1951

H. Knudsen, Deutsche Theatergeschichte, Kröner, Stuttgart 1959

O. Mann, Geschichte des deutschen Dramas. Kröner, Stuttgart 1960

O. Groth, Die unerkannte Kulturmacht. Grundlegung einer Zeitungswissenschaft. 7 Bde. 1960 ff., de Gruyter, Berlin

B. Markwardt, Geschichte der deutschen Poetik. 6 Bde. 1956 ff., de Gruyter, Berlin

K. Viëtor, Deutsches Dichten und Denken von der Aufklärung bis zum Realismus. 3. Aufl. de Gruyter, Berlin 1958

F. K. Prieberg, Lexikon der neuen Musik, Alber, Freiburg-München 1958

Riemann, Musiklexikon, 3 Bde., Hersg. v. W. Gurlitt, 12. Aufl., Schott, Mainz 1955

H. J. Moser, Musik-Lexikon, 4. Aufl. 1955, Nachtrag 1959, Sikorski, Hamburg

Das Atlantisbuch der Musik. Hrsg. v. F. Hamel und M. Hürlimann. 9. Aufl., Atlantis, Zürich-Freiburg 1953

Orbis-Lexikon. Handbuch der Musik. Mit einer Zeittafel der Musikgeschichte und einem Führer durch die Kulturgeschichte. Hrsg. v. P. P. Kelen und G. Schneider, Ring der Musikfreunde, Köln 1960

R. Kloiber, Handbuch der Oper. 6. Aufl. G. Bosse, Regensburg 1961

Knaurs Ballett-Lexikon. Deutsche Ausg. Droemer, München-Zürich 1958

H. Koegler, Ballett international. Rembrandt Verlag, Berlin 1960

E. Staiger, Musik und Dichtung. 2. Aufl. Atlantis, Zürich-Freiburg 1959

A. Silbermann, Wovon lebt die Musik? Die Prinzipien der Musiksoziologie, G. Bosse, Regensburg 1957

O. Fischer, Geschichte der deutschen Malerei. Reihe: Deutsche Kunstgeschichte Band III. 3. Aufl. Bruckmann, München 1956

Kürschners Graphiker-Handbuch. Deutschland, Österreich, Schweiz. Hrsg. v. C. Fergg-Frowein. de Gruyter, Berlin 1959

Höhepunkte abendländischer Architektur. Mit einer Einführung von U. Christoffel. Bruckmann, München 1960

S. Giedion. Architektur und Gemeinschaft. rde Nr. 18
W. Ehrlich, Grundlinien einer Naturphilosophie. Niemeyer, Tübingen 1961
M. Bense, Konturen einer Geistesgeschichte der Mathematik. II: Die Mathematik in der Kunst. Claasen, Hamburg 1949

B. Zeitschriften

Archiv für Kulturgeschichte. Hrsg. v. H. Grundmann. Böhlau-Verlag Köln, Graz
Universitas. Zs. f. Wissenschaft, Kunst und Literatur. Hrsg. v. H. W. Bähr. Wissenschaftl. Verlagsgesellschaft Stuttgart
Studium Generale. Zs. f. die Einheit der Wissenschaften im Zusammenhang ihrer Begriffsbildungen und Forschungsmethoden. Springer-Verlag, Berlin, Göttingen, Heidelberg
Archiv f. Philosophie. Hrsg. v. J. v. Kempski. Kohlhammer Stuttgart
Archiv f. Geschichte der Philosophie. Neu hrsg. v. P. Wilpert. Walter de Gruyter Berlin
Philosophischer Literaturanzeiger. Ein Referateorgan f. die Neuerscheinungen der Philosophie und ihrer gesamten Grenzgebiete. Fr. Fromanns Verlag Stuttgart
Zs. f. philosophische Forschung. Verlag A. Hain, Meisenheim/Glan
Philosophische Rundschau. Eine Vierteljahrsschrift f. philosophische Kritik. Hrsg. v. H.-G. Gadamer und H. Kuhn. Mohr, Tübingen
Kant-Studien. Philosophische Zeitschrift (begr. v. H. Vaihinger) Kölner Universitäts Verlag, Köln
Philosophisches Jahrbuch. Im Auftrag der Görresgesellschaft hrsg. v. M. Müller und M. Schmaus. Verlag K. Albert, Freiburg-München
Deutsche Zeitschrift f. Philosophie, VEB Deutscher Verlag der Wissenschaften, Berlin
Philosophia naturalis. Archiv f. Naturphilosophie und die philosophischen Grenzgebiete der exakten Wissenschaften und Wissenschaftsgeschichte. Hrsg. v. J. Meurers. Verlag A. Hain, Meisenheim
Theologische Literaturzeitung. Monatsschrift f. das gesamte Gebiet der Theologie und Religionswissenschaft. Ev. Verlagsanstalt, Berlin
Zs. f. Religions- und Geistesgeschichte. E. J. Brill-Verlag, Köln
Zs. f. Kirchengeschichte. Kohlhammer Verlag, Stuttgart
Scholastik Vierteljahrsschrift f. Theologie und Philosophie. Verlag Herder, Freiburg
Theologische Rundschau. Hrsg. v. R. Bultmann und E. Dinkler. J. C. B. Mohr, Tübingen
Das historisch-politische Buch. Ein Wegweiser durch das Schrifttum. Hrsg. im Auftrage der Ranke-Gesellschaft. Musterschmidt Verlag, Göttingen
Die Welt als Geschichte. Hrsg. v. H. E. Stier und F. Ernst. Kohlhammer Verlag, Stuttgart

Historische Zs. Hrsg. von Th. Schider und W. Kienast. R. Oldenbourg Verlag, München

Zs. f. Geschichtswissenschaft. Rütten und Loening, Berlin

Die Erde. Zs. der Gesellschaft f. Erdkunde zu Berlin. Hrsg. v. J. H. Schultze. Walter De Gruyter, Berlin

Erdkunde. Archiv f. Wissenschaftliche Geographie. Hrsg. v. C. Troll. Ferd. Dümmlers Verlag, Bonn

Berichte zur deutschen Landeskunde. Hrsg. vom Institut für Landeskunde, Zentralarchiv f. Landeskunde von Deutschland. Bad Godesberg

Euphorion. Zs. f. Literaturgeschichte. C. Winter Univ. Verlag, Heidelberg

Beiträge zur Geschichte der deutschen Sprache mnd Literatur. Niemeyer Verlag, Tübingen

Germanistik. Internationales Referateorgan mit bibliogr. Hinweisen. Niemeyer Verlag, Tübingen

Zeitschrift f. deutsche Philologie. Erich Schmidt Verlag, Berlin, Bielefeld, München

*

Zs. f. Kunstgeschichte. Deutscher Kunst Verlag, München, Berlin

Zs. f. Kunstwissenschaft. Hrsg. vom Vorstand des deutchen Vereins f. Kunstwissenschaft. Berlin

Kunstchronik. Hrsg. v. Zentralinstitut f. Kunstgeschichte in München. Verlag H. Carl, Nürnberg

Quadrum. Internationale Zs. f. moderne Kunst (in 4 Sprachen). Hrsg. von der A.D.A.C. (Assoc. pour la diffusion artistique et culturelle, Brüssel)

Pantheon. Internationale Zs. f. Kunst. Bruckmann, München

*

Archiv f. Musikwissenschaft. Hrsg. v. W. Gurlitt. Verlag Archiv f. Musikwiss. Trossingen

Fontes Artis Musicae. Zs. der internat. Vereinigung der Musikbibliotheken (in 3 Sprachen) Bärenreiter Verlag, Kassel

Die Musikforschung. Hrsg. von der Gesellsch. f. Musikforschung. Bärenreiter Verlag, Kassel u. Basel

Schweizerische Musikzeitung. Offizielles Organ des schweizerischen Tonkünstlervereins (STV). Verlag Hug, Zürich

*

Werk. Schweizerische Monatsschrift f. Architektur, Kunst, künstlerisches Gewerbe. Zürich

Der Architekt. Hrsg. vom Bund deutscher Architekten

Wissenschaftliche Zs. der Hochschule f. Architektur und Bauwesen. Weimar. Hrsg. vom Rektor der Hochschule, Weimar

Baukunst und Werkform. Verlegt v. J.-E. Drexel und H. G. Merkel, Nürnberg

*

Zs. f. angewandte Mathematik und Mechanik. Ingenieurwissenschaftliche Forschungsarbeiten. Akademie-Verlag, Berlin

Mathematische Nachrichten im Auftrage der Deutschen Akademie der Wissenschaften zu Berlin. Akademie-Verlag

Archiv der Mathematik. Hrsg. in Verbindung mit dem mathematischen Forschungsinstitut in Oberwolfach. Basel und Stuttgart

Zentralblatt f. Mathematik und ihre Grenzgebiete. In Zusammenarbeit mit der deutschen Akad. d. Wissenschaften zu Berlin. Institut f. reine Mathematik. Springer Verlag Berlin, Göttingen, Heidelberg

Forschungen und Fortschritte. Nachrichtenblatt der deutschen Wissenschaften und Technik. Hrsg. v. W. Wissmann, Berlin

Zeitschriften-Bibliographie zur Geschichte der Medizin (1945–56), Berlin 1958

Anthropologischer Anzeiger. Bericht über die biologisch-anthropologische Literatur. Schweizerbartsche Verlagsbuchhandlung, Stuttgart

Physikalische Berichte. Hrsg. vom Verband deutscher physikalischer Gesellschaften. Fr. Vieweg Braunschweig

Zs. f. angewandte Physik. Springer Verlag Berlin, Göttingen, Heidelberg

Nukleonik, Springer Verlag. Berlin, Göttingen, Heidelberg

Psyche. Eine Zs. f. psychologische und medizinische Menschenkunde. Hrsg. v. W. Hochheimer und A. Mitscherlich. Ernst Klett-Verlag, Stuttgart

C. Zu den drei Teilen

I. Das 18. Jahrhundert

Historia Mundi, Bd. IX: Aufklärung und Revolution. Bern 1960

H. Gollwitzer, Europabild und Europagedanke. Beiträge zur deutschen Geistes-Geschichte des 18. und 19. Jahrhunderts. München 1951

E. Ermatinger, Deutsche Kultur im Zeitalter der Aufklärung. Potsdam 1935

R. Benz, Kultur des 18. Jahrhunderts. Teil I: Deutsches Barock (1949), Teil II: Die Zeit der deutschen Klassik (1953), Teil III: Die deutsche Romantik (1937)

E. Cassirer, Die Philosophie der Aufklärung, Tübingen 1932

M. Horkheimer u. Th. W. Adorno, Dialektik der Aufklärung. Amsterdam 1947

H. M. Wolff, Die Weltanschauung der deutschen Aufklärung in geschichtlicher Entwicklung. München 1949

Aufklärung. Hrsg. vom Kollektiv f. Literaturgeschichte. Berlin 1958

E. Beyreuther, Pietismus. In: Evang. Kirchenlexikon. Göttingen 1958

G. Kaiser, Pietismus und Patriotismus im literarischen Deutschland. Wiesbaden 1961

M. Fleischmann, Chr. Thomasius. Leben und Lebenswerk. Halle 1931

E. Wolf, Große Rechtsdenker der deutschen Geistesgeschichte. 3. Aufl. Tübingen 1951

E. Bloch, Chr. Thomasius. Ein deutscher Gelehrter ohne Misere. Berlin 1953

R. Lieberwirth, Chr. Thomasius. Sein wissenschaftliches Lebenswerk. Thomasiana, H. 2, Weimar 1955

G. W. Leibniz, Sämtl. Schriften und Briefe hrsg. von der Preuß. Akad. d. Wissenschaften, 6. Bde. Zu weiteren Ausgaben siehe: G. W. L. Ausw. u. Einleitung von F. Heer, Frankfurt u. Hamburg 1958 p. 217/18. Darin auch die Literatur über L. als Philosophen, religiösen Denker, Historiker, Mathematiker u. Physiker

K. Herrmann, Das Staatsdenken bei Leibnitz. Bonn 1958

H. H. Holz, Leibniz. Stuttgart 1958

I. Kant, Ausg. der Preuß. Akad. d. Wissenschaften (23 Bde.) 1902–42

P. Menzer, Kants Ästhetik in ihrer Entwicklung (1952), Abh. d. dt. Akad. d. Wissenschaften zu Berlin Kl. f. Gesellschaftswiss. Jg. 1950, 2

K. Hildebrandt, Kant und Leibniz. Kritizismus und Metaphysik (1955) Zs. f. philos. Forschung Beih. 11

R. Zocher, Kants Grundlehre. Ihr Sinn, ihre Problematik, ihre Aktualität (1959). Erlanger Forschungen Reihe A, 11

W. Schultz, Kant als Philosoph des Protestantismus. Hamburg-Bergstedt 1960

J. Schmucker, Die Ursprünge der Ethik Kants in seinen vorkritischen Schriften und Reflexionen. Meisenheim 1961

A. Köster, Die deutsche Literatur der Aufklärungszeit. Heidelberg 1925

B. Marquardt, Geschichte der deutschen Poetik. I: Barock und Frühaufklärung. 2. Aufl. Berlin 1958

A. Nivelle, Kunst- und Dichtungstheorien zwischen Aufklärung und Klassik. Berlin 1960

E. Ermatinger. Die Deutsche Lyrik in ihrer geschichtlichen Entwicklung. 1. Teil: Von Herder bis zum Ausgang der Romantik, Leipzig und Berlin 1921

B. v. Wiese. Die deutsche Tragödie von Lessing bis Hebbel. 4. Aufl. Hamburg 1958

R. Bäsken, Die Dichter des Göttinger Hains und die Bürgerlichkeit. Diss. Königsberg 1937

F. J. Schneider, Die deutsche Dichtung der Geniezeit. Stuttgart 1952

H. Boeschenstein, Deutsche Gefühlskultur. Studien zu ihrer dichterischen Gestaltung. Bd. 1: Die Grundlagen (1770–1830) Bern 1954

H. Schöffler, Deutscher Geist im 18. Jahrhundert. Göttingen 1956

Im Geiste Herders. Ges. Aufsätze zum 150. Todestage J. G. Herders. Hrsg. v. E. Keyser. Kitzingen a. M. 1953

Herder-Studien. Hrsg. v. W. Wiora unter Mitwirkung von H. D. Irmscher. Würzburg 1960

J. G. Hamann. Magus des Nordens. Hrsg. v. O. Mann. Leipzig 1937

J. Nadler, J. G. Hamann. Salzburg 1949

W. Leibrecht, Gott und Mensch bei J. G. Hamann. Gütersloh 1958

A. v. Arx, Lessing und die geschichtliche Welt. In: Wege zur Dichtung. Zürcher Schriften zur Literaturwissenschaft hrsg. v. E. Ermatinger Bd. 43 (1944)

O. Mann, Lessing. Sein und Leistung. 2. Aufl. Hamburg 1961

M. Kommerell, Lessing und Aristoteles. Untersuchung über die Theorie der Tragödie. 3. Aufl. Frankfurt a. M. 1960

Oeuvres de Frédéric le Grand. Ed. de l'Académie de Berlin. Hrsg. von J. E. D. Preuß. Berlin 1846–1857 (31 Bde.)

Die Werke Friedrichs d. Gr. in deutscher Übersetzung 10 Bde. Berlin 1913/14

W. Elz, Friedrich d. Gr. Geistige Welt, Schicksal, Taten. Berlin 1936

E. Spranger, Der Philosoph von Sanssouci. Abh. d. Preuß. Akad. d. Wissenschaften. Phil.-hist. Klasse 1942

W. Mönch, Voltaire und Friedrich d. G. Das Drama einer denkwürdigen Freundschaft. Stuttgart 1943

G. P. Gooch, Friedrich d. Gr. Herrscher, Schriftsteller, Mensch. (Aus dem Engl.) Göttingen 1951

G. Ritter, Friedrich d. Gr. Ein historisches Profil. 3. Aufl. Heidelberg 1954

L. Reiners, Friedrich. München 1952

W. Hubatsch, Das Problem der Staatsraison bei Friedrich d. Gr. Göttingen, Berlin, Frankfurt/M. 1956

F. Adama van Scheltema, Die Kunst des Barock. Stuttgart 1958

Aus der Welt des Barock. Dargestellt von R. Alewyn (u. a.) Stuttgart 1957

L. Balet, Die Verbürgerlichung der deutschen Kunst, Literatur und Musik im 18. Jahrhundert. Leipzig, Straßburg, Zürich 1936

A. Hirsch, Bürgertum und Barock im deutschen Roman. Ein Beitrag zur Entstehungsgeschichte des bürgerlichen Weltbildes. 2. Aufl. 1957. (Literatur und Leben. Neue Folge Bd. 1)

R. Brockmeyer, Geschichte des deutschen Briefes von Gottsched bis zum Sturm und Drang. Diss. Münster 1961

E. Bücken, Die Musik des Rokokos und der Klassik. Potsdam 1953

W. O. L. Greiner, Die Musik im Lande Bachs. Thüringer Musikgeschichte. Eisenach 1935

A. Schering, Kleine Bachstudien. Bach-Jahrbuch 1933

Derselbe, Bach und das Musikleben Leipzigs im 18. Jahrhundert. Leipzig 1941

K. u. I. Geiringer, Die Musikerfamilie Bach. Leben und Wirken in drei Jahrhunderten (Übers. aus d. Engl.) München 1958

G. J. S. Herz, Bach im Zeitalter des Rationalismus und der Frühromantik. Bern 1936

W. Graeser, Bachs Kunst der Fuge. (Bach-Jahrbuch 1924).

M. Jansen, Bachs Zahlensymbolik an seinen Passionen untersucht. (Bach-Jahrbuch 1932)

H. J. Moser, Joh. Seb. Bach, 2. Aufl. Berlin 1943

M. Dehnert, Das Weltbild J. S. Bachs. Leipzig 1948

B. Paumgartner, J. S. Bach. Leben und Werk I. Zürich 1950

H. Engel, J. S. Bach. Berlin 1950

A. E. Cherbuliez, J. S. Bach. Frankfurt/M. und Hamburg 1957

A. Schering, Die Welt Händels. In: Von großen Meistern der Musik. Leipzig 1940

A. E. Cherbuliez, G. F. Händel. Leben und Werk. Olten 1949

H. C. Wolff, Die Händel-Oper auf der modernen Bühne. Leipzig 1957

H. E. Jacob, Haydn. Sein Leben, seine Zeit, sein Ruhm. Hamburg 1959

K. Geiringer, J. Haydn. Der schöpferische Werdegang eines Meisters der Klassik. Mainz 1959

J. Haydn als Opernkapellmeister. Die Haydn-Dokumente der Esterhazy-Opernsammlung, bearb. v. Dénes Bartha u. László Somfai. Mainz

J. Haydn. Thematisch-bibliographisches Werkverzeichnis, zusammengestellt von A. van Hoboken. Mainz 1959 f.

Joseph Haydn Ausstellung zum 150. Todestag vom 29. Mai bis 30. Sept. 1959. Wien 1959

B. Paumgartner, Mozart. Zürich-Freiburg 1945

W. Spohr, Mozart. Leben und Werk. Briefe, Berichte, Dokumente, Bilder. Berlin 1951

A. Einstein, Mozart. Sein Charakter. Sein Werk. 3. Aufl. Zürich 1953

Mozart, seine Welt und seine Wirkung. (Mit Beiträgen von N. Lieb, F. Heer, A. Goes, Thr. Georgiades, H. Reitter), Augsburg 1956

P. Nettl, Musik und Freimaurerei. Mozart und die königliche Kunst. Eßlingen 1956

O. E. Deutsch, Mozart. Bd. I: Dokumente seines Lebens. Bd. II: Mozart und seine Welt in zeitgenössischen Bildern. Kassel, Basel, New York 1961

II. Das 19. Jahrhundert

R. Kassner, Das 19. Jahrhundert. Ausdruck und Größe. Erlenbach-Zürich 1947

W. Bruford, Die gesellschaftlichen Grundlagen der Goethezeit. (Übers. v. F. Wölcker). Weimar 1936

A. Korff, Geist der Goethezeit, 4 Bde. 1923–53

M. Kommerell, Der Dichter als Führer in der deutschen Klassik. 2. Aufl. Frankfurt/M. 1942

F. Martini, Die Goethezeit. Stuttgart 1949

W. von den Steinen, Das Zeitalter Goethes. Bern 1949

J. Hoffmeister, Die Heimkehr des Geistes. Studien zur Dichtung und Philosophie der Goethezeit. Hameln 1946

F. Strich, Deutsche Klassik und Romantik, 4. Aufl. 1949

W. Dietze, Junges Deutschland und deutsche Klassik. Zur Ästhetik und Literaturtheorie des Vormärz. 2. Aufl. 1958

F. Schultz, Klassik und Romantik der Deutschen. T. I 1935, T. II 1940, 2. Aufl. 1952

J. Müller, Wirklichkeit und Klassik. Beiträge zur deutschen Literaturgeschichte von Lessing bis Heine. Berlin 1955

R. Buchwald, Goethezeit und Gegenwart. Stuttgart 1949

H. Böhm, Goethe. Grundzüge seines Lebens und Werkes. Berlin 1951

E. Staiger, Goethe 3 Bde. Zürich-Freiburg 1958–59–60

H. Pyritz, Goethe-Bibliographie. Heidelberg 1956 ff.

Schiller Nationalausgabe. Hrsg. im Auftrage des Goethe- und Schillerarchivs in Weimar und des Schiller-Nationalmuseums in Marbach. Geplant auf 44 Bde. Weimar 1956 ff.

B. v. Wiese, Friedrich Schiller. Stuttgart 1959

G. Storz, Der Dichter F. Schiller. Stuttgart 1959

W. Muschg, Schiller. Die Tragödie der Freiheit. Bern u. München 1959

Th. Mann, Versuch über Schiller. Frankfurt/M. 1955

C. Zuckmayer, Ein Weg zu Schiller. Frankfurt/M. 1959

R. Buchwald, Schiller. 4. Aufl. Wiesbaden 1959

A. Abusch, Schiller. Größe und Tragik eines deutschen Genius. Berlin 1955

H. H. Borcherdt, Schiller und die Romantiker. 1948

F. Schaffstein, Wilhelm v. Humboldt. Ein Lebensbild. Frankfurt/M. 1951

Alexander von Humboldt. Studien zu seiner universalen Geisteshaltung. Hrsg. v. J. H. Schultze. Berlin 1959

H. Beck, Alexander von Humboldt. 2 Bde. Wiesbaden 1959

Geheimnis und Ahnung. Die deutsche Romantik in Dokumenten. Hrsg. v. H. Kern. Berlin 1938

H. G. Schenk, Die Kulturkritik der europäischen Romantik. Wiesbaden 1956

I. Strohschneider-Kohrs, Die romantische Ironie in Theorie und Gestaltung. Tübingen 1960

Erzähler der Romantik. Mit einem Nachwort von O. Heuschele. München 1953

E. Staiger, Meisterwerke deutscher Sprache aus dem 19. Jahrhundert. Zürich 1948

Novalis Schriften. Die Werke Friedrich von Hardenbergs. Hrsg. von P. Kluckhohn u. R. Samuel. 2. Aufl. in 4 Bde. Stuttgart 1960 –

Th. Haering, Novalis als Philosoph. Stuttgart 1954

H. W. Kuhn, Der Apokalyptiker und die Politik. Studien zur Staatsphilosophie des Novalis. Freiburg i. Br. 1961

Friedrich Hölderlin, Sämtl. Werke. Hrsg. v. F. Beissner. 8 Bde. Stuttgart

Katalog der Hölderlin-Handschriften. Stuttgart 1961

M. Heidegger, Erläuterungen zu Hölderlins Dichtung, 2. Aufl. Frankfurt/M. 1951

P. Boeckmann, Hölderlin und seine Götter 1935

R. Guardini, Hölderlin. Weltbild und Frömmigkeit. 2. Aufl. München 1955

K. Hildebrandt, Hölderlin. Philosophie und Dichtung. 2. Aufl. Stuttgart 1940

M. Kommerell, Jean Paul. 3. Aufl. Frankfurt/M. 1957

W. Müller-Seidel, Vernehmen und Erkennen. Eine Studie über H. v. Kleist. Köln, Graz 1961

Eichendorff Heute. Stimmen der Forschung mit einer Bibliographie. Hrsg. v. P. Stöcklein. München 1960

L. Marcuse, Heinrich Heine. Ein Leben zwischen Gestern und Morgen. Hamburg 1932 und 1951

W. Wadepuhl, Heine-Studien, Weimar 1956

K. J. Obenauer, Das Märchen. Dichtung und Deutung. Frankfurt/M. 1959

G. Lukács, Deutsche Realisten des 19. Jahrhunderts. Berlin 1952

N. Hartmann, Die Philosophie des deutschen Idealismus. 2. Aufl. Berlin 1960

E. Schenkel, Individualität und Gemeinschaft. Der demokratische Gedanke bei J. G. Fichte. Zürich, Leipzig, Stuttgart 1933

W. O. Döring, Fichte, der Mensch und sein Werk. Neue Aufl. Hamburg 1947

E. Benz, Schelling. Werden und Wirken seines Denkens (1955) Vigiliae Albae N. F. 15

K. Jaspers, Schelling. Größe und Verhängnis. München 1955

W. Schulz, Die Vollendung des deutschen Idealismus in der Spätphilosophie Schellings. Stuttgart-Köln 1955

H. Glockner, Hegel, 2 Bde. (Bd. 21 u. 22 der Jubiläumsausgabe 1929–40)

N. Hartmann, Aristoteles und Hegel, 2. Aufl. Erfurt 1933

Th. Litt, Hegel. Versuch einer Erneuerung. Heidelberg 1953

E. Metzke, Hegels Vorreden. Mit Kommentar und Einführung in seine Philosophie. Heidelberg 1949

K. Löwith, Von Hegel zu Nietzsche. Der revolutionäre Bruch im Denken des 19. Jahrhunderts. Marx und Kierkegaard. 4. Aufl. Stuttgart 1958

A. Schopenhauer, Sämtl. Werke Hrsg. v. A. Huebscher, 2. Aufl. 1946 ff.

J. Krauss, Studien über Schopenhauer und den Pessimismus in der deutschen Literatur des 19. Jahrhunderts. 1931

A. Schopenhauer und sein Werk. Festrede und Vorträge. Danzig 1938

A. Huebscher, A. Schopenhauer. Sein Lebensbild. Leipzig 1938

K. Jaspers, Nietzsche. Einführung in das Verständnis seiner Philosophie. Berlin und Leipzig 1936

K. Löwith, Nietzsches Philosophie der ewigen Wiederkehr des Gleichen. Stuttgart 1956

K. Schlechta, Der Fall Nietzsche. Aufsätze und Vorträge. München 1958

G. G. Grau, Christlicher Glaube und intellektuelle Redlichkeit. Eine religionsphilosophische Studie über Nietzsche. Frankfurt/M. 1958

M. Heidegger, Nietzsche 1. 2. Pfullingen 1961

P. Sethe, Deutsche Geschichte im letzten Jahrhundert. Frankfurt/M. 1960

W. Mommsen, Stein, Ranke, Bismarck. Ein Beitrag zur politischen und sozialen Bewegung des 19. Jahrhunderts. München 1954

E. Eyck, Bismarck und das deutsche Reich. Erlenbach-Zürich-Stuttgart 1955

W. Mommsen, Bismarck. Ein politisches Lebensbild. München 1959

L. Reiners, Bismarck, Bd. 1. München 1956

K. Marx als Denker, Mensch und Revolutionär. Ein Sammelbuch hrsg. v. D. Rjazanov. Wien-Berlin 1928

E. Thier, Das Menschenbild des jungen Marx. Kl. Vandenhoeck-Reihe 44

K. Marx und Friedrich Engels. Leben und Werk. Bd. 1 – Berlin 1953 – Marxismus – Leninismus. Geschichte und Gestalt. Berlin 1961

J. de Vries, Die Erkenntnistheorie des dialektischen Materialismus. München, Salzburg, Köln 1958

Philosophie und Gesellschaft. Beiträge zum Studium der marxistischen Philosophie. Hrsg. v. W. Pfoh u. H. Schulze. Berlin 1958

H. Beenken, Das 19. Jahrhundert in der deutschen Kunst. Aufgaben und Gehalte. München 1944

Derselbe, Schöpferische Bauideen der deutschen Romantik. Mainz 1952

R. Benz, Die Welt der Dichter und die Musik. 2. Aufl. des Werkes: Die Stunde der deutschen Musik II. Düsseldorf 1949

Derselbe, Beethovens geistige Weltbotschaft. Heidelberg 1946

Derselbe, Goethe und Beethoven. Stuttgart 1948

R. Buchwald, Schiller und Beethoven. Zur Wesensgestalt deutscher Klassik. Waibstadt, Heidelberg 1946

W. Hess, Beethoven. Wiesbaden 1957 (mit Werkverzeichnis u. Bibliographie)

P. Nettl, Beethoven, Fischer – B. 248. Frankfurt/M. 1958

A. Schering, Beethoven und die Dichtung. Berlin 1936

N. Cardus, Sechs deutsche Romantiker (Schubert, Wagner, Brahms, Bruckner, Mahler, Strauß). Aus d. Engl. Teilausgabe München 1961

W. Zentner, C. Maria v. Weber. Sein Leben und sein Schaffen. Olten-Freiburg 1952

H. Goldschmidt, Franz Schubert. Ein Lebensbild. 2. Aufl. Berlin 1958

E. Bürken, Robert Schumann. Köln 1940

K. Geiringer, Joh. Brahms. Sein Leben und Schaffen. Zürich-Stuttgart 1955

M. Ehrenhaus, Die Operndichtung der deutschen Romantik. Breslauer Beiträge zur Literaturgeschichte H. 29, 1911

W. Beetz, Das Wiener Opernhaus 1869–1945. Zürich 1949

Internationale Wagner-Bibliographie 1945–1955, hrsg. v. H. Barth, Bayreuth

P. Bekker, Wagner, Das Leben im Werke. Stuttgart, Berlin, Leipzig 1924

K. Hildebrandt, Wagner und Nietzsche. Ihr Kampf gegen das 19. Jahrhundert. Berlin 1924

A. Drews, Der Ideengehalt von R. Wagners dramatischen Dichtungen im Zusammenhang mit seinem Leben und seiner Weltanschauung. Leipzig 1931

F. Rühlmann, R. Wagners theatralische Sendung. Ein Beitrag zur Geschichte und Symbolik der Opernregie. Braunschweig 1935

G. Hellberg-Kupfer, R. Wagner als Regisseur. (Schriften d. Gesellschaft f. Theatergeschichte 54), 1942

Th. W. Adorno, Versuch über Wagner. Berlin-Frankfurt/M. 1952

P. A. Loos, R. Wagner, Vollendung und Tragik der deutschen Romantik. München 1952

O. Fries, R. Wagner und die deutsche Romantik. Versuch einer Einordnung. Zürich 1952

R. Wagner, Briefe. Die Sammlung (Mary) Burrell. Hrsg. u. kommentiert von John N. Burk (deutsch v. Geiringer, K. u. J.) Frankfurt 1953

C. v. Westernhagen, Richard Wagner. Sein Werk, sein Wesen. Seine Zeit. Zürich 1956

M. Auer, Anton Bruckner. Sein Leben und Werk. 3. Aufl. Wien 1941

O. Lang, Anton Bruckner. Wesen und Bedeutung. 3. Aufl. München 1947

III. Das 20. Jahrhundert

O. Spengler, Der Untergang des Abendlandes. Umrisse einer Morphologie der Weltgeschichte. München 1941

E. E. Stutz, Die philosophische und politische Kritik Oswald Spenglers. Zürich 1958

A. Baltzer, Untergang oder Vollendung. Spenglers bleibende Bedeutung. 2. erw. Aufl. Göttingen 1956

E. Eyck, Geschichte der Weimarer Republik. Bd. I: Vom Zusammenbruch des Kaisertums bis zur Wahl Hindenburgs 1918–1925 (3. Aufl. 1959) Bd. II: Von der Konferenz von Locarno bis zu Hitlers Machtübernahme. (2. Aufl. 1956)

R. Nöll von der Nahmer, Vom Werden des neuen Zeitalters. Heidelberg 1957

K. Jaspers, Die geistige Situation der Zeit. Berlin-Leipzig 1931

K. Buchheim, Die Weimarer Republik. Grundlagen und politische Entwicklung. München 1960

M. Broszat, Der Nationalsozialismus. Weltanschauung, Programm und Wirklichkeit. Stuttgart 1960

H. G. Dahms, Der zweite Weltkrieg. Tübingen 1960

A. Brecht, Politische Theorie. Die Grundlagen politischen Denkens im 20. Jahrhundert. (Aus dem Amerikanischen), Tübingen 1961

J. M. Bochenski, Europäische Philosophie der Gegenwart. Bern, München 1947

F. J. Brecht, Einführung in die Philosophie der Existenz. Heidelberg 1948

Derselbe, Heidegger und Jaspers. Die beiden Grundformen der Existenzphilosophie. Wuppertal 1948

K. Löwith, Heidegger. Denker in dürftiger Zeit. 2. Aufl. Frankfurt/M. 1960

E. Spranger, Kulturfragen der Gegenwart. Heidelberg 1953

S. Moser, Philosophie der Gegenwart. Meisenheim 1960

H.-H. Schrey, Weltbild und Glaube im 20. Jahrhundert. (Kl. Vandenhoeck-Reihe 17)

H. Ott, Denken und Sein. Der Weg Martin Heideggers und der Weg der Theologie. – Zollikon 1959

H. R. Müller-Schwefe, Der Standort der Theologie in unserer Zeit. (Kl. Vandenhoeck-Reihe 62)

A. Portmann, Zoologie und das neue Bild des Menschen. Biologische Fragmente zu einer Lehre vom Menschen. R. D. E. 20

M. Hartmann, Einführung in die allgemeine Biologie und ihre philosophischen Grund- und Grenzfragen. Berlin 1956

A. Portmann, Neue Wege der Biologie. München 1960

F. Dessauer, Naturwissenschaftliches Erkennen. Beiträge zur Naturphilosophie. Frankfurt/M. 1958

E. v. Khuon, Abenteuer unseres Jahrhundert. Oldenburg-Hamburg 1960

R. Lotze und H. Sihler, Das Weltbild der Naturwissenschaft. Ergebnisse und heutiger Stand der Forschung. Stuttgart 1954

A. Einstein/L. Infeld, Die Evolution der Physik. Von Newton bis zur Quantentheorie. R. D. E. 12

W. Heisenberg, Das Naturbild der heutigen Physik. R. D. E. 8

A. March, Die physikalische Erkenntnis und ihre Grenzen. 2. Aufl. Braunschweig 1960

M. v. Laue, Die Relativitätstheorie. 2 Bde. Braunschweig 1952 u. 1953

K. F. v. Weizsäcker, J. Juilfs, Physik der Gegenwart. 2. Aufl. Göttingen 1958

P. Jordan, Atom und Weltall. Neue u. erw. 9. Aufl. der »Physik des 20. Jahrhunderts«. Braunschweig 1956

A. Einstein, Aus meinen späteren Jahren. (Aus dem Engl.) Stuttgart 1952

K. F. v. Weizsäcker, Einstein und die Wissenschaft unseres Jahrhunderts. Göttingen 1960

P. Jordan, Wie sieht die Welt von Morgen aus? München 1958

Sigmund Freud, Gesammelte Werke. 18 Bde. London 1946 ff.

Carl Gustav Jung, Gesammelte Werke. 9. rev. Aufl. Zürich-Stuttgart 1960

L. Marcuse, Sigmund Freud. Sein Bild vom Menschen. Hamburg 1956

E. Jones, Das Leben und Werk von S. Freud. Übers. v. K. Jones Bd. 1 – Bern und Stuttgart 1960

Th. Mann, Die Stellung Freuds in der modernen Geistesgeschichte. (1929) In: Altes und Neues. Frankfurt/M. 1953

Derselbe, Freud und die Zukunft. Frankfurt/M. 1936. In: Freud, Goethe und Wagner

Freud in der Gegenwart. Ein Vortragszyklus der Universitäten Frankfurt und Heidelberg zum 100. Geburtstag. Frankf. Beiträge zur Soziologie, 6

J. Jacobi, Die Psychologie von C. G. Jung. Eine Einführung in das Gesamtwerk. 2. Aufl. Zürich 1945

Deutsche Literatur im 20. Jahrhundert. Strukturen und Gestalten. Hrsg. v. Friedmann und Mann 4. Aufl. Heidelberg 1961

A. Soergel; C. Hohoff, Dichtung und Dichter der Zeit. Vom Naturalismus bis zur Gegenwart. Neubearbeitung Bd. 1 – Düsseldorf 1961 –

A. Schmidt, Literaturgeschichte. Wege und Wandlungen moderner Dichtung. 2. Aufl. Salzburg, Stuttgart 1959

C. Breithaupt, Literatur, Nation und unsere Zeit. Berlin 1960

W. Grenzmann, Dichtung und Glaube. Probleme und Gestalten der deutschen Gegenwartsliteratur. 4. Aufl. Frankfurt/M., Bonn 1960

W. Emrich, Protest und Verheißung. Studien zur klassischen und modernen Dichtung. Frankfurt/M. Bonn 1960

H. Friedrich, Die Struktur der modernen Lyrik. Von Baudelaire bis zur Gegenwart. Hamburg 1956

Deutsche Lyrik der Gegenwart. Hrsg. u. eingeleitet v. W. Fehse. Stuttgart 1957

W. Weyrauch, Expeditionen. Lyrik seit 1945. München 1959

Th. W. Adorno, Form und Gehalt des zeitgenössischen Romans. In: Akzente 5 (1954)

F. Martini, Das Wagnis der Sprache. Interpretation deutscher Prosa von Nietzsche bis Benn. Stuttgart, 3. Aufl. 1958

S. Melchinger, Theater der Gegenwart. Frankfurt/M. 1956

M. Kesting, Das epische Drama, Stuttgart 1959

M. Dietrich, Das moderne Drama. Stuttgart 1961

J. Gregor, Gerhart Hauptmann. Das Werk und unsere Zeit. Wien 1951

H. Bänzinger, Frisch und Dürrenmatt. München 1960

O. Mann, B. B. – Maß oder Mythos? Ein kritischer Beitrag über die Schaustücke Bertolt Brechts. Heidelberg 1958

R. Grimm, Bertolt Brecht. Die Struktur seines Werkes. 2. Aufl. Nürnberg 1960

Derselbe, Bertolt Brecht und die Weltliteratur. Nürnberg 1961

H. Fraenkel, Unsterblicher Film. Die große Chronik. Bd. I: Von der Laterna magica bis zum Tonfilm. Bd. II: Vom ersten Ton bis zur farbigen Breitwand. München 1956 und 1957

Stefan George, Gesamtausgabe, Werke 18 Bde. 1927 ff. Neuausgabe 2 Bde. 1957

E. Jaime, Stefan George und die Weltliteratur. Ulm 1949

L. Asbeck-Stausberg, Stefan George. Werk und Gestalt. Warendorf 1951

E. Salin, Um Stefan George. Erinnerung und Zeugnis. 2. Aufl. München und Düsseldorf 1954

R. Boehringer, Mein Bild von Stefan George. München und Düsseldorf 1951

E. Morwitz, Kommentar zu dem Werk Stefan Georges. München 1960

Rainer Maria Rilke, Sämtliche Werke. Hrsg. vom Rilke-Archiv. Wiesbaden 1955 ff.

K. Kippenberg, Rainer Maria Rilke. Ein Beitrag. 4. Aufl. Wiesbaden 1948

F. J. Brecht, Schicksal und Auftrag des Menschen. Philosophische Interpretation zu Rainer Maria Rilkes Duineser Elegien. München 1949

R. Guardini, Rainer Maria Rilkes Deutung des Daseins. München 1953

E. Buddeberg, Denken und Dichten des Seins. Heidegger, Rilke. Stuttgart 1956

W. L. Graff, Rilkes lyrische Summen. Aus d. Engl übers. v. E. Killy Berlin 1960

W. Ritzer, Rainer Maria Rilke, Bibliographie. Wien 1951

Hugo von Hofmannsthal. Gesammelte Werke, 13 Bde. Hrsg. v. H. Steiner 1946 ff.

K. J. Naef, H. v. Hofmannsthals Wesen und Werk mit einer Hofmannsthalbibliographie von H. Steiner. Zürich-Leipzig 1938

C. J. Burckhardt, Erinnerungen an Hofmannsthal und Briefe des Dichters. Basel 1944

O. Heuschele, H. v. Hofmannsthal. Dank und Gedächtnis. Mit einem Anhang: Aus Briefen Hofmannsthals an den Verfasser. Freiburg 1949

R. Alewyn, Über H. v. Hofmannsthal. (Kl. Vandenhoeck-Reihe 57)

Trakl-Bibliographie. Salzburg 1956

Erinnerungen an Trakl. Zeugnisse und Briefe. 2. Aufl. Salzburg 1959

L. Dietz, Die lyrische Form Georg Trakls. Salzburg 1959

W. Killy, Über Georg Trakl. Göttingen 1960

Derselbe, Wandlungen des lyrischen Bildes. (Kl. Vandenhoeck-Reihe 22/23)

H. E. Holthusen, Kritisches Verstehen. Neue Aufsätze zur Literatur. München 1961

G. Loose, Die Ästhetik Gottfried Benns. Frankfurt/M. 1961

Th. Koch, Gotfried Benn. Ein biographischer Essay, München 1957

E. Lohner, Gottfried Benn. Bibliographie 1912–1956. Wiesbaden 1958

E. Buddeberg, Gottfried Benn. Stuttgart 1961

K. Wagenbach, Franz Kafka. Eine Biographie seiner Jugend. Bern 1958

W. Emrich, Franz Kafka. Das Baugesetz seiner Dichtung. Der mündige Mensch jenseits von Nihilismus und Tradition. Frankfurt/M. – Bonn 2. Aufl. 1960

H. Pongs, Franz Kafka, Dichter des Labyrinths. Heidelberg 1960

H. Böschenstein, Der neue Mensch, Die Biographie im deutschen Nachkriegsroman. Heidelberg 1958

H. Bürgin, Das Werk Thomas Manns. Eine Bibliographie unter Mitarbeit von W. A. Reichart und E. Neumann. Frankfurt/M. 1959

W. H. Sokel, Der literarische Expressionismus. Der Expressionismus in der deutschen Literatur des 20. Jahrhunderts. (Aus d. Amerik.) München 1959

Expressionismus. Gestalten einer literarischen Bewegung. Hrsg. v. H. Friedmann und O. Mann. Heidelberg 1956

F. Martini, Was war Expressionismus? Urach 1948

W. Paulsen, Aktivismus und Expressionismus. Eine typologische Untersuchung. Bern-Leipzig 1935

W. Stuyver, Deutsche expressionistische Dichtung im Lichte der Philosophie der Gegenwart. Amsterdam-Paris 1939

P. Pörtner, Literatur-Revolution 1910–1925. Dokumente, Manifeste, Programme 1 – Darmstadt, Neuwied, Berlin 1960 –

P. Raabe, Expressionismus, Literatur und Kunst 1910–1923. Eine Ausstellung des deutschen Literatur-Archivs im Schiller-Nationalmuseum Marbach 1960

K. Edschmid, Lebendiger Expressionismus. München, Wien, Basel 1961

W. Muschg, Von Trakl zu Brecht. Dichter des Expressionismus. München 1961

R. Brinkmann, Expressionismus. Forschungsprobleme 1952–1960. Stuttgart 1961

A. Goléa, Musik unserer Zeit. (Aus dem Französ.) München 1955

Prisma der gegenwärtigen Musik. Tendenzen und Probleme des zeitgenössischen Schaffens. Hrsg. v. J. v. Berendt und J. Uhde. Hamburg 1959

M. Graf, Geschichte und Geist der modernen Musik. Stuttgart-Wien 1953

H. Engel, Musik und Gesellschaft. Bausteine zu einer Musiksoziologie. Berlin-Halensee 1960

W. Furtwängler, Gespräche über Musik. 2. Aufl. Zürich 1949

W. Abendroth, Vier Meister der Musik. Bruckner, Mahler, Reger, Pfitzner. München 1952

R. Strauß, Betrachtungen und Erinnerungen. Hrsg. v. W. Schuh. 2. Aufl. Freiburg 1957

H. Pfitzner, Eindrücke und Bilder meines Lebens. Hamburg-Bergedorf 1948

W. Beetz, Das Wiener Opernhaus 1869–1945. Zürich 1949

Oper im Bild. Ein Querschnitt durch das deutsche Opernschaffen seit 1945. Berlin-Halensee-Wunsiedel 1961

K. H. Wörner, Neue Musik in der Entscheidung. Mainz 1956

R. Stephan, Neue Musik. Versuch einer kritischen Einführung. Göttingen 1958

Th. W. Adorno, Philosophie der Neuen Musik. 2. Aufl. 1958

Derselbe, Dissonanzen, Musik in der verwalteten Welt. (Kl. Vandenhoeck-Reihe 28/29)

Musica viva. Hrsg. v. K. H. Ruppel. München 1959

F. Herzfeld, Musica nova. Die Tonwelt unseres Jahrhunderts. Berlin 1959

K. H. Ruppel, Musik in unserer Zeit. Eine Bilanz von 10 Jahren. München 1960

A. Melichar, Musik in der Zwangsjacke. Die deutsche Musik zwischen Orff und Schönberg. 2. Aufl. Wien-Stuttgart 1959

H. H. Stuckenschmidt, Arnold Schönberg. 2. Aufl. Zürich 1957

A. Schoenberg, Briefe, Ausgew. u. hrsg. v. E. Stein. Mainz 1958

Derselbe, Die formbildenden Tendenzen der Harmonie. (Aus dem Engl.) Mainz 1957

H. Strobel, Paul Hindemith. 3. Aufl. Mainz 1948

P. Hindemith, Komponist in seiner Welt. Weiten und Grenzen (Aus dem Amerik.) Zürich 1959

F. K. Prieberg, Musica ex machina. Über das Verhältnis von Musik und Technik. Berlin 1960

A. Silbermann, Musik, Rundfunk und Hörer. Die soziologischen Aspekte der Musik am Rundfunk. (Aus dem Französ.) Köln 1959

O. F. Regner, Das Ballettbuch. Frankfurt/M. 1954 und 1956

M. Niehaus, Junges Ballett. München 1957

F. Roh, Geschichte der deutschen Kunst von 1900 bis zur Gegenwart. München 1958

Der Jugendstil. Der Weg ins 20. Jahrhundert. Hrsg. v. H. Selling. Heidelberg 1959

L. Grote, Deutsche Kunst im 20. Jahrhundert. München 1953

Die Künste im technischen Zeitalter. Hrsg. v. der Bayerischen Akademie d. schönen Künste. (Beiträge von Preetorius, Guardini, Heisenberg, Heidegger, F. G. Jünger, Riezler, Schröter) München 1954

W. Haftmann, Malerei im 20. Jahrhundert. München 1954

L.-G. Buchheim, Der Blaue Reiter und die »Neue Künstlervereinigung München«. Feldafing 1959

W. Hess, Dokumente zum Verständnis der modernen Malerei. R. D. E. 19 (1958) Darin die Bibliographien u. a. von Baumeister, Beckmann, Dada, Ernst, Kandinsky, Kirchner, Klee (vgl. auch P. Klee, Selbstzeugnisse und Bilddokumente, Rowohlt 1961, p. 164–168), Kokoschka, Kubin Macke, Marc, Modersohn-Becker, Nolde, Schlemmer, Westheim

B. S. Myers, Die Malerei des Expressionismus. (Aus dem Amerik.) 2. Aufl. Köln 1959

W. Haftmann, Emil Nolde. Hrsg. v. der Stiftung Seebüll. Ada und Emil Nolde. Köln 1958

C. Giedion-Welcker, Paul Klee. Stuttgart 1954

L.-G. Buchheim, Max Beckmann. Feldafing 1959

Neue Kunst nach 1945. Hrsg. v. W. Grohmann. Köln 1958

H. Sedlmayr, Verlust der Mitte. Salzburg 1948

Derselbe, Die Revolution der modernen Kunst. Hamburg 1955

W. Winkler, Psychologie der modernen Kunst. Tübingen 1949

A. Hauser, Sozialgeschichte der Kunst und Literatur. 2 Bde. München 1953

A. Gehlen, Zeit-Bilder. Zur Soziologie und Ästhetik der modernen Kunst. Frankfurt/M.-Bonn 1960

W. Hausenstein, Was bedeutet die moderne Kunst? Leitstetten 1949

Derselbe, Die Kunst in diesem Augenblick. Aufsätze und Tagebuchblätter aus 50 Jahren. München 1960

L. Zahn, Kleine Geschichte der modernen Kunst. Berlin 1956

C. A. Platz, Baukunst der neuesten Zeit. Propyläen-Kunstgeschichte. Berlin

A. Roth, Die neue Architektur. 4. Aufl. Zürich 1949

A. Henze, Einführung in die moderne Architektur. Kunstwerk VII 3/4. Baden-Baden 1954

W. Grohmann, Bildende Kunst und Architektur zwischen den beiden Kriegen. Berlin 1953

W. Gropius, Architektur. Wege zu einer optischen Kultur. Frankfurt/M. 1956

S. Giedion. Walter Gropius. Mensch und Werk. Stuttgart 1954

C. Giedion-Welcker, Plastik des 20. Jahrhunderts Volumen- und Raumgestaltung. Bibliographie von B. Karpel. Stuttgart 1955

U. Gertz, Plastik der Gegenwart. Berlin 1953

BILDNACHWEIS

Fritz Lockemann

GESTALT UND WANDLUNGEN
DER DEUTSCHEN NOVELLE

Geschichte einer literarischen Gattung im 19. und 20. Jahrhundert

391 Seiten, Leinen 14,80 DM

»Lockemanns Versuch einer Gattungsgeschichte ist voller Anregungen und ver-
mittelt einen Einblick in die Tiefe novellistischer Gestaltung, wie sie eine ganze
Reihe durchschnittlicher Interpretationen nicht zu geben vermögen.«
Blätter für den Deutschlehrer

»Das Buch Lockemanns darf als einer der wertvollsten neueren Beiträge zu dem
Problem der Novelle gelten, ja mehr noch: als bedeutsamer Neuansatz zu seiner
Behandlung. Was keine der vorausgegangenen Arbeiten zu leisten vermocht
hatte, stellt sich Lockemann bewußt zur Aufgabe: eine Gattungsgeschichte im
strengen Sinn zu geben, d.h. den historischen Nachweis eines durchgehenden
Strukturgesetzes zu erbringen.«
Neues Land (Zeitschrift des bayer. Neuphilologenverbandes)

»Man muß bewundern, mit welcher Klarheit und Folgerichtigkeit die Analysen
von nahezu 400 Novellen von Goethe bis Bergengruen durchgeführt sind. Der
Autor wird dabei den verschiedensten Möglichkeiten gerecht und verfällt nie der
Gefahr des ästhetischen Dogmatismus. Vielmehr gelingt ihm gerade auf dem
gleichbleibenden Hintergrund der Gattung die Profilierung einer Fülle scharf
charakterisierter Dichtergestalten.« *Das Bücherblatt, Zürich*

»Es ist ein großes Verdienst Lockemanns, daß er die vielfältigen soziologischen,
geistesgeschichtlichen, inhaltlichen und formalen Aspekte zu verschmelzen gewußt hat. Sein Buch erhält dadurch eine Fülle und Geschlossenheit, die man nicht
eben häufig findet.« *Stuttgarter Zeitung*

MAX HUEBER VERLAG

IM ZEICHEN DER HOFFNUNG

Herausgegeben von Erwin de Haar. – XVI, 712 Seiten mit 21 Bildtafeln (davon eine farbig) und biographischem Anhang, Großformat, Leinen 23,80 DM – 2. Auflage im Druck

Eine profunde Anthologie deutscher Kultur im Spiegel der Kritik:

»Der Herausgeber hat die Schwierigkeiten der Auswahl vorzüglich gemeistert. Der Bogen spannt sich von Goethe und Jean Paul bis zu Nelly Sachs und Gottfried Benn, bezieht rein poetische Texte, kritische Stücke und reine Schilderungen ein und läßt dies alles in solcher Fülle an uns vorbeiziehen, daß aus der Meisterschaft des Wortes tatsächlich ein Gefühl der Hoffnung entsteht.«

Frankfurter Allgemeine Zeitung

»In Dichtung und Betrachtung, Lyrik, Brief, Rede, Aphorismus, Erzählung, dramatischer Szene, Kritik und Feuilleton bildet sich in Fülle und Farbigkeit ein schöner Zusammenklang alter und neuer Meisterprosa und Lyrik. – Ein Kompendium deutscher Prosa und Lyrik, das man allen Literaturfreunden nachdrücklich empfehlen kann.«

Stuttgarter Zeitung

»Hier erschließen sich Quellgründe der deutschen Literatur. Schönheit der Sprache, Reichtum der Gedanken, Wahrhaftigkeit der Aussage führen von der Klassik bis in die Gegenwart. Das Buch kann im eigenen Land ein Vademecum der Deutschen werden, im Ausland wird es ein Sendbote unserer Sprache und Literatur sein.«

Behaim-Blätter

»Man fühlt sich an Hofmannsthals oder auch an Borchardts große Unternehmungen unwillkürlich erinnert. Aber mehr als frühere Anthologien blickt dieses Buch in die Zukunft, wagend und hoffend. – Was wir als unser Eigentliches und Bestes, das unser Wesen Aussprechende empfinden, ist in dieser Auswahl geboten.«

Prof. Dr. W. Grenzmann in »Echo der Zeit«

MAX HUEBER VERLAG